Wissenschaftliche Monographien
zum Alten und Neuen Testament

Begründet von
Günther Bornkamm und Gerhard von Rad

In Verbindung mit
Erich Gräßer und Hans-Jürgen Hermisson
herausgegeben von
Ferdinand Hahn und Odil Hannes Steck

55. Band
Bernd Janowski
Sühne als Heilsgeschehen

Neukirchener Verlag

Bernd Janowski

Sühne als Heilsgeschehen

Studien zur Sühnetheologie der Priesterschrift und zur Wurzel KPR im Alten Orient und im Alten Testament

1982

Neukirchener Verlag

Gedruckt mit Unterstützung der Deutschen Forschungsgemeinschaft

Umschlaggestaltung: Kurt Wolff, Düsseldorf
Gesamtherstellung: Breklumer Druckerei Manfred Siegel
Printed in Germany – ISBN 3-7887-0663-5

CIP-Kurztitelaufnahme der Deutschen Bibliothek

Janowski, Bernd:
Sühne als Heilsgeschehen: Studien zur Sühnetheologie d. Priesterschr. u. zur Wurzel KPR im Alten Orient u. im Alten Testament / Bernd Janowski. – Neukirchen-Vluyn: Neukirchener Verlag, 1982.
(Wissenschaftliche Monographien zum Alten und Neuen Testament; Bd. 55)
ISBN 3-7887-0663-5
NE: GT

Für Christine

Vorwort

Das einseitige Urteil über die Priesterschrift, das seit den Tagen J. Wellhausens in Theologie und Kirche Schule gemacht hat, ist in den letzten drei Jahrzehnten einer differenzierteren Sicht gewichen. Die Erschaffung von Welt und Mensch (Gen 1,1–2,4a), der Bund Gottes mit Noah (Gen 9,8ff.) und Abraham (Gen 17), die Segnung des Erzvaters Jakob (Gen 35,9ff.), die erneute Zusage Jahwes an Mose (Ex 6,2ff.) und schließlich die Herabkunft der Herrlichkeit Gottes auf den Sinai (Ex 24,15ff.) – dies alles sind Hauptstücke priesterschriftlicher Theologie, die in der heutigen Wissenschaft vom Alten Testament auch theologisch ernst genommen werden. Wie aber fügt sich in diesen Zusammenhang der Sühnekult mit seinen für uns Heutige so befremdlichen Blutriten? Ist es nicht eine *metabasis eis allo genos*, wenn der priesterliche Verfasser von jenen Höhepunkten der Heilsgeschichte zu dieser spröden, ja düster erscheinenden Thematik übergeht? Und was bedeutet die Sühnethematik für das Gottes- und Selbstverständnis Israels in der Krisenzeit des Exils?

Wer versucht, sich diesen Fragen zu stellen, stößt bald auf fundamentalere Schwierigkeiten: Schließt der Begriff der Sühne die Vorstellung eines heilvollen Geschehens nicht aus, entbehrt er nicht grundsätzlich jeder positiven Konnotation? Die Antworten, die sich auf diese Frage von der Theologie- und Geistesgeschichte her nahelegen, sind eindeutig. Aber sind sie auch sachgemäß? Will man den Ausdruck »Sühne« nicht aufgeben, sondern für die Beschreibung biblisch-theologischer Sachverhalte beibehalten, so ergibt sich die Notwendigkeit einer Neubestimmung seines Sinngehalts von den Texten her. Dies wird in der vorliegenden Arbeit versucht. Zentral für sie wurde die Einsicht, daß der priesterliche Verfasser (nach Ausweis von Lev 17,11) den Menschen nicht als Urheber eines heilschaffenden Werkes, sondern als Empfänger einer göttlichen Vor-Gabe sieht: Gerade im Akt der Entsühnung erfährt sich der Mensch als ein Beschenkter, als jemand, der auf die mit der Gabe des Sühnemittels Blut erwiesene Versöhnungsbereitschaft Gottes im Kultgeschehen antwortet, indem er (bzw. stellvertretend für ihn der Priester) den Sühneritus vollzieht. *Do quia dedisti* – »Ich (der Mensch) gebe, weil du (Gott zuvor) gegeben hast« –, dies und nicht das übliche *do ut des* – »Ich gebe, damit du gibst« – könnte eine Kurzformel für die innere Logik des kultischen Sühnegeschehens sein. Daß nach dem wegweisenden Aufsatz »Die Sühne« von H. Gese neuerdings auch von anderer Seite versucht wird, Sühne und Versöhnung wieder aufeinander zu beziehen, die Sühne von jenem »Zuvor der Gnade Gottes« her zu verstehen (O. Hofius, A. Schenker, E. Wiesnet), ist nicht nur für die Exegese ein ermutigendes Zeichen.

Nach Abschluß dieser Untersuchung, die im Sommersemester 1980 von der

Evangelisch-theologischen Fakultät der Universität Tübingen als Dissertation angenommen wurde und hier in überarbeiteter Form vorgelegt wird, habe ich vielfach zu danken: zuerst meiner Mutter, die mir in familiär schwieriger Situation den Weg ins Studium gebahnt, und dem Evangelischen Studienwerk Villigst, das dieses Studium finanziell getragen hat; ferner meinem verehrten Lehrer, Herrn Prof. Dr. H. Gese, der mir in seinen Lehrveranstaltungen sowie im persönlichen Gespräch den Zugang zur biblischen Überlieferung erschloß und später seinen Assistenten stets an seiner eigenen Forschung teilnehmen ließ; er hat auch das Thema der Doktorarbeit angeregt und mir in großzügiger Weise Zeit für dessen Ausarbeitung gewährt. Zu danken habe ich ebenso Herrn Prof. Dr. Dr. H. Donner für die Erstellung des Korreferates, den Herren Professoren Dr. O. H. Steck und Dr. H.-J. Hermisson, die die Arbeit in die Reihe »Wissenschaftliche Monographien zum Alten und Neuen Testament« aufgenommen und wichtige Hinweise zur Überarbeitung gegeben haben, und schließlich der Deutschen Forschungsgemeinschaft für die Gewährung eines namhaften Druckkostenzuschusses. Dankbar erwähne ich auch die Herren Professoren Dr. M. Hengel, Dr. W. Röllig, Dr. H. P. Rüger, Dr. P. Stuhlmacher sowie die Freunde Dr. H. Lichtenberger und Dr. Dr. habil. M. Welker, die durch ihr Interesse und ihre Kritik den Fortgang meiner Studien gefördert haben. Für die sorgfältige Drucklegung des schwierigen Manuskriptes danke ich den Mitarbeitern in Verlag und Druckerei, namentlich den Herren Dr. Chr. Bartsch und Dr. R. Weth, und für das umsichtige Mitlesen der Korrekturen Herrn H.-D. Neef.

In besonderer Weise ist dieses Buch das Ergebnis des intensiven Dialogs mit meiner Frau. Ihr ist es darum gewidmet.

Tübingen, im Februar 1982 Bernd Janowski

Inhalt

Fragestellung und Methode der Arbeit

In den biblischen Schriften, aber auch im Liedgut der Kirche, begegnet mit dem Wort »Sühne« ein Begriff, der zu den Grundlagen der christlichen Überlieferung gehört. So zitiert Paulus in seinem Brief an die Römer einen Traditionstext, der das Ziel des göttlichen Gerechtigkeitserweises mit zentralen Elementen altisraelitischer Sühnetheologie formuliert: ». . . den (sc. Jesus Christus) Gott öffentlich eingesetzt hat als ἱλαστήριον . . . in seinem Blut, zum Erweis seiner Gerechtigkeit um der Vergebung der zuvor geschehenen Sünden willen durch die Geduld Gottes« (Röm 3,25f.). Und am Weihnachtsabend besingt die christliche Gemeinde Christi Erscheinen zu unserer »Versühnung«: »Christ ist erschienen, uns zu versühnen« (EKG 406,2). Der Sinn dieser Liedstrophe und jenes Traditionstextes ist nicht strittig: Mit den Begriffen ἱλαστήριον und »versühnen« ist jeweils ein gnädiges, dem Menschen zugute kommendes Handeln Gottes in Jesus Christus gemeint.
Allerdings: Nur wenige Grundbegriffe der Bibel werden in Theologie und Kirche so kontrovers beurteilt wie gerade der Sühnebegriff. Die Gründe für diesen Sachverhalt sind unterschiedlicher Natur. Sieht man ab vom klassischen Mißverständnis biblischer Sühnetheologie (: Sühne als Versöhnung der durch die menschliche Sünde verletzten Majestät Gottes)[1], so sind es im wesentlichen zwei, theologie- und kirchengeschichtlich gleichermaßen folgenreiche Deutungsmuster, die einen sachgemäßen Zugang zur Sühnethematik in der Vergangenheit weitgehend verhindert haben und noch gegenwärtig erheblich erschweren: die strafrechtliche Definition von Sühne als »ausgleichende Gerechtigkeit« und die theologische Qualifizierung kultischen Handelns als »menschliche Leistung«. Einige Textbeispiele aus der neueren Forschung mögen die besondere Strittigkeit des biblischen Sühnebegriffs veranschaulichen:

»Der Kult schiebt sich als ein nicht gestifteter, nur regulierter Versuch des Menschen, sich mit eigener Leistung Erlösung zu schaffen, zwischen Gott und den Menschen. Das Magische will an die Stelle des Ethischen treten; die Sünde als das, was der Mensch sühnen muß und auch sühnen kann, will die Schuld als das, was nur Gott, und er nur aus seiner Gnade heraus,

1 Eine detaillierte auslegungs- und theologiegeschichtliche Darstellung, wie sie etwa *Stuhlmacher* (Gerechtigkeit Gottes, S. 11–73) für den biblischen Gerechtigkeitsbegriff vorgelegt hat, fehlt leider für die Begriffe Sühne und Versöhnung; zur Orientierung s. *O. Weber*, Grundlagen der Dogmatik, Bd. II, Neukirchen 1962, S. 201–257; *F. H. Kettler*, Art. Versöhnung (V), RGG³ VI, Sp. 1373ff.; *W. Kreck*, Grundfragen der Dogmatik, München ²1977, S. 287ff.; *G. Greshake*, in: *L. Scheffczyk* (Hrsg.), Erlösung und Emanzipation (QD 61), Freiburg/Basel/Wien 1973, S. 69–101; *ders.*, ThQ 153 (1973), S. 323–345; *ders.*, BiKi 33 (1978), S. 7–14; *W. Kasper*, Jesus der Christus, Mainz 1974, S. 254ff.; *U. Wilckens*, EKK VI/1, 1978, S. 195f. mit Anm. 551; S. 234ff.241ff.

vergeben kann, verdrängen. (. . .) Sühne ist die Aufhebung der objektiven Störung zwischen Gott und Mensch, wenn die Würde oder das Recht Gottes verletzt ist. (. . .) . . . Sühne leistet der Mensch. Versöhnung aber kommt nicht aus seiner Leistung, sondern aus dem freien Entschluß Gottes« *(L. Köhler)*[2].

»Der Gedanke der Sühne ist ein juristischer, und seine Anwendung auf Gott ist Mythologie« *(R. Bultmann)*[3].

Im Gegensatz zum alttestamentlich-jüdischen Sühnekult ist es für die neutestamentliche Versöhnungslehre konstitutiv, daß »nirgendwo wir Gott mit uns versöhnen, wie es einer Opferanschauung entsprechen würde. Stets ist Gott das alleinige Subjekt des versöhnenden Handelns« *(E. Käsemann)*[4].

»Die Wendung ›gestorben für unsere Sünden‹ sagt: die Ursache seines (sc. Jesu) Leidens sind unsere Sünden, das Ziel seines Leidens ist unsere Entsühnung, der Grund seines Leidens ist die Liebe Gottes zu uns. Die Auferweckung Jesu ist mit diesen Deutungen seines Todes, und diese Deutungen seines Todes sind mit seiner Auferweckung von den Toten nur schwer harmonisierbar. Denn die Sühnopfervorstellungen bewegen sich durchweg im Rahmen des Gesetzes: Sünden verletzen das Gesetz, Sühne stellt das Gesetz wieder her. Durch Sünden fällt der Mensch aus der Gerechtigkeit des Gesetzes heraus und kommt unter die Anklage des Gesetzes, durch Sühne wird er wieder in die Gerechtigkeit des Gesetzes eingesetzt. Sühne für die Sünden hat immer einen retrospektiven Charakter. Ihr Zukunftssinn ist die restitutio in integrum, aber nicht der Anfang eines neuen Lebens« *(J. Moltmann)*[5].

Die Priesterschrift ist eine Programmschrift, »die sich mittels der Rückprojektion in die Mosezeit legitimiert. Diesem Charakter von P entsprechen die theologischen Merkmale: zunehmende Verengung auf Israel, überwiegende Beschränkung von Kultus und Opfern auf es, Steigerung der Transzendenz Gottes mit dem alleinigen Zugang über Priester und Kultus, Erfassung des ganzen Lebens durch das Ritualgesetz, Sicherung des Daseins durch die Sühne als Hauptzweck des Kultus« *(G. Fohrer)*[6].

Ein positives Verständnis des (kultischen) Sühnegeschehens findet sich demgegenüber nur vereinzelt:

»In beiden Fällen – sowohl bei der Entsühnung von Menschen wie bei der von Gegenständen – bestand das Sühnegeschehen darin, daß Jahwe die zerstörende Unheilswirkung einer Tat

2 Theologie, S. 202.204f., vgl. dazu unten S. 6.

3 In: Kerygma und Mythos I. Ein theologisches Gespräch, hrsg. von *H.-W. Bartsch*, Hamburg [5]1967, S. 122–138, hier: S. 127.

4 Erwägungen, S. 50. Zur Diskussion mit *Käsemann* s. besonders *J. A. Fitzmyer*, in: No Famine in the Land (FS *J. L. McKenzie*), ed. *J. W. Flanagan – A. W. Robinson*, Missoula/Montana 1975, S. 155–177.

5 Der gekreuzigte Gott. Das Kreuz Christi als Grund und Kritik christlicher Theologie, München [3]1976, S. 170f. Gleichwohl hält *Moltmann* an der Sühnevorstellung fest (zur Begründung s. S. 171). Zu einer kritischen Weiterführung der Konzeption *Moltmanns* s. *K. Stock*, EvTh 40 (1980), S. 240–256, hier: S. 254ff.

6 Art. Priesterschrift, RGG^3 V, Sp. 568f., hier: Sp. 568 (s. dazu unten S. 7). Analoge Ausführungen bei *H.-P. Müller*, Ursprünge und Strukturen alttestamentlicher Eschatologie (BZAW 109), S. 63f.

aufhob. Er unterbrach den Sünde-Unheilszusammenhang, und zwar geschah das in der Regel auf die Weise, daß die Unheilswirkung des Bösen auf ein Tier abgeleitet wurde, das stellvertretend für den Menschen (oder den Kultgegenstand) starb. Sühne war also kein Strafakt, sondern ein Heilsgeschehen. (. . .) Das alles war aber kein ›magisches‹ Geschehen, das nur in Bewegung gesetzt zu werden brauchte, um zu dem gewünschten Erfolg zu führen. Diese Rituale zeigen ja nur die äußere Seite eines sakralen Geschehens, wie es ablief, wenn die von Jahwe bevollmächtigten Priester ihr Ja gesprochen hatten« *(G. von Rad)*[7].

Was also meint der biblische, speziell der alttestamentliche Sühnebegriff: eine Leistung des Menschen zum Zweck der »Selbsterlösung« oder ein gnädiges Handeln Gottes für den Menschen, einen Strafakt oder ein Heilsgeschehen, die Behaftung bei den Konsequenzen des intendierten/realisierten Bösen oder den Anfang eines neuen Lebens? Anhand der Frage nach der biblisch-exegetischen Legitimität der strafrechtlichen Definition der Sühne und der theologischen Abwertung kultischen Handelns soll versucht werden, Thema und Absicht der vorliegenden Arbeit näher zu umreißen (I) und ihren methodischen Ansatz zu erläutern (II).

I

(1) Im heutigen Sprachgebrauch sind die (seit dem 17. Jahrhundert umgangssprachlich kaum mehr verwendeten) Begriffe »Sühne« und »sühnen«[8], gemäß ihrer Herkunft aus westgermanischer Sprach- und Rechtstradition (althochdeutsch *suona* »Gericht, Urteil; Versöhnung, Friedensschluß«, *suonen* »Gericht halten, richten; sühnen, versöhnen«; mittelhochdeutsch *suone, süenen*, u.a.)[9], ausschließlich auf den Bereich strafrechtlicher Tatfolgeregulierungen bezogen. Sühne bedeutet in diesem Zusammenhang »Ersatzleistung, Genugtuung für ein begangenes Unrecht«[10].

7 Theologie I, S. 284. Dieses Sühneverständnis ist ursprünglich von *K. Koch* in seiner Erlanger Habilitationsschrift »Die israelitische Sühneanschauung und ihre historischen Wandlungen« (1956) erarbeitet und von »G. von Rad in seiner Theologie des Alten Testaments übernommen und in einen größeren Zusammenhang hineingestellt« worden (*Koch*, Sühne, S. 218; der Zusammenhang bei *von Rad:* a.a.O., S. 275ff.). Eine über die Darlegungen *Kochs* und *von Rads* hinausgehende Sicht der Dinge, der die vorliegende Arbeit wesentliche Impulse verdankt, hat *Gese*, Sühne, S. 85ff. vorgelegt, vgl. *ders.*, Gesetz, S. 66ff.83f.

8 S. *J. G.* und *W. Grimm*, Deutsches Wörterbuch, Bd. 10,4, Leipzig 1942, Sp. 1010ff., bes. Sp. 1014.1023, ferner *H. Kipper*, Wörterbuch der deutschen Umgangssprache, Hamburg 1955ff. (ohne Nachweis).

9 S. *W. Wackernagel*, Althochdeutsches Handwörterbuch, Basel 1878, S. 285; *M. Lexer*, Mittelhochdeutsches Handwörterbuch, Bd. 2, Leipzig 1876, Sp. 1287.1322f.; *Grimm*, a.a.O., Sp. 1010–1037, ferner *H. Paul*, Deutsches Wörterbuch, Tübingen ^{6}1968, S. 654f.; *F. Kluge*, Etymologisches Wörterbuch der deutschen Sprache, Berlin ^{20}1967, S. 763f. Zum Sühne- und Satisfaktionsbegriff des germanischen und mittelalterlichen Rechts s. im Reallexikon der Germanischen Altertumskunde, Strassburg ^{1}1911ff.; Berlin/New York ^{2}1973ff. die Artikel: Blutrache, Buße, Fehde, Friedensgeld, Strafrecht, Wergeld; *W. Schild*, Alte Gerichtsbarkeit. Vom Gottesurteil bis zum Beginn der modernen Rechtssprechung, München 1980, S. 255 s.v. Sühne, vgl. auch *G. Greshake*, ThQ 153 (1973), S. 323–345, hier: S. 330ff. (Lit.).

10 *R. Klappenbach – W. Steinitz*, Wörterbuch der deutschen Gegenwartssprache, Bd. 5, Berlin 1976, S. 3666.

Worin besteht der Strafcharakter dieses Vorgangs der Wiedergutmachung durch Ersatzleistung?

Ihrem Wesen nach stellt jede staatliche Strafe »ein öffentliches, sozialethisches Unwerturteil über den Täter wegen der von ihm begangenen Rechtsverletzung«[11] dar. Angesichts dieses »Übelcharakters der Strafe«[12] ergibt sich als rechtswissenschaftliches Grundproblem die Frage nach deren ethischer Rechtfertigung (Sinn oder Zweck der Strafe)[13]. Diese wird in der modernen Strafrechtslehre im Rahmen verschiedener Straftheorien, ausgehend von den beiden Grundgedanken der Vergeltung und der Vorbeugung, beantwortet: während die sog. relativen Straftheorien den Strafzweck in der *Verhinderung zukünftiger Straftaten* sehen (»*punitur, ne peccetur*«), ist die Strafe nach den sog. absoluten Straftheorien allein auf das Faktum der begangenen Rechtsverletzung bezogen; dementsprechend wird ihr Sinn in *Vergeltung oder Sühne für die schuldhafte Normverletzung durch den Rechtsbrecher* gesehen (»*punitur, quia peccatum est*«)[14]. Dabei wird die Strafe nach der Vergeltungstheorie näherhin als gerechter Ausgleich für die Schuld des Täters verstanden, d.h. als Sühne im Sinne von Vergeltung *in malam partem* (Vergeltung des Übels mit einem Übel um der Gerechtigkeit willen). Demgegenüber sieht die »Sühnetheorie«, die zweite Grundform der sog. absoluten Straftheorien, den Sinn der Strafe in der »reinigenden, sühnenden Funktion« für den Rechtsbrecher, dem dadurch die »Möglichkeit reinigender Sühne und damit die Herstellung der Solidarität mit seinen Mitmenschen«[15] gewährt werden soll. Sowohl nach der »Vergeltungstheorie« als auch nach der »Sühnetheorie« ist Strafe verstanden als eine der Straftat entsprechende Schuldvergeltung: »*punitur, quia peccatum est*«.

Sowenig die auf dem Vergeltungs- oder Sühneprinzip basierenden Straftheorien geeignet sind, eine Sinnhaftigkeit staatlichen Strafens im demokratischen und sozialen Rechtsstaat zu begründen[16], sowenig vermag auch der strafrechtlich qualifizierte Sühnebegriff den Aussagegehalt des alttestamentlich durch die Wurzel כפר bezeichneten biblischen Sühnebegriffs zu erfassen[17]. Diese Inkommensurabilität hat ihren Grund weniger darin, daß

11 *H.-J. Jescheck*, Lehrbuch des Strafrechts. Allgemeiner Teil, Berlin ³1978, S. 50.

12 »Die Leugnung des Übelcharakters der Strafe würde nichts anderes bedeuten als die Leugnung des Strafbegriffs selbst« (*Jescheck*, ebd.).

13 S. dazu etwa *K. Engisch*, Art. Strafe (II), RGG³ VI, Sp. 393ff.; *J. Baumann*, Strafrecht. Allgemeiner Teil, Bielefeld ⁷1975, S. 21ff. u.ö.; *Jescheck*, a.a.O., S. 47ff.; *E. Schmidhäuser*, Strafrecht. Allgemeiner Teil, Tübingen ²1975, S. 49ff.; *ders.*, Vom Sinn der Strafe, Göttingen ²1971, S. 16ff.43ff.; vgl. auch *N. Hoerster*, Art. Strafe, Handlexikon zur Rechtswissenschaft, hrsg. von *A. Görlitz*, Hamburg 1974, S. 456ff.; *K. Lüderssen*, Art. Strafrecht, ebd. S. 474ff.

14 S. besonders *Schmidhäuser*, a.a.O. passim.

15 *E. Schmidhäuser*, Art. Strafe, Evangelisches Staatslexikon, Stuttgart ²1975, Sp. 2565.

16 S. dazu *F. Böckle*, in: *A. Hertz – W. Korff – T. Rendtorff – H. Ringeling* (Hrsg.), Handbuch der Christlichen Ethik, Bd. 2, Freiburg/Basel/Wien 1978, S. 312ff.; *W. Molinski* (Hrsg.), Versöhnen durch Strafen? Perspektiven für die Straffälligenhilfe, Wien/Göttingen 1979; *ders.*, Orien. 44 (1980), S. 38–41; *Wiesnet*, Versöhnung; *K. Seelmann*, ZEE 25 (1981), S. 44–55.

17 Zu der gerade auch in der Theologie vertretenen Verbindung von Strafe und Sühne s. *C. H. Ratschow*, in: *H. Dombois* (Hrsg.), Die weltliche Strafe in der evangelischen Theologie, Witten 1959, S. 98–116, hier: S. 108ff. Zur theologischen Begründung des Strafrechts s. zuletzt *W. Pannenberg*, in: *A. Hertz – W. Korff – T. Rendtorff – H. Ringeling* (Hrsg.), Handbuch der Christlichen Ethik, Bd. 2, Freiburg/Basel/Wien 1978, S. 323ff.

die strafrechtliche Definition der Sühne eine theologische Grundkategorie des Alten Testaments in Rechtsbegriffe faßt und so möglicherweise verzerrt, als vielmehr in der Struktur des strafrechtlichen Sühnebegriffs, derzufolge Sühne als *reaktive Tatvergeltung* bestimmt wird: »Die absichtliche Übelszufügung der Strafe ist die Vergeltung für die willentliche Übeltat des Normenverstoßes«[18].

Sühne im biblischen Kontext ist mit den beschriebenen Rechtskategorien nicht zu erfassen. Als zu Entsühnender steht der Mensch in einem »irreparablen Unheilsgeschehen, irreparabel, weil es die Grenze seiner Existenz mit einschließt, er steht in der Situation, wo nichts wiedergutgemacht werden kann«[19] – am allerwenigsten durch Strafe, die den Schuldigen, wenn sie ihn nicht tödlich trifft, immer bei seinem rechtswidrigen Tun behaftet. Aus der Sühne aber geht der schuldige Mensch als Entsühnter, nicht als Bestrafter hervor[20], denn Sühne impliziert kein göttliches Unwerturteil über den Menschen, sondern ist die von Gott gewirkte Aufhebung des von menschlicher Seite nicht aufhebbaren Sünde-Unheil-Zusammenhangs. Daß Sühne alttestamentlich gesehen darum den *Charakter der Vergebung*, nicht der Vergeltung hat, geht zunächst eindeutig aus den Stellen hervor, an denen wie in Dtn 21,8a; 32,43; 1Sam 3,14; Jes 6,7; 22,14; 27,9; Jer 18,23; Ez 16,63; Ps 65,4; 78,38; 79,9; Dan 9,24; 2Chr 30,18 Gott grammatisches oder logisches Subjekt des כִּפֶּר-Handelns ist:

35 »Sie dachten daran, daß ›Jahwe‹ ihr Fels
und der höchste Gott ihr Erlöser.
36 Doch sie betrogen ihn mit dem Mund
und sie belogen ihn mit der Zunge.
37 Und ihr Herz blieb nicht fest bei ihm,
sie hielten nicht treu seinen Bund.
38 Doch er war barmherzig,
vergab die Schuld (יְכַפֵּר עָוֹן)
und vertilgte nicht.
Oftmals wandte er seinen Zorn
und weckte nicht seinen Grimm.
39 Er dachte daran, daß Fleisch sie nur sind,
ein Hauch, der unwiederbringlich vergeht« (Ps 78,35–39)[21].

Welche Bedeutung aber hat das Sühnegeschehen, wenn – sei es im kultischen, sei es im außerkultischen Bereich – nicht Gott, sondern der Mensch Subjekt des כִּפֶּר-Handelns ist: Wird jener Vergebungscharakter der Sühne

18 *Hoerster*, a.a.O. (oben Anm. 13) S. 457, vgl. zur Sache auch *G. Dux*, Rechtssoziologie. Eine Einführung, Stuttgart/Berlin/Köln/Mainz 1978, S. 84ff. und für den theologischen Bereich die Definition der Sühne als »notwendige Reaktion der verletzten Gottesordnung auf das Zerstören dieser Ordnung« bei *W. Künneth*, Politik zwischen Dämon und Gott, Berlin 1954, S. 265.

19 *Gese*, Sühne, S. 86.

20 Vgl. *Ratschow*, a.a.O., S. 108.

21 Übersetzung *Kraus*, BK XV/2 (^{5}1978), S. 700.

z.B. in der Kulttheologie der Priesterschrift (auf die statistisch die meisten כִּפֶּר-Belege entfallen) aufgegeben, oder läßt sich das durch den Titel der vorliegenden Arbeit thetisch umrissene Verständnis der alttestamentlichen Sühnetheologie auch für den Bereich der Priesterschrift verifizieren: Ist also Sühne auch im Kontext priesterlich-kultischen Denkens *Heilsgeschehen*?

(2) ». . . nirgends gibt das Gesetz eine Andeutung, dass im Opfer, wie im Cherem, Strafjustizakte vollzogen werden, in keiner Weise lässt es den Altar als Richtstätte erkennen«[22]. Gleichwohl wird die Ansicht, daß Sühne auch im kultischen Bereich ein heilvolles Geschehen sei, in den älteren, aber auch in den seit *G.von Rads* Darstellung erschienenen Theologien des Alten Testaments nur spärlich und zögernd vertreten.[23] Daß der Grund für diesen Sachverhalt vor allem in der theologischen Qualifizierung kultischen Handelns als »menschliche Leistung« zu suchen ist, soll anhand zweier repräsentativer Beispiele, den alttestamentlichen Theologien von *L. Köhler* und *G. Fohrer*, verdeutlicht werden.

Daß der Kult Israels »nur bedingtermaßen der Betrachtung innerhalb einer Theologie des AT unterliegt«[24], kommt in der (zuerst 1936 erschienenen) Theologie des Alten Testaments von *L. Köhler* prägnant in der Überschrift des dem Kult gewidmeten Abschnitts zum Ausdruck: »Die Selbsterlösung des Menschen: Der Kultus«[25]. Als ein Stück »ethnisches Leben«[26] ist der Kult »von Menschen begonnen, unternommen, geleistet, ist Werk, nicht Gnade, ein Akt der Selbsthilfe, nicht ein Stück des Gottesheils«[27], prophetischem Denken diametral entgegengesetzt[28], ja »bis auf Ezechiel nicht Gegenstand der alttestamentlichen Offenbarung«[29]. Ezechiel aber hat den »Auftrag, einen neuen, genau regulierten und dadurch als gottgefällig anerkannten Kult einzuführen«[30], der demjenigen der Priesterschrift in den Grundzügen entspricht: er ist Priestersache und zum »Selbstzweck« geworden[31], ». . . ein zäher, knifflicher, entsagungsvoller, verzweifelter Versuch des Menschen, sich das Heil – nicht zu erzwingen, dazu ist die Furcht vor Gott, das Verständnis seiner Heiligkeit zu groß, aber – zu verdienen«[32]. Während Versöhnung »im Gebiet der sittlichen Beziehung« geschieht, vollzieht sich Sühne »im Gebiet der kultischen, rechnenden Gutmachung«[33], denn: »Sühne leistet der Mensch, Versöhnung aber kommt nicht aus seiner Leistung, sondern aus dem freien Entschluß Gottes«[34].

22 *G. F. Oehler*, Theologie des Alten Testaments, Stuttgart ²1882, S. 431.
23 Als Ausnahmen zu nennen sind die Lehrbücher von *Eichrodt*, Theologie I, S. 96ff.; II/III, S. 309ff.; *Jacob*, Théologie, S. 226ff. (vgl. *ders.*, Versöhnung, Sp. 2096f.); *Vriezen*, Theologie, S. 231–259, bes. S. 236ff. Andeutungen bei *Ringgren*, Israelitische Religion, S. 157f.; *Zimmerli*, Grundriß, S. 66ff.130f. (vgl. *ders.*, Sinaibund, S. 215f.; *ders.*, Bilderverbot, S. 260).
24 *Köhler*, Theologie, S. 172.
25 A.a.O., S. 171–189, vgl. auch S. 199f.202ff.
26 A.a.O., S. 171.
27 Ebd.
28 Vgl. a.a.O., S. 171f.185f. u.ö.
29 A.a.O., S. 186 (im Original gesperrt).
30 A.a.O., S. 187; zum Begriff »regulierter Kult« (im Gegensatz zu »gestifteter Kult«) s. a.a.O., S. 171.181.185ff.202 u.ö.
31 A.a.O., S. 187f., vgl. S. 204f.
32 A.a.O., S. 189.

Mit den Stichworten »zunehmende Verengung auf Israel, überwiegende Beschränkung von Kultus und Opfern auf es, Steigerung der Transzendenz Gottes mit dem alleinigen Zugang über Priester und Kultus, Erfassung des ganzen Lebens durch das Ritualgesetz, Sicherung des Daseins durch die Sühne als Hauptzweck des Kultes«[35] hat neuerdings *G. Fohrer* versucht, das Profil der priesterschriftlichen Kulttheologie zu skizzieren. Was dabei unter »Daseinssicherung« zu verstehen ist, hat *Fohrer* in seiner Darstellung der alttestamentlichen Theologie[36] expliziert. Danach wird die im Alten Testament begegnende »Vielfalt der Daseinshaltungen«[37] repräsentiert durch Magie, Kult, Gesetz, nationalreligiöses Erwählungsbewußtsein, Weisheit und Prophetie. Den »Höhepunkt der Geschichte des alttestamentlichen Glaubens«[38] bildet die prophetische Daseinshaltung, weil sie – darin ihre »überzeitliche Bedeutung« erweisend – die »typischen menschlichen Versuche der Lebenssicherung«[39], wie sie in der Gestalt des magischen, kultisch-gesetzlichen, nationalen und weisen Menschen begegnen, überwunden hat.[40] Was die Propheten, die »die Wirklichkeit Gottes als die völlige Infragestellung ihres Daseins«[41] erfahren haben, in ihrer Kritik an der »kultisch-gesetzlichen Daseinshaltung« überwunden haben[42], war eben jener Versuch des Menschen, »sein Dasein mit Hilfe Gottes zu sichern. Was dieses Dasein von Gott her in Frage stellt, wird übersehen oder umgedeutet«[43]. Allein interessiert am »rechten, äußeren Handeln«, ohne innere Zustimmung und Hingabe an Gott[44], hat »die kultisch-gesetzliche Daseinshaltung dazu geführt, daß das Ritual den Glauben überwucherte, das Leben in unzählige Gebote und Verbote gepreßt und eine kaum zu übertreffende Werkgerechtigkeit gezüchtet wurde«[45]. »Einfangen Gottes im Kult«, »Leistungsgedanke und Werkgerechtigkeit des Gesetzes«[46] – diese »typischen menschlichen Versuche der Lebenssicherung« haben ihr Zentrum in der Sühne: »Dessen [sc. des Volkes] Dasein . . . wird durch das Ritualgesetz umspannt und durch die Sühne als Hauptzweck des Kultus gesichert«[47].

Die vorliegende Arbeit beabsichtigt nicht, diese negative Einschätzung des Kultes durch die Behauptung zu korrigieren, kultisches Handeln sei nur in einem übertragenen, uneigentlichen Sinn Werk des Menschen. Denn als eine besondere Form der Weltauslegung und Weltgestaltung ist der Kult in exzeptioneller Weise *Werk* des die Wirklichkeit wahrnehmenden und erkennenden Menschen. Dieses Werk ist aber nur insofern wahrhaft Werk

33 A.a.O., S. 203.

34 A.a.O., S. 205, vgl. S. 206. Zu *Köhlers* Kultverständnis s. die Kritik bei *Hermisson*, Sprache und Ritus, S. 20f. und *Koch*, Sühne, S. 227f.

35 *G. Fohrer*, Art. Priesterschrift, RGG^3 V, Sp. 568f., hier: Sp. 569; vgl. *ders.*, Einleitung in das Alte Testament, Heidelberg ^{10}1965, S. 200f.; *ders.*, Geschichte der israelitischen Religion, Berlin 1969, S. 365ff.

36 Theologische Grundstrukturen des Alten Testaments, Berlin/New York 1972.

37 A.a.O., S. 51–94.

38 A.a.O., S. 71.

39 A.a.O., S. 85.

40 S. a.a.O., bes. S. 85f.93f. Zur Kritik vgl. *C. Westermann*, EvTh 34 (1974), S. 96–112, hier: S. 98ff.111; *H. Seebass*, KuD 22 (1976), S. 41–63, hier: S. 57f.

41 A.a.O., S. 81.

42 A.a.O., S. 62–67, vgl. 71.81–84.85f.93f.

43 A.a.O., S. 67.

44 Vgl. a.a.O., bes. S. 65f.

45 A.a.O., S. 71.

46 A.a.O., S. 85.

47 *G. Fohrer*, Einleitung in das Alte Testament, Heidelberg ^{10}1965, S. 201.

des *Menschen*, als es transparent ist für die Wirklichkeit dessen, was es im kultischen Vollzug repräsentiert: »Kulthandlung . . . ist Bildhandlung des Menschen, die auf eine Gründungshandlung der Gottheit verweist«[48]. Die im sakralen Vollzug auf die göttliche Wirklichkeit *verweisende* und diese Wirklichkeit *zeichenhaft abbildende* Kulthandlung ist in dem Maße nicht eine anthropomorphe Verzeichnung göttlicher Wirklichkeit, als sie »jene Wirklichkeit ›durchscheinen läßt‹, die so wirkt, daß sie jede Gestalt ihrer Vermittlung, so unentbehrlich diese auch sein mag, zugleich überholt und als vorläufig erweist. (. . .) Das Erkennen in Philosophie und Wissenschaft will der Wirklichkeit ›angemessen‹ sein; der Kult will sich und die Welt offenhalten für eine Wirklichkeit, die bei ihrer je neuen Ankunft beweist, daß sie größer ist als er«[49]. Wie weit entfernt ist dieser *Abbildcharakter des kultischen Handelns* von jeglicher sich vor Gott ins Recht setzenden »Selbst- oder Werkgerechtigkeit« des Menschen![50]

Daß Überlegungen dieser Art in einer Arbeit über die priesterschriftliche Sühnetheologie nicht fehl am Platz sind, machen die Aussageabsicht der priesterschriftlichen Sinaierzählung Ex 24,15bff. – Num 10,10*P^g, deren kompositionelle Stellung im Gesamtaufbau der Priesterschrift[51] und das in

48 *Schaeffler*, Kultisches Handeln, S. 43; vgl. zur Sache *ders.*, in: *B. Fischer* (u.a.), Kult in der säkularisierten Welt, Regensburg 1974, S. 9–62; *ders.*, ThQ 126 (1978), S. 105–121 (Lit.); *Gese*, Frage des Weltbildes, passim, bes. S. 214f.221f., ferner *Westermann*, Religion.

49 *Schaeffler*, Kultisches Handeln, S. 44f.

50 Vgl. *ders.*, a.a.O., S. 30ff.

51 Auf folgende mit der Priesterschrift verbundene Probleme können wir in dieser Arbeit nicht thematisch eingehen: Abgrenzung, Datierung und literarische Eigenart. Doch sei wenigstens angemerkt, von welchen Prämissen wir ausgehen. Hinsichtlich der *Abgrenzung von P* (sowie der Aufteilung P^g – P^s) folgen wir, wenn nicht anders vermerkt, *Elliger*, Geschichtserzählung, S. 174f., vgl. auch (z.T. abweichend) *Noth*, ÜPent, S. 17ff., ferner *Smend*, Entstehung, S. 47f.; *Lohfink*, Priesterschrift, S. 198 Anm. 29. Die Priesterschrift wird in dieser Arbeit nicht als Redaktionsschicht (so neuerdings besonders *Cross*, Priestly Work, S. 293ff.; *Rendtorff*, Pentateuch, S. 130ff.160ff.; *ders.*, VT.S 28 (1975), S. 158–166, hier: S. 166; vgl. auch *P. J. Kearney*, ZAW 89 [1977], S. 375–387), sondern als ursprünglich selbständiges, erst sekundär durch einen Redaktor (R^P) mit den älteren Pentateuchquellen zusammengearbeitetes *Erzählungswerk* verstanden, s. dazu *Smend*, Entstehung, S. 49ff.; vgl. auch *E. Ruprecht*, ZAW 86 (1974), S. 305f.; *Blenkinsopp*, Structure of P, S. 275ff.; *W. McKane*, VT 28 (1978), S. 371ff.; *Lohfink*, Priesterschrift, S. 196f., ferner *Kaiser*, Einleitung, S. 105ff. (der das Problem allerdings offenläßt); *Schmidt*, Einführung, S. 93f.; *E. Zenger*, BZ 24 (1980), S. 101–116, hier: S. 114f. Die *Zeit der Abfassung von* P^g (und des vielfältig geschichteten P^s-Materials) ist nur mit relativer Sicherheit anzugeben, doch dürfte eine Ansetzung ins späte 6. Jh. die wahrscheinlichste Annahme sein, s. dazu *Kaiser*, a.a.O., S. 108f.; *Smend*, a.a.O., S. 55ff.; *Schmidt*, a.a.O., S. 95ff., vgl. auch *Cross*, a.a.O., S. 323f.; *Blenkinsopp*, a.a.O., S. 282f.; *Weimar*, RPent, S. 170ff.; *Fritz*, Tempel, S. 1f. mit Anm. 6–7; *Lohfink*, a.a.O., S. 201 Anm. 33. Wir hoffen, daß die Ergebnisse der vorliegenden Arbeit implizit eine weitere Bestätigung für die Abfassung von P^g in der »Zeit der beginnenden Rückkehrmöglichkeiten aus dem babylonischen Exil« (*Lohfink*, a.a.O., S. 202) liefern, vgl. auch *W. P. Wood*, The Congregation of Yahweh: A Study of the Theology and Purpose of the Priestly Document, Masch. Diss. Richmond/Virginia 1974. Die These der vorexilischen Entstehung von P (vertreten v.a. von *Y. Kaufmann*, zuletzt von *J. M. Grintz*, ASTI 6 [1972], S. 78–105, s. dazu *B. A. Levine*, JSSt 30 [1979], S. 179–181, hier: S. 186f.) wird neuerdings mit äußerst summarischen »Sprachbewei-

ihr gezeichnete Bild kultischen Geschehens deutlich. Im Folgenden sei versucht, dies vorgreifend durch einige Hinweise zu konkretisieren.

(a) Der universalen, mit der Schöpfung von Welt und Mensch (Gen 1,1–2,4a) anhebenden Geschichtskonzeption der Priesterschrift zufolge sind es »drei mächtige konzentrische Kreise . . ., die von außen nach innen fortschreitend in das Heilsgeheimnis Gottes einführen: der Weltkreis, der Noahkreis und der abrahamitische Kreis«[52], als dessen Mitte die Kultstiftung am Sinai erscheint.[53] Gegenüber *J. Wellhausens* Bezeichnung der Priesterschrift als »Vierbundesbuch« (Schöpfung, Noah, Abraham, Sinai)[54] ist zu beachten, daß P ›nur‹ von zwei b^e*rît*-Stiftungen Gottes berichtet, die thematisch und kompositorisch aufeinander bezogen sind: von der die gesamte nachsintflutliche Schöpfungswelt umfassenden Noah-b^e*rît* (Gen 9,8–17) und von der auf die Geschichte Gottes mit seinem Volk Israel zulaufenden Abraham-b^e*rît* (Gen 17).
Wird die eigentliche Erfüllung der Abraham als בְּרִית gegebenen *Mehrungsverheißung* Gen 17,2.4 durch die den ersten Hauptteil der priesterschriftlichen Geschichtsdarstellung – bestehend aus »Schöpfungsgeschichte« (Schöpfungs- und Flutgeschichte) und Patriarchengeschichte (Abrahams- und Jakobsgeschichte) – abschließende Mehrungsnotiz Ex 1,7 berichtet, so werden von den übrigen in Gen 17,3b–8 enthaltenen Abrahamsverheißungen in Ex 6,2–8 allein die *Verheißung des »Landes Kanaan«* für Abraham und seine Nachkommen (bzw. Isaak und Jakob: Ex 6,4.8) und die *Zusage des neuen Gottesverhältnisses* (Ex 6,7a) aufgenommen und weitertradiert. Mit Jahwes »Gedenken« (Ex 2,24; 6,5b) *dieser* Inhalte der Abraham-b^e*rît*, das nach P als Movens des weiteren Geschichtsverlaufs auf die Herausführung Israels aus Ägypten und Jahwes rettendes Eingreifen am Schilfmeer (Ex 14*P^g) vorausweist, setzt die Erfüllungsgeschichte dieser beiden Verheißungen ein. Denn das, was unter Mose am Sinai geschieht (Ex 24,15bff.), ist nach P Erfüllung jener Abraham gegebenen, als בְּרִית qualifizierten und in die (eingliedrige) »Bundesformel« gefaßten Zusage Jahwes, ihm und seinen Nachkommen Gott sein zu wollen (Gen 17,7b.8b): Das durch die Offenbarung des כְּבוֹד יְהוָה am Sinai eröffnete Geschehen mit seiner in Ex 29,45f. an ihr Ziel kommenden, auf den Modus der Gegenwart Gottes bezogenen Finalbestimmung, inmitten Israels »wohnen« (שָׁכַן) zu wollen (Ex 29,45a.46aγ), ist Konkretisierung und Einlösung der in Gen 17,7b.8b gegebenen – und in Ex 6,6f. erneuerten – Zusage Jahwes, Abraham (und seinen Nachkommen) Gott sein zu wollen. Durch die Transponierung des in der (eingliedrigen) »Bundesformel« Ex 29,45b erkennbaren Zentralinhaltes der priesterschriftlichen Sinaierzählung – »Jahwe, der Gott Israels« – in die Abraham-b^e*rît* (Gen 17,7b.8b) rücken Väterzeit und Mosezeit so eng wie möglich zusammen: Israels gegenwärtiges wie zukünftiges Verhältnis zu Jahwe gründet auf Jahwes בְּרִית mit Abraham.
(b) Als »Urszene« des den Gottesdienst Israels konstituierenden *Wechselgeschehens zwischen Gott und Mensch* ist Ex 24,15b–18a + 25,1 der priesterschriftlichen Sinaiperikope vorangestellt: Während die Wolke und der von ihr umhüllte כְּבוֹד יְהוָה den Sinai bedecken (כִּסָּה) bzw. sich sechs Tage lang auf ihm niederlassen (שָׁכַן [Ex 24,15b–16aβ]), geht Mose am siebten Tag

sen« verfochten. Grundsätzlich sollte beachtet werden, daß die Frage nach den von P verarbeiteten (Sprach-)Traditionen mit der Frage nach dem Alter von P als eines literarischen Werkes nicht einfach identisch ist, vgl. *Smend*, a.a.O., S. 53f. und mit umfassenderen Erhebungen *R. Polzin*, Late Biblical Hebrew. Toward an Historical Typology of Biblical Hebrew Prose, Missoula/Montana 1976, bes. S. 1ff.15ff.85ff.159f. 167ff.

52 *von Rad*, Priesterschrift, S. 167.

53 Vgl. *ders.*, a.a.O., S. 178ff.185ff.; *ders.*, Theologie I, S. 253f.

54 S. dazu unten S. 322 mit Anm. 260.

auf den Ruf Gottes hin »mitten in die Wolke« und d.h.: mitten in den Transzendenzbereich Gottes hinein (Ex 24,16b–18aα). Diese beiden aufeinanderzugehenden Bewegungen – von oben nach unten und von unten nach oben – »führen zu einem Zusammenkommen, einem *mōʿed*«[55], das den für die priesterschriftliche Heiligtumstheologie bedeutsamen Terminus אֹהֶל מוֹעֵד »*Begegnungs*zelt« materialiter vorbereitet: Dieses Heiligtum ist der Ort, an dem Jahwe Mose bzw. Israel begegnen will (יעד *nif.* Ex 29,42b.43a). Die Kultstätte, mit deren Bau Mose am siebten Tag beauftragt wird (Ex 24,16b–18aα + 25,1), ist das von Israel am Sinai errichtete Abbild des himmlischen Urbildes (תַּבְנִית Ex 25,9.40; vgl. 26,30; 27,8) und insofern »Fortsetzung des ersten Schöpfungswerks der sechs Tage durch den *Menschen*«[56]. Dies bedeutet jedoch nicht, als könne Israel mit der Errichtung des אֹהֶל מוֹעֵד das allein Gott vorbehaltene Schöpfungshandeln nachvollziehen oder wiederholen; denn obgleich in entscheidender Weise Werk von Menschenhand, entsteht das Heiligtum allein nach der Mose von Gott auf dem Sinai gezeigten transzendenten תַּבְנִית, die das himmlische Urbild des irdischen Heiligtums ist. Vielmehr zeigt sich in der Ausführung der göttlichen Anordnung zum Bau des Heiligtums am Sinai die wahre, der *Schöpfung entsprechende Bestimmung Israels:* auf Erden ein Abbild jener himmlischen Wohnstatt Gottes zu errichten (nicht: zu sein), damit Gott inmitten seines Volkes »wohnen« (שָׁכַן) und ihm durch dessen Mittler Mose und Aaron nahe sein kann. In diesem *Tun*, das auf die *Ausübung des Kultes im »Begegnungszelt«* zielt, besteht nach P das *schöpfungsgemäße Sein Israels coram Deo.* Weder der Mensch an sich noch eine bestimmte qualitas humana, sondern Gottes auf eine »Begegnung« (יעד *nif.*, אֹהֶל מוֹעֵד) mit dem Menschen zielendes שָׁכַן inmitten Israels und der dieser Weise göttlicher Gegenwart im Kult entsprechende Mensch ist nach P das Ziel der Weltentstehung und Weltentwicklung: die Vollendung der Schöpfung.

Mit der Fertigstellung des אֹהֶל מוֹעֵד am Sinai wird Israel zum Volk Gottes und Jahwe der Gott dieses Volkes. Dieses durch die »Bundesformel« (P^g: Gen 17,7b.8b; Ex 6,7a; 29,45b) formulierte Verhältnis gegenseitiger Zugehörigkeit weist darauf hin, daß zwischen dem *Gottesdienst Israels* und der an ein personales Gegenüber (Israel oder Mose als dessen Repräsentant) ergangenen *Selbstoffenbarung Gottes* nicht eine tiefe Kluft, sondern engste Beziehung besteht: Gottesdienstliches Handeln ist seiner Struktur nach ein *Wechselgeschehen* zwischen dem *Handeln Gottes für den Menschen* und dem *Handeln des Menschen zu Gott hin.*

(c) Auf dem Hintergrund leidvoller Erfahrungen eröffnet sich Israel in frühnachexilischer Zeit eine neue Dimension des Gottesverständnisses, die auch – und vor allem! – in der priesterschriftlichen Sühnetheologie Gestalt gewonnen hat. Der Vergebungscharakter der Sühne geht zunächst aus den Stellen hervor, an denen Gott grammatisches oder logisches Subjekt des כִּפֶּר-Handelns ist (Dtn 21,8a usw.). Dieser *Vergebungscharakter der Sühne* wird aber im Kult – seiner Struktur nach ein Wechselgeschehen zwischen Gott und Mensch – nicht nur nicht aufgegeben, sondern vertieft: Obwohl bei P nirgends Jahwe, sondern immer der Priester grammatisches Subjekt des Sühnevollzuges ist, ist es letztlich Jahwe, der handelnd im Sinne eines logischen Subjekts die Sühne wirkt, während der Priester als der von ihm bevollmächtigte Mittler den Sühnevorgang kultisch vollzieht[57]; anders ist ein Satz wie »So schafft der Priester ihnen Sühne, und es wird ihnen (von Gott) vergeben werden« (Lev 4,20 u.ö.), in dem das aktive כִּפֶּר עַל mit dem Priester als Subjekt stets mit dem passiven נִסְלַח + לְ der Person zu einer Art »Hendiadyoin«[58] verbunden und auf diese Weise das kultische Sühnegeschehen als ein *Wechselge-*

55 *Westermann*, Herrlichkeit Gottes, S. 120; vgl. *ders.*, Religion, S. 78f.85.
56 *Lohfink*, »Macht euch die Erde untertan?«, S. 140 (H. v. uns).
57 Vgl. *Scharbert*, Heilsmittler, S. 81ff.101ff.136f.151ff.268ff.; *von Rad*, Theologie I, S. 283f., ferner *Vriezen*, Theologie, S. 236ff.245ff.; *Koch*, Sühne, S. 218 und passim; *Gese*, Sühne, S. 87.
58 *Elliger*, Leviticus, S. 71.

schehen zwischen dem die Sühnehandlung vollziehenden Priester und dem die Vergebung gewährenden Gott qualifiziert wird, gar nicht zu verstehen. Sühne ist nach P kein vom Menschen ausgehender Akt der »Selbsterlösung«, sondern eine von Gott her ermöglichte, im kultischen Geschehen Wirklichkeit werdende und hier dem Menschen zugute kommende Aufhebung des Sünde-Unheil-Zusammenhangs. Aber – Sühne »durch das Blut von Böcken und Jungstieren« (Hebr 9,12)?[59]

(d) Die Annahme, daß der Vergebungs- und Versöhnungscharakter der Sühne im kultischen Raum nicht nur nicht aufgegeben, sondern vertieft wird, erfährt ihre Bestätigung durch Lev 17,11, den (das Blutgenußverbot begründenden) Satz über das Israel von Jahwe zum Zwecke der Sühne »gegebene« tierische Blut. Die Sühnewirkung dieses Blutes gründet nicht in dessen materialer Beschaffenheit, sondern allein in der Funktion, *Träger des Lebens* zu sein. Sühne durch Bluthingabe zielt nicht auf die Durchsetzung des eigenen Selbst gegenüber Gott, sondern gerade darauf, »sich selbst«, das eigene verwirkte Leben hinzugeben – im stellvertretenden Tod des Opfertieres. Im Zentrum des priesterschriftlichen Sühnekultes steht »der Akt der Weihe an Gott, indem der Abstand zum Heiligen durch die stellvertretende Bluthingabe zeichenhaft überbrückt wird«[60]. In der sühnenden Bluthingabe wird dem in der Gottferne sich befindenden, sündigen Menschen verwirktes Leben zurückgeschenkt, Leben neu ermöglicht. Seine letzte Steigerung erhält dieser »Akt der Weihe an Gott« in der Blutzeremonie des großen Versöhnungstages, an dem Aaron, der kultische Repräsentant Israels, das Blut seines eigenen Sündopferfarrens und das Blut des Sündopferbockes des Volkes an die כַּפֹּרֶת sprengt (Lev 16,14f.) – an jenen Ort, der »Mittelpunkt des innersten«[61] der »drei mächtige(n) konzentrische(n) Kreise . . . (ist), die von außen nach innen fortschreitend in das Heilsgeheimnis Gottes einführen: der Weltkreis, der Noahkreis und der abrahamitische Kreis«[62]. Als innerster Kern des »Begegnungszeltes« (אֹהֶל מוֹעֵד) ist die כַּפֹּרֶת der Ort der Präsenz Gottes in Israel: der Ort, an dem der transzendente Gott als der im Sühnegeschehen begegnende nahe ist, kondeszendiert. Modus der Gegenwart Gottes ist das auf eine Begegnung (יעד *nif.*, אֹהֶל מוֹעֵד) zielende Verweilen (שָׁכַן) seines כָּבוֹד »inmitten der Israeliten« (Ex 29,42bff.; 24,15bff.; 25,8; 40,34f.) ebenso wie sein Mose, dem Repräsentanten Israels, geltendes Begegnen (יעד *nif.*) auf der כַּפֹּרֶת.

Ist Sühne Heilsgeschehen? – Die Beantwortung dieser Frage wird nicht zuletzt davon abhängen, ob es gelingt, die priesterschriftlichen Sühneaussagen zu der theologischen Grundperspektive der Priesterschrift: der im Sinaigeschehen durch die Selbstoffenbarung Jahwes an den Menschen inaugurierten »Begegnung« zwischen Gott und Mensch (Mose/Israel), in Beziehung zu setzen.[63]

59 Vgl. Hebr 9,11–14.25; 10,4. An diesem Punkt beginnen für die traditionelle christliche Dogmatik die eigentlichen Verstehensprobleme hinsichtlich der alttestamentlichen Sühnetheologie, s. *O. Weber*, Grundlagen der Dogmatik, Bd. II, Neukirchen 1962, S. 214ff.

60 *Gese*, Gesetz, S. 67f.

61 *von Rad*, Priesterschrift, S. 186.

62 *Ders.*, a.a.O., S. 167.

63 Der für die vorliegende Arbeit gewählte Titel »Sühne als Heilsgeschehen« könnte als eine contradictio in adiecto aufgefaßt werden: Schließt der Begriff der Sühne die Vorstellung eines heilvollen Geschehens nicht per definitionem aus? Will man den traditionellen Ausdruck »Sühne« aber nicht ganz aufgeben, sondern für die Beschreibung biblisch-theologischer Sachverhalte beibehalten, so ergibt sich die Notwendigkeit einer Neubestimmung seines Sinngehalts in Ansehung einer überwiegend problematischen Auslegungsgeschichte, vgl. dazu auch *Chr. Gestrich*, ZThK 72 (1975), S. 240–268, hier: S. 248ff.; *K. Stock*, EvTh 40 (1980), S. 240–256, hier: S. 254ff.; *Wiesnet*, Versöhnung, S. 75ff.125ff.

II

Methodisch geht die vorliegende Arbeit von einer Analyse der Wurzel כפר im alttestamentlichen Schrifttum aus. Dieses Verfahren impliziert, daß eine Gesamtdarstellung der alttestamentlichen Sühneanschauungen nicht beabsichtigt ist. Denn der im Alten Testament mit »Sühne« gemeinte komplexe Sachverhalt geht über das Lexem כפר hinaus, so daß eine Sühneaussage auch vorliegen kann, obwohl der Terminus כִּפֶּר (und Derivate) für sie nicht verwendet wird.[64] Aber auch hinsichtlich der Bedeutung von כִּפֶּר (und Der.) ist zu beachten, daß sich Begriff und Sache nicht einfach decken; denn das, was in der Priesterschrift – und in den anderen Überlieferungsbereichen, in denen die Wurzel כפר begegnet – »Sühne« ist, ergibt sich nicht aus einer etymologisch erhobenen »Grundbedeutung« der Wurzel כפר. Anstelle einer die Bedeutungsvielfalt wie den geschichtlichen Ort der alttestamentlichen Sühneaussagen gleichermaßen mißachtenden Reduktion aller Bedeutungsaspekte von כִּפֶּר auf eine einzige »Grundbedeutung« ist der dem Begriff jeweils zugrundeliegende Aussagegehalt in seinem kontextuellen Zusammenhang zu erfassen und darzustellen.[65]

Trotz der vorrangigen Bedeutung, die bei jeder Begriffsuntersuchung der Semantik zukommt, ist die Frage nach dem Etymon einer Wurzel aber weder illegitim noch unnötig, sondern lediglich methodisch zu relativieren. Denn »bei der Sprachverwendung . . . kann das Etymon u.U. den Anwendungsbereich eines Wortes lenken; es besteht hierbei jedoch keine Regelhaftigkeit«[66]. Im Falle der hebräischen Wurzel כפר zeigt sich u.E. besonders deutlich, vor welchen Schwierigkeiten, ja Aporien eine Methodik steht, die zwar nicht mehr ein »spekulatives Hineinhorchen in das Wort«[67] zuläßt, aber die Frage nach dem Bedeutungsgehalt von כִּפֶּר (und Der.) und speziell nach dem Sinn der priesterschriftlichen Sühnetheologie weitgehend von der Frage nach dem Etymon der Wurzel כפר abhängig macht.[68] An diesem Punkt setzt die vorliegende Arbeit ein:

(1) Die die bisherige Forschung zur Etymologie von כפר leitende, an den entsprechenden außeralttestamentlichen Texten nur selten oder nur fragmentarisch überprüfte Grundannahme der Herkunft der Wurzel כפר von akk. *kapāru/kuppuru oder* von arab. *kafara/kaffara* macht eine möglichst umfassende Analyse der Wurzel *KPR* in den semitischen Sprachen erforderlich (Erster Teil). Dabei soll unser Interesse, abgesehen von der etymologischen Problematik im engeren Sinn, vor allem der Frage der thematisch-

64 Dies gilt etwa für die vielfältig differenzierte Thematik »Sühne und Leiden« (Leiden des Gerechten, des Gottesknechtes, Hiobs, der Märtyrer, u.a.), die hier – von Ausnahmen abgesehen – ausgeklammert werden muß.

65 Vgl. *Schmid*, Gerechtigkeit, S. 1ff.169ff.; *Knierim*, Sünde, S. 13ff. Zur neueren Semantik s. *Th. Lewandowski*, Linguistisches Wörterbuch, Heidelberg ²1976, S. 655ff. (Lit.), zu ihrer Bedeutung für die Bibelexegese *Koch*, Formgeschichte, S. 316ff.

66 *Lewandowski*, a.a.O., S. 184.

67 *Ders.*, a.a.O., S. 185.

68 S. dazu den forschungsgeschichtlichen Überblick unten S. 20ff.

sachlichen Korrelation von כִּפֶּר (und Der.) mit seinen semitischen Äquivalenten gelten: Gibt es eine den semitischen Sprachen gemeinsame »Urbedeutung« der Wurzel *KPR*, die den einzelsprachlich nachweisbaren Bedeutungen »abwischen« und »bedecken« zugrunde liegt? Läßt sich die Annahme einer – sei es akkadischen, sei es arabischen – »Grundbedeutung« für hebr. כִּפֶּר verifizieren? Und schließlich: Kann, die Wahrscheinlichkeit einer sprachlichen Übernahme von akk. *kapāru/kuppuru* oder von arab. *kafara/kaffara* ins Hebräische vorausgesetzt, zugleich mit sachlicher Entsprechung gerechnet werden?

(2) Schon eine statistische Übersicht über das Vorkommen der Wurzel כפר im Alten Testament[69] verdeutlicht, daß das Verb כִּפֶּר sowie die nominalen Derivate כִּפֻּרִים und כַּפֹּרֶת, weniger dagegen das (in die Untersuchung einzubeziehende) Verbalnomen כֹּפֶר, an einen bestimmten literarischen Kontext gebunden sind: So begegnen כִּפֶּר, כִּפֻּרִים und כַּפֹּרֶת vor allem bei P, in Ez 40–48 und ChrG, כֹּפֶר besonders außerhalb jenes kultischen Überlieferungsbereichs. Wie die außerkultischen כִּפֶּר-Belege zeigen, ist allerdings zu beachten, daß der Wortstatistik lediglich Hinweischarakter auf die Entwicklung einer spezifischen Begrifflichkeit (כִּפֶּר als Terminus der Kultsprache) zukommt. Um darüber hinaus zu einer präzisen Erfassung des Bedeutungsgehaltes der Wurzel כפר, gerade auch in ihrem außerkultischen Belegbereich, zu gelangen, ist von einer auf die jeweilige Subjektbindung und den jeweiligen Objektbezug (Präpositionalverbindungen) achtenden Funktionsanalyse des Verbs כִּפֶּר, und zwar zunächst in seinem außerkultischen Belegbereich (der die ältesten כִּפֶּר-Stellen enthält), auszugehen (Zweiter Teil). Anhand dieser syntaktisch-semantischen Zuordnung der einzelnen Belege soll versucht werden, bestimmte Aussagekategorien von כִּפֶּר zu erheben, deren traditionsgeschichtlichen Weg zu verfolgen und sie im Hinblick auf die Frage nach einer Bedeutungsentwicklung der Wurzel zu vergleichen. In analoger Weise werden anschließend die כִּפֶּר-Belege in P, Ez 40–48 und ChrG untersucht (Dritter Teil). Aufgrund des Sachverhalts, daß hier – im Unterschied zum außerkultischen Belegbereich – durchgängig der Priester grammatisches Subjekt des כִּפֶּר-Handelns ist, das Kriterium »Subjektbindung« also konstant bleibt, rückt die Untersuchung des jeweiligen Objektbezuges von כִּפֶּר in den Vordergrund. Als Charakteristikum des priesterschriftlichen Gebrauchs von כִּפֶּר stellen sich dabei die Verbkategorien: כִּפֶּר + *Sachobjekt* (Altar, Heiligtum) und כִּפֶּר + *Personalobjekt* (Israel, dessen kultischer/e Repräsentant/en, der einzelne) heraus. Nach den Sachgründen für diese Formulierungsdifferenz wird besonders zu fragen sein.

(3) In zugespitzter Form kehrt das etymologische Problem der Wurzel כפר im Zusammenhang der Frage nach der Bedeutung von כַּפֹּרֶת wieder, der wir uns abschließend zuwenden müssen (Vierter Teil). Ist die כַּפֹּרֶת – um nur drei Beispiele aus der kontroversen Auslegungs- und Übersetzungsgeschichte dieses Wortes zu nennen – ein »Deckel« für die Lade oder ein

69 S. unten S. 105ff.

»Sühnegerät, Sühneinstrument«? Oder soll diese Bezeichnung einen »Ersatz der Sühnehandlung durch die Lade«[70] andeuten? Eine Lösung dieses Problems scheint uns auch hier nicht auf etymologischem Wege, aber ebensowenig auf dem Wege einer auf die alttestamentlichen כַּפֹּרֶת-Belege begrenzten Textanalyse, sondern – wenn überhaupt – nur auf traditionsgeschichtlichem Wege erreichbar zu sein. Denn wenn es richtig ist – und daran ist trotz der großen Disparatheit der in der alttestamentlichen Wissenschaft zum Thema »Zelt und Lade« vertretenen Thesen kaum zu zweifeln –, daß die priesterschriftliche Konzeption von Zelt und Lade ein Novum in der Geschichte der alttestamentlichen Zelt- und Ladeüberlieferungen darstellt, dann ist die mit der כַּפֹּרֶת, einem wesentlichen Bestandteil des priesterschriftlichen אֹהֶל מוֹעֵד, verbundene Problematik im Kern mit eben dieser Geschichte verknüpft, und das bedeutet methodisch: Der Versuch ihrer Lösung sollte auf traditionsgeschichtlichem Wege, unter Berücksichtigung der bei P aufeinander bezogenen Größen Lade, כַּפֹּרֶת, Keruben und אֹהֶל מוֹעֵד/מִשְׁכָּן und der mit ihnen jeweils verbundenen Theologumena, erfolgen. Es muß sich zeigen, ob auf dem Hintergrund der so in die Untersuchung einbezogenen Heiligtumstheologie der Priesterschrift der geschichtliche Ort und die theologische Struktur der priesterschriftlichen Sühnetheologie in ein neues Licht treten.

70 *Fritz*, Tempel, S. 138.

Prolegomena:

Zwischen Theologie und Etymologie – Die Wurzel כפר im Hebräischen

A) Das Problem

Wie die um die Rekonstruktion einer gemeinsamen »Grund- oder Urform« der indoeuropäischen Sprachen bemühte historisch-vergleichende Sprachwissenschaft des 19. Jahrhunderts zuweilen in der Gefahr stand, die »Ur- und Vorgeschichte« der Wörter für die »wahre Bedeutung« (τὸ ἔτυμον) der durch sie bezeichneten Dinge und Erscheinungen zu halten[1], so erlag auch der Großteil der im 19. Jahrhundert verfaßten Wörterbücher des Hebräischen der Versuchung, die Bedeutung eines Wortes unvermittelt von der seiner Wurzel beigelegten »Urbedeutung«, der sogenannten »sinnlichen Grundbedeutung«, abzuleiten.[2] Die etymologisierende Methode der Sprachforschung (: unmittelbarer Schluß von der lexikalischen »Urbedeutung« eines Wortes auf dessen konkrete Bedeutung in einem bestimmten Denk-, Sprach- und Aussagezusammenhang) verlieh auch der lexikalischen Erforschung und der lexikographischen Darstellung des Hebräischen zeitweise Züge, für die *J. Barr* das polemische Dictum vom »Wurzelwahn« prägte:

»Man scheint allgemein anzunehmen, es gebe im Hebräischen eine Wurzelbedeutung, die sich durch alle Veränderungen der Wurzel, wie sie durch Affixe und andere Bildungselemente herbeigeführt wird, hindurch erhält; man könne darum die Bedeutung einer bestimmten Wurzel als einen Teil des tatsächlichen semantischen Wertes eines jeden Wortes und einer jeden Form, die sich dieser Wurzel zuordnen lassen, ansehen. Gleichermaßen glaubt man, jedes Wort könne sozusagen einen Hinweis auf die Bedeutung der anderen Wörter geben, die vom gleichen Stamm abgeleitet sind. Um der nötigen Kürze willen werde ich diesen Glauben den ›Wurzelwahn‹ nennen.«[3]

Wie immer man *Barrs* Ansichten zur (semitischen) Lexikographie[4] beurteilen mag[5] – der besagte »Wurzelwahn« hat, wie der folgende Überblick zur

1 S. dazu etwa *T. Todorov – O. Ducrot*, Enzyklopädisches Wörterbuch der Sprachwissenschaften, Frankfurt/Main 1975, S. 15ff.151ff. (Lit.), ferner *Koch*, Formgeschichte, S. 289ff.316ff.

2 Ein kurioses Beispiel dafür gibt *Barr*, Bibelexegese, S. 106.

3 A.a.O., S. 104f.

4 A.a.O., S. 104ff.111ff.118ff.160ff. u.ö., vgl. *ders.*, in: *P. Fronzaroli* (Ed.), Studies on Semitic Lexicography (QuSem 2), Firenze 1973, S. 103–126; *ders.*, OTS 19 (1974), S. 1–28.

5 Zu *Barrs* Kritik am ThWNT s. die Replik von *G. Friedrich*, ThLZ 94 (1969), Sp. 801–816; zur Sache ferner *Koch*, Formgeschichte, S. 316ff.

Wurzel כפר verdeutlicht, für die im 19. Jahrhundert verfaßten Lexika des Hebräischen leider Schule gemacht.
(1) Ein extremes Beispiel für die etymologisierende Methode in der hebräischen Wortforschung stellt das »Hebräische Wurzelwörterbuch« von *E. Meier* (1845) dar. Unter dem Lemma כפר kann man dort u.a. lesen:

»כָּפַר v.d. Wurzel כף zusammenziehn = überziehn, daher überdecken, zudecken, bes. eine Schuld zudecken, vergeben, sühnen usw. Daher die Substantive כַּפֹּרֶת Decke, Deckel. כֹּפֶר das Zusammenhängende, daher 1) eine zusammenhängende Häuserreihe, ein Dorf, wie כָּפָר. 2) ein zusammenhängender, zäher Stoff, Pech, Harz. Davon ein Denom., mit Pech überziehn, verpichen, Gen 6,14. (. . .) 3) Eine Blume, nach dem traubenartigen, zusammenhängenden Blütenbüschel benannt, die Cyperblume . . . Endlich 4) nach der abgeleiteten Bdtg. zusammenziehn, überdecken bed. כֹּפֶר das Deckende, d.i. das, was eine Schuld zudeckt, sühnt, daher Sühne, Lösegeld . . . כְּפִיר der junge Löwe, eig. der Bedeckte, d.i. der mit stärkern Haaren (Mähnen) überdeckte . . . כְּפוֹר das Zusammengezogene, Zusammengebogene, daher 1) ein Becken, eine Schale . . . 2) Etwas Zusammengezogenes, Dichtgewordenes, Erstarrtes, daher der Reiff, eine verdichtete weisse Feuchtigkeit . . .«[6]

Während im Handwörterbuch und im Thesaurus von *W. Gesenius*[7] die Ableitungen der Wurzel כפר als Differenzierungen der vorausgesetzten Grundbedeutung »bedecken, überziehen« (analog arab. *kafara, ġafara*) erscheinen[8], wählte *J. Fürst*[9] eine andere Gliederung. Zwar suchte er durch Ansetzung von vier verschiedenen Verbalwurzeln das Material differenzierter darzubieten, aber auch er belastete – abgesehen von (seinem) כפר I (das er wie üblich vom Arabischen her erklärt) – die übrigen Verbalwurzeln כפר mit zweifelhaften, zumeist innerhebräischen Etymologien.
(2) Es bedarf keiner besonderen Hervorhebung, daß die im 19. Jahrhundert einsetzende wissenschaftliche Erschließung der Keilschriftquellen sich auch in der hebräischen Wortforschung vielfältig niederzuschlagen begann. Für die lexikalische Darstellung der Wurzel כפר bedeutete dies, daß neben die bis dahin noch nicht befriedigend beantwortete Frage der Wurzelzugehörigkeit der Wörter mit der Konsonantenfolge *k-p-r* das Problem der etymologischen und sachlichen Herleitung der Wurzel כפר vom Akkadischen *oder* vom Arabischen trat. Wenden wir uns zunächst der Frage der Wurzelzugehörigkeit anhand der heute maßgeblichen Lexika zu:

6 *E. Meier*, Hebräisches Wurzelwörterbuch, Mannheim 1845, S. 239f. Ein Rückfall in diese Methodik ist u.E. in den Ausführungen *G. Gerlemans* (*kpr* [1980]) zu sehen.
7 Hebräisch-Deutsches Handwörterbuch über die Schriften des Alten Testaments, 2 Bde, Leipzig 1810/12; Thesaurus Philologicus Criticus Linguae Hebraeae et Chaldaeae Veteris Testamenti, Leipzig 1835.
8 Vgl. auch *F. J. V. D. Maurer*, Kurzgefaßtes Hebräisches und Chaldäisches Handwörterbuch über das Alte Testament, Stuttgart 1851.
9 Hebräisches und Chaldäisches Handwörterbuch über das Alte Testament, Bd. 1, Leipzig 1857. Auch das auf dem *Gesenius'* schen Handwörterbuch basierende Lexikon von *F. Brown – S. R. Driver – Ch. A. Briggs*, A Hebrew and English Lexicon of the Old Testament with an Appendix containing the Biblical Aramaic, Oxford 1907 ([4]1959) setzt vier Verbalwurzeln an, ist aber in etymologischen Fragen zurückhaltend.

(a) GB^{17} setzt, ohne sich (mit Ausnahme von I כפר) etymologisch festzulegen, vier Verbalwurzeln an:

I כפר *pi.* »sühnen«, Der.: IV כֹּפֶר »Sühn- od. Lösegeld«, כִּפֻּרִים »Sühnung« und (fraglich) כַּפֹּרֶת[10]
II כפר *qal* »mit Pech überziehen«, Der.: II כֹּפֶר »Asphalt, Pech«
III כפר, Der.: כָּפָר/I כֹּפֶר »Dorf«
IV כפר[11]

(b) Demgegenüber bietet KBL^{2} ein anderes Bild. Auffallend ist hier vor allem der Verzicht auf die Postulierung von vier selbständigen Verbalwurzeln, ohne daß KBL^{2} dabei aber in den Fehler verfällt, alle Wörter der Form כפר nach Art eines »Wurzelwörterbuches« von einer gemeinsamen »Urwurzel« abzuleiten:

כפר »zudecken«
qal: »bedecken, bestreichen« Gen 6,14, Der.: a) II כֹּפֶר »Anstrich«; b) III כֹּפֶר »Henna« (כפר »beschmieren › färben?«); c) II כְּפוֹר/כְּפֹר »(Belag) Reif«; d) כְּפִיר (כפר »sich [m.e. Mähne] bedecken?«:) »Jungleu, d. junge Löwe (sucht selber sein Futter und wird an d. beginnenden Mähnendecke erkannt)«
pi. *(pu./hitp./nitp.),* Der.: IV כֹּפֶר »Schweigegeld, Lösegeld«; כִּפֻּרִים »Sühnehandlung« und כַּפֹּרֶת »Deckplatte«
Mit der Konsonantenfolge *k-p-r* sind außerdem belegt: I כְּפוֹר »Becher« sowie *כָּפָר/I כֹּפֶר »Dorf« und das Toponym כְּפִירָה

(c) Die Annahme, daß damit die Frage der Wurzelzugehörigkeit der Wörter mit der Konsonantenfolge *k-p-r* abschließend beantwortet sei, wird von KBL^{3} II (1974) leider nicht bestätigt:

I כפר »bedecken«
qal: + II כֹּפֶר »Erdpech«[12]: »c. כֹּפֶר »überstreichen = verpichen«[13]
pi. *(pu.; hitp.; nitp.):* »(ent)sühnen, Sühne schaffen«, Der.: IV כֹּפֶר »Bestechungs-

10 Fraglich deshalb, weil die Erklärung von *Barth* (Nominalbildung, § 33c), auf die GB^{17}, S. 360 s.v. כַּפֹּרֶת hinweist, die Möglichkeit zu eröffnen schien, כַּפֹּרֶת zu den vom Perf. *qal* abgeleiteten zweisilbigen Nomina mit Dehnung des 2. Vokals zu stellen, s. dazu unten Teil III Anm. 457.

11 Erläuterung dazu: »Die Wzl. כפר findet sich noch in folgenden Wörtern: I כְּפוֹר Becher, II Reif, כְּפִיר junger Löwe, III כֹּפֶר Cyprus, u. im *n.pr.* כְּפִירָה« (a.a.O., S. 360 s.v.). כְּפִירִים Neh 6,2 wird zu כְּפִירָה gestellt.

12 KBL^{3}, S. 471 s.v. versteht im Gegensatz zu KBL^{2} (s. oben) dieses Wort nicht als Derivat von »I« כפר *qal,* sondern als Lehnwort aus dem Akkadischen, s. die folgende Anm.

13 Mit den Wörterbüchern von *König, Zorell* (u.a.) sowie der Mehrzahl der Kommentare zu Gen 6,14 (ferner *Kautzsch,* Aramaismen, S. 43; *Jenni,* Pi^{c}el, S. 241; *Maass, kpr,* Sp. 844, u.a.) halten wir כפר *qal* »mit Pech überziehen« dagegen für ein Verbum denominativum von II כֹּפֶר »Erdpech«, das seinerseits von akk. *kupru* entlehnt sein wird, s. dazu zuletzt *Cohen,* Hapax Legomena, S. 33f. (Lit.); ferner *H. Ringgren,* Art. *ḥmr,* ThWAT III, Sp. 3f.; *K. L. Barker,* JBL 99 (1980), S. 126f. Ein – allerdings durch nichts zu beweisender – Bedeutungszusammenhang zwischen כָּפַר »verpichen« (Gen 6,14), כִּפֶּר »sühnen« und IV כֹּפֶר »Lösegeld; Bestechungsgeld« ist neuerdings von *M. S. Seale* (The Desert Bible. Nomadic Tribal Culture and Old Testament

geld; Lösegeld«; כִּפֻּרִים »Sühnehandlung«; כַּפֹּרֶת »Sühneleistung« und II כְּפוֹר/ II כְּפֹר »Belag, Reif«[14]

II *כפר »sich (m. Mähne) bedecken, ar. *ǧafara* wachsen, *ǧafr* 4monatiges Lamm«, Der.: כְּפִיר »Jungleu«

Mit der Konsonantenfolge *k-p-r* sind außerdem belegt: I כְּפוֹר »Schale«[14]; *כְּפַר/*כָּפָר »Dorf« (1Chr 27,25)[15]; I כֹּפֶר »offenes Dorf« (1Sam 6,18) und das Toponym כְּפִירָה[16]; (בַּ)כְּפִירִים Neh 6,2[17]; III כֹּפֶר »Henna« (כפר »durch Färben beschmieren«)

Problematisch an dieser Anordnung von KBL³ ist vor allem die Ansetzung einer zweiten Verbalwurzel: »II * כפר: sich (m. Mähne) bedecken, ar. *ǧafara,* wachsen, *ǧafr* 4monatiges Lamm«. Der *J. Blau*[18] zu verdankende Hinweis auf das (palästinisch-)arabische Vergleichswort zu כְּפִיר »Junglöwe« wird von KBL³ für die Etymologie von hebr. כְּפִיר herangezogen; dann wäre aber für die Grundbedeutung dieses Wortes nicht »der *Bemähnte* (sc. Junglöwe) o.ä.« (so KBL²·³,

Interpretation, London 1974, S. 196) angenommen worden, vgl. auch *Gerleman, kpr* (passim), bes. S. 16f.

14 Hinsichtlich der Herkunft von II כְּפוֹר »Belag, Reif« (Ex 16,14; Ps 147,16; Hi 38,29 [vgl. 11QTargJob col. XXI,6; dazu *P. W. Coxon,* IEJ 27 (1977), S. 207f.]; Sir 3,15; 43,19 hebr.; zur Abgrenzung von טַל »Tau« s. *B. Otzen,* Art. *ṭăl,* ThWAT III, S. 344ff.) dürfte ein Aramaismus mit an Sicherheit grenzender Wahrscheinlichkeit auszuschließen sein; außer dem jüd.-aram. *kpwr'*-Beleg TFrag Ex 16,14 ist das Wort nur bibl.-hebr., mittelhebr. und sam.-hebr. nachzuweisen. Folgende Hypothesen zur Etymologie dieses Wortes wurden aufgestellt: (1) Herkunft von hebr. »I כפר« (Grundbedeutung: »bedecken«), so KBL²·³ jeweils s.v.; *E. König,* ET 22 (1910/11), S. 232–234.378–380, hier: S. 233.379; *Coxon,* a.a.O.; (2) Herkunft von akk. *kapāru* (mit der angeblichen Bedeutung »to be white or bright« → II כְּפוֹר »the white or bright thing«), so *C. F. Burney,* ET 22 (1910/11), S. 325–327, hier: S. 325 mit Anm. 3; *C. J. Ball,* ebd. S. 478f.; (3) als »broken plural« Herkunft von einem Derivat von arab. *kafara* »bedekken«, so *G. R. Driver,* in: Dr. Z. Husain Presentation Volume (o.J.), S. 204 mit Anm. 1. Dagegen könnte für die Annahme eines Aramaismus von I כְּפוֹר (vielleicht eine *qiṭāl*-Bildung?, s. *Bauer-Leander,* Grammatik, S. 473f; *Meyer,* HG³, § 37,2) zweierlei sprechen: einmal ist ein I כְּפוֹר entsprechendes Wort nur noch im Jüd.-Aram. *(kpwr')* und im Syr. *(kāpartā),* vielleicht auch im Kanaan. *(kpr(t)* oder *kprm,* s. unten S. 62f.) belegt; zum anderen könnten auch die (späten) atl. Belege für I כְּפוֹר (Esr 1,10; 8,27; 1Chr 28,17) die Annahme aramäischer Herkunft nahelegen, s. *W. Rudolph,* HAT I/20 (1949), S. 7. Erwägenswert ist aber auch der Vorschlag von *R. Polzin* (Late Biblical Hebrew, Missoula/Montana 1976, S. 139), in I כְּפוֹר ein »Late Biblical Hebrew word, a synonym of earlier qᵉᶜārāh (e.g., Num 4,7) and mizrāq (e.g., IKg 7,50, Num 4,14)« zu sehen. Ob I כְּפוֹר nach *Kautzsch* ». . . ohne Zweifel ein aus dem Assyr. (kapru) ins Aram. und von da ins Hebr. und Neuhebr. (hier in der Bed. Opferschale) übernommenes Lehnwort« ist (Aramaismen, S. 42, ähnlich *S. H. Langdon,* ET 22 [1910/11], S. 320–325, hier: S. 323; vgl. *Zimmern,* Akkadische Fremdwörter, S. 34), muß angesichts der mit großen Unsicherheiten belasteten Deutung der akkadischen *kapru*-Belege (s. unten S. 31 Anm. 14) dahingestellt bleiben, vgl. dazu auch *K. Galling,* Das Protokoll über die Rückgabe der Tempelgeräte, in: *ders.,* Studien zur Geschichte Israels im persischen Zeitalter, Tübingen 1964, S. 78–88, hier: S. 82 mit Anm. 1.

15 Zu כְּפַר הָעַמֹּנִי Jos 18,24 s. KBL³, S. 471 s.v.

16 S. dazu die KBL³, S. 469 s.v. angegebene Lit. Vgl. den PN (?) *kprh* auf dem Arad-Ostrakon Nr. 60, Vs.Z. 1 bei *Lemaire,* Inscriptions Hébraïques I, S. 216f.

17 בַּכְּפָרִים »in einem der Dörfer« oder »in den Dörfern« konjizieren z.B. *Wagner,* Aramaismen, S. 66 (Nr. 134); *J. Ephᶜal,* JAOS 94 (1974), S. 108–115, hier: S. 109 Anm. 9; *M. Delcor,* JSS 18 (1973), S. 40–54, hier: S. 48f., u.a. Als Plural von כְּפִיר versteht das Wort (כְּפִירִים: »Löwen → Prinzen«) *R. Schiemann,* VT 17 (1967), S. 367–369.

18 VT 5 (1955), S. 337–344, hier: S. 342, vgl. auch *L. Kopf,* VT 8 (1958), S. 161–215, hier: S. 207.

s.v.) zu erwarten, sondern – dem Hinweis *Blaus* entsprechend – »der *(halbwüchsige)* Junglöwe«. Das heißt: 1) Die Ansetzung einer Verbalwurzel II *כפר ist auf dem von KBL³ vorgeschlagenen Weg etymologisch nicht wahrscheinlich zu machen; 2) כְּפִיר ist darum (gegen KBL²·³) nicht Bezeichnung eines mit einem auffälligen Körpermerkmal ausgestatteten Lebewesens (»der mit einer Mähne Bedeckte → der Junglöwe«), sondern – wie schon *Th. Nöldeke* und *L. Köhler* ohne Rekurs auf arab. *ǧafara/ǧafr* annahmen – primär eine *Altersbezeichnung*, die möglicherweise eine Aussage über das Beuteverhalten einschließt: »der schon selbständig Futter suchende junge Löwe«[19] (vgl. Ez 19,3.6); 3) Hinsichtlich der Frage, ob hebr. כְּפִיר mit arab. *ǧafara/ǧafr* etymologisch zu verbinden ist, läßt sich ein über das Wahrscheinliche hinausgehender Grad an Sicherheit kaum erreichen.[20] Ausgeschlossen werden kann jedoch ein etymologischer Zusammenhang zwischen כְּפִיר und – nach der Nomenklatur von KBL³ – »I« כפר[21]. Bei *כָּפָר (oder *כְּפַר) »offenes Dorf« und bei I כֹּפֶר »offenes Dorf« handelt es sich mit großer Wahrscheinlichkeit um Aramaismen, wofür geltend gemacht werden kann, »daß das Nomen mit Ausnahme des Akk. nur für das Aram. charakteristisch ist . . ., und daß es ferner im aram. Sprachbereich, besonders in Syrien und später in nach-atl. Zeit, kennzeichnende Bedeutung für die Ortsnamenbildung gewonnen hat . . .«[22]. Ob III כֹּפֶר »Henna«[23] mit KBL² (mit Fragezeichen) und KBL³ auf ein mit כפר (KBL²: *qal* »bedecken, bestreichen«, KBL³: I כפר *qal* »über-

19 *L. Köhler*, ZDPV 62 (1939), S. 115–125, hier: S. 121, vgl. *Th. Nöldeke*, Beiträge zur semitischen Sprachwissenschaft, Strassburg 1904, S. 70 Anm. 10; *P. D. Miller*, UF 2 (1970), S. 177–186, hier: S. 183; *F. Stolz*, Art. *'ᵃrî*, THAT I, Sp. 226; *J. Botterweck*, Art. *'ᵃrî* usw., ThWAT I, Sp. 406; *ders.*, Gott und Mensch in den alttestamentlichen Löwenbildern, in: Wort, Lied und Gottesspruch (FS *J. Ziegler* [FzB 2]), hrsg. von *J. Schreiner*, Würzburg 1972, S. 117–128, hier: S. 120. Anders *W. S. McCullough – F. S. Bodenheimer*, Art. Lion, IDB III, S. 136f. Auch nach KBL²·³ (jeweils s.v.) zeichnet sich der Junglöwe neben seiner »beginnenden Mähnendecke« noch dadurch aus, daß er »sein Futter selber sucht«. Dieses Charakteristikum wird aber in beiden Lexika zugunsten des mit einer Theorie über die Etymologie von כְּפִיר verbundenen Attributs »Mähnen*decke*« in den Hintergrund gedrängt. Zum Löwen im AT s. jetzt *B. Lang*, Kein Aufstand in Jerusalem. Die Politik des Propheten Ezechiel (SBB), Stuttgart ²1981, S. 93ff. (Lit.).

20 Trotz des Vorschlags von *J. Blau* ist nach *J. Botterweck* (a.a.O., Sp. 406) כְּפִיר weiterhin »etymologisch isoliert«. Zur Bildungsweise *qᵉṭīl* s. *Bauer-Leander*, Grammatik, S. 471 (§ 61 sα); *Barth*, Nominalbildung, § 29a, vgl. § 125e; *Meyer*, HG³, § 37,4b; *Wagner*, Aramaismen, S. 122.

21 Abzulehnen ist auch der Vorschlag von *J. L. Palache* (Semantic Notes on the Hebrew Lexicon, Leiden 1959, S. 10), כְּפִירִים Ps 34,11 auf ein hebr. כפר mit der Bedeutung »leugnen« zurückzuführen (derselbe Erklärungsversuch schon bei *R. Gordis*, in: *L. Ginzberg* Jubilee Volume, 1946, S. 173–200, hier: S. 180f.). Ebenso erübrigt sich die Konjektur כַּבִּירִים (KBL³, S. 469 s.v.). Zur Bedeutung von כפירים in Ps 34,11 s. *J. J. M. Roberts*, Bib. 54 (1973), S. 265–267, vgl. auch *M. Dahood*, Or. 45 (1976), S. 327–365, hier: S. 340 s.v. כְּפִיר. Auch für altaram. *kpyry* KAI 214,101; 215,10 ist die Deutung »Junglöwen« vorgeschlagen worden (*B. Landsberger*, Sam'al. Studien zur Entdeckung der Ruinenstätte Karatepe, Ankara 1948, S. 63 Anm. 165, vgl. S. 50 Anm. 127; übernommen von *J. J. Koopmans*, Aramäische Chrestomathie, Teil I, Leiden 1962, S. 73f.; vgl. auch *Milik*, Recherches, S. 426; *Dahood*, a.a.O., S. 382f.), s. dazu aber unten S. 66 Anm. 206.

22 *Wagner*, Aramaismen, S. 67, vgl. S. 66f.151.155 und *ders.*, Aramaismenfrage, S. 362.369.

23 Außer der in KBL³, S. 471 s.v. genannten Lit. s. dazu noch *A. Guillaume*, Abr-n. 2 (1960–61), S. 5–35, hier: S. 19; *H. Lewy*, Die semitischen Fremdwörter im Griechischen, Berlin 1895, S. 40f.; *A. Charbel*, BeO 20 (1978), S. 61–64. Zu Linear B *ku-pa-ro* (< ug. *kpr*[?]) s. *M. C. Astour*, AOAT 22 (1973), S. 17–27, hier: S. 24 Anm. 85; *S. Hiller*, AfO 26 (1978–79), S. 221–235, hier: S. 229; *W. Helck*, Die Beziehungen Ägyptens und Vorderasiens zur Ägäis bis ins 7. Jahrhundert v.Chr. (EdF 120), Darmstadt 1979, S. 125; *A. Sacconi*, in: *E.*

streichen«) zusammenhängendes כפר »durch Färben beschmieren« zurückzuführen ist, muß nicht zuletzt angesichts der mit כפר (KBL³: »I« *qal*) verbundenen Problematik in Zweifel gezogen werden.[24]

Als *Fazit der bisherigen Überlegungen* ergibt sich, daß Gegenstand unserer Analyse der für die alttestamentliche Sühneanschauung heranzuziehenden Wurzel כפר das Verb כפר *pi.(pu./hitp./nitp.)*, das Verbalnomen IV כֹּפֶר »Lösegeld; Bestechungsgeld«[25] sowie die von כפר *pi.* gebildeten nominalen Derivate כִּפֻּרִים »Sühnung, Sühnehandlung«[26] und כַּפֹּרֶת »(das Sühnende›) Sühnung, Sühneleistung → Sühnmal, Sühneort«[27] sind.
Der in einigen neueren Arbeiten zu כִּפֶּר (und Der.) – zuweilen unvermittelt – vollzogene Schritt von der *etymologischen Herleitung der Wurzel* כפר aus dem Akkadischen (*kapāru/kuppuru* › כִּפֶּר »abwischen«) oder dem Arabischen (*kafara/kaffara* › כִּפֶּר »bedecken«) zur *inhaltlichen Bestimmung der alttestamentlichen Sühneaussagen*[28] ist forschungsgeschichtlich durchaus kein Novum. Der folgende Überblick soll zeigen, daß diese methodische Grundentscheidung nicht etwa von beiläufigem Interesse, sondern exegetisch und theologisch höchst folgenreich ist.

B) Forschungsgeschichtliche Orientierung[29]

(1) Die Diskussion bis 1910

Bevor im letzten Drittel des 19. Jahrhunderts die ersten Ergebnisse der akkadischen Wortforschung auch für die hebräische Lexikographie fruchtbar gemacht werden konnten, versahen die Wörterbücher des Hebräischen die für כפר bis dato angenommene Grundbedeutung »bedecken« entsprechend dem von *W. Gesenius* formulierten Grundsatz, »dass der *arabischen*

Risch – H. Mühlestein (Hrsg.), Colloquium Mycenaeum, Neuchâtel/Genève 1979, S. 347–352, hier: S. 349ff.; *A. Heubeck*, ebd. S. 239–257, hier: S. 245f. Möglicherweise ist hier das eblait. *kpr* »Kupfer« einzuordnen: *G. Pettinato*, Ebla. Un impero inciso nell'argilla, Milano 1979, S. 206 mit Anm. 31; *ders.*, Testi amministrativi della biblioteca L. 2769, Parte I (Materiali Epigrafici di Ebla 2), Napoli 1980, S. 9. Zu kopt. *kopr* und nub. *kofré, ko(f)faré* s. *W. Vycichl*, ZÄS 76 (1940), S. 79–83, hier: S. 80; *ders.*, BiOr 21 (1964), S. 308; *Ch. Kuentz*, RdE 24 (1972), S. 108–110.

24 Zur Bildungsweise s. *Bauer-Leander*, Grammatik, S. 460 (§ 61 h'').

25 Zur Bildungsweise s. unten S. 174.

26 Zu dem abstrakten Verbalnomen כִּפֻּרִים »Sühnung« (*qittūl*-Bildung) s. *Barth*, Nominalbildung, § 37cβ; *Bauer-Leander*, Grammatik, S. 480 (§ 61 vγ); *Meyer*, HG³, §§ 38,7b. 94,3e; vgl. auch *L. Gulkowitsch*, Die Bildung von Abstraktbegriffen in der hebräischen Sprachgeschichte, Leipzig 1931, S. 20 Anm. 2; S. 21 Anm. 4; *Michel*, Syntax, S. 88.

27 Zur Bildungsweise und zur Übersetzung s. unten S. 271ff.

28 S. jüngst *Levine*, Presence, S. 55ff. und in extremer Weise *Gerleman*, *kpr*, vgl. auch *Stamm*, Erlösen, S. 61ff., anders dagegen die Arbeiten von *J. Herrmann*, *K. Koch*, *F. Maass*, u.a.

29 Frühere Forschungsübersichten bei *G. B. Gray*, Sacrifice in the Old Testament, its Theory and Practice, 1925 (Wiederabdruck New York 1971), S. 69ff. und *Moraldi*, Espiazione, S. 183ff.

Sprache, der reichsten unter den stammverwandten, zu deren Kenntniss wir zugleich die meisten und sichersten Zugänge haben, der erste Rang unter dieser Classe philologischer Hülfsmittel gebühre«[30] – regelmäßig mit dem Hinweis auf das arabische Vergleichswort *kafara* (gelegentlich auch auf *ġafara*), so *W. Gesenius* (Handwörterbuch, 1810/12; Thesaurus, 1835), *J. V. D. Maurer* (1851), *J. Fürst* (1857), u.a. Welche theologischen Probleme sich aus dem Festhalten an dieser ›Grundbedeutung‹ ergaben, wird an der in den Jahren 1860–1890 zwischen *J. Ch. K. von Hofmann*, *A. Ritschl*, *E. Riehm* und *A. Schmoller* geführten Diskussion über die Bedeutung von כִּפֶּר (und Der.) mit hinlänglicher Deutlichkeit sichtbar.[31]

»Ohne die neuerdings darüber geführten theologischen Verhandlungen zu kennen und in sie einzutreten«, gelangte *J. Wellhausen* aufgrund eigener Studien zu dem Ergebnis, daß, von der schwierigen Stelle Jes 28,18 abgesehen, »überall sonst . . . kapper nur in einer dem Subst. kopher entsprechenden Bedeutung vor(kommt). Das Etymon heisst decken«[32]. Dabei verdient Beachtung, wie *Wellhausen* das Entsprechungsverhältnis von כִּפֶּר und כֹּפֶר bestimmt, wie also der Begriff des »Bedeckens« theologisch interpretiert wird. *Wellhausen* unterscheidet zwischen ursprünglichem (»profanem«) und abgeleitetem (»religiösem«) Sprachgebrauch. Für die profane Verwendung von כִּפֶּר, die er in Gen 32,21 (mit Hinweis auf Gen 20,16; Hi 9,24), 1Sam 12,3 und 2Sam 21,3f. vorfindet, folgert er: »Das Bedecken ist s.v.a. eine Schuld unangesehen machen; das sprachliche Objekt desselben ist indessen nicht die Schuld, sondern das Gesicht, die Augen (tropisch auch der Zorn) dessen, der sie rächen müsste (. . .) . . . die ursprüngliche Anschauung der Sprache stellt doch eben das Kopher nicht wie ein Kleid des Schuldigen, um seine Schuld-blösse zu decken, sondern wie eine Augenbinde des Rächers vor. Das Subjekt des Bedeckens ist natürlich der Beleidiger, oder sein Vertreter. Das Mittel der Satisfaction, d.h. das Kopher, ist eine Gabe«[33].

Demgegenüber unterscheidet sich nach *Wellhausen* der religiöse Sprachgebrauch von כִּפֶּר dadurch, daß das Subjekt des Bedeckens nicht der Schuldige, sondern der Beleidigte, d.h. Gott ist, während das Objekt nicht das Gesicht Gottes, sondern die Schuld des Beleidigers ist. Da bei P der Priester zum Subjekt des Bedeckens und das Opfer zum Mittel wird, »so sollte man nun auch erwarten, das Objekt sei פני יהוה, und dies ist gewiss das Ursprüngliche gewesen . . . Stattdessen ist das Objekt . . . der Schuldige, wenn anders על und בעד einfach das Objekt einführen. Wahrscheinlich haben diese Präpositionen aber die Bedeutung für, zum Besten, wo dann kapper absolut zu nehmen wäre = die Sühnegebräuche (kippurim) vollziehen. Dieser Sprachgebrauch entfernt sich am weitesten von dem Ursprünglichen, wie er auch die Scheidung des Priesters und des Darbringers voraussetzt (!). Man ist freilich zu seiner Erklärung unmittelbar auf das Etymon zurückgegangen: es kann aber nichts Verkehrteres geben«[34].

Dieses Urteil vermochte *A. Dillmann*[35] nicht davon abzuhalten, jenen (unfruchtbaren) Weg des Etymologisierens noch einmal zu beschreiten und im Hinblick auf das von *Wellhausen* problematisierte Verhältnis כִּפֶּר – כֹּפֶר festzustellen: ». . . כֹּפֶר (eig. Beschmierung . . .) ist das,

30 Zitiert nach dem Wiederabdruck in der 8. Auflage des Handwörterbuches, Leipzig 1878, S. XXV; s. zur Sache auch *L. Diestel*, Geschichte des Alten Testamentes in der christlichen Kirche, Jena 1869, S. 571ff.

31 Übersichtliches Referat bei *Herrmann*, Sühne, S. 7–31, vgl. auch *J. Köberle*, Sünde und Gnade im religiösen Leben des Volkes Israel bis auf Christum, München 1905, S. 316ff.; *O. Schmitz*, Die Opferanschauung des späteren Judentums und die Opferaussagen des Neuen Testamentes, Tübingen 1910, S. 18ff.

32 Geschichte Israels, Bd. I, Berlin 1878, S. 66 Anm. 1, vgl. *ders.*, Die Composition des Hexateuchs und der historischen Bücher des Alten Testaments, Berlin 1885 (^{4}1963), S. 336–338.

33 Ebd.

34 Ebd.

35 Die Bücher Exodus und Leviticus (KEH), 1897, S. 465–467; *ders.*, Handbuch der alttestamentlichen Theologie, Leipzig 1895, S. 467ff.

was ein Anderes gegen Gefahr schützend deckt, Deckung, Schutz- und Sühnmittel, λύτρον, Ersatz. Daran schließt sich כִּפֶּר im religiösen und liturgischen Sprachgebrauch, wenn es nicht geradezu von כֹּפֶר denominirt ist . . .«[36], so daß כִּפֶּר nach *Dillmann* bedeuten kann: a) verzeihen (Objekt: die Sünde, Subjekt: der Beleidigte), b) begütigen, versöhnen (Objekt: das Gesicht des Beleidigten) oder c) sühnen (Objekt: der Beleidigende/die Beleidigung) – »die Anschauung ist die, dass die Sünde oder der Sünder mit etwas anderem zugedeckt, überschmiert wird, dass Gott sie nicht mehr sieht, also ignoscit und dieses andere ist eben der כֹּפֶר . . .«[37].
Daß es »im Semitischen für die Betrachtung der Sündenvergebung als ›Bedeckung‹ wie als ›Abwischung‹« Analogien gibt, war eine in dieser Weise zuerst von *W. R. Smith*[38] geäußerte – und durch den Hinweis auf syr. *kpr* »ab-, wegwischen« begründete – Vermutung. Nachdem durch das Erscheinen des Assyrischen Handwörterbuches (Leipzig 1896) von *Friedr. Delitzsch* die akkadische Wortforschung auf eine solide Grundlage gestellt war, erhielt die von *Smith* als »dunkel« qualifizierte Frage nach der Etymologie von כפר einen neuen Aspekt durch *H. Zimmerns* Verweis auf akk. *kapāru/kuppuru:* »Es kann wohl kein Zweifel bestehen, dass dieses kuppuru des babylonischen Sühnerituals identisch ist mit dem כִּפֶּר des Alten Testaments, als technischer Bezeichnung in der Priestersprache für ›sühnen‹. Weiter aber ist es wiederum aus sachlichen Gründen kaum denkbar, dass diese gleiche technische Bezeichnung bei den Babyloniern und Hebräern auf Urverwandtschaft beruht. Vielmehr sind wir genötigt, auch hier Entlehnung des Wortes, wenigstens in seiner specifisch technischen Bedeutung, auf Seiten der Hebräer anzunehmen. Solche sprachliche Entlehnung weist dann aber mit Wahrscheinlichkeit auch wieder auf sachliche Beeinflussung«[39] – eine Hypothese, die *E. König* in der Diskussion mit *S. H. Langdon* und *C. F. Burney* umgekehrt für die Herleitung vom Arabischen fruchtbar zu machen suchte![40]

(2) Denomination von כֹּפֶר?

»Die Frage nach der etymologischen Bedeutung der hebräischen Wurzel כפר . . . ist eine dunkle«[41] – dieses Fazit muß man jedenfalls aus der bisher skizzierten Forschungsgeschichte ziehen. Bedenkt man, daß sich von den außerkultischen כִּפֶּר-Belegen – will man überhaupt etymologisch argumentieren – einige besser mit Hilfe der arabischen, andere dagegen besser mit Hilfe der akkadischen Etymologie verstehen lassen, die Mehrzahl dieser Belege aber sowohl der einen als auch der anderen etymologischen Herleitung offensteht, so »dürfte die Lösung des Problems darin zu suchen sein, daß sowohl bedecken wie abwischen von dem etymologischen Raum der Wurzel habe ausgehen können«[42]. Damit stellt sich jedoch erneut das interpretatorische Problem.

36 Die Bücher Exodus . . ., S. 466.
37 Handbuch . . ., S. 467f.
38 The Old Testament in the Jewish Church, Edinburgh 1881, S. 381f. (London/Edinburgh ²1892, S. 438; deutsch als: Das Alte Testament. Seine Entstehung und Überlieferung, Freiburg/Leipzig 1894, S. 360 Anm. 1).
39 BBR II, S. 92; vgl. *ders.*, in: *E. Schrader*, KAT³, S. 601f.; *ders.*, Akkadische Fremdwörter, S. 66. Zu *Zimmern* s. aber *Herrmann*, Sühne, S. 33f. und *Landsberger*, Date Palm, S. 31 Anm. 95. Positive Aufnahme fand die Ansicht *Zimmerns* bei mehreren Autoren: *Médebielle*, Expiation, Sp. 48ff.; *Jacob*, Théologie, S. 236; *Moraldi*, Espiazione, S. 191f.; *Vriezen*, Theologie, S. 245f. mit Anm. 3, u.a.
40 ET 22 (1910/11), S. 232–234 *(König)*. 320–325 *(Langdon)*. 325–327 *(Burney)*. 378–380 *(König)*. 380f. *(Langdon)*. Ausführliche Darstellung dieser Kontroverse bei *Gray*, a.a.O. (oben Anm. 29), S. 70–73.
41 *W. R. Smith*, a.a.O. (oben Anm. 38), S. 360 Anm. 1.
42 *Herrmann*, *hilaskomai*, S. 303, vgl. *ders.*, Sühne, S. 32–37 und *Schötz*, Schuld- und Sündopfer, S. 102–106.

Einen neuen und immer noch beachtenswerten Beitrag zur Lösung dieses Problems leistete *J. Herrmann* mit seinem Vorschlag, für die Interpretation von כִּפֶּר von einer Untersuchung des Wortes כֹּפֶר »Lösegeld; Bestechungsgeld« auszugehen: »כֹּפֶר hat seinen Sitz nicht im kultischen Leben, es bezeichnet eine materielle Sühneleistung, durch die der Geschädigte entschädigt und der Erzürnte versöhnt wird, durch die Schaden abgedeckt und der Schuldige ausgelöst wird«[43], prägnant: »Bei Kofer handelt es sich immer um Leben und Tod«[44]. Dieses Verständnis ist nach *Herrmann* auch für die כִּפֶּר-Belege außerhalb von P, Ez 40–48 und ChrG vorauszusetzen, bei denen es sich immer um »Sühne für Leben«[45] handelt, so daß »wir sehen, wie die von כֹּפֶר ausgehende Linie der Verwendung von כִּפֶּר sich bis herunter in die späte Zeit der atl Literatur zieht; auch in P ragt sie hinein. Aber כִּפֶּר in P zu erklären, reicht sie nicht aus«[46]. Anders als *Herrmann*, der seiner Analyse von כִּפֶּר eine Untersuchung der כֹּפֶר-Belege vorausschickte[47] – allein um eine Sinndeutung von כִּפֶּר vorzunehmen, die nicht das Ergebnis einer etymologischen Betrachtungsweise mit ihren Unwägbarkeiten ist –, haben verschiedene Exegeten eine regelrechte Denomination des Verbs כִּפֶּר von dem Nomen כֹּפֶר angenommen[48]. Auf diese These und ihre Kritik durch *J. J. Stamm* u.a.[49] wird im Zusammenhang unserer Analyse der alttestamentlichen כִּפֶּר-Aussagen zurückzukommen sein[50].

(3) Neuere Ansätze

Auch in neuerer Zeit hat es nicht an Versuchen gefehlt, das »כִּפֶּר-Problem« auf etymologischem Wege zu lösen. Zu nennen ist hier zunächst die Arbeit von *J. J. Stamm*[51]. Die Möglichkeit, כִּפֶּר von akk. *kuppuru* abzuleiten, wird von *Stamm* ebenso abgelehnt[52] wie eine Denomination von כֹּפֶר[53]. Dagegen läßt sich die These, כִּפֶּר sei verwandt mit arab. *kaffara* und bedeute ursprünglich »bedecken«, *Stamm* zufolge stützen (a) durch die Wendung כִּפֶּר פָּנִים בַּמִּנְחָה Gen 32,21 (»›das Antlitz mit Geschenken bedecken‹, was den Sinn von versöhnen hat«[54]) und durch

43 *Herrmann, hilaskomai*, ebd.
44 *Herrmann*, Sühne, S. 42.
45 *hilaskomai*, S. 304.
46 Sühne, S. 99.
47 A.a.O., S. 38–43, vgl. *ders., hilaskomai*, S. 303.
48 *W. J. Gerber*, Die hebräischen Verba denominativa insbesondere im theologischen Sprachgebrauch des Alten Testaments. Eine lexikographische Studie, Leipzig 1896, S. 186ff.; *O. Procksch*, Jesaja (KAT), 1930, S. 56f.; *ders.*, Art. *lyō*, ThWNT IV, S. 33f.; *ders.*, Theologie des Alten Testaments, Gütersloh 1950, S. 558f.; *Eichrodt*, Theologie II/III, S. 309f.; *Morris*, Preaching, S. 161ff.; *Jenni*, Piᶜel, S. 241; *Levine*, Presence, S. 67.125; *Milgrom*, Atonement, S. 80; *Brichto*, Slaughter, S. 26ff., u.a.
49 *Stamm*, Erlösen, S. 62.65f.; *Moraldi*, Espiazione, S. 200 Anm. 1; S. 209.211.220, vgl. S. 188f.191.195f.
50 S. unten S. 153f.174.
51 Erlösen, S. 59ff. Ebenfalls vom Arabischen leiten כפר in neuerer Zeit ab: *H. Cazelles*, VT 8 (1958), S. 312–316, hier: S. 315f.; *Gispen*, Leviticus (COT), 1950, S. 39; *G. Sevenster*, Art. Vergebung, BHH III, Sp. 2081f.; *Chelhod, kaffāra*, S. 424, u.a.
52 Zu ihrer Stützung käme nach *Stamm* nur Jes 28,18 in Betracht, »die Stelle ist jedoch sicher korrupt« (Erlösen, S. 62), s. dazu unten Anm. 58.
53 Dagegen spricht nach *Stamm* der »Unterschied, der zwischen dem Verbum und dem Substantivum in der Gebrauchssphäre besteht. Während כִּפֶּר dem kultisch-sakralen Bereich angehört, ist כֹּפֶר ein Wort von bürgerlich-juristischer Natur« (Erlösen, S. 62, vgl. S. 65f.), s. dazu unten S. 153f.
54 A.a.O., S. 62.

die (gegenüber כִּפֶּר Gen 32,21 negative) Verwendung von כֹּפֶר in 1Sam 12,3[55]; (b) durch das in Neh 3,37 umformulierte (כִּסָּה statt כִּפֶּר) Zitat Jer 18,23[56] und schließlich (c) durch die analoge Bedeutungsentwicklung von *kafara* im Arabischen, aufgrund derer es »um einen Grad wahrscheinlicher (wird), dass auch im Hebräischen der abstrakten Bedeutung ›sühnen‹, ›Sühne schaffen‹ die konkrete ›die Sünde bedecken‹ zugrundeliegt«[57].

Mit dem Hinweis auf die »korrupte« Stelle Jes 28,18[58] hatte *Stamm* eine Ableitung vom Akkadischen ausgeschlossen, doch wäre *F. Maass* zufolge »das Vergleichsmaterial sehr viel umfangreicher, wenn auch der bei *kpr* pi. naheliegende Reinigungsgedanke mehr Berücksichtigung fände«[59]. Diesem Zusammenhang sind – mit je verschiedener Gewichtung – jüngst *B. A. Levine* und *G. Gerleman* nachgegangen[60].

Den Ausgangspunkt der *Levine'* schen Untersuchung bildet die These, daß der Kult Israels darauf gerichtet war, die als Quelle von Unreinheit, Sünde und Rebellion gegen Gott geltenden dämonischen Kräfte auf dem Wege der Magie zu eliminieren. Allein im Kontext einer auf die Wahrung göttlicher und menschlicher Reinheit gerichteten magischen (apotropäischen und prophylaktischen) activitas gibt sich die wahre Bedeutung des alttestamentlichen Sühnege-

55 A.a.O., S. 62f.

56 A.a.O., S. 63.72f.

57 A.a.O., S. 65.

58 Hinsichtlich des Verständnisses von Jes 28,18 besteht jenseits etymologischer Hypothesen zu כִּפֶּר darin weitgehend Übereinstimmung, daß v. 18aα den Gedanken der Hinfälligkeit, Aufhebung, Annullierung der *b^erît* mit dem Tode zum Ausdruck bringt (vgl. die Parallelformulierungen in v. 18aβ und v. 18b), s. zur Analyse von Jes 28,14ff. außer den Kommentaren (zuletzt *H. Wildberger*, BK X/3, S. 1063ff.) besonders *H. Gese*, in: Archäologie und Altes Testament (FS *K. Galling*), hrsg. von *A. Kuschke – E. Kutsch*, Tübingen 1970, S. 127–134, ferner *Donner*, Israel, S. 146ff.; *Kutsch*, Verheißung, S. 34ff., vgl. S. 14 mit Anm. 78; S. 23.38.53 u.ö.; *F. Huber*, Jahwe, Juda und die anderen Völker beim Propheten Jesaja (BZAW 137), Berlin/New York 1976, S. 89ff.; *Dietrich*, Jesaja, S. 161ff.; *Hoffmann*, Intention, S. 24ff.48f.; *Fuhs*, Sehen, S. 316f., u.a. Welcher Text dabei als ursprünglich vorauszusetzen ist: וְכֻפַּר MT (vgl. BHS, ferner zuletzt *Driver*, Vocabulary, S. 34ff.; *ders.*, in: Words and Meanings, ed. *P. R. Achroyd – B. Linders*, Cambridge 1968, S. 47–67, hier: S. 60f.63; *O. Kaiser*, ATD XVIII [1973], S. 198; KBL³, S. 470, u.a.) oder וְתֻפַּר (mit Targ, vgl. BHK³, ferner zuletzt *Stamm*, Erlösen, S. 62; *Donner*, Israel, S. 148; *Dietrich*, Jesaja, S. 161 mit Anm. 166, u.a.), ist allerdings umstritten, s. zur Diskussion auch *W. H. Irwin*, Isaiah 28–33. Translation with Philological Notes, Rom 1977, S. 32f. Zu 1QIs^a וכפר s. *P. Wernberg-Møller*, JSSt 3 (1958), S. 244–264, hier: S. 260. Will man MT als ursprünglich beibehalten (dafür würden v.a. syntaktische Überlegungen sprechen, s. *Kaiser*, a.a.O., S. 198 Anm. 9, vgl. *Irwin*, a.a.O., S. 33; *Wildberger*, a.a.O., S. 1068), so ergibt sich als neues Problem die Frage der Ableitung dieses כפר *(pu.)* von akk. *kapāru* (so *Driver*, a.a.O.; vgl. *M. Weinfeld*, JAOS 93 [1973], S. 190–199, hier: S. 197 mit Anm. 101; *Levine*, Presence, S. 58 Anm. 9; S. 61) oder von arab. *kafara* (so KBL³, S. 470, vgl. *Wildberger*, a.a.O., S. 1078). Hier nun scheint uns eine eindeutige Entscheidung zugunsten der einen oder der anderen Etymologie kaum möglich zu sein. Daß man Jes 28,18 MT nicht als zweifelsfreien Beleg für die (akk./arab.) Grundbedeutung von כִּפֶּר verbuchen kann, ist – immer unter der nicht strikt zu beweisenden Annahme der Ursprünglichkeit von MT! – vielleicht ein Indiz dafür, daß die ursprüngliche Doppelbedeutung (»abwischen«/»bedecken«) der gemeinsemitischen Wurzel *KPR* rudimentär noch im Hebräischen erkennbar ist, vgl. auch unten Teil I Anm. 384; zum LXX-Text von Jes 28,18 s. *L. Laberge*, La Septante d'Isaïe 28–33. Étude de tradition textuelle, Ottawa/Ontario 1978, S. 12f.

59 Art. *kpr*, Sp. 843.

60 *Levine*, Presence, S. 55ff.123ff., vgl. *ders.*, ErIs 9 (1969), S. 88–95 (hebr.) und im Vorwort zu *Gray*, a.a.O. (oben Anm. 29), S. XII mit Anm. 9; *Gerleman*, *kpr* (s. dazu unten Teil III Anm. 356.442).

schehens zu erkennen[61]. Das zeigt nach *Levine* auch der Sprachgebrauch: analog akk. *kuppuru* bringt כִּפֶּר nicht das Motiv des »Bedeckens« der Sünde, sondern den Gedanken der »Reinigung« und »Eliminierung« zum Ausdruck. Würde der alttestamentlichen Sühneauffassung der Gedanke der Bedeckung zugrunde liegen, so hieße das, »that all expiatory activity constitutes an attempt to cover up or conceal offenses from God's view or notice«[62]. Das widerspräche jedoch der vorausgesetzten Reinigungshypothese, die auf der sprachlich-inhaltlichen Parallelität von כִּפֶּר – *kuppuru* beruht, »even to the point that biblical expiation, conveyed by kipper, involved acts of a magical character, specifically the magical utilization of sacrificial blood«[63]. Zum Erweis seiner These von der magischen Verwendung des Opferblutes geht *Levine* aus von der Unterscheidung zwischen einem I כִּפֶּר (»to perform rites«) und einem von כֹּפֶר (»ransom«) denominierten II כִּפֶּר, das in Ex 30,15f.; Num 31,50 und Lev 17,11 in der Form כִּפֶּר עַל נֶפֶשׁ (»to serve as ›ransom‹ for a life«) belegt ist[64]. Wie aus Lev 17,11 hervorgehe, ist der dort überlieferte Zusammenhang von כִּפֶּר und Blut als sühnende Blutlibation zu verstehen, die ihren Ursprung »undoubtedly« in einem Kult chthonischer Gottheiten hat, der in Lev 17,11 auf den Gott Israels bezogen wird[65]. In diesem Sinne läßt sich nach *Levine* das Verhältnis Jahwe – Israel zureichend mit der Kategorie des Gotteszornes erfassen, dessen Zugriff der Mensch allein mittels magischer Blutzeremonien abwehren kann: »The apotropaic properties of the blood, and of the incense, were aimed at the deity, himself, who was viewed as the source of danger«[66]. Im Gegensatz dazu hat das Blut in den »I כִּפֶּר«-Belegen (כִּפֶּר immer mit dem חַטָּאת- und/oder אָשָׁם-Opfer verbunden) reinigende Funktion; so haben die Lev 16 beschriebenen »Reinigungsriten« das Ziel, »to protect the deity and his immediate surroundings from the incursion of impurity«[67], die das Heiligtum auf einem von außen (Vorhof) nach innen (Allerheiligstes) führenden Weg zu durchdringen droht. Schutz der Gottheit vor unreinen Dingen und Menschen vermag jedoch die reinigende und insofern sühnende (כִּפֶּר ≙ *kuppuru*!) Kraft des Opferblutes zu gewähren[68]. Schutz des Menschen vor dem Zorn Gottes (apotropäisches כִּפֶּר) und Schutz Gottes vor der Unreinheit von Menschen und Dingen (כִּפֶּר als magische Reinigung) – die Wahrnehmung dieses Zusammenhangs ermöglicht nach *Levine* ein zureichendes, auf dem Begriff der Magie basierendes Verständnis der Sühne im Alten Testament[69].

61 S. die programmatischen Äußerungen Presence, S. 55f.
62 A.a.O., S. 63.
63 A.a.O., S. 60, vgl. S. 63.
64 A.a.O., S. 67ff.
65 A.a.O., S. 68.
66 A.a.O., S. 72f.
67 A.a.O., S. 74.
68 A.a.O., S. 73.
69 Zur Kritik s. jetzt auch *Milgrom*, Sanctuary, S. 394ff.; *Brichto*, Slaughter, S. 27 mit Anm. 19. Der (in zahlreichen Veröffentlichungen entfaltete) Ansatz von *J. Milgrom* (am übersichtlichsten zusammengefaßt in: Atonement, S. 78ff.) verdiente es, ausführlicher dargestellt zu werden; wir haben es aber vorgezogen, auf die wichtigen Ausführungen *Milgroms* im Fortgang der Arbeit jeweils an gegebener Stelle einzugehen. Eine gesonderte Darstellung der Position *Milgroms* wird der in ThWAT erscheinende *kippaer*-Artikel von *B. Lang* enthalten, auf den hier ausdrücklich hingewiesen sei. Eine monographische Arbeit zur alttestamentlichen Sühnetheologie (»Versöhnung und Sühne. Wege gewaltfreier Konfliktlösung im Alten Testament. Mit einem Ausblick auf das Neue Testament«) wird von *A. Schenker* für den Druck vorbereitet, zu *Schenker* (s. Literaturnachtrag) s. auch unten Teil II Anm. 268.

C) Methodologische Folgerung

Die die bisherige Forschung zur Etymologie von כפר leitende, an den entsprechenden außerbiblischen Texten aber nur in Einzelfällen überprüfte Grundannahme der Herkunft der Wurzel כפר aus dem Akkadischen *oder* aus dem Arabischen macht eine umfassendere Analyse der außeralttestamentlichen *KPR*-Belege erforderlich, in deren Mittelpunkt die Frage der etymologisch-sachlichen Korrelation von כִּפֶּר (und Der.) mit seinen semitischen Äquivalenten stehen soll. Am Ende dieser Untersuchung wird die Ausgangsfrage nach der Etymologie der Wurzel כפר noch einmal zusammenhängend aufzunehmen sein[70].

70 S. unten S. 95ff.

Erster Teil:

Die Wurzel *KPR* in den semitischen Sprachen

Erster Abschnitt: Die Wurzel *KPR* im Akkadischen

Bei der Analyse der im Akkadischen von der Wurzel *KPR* belegten Wortformen[1] stehen sich gegenwärtig zwei Auffassungen gegenüber, deren Hauptdifferenzen sich einem Vergleich der Artikel »kapāru« im Akkadischen Handwörterbuch (AHw) einerseits und im Chicago Assyrian Dictionary (CAD) andererseits entnehmen lassen. Während das AHw zwei bedeutungsverschiedene Verbalwurzeln *kapāru* annimmt – ein *kapāru* I »abschälen; abwischen« und ein von *kupru* »(Trocken-)Asphalt« denominiertes *kapāru* II »mit Asphalt übergießen« –, sah sich *B. Landsberger*[2] aufgrund erneuter Durcharbeitung eines Teils des Materials dazu veranlaßt, (a) die vom AHw für *kapāru* (I) angesetzte Bedeutung »abschälen« grundsätzlich in Frage zu stellen[3], (b) die *kapāru* (»abwischen«)-Belege zu separieren und (c) die Existenz eines von *kupru* »(Trocken-)Asphalt« angeblich denominierten *kapāru* »mit Asphalt übergießen« (AHw: *kapāru* II) zu bezweifeln.[4] Stattdessen schlug er eine Neugliederung vor, die mit einer Ausnah-

1 Unklar hinsichtlich ihrer etymologischen Zuordnung sind mB *kuprītu* (oder *kubrītu*, s. CAD K, S. 553 s.v.) und nA *kupīru* (s. AHw, S. 508; CAD K, S. 553, jeweils s.v.). – Ist aB (Elam) *kupurtu(m)* MDP 24,333 Rs. 16 (ebd. 332 Rs. 18 qu-pu-úr-ta-am geschrieben) zu *kapāru* II zu stellen? S. CAD K, S. 556 s.v. und AHw, S. 925 s.v. *quburtu(m)*, ferner *E. Salonen*, Glossar zu den altbabylonischen Urkunden aus Susa, Helsinki 1967, S. 7 s.v. *quburtum* (»Salbung«); *Paul*, JNES 28 (1969), S. 48–53, hier: S. 52f.; *ders.*, Studies, S. 60f.; *H. Petschow*, Art. Gewand(saum) im Recht, RLA III, S. 318–322, hier: S. 319. Für den Verwendungszweck dieses »Salböls (?)« ist möglicherweise die Bemerkung bei *Hinz*, Neue Wege, S. 98 zu beachten, vgl. *ders.*, Altiranisches Sprachgut, S. 153 s.v. **kufri-*, u.a. – Ki-ip-ri-ka Sumer 14, Nr. 7, Z. 15 mit *A. Goetze*, Sumer 14 (1958), S. 4–78, hier: S. 25 von einem *kiprum* »expiatory gift« abzuleiten, scheint uns – obwohl wir keinen Alternativvorschlag anzubieten haben – zweifelhaft, s. auch CAD K, S. 400 s.v. *kiprû*; AHw, S. 483 s.v. *kiprum* II; *Levine*, Presence, S. 62 Anm. 22. Auch der andere *kiprum*-Beleg ARM 13,43:17 ist bedeutungsmäßig unsicher, s. den Kommentar ARM XIII, S. 165 z.St. (Ableitung von *kapāru* »nettoyer, purifier«) und CAD K, S. 400 s.v. *kuprû*. – Zwischen dem nicht deverbalen Substantiv *kapru* »Dorf, Ortschaft« und den Verbalwurzeln *kapāru* I–II(III) besteht kein etymologischer Zusammenhang, auch nicht im Sinne einer hinter ihnen stehenden »Urbedeutung«. Zu diesem *kapru* s. außer AHw, S. 444f. s.v. *kapru(m)* I1; CAD K, S. 189f. s.v. *kapru* A noch: *D. O. Edzard*, ZA 56 (1964), S. 142–149, bes. S. 145; *ders.*, ZA 53 (1959), S. 168–173, hier: S. 171 Anm. 11; *Wagner*, Aramaismen, S. 66; *ders.*, Aramaismenfrage, S. 355ff.; *Weippert*, Landnahme, S. 115ff.; *A. Marzal-Gonzalez*, The Organisation of the Mari State, Masch. Diss. Chicago 1969, S. 92ff.105ff.; *A. Malamat*, Mari and the Bible. A Collection of Studies, Jerusalem 1973, S. 6.45 Anm. 1; *W. F. Leemans*, JESHO 18 (1975), S. 134–145, hier: S. 134 Anm. 1. Dagegen rechnet *Brauner*, CLOA, S. 289 für akk. *kapru* »Dorf« mit Ableitung aus dem Aramäischen, vgl. schon *Noth*, Ursprünge, S. 264; s. auch unten Anm. 206.

2 Date Palm, S. 30–34.

3 *Landsberger* stimmen darin zu: CAD K, S. 178–180; *Levine*, Presence, S. 123 (vgl. schon – unabhängig von *Landsberger* – *ders.*, ErIs 9 [1969], S. 81–93, hier: S. 91 Anm. 20); *Cohen*, Hapax Legomena, S. 33f. Anm. 8.

4 Wie immer man sich in der Frage eines von *kupru* »(Trocken-)Asphalt« denominierten *ka-*

me[5] vom CAD (unter Umstellung der Reihenfolge) übernommen wurde und, leicht ergänzt, auch den folgenden Erwägungen zugrunde gelegt wird:

kapāru I	»stutzen, kappen, abtakeln«
	G, Der.: (*kāpiru* [?])[6], Verbaladj. *kapru* »gestutzt, abgeschnitten«
	D (= G), part. *mukappiru*; Dt
kapāru II	»ab-, auswischen«
	G, part. *kāpiru*[7]; Gtn (Iterativ zu G)
	D »kultisch reinigen«, Der.: *ku(p)partu*[8], *kupīrātu*[9], *takpertu*
	N (Passiv zu G)
kapāru (III?)	»ausschmieren«
	G, Der.: *kupru*; Part. *kāpiru*[10]
	(D) Verbaladj. *kuppuru* »ausgeschmiert«
	N (Passiv zu G)

Während nach *Landsberger kapāru* I und *kapāru* II auseinanderzuhalten sind – es sei denn, »we take refuge in a rather speculative ›Grundbedeutung‹

pāru entscheiden mag (zum Diskussionsstand s. *Cohen*, Hapax Legomena, S. 33f. mit Anm. 8; zu den Asphaltformen s. *J. Bottéro*, in: ARM VII, S. 298ff.; *M. Birot*, ARM XIII, S. 163; *R. Frankena*, Kommentar zu den altbabylonischen Briefen aus Lagaba und anderen Orten, Leiden 1978, S. 139; zu *bīt kupri* ARM IX 12:7; 176:7 s. CAD K, S. 555 s.v.; vgl. *H. Weippert*, Art. Asphalt, BRL², S. 16; *G. Conti*, RSO 50 [1976], S. 265–273, hier: S. 272) – wichtiger für den vorliegenden Zusammenhang ist die Annahme *Levines*, daß »there is no D-stem meaning predicated on G-stem: ›to smear on‹« (Presence, S. 123; s. aber als Beispiel ASKT 11,87,65 = Borger, AOAT 1,6 § XI 65 akk.: līša ina zumri (SU) kuppuru »Teig, der auf den Körper ausgeschmiert ist [*kuppuru* = Verbaladj. des D-Stammes], dazu unten S. 43). Denn aus ihr wird die Folgerung gezogen, daß weder *kapāru* A (Nomenklatur CAD) »to wipe off« / *kuppuru* »to wipe off, to clean objects, to rub, to purify magically« noch das von *kupru* denominierte *kapāru* »to smear on bitumen« die Bedeutung »bedecken« haben könne. Da aber zum Zweck der medizinischen und magischen *Abwischung* des öfteren verschiedene Substanzen auf den menschlichen Körper *aufgetragen* werden, mit deren Hilfe dieses Abwischen geschieht (s. unten S. 43), ist für den durch *kapāru* »abwischen« / *kuppuru* »kultisch reinigen« ausgedrückten Grundvorgang die Vorstellung des ›Bedeckens‹ nicht a limine von der Hand zu weisen. Analoges läßt sich bei arab. *kfr* A beobachten, s. unten S. 90, vgl. auch *Milgrom*, Atonement, S. 78.

5 *Landsbergers kapāru* III »ausschmieren« erscheint in CAD K, S. 179 s.v. *kapāru* A 2; dazu das Passiv ebd. S. 180 s.v. *kapāru* A 4.

6 S. dazu den Kommentar CAD K, S. 184 s.v. *kāpiru* B (»butcher [?]«), vgl. aber die folgende Anm.

7 Sehr wahrscheinlich gehört hierher die in CAD K, S. 184 s.v. *kāpiru* B (s. die vorherg. Anm.) aufgeführte Berufsbezeichnung *kāpir diqarāti* »Topfauswischer« (geschrieben: LÚ ka-pir ÚTUL.MEŠ [CAD, a.a.O. emendiert UZU!. MEŠ]). Zur vermutlichen Funktion des *kāpiru* s. *E. Salonen*, Über das Erwerbsleben im Alten Mesopotamien. Untersuchungen zu den akkadischen Berufsnamen, Teil I, Helsinki 1970, S. 16; zum Auswischen des *diqāru*-Topfes s. noch unten S. 33. Zu dem (nur lexikalisch belegten) *kāpiru* genannten Reinigungsgerät (ein »Handwaschbecken«?) s. CAD K, S. 183f. s.v. *kāpiru* A 2; M/II, S. 189 s.v. *mullilu* lex.sect.; *Landsberger*, Date Palm, S. 34.

8 S. dazu *W. von Soden*, Or. 35 (1966), S. 1–20, hier: S. 13; vgl. *ders.*, Or. 46 (1977), S. 183–197, hier: S. 189; AHw, S. 508 s.v.; ferner CAD A/II, s.v. *assa* 2; K, S. 549 s.v.

9 S. dazu unten S. 45.

10 Vgl. *Levine*, Presence, S. 123; s. zu diesem Wort auch CAD K, S. 183f. s.v. *kāpiru* A 1; *Landsberger*, Date Palm, S. 34.

as ›to produce a smooth and clean surface‹«[11] –, können *kapāru* II und III nicht streng unterschieden werden, da »in several passages the step between ›auswischen‹ and ›ausschmieren‹ is so short that we cannot distinguish between cleaning and treatment«[12].

A) *kapāru* I und *kapāru* II – Zur These B. Landsbergers

Landsberger bestritt die vom AHw für den G-Stamm von *kapāru* I angesetzte Bedeutung »abschälen« vor allem mit dem Hinweis auf die altbabylonische Garantie- und Verantwortlichkeitsklausel, wonach der Pächter eines Gartens darüber zu wachen hat, daß an den Dattelpalmen keine Zweige abgebrochen werden, der Vegetationskegel der Dattelpalme nicht ausgeschnitten *(kapāru)* und in dem Garten kein Holz geschlagen wird: (7) a-na e-ri-im la ḫa-ṣa-[bi] (8) li-ib-bi-im la ka-pa-ri (9) ù i-ṣi-im la na-ka-si (VS 13,100,7–9)[13].
Ebenfalls als Terminus der Gartenbaukultur ist *kapāru* I (D) in einer altbabylonischen Tauschurkunde belegt: Bei einem Tausch von Gärten erhält die eine Partei einen Zuschlag von 2 gur Datteln »für das Beschneiden *(kapāru)* (der Bäume) seines (Obst-)Gartens« (a-na ku-pu-ur kirī (GIŠ.SAR) – šu [*H. Holma*, ZATH 1,16]). Gehört in diesen Zusammenhang auch die spätbabylonische Quittung VS 3,177? Der Text lautet Z. 6f. (vgl. auch Z. 2): 1 gur 2 sūtu suluppī (ZÚ.LUM.MA) šá 4-ú šá ūmu (UD)^{mu} ka-pri »1 Kurru 2 Seah Datteln für 1/4 Tag für das Beschneiden (des Obstgartens?)«[14].
Idiomatisch verwendet ist *kapāru* I (G) in dem altbabylonischen Brief BIN 7,19,12, in dem wegen Mißachtung eines Befehls und unerlaubten Entfernens (vom Dienst) der Strafbefehl ergeht: ki-ma qá-né-e-e[m]/ku! -up-ra-aš-šu »schneide ihn ab wie ein Rohr!«[15].
Die folgenden Belege (alle jungbabylonisch) lassen sich zu einer Gruppe mit der Bedeutung *kapāru* = »abschneiden (von Hölzern, u.a.)« zusammenfassen: Gilg. X col. III 42 (mit Ausführungsbericht Z. 45; als Sachparallele ist die neuassyrische Version des Mythos von Nergal und Ereškigal STT I 28 II 23–27 zu vergleichen[16]); Streck, Asb. A (Prisma Rassam) VI 27–29: In dem Bericht über die Beute, die Assurbanipal aus Elam nach Assyrien brachte, heißt es: »(27) Die Ziqqurat von Susa, (28) die aus blauglasiertem Backstein gemacht war, zerstörte ich, (29) die Hörner (der Ziqqurat) (,die) aus glänzender Bronze (verfertigt waren), brach ich ab« (Z. 29: ú-kap-pir-ma qarnē (SI.MEŠ)-ša pi-tiq erî (URUDU) nam-ri)[17]. Mit *gupnu* »Baum(stamm)«

11 *Landsberger*, a.a.O., S. 32.
12 *Ders.*, ebd.
13 Zur Analyse dieser Klausel s. *Landsberger*, a.a.O., S. 10.26f.30.34ff.; vgl. *D. Coquerillat*, JESHO 10 (1967), S. 161–223, hier: S. 183f.
14 Vgl. dazu *Landsberger*, a.a.O., S. 31. Anders AHw, S. 445 s.v. *kapru* II: »eine Art Opfer?«, vgl. auch CAD K, S. 191 s.v. *kapru* B. Unklar sind auch die beiden anderen *kapru*-Belege BE 14,42,17 und Aro, WZJ 8,567.
15 *Landsberger*, a.a.O., S. 31 Anm. 89 verweist für die Zusammenstellung von *kapāru* und *qanû* auf den Brief Kraus, AbB 1,37,7, der jedoch einige Interpretationsprobleme bietet, s. aber die Übersetzung CAD, K, S. 180 s.v. *kapāru* B1b. Bearbeitung von BIN 7,19 jetzt bei *S. D. Walters*, Water from Larsa. Old Babylonian Archive dealing with Irrigation (YNER 4), New Haven/London 1970, S. 71f.
16 S. die Übersetzung bei *E. von Weiher*, Der babylonische Gott Nergal (AOAT 11), Kevelaer/Neukirchen-Vluyn 1971, S. 49. In Z. 26 dieses Textes ist vom »Abschneiden« des Zürgelbaumes die Rede; Belege für das »Roden« (*kapāru* I D) von Zürgelbäumen in AHw S. 647 s.v. *mēsu(m)*.
17 Vgl. die Parallelformulierung auf Prisma F col. V 19–21 (*Bauers* »Prisma A^{A}«) bei *J. M. Aynard*, Le prisme du Louvre AO 19.939, Paris 1957, S. 54. Eine ähnliche Wendung mit *šabāru* »zerbrechen« bei *F. Martin*, RT 23,156 (= *Bauer*, IWA S. 78 t. 45).

als Objekt ist *kapāru* I (D/Dt) dreimal belegt: TCL 3,329; Erra IV 144 und Erra I 71[18]. Als Beispiel sei TCL 3,329 zitiert: GIŠ gup-ni-šu-nu rabûti (GAL.MEŠ) ú-kap-pi-ir-ma »ihre (sc. der engen Bergsteigen) großen Bäume schnitt ich ab (= fällte ich)«. Alle Belege[19] zeigen, daß die auf eine Differenzierung: *kapāru* I – *kapāru* II und auf die Separierung eines *kapāru* I »stutzen, kappen, abtakeln« ausgerichtete These *Landsbergers* dem Vorschlag des AHw (*kapāru* I »abschälen; abwischen«) vorzuziehen ist.

B) *kapāru* II, *kuppuru*, *takpertu* – Magisch-medizinische Restitution und kultische Reinigung in Mesopotamien

I. *kapāru* II in nichtmedizinischen/-kultischen Texten

1. Das Abwischen von Körperteilen

Als Beispiel für den konkreten Gebrauch von *kapāru* II »ab-, auswischen« sei eine Passage aus der mittelbabylonischen Version des Mythos von Nergal und Ereškigal VAB 2,357 zitiert, die beschreibt, wie Nergal die Herrschaft über die Unterwelt gewinnt. Von Nergal mit dem Tod bedroht, beginnt Ereškigal zu sprechen (Z. 82ff.):

82 »Du sollst mein Gatte sein, und ich will dein Gatte sein; ich will dich ergreifen lassen
83 die Herrschaft der weiten Erde, will dir die Tafel
84 der Weisheit in deine Hand legen: du sollst Herr sein,
85 ich will Herrin sein. Als Nergal diese ihre Rede vernahm,
86 faßte er sie und küßte sie, ihre Tränen wischte er ab (di-i-im-ta-sa i-ka-ap-pa-ar)«[20].

In der jungbabylonischen »Ritualvorschrift für den König gegen Mondfinsternis« CT 4,6, die im üblichen Stil von Hemerologien abgefaßt ist, wird Rs. 3ff. angeordnet:

»(Falls) [im Monat Ša]bāṭu dasselbe (sich ereignet [sc. eine Mondfinsternis]) soll er (sc. der König) Wasser nicht trinken, Milch, Fleisch nicht genießen / [mit einem (Stück) St]off seine Hände nicht abwischen (qātē^{II} (ŠU)-šú la i-ka-par), in das *bīt dūri* eintreten . . .« (es folgen weitere Ritualanweisungen und Z. 8f. die Apodosis).

Bevorzugte Objekte von *kapāru* II sind außerdem: die Lippen[21], die Augen[22] und der Mund[23], nie dagegen das Gesicht als ganzes[24].

18 Zu Erra I 71f. s. zuletzt *L. Cagni*, L'Epopea di Erra, SS 34 (1969), S. 168f.; *ders.*, SANE 1,3 (1977), S. 28.

19 Zu *kapāru* I »stutzen, kappen, abtakeln« s. im einzelnen *Landsberger*, Date Palm, S. 30–34 (dort auch zu den sumerischen Äquivalenten).

20 Übersetzung von *Weiher*, a.a.O. (oben Anm. 16), S. 53. Als Parallele vgl. KBo I,10,12 im-te-si di-ma-ati-ia »er wischte meine Tränen ab«, *A. L. Oppenheim*, JNES 8 (1949), S. 172–193, hier: S. 174 Anm. 11.

21 *Lambert*, BWL 52,23 (Ludlul bēl nēmeqi Taf. III Rs. 23): ik-pur pul-ḫat-si-na-ma ki-ṣir-si-na ip-[ṭur] »He wiped away their (sc. my lips Z. 22) terror and loos[ed] their shackles«.

22 STT 324,13: Auswischen der Augen in Parallele zum Waschen der Hände, vgl. ebd. Z. 10.12.14.

23 In einem (altbabylonischen) Gebet des *bārû*-»Wahrsagepriesters« (zu seiner Tätigkeit s. *Renger*, Priestertum, S. 203ff.) an Šamaš JCS 22,25–29, das die kultischen Vorbereitungen des *bārû* schildert, steht *kapāru* in Parallele zu *mesû* »waschen«, JCS 22,25,5f.: (5) em-sí pi-ia ù qá-ti-ia (6) ak-pu-ur pi-ia i-na ša-bi-im ^{giš}erēnim (EREN) »Ich wusch meinen Mund und meine Hände, ich wischte ab meinen Mund mit dicht belaubtem Zedernholz«, s. dazu den Kommentar von *A. Goetze*, JCS 22 (1968/69), S. 25–29, hier: S. 27f. und die Neuübersetzung von JCS

2. Das Abwischen von Gegenständen

In den mittelassyrischen Rezepten zur Herstellung von Parfümen ist öfter die Anweisung belegt:

i-na na-ma-a-ri diqāra (KAM) ta-ka-par Ebeling, Or NS 17,300f. rechte Kol. 9[25]

»(Es [sc. das Rezept] bleibt über Nacht stehen.) Beim Hellwerden wischst du den *diqāru*-Topf aus«.

Ebenfalls vom Auswischen eines *diqāru*-Topfes ist in einer mittelassyrischen Stiftungsurkunde Tukulti Ninurtas I. für die Göttin Šarrat-nipḫa die Rede (Ebeling, SVAT S,13,29, vgl. ebd. Z. 17). Des weiteren werden in neuassyrischen und spätbabylonischen Texten verschiedene Gegenstände genannt, die gereinigt bzw. poliert werden (z.B. Kupfergeräte, eine Silberlegierung, Schmuck) oder selber als Reinigungsmittel fungieren (z.B. Steine). Darauf soll hier nicht weiter eingegangen werden.[26]

Übertragener Gebrauch von *kapāru* II (nicht *kapāru* I)[27] scheint in dem altbabylonischen Brief Kraus, AbB 1,67 Rs. 13 vorzuliegen: »(11) Er belästigt das Haus; (12) er soll unter Druck gesetzt werden, und damit er zum zweiten Male (13) das Haus nicht belästigt, soll seine Angelegenheit *bereinigt* werden« (a-wa-sú li-ik-tap-pe-er). Zu erwägen ist, ob die Wendung *awāssu liktapper* in Analogie zu dem den formellen Abschluß eines Geschäftes zum Ausdruck bringenden Perfizierungsvermerk *awāssu gamrat* »die Angelegenheit (Verhandlung) darüber ist vollendet« der altbabylonischen Kauf- und Tauschverträge zu verstehen und demzufolge als ». . . soll seine Angelegenheit geklärt werden« zu übersetzen ist[28].

II. *kapāru* II in medizinischen und kultischen Texten

Einleitung: Patient – Beschwörer – Arzt. Zur Welt des Kranken in Mesopotamien

Gemessen am Maßstab neuzeitlicher Rationalität muß jede Lektüre altorientalischer medizinischer Texte den Eindruck hervorrufen, »daß es zu einer rationellen medizinischen Wissenschaft daselbst (sc. in Mesopotami-

22,25–29 bei *Seux*, HPDBA, S. 467–470 (zu unserer Stelle S. 467 mit Anm. 4, vgl. *ders.*, Pureté, Sp. 457); zu *šab/pu* s. AHw, S. 1177 s.v. *šapu(m)* I2.

24 S. dazu *Landsberger*, Date Palm, S. 32. Der Beleg KAR 63,25 entfällt, vgl. *Landsberger*, a.a.O., S. 31 Anm. 96 und CAD K, s.v. *katāmu* 1a. In AHw, S. 442 s.v. *kapāru* IG 1a noch als ik-ta-par gelesen, s. aber AHw, S. 1051 s.v. *sissiktu* 8.

25 Weitere Belege: Ebeling, Or. 17, S. 300f. rechte Kol. 23.29; S. 301ff. rechte Kol. 7.13.26.32; S. 303ff. linke Kol. 9.16; S. 409ff. KAR 140 Vs. 21.27, Rs. 10; *kapāru* parallel zu *mesû*: Ebeling, Or. 18, S. 406ff. KAR 222 Vs. rechte Kol. 23, ta-ma-si ergänzt ebd. S. 404ff. KAR 222 Vs. linke Kol. 25; Ebeling, Or. 17, S. 305ff. VAT 8711 Kol. I,5.22.

26 S. dazu die entsprechenden *kapāru*-Artikel in AHw und CAD (Lit.).

27 Anders CAD K, S. 180 s.v. *kapāru* B3.

28 Zur Sache s. *M. San Nicolò*, Die Schlußklauseln der altbab. Kauf- und Tauschverträge. Ein Beitrag zur Geschichte des Barkaufs, München [2]1974, S. 25 Anm. 45; S. 50. Analog läßt sich die altbabylonische Phrase 4 di-nu me-sú-tu MDP 24,321, Rs. 1 mit *H. M. Kümmel*, OLZ 67 (1972), Sp. 447f. mit »4 geklärte (nicht: gewaschene) Prozesse« übersetzen, vgl. auch *M. de J. Ellis*, JCS 26 (1974), S. 133–153, hier: S. 147 Anm. 25; *W. von Soden*, OLZ 70 (1975), Sp. 460.

en) niemals gekommen ist«[29], weil dies durch die enge Verflechtung von medizinischer Wissenschaft und magischer Praxis »verhindert« worden sei:

»Wie eng im übrigen doch die Magie mit der medizinischen Wissenschaft verbunden blieb, geht daraus hervor, daß sich im Zweistromlande auch die wirklichen Mediziner niemals von dem Aberglauben freigemacht haben, daß einzelne Krankheiten durch das Treiben der Dämonen entstünden. Deshalb wurden bestimmte Dämonennamen auch von den Gelehrten geradezu zur Bezeichnung von Krankheiten benutzt, und nicht selten sind zur Heilung derselben Medikamente mit Beschwörungen kombiniert worden«[30].
»Wir sehen eben immer wieder, daß auch der Arzt sich niemals von dem Glauben an die Magie losgemacht hat. Wenn seine Arzeneien nichts halfen, nahm er auch immer wieder Zuflucht zur Zauberei, und darum sind auch die rein medizinischen Texte oft mit magischen Vorschriften und Beschwörungen durchsetzt«[31].

Fragen wir, worauf dieser Eindruck zurückzuführen ist, so lassen sich vor allem drei Gründe namhaft machen, deren Bedeutung für eine adäquate Erfassung des babylonischen Krankheitsbegriffs in der Regel unterschätzt wurde: zunächst die Tatsache, daß es den Verfassern und Sammlern dieser medizinisch-magischen Literatur offenbar weder auf eine wissenschaftlich abgesicherte Definition von Krankheit noch überhaupt auf eine theoretische Fundierung medizinischer Erkenntnisse nach Maßgabe moderner medizinischer Logik ankam; sodann das komplexe Verhältnis von Krankheitsursache/n und Erscheinungsbild der Krankheit und schließlich die damit zusammenhängende Herausbildung eines gänzlich anders strukturierten Krankheitsbegriffs, in dessen Zentrum – etwa im Unterschied zur Auffassung des Corpus Hippocraticum – nicht die zu erkennende und zu behandelnde Krankheit an sich oder der Körper in seiner organischen Ganzheit bzw. Vielfalt, sondern *der kranke Mensch* in seiner jeweiligen körperlichen (und seelischen) Verfassung und – damit aufs engste zusammenhängend – in seiner jeweiligen sozialen Situation stand. Diese Auffassung von Krankheit hat sich auch sprachlich in der Protasiseinleitungsformel *šumma amēlu* »wenn ein Mensch . . .« niedergeschlagen. Das Phänomen Krankheit wird nicht theoretisch erfaßt, da es dem Babylonier nicht auf die Freilegung des Kausalzusammenhangs von Krankheitsursache und Krankheitsform in medizinischen Begriffen und auch nicht auf eine rationale, medizinisch-wissenschaftlich begründbare Therapie ankam. Weil für ihn nicht erst die Krankheit, sondern schon deren Ursache primär auf der *Ebene des Erlebens und Erfahrens* lag, konnte ihr wirksam allein mit den Mitteln der medizinischen und magischen Empirie begegnet werden. Dies führt uns zum Problem der Krankheitsursachen.[32]
Als Verursacher von Krankheit, Leiden und Tod erscheinen Dämonen und

29 *B. Meissner*, Babylonien und Assyrien, Bd. 2, Heidelberg 1925, S. 292.
30 *Ders.*, a.a.O., S. 293.
31 *Ders.*, a.a.O., S. 314.
32 S. dazu jetzt auch *R. D. Biggs*, in: *H. Schipperges – E. Seidler – P. U. Unschuld* (Hrsg.), Krankheit, Heilung, Heilkunst, Freiburg/München 1978, S. 91–114, hier: S. 94ff.

böse Mächte als äußere, d.h. von außen kommende Krankheitserreger, die (als personifizierte Mächte) den Menschen »packen«, »binden«, »schlagen« usw.[33] Da aber die Wirksamkeit von Dämonen und bösen Mächten nicht als prima causa, sondern als Folge der Abwesenheit des persönlichen Gottes (des Schutzgottes)[34] angesehen wurde, galt als eigentliche Krankheitsursache die (von Kindesbeinen an) potentiell immer vorhandene *Sündhaftigkeit* des Menschen, die den Zorn des persönlichen Gottes erregt und so die Preisgabe an die dämonischen Mächte bewirkt:

20 meṣ-ḫe-ru-ti la mu-da-ku-ma gu-lul-tu ēpušu (DÙ)^{šu} ana-ku ul i-de
21 ṣe-eḫ-ra-ku-ma eḫ-ta-ṭi
22 i-ta-a šá ili (DINGIR)-ia$_5$ lu e-tiq (Craig, ABRT II, Taf. 3 Z. 20–22)[35]

20 »In meiner Jugend war ich unwissend, um feindseliges Handeln, das ich begangen hatte, wußte ich nicht;
21 als ich noch klein war, habe ich gesündigt;
22 die Grenze meines Gottes habe ich überschritten«[36].

Konstitutiv für den babylonischen Krankheitsbegriff ist diese Sünde-Unheil-Relation: das durch die eigene Sünde verschuldete Preisgegebensein an die dämonischen Mächte. »Die Erkenntnis des Tun-Ergehen-Zusammenhangs bedeutet nun freilich nicht die Entdeckung des Kausalitätsprinzips. Prinzipien, eine ἀρχή gibt es im altorientalischen Denken nicht. Vielmehr

33 Eine Zusammenstellung von Ausdrücken, die die Umstände der Krankheitsentstehung schildern, geben *R. Labat*, Traité akkadien de diagnostics et prognostics médicaux, Paris/Leiden 1951, S. XXIff.; *B. Landsberger*, WO 3 (1964), S. 48–79, hier: S. 55; *Ritter*, Magical-Expert, S. 305; *Goltz*, Heilkunde, S. 6 Anm. 25; S. 9 Anm. 36; vgl. auch *Barth*, Errettung vom Tode, S. 93ff.; *Seux*, Pureté, Sp. 455ff. Detailliert zur Formensprache des (in diesem Zusammenhang zu beachtenden) Klageelements der akkadischen Gebetsbeschwörungen s. jetzt *Mayer*, Gebetsbeschwörungen, S. 67ff., bes. S. 86ff. Zu den (Krankheits-)Dämonen zusammenfassend *E. Ebeling*, Art. Dämonen, RLA II, S. 107ff.; *D. O. Edzard*, WM I s.v. Dämonen; *M. Leibovici*, in: Génies, anges et démons (SOr 8), Paris 1971, S. 87–112; *C. Colpe*, Art. Geister (Dämonen), RAC IX (1976), Sp. 546ff.562ff., u.a.

34 Zur Konzeption des persönlichen Gottes s. zuletzt *Vorländer*, Mein Gott, S. 5–120; *Jacobsen*, Treasures of Darkness, S. 147–164, bes. S. 155ff.160ff.; *Mayer*, Gebetsbeschwörungen, S. 50ff.93ff.239ff. u.ö. (s. Register S. 573 s.v. Schutzgott); *Albertz*, Persönliche Frömmigkeit, S. 96ff.; *B. Hartmann*, in: *O. Keel* (Hrsg.), Monotheismus im Alten Israel und seiner Umwelt (BiBe 14), Fribourg 1980, S. 49–81; zu den religionswissenschaftlichen Aspekten s. *B. Gladigow*, in: *P. Eicher* (Hrsg.), Gottesvorstellung und Gesellschaftsentwicklung, München 1979, S. 41–62.

35 S. dazu die Lit. HKL I, S. 68.164; II, S. 89 (jeweils z.St.), ferner *Seux*, HPDBA, S. 403ff. (Z. 20–22: S. 404), vgl. *Mayer*, Gebetsbeschwörungen, S. 419f. (»Šamaš 78«).

36 Für die babylonisch-assyrische Auffassung des Zusammenhangs von Sünde und Krankheit/Leiden s. zuletzt *W. von Soden*, ZDMG 89 (1935), S. 143–169, bes. S. 157ff.; *ders.*, MDOG 96 (1965), S. 41–59; *ders.*, in: SAHG, S. 53ff.; *Labat*, caractère religieux, S. 323ff.; *J. J. Stamm*, Das Leiden des Unschuldigen in Babylon und Israel, Zürich 1946, S. 9ff.; *Bottéro*, religion babylonienne, S. 91ff.; *W. G. Lambert*, JEOL 15 (1957/58), S. 184–196, u.a. Der Zusammenhang von Krankheit und Sünde wird so eng gesehen, daß der Kranke zuweilen ›direkt auf eine begangene Sünde hin diagnostiziert‹ werden kann, s. TDP 8,26 *(arnu)*; 8,27.29 *(asakku)*, u.ö.

wird Tun und Ergehen so eng zusammengesehen, daß beides als Einheit erscheint«[37]. Die Antwort auf die Frage nach dem Ursprung von Krankheit, Unglück und Leiden erschloß sich dem Babylonier nicht in einem Denkschritt a priori, sondern blieb immer orientiert an den vom Menschen selbst hervorgerufenen Folgen seines Fehlverhaltens[38]. Bezeichnend für diese Denkstruktur ist der bekannte Sachverhalt, daß einige akkadische Ausdrücke für »Sünde, Vergehen« wie *arnu, ḫīṭu/ḫiṭīṭu* und *šē/īrtu* die Sünde und zugleich die Strafe (für ein Vergehen) bezeichnen.[39]

Weil für den Babylonier Sünde wesentlich Sünde gegen den persönlichen Gott war, kam nicht eine objektiv-teilnahmslose, von der jeweiligen (psychischen, somatischen und sozialen) Befindlichkeit abstrahierende Suche nach der prima causa der Krankheit in Frage – im Gegenteil: Da die *Krankheit selbst als die konkrete Folge der menschlichen Sündhaftigkeit erfahren* wurde, war allein (das Bekenntnis der Sünde[40] und) die Bitte um Lösung der Sünde geeignet, das Vertrauen des persönlichen Gottes zurückzugewinnen. Nur so konnte der Sünde-Unheil-Zusammenhang außer Kraft gesetzt werden und der persönliche Gott im Menschen wieder Wohnung nehmen.

Was die Abwesenheit des persönlichen Gottes als Folge der Sünde des Menschen für das Leben des einzelnen bedeutete, läßt sich daran ermessen, mit welchen Segnungen seine Gegenwart für den von ihm Beschützten verbunden war[41]: Der persönliche Gott ist Garant für das Leben(sglück) und das Wohlergehen des Menschen, wobei unter Wohlergehen *(šalāmu, šulmu)* nicht allein physische und psychische, sondern ebenso »soziale Gesundheit«: Reichtum, Ansehen, Erfolg und zahlreiche Nachkommenschaft verstanden wird[42]; der persönliche Gott beschützt den Menschen gegen böse Dämonen, und er tritt in der Götterversammlung als Fürsprecher und Vermittler der Bitten seines Schützlings auf[43]. Verläßt er den Menschen, so sind physisch-psychischer Zusammenbruch und soziale Isolation die unvermeidlichen Folgen[44]. Dieser unheilvolle Zustand der ›Gottverlassenheit‹

37 *Gese*, Geschichtliches Denken, S. 89; vgl. *ders.*, Lehre, S. 42ff. 65ff.

38 *Bottéro*, religion babylonienne, S. 96; vgl. den Zusammenhang S. 93–96.

39 Zu *arnu/annu, biltu, ḫīṭu/ḫiṭīṭu, šē/īrtu* (jeweils Sündenterminus) + *našû* »tragen« (oder: *emēdu* »auferlegen [Strafe]«, *šadādu* »[ziehen →] sich zuziehen«, *t/wabālu* »[weg]tragen«, *zabālu* »tragen«, vgl. atl. נָשָׂא חֵטְא/עָוֹן) s. AHw und CAD s.vv., zur Sache ferner *Lambert*, BWL S. 321; *H. E. Hirsch*, in: *G. Wiesner* (Hrsg.), FS für *W. Eilers*, Wiesbaden 1967, S. 99–106, hier: S. 105 mit Anm. 55–56; *M. Held*, JAOS 88 (1968), S. 90–96, hier: S. 92; *F. R. Kraus*, RA 64 (1970), S. 53–61, hier: S. 53–55; *W. G. Lambert*, JNES 33 (1974), S. 267–322, hier: S. 286; *J. Renger*, JESHO 20 (1977), S. 65–77, hier: S. 77 mit Anm. 35.

40 S. dazu *Mayer*, Gebetsbeschwörungen, S. 114f., vgl. *Gerstenberger*, Der bittende Mensch, S. 130ff.

41 Für das Folgende sei auf die mit zahlreichen Belegen versehene Darstellung von *Vorländer*, Mein Gott, S. 68–98. 110–120 hingewiesen, vgl. auch *Albertz*, Persönliche Frömmigkeit, S. 96ff., bes. S. 102ff. und die Übersicht S. 121ff.

42 S. dazu bereits *Barth*, Errettung vom Tode, S. 93–102, bes. S. 97f.

43 S. dazu *Mayer*, Gebetsbeschwörungen, S. 230ff.

44 Als eindrucksvolles Beispiel s. die jungbabylonische Gebetsbeschwörung King, STC, Taf.

kann nur dadurch behoben werden, daß der persönliche Gott und die anderen Götter sich mit dem Menschen wieder versöhnen und der Mensch durch Reinigungs- und Sündenlösungsriten in die Hände seines persönlichen Gottes zurückgegeben wird[45]. Auf dieses Ziel richten sich auch die Bitten des Beters in den akkadischen Gebetsbeschwörungen[46].

Zum Gesamtverständnis des hier beschriebenen Sachverhalts sei auf zweierlei hingewiesen: zum einen auf die Funktion des persönlichen Gottes, wie sie *Th. Jacobsen* beschrieben hat: »Wenn wir das mesopotamische All auf das hin betrachten, was der einzelne in ihm für sich gewinnen kann, dann wird der Eigengott zum Angelpunkt. Er ist das Bindeglied zwischen dem Individuum und dem Universum samt seinen Mächten; er ist der archimedische Punkt, aus dem heraus das All bewegt werden kann. Denn dieser Schutzgott ist nicht fern und ehrfurchtgebietend wie die großen Götter, sondern nah und vertraut – und anteilnehmend«[47]. Da aber – und das ist der zweite Punkt – der persönliche Gott als *im Körper des Menschen wohnend* vorgestellt wird[48] und der Kranke und Leidende nur deshalb wieder gesundet und in die Gemeinschaft wieder aufgenommen wird, weil die Dämonen seinen Körper verlassen haben (sehr deutlich beispielsweise in den Beschwörungen Maqlû V 166–184[49]; OECT VI pl. VI +, Z. 9′ff.[50]) und der persönliche Gott ›in seine Wohnung‹ wieder zurückkehrt, sind Nähe und Anteilnahme des persönlichen Gottes Erfahrungen von physischer Realität: In dem Maße wie der persönliche Gott »das Bindeglied zwischen dem Individuum und dem Universum« ist, in demselben Maße ist der menschliche Körper der *Ort*, an dem diese »Verbindung« real wird. Der Mensch in seiner leiblich-seelischen Erscheinung wird so, um einen Ausdruck der Geometrie zu gebrauchen, zum »Schnittpunkt« von Kosmos, Natur und Gesellschaft[51].

Kehren wir nach diesen Ausführungen zu der Frage zurück, worauf die Verflechtung von Medizin und Magie in den medizinisch-magischen Texten zurückzuführen ist. Wir wurden auf das Problem der Krankheitsursachen

LXXXI Rs. 72–78, deutsche Übersetzung bei *von Soden*, in: SAHG, S. 332 (Nr. 61 akk.).

45 Vgl. *Vorländer*, Mein Gott, S. 120.165–167, ferner *Goltz*, Heilkunde, S. 286; *Seux*, Pureté, Sp. 458f. und die Materialzusammenstellung bei *Seux*, HPDBA, S. 203–211; *Mayer*, Gebetsbeschwörungen, S. 239ff.

46 S. dazu jetzt ausführlich *Mayer*, a.a.O., S. 210–306. Zum Zusammenhang von ›Rückkehr des persönlichen Gottes‹ und ›Sühnegeschehen‹ bereits *S. H. Langdon*, Art. Expiation and Atonement, ERE V (1912), S. 637–640, hier: S. 639.

47 *Th. Jacobsen*, Mesopotamien, in: *H.* u. *H. A. Frankfort*, Frühlicht des Geistes. Wandlungen des Weltbildes im alten Orient, Stuttgart 1954, S. 226.

48 Vgl. *Vorländer*, Mein Gott, S. 68.

49 S. dazu jetzt *T. Abush*, JNES 33 (1974), S. 251–262, hier: S. 256f., vgl. *Gerstenberger*, Der bittende Mensch, S. 104ff.; *Mayer*, Gebetsbeschwörungen, S. 85f.

50 S. dazu *Farber*, Beschwörungsrituale, S. 144 Z. 62ff.; 146 Z. 109ff.; 148 Z. 128ff.; 150 Z. 140ff.; 152 Z. 174ff. u.ö.

51 Damit sind jedoch Perspektiven angedeutet, deren Entfaltung und Begründung nur im Zusammenhang einer Darstellung der altorientalischen Auffassung der »Welt als Ordnung« erfolgen könnte, s. dazu *Gese*, Lehre (passim); *Schmid*, Gerechtigkeit (passim); *ders.*, Altorientalische Welt in der alttestamentlichen Theologie. Sechs Aufsätze, Zürich 1974, S. 9–30.31–63.145–164; *Jacobsen*, Treasures of Darkness, S. 75ff., u.a. Als Textbeispiele für die genannte Auffassung wären aus dem Bereich der akkadischen Gebetsbeschwörungen zu nennen: SAHG Nr. 40.46.53.57.61 (Teilübersetzung auch in: RTAT, S. 133–136).63.70 und – sehr deutlich! – SAHG Nr. 67.

verwiesen und können als Ergebnis festhalten: (a) als Primärursache von Krankheit, Unreinheit, Leiden, Not usw. gilt die Sünde oder Verfehlung eines Menschen; hinzu kommen (b) Dämonen und böse Mächte (wie z.B. der personifizierte Bann: *māmītu*) als in ihrer Wirkung nicht weniger bedrohliche Ursachen ›zweiten Grades‹[52] und (c) »natürliche« Ursachen, die am ehesten – zumindest ansatzweise – zur Ausbildung einer empirisch-rationalen Medizin beigetragen haben werden. Zur Beseitigung der für Krankheit, Leiden und Not verantwortlichen Sünde des Menschen werden Gebete gesprochen[53], Opfer vollzogen[54] und Reinigungs- und »Sühne«riten durchgeführt; die Bekämpfung von Dämonen und bösen Mächten wird durch alle Formen der »weißen Magie« wie Beschwörung, exorzistische, apotropäische und Ersatzriten erreicht[55]; und als Mittel gegen die »natürlichen« Krankheitsursachen half schließlich eine umfassende Praxis der Arzneibereitung und -anwendung. All diese Maßnahmen oblagen den Vertretern verschiedener Berufsklassen, vor allem den Repräsentanten der »Beschwörungskunst« *(āšipūtu)* und der »Arzt- oder Heilkunst« *(asûtu)*[56].

In der bislang gründlichsten Untersuchung zum Thema – der Arbeit von *E. K. Ritter*[57] – werden die Funktionen des *āšipu* (»Beschwörer, Beschwörungspriester«) und des *asû* (»Arzt«)[58]

52 Vgl. *Seux*, Pureté, Sp. 455–457.

53 Siehe dazu den Überblick und die Analyse bei *Gerstenberger*, Der bittende Mensch, S. 93ff. (Lit.) und die Textbeispiele bei *Seux*, HPDBA, S. 139ff.; *Mayer*, Gebetsbeschwörungen, S. 119ff.210ff., bes. S. 67.168.169.255ff.257ff.367ff.

54 Vgl. *Mayer*, Gebetsbeschwörungen, S. 150–157.

55 Zur Beseitigung von Unreinheit u.a. in der mesopotamischen Religion s. jetzt zusammenfassend *Seux*, Pureté, Sp. 452–459, vgl. *Gerstenberger*, Der bittende Mensch, S. 82ff., bes. S. 85ff.

56 Die Literatur zu *(w)āšipu* (substant. Part. des G-Stammes der Wurzel **wšp* »beschwören«, zum Aramäischen s. *Kaufman*, Akkadian Influences, S. 38f. s.v.) ist außerordentlich verstreut und schwer zu überblicken; die ältere Lit. verzeichnen (außer den *āšipu*-Artikeln in AHw und CAD) v.a. *W. von Soden*, Leistung und Grenze sumerischer und babylonischer Wissenschaft, Darmstadt 1965, S. 106ff.; *J. V. Kinnier Wilson*, Iraq 19 (1957), S. 40–49, hier: S. 42.46; *Oppenheim*, Ancient Mesopotamia, S. 288ff. (dazu S. 387.387 D); *E. Reiner*, in: Le monde du sorcier (SOr 7), Paris 1966, S. 69–98, hier: S. 71f.; *R. I. Caplice*, CBQ 29 (1967), S. 346–352; *Ritter*, Magical-Expert; *R. S. Ellis*, Foundation Deposits in Ancient Mesopotamia, New Haven/London 1968, S. 33f.; *Renger*, Priestertum, S. 223ff. Zum Thema s. neuerdings *Gerstenberger*, Der bittende Mensch, S. 67ff.111f.; *Goltz*, Heilkunde, S. 5f.10ff.93f.; *Mayer*, Gebetsbeschwörungen, S. 8.22 Anm. 54; S. 23.59–66.315; *P.-E. Dion*, Bib. 57 (1976), S. 399–413; *R. D. Biggs*, a.a.O. (oben Anm. 32), bes. S. 100ff. Zum »Beschwörer« (Akkadogramm: *^{LÚ}A.ŠI.PU*) in der hethitischen Tradition s. *Kümmel*, Ersatzrituale, S. 95–98; *ders.*, Ersatzkönig, S. 308; *H. Otten*, AfO 25 (1974/77), S. 175–178, vgl. *Gurney*, Aspects, S. 44f.58. Neben dem *āšipu* waren auch noch andere Arten von Beschwörern mit der Ausübung exorzistischer und apotropäischer Aufgaben betraut: der *mašmāšu* »Beschwörer« (zur Lesung von $^{(LÚ)}$MAŠ.MAŠ s. CAD A, II/1 S. 435 s.v. *(w)āšipu*; M I, S. 381 s.v. *mašmaššu*; *J. S. Cooper*, JNES 31 [1972], S. 207–209, hier: S. 208; *Borger*, Zeichenliste, Nr. 74), der *mullilu* »Reiniger« (Der. von *elēlu* II D »reinigen«), der *muš(la)laḫḫu* »Schlangenbeschwörer«, z.T. auch der *bārû* »Opferschau(priest)er« (s. *Renger*, a.a.O., S. 203f.; *Gerstenberger*, a.a.O., S. 69ff.; *Fuhs*, Sehen, S. 34ff.314f.).

57 Magical-Expert, vgl. *Goltz*, Heilkunde, S. 1ff.

58 *asû* »Arzt« ‹ sum. $^{(LÚ)}$A.ZU »Wasserkundiger« (AHw, S. 76 s.v. *asû* I; s. aber CAD A II,

wie folgt definiert: »The āšipu qua healer views disease as a particular expression of the wider beliefs that he holds, namely that a chain of events, initiated under the influence of ›supernatural‹ powers or forces, proceeds on a predetermined course to an outcome that can be predicted by the skillfull reading of signs«[59]. Ganz anders steht der *asû* dem Phänomen Krankheit gegenüber: »The asû, without reference to a more general system of notions, views disease as the complex of presenting symptoms and findings; by his ›practical grasp‹ . . . of the immediate situation he proceeds with treatment«[60]. Aus dieser unterschiedlichen Grundeinstellung des *āšipu* und des *asû* zur Krankheit folgt ein fundamental verschiedenes Vorgehen in den Bereichen von Diagnose und Therapie sowie eine andere Beurteilung der Prognose des weiteren Krankheitsverlaufs:

In der *āšipūtu* (»Beschwörungskunst«):
Diagnose: Aus dem Axiom, Krankheit sei durch ›übernatürliche‹ Kräfte verursacht, die sich der direkten Einsehbarkeit des Menschen entziehen, aber in sichtbaren ›Zeichen‹ am menschlichen Körper erscheinen, ergibt sich als diagnostisches Grundproblem die Aufgabe der ›Entzifferung‹ dieser ›Zeichen‹ auf die ihnen zugrundeliegenden Ursachen hin. Von der richtigen Diagnose hängen Auswahl und Anwendung der geeigneten Beschwörung sowie des passenden Rituals ab.
Prognose: Am häufigsten sind die folgenden prognostischen Aussagen: (günstig) *iballuṭ* »er wird am Leben bleiben / er wird aufleben« und (ungünstig) *imât* »er wird sterben / er schwebt in Todesgefahr«. Dazwischen liegen viele, mit anderen Verben wiedergegebene Abstufungen und Varianten.[61] Große Bedeutung wird – im Unterschied zur *asûtu* – dem zeitlichen Aspekt der Krankheit beigemessen: Dauer, kritische Momente und Tage, Rückfälle werden sorgfältig registriert.
Behandlung: Erst wenn die Prognose gestellt ist, setzt die Krankenbehandlung unter Anwendung der verschiedensten Arzneimittel ein. Als eigentliches Heilmittel galt in der *āšipūtu* die aus Rezitation (Beschwörung: *šiptu*) und magischer Handlung (Ritual: *epuštu*, u.a.) bestehende Heilungsprozedur. Während die Beschwörungen des *āšipu* zum »Marduk-Ea-Typ«[62] gehören, umfassen die von ihm durchgeführten Rituale Beschwörungsmittel und -geräte der verschiedensten Art: Wasser; Figuren aus Ton, Mehl, Wachs usw.; Amulette; magische Kreise usw. Abschließend kann ein Text folgen, der den Zweck der Beschwörung angibt.

In der *asûtu* (»Heilkunst«):
Indikation: Der Arzt erforscht nicht ›übernatürliche‹ Krankheitsursachen, sondern er versucht, die Symptome der Krankheit zu erkennen und eine Diagnose zu stellen, d.h. dem Krankheitsbefund einen Namen zu geben. Die Symptome haben nicht grundsätzliche, sondern lediglich heuristische Bedeutung. Wichtiger sind darum
Rezeptur: Herstellung des Medikaments *(bulṭu)* und
Applikation: Das Arzneimittel kommt am Kranken in den verschiedensten Formen zur Anwendung: Bandagen, Massagen, Salben, Pillen, Inhalieren von Dämpfen usw. Dabei können

S. 347 s.v. *asû* A; *Biggs*, a.a.O. [oben Anm. 32] S. 105). Zur Entlehnung im Aramäischen s. *Kaufman*, Akkadian Influences, S. 37 s.v. Zum »Arzt« (Akkadogramm: ^{LÚ}*A.ZU*) in der hethitischen Tradition s. *C. Burde*, StBT 19 (1974), S. 1ff.51ff., u.a.

59 *Ritter*, Magical-Expert, S. 301, vgl. S. 321 und *Oppenheim*, Ancient Mesopotamia, S. 290.294f.

60 *Dies.*, a.a.O., S. 302.

61 Sammlung bei *Labat*, a.a.O. (oben Anm. 33) S. XXVIIff.; *Ritter*, a.a.O., S. 302ff.

62 *A. Falkenstein*, Die Haupttypen der sumerischen Beschwörung literarisch untersucht, (LSSt NF 1), Leipzig 1931, S. 44ff.

Beschwörungen – vor allem an Gula und Damu – rezitiert werden; sie haben aber keine konstitutive, sondern allenfalls unterstützende Funktion.

Prognose: Die Applikation kann mit einer prognostischen Schlußformel, die in den meisten Fällen auf die beabsichtigte Wirkung der Behandlung bezogen zu sein scheint, beendet werden. Am häufigsten sind: (günstig) *inaeš* »er wird genesen« (seltener *iballuṭ*, *išallim*) und (ungünstig) *imât* (sehr selten). Auffallend, im Horizont der beschriebenen Voraussetzungen aber konsequent, ist das Zurücktreten bzw. gänzliche Fehlen von sprachlichen Abstufungen bei den Prognosen und des zeitlichen Aspektes der Krankheit.

Die im folgenden Abschnitt (II1) aufgeführten *kapāru*-Belege gehören überwiegend zur dritten Phase (Applikation) der *asûtu*-Behandlung.

1. *kapāru* II in der medizinischen Rezeptliteratur

Einen ersten Eindruck von der Verwendung von *kapāru* II (G/Gtn, D) in der medizinischen Rezeptliteratur vermittelt der zu einer zweikolumnigen Tafel mit Rezepten gegen Fußkrankheiten gehörige Text BAM 124 II 49–50 (= KAR 192 II 49–50), Dupl. AMT 74 II 22–23:

49 šumma (DIŠ) ašaršani (KIMIN) qaqqad (SAG.DU) ka-ṣi-ri ta-qa-lu ana pāni (IGI) tanaddi (ŠUB)^{di}

50 šumma (DIŠ) ašaršani (KIMIN) pān (IGI) murṣi (GIG) ta-ka-par it-gur-ta te-[qí]

49 »Wenn dasselbe der Fall ist, sollst du den Kopf eines *kāṣiru* (eine Art Mungo) rösten, darauf (sc. auf die kranke Stelle) legen.

50 Wenn dasselbe der Fall ist, sollst du die kranke (oder: wunde) Stelle abwischen, über Kreuz einreiben«.

Eine analoge therapeutische Anweisung wird in einem Rezept gegen Kopfkrankheiten gegeben, BAM 3 IV 29 (= KAR 202 IV 29), Dupl. AMT 34,1,29 lautet:

an-nam tēteneppuš (DÙ.DÙ)^{uš} ina ūmi (UD) 4 kám (KÁM) uznē^{II} (GEŠTU)-šú ta-ka-pár

»Dieses (sc. das Tamponieren) machst du öfter, in vier Tagen wischst du seine Ohren aus«.

Zu vergleichen ist auch AMT 37,10,8 (libbi uznēšu takappar »das Innere seiner Ohren wischst du aus«) und detaillierter RSO 32,115,4–9[63]:

». . . drei Tage machst du dies, am vierten Tag nimmst du den Eiter, der sich in seinem Ohr befindet, heraus, du wischst (die Ohren) aus (ta-ka-pár), du zerstößt Alaun und bläst (ihn) mit einer Röhre mitten in seine Ohren«.

Sehr häufig belegt ist die Anweisung, den Mund und andere Gesichtspartien des Patienten vor der medikamentösen Behandlung mit den verschiedensten Ingredienzien (Honig, Senf, Myrrhe usw.) abzuwischen: *Mund* (AMT 76,5,6; 26,6,5 [*kapāru* Gtn]; vgl. AMT 28,7,8;

63 Vgl. dazu auch *Goltz*, Heilkunde, S. 90.

23,2,13; 54,3,11; 78,1 III 4; 79,115 [*kapāru* D] u.ö.; unklar ist AMT 87,8,5 [*kapāru* D]); der *Mund* ist abzuwischen und die *Nasenlöcher* des Patienten sind mit verschiedenen Substanzen (Schwefelholz, Zedernholz, u.a.) zu beräuchern (AMT 54,1 Rs. 5.9, vgl. AMT 21,4,5; 23,2,7; 24,5,9 u.ö.); *Mund* und *Nasenlöcher* sind ab- bzw. auszuwischen (AMT 28,4,6, vgl. 31,6,8; 25,6 II; 28,3,5 [jeweils *kapāru* D]); *Mund* und *Zunge* des Kranken sind wiederholt abzuwischen (AMT 78,1 III 16 [*kapāru* Gtn]); der Kranke selber wird aufgefordert (3. Pers.), seine Zähne abzuwischen (= zu putzen: AMT 28,2,6 und BAM 28,6 = RA 18,17,6 [*kapāru* Gtn]).

In dem dreispaltigen (1. Spalte: Heilmittel; 2. Spalte: Name der Krankheit; 3. Spalte: Verwendungsart des Heilmittels) pharmakologisch-therapeutischen Handbuch BAM 1 (= KAR 203) findet sich in BAM 1 I 15 (= KAR 203 III 15) nach Nennung des Heilmittels (*marguṣu* = ein Harzbusch) und der Krankheit (eine Zahnerkrankung) die Anweisung, auf nüchternen Magen dem Patienten die Zähne abzuwischen (*kapāru* G). Die umgekehrte Maßnahme wird in dem an den Stil physiognomischer Omina anschließenden Rezept mit Beschwörung BAM 30,13 (= LKA 136,13) verordnet: Im Falle von Zähneknirschen im Schlaf sollen Salz und Harz vom Wacholderstrauch zerstoßen und auf die Zähne aufgetragen werden (eli šinnēsu takappar); zu vergleichen ist das altbabylonische Omen VAT 7525 col. I 41–42 (AfO 18,64,41–42).

Aufgrund der formgeschichtlichen Verwandtschaft von Omentexten und medizinisch-diagnostischen Texten können hier drei aus der Omenliteratur stammende Belege (zwei physiognomische Omina und ein Schlafomen) angeschlossen werden[64], bei denen die mit *kapāru* D (+ Dtn) bezeichnete Handlung jeweils in der Protasis steht, CT 28,29,8:

šumma (DIŠ) pa-ni-šu ú-kap-pir ina di-bi-ri illakû (DU.MEŠ)
šumma (DIŠ) imitti (ZAG) pa-ni-šu ú-kap-pir áš-bu-ti uṣṣû (È)

»Wenn er sein Gesicht reibt, werden sie ins Verderben geraten,
wenn er die rechte Seite seines Gesichtes reibt, werden die Bewohner (aus der Stadt) hinausgehen«.

Zu vergleichen ist auch KUB XXXVII 210,8 (*kapāru* Dtn) und das zur Serie šumma ālu ina melê šakin »Wenn eine Stadt auf einer Anhöhe liegt« gehörige Schlafomen[65] K. 1562,10 (AfO 18,77), von dem nur die Protasis erhalten ist:

šumma (DIŠ) amēlu (NA) qātē^{II} (ŠU)-šú ina pē (KA)-šú ú-kap-pár

»Wenn ein Mensch seine Hände in seinem Mund reibt (?) . . .«.

2. *kapāru* II in Beschwörungs- und Ritualtexten

a) Zum rituellen Charakter der *kuppuru*-Handlung

Während in der medizinischen Rezeptliteratur *kapāru* II (neben einigen D-Stamm-Belegen) vor allem im G-/Gtn-Stamm begegnet, überwiegt in

64 S. auch den *kuppuru*-Beleg in dem diagnostischen Omen AfO 24,83 Obv. 10 (dazu den Kommentar a.a.O., S. 84).
65 Zu den übrigen Fragmenten s. *F. Köcher – A. L. Oppenheim*, AfO 18 (1957/58), S. 62–77, hier: S. 67ff.

magisch-rituellen Texten eindeutig der Gebrauch des D-Stammes. Das ursprüngliche Ineinandergreifen von medizinischer und magischer Praxis im Krankheitsfalle – und darum die nur begrenzte Berechtigung einer grundsätzlichen Trennung von medizinischer Rezeptliteratur und magischer Beschwörungsliteratur – wird für *kapāru* besonders deutlich in dem jungbabylonischen Beschwörungsritual gegen die *sagallu*-Sehnenkrankheit CT 23,1[66]: Nach Diagnose (Z. 1) und Behandlungsanweisung (Z. 2–4 [u.a. soll der Fuß mit einer bestimmten Teigsorte abgewischt werden = *kapāru* D, vgl. CT 23,5,10]) folgt die aus Beschwörungsformel (Z. 5–8) – die bei der »Abwischung« (*takpertu* Z. 9) zu rezitieren ist – und Ritual (Z. 9ff.) bestehende Krankenbeschwörung.

Demgegenüber leiten die beiden jungbabylonischen diagnostischen Omina TDP 70,2 und TDP 116,5–6 schon zu einem anderen Verständnis von *kuppuru* über; TDP 116,5–6 lautet:

5 šumma (DIŠ) libba (ŠÀ)-šú em (NE) zu'tu (IR) kīma (GIM) lu-ba-ṭi imtanaqqut (ŠUB)-su u itanaššuš (ZI.IR.MEŠ) qāt (ŠU) ^{d}Šamaš
6 āšipūt (MAŠ.MAŠ)-su teppuš (DÙ)^{uš} u tukappar (ŠU.ÙR)-šu-ma iballuṭ (TI)

5 »Wenn sein Bauch heiß ist, wenn ihm, wie bei der *lubaṭu*-Krankheit, der Schweiß ausbricht und er in Betrübnis gerät: »Hand« von Šamaš.
6 Wenn du die Beschwörungshandlung an ihm durchführst und ihn kultisch reinigst, wird er aufleben (oder: am Leben bleiben)«.

Charakteristisch für den Gebrauch von *kapāru* II D in medizinisch-magischen Texten ist nicht der Bezug auf *einzelne Körperteile*, sondern der – auch in diesem Omentext (und TDP 70,2) zum Ausdruck kommende – Bezug auf den *ganzen Körper* des Patienten. Dabei kann der *kuppuru*-Ritus mit Hilfe verschiedener Kultmittel (wie Brot, Teig und Mehl) durchgeführt werden. Beginnen wir mit dem akkadischen (mittelbabylonischen) Heilungsritual aus Boğazköy[67] KUB XXIX 58 + (ZA 45,200ff.)[68]: Im Verlauf dieses Ersatzrituals[69], bei dem die Herstellung von Eseln aus Ton und einer zusätzlichen, auf einem dieser Esel reitenden Ersatzfigur eine große Rolle spielt[70], tritt der *āšipu* mit einer Beschwörung vor den Sonnengott (KUB XXIX 58 I 30, vgl. IV 15); darauf übergibt der vom Fieber Gepackte seine

66 Bearbeitung und Übersetzung *E. Ebeling*, AGM 13 (1921), S. 132–135.

67 Zur Frage der Tradierung dieser ursprünglich babylonischen Literaturgattung bei den Hethitern s. zuletzt *Kümmel*, Ersatzrituale, S. 95ff.; *A. Kammenhuber*, Orakelpraxis, Träume und Vorzeichenschau bei den Hethitern (Texte der Hethiter 7), Heidelberg 1976, S. 66f. Zum Abwischen des menschlichen Körpers in hethitischen Ritualen s. zuletzt *A. Kammenhuber*, ZA 57 (1965), S. 177–222, hier: S. 212ff.; *Haas*, Magie, S. 185ff.; in hurritischen Beschwörungsritualen: *Haas-Thiel*, Beschwörungsrituale , S. 44f., vgl. S. 40ff.123.

68 Zu diesem Text vgl. noch *Kümmel*, a.a.O., S. 96.194; HKL II, S. 61 (»Ehelolf«); *Mayer*, Gebetsbeschwörungen, S. 29.422 (»Šamaš 104«), u.a.

69 Zu dieser Bezeichnung s. unten S. 211ff.

70 Zur Vorstellung der durch ein Bild repräsentierten Unheilsmacht s. *Mayer*, Gebetsbeschwörungen, S. 57f.161ff.

Krankheit »seinem Ersatz« (col. II 12–15), während der *āšipu* u.a. folgende Ritualhandlung an ihm vollziehen soll (col. II 20–22):

20 7 NINDA.HÁD.DA 7-šá tu-kap-pár-šu
21 ana pān ^{d}Šamaš ṣalmī^{meš} [ša] imērī^{meš}
22 ina ^{qan}massabi tašakkan$^{a[n]}$

20 »Mit sieben trockenen Broten wischst du ihn siebenmal ab.
21 Vor Šamaš legst du die Figuren (der) Esel
22 in einen Korb«.

Dieselbe *kuppuru*-Handlung mit *Brot* liegt vor in der jungbabylonischen Beschwörung zur Beruhigung eines Babys KAR 114 Rs. 8 (//LKA 143,19): Die Ritualanweisung (Z. 17–21) sieht u.a. vor, dieses Kind »von seinem Kopf bis zu seinen Füßen (mit dem Brot) abzuwischen« (Z. 19: ultu (TA) qaqqadi (SAG.DU)-šú adi (EN) šēpe^{II} (GÌR)-šú tu-kap-[pár-šu]). *Teig (līšu)* zum Abreiben des Körpers eines Kranken wird vom Beschwörungspriester in der jungbabylonischen Gebetsbeschwörung an Šamaš und Ištar KAR 92,10[71] verwendet, bei der auch die Herstellung eines (Ersatz-)Bildes *(ṣalmu)* des Kranken eine Rolle spielt; ebenso in einem Text der sog. zi-pà-Beschwörungen[72], und zwar in ASKT 11, S. 87,65 = Borger, AOAT 1,6 § XI 65 akk.:

(65) li-i-šá ina SU kup-pu-ru (66) a-ka-lu šá SU LÚ muš-šu-du

»(65) Teig, der auf dem Körper ausgeschmiert ist, (66) Brot, das auf den Körper eines Mannes gerieben ist«.

Mehl (qēmu) dient u.a. als Reinigungsmittel in dem für unseren Zusammenhang wichtigen *namburbi*-Ritual[73] OECT 6 pl. VI + (= Caplice, Or. 36,273–275). Der Text beginnt mit einer (sum.) é.nu.ru-Gebetsbeschwörung an Ea (^{d}É-a) und Marduk (^{d}Asal/Asari-lú-ḫi) (Z. 3′–13′)[74], in der (Z. 8′–13′) die Art des bösen Omens beschrieben – ein Schwarm von (als unrein geltenden) »Höhlenenten« *(iṣṣur ḫurri)* befällt das Haus und dann den Körper eines Menschen – und die Bitte um Lösung dieses Übels (u.a. mit Hilfe der Tamariske und des *maštakal*-Krautes) ausgesprochen wird. Darauf folgt Z. 14′–19′ die Beschwörung und Z. 21′–Rs. 12′ das Ritual. Soweit erkennbar, handelt es sich bei dem Ritual zunächst (Z. 21′–Rs. 4′) um die

71 Bearbeitung von *E. Ebeling*, Quellen zur Kenntnis der babylonischen Religion (MVÄG 23/2), Leipzig 1919, S. 33ff., deutsche Teilübersetzung SAHG Nr. 64 akk.

72 »zi-pà« – aufgrund der (sum.) Schlußzeile: »das Leben des Himmels sei angerufen, das Leben der Erde sei angerufen!«, s. dazu zuletzt *D. O. Edzard*, AS 20 (1975), S. 63–98, hier: S. 81f.

73 *namburbû* (sum. NAM.BÚR.BI) »Löseritus« für ein Unheil, das von einem bösen Omen zu erwarten ist. Zur Gattung und Ritualsammlung (nicht: Serie) Namburbû s. vor allem die diesbezüglichen Arbeiten von *R. Caplice* (zuletzt: The Akkadian Namburbi-Texts. An Introduction [SANE 1,1], Los Angeles 1974, dort Nachweis der früheren Arbeiten); ferner HKL II, S. 27f.; III, S. 87; *Mayer*, Gebetsbeschwörungen, S. 18ff. u.ö.; *Seux*, HPDBA S. 349ff.; *J. Bottéro*, in: AEPHE.HP 1973–1974, Paris 1975, S. 87ff.; 1974–1975, Paris 1976, S. 95ff.; *W. H. Ph. Römer*, BiOr 33 (1976), S. 199f.

74 Übersetzung von Z. 2′–13′ bei *Seux*, HPDBA, S. 361f.

Anfertigung einer Höhlenente aus Ton. Der Text des Rituals lautet Rs. 7′–12′[75]:

7′ namburbû (NAM.BÚR.BI) lumun (ḪUL) iṣṣūrē (MUŠEN.MEŠ) ša ina muḫḫi (UGU) amēlī (NA) in-nen-du

---

8′ epuštu (DÙ.DÙ.BI) niĝnakka (NÍG.NA) ^{šim}burāši (LI) ana pān (IGI) ^{d}Šamaš (^{d}UTU) tašakkan (GAR)^{an} šikara (KAŠ) tanaqqi (BAL)^{qi}

9′ iṣṣūr ḫurri (BURU$_5$.ḪABRUD.DA) zikara (NÍTA) u sinništa (MUNUS) taṣabbat (DIB)^{bat} qēma (ZÌ.DA) ina mê (A) būrti (PÚ) ta-x-x

10′ zumur (SU) amēli (NA) šuāti (BI) tu-kap-pár iṣṣūrū (MUŠEN.MEŠ) za-ma-nu-tu [xxxx]

11′ iṣṣūrē (MUŠEN.MEŠ) šu-nu-tì amēlu (LÚ) ina qātē^{II} (ŠU)-šú inašši (ÍL)-šú-nu-ti [xxx]

12′ zikara (NÍTA) ina qāt (ŠU.II) imitti (ZAG)-šú sinništu (MUNUS) ina qāt (ŠU.II) šumēli (CL)-šú inašši (ÍL)^{ši} ana ⸢pan⸣ (⸢IGI⸣) ⸢^{d}⸣[Šamaš (⸢^{d}⸣ UTU) iqabbi (DUG$_4$)]

7′ »Löseritus für das Unheil (das) von Vögeln (droht), die sich auf einen Menschen gestürzt haben.

8′ Ritual dafür: Ein Räucherbecken mit Wacholder sollst du vor Šamaš aufstellen. Du sollst Bier libieren.

9′ Du sollst eine männliche und eine weibliche Höhlenente nehmen. Du [sollst] Mehl mit Zisternenwasser [mischen ?],

10′ den Körper dieses Menschen sollst du (damit) abwischen. Feindliche Vögel [xxxx]

11′ Diese Vögel soll der Mensch mit seinen Händen hochheben [xxx]

12′ Den männlichen (Vogel) soll er mit seiner rechten Hand, den weiblichen mit seiner linken Hand hochheben (und) vor [Šamaš soll er rezitieren]« (es folgt Rs 13′–27′ die Beschwörung).

Die vom Kranken abschließend zu rezitierende Gebetsbeschwörung (Rs. 13′–27′)[76] an Šamaš soll der *āšipu* dreimal wiederholen (Rs. 28′), dann soll er einen männlichen Vogel in östliche Richtung, d.h. in die Richtung des Sonnengottes Šamaš, wegfliegen lassen (Rs. 28′–308′)[77].

Wie der Aufbau von OECT 6 pl. VI + zeigt, geschieht die Lösung des bösen Omens durch das Zusammenwirken mehrerer magisch-ritueller Praktiken. Abgesehen von der Ersatzfigur aus Ton, deren Funktion nicht ganz klar wird (21′–Rs. 4′)[78], gehört dazu vor allem eine vom *āšipu* an dem vom bö-

75 In Rs. 5′–6′ werden zwei Omina zitiert, vgl. *R. Caplice*, Or. 36 (1967), S. 273–298, hier: S. 278.

76 Übersetzung von Rs. 13′ff. auch bei *Seux*, HPDBA, S. 362f.

77 Nach Rs. 22′ soll dieser Vogel 3600 Meilen weit wegfliegen. Diese Zahl (ŠÁR = *šāru* »3600«, 2. Potenz aus 60, der Grundzahl des Sexagesimalsystems, s. dazu *von Soden*, a.a.O. [oben Anm. 56], S. 75ff.; vgl. auch die 3600 Götter des sumer. Pantheons und die 3600 me) macht einen durchaus konstruierten Eindruck: es ist anzunehmen, daß durch sie der Gedanke der *totalen* Beseitigung des Übels ausgedrückt werden soll (vgl. den Sachverhalt, daß das Zeichen ŠÁR auch für *kiššatu* »Gesamtheit, Welt« steht, s. *Borger*, Zeichenliste², Nr. 396, vgl. Nr. 166).

78 Vermutlich handelt es sich um ein Substitut; zur Substitutionsvorstellung s. unten S. 211ff.

sen Omen Bedrohten durchzuführende *kuppuru*-Handlung, die eingebettet ist in einen Ritus mit einer männlichen und einer weiblichen Höhlenente.

Ein strukturell vergleichbarer Vernichtungs- oder Eliminationsritus mit *kuppuru*-Handlung (bei dem das Feuer die Vernichtungsfunktion übernimmt) liegt vor in Šurpu I: Der *āšipu* reibt den Kranken mit Mehl ab und wirft dies anschließend ins Feuer (Z. 11: [L]Ú.IŠIB ina ZÍD.MAD.GÁ ú-kap-par-ma ina IZI Šub-di; vgl. auch Z. 16); der Kranke wischt sich selbst (mit vorher genannten Dingen) ab und übergibt diese dem Feuer (Z. 23: [. . .] ra-man-šú ú-kap-par-ma ina IZ[I] [. . .])[79]. Zu vergleichen ist auch die Beschwörung, die Marduk im Auftrag Eas an dem von *dimītu*-Krankheit, *māmītu* (»Bann«)[80] und *aḫḫazu*-Dämonen Befallenen ausführt (Šurpu VII); das Ritual (VII 53ff.) sieht vor, diesen Menschen mit sieben besonders präparierten Broten abzuwischen:

59 a-me-lu mār (DUMU) DI[NGIR-šú] šá ma-mit iṣ-ba-tu-šú
61 e-li ku-pi-ra-ti-šú ru-'u-us-su i-di-ma

59 »Den Menschen, den Sohn [seines Got]tes, den der Bann gepackt hat, wische ab!
61 Auf seinen Reinigungskehricht lasse (ihn) ausspeien seinen Speichel!«

Kupīrātu (pl. von *kupirtu*) »Reinigungskehricht« bezieht sich – im Gegensatz zu *takpertu*, das zunächst die zur Reinigung eines Menschen unternommene *Handlung* meint[81] – auf die *Substanz*, die nach dieser Reinigung zurückbleibt[82], vgl. noch LKA 142,17: kupīrātišu ana nāri tanaddi »seinen Reinigungskehricht sollst du in den Fluß werfen«.
Weitere in diesem Zusammenhang zu nennende jungbabylonische Beschwörungsrituale mit *kuppuru*-Handlung sind: a) CT 17,30,35f. und CT 17,31,38ff.[83]; ferner CT 17,11,82ff. (*kuppuru* des Menschen mit *akal līšu* »Brotteig«) und CT 17,15,24; 33,18 (*kuppuru* mit *akalu*-Brot); b) das Beschwörungsritual an Ištar und Dumuzi MVÄG 23/2,21ff. (*kapāru* Gtn: 22,45), jetzt (u.a.) Textvertreter A des »Hauptrituals A« Taf. Ia (dort *kapāru* Dtn: Z. 34) in der Bearbeitung von *W. Farber*[84].

b) Zwischenergebnis

Vergleicht man *kapāru* II (G/Gtn, D) in der medizinischen Rezeptliteratur (oben II1) und *kapāru* II (D) in den bisher untersuchten Beschwörungstexten (oben II2a) miteinander, so lassen sich folgende Gemeinsamkeiten (α) und Unterschiede (β) festhalten:

79 Deutsche Übersetzung der Vorderseite von Taf. I in Anlehnung an *Reiner*, Šurpu, S. 11f. bei *Goltz*, Heilkunde, S. 292.
80 S. dazu *Reiner*, a.a.O., S. 55 (Komm. zu Taf. III1), vgl. *Seux*, Pureté, Sp. 456; *ders.*, HPDBA, S. 251 Anm. 1; ferner *Schottroff*, Gedenken, S. 32ff.; *J. Bottéro*, in: AEPHE.HP 1976–1977, Paris 1977, S. 142ff.; *Geller*, Lev. V.1–5.
81 S. unten S. 47f.
82 *Reiner*, Šurpu, S. 58 z.St. In Šurpu VII 62–79 folgen weitere von Marduk unternommene Maßnahmen zur Beseitigung des Übels; zu beachten ist VII 63f. die Anweisung, »zum reinen Ort der Steppe« zu gehen, vgl. V 165, s. zur Sache auch *Milgrom*, ḥaṭṭā't, S. 334.336f.
83 Zu diesen beiden Texten vgl. *Schrank*, Sühnriten, S. 83ff.
84 Beschwörungsrituale, S. 55ff. (zum *kapāru* Dtn-Beleg Z. 34 s. a.a.O., S. 67, zur Einzelinterpretation S. 83); vgl. *Seux*, HPDBA, S. 459–461.

α) In beiden Fällen bezeichnet *kapāru* II eine in der Regel von einem »Arzt« *(asû)* oder von einem »Beschwörungspriester« *(āšipu, mašmāšu,* u.a.) vorzunehmende therapeutische bzw. magisch-rituelle *Einzel*handlung, neben der andere therapeutische (*eqû* »[Salbe] einreiben«, *lapātu* »[anfassen →] bestreichen, einreiben mit«, *mesû* »waschen«, *pašāšu* »salben, einreiben«, *ṣamādu* »verbinden«, u.a.) oder magisch-rituelle (*ebēbu* D »reinigen«, *edēšu* D »erneuern«, *elēlu* D »reinigen«, *ḫâb/pu* G/D »säubern, reinigen«, *qadāšu* D »reinigen«, u.a.) Maßnahmen angewendet werden und im Hinblick auf vergleichbare Krankheitsursachen dieselbe heilende Wirkung besitzen. Da diese Wirkung meistens auf der Interdependenz mehrerer Faktoren beruht (*kapāru und eqû/mesû* usw. in der medizinischen Rezeptliteratur; *kuppuru und ubbubu/ullulu*/Verwendung von Ersatzfiguren usw. in den Beschwörungstexten) ist *kuppuru kein Oberbegriff* für die kultische Reinigung insgesamt.

β) Während sich in der medizinischen Rezeptliteratur die mit *kapāru* II (G/Gtn, D) beschriebene therapeutische Handlung ausschließlich auf *einzelne Teile* des menschlichen Körpers richtet (Nase, Mund, Ohren usw.), handelt es sich bei der mit *kapāru* II (D) bzw. mit *takpertu* bezeichneten kultisch-rituellen Handlung der Beschwörungstexte immer um die kultische Reinigung des menschlichen Körpers in seiner *Gesamtheit*[85]: In den Beschwörungstexten wird nicht der einzelne verschmutzte, erkrankte Körperteil vom Arzt abgewischt *(kapāru)*, sondern der kranke, von Unheil bedrohte Mensch wird vom Beschwörungspriester kultisch gereinigt *(kuppuru, takpertu)*. Dabei lassen sich die zur Lösung drohenden Unheils (wie Krankheit, böse Omina, u.a.) durchgeführten *kuppuru*- und *takpertu*-Reinigungsriten nur im Lichte der sie begleitenden und ergänzenden Riten angemessen verstehen: sei es, daß (1) der betreffende Mensch mit bestimmten Substanzen (Mehl, Teig, Öl, Brot, Weihwasser, Räucherbecken, Fackeln, magische Kreise, u.a.)[86] gereinigt und die ›Unreinheit‹ *(kupīrātu)* dem Feuer (Šurpu I11), einem Tier (Hund zum Fraß: LKA 143,20), einem Fluß (z.B. SAHG Nr. 65 akk.; RAcc. 141,357; TuL 94,37) zur Vernichtung oder Beseitigung übergeben wird *(magischer Annihilationsritus)*, oder sei es, daß (2) das Unheil auf ein Ersatzbild aus Mehl, Ton, Wachs usw. übertragen und dann beseitigt wird *(Substitutionsritus)*[87], oder sei es schließlich, daß

85 Die Praxis des Abwischens des ganzen menschlichen Körpers scheint die Anschauung vom »Abwischen« = »kultischen Reinigen« eines Hauses oder einer Stadt (als ›architektonischer Körper‹) wenn auch nicht hervorgerufen, so vielleicht doch mitbegünstigt zu haben. Dafür spricht, daß das *kuppuru* von Haus oder Stadt erst in jüngeren Texten belegt ist (s. unten S. 54ff). Ob damit auch ein Ansatzpunkt zur Abstraktion des *kuppuru*-Begriffs gegeben ist, läßt sich nur vermuten, vgl. *Schrank*, Sühnriten, S. 82.87.95f.

86 Vgl. die reinigende Wirkung von Zedernholz JCS 22,25,5f. (oben Anm. 23). Allgemein zur reinigenden Wirkung gewisser Pflanzen (wie Tamariske, *maštakal*-Kraut, Palm-›Herz‹, Wacholder, u.a.) und Mineralien s. *Renger*, Priestertum, S. 228 Anm. 1111; *Seux*, Pureté, Sp. 456.457f.; *Mayer*, Gebetsbeschwörungen, S. 117f.262f.432ff., u.a. Zur Pflanzenmagie im hethitischen Bereich s. *Haas*, Magie, S. 133ff.

87 In dem neuassyrischen Ersatzkönigsritual K. 2600 + (*W. G. Lambert*, AfO 18,109ff.)

(3) das Übel mit Hilfe von Vögeln weggeschafft wird (OECT 6 pl. VI +)[88] *(Eliminationsritus)* – immer besteht die kultische Reinigung des kranken Menschen in der magisch-rituellen Beseitigung und Vernichtung des ihn bedrohenden Unheils.

Exkurs I: *takpertu* »Reinigung(sritus)«

Die *taprist*-Bildung[89] *takpertu* kann sowohl Gegenstandsbezeichnung »das (durch die *kuppuru*-Handlung) Abgewischte, Gereinigte → die Abwischung« als auch – und dies häufiger – Handlungsbegriff »die (zur kultischen Reinigung unternommene) Abwischung → die/der Reinigung/sritus« sein[90]. Da *takpertu* ursprünglich nie die Summe der für eine kultische Reinigung erforderlichen Akte, sondern den/die einzelnen Reinigungsakt/e selbst bezeichnet, ist das Wort kein Oberbegriff (: »Sühne, Sühnung«) für die kultisch-rituelle Reinigung[91]. Die Belege für babylonisch, mittel-/neuassyrisch *takpertu* (pl. *takpirāte*) »Reinigung(sritus)« (spätbabylonisch auch *tapištu*) im einzelnen: a) Der *takpertu*-Ritus betrifft *Personen* (einen Kranken, meist den König): aB ARM 18,65,7; 70,7 (Lieferung von verschiedenen Gewändern, Turbanen, Sandalen und von Häuten für *balag*-Musikinstrumente, die während des am König durchzuführenden *takpertu*-Ritus liturgische Verwendung finden sollen; nA ABL 370 Vs. 12 = Parpola, LAS 203,12[92]; ABL 361 Rs. 8.14 = Parpola, LAS, 167 Rs. 8.14; jB BBR 26 I 18.19; II 2.3; V 30.34 (Dupl. BBR 28,4)[93]; 4R 17 Rs. 33 (s. OECT 6,49,33); CT 17,1,4f. (tak-per-ta-šú // šu-ùr-ùr-ru-da-ni); CT 23,1,9[94]; KAR 230,25 Rs. 2; TDP 176,55; K. 2560,14: tak-per-ta! LÚ.GIG (marṣi) (unpubl.)[95]. – b) *Tiere*, denen eine nicht näher bezeichnete Funktion im *takpertu*-Ritus zukommt: mA (Schafe, Ziegenböckchen) KAJ 189,10; 192,26; 221,6[96]. – c) Der *takpertu*-Ritus betrifft *Sachen*: α) Tempel: jB RAcc. 38,23; 44,13 (beide Texte gehören zum »Ritual des *kalû*-Priesters« RAcc. 1–59 = RA 17,53ff.); TuL 94,32.37[97]; β) Haus: nA ABL 970 Rs. 2.10 = Parpola, LAS 188 Rs. 2.10; jB AAA 22,58,60 (s. BBR 41–42 St. I,28)[98]; RA 48,182,5.8 (Haus und Stadt); spB VS 6,75,18; *lexikalisch*: CT 18,33a 9f. // BE 35948 I 9f.[99]; γ) Stadt: nA ABL 52,6.8 = Parpola, LAS 206,6.8; nB CT 22,1,26; δ) Feld und Flur: nA

findet sich (Vs.?) col. A, Z. 4 – soweit erkennbar – die Anweisung, das Substitut abzuwischen bzw. zu reinigen (tu-kap-par-šu), bevor es anstelle des Königs rituell in den Tod geht. Die *kuppuru*-Handlung hat hier aber offenbar keine weitere kultische Funktion; zu den Ersatzritualen s. unten S. 211ff.

88 Vgl. auch die bei *Gerstenberger*, Der bittende Mensch, S. 105 mit Anm. 133 genannten Beispiele. Zu den Eliminationsriten im antiken Mittelmeerraum s. unten S. 211ff.

89 *taprīst*-Bildungen sind nomina actionis zum D-Stamm, vergegenständlichte Bedeutungen sind nur vereinzelt belegt, s. GAG § 56l.

90 Vgl. *Schrank*, Sühnriten, S. 86f.

91 So *Zimmern*, BBR I, S. 123ff.; *ders.*, in: *E. Schrader*, KAT³, S. 601f.605; vgl. aber *Schrank*, a.a.O., S. 60.81–87.88.95.

92 S. dazu unten Anm. 109.

93 S. dazu unten S. 48ff.

94 S. dazu *Ritter*, Magical-Expert, S. 310, vgl. oben S. 42.

95 S. dazu jetzt *Mayer*, Gebetsbeschwörungen, S. 522ff.

96 Zu diesen Belegen s. *E. Ebeling*, MAOG 7/1–2 (1933), S. 30; AfO 10,36: 63,7.9.13.

97 S. dazu unten S. 56.

98 S. dazu unten S. 56.

99 S. dazu *Landsberger*, Date Palm, S. 32; vgl. *H. Zimmern*, ZA 28 (1914), S. 75–80, hier: S. 79 Anm. 1; *Schrank*, Sühnriten, S. 82.

AfO Beih. 6,5,12[100]; 82–5–22,92 Z. 21 (unpubl.)[101]. – *takpertu absolut:* mB UM 2/2,86,14; 133,9.41 (Mehl für den *takpertu*-Ritus); spB Meissner, Sitzungsber. d. Preuß. Ak. d. Wiss. 1918 II 25[102]. In KAR 44,8, dem sog. »Leitfaden der Beschwörungskunst« (Zimmern, ZA 30,206,8) ist tak-pe-er-tú Glosse zu SU.GUR.GUR.MEŠ[103]. Teile des Wortes sind erhalten in dem äußerst fragmentarisch überlieferten Namburbi-Ritual Or 34,114–115 (zum Gesamttext Caplice, ebd. S. 116). Der AHw, S. 1308 s.v. genannte Warka-Text W. 22730/6 (*takpertu*: III 6) ist noch nicht publiziert.

c) *kuppuru* und *takpertu* im *bīt rimki*-Ritual BBR 26

Gegenüber den Ritual*anweisungen* für den magischen Kult, wie sie in die Beschwörungstexte eingestreut sind, zeichnen sich die Ritual*texte* des magischen Kultes nach *J. van Dijk*[104] durch zwei Charakteristika aus: (1) sie bestehen aus Ritualtafeln und Serien in ›kanonischer‹ Fassung (*bīt mēseri* »Haus der Einschließung«; *bīt rimki* »Haus des [rituellen] Bades«; *bīt salā' mē* »Haus der [rituellen] Wasserbesprengung«; *lamaštu* [Dämonin des Kindbettfiebers und der Säuglingskrankheiten]; *maqlû* »Verbrennung«; *mīs pî* »Mundwaschung«; *namburbû* »Löseritus«; *pīt pî* »Mundöffnung«; *šurpu* »Verbrennung«; *utukkī lemnūti* »Böse utukku-Dämonen«, u.a.); und (2) die in ihnen beschriebenen Rituale finden oft außerhalb der Stadt in der Wüste oder Steppe (*ṣēru*) statt.
Beide Kennzeichen treffen in besonderer Weise auf die aus einer Ritualtafel und sechs (+2?) weiteren Tafeln bestehende, noch nicht sicher herstellbare Serie *bīt rimki* »Haus des (rituellen) Bades«, ein Ritual zur Reinigung des Königs, zu. Bevor wir auf die *kuppuru*-Riten des *bīt-rimki*-Rituals näher eingehen, müssen wir uns in Grundzügen mit den von *J. Laessøe* erreichten Verbesserungen in der Textherstellung von BBR 26 beschäftigen.[105]

Nach *Zimmerns* Edition (BBR 26) enthielt die am Kopf dieser Serie stehende Ritualtafel – außer den Ritualanweisungen für den Beschwörungspriester und für den König – die während des rituellen Vollzuges zu rezitierenden, aber lediglich nach ihrer Anfangszeile (Incipit) aufgeführten Gebete und Beschwörungen. Diese über die gesamte Ritualtafel verteilten Texte konnten von *Laessøe* bestimmten »Zyklen« zugeordnet werden: einem šu-íl-lá (= *nīš qāti* »Handerhebung«)-Zyklus (BBR 26 III 36–IV 12)[106], einem uš11-búr-ru-da (= *ušburrudû*)-Zyklus (V

100 S. dazu unten S. 56f.
101 S. dazu unten Anm. 151.
102 S. dazu *Landsberger*, Date Palm, S. 33.
103 S. dazu jetzt *J. Bottéro*, in: AEPHE.HP 1974–75, Paris 1975, S. 99.
104 In: Heidelberger Studien zum Alten Orient (FS A. Falkenstein), Wiesbaden 1967, S. 233–266.
105 Im Folgenden wird die Analyse von *Laessøe*, bît rimki vorausgesetzt, zur Sache s. auch die Lit. in HKL III, S. 86. Zur Durchführung des *bīt-rimki*-Rituals (und anderer Beschwörungsrituale) anläßlich der Königsinthronisation s. *J. Renger*, Art. Inthronisation, RLA V, S. 128–136, hier: S. 135.
106 Zu dieser Gattung der »Handerhebungsbeschwörung« s. zuletzt *Seux*, HPDBA, S. 24–27 (Einführung). 270–346 (Textbeispiele); *Mayer*, Gebetsbeschwörungen, S. 7f.19f. u.ö.

70–77, weitere Texte zwischen V 45 und V 72 [?]), einem dingir-šà-dib-ba-Zyklus (V 78–81)[107] und einem Zyklus von Šamaš-Hymnen (IV 70–78). Der Nachweis von der tatsächlichen Existenz eines Šamaš-Zyklus innerhalb der Ritualtafel gelang *Laessøe* erst durch den »Join« von K. 10131 an die bis dahin bestehende Tafel K. 3227 + (BBR 26), aufgrund dessen die zwischen dem Ende der 4. und dem Anfang der 5. Kolumne klaffende Lücke zum Teil (IV 70–78) geschlossen werden konnte. Dieser »Join« – er enthält z.T. die Schlußzeilen des 3. »Hauses«, den Text des 4. »Hauses« und die Anfangszeilen des 5. »Hauses« – war der Schlüssel zu einem neuen Gesamtverständnis von Ritual und Serie des *bīt rimki.* Denn nun konnte der schon länger bekannte Šamaš-Zyklus der neubabylonischen Tafel Kh. 338 (PBS 1/1,15), gegenüber BBR 26 ein Exzerpt zweiten (?) Ranges[108], angeschlossen und unter Zuhilfenahme des in BBR 26 IV 70ff. eingesetzten Fragmentes K. 10131 z.T. wiederhergestellt werden.
Dieser Šamaš-Zyklus, dessen Bearbeitung (in der Form von PBS 1/1,15) den Hauptteil der*Laessøe'* schen Analyse ausmacht, ist in sieben »Häuser« (nicht in sieben »Tage«) eingeteilt[109]. Jedes »Haus« hat denselben Aufbau[110]: Nachdem der König das »Haus« oder die »Kammer« betreten hat, rezitiert der *āšipu* (bzw. der *mašmāšu*) eine sumerische Beschwörung der Gattung ki-^{d}utu-kam, worauf (2) der König mit einer akkadischen Beschwörung an den Sonnengott Šamaš respondiert[111]. Dann (3) vollziehen der König (im 1.–3. »Haus«) und der Beschwörungspriester verschiedene Reinigungsriten und Lösungsbräuche: *1. »Haus«:* Der König wäscht seine Hände über einem (Ersatz-)Bild des Feindes (*ṣalam ^{lú}nakri* (KÚR)[112]; *2. »Haus«:* Dieselbe Handlung über einem Bild des Zauberers; *3. »Haus«:* Dieselbe Handlung über einem stellvertretenden Bild (*ṣalam nigsagilê* (NÍG.SAG.ÍL)^{e}); (zum *4. »Haus«* s. im folgenden) *5. »Haus«:* Der König speit auf ein vom Beschwörungspriester hergestelltes »Bild (*ṣalmu*) des (personifizierten) Bannes (*māmītu*)«[113]; danach wäscht er seinen Mund mit Wasser und Bier[114], während der Beschwörungspriester das Bild in einer Ecke der Kammer vergräbt[115]; *6.*

107 S. zu dieser Gattung zuletzt *W. G. Lambert*, JNES 33 (1974), S. 267–322, hier: S. 268.
108 Vgl. *Laessøe*, bît rimki, S. 28; *Mayer*, Gebetsbeschwörungen, S. 415f. Zu den Textverhältnissen s. im einzelnen *Laessøe*, a.a.O., S. 28ff.78ff., dazu die Kritik von *W. G. Lambert*, BiOr 14 (1957), S. 228f.
109 Zum vermutlichen Aussehen des *bīt rimki* vgl. *Laessøe*: ». . . a bît rimki was no permanent structure, but a building – quite possible made from perishable material such as straw or rush – erected for the occasional, whenever a ritual bath was to be performed« (a.a.O., S. 17). Das *bīt rimki* ist aber nicht zu verwechseln mit den einzeln stehenden *urigallu*-Hütten, s. dazu *Laessøe*, a.a.O., S. 16ff.28 Anm. 60; vgl. *Labat*, caractère religieux, S. 345ff.; *Farber*, Beschwörungsrituale, S. 98. Bekanntlich hat *Kunstmann* (Gebetsbeschwörung, S. 74) das »Siebener Schema« von PBS 1/1,15 als 7-Tage-Rhythmus interpretiert in Entsprechung zu dem nA Brief des Nabû-nādin-šumi an König Asarhaddon ABL 370, Vs. 10ff. (zuletzt bearbeitet von *Parpola*, LAS 203): »Er (sc. der König) sitzt sieben Tage lang in einer *urigallu* (»Standarte«)-Hütte, (und) Reinigungsriten (*takpirāte*) werden an ihm durchgeführt; er wird behandelt wie ein Kranker« (Z. 10–15), s. zu diesem Brief auch *E. Behrens*, Assyrisch-Babylonische Briefe kultischen Inhalts aus der Sargonidenzeit (LSSt 2/1), Leipzig 1906, S. 95f.; *Schrank*, Sühnriten, S. 85 Anm. 1; *Labat*, caractère religieux, S. 345ff.; *E. Reiner*, a.a.O. (oben Anm. 56), Paris 1966, S. 77f.; *A. L. Oppenheim*, Letters from Mesopotamia, Chicago 1967, S. 165f. Zu weiteren *takpertu*-Belegen in neuassyrischen Briefen s. oben S. 47f.
110 Vgl. *Seux*, HPDBA, S. 219f.
111 Zu diesen Beschwörungen s. jetzt *Seux*, a.a.O., S. 220ff.223ff.226ff.229ff.357f. 388ff.392f.405ff.
112 Vgl. dazu oben Anm. 70.
113 Zum Bespeien als magische Handlung (im antiken Kleinasien) s. *Haas-Wilhelm*, Riten, S. 48 Anm. 1.
114 Daß die *kuppuru*-Handlung und die Mundwaschung inhaltlich aufeinanderbezogen sind, geht auch aus den *mīs pî* (»Mundwaschung«)-Texten hervor, s. *Ebeling*, TuL, S. 100–122

»Haus«: Der Beschwörungspriester fertigt Wachsfiguren eines »Zauberers (oder einer Zauberin)« an, die nach weiteren rituellen Handlungen (Text sehr lückenhaft) ebenfalls vergraben werden; *7. »Haus«:* Da der Text wieder sehr lückenhaft ist, bleiben die Ritualhandlungen unklar (Anfertigung einer *eṭemmu* »Totengeist«-Figur, deren Vergraben [?]). Der Text des *4. »Hauses«* lautet (BBR 26 IV 72–76)[116]:

72 ana bīti (É) $4^{?}$ kám (KÁM) š[arru] (L[UGAL]) [irrub(KU4)^{ub}-ma šipta (ÉN) ^{d}utu ud-dal-a-ta]

73 ki-^{d}utu-kám ^{lú}mašmāšu (MAŠ.MAŠ) [immanu (ŠID)^{nu}]

74 šipta (ÉN) al-si!-ka ^{d}utu ina qé-reb šamê (AN)^{e} ellūti (KÙ.ME) šarru (LUGAL) i[qabbi] (D[U11]) ⌜$^{bi?}$⌝

75 šipta (ÉN) UDUG.ḪUL.GÁL MU.UN.UL.UL šarra (LUGAL) tu-k[a-par]

76 ana muḫḫi (UGU) 2 ṣalmāni (NU.ME) it-gu-ur-te qātā^{II} (ŠU)-šú imes[si] (LU[Ḫ]) ⌜^{si}⌝

72 »Der K[önig betritt] das vierte (?)[117] Haus [und die Beschwörung ^{d}utu ud-dal-a-ta,]

73 ein ki-^{d}utu-kam, [soll] der *mašmāšu* [rezitieren;]

74 der König soll die Beschwörung [sprechen]: alsīka ^{d}Šamaš ina qereb šamê ellūti[118].

75 Die Beschwörung UDUG.ḪUL.GÁL MU.UN.UL.UL[119] (sollst du rezitieren), den König sollst du kultisch rei[nigen];

76 über zwei gekreuzten Figuren soll er (der König) seine Hände wa[schen]«.

Es ist nun zu fragen, welche Stellung der Šamaš-Zyklus innerhalb der Ritualtafel BBR 26 einnimmt; es gilt also die Stelle herauszufinden, an der im Ritualablauf von BBR 26 der Text PBS 1/1,15 einsetzt. Bis col. III 21 gibt die Ritualtafel BBR 26 Anweisungen für die im Königspalast und in dessen Vorhof stattfindenden rituellen Zeremonien und Beschwörungen, während col. III 22 der Beschwörungspriester in die Steppe/Wüste *(ṣēru)* hinausgeht, um ein *bīt rimki* »Haus des (rituellen) Bades« zu errichten *(epēšu)*.

Die Bedeutung von col. III 22 für das Gesamtverständnis des *bīt-rimki*-Rituals hat *Laessøe*[120] zu Recht unterstrichen. Seine Auffassung, die Schaffung räumlicher Distanz zwischen dem Ort des Rituals und dem Palast bzw. der Stadt mit ihren Bewohnern habe primär hygienische Gründe, scheint uns jedoch, da ihr ein dinglicher Sündenbegriff zugrunde liegt, zu einseitig

(= Nr. 26–29); zur Entsprechung der »Mundwaschungstexte« in der hethitischen Beschwörungsliteratur s. *V. Haas – M. Wäfler*, OrAnt 13 (1974), S. 211–226, hier: S. 216ff.; *V. Haas*, SMEA 16 (1975), S. 221–226; *Haas-Thiel*, Riten, S. 7. In dem großen Mundwaschungsritual TuL, S. 102–108 (spätbabylonisch, 6. Jh. v.Chr.?), in dem es um die »Erneuerung« *(tēdištu)* eines toten Gottes durch Mundöffnung und Mundwaschung geht, erfolgt zu Beginn des zweiten Abschnittes, d.h. im Ritualablauf »am nächsten Morgen« – noch vor seiner zeremoniellen Aufnahme in den Kreis von Ea, Šamaš und Marduk –, die Vorstellung des (toten) Gottes vor Ea, Šamaš und Marduk unter Speiseopfern, Beschwörungen und abermaliger Mundwaschung (TuL 106,46ff.); ist diese vollendet (TuL 106,47), hat der Beschwörungspriester das den Gott repräsentierende Kultbild zu reinigen (*kapāru* D: TuL 106,48).

115 Vgl. dazu *O. Keel*, VT 23 (1973), S. 305–336.

116 Zur Textherstellung s. *Laessøe*, bît rimki, S. 21ff.

117 Vgl. *Laessøe*, a.a.O., S. 22 Anm. 35.

118 S. zu dieser Beschwörung *Mayer*, Gebetsbeschwörungen, S. 415.

119 S. *Laessøe*, a.a.O., S. 22 mit Anm. 39 (vgl. S. 51); vielleicht ist statt UDUG aber auch GIDIM4 zu umschreiben, s. *Borger*, Zeichenliste, Nr. 577.

120 bît rimki, S. 17.

zu sein und durch seine erst an späterer Stelle gemachte Bemerkung ergänzt werden zu müssen: »The assumption does not seem wholly unjustified that a kind of ›re-birth‹ was attained through the bît rimki ceremonies«[121]. Denn entscheidend ist, daß der König nur in einem jenseits der bewohnten und geordneten Welt (Stadt und Palast) liegenden ›Jenseitsgelände‹ (*ṣēru* »Wüste, Steppe«)[122], d.h. in einer paradigmatischen Chaossituation vor Šamaš (bei Sonnenaufgang!)[123] von seinen Sünden gelöst und d.h. in diesem Zusammenhang: ›neu erschaffen‹ werden kann (vgl. auch RAcc 141,360ff.; 362ff.; Maqlû VII 58ff.153ff., u.a.)[124]. Bis zu diesem »Szenenwechsel« von col. III 22 hat der Beschwörungspriester bereits zweimal Reinigungsriten an König und Palast vollzogen. Verdeutlichen wir uns dies anhand des

Ritualablaufs von BBR 26:

Col. I 1–32 (Rest der Kolumne von ca. 40 Zeilen nicht lesbar bzw. nicht erhalten): Der *mašmāšu* rezitiert eine Beschwörung über dem König und stellt an dessen Bett Reinigungsmittel auf:

16 [ ] libbi(ŠÀ)[bi] tu-kap-par
17 [šipta(ÉN)?] tamannu(ŠID)[nu]
18 ar[kī(EGIR)-šú tak-pi-ra-a-t]i eb-bi-ti
19 šarra(LUGAL) tu-kap-pár kīma(GIM) tak-[pi]-⌜ra⌝-a-ti tuq-te-tu-nu
20 ana bābi(KÁ) tu-še-ṣa arkī(EGIR)-šú ina mašḫultuppê(MAŠ.ḪUL.DÚB.[BA])[e]

121 A.a.O., S. 86.
122 Zu *ṣēru* »Steppe, Ödland« in dieser Bedeutung s. die Belege CAD Ṣ, S. 145f. s.v. *ṣēru* A 3g–h; AHw, S. 1095 s.v. *ṣēru* I c6–7, vgl. zur Sache *A. Haldar*, The Notion of the Desert in Sumero-Accadian and West-Semitic Religions, Uppsala/Leipzig 1950 und zuletzt *Tawil*, ʿAzazel. Als Beispiele vgl. etwa den »Fluch über Akkade« Z. 265, wo die Steppe als »totenstille Stätte« bezeichnet wird (*A. Falkenstein*, ZA 57 [1965], S. 43–124, hier: S. 74), und die Belege bei *A. W. Sjöberg*, ZA 65 (1975–76), S. 161–253, hier: S. 211; ferner die Schilderung der Wüste in dem Kriegsbericht Assurbanipals Prisma A VIII 87ff.108ff. (jetzt bei *M. Weippert*, WO 7 [1973–1974], S. 39–85, hier: S. 43f.). Zum Unheilscharakter der Wüste (er drückt sich für den Mesopotamier vor allem in ihrer »Stille« aus) s. *H. Klengel*, Zwischen Zelt und Palast. Die Begegnung von Nomaden und Seßhaften im alten Vorderasien, Leipzig/Wien 1972, S. 32ff., vgl. *Cassin*, splendeur divine, S. 36ff.44 Anm. 67; *P. Xella*, Il mito di ŠḤR e ŠLM. Saggio sulla mitologia ugaritica (SS 44), Rom 1973, S. 96ff.
123 Die Rolle des Sonnengottes Šamaš ([d]utu) für das Verständnis des *bīt-rimki*-Rituals hat v.a. *A. Falkenstein*, MDOG 85 (1953), S. 1–13, hier: S. 12f. hervorgehoben, vgl. zur Sache *T. Abusch*, JNES 33 (1974), S. 251–262, hier: S. 257ff. Bei einem Satz wie »[. . . ich bin r]ein geworden beim Aufleuchten der Sonne« (Maqlû VII 158) legt es sich nahe, an die vom alttestamentlichen Beter erfahrene »Hilfe Gottes am Morgen« zu denken, s. *J. Ziegler*, in: FS *F. Nötscher* (BBB 1), Bonn 1950, S. 281–288, vgl. *Mayer*, Gebetsbeschwörungen, S. 180f.
124 Für diese Deutung spricht auch das Anlegen eines kultisch reinen Gewandes durch den König BBR 26 IV 35f., vgl. III 1–21. Denn auch das Ablegen des alten und das Anlegen eines neuen Gewandes beruht nicht primär auf hygienischen Anschauungen, sondern bedeutet die *Änderung der Persönlichkeit*. Zum Kleid als »Persönlichkeitszeichen« s. besonders *P. Koschaker*, FuF 18 (1942), S. 246–248; *ders.*, JPAW 1942, S. 89f., vgl. *H. Petschow*, Art. Gewand(saum) im Recht, RLA III, S. 318–322; für den atl. Bereich vgl. etwa Sach 3,4f. (dazu *Stamm*, Erlösen, S. 71f.).

21 ina ^{gi}gizillê(GI.IZI.LÁ)^{e} ina udutilê(UDU.TI.LA)^{e}
22 ina ^{urud}niĝkalagê(NÍG.KALA.GA)^{e} ina kušgugalê(KUŠ.GU4.GAL)^{e}
23 ina zērē (ŠE.NUMUN.MEŠ) ekalla (É.GAL) tu-ḫap

16 »[ ] sollst du (damit) reinigen,
17 [die Beschwörung] rezitieren.
18 Dan[ach] sollst du mit reinen [*takpert*]*u*-Riten
19 den König reinigen. Wenn du die *takpertu*-Ri[t]en beendet hast,
20 sollst du (sie) zum Tor hinausbringen. Danach sollst du mit dem Substitutzicklein[125],
21 mit der Fackel, mit dem lebendigen Schaf,
22 mit der *niĝkalagû*-Pauke, mit der *kušgugalû*-Trommel[126]
23 (und) mit Samenkörnern den Palast läutern«

Danach salbt der Beschwörungspriester »Mann und Frau« sowie sich selbst und zieht ein bestimmtes Zeremonialgewand an[127]; im Palasthof errichtet er sieben Altäre und trifft Opfervorbereitungen (col. I 24–32).

Col. II 1–31 (Rest der Kolumne von ca. 40 Zeilen nicht lesbar bzw. nicht erhalten): Der *mašmāšu* soll einen jungen Ziegenbock (*kizzu* [MÁŠ.ZU]) schlachten und (nicht damit!) den König reinigen (II1: šarra [LUGAL] tu-kap-pár). In II1–15 folgen wörtlich die schon in I18–32 vorgeschriebenen Reinigungsriten und Opferzurüstungen, in II18 erweitert durch ein zusätzliches Tieropfer (niqâ tanaqqi^{qí} »du bringst ein Opfer dar«). Danach spricht der *mašmāšu* eine Beschwörung (II21–22), sprengt ein Honig-Milch-Gemisch in die vier Windrichtungen (II23), geht zum Tor des Palasthofes hinaus und bringt (dort) weitere Opfer dar (II24–27). Nach einer erneuten Beschwörung (II28–31), mit der Bitte um Abwendung der bösen *utukku*- und *alû*-Dämonen, bricht der Text ab.

Col. III 1–21: Nachdem der König drei Gebete um Lösung seiner Sünde und Unreinheit vor Šamaš gesprochen hat (III5–9.11–12.14–16)[128], soll er ein rituelles Bad nehmen *(ramāku)* und seine Hände waschen (III17–18). Obwohl davon nicht ausdrücklich die Rede ist, kann man vermuten, daß der König gleichzeitig (zusammen?) mit dem *mašmāšu* den Palasthof verläßt (nachdem dieser Blutmanipulationen an den Torpfosten des Palasthofes vorgenommen hat III19–21)[129].

Col. III22–28: Der *mašmāšu* geht in die Wüste/Steppe hinaus und errichtet dort das *bīt rimki* »Haus des (rituellen) Bades« und trifft Vorbereitungen für das Ritual. In III35–IV12 folgen die Beschwörungen des šu-íl-lá-Zyklus.

125 Gegen frühere Versuche, jungbab. *mašḫulduppû* (MÁŠ.ḪUL.DÚB.[BA]) »Substitut-Zicklein« (z.B. BBR 26 I 20; II 4; V 31f., die weiteren Belege AHw, S. 626 s.v.; CAD M/I, S. 365 s.v.) mit dem »Sündenbock« Lev 16,10.21f. zu identifizieren, s. *Kümmel*, Ersatzrituale, S. 103f.193; *ders.*, Ersatzkönig, S. 313, anders neuerdings *Tawil*, ʿAzazel, bes. S. 51f.59.
126 Der durch die Pauke/Trommel verursachte Lärm hatte apotropäische Funktion, s. *Renger*, Priestertum, S. 225f.; für atl. Parallelen s. *Keel*, Jahwevisionen, S. 67.
127 S. dazu *Cassin*, splendeur divine, S. 104ff.
128 S. unten S. 59 mit Anm. 163.
129 Dabei handelt es sich nicht um die Verwendung des Blutes eines *Opfer*tieres (so *Zimmern*, BBR II, S. 92); eher dürfte zutreffen, daß man »hierbei natürlich sofort an den Ritus Exod. 12,7« zu denken hat (*Zimmern*, ebd.; vgl. *Blome*, Opfermaterie, S. 173; *N. Füglister*, Die Heilsbedeutung des Pascha [StANT 8], München 1963, S. 98 Anm. 105), der seinerseits aber nicht als Sühneritus zu interpretieren ist, s. dazu unten S. 248f.

Col. IV 13–32: Der Beschwörungspriester trifft unter Rezitation von Beschwörungen der verschiedensten Gattungen[130] die für das *bīt-rimki*-Ritual unmittelbar erforderlichen Vorbereitungen (zu beachten sind in IV16–19 Zurüstungen für Šamaš, Ea, Marduk und – wahrscheinlich – für den persönlichen Gott [*il amēli* IV18] des Königs).

Col. IV 33–52: Sind diese Vorbereitungen beendet, soll der König bei Sonnenaufgang (!) ein rituelles Bad nehmen *(ramāku)*, ein reines Gewand anziehen und sich in das *bīt rimki* setzen (IV34–36). Darauf führt der *mašmāšu* vor dem sitzenden König verschiedene Riten durch (IV37–52).

Col. IV 58: (nach einer Textlücke von etwa sechs Zeilen[131]) Der König betritt das 1. »Haus« (= Kammer) des *bīt rimki*.

Col. IV 58–(ca.) V 21 (= Kh. 338,1–42, PBS 1/1,15,1–42): Šamaš-Zyklus (Lücke zwischen V21 und V30: Szenenwechsel?)[132].

Col. V 30–44 (–69): Nach erneuten Beschwörungen (V30–33)[133] soll der *mašmāšu* den König abermals reinigen; col. V34ff. (teilweise Dupl. BBR 28,4ff. Fragment S 898) lautet[134]:

34 arkī(EGIR)-šú tak-pi-ra-a-te eb-bé-e-ti
35 šarra(LUGAL) tu-kap-pár niĝnakka(NÍG.NA) gizillâ(GI.IZI.LÁ) tuš-ba-ʾ[α)]
36 egubbâ(A.GÚB.BA) túl-lal-šú[β)] 2 ^{dug}burzigallu(BUR.ZI.GAL+SAR)
37 mê (A.MEŠ) e⸢gub⸣ bê (⸢A⸣.⸢GÚB⸣.BA) tumalli (SI.A)-ma
38 ^{giš}⸢erinna⸣(⸢EREN⸣) [burāš]a ([ŠIM.L]I)[γ)] ana libbi(ŠÀ) mê(A.MEŠ) tanaddi (SUM)^{di}-ma
39 2 mul-l[i-li ina lìb-bi tašakkan (GAR)^{an}][δ)] -ma šarru (LUGAL) ina imitti(ZAG)-šú
40 [u šumēli(GÙB)-šú mul-li-l]a[ε)] inašši (ÍL)-ma
41 [(šarru)((LUGAL)) ana muḫḫi gizillê(GI.IZI.LÁ) giṭṭê(GÍD.D])A[ζ)] izzaz(GUB)^{az}-ma
42 [. . . 7-šú ana imitti (ZAG)-šú 7-šú ana šumēli(GÙB)]-⸢šú⸣[η)] 7-šú ana arkī(EGIR)-šú
43 [inaddi(ŠUB)^{di}-ma ki-a-am][ϑ)] iqabbi(DUG₄.GA)

α) BBR 28,5: tuš-ba-ʾ-šú. – β) BBR 28,5: tu-lal-šú. – γ) Ergänzt nach BBR 28,7. – δ) Ergänzt nach BBR 28,8. – ε) Ergänzt nach BBR 28,9; vgl. CAD M II S. 189 s.v. mullilu 1. – ζ) Ergänzt nach BBR 28,10 und *E. Reiner*, JNES 17 (1958), S. 206. – η) Ergänzt nach BBR 28,11. – ϑ) Siehe *Reiner*, ebd.

34 »Danach sollst du mit reinen *takpertu*-Riten
35 den König reinigen; du sollst das Räucherbecken, die Fackel (an ihn) heranbringen,
36 im Weihwasserbecken ihn reinigen, 2 *burzigallu*-Räuchergefäße
37 mit Wasser aus dem Weih[wasser]becken füllen,
38 [Zedernholz], [Wacholderschnitz]el in das Wasser geben
39 (und) 2 *mulli*[*lu*-Reinigungsgeräte daselbst (?) hinstellen]. Der König soll mit seiner Rechten
40 [und mit seiner Linken (je) ein *mulli*]*lu*-Reinigungsgerät emporheben,

130 *Laessøe*, bît rimki, S. 84. In col. V30–31 ist auch von *namburbi*-Riten die Rede.
131 *Laessøe*, a.a.O., S. 83.85.
132 S. dazu *E. Reiner*, JNES 17 (1958), S. 204–207, hier: S. 206.
133 Wiederherstellung von col. V30–31 bei *Reiner*, a.a.O., S. 207.
134 Der Text von col. V39–50 (z.T. Duplikat BBR 28,9–17) bei *Reiner*, a.a.O., S. 206, vgl. auch *Zimmern*, BBR II, S. 132 Anm. 8; zu col. V44 s. noch *R. Borger*, AfO 18 (1957/58), S. 138–140, hier: S. 140.

41 [(der König) zu der Fackel (und) zu der länglichen Tontaf]el (hingewandt) soll er sich aufstellen,

42 [. . . siebenmal zu seiner Rechten, siebenmal zu seiner Linken], siebenmal hinter sich

43 [soll er werfen und folgendermaßen] sprechen: . . . « (Z. 44ff. folgt eine Beschwörung an Ea mit der Bitte um Sündenlösung).

Col. V 71–76: Beschwörungen der *maqlû*-Serie[135]; V 70–77 der uš$_{11}$-búr-ru-da- und V 78–81 der dingir-šà-dib-ba-Zyklen.

Col. VI ist nur z.T. erhalten.

d) Der *kuppuru*-Ritus am babylonischen Neujahrsfest RAcc 140,354ff. und die kultische Reinigung von Haus, Tempel, Stadt und Land

Die in Babylonien und Assyrien gefeierten Neujahrsfeste mit ihren Götterprozessionen zum *bīt akīti* »(Neujahrs-)Festhaus«[136] stellen einen Höhepunkt im kultisch-religiösen Leben Mesopotamiens dar. Im vorliegenden Zusammenhang ist vor allem auf das Festritual der neubabylonischen Zeit (RAcc 127–154)[137] einzugehen.
Am 5. Nisan (das Fest begann am 2. Nisan), vier Stunden vor Sonnenaufgang, steht der *šešgallu* (^{LÚ}ŠEŠ.GAL)-Priester[138] auf, nimmt ein Bad *(ramāku)* in Euphrat- und Tigriswasser und betritt danach den Marduktempel Esagila, um vor Marduk und seiner Paredra Ṣarpānītu je ein Gebet zu sprechen (RAcc 289–316 und RAcc 318–333). Sodann öffnet er die Tore des Tempels, um die *ērib bīti* (»Tempelbetreter«)-Priester, die *kalû*-Sänger und die *narû*-Musiker[139] hereinzulassen, die ihre kultischen Obliegenheiten *(parṣu)* wie gewöhnlich wahrnehmen (RAcc 334–337). Sobald die Zurüstung des Opfertisches *(riksu ša paššūri)* für Marduk und Ṣarpānītu beendet ist (RAcc 338–339), ruft der *šešgallu*-Priester den *mašmāšu*-Beschwörungspriester herbei, der – unter Abwesenheit des *šešgallu* – zunächst den Tempel Esagila reinigt (RAcc 140,340: bīta (É) i-ḫap-ma) und mit Wasser aus der Zisterne des Tigris und der Zisterne des Euphrat besprengt (RAcc 140,341–342); er läßt die *nig̃kalagû*-Pauke in der Mitte des Tempels ertönen und trägt das Räucherbecken *(nig̃nakku)* und die Fackel *(gizillû)* in den Tempel hinein (RAcc 140,342–343).
Nach Beendigung der Reinigung von Esagila tritt der Beschwörungspriester in Ezida – die Cella *(papāḫu)* des Marduksohnes Nabû (der in Gestalt seines

135 *T. Abusch*, JNES 33 (1974), S. 251–262, bes. S. 257.262; *Seux*, HPDBA, S. 375 Anm. 1.

136 *A. Falkenstein*, in: FS *J. Friedrich*, Heidelberg 1959, S. 147–182.

137 Editio princeps: *F. Thureau-Dangin*, Rituels accadiens (= RAcc), Paris 1921, S. 127–154. Übersetzungen (außer der *Th.-D.*s): AOT^{2}, S. 295–303 *(E. Ebeling)*; ANET$^{2.3}$, S. 331–334 *(A. Sachs)*; Lit. in HKL I, S. 567; II 297, vgl. zuletzt *J. M. Fennelly*, BA 43 (1980), S. 135–162, hier: S. 136ff.

138 Zur Lesung s. *Borger*, Zeichenliste, Nr. 331; *Labat*, Manuel, Nr. 331.

139 Zu diesem Kultpersonal s. im einzelnen *Renger*, Priestertum, S. 172ff.187ff.200f.

Kultbildes von seinem Hauptkultort Borsippa auf einem besonderen Prozessionsweg zum Neujahrsfest nach Babylon geholt wird) – ein, reinigt *(ḫâpu)* den Tempel des Nabû mit Räucherbecken, Fackel und Weihwasserbecken *(egubbû)* und besprengt *(salāḫu)* die Cella mit Tigris- und Euphratwasser (RAcc 140,345–349). Dann bestreicht er die Türflügel der Cella mit Zedernöl, stellt mitten im Hof der Cella ein Weihrauchgefäß aus Silber auf, vermischt (wohl über dem Räucherbecken) Duftstoffe und Wacholder (RAcc 140,350–352). Darauf ruft er den *nāš patri* »(Schwertträger →) Schlächter« herbei, der den Kopf des (für den Reinigungsritus vorgesehenen) Schafes abschlägt (*batāqu*, RAcc 140,353). Der Text fährt fort RAcc 140,354ff.:

354 ina pag-ri immeri (UDU.NÍTA) ^{lú}mašmāšu (MAŠ.MAŠ) bīta (É) ú-kap-par
355 šipāti (ÉN.MEŠ) šá tùm-mu bīta (É) i-man-nu
356 pa-paḫ gab-bi adi (EN) siḫirti (NIGIN)^{ti}-šú i-ḫap-ma niĝnakka (NÍG.NA) ipaṭṭar (DUḪ)

354 »Mit dem Kadaver des Schafes soll der Beschwörungspriester den Tempel reinigen.
355 Beschwörungen, um das Haus (gegen Böses) zu bannen, soll er rezitieren.
356 Die Cella in ihrer gesamten Ausdehnung soll er läutern, (dann soll er) das Räucherbekken wegräumen«.

Anschließend gehen der Beschwörungspriester und der »Schlächter« (zusammen? nacheinander?) zum Fluß, werfen den Kadaver (den der *mašmāšu* getragen hat) und den Kopf des Schafes (den der *nāš patri* getragen hat) in das fließende Wasser; danach begeben sie sich zusammen in die Steppe *(ṣēru)* hinaus, wo sie vom 5. bis zum 12. Nisan, d.h. solange Nabû in Babylon weilt, bleiben (RAcc 140,357–362). Das gesamte Reinigungsritual darf der *šešgallu* nicht sehen, denn: »wenn er es sieht, ist er nicht rein« (RAcc 140,365). Die Zeremonien des 5. Nisan werden dann unter der Leitung des *šešgallu* fortgesetzt (RAcc 140,366ff.).
Nach Meinung einiger Ausleger ist der Schafritus RAcc 140,354ff. mit dem »Sündenbockritus« Lev 16,10.21f. zu vergleichen[140], ». . . namentlich dann, wenn man dabei im Auge behält, daß dieser (sc. der Versöhnungstag) ursprünglich gleichfalls die äußerlich rituelle Reinigung des Heiligtums zu seinem Hauptzweck hatte (. . .) (und) in verhältnismäßig erst später Zeit aus den Riten des babylonischen Neujahrsfestes ein Zug in den jüdischen Kultus eingedrungen ist . . .«[141] Daß diese »Gleichung« aber außer mehreren historischen Unbekannten auch sachliche Unvereinbarkeiten enthält,

140 Seit *H. Zimmern*, Zum babylonischen Neujahrsfest II (BSGW 70/5), Leipzig 1918, S. 40 mit Anm. 1–2; *ders.*, Das babylonische Neujahrsfest (AO 25/3), Leipzig 1926, S. 10f.; weitere Vertreter dieser Auffassung werden bei *Kümmel* (Ersatzrituale, S. 193 Anm. 26; *ders.*, Ersatzkönig, S. 313) genannt. In neuerer Zeit haben diese These aufgenommen: *Koch*, Sühneanschauung, S. 90f.; *Ringgren*, Israelitische Religion, S. 158; *Stolz*, Strukturen, S. 19ff., u.a.
141 *Zimmern*, Das babylonische Neujahrsfest, a.a.O., S. 11.

ist seit *S. Landersdorfer*[142] des öfteren zu Recht betont worden und muß hier nicht erneut nachgewiesen werden.

Abschließend seien drei jungbabylonische Beschwörungstexte und ein neuassyrischer Erlaß zitiert, die gleichsam eine Endstufe in der Bedeutungsentwicklung von *kapāru* II repräsentieren.

RAcc 34ff.[143] ist eine Zusammenstellung von ominaartigen Texten, die die Intervention des *kalû* (»[Tempel-]Klagepriester, Kultsänger«)-Priesters im Falle der Bedrohung durch ein böses Omen vorschreiben. Bei Eintreten der bösen Omina »Wenn ein Hund in einen Tempel läuft« und »Wenn ein fremdes und seltenes Tier der Wüste in die Stadt hineinläuft« (RAcc 36,3ff.) sind verschiedene Riten auszuführen und *eršemma*-Klagelieder zur Beruhigung der Stadtgötter zu rezitieren; durch sie »werden der *mašmāšu* und der *kalû* diese Stadt reinigen« (^{lú}mašmāšu (MAŠ.MAŠ) u ^{lú}kalû (UŠ.KU) āla (URU) šuātu (BI) ú-kap-ru-' [RAcc 38,12])[144].

In AAA 22,58 (s. BBR 41–42 St. I,28), einem Text zur Anfertigung von prophylaktischen Götterfiguren, die als Schutzgottheiten gegen böse Dämonen dienen, lautet die entsprechende Ritualanweisung (Rs. 1,60f.):

60 bīta (É) tu-kap-par-ma tak-pi-rat bīti (É) a-na bābi
61 [tutte]rub ([T]U)^{ub}-šá tatâr (GI$_4$)-ma šiptu (ÉN) (. . .)

60 »Du sollst (mit diesen Götterfiguren) das Haus reinigen und die *takpirāte*[145] des Hauses
61 [sollst du] zum Tor [bring]en; du sollst zurückkehren und die Beschwörung (. . .)«

Und schließlich rezitiert der *kalû* im Falle von Mondfinsternis eine Beschwörung an Sîn (TuL 92,3–13), worauf er mit dem *ērib bīti*-Priester ein Ritual ausführt (TuL 93,14–94,28), »bis die Finsternis des Mondes wieder hell wird«:

94,32 tak-pi-ra-at bītāti (É.MEŠ) ilāni (DINGR.MEŠ) kalâma (DÙ.A.BI)
33 ù é-tur-nun-na bīt (É) ^{d}Sîn (EN.ZU) tu-kap-par

94,32 »Die takpertu-Riten aller Göttertempel
33 und von Eturnunna, dem Tempel Sîns, sollst du ausführen«[146]

In dem neuassyrischen Erlaß AfO.B 6, Nr. 5 des Königs Adad-nīrārī III. (811–781 v.Chr.) an den Statthalter der Provinzhauptstadt Guzāna (Tell Ḥalaf) wird indirekt darüber Auskunft gegeben, daß im Bezirk von Guzāna »irgend etwas Unangenehmes passiert sein (muß) – da ›Land und Flur‹ genannt werden, vielleicht eine Mißernte oder eine große Überschwemmung. Der Statthalter erhält nun genaue Direktiven, welche religiösen Zeremonien durchzuführen sind, um den Zorn des Gottes Adad zu besänftigen«[147]. Der Text lautet[148]:

142 BZ 19 (1931), S. 20–28, bes. 20–24; vgl. *Médebielle*, Expiation, Sp. 3–7; *Bottéro*, religion babylonienne, S. 118f.; *Kutsch*, Sündenbock, Sp. 507; *de Vaux*, ATL II, S. 369f.; *ders.*, Sacrifices, S. 96; *Kümmel*, Ersatzrituale, S. 193; *ders.*, Ersatzkönig, S. 313; *McCarthy*, Blood, S. 169.

143 Übersetzung auch in ANET^3, S. 339ff. *(A. Sachs)*.

144 Auf die kultische Reinigung der Stadt bezieht sich offenbar auch der jetzt in Tell Meskene-Emar (Syrien) aufgetauchte *kapāru* II-Beleg in (dem noch unpubl. Text) Msk 74 146, s. *D. Arnaud*, in: AEPHE.R 1976–1977, Paris 1978, S. 213f.

145 D.h.: die für den *takpertu*-Ritus verwendeten Substanzen (so CAD K, S. 179 s.v. *kapāru* A 3 d 1')? Zu *takpertu* als Gegenstandsbegriff s. oben S. 47f.

146 Nach Abschluß der kultischen Reinigung werden die *takpirāte* (TuL 94,37) zusammen mit den Mehllinien und den Altärchen in den Fluß geworfen.

(Vs.) (1) a-bit šarri (LUGAL) (2) a-na ^{I}Man-nu-ki-^{māt}Aš-šur (3) at-ta nisē (LÚ.MEŠ) māti (KUR)-ka (4) 3 ūmātu (U4.MEŠ) pa-an ^{d}Adad (IŠKUR) (5) di-at pa-ni bi-ki-a (6) sarira (7) māti (KUR) – ku-nu (8) ú-ga-ar-ku-nu (Rs) (9) ka-pi-ra (10) ma-aq-lu-a-te (11) qu-lu-a (12) tak-pír-tu (13) bīt (É) na-kar-ka-ni (14) liš-ku-nu (15) bi-bíl pān (IGI) ^{d}Adad (IŠKUR) (16) ep-šá (17) ina ūmi (U4) 1 Kam (18) li-pu-šú

(Vs.) »(1) Erlaß des Königs (2) an Mannu-kî-Aššur: (3) Du (und) die Leute deines Landes, (4) drei Tage vor Adad (5) weint Tränen des Gesichtes (6) (und) betet! (7) Euer Land, (8) eure Flur (Rs.) (9) reinigt! (10) ›Brandopfer‹[149] (11) verbrennt! (12) Den ›Reinigungskehricht‹[150], (13) (an den Ort/in das Gebiet) wo dein Feind ist, (14) möge man (ihn) hinschaffen. (15) Den Wunsch Adads (16) erfüllt![151] (17) Am 1. Tage (18) möge man (es) ausführen«.

C) Zusammenfassung und Vergleich von akk. *kuppuru* mit hebr. כִּפֶּר

Nach grammatischer Form und inhaltlicher Bedeutung kommen für den Vergleich mit hebr. כִּפֶּר am ehesten die *kuppuru* (»kultisch reinigen«)-Belege in den Beschwörungs- und Ritualtexten in Frage (oben B II 2). Weitere Stammesmodifikationen von *kapāru* II sind in diesen Texten nicht nachweisbar. Hinsichtlich der Verteilung dieser Belege auf die Sprachperioden des Akkadischen ergibt sich ein überraschend einheitliches Bild: mit Ausnahme je eines neubabylonischen[152] und eines neuassyrischen Belegs[153] handelt es sich ausschließlich um *jungbabylonische Texte* (1. Hälfte des 1. Jahrtausends v.Chr.)[154]. Auch bei Berücksichtigung der übrigen, nicht zu dieser Textgruppe gehörigen *kapāru* II-Belege verschiebt sich dieses Bild nicht zugunsten der assyrischen Überlieferung. Im Hinblick auf die (im ein-

147 *E. F. Weidner*, Die Inschriften vom Tell Halaf. Keilschrifttexte und aramäische Urkunden aus einer assyrischen Provinzhauptstadt (AfO.B 6), Berlin 1940, S. 14.

148 Vgl. auch die Übersetzung von *Landsberger*, Date Palm, S. 32 Anm. 103.

149 *maqluāte* (pl. von *maqlūtu(m)* »Verbrennung [von Opfern])« sind gegen Zauberei, böse Dämonen u.ä. gerichtete magische Verbrennungsriten, vgl. zur Sache *U. Rüterswörden*, Gö Misz 19 (1976), S. 51–55; *ders.*, BN 2 (1977), S. 16–22.

150 Zu *takpertu* als Gegenstandsbegriff s. oben S. 47f.

151 Z. 15–16 mit AHw S. 125 s.v. *biblu(m)* 5d, s. aber auch *K. Deller*, Or. 35, S. 312f. Eine Parallele zu Z. 8f. stellen die folgenden Zeilen des unveröffentl. nA Briefes 82 -5 -22,92 (*Deller*, a.a.O.) dar: (19) TA maṣ[i] LUGAL (20) be-lí iq-[bu]-u-ni (21) ^{LÚ}MAŠ.MAŠ tak-pi-ir-t[i?] (22) ú-ga-ri le-p[u-uš]: »Da j[a] der König, mein Herr, zu mir sp[ra]ch: ›Der Beschwörungspriester möge den Reinigungsritus der Flur durch[führen] . . .‹«. Zur kultischen Reinigung *(kuppuru)* eines Feldes *(eqlu)* s. noch den Beleg BWL 225,4–6 (dazu *Landsberger*, Date Palm, S. 34 sub note 4).

152 Zur Interpretation des schwierigen § 7 des neubabylonischen Gesetzesfragments (Meissner, SPAW 1918, S. 285f.) s. *H. Petschow*, ZSRG.R 76 (1959), S. 37–96, hier: S. 76; *ders.*, Art. Gesetze, RLA III, S. 255–279, hier: S. 276ff. (Lit.), ferner *Landsberger*, Date Palm, S. 33 (note 1); CAD K, S. 179f. s.v. *kapāru* A 3 d 3'; deutsche Übersetzung bei *R. Haase*, Die keilschriftlichen Rechtssammlungen in deutscher Übersetzung, Wiesbaden 1963, S. 118.

153 S. oben S. 56f.

154 S. dazu *W. von Soden*, GAG, S. 3. Auch die Derivate von *kapāru* II D begegnen gehäuft in derselben oder einer späteren Periode des babylonischen Dialekts: *ku(p)partu* (nB); *kupīrātu*

zelnen noch zu erörternde) Frage einer Übernahme von akk. *kuppuru* ins Hebräische[155] sollen in der folgenden Zusammenfassung die *inhaltlichen Berührungs- und/oder Differenzpunkte zwischen akk. kuppuru und hebr.* כִּפֶּר genauer bestimmt werden:

1. Ihrem Ursprung und Wesen nach sind die mit *kuppuru* und *takpertu* bezeichneten kultischen Maßnahmen von einem Beschwörungspriester *(āšipu, mašmāšu, kalû)* auszuführende magisch-rituelle *Einzel*handlungen, die die vollständige, psychosomatische und soziale *Restitution* eines von Krankheit oder Unheil bedrohten Menschen oder die *rituelle Reinigung* eines/r von Unheil gefährdeten oder befallenen Hauses/Landes/Stadt zum Ziel haben. Da der Heilungs- und Reinigungserfolg auf der Interdependenz mehrerer, oft gleichzeitig wirkender magisch-ritueller (Einzel-)Handlungen beruht, ist *kuppuru nicht der spezifische Terminus des Akkadischen für »sühnen«* und bezeichnet *takpertu ursprünglich nie die Summe (»Sühne«)* der für eine kultische Reinigung erforderlichen magischen Operationen. Dennoch kommt dem *kuppuru*-Handeln des Beschwörungspriesters konstitutive Funktion in dem in aller Regel Wort (Beschwörung) und Handlung (Ritual) umfassenden Geschehenszusammenhang[156] der Wiedergewinnung jenes durch Sünde und Krankheit gefährdeten oder verlorenen Zustandes der heilvollen Beziehung zur Gottheit und zu den Mitmenschen zu. Deshalb steht am Ende des mit *kuppuru/takpertu* bezeichneten komplexen kultischen Geschehens immer eine *restitutio in integrum*, sei es eines Menschen oder einer ›Sache‹[157].

2. Die von einem Beschwörungspriester auszuführenden *kuppuru/takpertu*-Riten erstrecken sich nicht auf einen *Teil* des menschlichen Körpers oder einer Sache (Teil eines Hauses usw.), sondern sie werden zum *ganzen* Körper des Menschen/zum ganzen Haus (usw.) in Beziehung gesetzt[158]. Die kultische Reinigung eines Menschen oder einer Sache besteht immer in der – wenigstens intentional – vollständigen magisch-rituellen *Beseitigung und Vernichtung des ihn/sie bedrohenden Unheils.* Modi dieser Beseitigung

(jB); *takpertu, takpīrāte* (neben einzelnen aB, mB, nB, spB und mA, nA Belegen vor allem jB, s. oben S. 47f.). Auch die figura etymologica *takpīrāte kuppuru* »Reinigungsriten vollziehen« ist nur jB belegt.

155 S. unten S. 100.179f.

156 Vgl. *Oppenheim*, Ancient Mesopotamia, S. 175; *Ritter*, Magical-Expert, S. 321; *Gerstenberger*, Der bittende Mensch, S. 64ff., bes. S. 74ff.; *Mayer*, Gebetsbeschwörungen, S. 59f.63ff., u.a. Für den Bereich des Alten Testaments (und Ägyptens) hat *Hermisson* (Sprache und Ritus) die Auflösung dieser Geschehenseinheit von Wort und Handlung als wesentliches Kennzeichen der »Spiritualisierung« der Kultbegriffe dargestellt.

157 Vgl. *Seux*, Pureté, Sp. 458. Daß *kuppuru* ein »specieller Ausdruck des Sühnerituals, ›sühnen‹« sei, wurde vor allem von *Zimmern*, BBR II, S. 92 behauptet, s. dazu aber schon *Schrank*, Sühnriten, S. 82f.86f.88f.95f., vgl. auch *Moraldi*, Espiazione, S. 31.32; *de Vaux*, Sacrifices, S. 95f.

158 Vgl. *Schrank*, a.a.O., S. 83.85. Selbst bei der Reinigung eines Innenraumes, der Cella des Marduksohnes Nabû (RAcc 140,345ff.), wird ausdrücklich »in ihrer gesamten Ausdehnung« hinzugesetzt, s. oben S. 55.

sind im wesentlichen *Annihilations-, Substitutions- und Eliminationsriten*. Der bevorzugte Ort für diese Riten ist nach den großen Ritualtexten und Beschwörungsserien (*bīt rimki, maqlû, šurpu*, u.a.) die Wüste/Steppe (*ṣēru)*, ihr Kairos die Zeitspanne vor/bei Sonnenaufgang.

3. Weder beim stellvertretenden Substitutionsritus noch beim nicht stellvertretenden Eliminationsritus[159] kann von *Opfer* oder gar von *Sühne* gesprochen werden[160]. Das gilt für die Krankheitsbeschwörungen mit einem tierischen Substitut oder einer figürlichen Imitation eines Menschen/Tieres als Ersatz(bild) ebenso wie für die in Mesopotamien und Kleinasien praktizierten Ersatzkönigsrituale, einer bedeutsamen Sonderform der Substitutionsriten: Da »kein babylonischer Text von der Übertragung der Sünden der Gemeinschaft auf den König und ihrer Sühnung durch ihn spricht«[161] und der Sinn des Substitutionsritus allein in der Übernahme des dem König bestimmten Unheils, »nicht des Bösen in ethischer Wertung, der ›Sünde‹«[162], durch seinen magischen Stellvertreter besteht, ist eine Interpretation der Rolle des Ersatzkönigs im Sinne stellvertretender Sühne (›der König trägt die Sünden des Volkes‹) ausgeschlossen. Die Annahme stellvertretender Sühne ist auch für das negative Sündenbekenntnis des babylonischen Königs im Neujahrsritual (RAcc 144,415ff.) abzulehnen, da hier der König seine eigene Unschuld beteuert (nicht seine Sünden bekennt)[163]. Und ebenso bezwecken die hethitischen, mesopotamischen (ugaritischen [?]) und alttestamentlichen Eliminationsriten nicht »Sühnung«, sondern ausschließlich magische Reinigung durch räumliche Entfernung der *materia peccans* aus der durch ein Unheil bedrohten Gemeinschaft.

4. Die *inhaltliche Differenz zwischen den kuppuru/takpertu-Riten und der mesopotamischen Opferauffassung*[164] kommt darin zum Ausdruck, daß – im Gegensatz zu der für das Alte Testament charakteristischen Verbindung von Sühnegeschehen und Opferpraxis (P, Ez 40–48, ChrG) – zwischen dem mesopotamischen Opferkult und dem Komplex der Reinigungsriten vom Typ *kuppuru/takpertu* keinerlei Zusammenhang besteht. Ebenso sind der

159 Zu den im Folgenden verwendeten religionswissenschaftlichen Termini s. unten S. 211ff.

160 Anders beispielsweise *E. Dhorme, E. Schrader, B. Meissner*, u.a. (s. die Nachweise bei *Moraldi*, Espiazione, S. 29 Anm. 1).

161 *Kümmel*, Ersatzkönig, S. 314, vgl. S. 313–315 und *ders.*, Ersatzrituale, S. 194ff.; *Scharbert*, Sühneleiden, S. 190ff.; *ders.*, Heilsmittler, S. 39ff.45ff.

162 *Kümmel*, Ersatzkönig, S. 314.

163 *Scharbert*, Sühneleiden, S. 202f.; *ders.*, Heilsmittler, S. 40f.46f.; *J. J. Stamm*, a.a.O. (oben Anm. 41), S. 30ff.; *Kümmel*, Ersatzrituale, S. 170.194f.; *ders.*, Ersatzkönig, S. 314; anders neuerdings wieder *A. Haldar*, Art. Fest, RLA III, S. 40–43, hier: S. 43. Auch die drei Gebete des Königs um Lösung der Sünden und um Reinheit im *bīt rimki*-Ritual BBR 26 III 5–9.11–12.14–16 (vgl. oben S. 52) betreffen nur die eigenen Sünden.

164 S. dazu besonders *Oppenheim*, Ancient Mesopotamia, S. 183ff., vgl. *Bottéro*, religion babylonienne, S. 115ff.; *Moraldi*, Espiazione, S. 7ff. (mit der älteren Lit.); *Mayer*, Gebetsbeschwörungen, S. 150ff.158ff.; *de Vaux*, ATL II, S. 280ff.398; *ders.*, Sacrifices, S. 95f.; *Schmid*, Bundesopfer, S. 51ff.; *Ringgren*, Art. *zbḥ*, ThWAT II, Sp. 518–520, u.a.

mesopotamischen Religion eigentliche *Sündopfer (sacrificia pro peccato)* und *Schuldopfer (sacrificia pro delicto)* unbekannt[165].
5. Ausschlaggebend für einen Vergleich zwischen akk. *kuppuru/takpertu* und hebr. כִּפֶּר ist schließlich die Tatsache, daß der *kultischen Verwendung von (Opfer-)Blut weder in den kuppuru/takpertu-Riten noch sonst im Kult Mesopotamiens eine konstitutive Funktion* zukommt: »Another difference that separates the sacrificial rituals in the two cultures is the ›blood consciousness‹ of the West, its awareness of the magic power of blood, which is not paralleled in Mesopotamia«[166].

Zweiter Abschnitt: Die Wurzel *KPR* im Nordwestsemitischen

A) Die *KPR*-Belege im Keilalphabetischen von Ugarit, von Tell Ta^c^annek und im Kanaanäischen

I. *KPR* im Ugaritischen

Im Ugaritischen ist das Lexem *kpr* bislang 3mal belegt[167]: innerhalb des Ba^c^alepos in einer Passage, die ^c^Anat als Kriegsgöttin schildert KTU 1.3 II 2–3[168], dazu vermutlich in den Varianten KTU 1.7,15 (k*p*r*. [ ]). 35 (k*p*r*. šb^c^ bn[t])[169]. KTU 1.3 II 2–3 lautet:

] (2) kpr. šb^c^. bnt.	] »(2) *kpr* der sieben Mädchen,
rḥ. gdm (3) wanhbm	Wohlgeruch von Safran (3) und Purpurschnecken«.[170]

165 Vgl. *Bottéro*, religion babylonienne, S. 119. Zu beachten ist auch die Tatsache, daß *kapāru* II D nie mit einem der zahlreichen akkadischen Sündentermini (s. oben Anm. 39) als Objekt konstruiert wird; zu כִּפֶּר + Sündenterminus s. unten S. 115ff. 133ff.
166 *Oppenheim*, Ancient Mesopotamia, S. 192, vgl. S. 365 Anm. 18 und *Herrmann*, Sühne, S. 34; *Blome*, Opfermaterie, S. 172f.178f.181f.418; *Moraldi*, Espiazione, S. 227f.; *Schmid*, Bundesopfer, S. 53f.; *W. L. Moran*, BASOR 200 (1970), S. 48–56, hier: S. 51 mit Anm. 9; *M. Cogan*, Imperialism and Religion. Assyria, Judah and Israel in the Eighth and Seventh Centuries B.C.E., Missoula/Montana 1974, S. 75f., u.a. Eine große Rolle spielt das Blut dagegen in Omina, in (magisch-)medizinischen Texten, in rechtlichen (Blutvergießen durch Mord und Totschlag, ›Blutgeld‹, u.a.) und kriegerischen Zusammenhängen; außerdem dient es zur Bezeichnung von Herkunft und Verwandtschaft, von Farben und Eigenschaften und, metaphorisch, von abgezapften Baumsäften, s. die Belege CAD D, S. 75ff. und AHw, S. 158 jeweils s.v. *dāmu*.
167 Vgl. *Whitaker*, Concordance, S. 363.
168 Speziell zu KTU 1.3 II s. *Gese*, Religionen, S. 66.
169 Zurückhaltend in der Frage einer Konjektur für KTU 1.7,15.35 (= CTA 7 II 3.23) äußert sich *U. Cassuto*, The Goddes Anath. Canaanite Epics of the Patriarchal Age, Jerusalem 1971, S. 180ff.
170 Vgl. *J. C. de Moor*, The Seasonal Pattern in the Ugaritic Myth of Ba^c^lu according to the Version of Ilimilku (AOAT 16), Kevelaer/Neukirchen-Vluyn 1971, S. 85; zur Interpretation der beiden Zeilen s. a.a.O., S. 85–87.

Obwohl für *kpr* KTU 1.3 II 2 (vgl. KTU 1.7,15.35 txt.em.) verschiedene Deutungen möglich zu sein scheinen[171], spricht der Zusammenhang – die Göttin trifft mittels bestimmter Tinkturen und wohlriechender Essenzen kultisch-kosmetische Vorbereitungen für ihren Kampf – für die Übersetzung »Cyperblume, Henna«[172]. Doch bleibt diese Interpretation hypothetisch[173].

Einen weiteren ugaritischen *kpr*-Beleg hat jüngst *A. Caquot*[174] in einem Vorbericht zum Text KTU 2.72 mitgeteilt. Z. 2 des linken Randes dieses vor allem in seinem Schlußabschnitt erheblich beschädigten Textes lautet nach der Lesung *Caquots:]ṭ. kly. b. kpr* (KTU 2.72,34: [*my*] *r*. kly. b. kpr*): »A la ligne 2, le terme *kly* signifie probablement ›vase‹ (et de même en PRU V,93 et 94), mais *kpr* se prête à des solutions trop nombreuses«[175]. Während *Caquot* KTU 2.72 (= RS 34.124) nur knapp kommentiert, hat *D. Pardee*[176] den ursprünglichen Wortlaut zu rekonstruieren versucht und diesen rekonstruierten Text ausführlich analysiert. Danach handelt es sich um einen Brief des Königs Ammistamru II. von Ugarit an seine Mutter, seine von ihm geschiedene Gemahlin, die Tochter des Königs Pentesia von Amurru, betreffend. Wie immer das zur Scheidung und zu ihrer Verbannung führende Vergehen der Gemahlin Ammistamrus zu konkretisieren ist, der Brief KTU 2.72 scheint es als »Sünde« (*ḫṭ*['u Z. 30) zu qualifizieren, um deren »Vergebung« *Pardee* den Briefschreiber bemüht sieht: Zum Zweck der angestrebten Versöhnung mit seiner verstoßenen Gemahlin hat Ammistamru einen gewissen Ybnn mit Geschenken zum König von Amurru entsandt (Z. 22–26); dieser Ybnn nahm auch »Öl in seinem Horn« (šmn. b. qrnh Z. 27) mit und goß es auf das Haupt der Tochter des Königs von Amurru[177]. Der Briefschreiber fährt fort[178]:

171 S. dazu *Ch. Virolleaud,* La Déesse Anat (Miss. de Ras Shamra t. IV), Paris 1938, S. 12; *Cassuto,* a.a.O., S. 113f. *Cassuto* nennt folgende – aber keineswegs gleichwertige – Deutungsmöglichkeiten: »kpr as related to כְּפִירָה (›denial‹); to כִּפּוּר (›atonement‹); to כֹּפֶר = ›ransom‹ or a certain plant or ›pitch‹ or ›village‹; to כְּפוֹר, a kind of goblet; or it may even be a composite word, k-p-r (for example, כְּ-פַר [›like a bull‹], כִּי-פָרָה [›for he was fruitful or begot‹]), and so forth« (a.a.O.). *W. Tyloch,* in: *J.* and *Th. Bynon* (ed.), Hamito-Semitica, The Hague/Paris 1975, S. 55–61, hier: S. 58 nimmt für ug. *kpr* die Bedeutung »Dorf« an. Zur Übersetzung von *E. Ullendorf,* JSSt 7 (1962), S. 339–351, hier: S. 347 s. die Kritik von *de Moor,* a.a.O., S. 85.

172 Die rötlich-gelbe Henna-Farbe diente zum Färben von Haaren und Finger-/Zehennägeln. Die Deutung von ug. *kpr* = »Henna« vertreten: *de Moor,* a.a.O., S. 85ff.; *ders.,* Or. 37 (1968), S. 212–215, hier: S. 212 Anm. 4, früher *G. R. Driver,* Canaanite Myths and Legends, Edinburgh 1956, S. 146a; *H. L. Ginsberg,* in: ANET³, S. 136; WUS⁴, Nr. 1369 (mit Fragezeichen); neuerdings auch *O. Loretz,* Das althebräische Liebeslied. Untersuchungen zur Stichometrie und Redaktionsgeschichte des Hohenliedes und des 45. Psalms (AOAT 14/1), Kevelaer/Neukirchen-Vluyn 1971, S. 10 Anm. 10; *M. C. Astour,* AOAT 22 (1973), S. 17–27, hier: S. 24 Anm. 85 (mit Fragezeichen); KBL³, S. 471 s.v. III כֹּפֶר (mit Fragezeichen); *M. Dahood,* Or. 45 (1976), S. 327–365, hier: S. 341 s.v. III כֹּפֶר; *J. C. L. Gibson,* Canaanite Myths and Legends, Edinburgh 1977, S. 47.

173 Ebenso möglich ist auch eine verbale Auffassung von ug. *kpr* (= »essuyer → faire la toilette«, vgl. akk. *kapāru/kuppuru*), wie sie *A. Caquot,* in: RPO, S. 392 mit Anm. 9–10 vertritt: »Sept jeunes filles ont fait (sa) toilette, (3) elles ont broyé du safran et du murex« (i.O. z.T. kursiv), vgl. *Caquot-Sznycer-Herdner,* Textes Ougaritiques, S. 157 mit Anm. b–e und schon *J. Aistleitner,* Die mythologischen und kultischen Texte aus Ras Schamra, Budapest ²1964, S. 25 (»schminken«), übernommen von *Stolz,* Strukturen, S. 83.

174 Annuaire du Collège de France 75ᵉ année, Paris 1975, S. 430–432.

175 A.a.O., S. 432.

176 BiOr 34 (1977), S. 3–20.

177 S. dazu ausführlich *Pardee,* a.a.O., S. 14–19.

Z. 30	mm ḫṭ['u. d. ḫṭ'at]	»Whatever sin she has committed
31	[l]y. 'nmy[. td^c. ky]	against me, you should know that
32	[kp]r. h [n. 'ank]	it has been atoned. I am not going
1.Rd. 33	[^{c}lh. l. 'i]ṯt'ir. p. 'u	to seek vengeance against her. So
34	[ybnn, 'ib]t. kly. b. kpr	Yabnīnu brought an end to enmity when
35	[^{c}l. ḫṭ'.] 'ibk (. . .)	he atoned fo the rebellion
		of your enemies (. . .)«.

So naheliegend diese Interpretation vom Gesamtduktus des Briefes und vom näheren Kontext der Zeilen 14ff. (besonders Z. 26ff.) her sein mag, die vorgeschlagene Rekonstruktion des Wortlautes in dem stark beschädigten Textbereich Z. 30–36 kann, wie *Pardee* selber einräumt, keineswegs als gesichert gelten (vgl. auch KTU 2.72). Aber auch abgesehen davon ist festzustellen, daß der Kontext dieses Briefes »is unsufficient to erect a Ugaritic theology of atonement«[179]. Die in KTU 272,30ff. geschilderte und – möglicherweise! – dem Terminus *kpr* Z. 34 (und Z. 32 conj. *Pardee*) zu entnehmende »Versöhnungsabsicht«[180] hätte allein ein *zwischenmenschliches Geschehen* im Blick.

II. *KPR* im Keilalphabetischen von Tell Ta^{c}annek

Unter der Fundbezeichnung TT 433 wurde 1964 von *D. R. Hillers*[181] der folgende in alphabetischer Keilschrift geschriebene Brief von Tell Ta^{c}annek veröffentlicht:

Obv. 1	kkb'alp^c-	»(From) Kôkaba'. Belonging to P^c-.
2	kprt 8 'akl	8 kprt-measures, sifted flour«
Rev.	dk	(BASOR 173 [1964], S. 46).

Während sich *M. Weippert*[182] mit einer Ausnahme – statt *p^c* liest er den PN *p^{c}s* – der Lesung *Hillers'* anschließt, unterscheiden sich Transkription und Übersetzung von *F. M. Cross* erheblich von der Version *Hillers'*[183]:

Obv. 1	kkb' lp m	»Kôkab' to Pu^{c}m
2	kpr š yḥtk l	The fee fixed (has been) remitted to him«
Rev.	dw	(BASOR 190 [1968], S. 44).

178 Textrekonstruktion und Übersetzung *Pardee*, a.a.O., S. 4, zu Z. 34 vgl. *ders.*, UF 11 (1979), S. 685–692, hier: S. 686.

179 *Pardee*, a.a.O., S. 20.

180 In diesem Sinne rekonstruiert *Pardee* auch linker Rd. Z. 35–36: w. 'ank/[brrt.š] n'itk »And I, for my part, have reconciled your (female) enemy« (a.a.O., S. 4, Kommentar S. 20). Auch in Z. 17–19 erkennt *Pardee* in der Wendung 'im.ht.lb/mṣqt. yṯb[.l]/qrt eine Versöhnungsabsicht – aber seitens der geschiedenen Gemahlin Ammistramus. Einen z.T. anderen Rekonstruktions- und Interpretationsversuch von KTU 2.72 vertritt jetzt *G. J. Brooke*, UF 11 (1979), S. 69–87 (zu *kpr* s. S. 79).

181 BASOR 173 (1964), S. 45–50.

182 ZDPV 82 (1966), S. 274–330, hier: S. 311f.; *ders.*, ZDPV 83 (1967), S. 82f.; vgl. auch *ders.*, ZDPV 88 (1972), S. 206–209, hier: S. 208f.

183 BASOR 190 (1968), S. 41–46.

Kpr hat dabei nach *Cross* vielleicht die Bedeutung von כֹּפֶר in 1Sam 12,3; Am 5,12 (»Bestechungsgeld«)[184]. Da aber *M. Dietrich – O. Loretz – J. Sanmartín*[185] zufolge sowohl *Hillers* als auch *Cross* »zu wenig in Rechnung gestellt (haben), daß auf der Tafel zwei Notizen eingetragen sind, die durch einen Strich voneinander getrennt sind«[186], ist eine andere – gleichwohl noch nicht ganz gesicherte – Transkription (vgl. auch KTU 4.767) zugrunde zu legen:

kkb 'lp ^{c}ṣ$_2$	»Kkb 1000 Hölzer
kprm jḥ$_2$ tk l dht	2 Körbe sind bestimmt für Dht«
	(UF 6 [1974], S. 470).

Alles spricht dafür, daß die Deutung: *kprt* = »*kprt*-measures« oder eher: *kprm* = »2 Körbe« der *Cross*'schen Interpretation: *kpr* = »fee« (entsprechend hebr. כֹּפֶר »Bestechungsgeld«) vorzuziehen ist. Dieses Wort wäre dann mit großer Wahrscheinlichkeit als Maßbezeichnung (»*kprt*-measures«) oder bei Ansetzung von *kprm* als Bezeichnung zweier – als Maßbehälter dienender (?), aus Palmfasern geflochtener und mit Erdpech (vgl. akk. *kupru*, hebr. כֹּפֶר [?]) abgedichteter (?) – »Körbe« aufzufassen[187] (vgl. hebr. כְּפוֹר »Schale«; syr. *kāp̄artā*; tigr. *kafəra*, *kafərot*; Ge^{c}ez, tigrin. *kafar* [?])[188].

III. *KPR* im Phönizisch-Punischen

Außer dem Beleg eines phönizischen Privatsiegels mit der Inschrift *lkpr* »(Siegel, das) dem *kpr* (gehört)«[189] sowie mehreren Belegen für pun. *kpr*'

184 A.a.O., S. 44 mit Anm. 23; S. 45f., mit der Einschränkung: »It is too laconic for us to determine preciseley the variety of kóper price meant«.

185 UF 6 (1974), S. 469f.

186 A.a.O., S. 470.

187 Vgl. auch *Hillers*, a.a.O. (oben Anm. 181), S. 48f.50; *M. Weippert*, ZDPV 82 (1966), S. 277–330, hier: S. 311 mit Anm. 187 (dort auch eine Vermutung über einen weiteren *kprt* (»Korb«)-Beleg in dem hebr. Ostrakon C 1101 aus Samaria; zum Text, zu seiner Lesung und Interpretation s. jetzt aber *Lemaire*, Inscriptions Hébraïques I, S. 246–248; vgl. auch *Gibson*, SSI I, S. 14f.; *E. Lipiński*, OLoP 8 [1977], S. 86), ferner *A. F. Rainey*, in: Fourth World Congress of Jewish Studies, vol. I, Jerusalem 1967, S. 187–191, hier: S. 189.

188 Die (mit Fragezeichen versehene) Erläuterung zur Herstellungsart dieses »Korbes« träfe allerdings nicht auf die כְּפוֹר-Schale (s. dazu oben Prolegomena Anm. 14) zu, da diese aus Metall bestand, s. dazu *J. Kelso*, The Ceramic Vocabulary of the Old Testament, New Haven/Conn. 1948, §§ 31.48; vgl. *Hillers*, a.a.O., S. 48f.

189 Nach *M. A. Levy* (Siegel und Gemmen mit aramäischen, phönizischen, althebräischen, himjarischen, nabatäischen und altsyrischen Inschriften, Breslau 1869, S. 29f.), *M. Lidzbarski* (Handbuch der Nordsemitischen Epigraphik nebst ausgewählten Inschriften, I, Weimar 1898, S. 299) und *F. L. Benz* (Personal Names in the Phoenician and Punic Inscriptions [StP 8], S. 132.239 [mit Fragezeichen].334) handelt es sich bei phön. *kpr* (≙ hebr. כְּפִיר »Junglöwe«) um die metaphorische Verwendung eines Tiernamens (Bezeichnung von Macht- und Würdenträgern); zu dem vergleichbaren atl. Sachverhalt s. zuletzt *K. J. Cathcart*, Nahum in the Light of

(Bedeutung unsicher) auf sizilischen Münzen[190] ist hier die dreizeilige phönizische Weihinschrift DD 13[191] von 'Umm el-^{c}Amed zu zitieren:

1 l'dny lmlk^{c}štrt 'l ḥmn k[ ]rt ḥrṣ mtm 'š ytn ^{c}bdk
2 ^{c}bd'dny bn ^{c}bd'lnm b[n] ^{c}št[r]t^{c}zr b^{c}l ḥmn km'šy
3 lh'lnm mlk^{c}štrt wml'k mlk^{c}štrt kšm^{c} ql ybrk

1 »Meinem Herrn Milk^{c}aštart, Gott von Ḥammōn, die *k*[ ]*rt* ganz von Gold[192] (oder eher [?]: die ganz in Stein gehauene *k*[ ]*rt*)[193], die darbrachte dein Knecht
2 ^{c}BD'DNY, Sohn des ^{c}BD'LNM, So[hn] des ^{c}ŠT[R]T^{c}ZR, Bürger von Ḥammōn, als seine Opfergabe[194]
3 den Göttern Milk^{c}aštart und Mal'ak Milk^{c}aštart, denn er[195] hat [seinen] (Gebets-)Ruf erhört. Er möge (ihn) segnen!«[196]

Northwest Semitic (BibOr 26), Rom 1973, S. 109f. (mit Lit.). Allgemein zur Siegeltypologie s. *P. Welten*, Art. Siegel und Stempel, BRL², S. 299–307 (Lit.), vgl. auch *B. Otzen*, Art. *ḥtm*, ThWAT III, Sp. 282ff. Zu diesem phönizischen *kpr*-Beleg zu vergleichen sind vielleicht der hebräische fem. PN (?) *kprh* in einem Ostrakon aus Arad (nach der Zählung *Lemaires:* Nr. 60, Z. 1), s. *Lemaire*, Inscriptions Hébraïques I, S. 216f., sowie zwei Bildsiegel mit der (aramäischen?) Inschrift *lkpr* bei *K. Galling*, ZDPV 64 (1941), S. 121–202, hier: *Nr. 87* (Herkunftsort Tyrus, 6. Jh. v.Chr. [= *F. Vattioni*, Aug. 11 (1971), S. 47–87, hier: S. 53 Nr. 29, vgl. jetzt auch *L. G. Herr*, The Scripts of Ancient Northwest Semitic Seals, Missoula/Montana 1978, S. 180 Nr. 18]) und *Nr. 157* (Herkunftsort unbekannt, 8./7. Jh. v.Chr. [= *Vattioni*, a.a.O., S. 56f. Nr. 69, mit *C. H. Gordon*, Iraq 6 (1939), S. 3–34, hier: S. 28 Nr. 89 bezieht *Vattioni* diese beiden *kpr*-Belege auf den aus Tell Ḥalaf-Guzāna bekannten PN Kapara, zu dessen Datierung s. *A. Moortgat*, in: FS *K. Galling*, hrsg. von *A. Kuschke – E. Kutsch*, Tübingen 1970, S. 211–217; *W. Röllig*, RLA V, S. 391]). *Ch. Kuentz* (RdE 24 [1972], S. 108–110, hier: S. 109f.) erwägt für diese beiden *kpr*-Belege die Möglichkeit einer Verbindung mit dem semitischen Wort für »Henna« (s. KBL³, S. 471 s.v. III כֹּפֶר). Ein hebräisches Siegel mit der Inschrift *lkpr* ist jetzt publiziert bei *R. Hestrin – M. Dayagi*, Ḥwtmwt mjmj bjt r'šwn, Jerusalem 1978 (vgl. *F. Vattioni*, AION 38 [1978], S. 227–254, hier: S. 253).

190 *Lidzbarski*, a.a.O., S. 299 s.v. כפרא, vgl. S. 292f., vgl. *Levy*, a.a.O., S. 30 mit Anm. 30, der dieses כפרא zu einem pun. *kpr* ≙ hebr. כְּפִיר »Junglöwe« stellt. Einen Beleg für neupun. *kpr* notiert *G. C. Polselli*, RSFen 7 (1979), S. 236 (»*mkprm*«: *Mh. Fantar*, Téboursouk, Paris 1974, dort: Text 18,4).

191 *M. Dunand – R. Duru*, Oumm El ^{c}Amed. Une ville de l'époque hellénistique aux échelles de Tyr, Texte, Paris 1962, S. 192f.; Atlas, pl. XXXI 2. 3. Lit. dazu: *H. Seyrig*, Syr. 40 (1963, S. 17–32, hier: S. 26ff.; *A. van den Branden*, Al Mashriq 1964, S. 598f.; *A. Caquot*, Sem. 15 (1965), S. 29–33 (dazu *J. Teixidor*, Syr. 44 [1967], S. 171f.); *J. Peckham*, The Development of the Late Phoenician Scripts, Cambridge/Mass. 1968, S. 76f. (auch zur Datierung); *Ch. Kramalkov*, RSO 46 (1971), S. 33–37 (dazu *J. Teixidor*, Syr. 50 [1973], S. 420f.); *Gese*, Religionen, S. 198.205f.; *P. Xella*, RSFen 3 (1975), S. 235f. Auf die mannigfachen Probleme dieser Inschrift kann hier nicht eingegangen werden, s. dazu die genannte Lit., ferner *G. C. Polselli*, RSFen 4 (1976), S. 137–145.

192 So *Dunand-Duru*, a.a.O., S. 192; *Caquot*, a.a.O., S. 30.31 und *Tomback*, Lexicon, S. 205 s.v. *MTM* I; vgl. auch *M. Dahood*, Or. 45 (1976), S. 327–365, hier: S. 359 s.v. מְתִים.

193 So *Milik*, Recherches I, S. 425f.; *Teixidor*, Syr. 50 (1973), S. 421. Unentschieden bleibt *Segert*, GPP, S. 295 s.v. *mtm*.

194 Zu *m'š* in dieser Bedeutung s. jetzt *B. Rocco*, AION 20 (1970), S. 396–399; *P. Bordreuil*, Syr. 52 (1975), S. 107–118, hier: S. 113ff.; vgl. auch *Teixidor*, Syr. 49 (1972), S. 415f.; 50 (1973), S. 420f.; 53 (1976), S. 318 (jeweils mit weiterer Lit.) und *Segert*, GPP, S. 292 s.v. *mš*.

195 *Caquot*, a.a.O. (oben Anm. 191), S. 31 übersetzt pluralisch; für singularische Auffassung sprechen aber die bei *Gese*, Religionen, S. 198 und *Milik*, Recherches I, S. 426ff. gegebenen religionsgeschichtlichen Hinweise.

Während *M. Dunand* und *R. Duru* *k*[ ]*rt* zu *k*[*š*]*rt* ergänzen und dieses Wort mit »sculpture« übersetzen[197], liest *A. Caquot* *k*[*p*]*rt*, für das er die Übersetzungen a) »couvercle« (unter Hinweis auf hebr. כַּפֹּרֶת)[198] und b) »sphynge« (unter Hinweis auf hebr. כְּפִיר »Junglöwe«)[199] in Erwägung zieht. Will man bei der Konjektur *k*[*p*]*rt* bleiben[200], so sprechen für *Caquots* zweiten Vorschlag, den er selber für weniger wahrscheinlich zu halten scheint, die erhaltenen Fragmente der Skulptur (zwei jeweils am Armgelenk abgebrochene Vorderläufe eines auf einem Sockel liegenden löwenartigen Tieres)[201]: sie lassen mit einiger Sicherheit auf das in der phönizischen Ikonographie verbreitete Motiv einer liegenden (geflügelten?) Sphinx schließen[202], für deren Bezeichnung der Terminus *kprt* »die (Löwenartige =) Sphinx« als Femininform des im Phönizischen belegten Maskulinums *kpr* (≙ hebr. כְּפִיר »Junglöwe«) gebildet worden sein könnte[203]. Grundsätzlich möglich bleibt aber auch die Ergänzung des problematischen *k*[ ]*rt* zu dem (im Phönizischen bislang unbekannten) Wort *kšrt*.

IV. Zusammenfassung

Für *ugaritisch kpr* KTU 1.3 II 2 (vermutliche Varianten KTU 1.7,15.35) läßt sich die Annahme einer hebr. כֹּפֶר »Lösegeld; Bestechungsgeld« oder כִּפֶּר »sühnen, Sühne schaffen« entsprechenden Bedeutung[204] nicht wahrscheinlich machen. Hinsichtlich des im *Keilalphabetischen von Tell Ta*ᶜ*annek* belegten Wortes *kprt* oder (eher:) *kprm* TT 433,2 ist die von *F. M. Cross* er-

196 Die Lesung *ql ybrk* mit *Kramalkov*, a.a.O. (oben Anm. 191), S. 34; *Teixidor*, Syr. 50 (1973), S. 421; *Segert*, GPP, S. 269. Anders *Dunand-Duru*, a.a.O. (oben Anm. 191), S. 192; *Caquot*, a.a.O. (oben Anm. 191), S. 29 (jeweils *ql*[*y*]*ybrk*) und *Milik*, Recherches I, S. 425 (*qly brk*). Zum ›fehlenden‹ Pronominalsuffix *-y* (3.Pers.sing.) im Phönizischen s. *J. Teixidor*, Syr. 48 (1971), S. 454ff. Zur »Erhörung des Gebetsrufs« und zur Segensformel in phönizisch-punischen Weihinschriften s. *Schottroff*, Fluchspruch, S. 179ff.

197 So neuerdings auch *Segert*, GPP, S. 269.291 s.v. *kšrt*. *Dunand-Duru*, a.a.O., verweisen für ihre Konjektur auf ug. *k̠tr* (zu ug. *k̠tr*[*t*] s. zuletzt *B. Margulis*, JANES 4 [1972], S. 53–61; *M. H. Lichtenstein*, ebd., S. 97–112; *P. Xella*, in: Magia. Studi di storia delle religioni in memoria di *R. Garosi*, Rom 1976, S. 111–125; *S. E. Loewenstamm*, Bib. 59 [1978], S. 100–122, hier: S. 106); ein *kšr(t)* ist im Phönizischen (bislang) nicht belegt, s. DISO, S. 128 s.v.; KBL³, S. 479 s.v. כשר, vgl. auch *W. McKane*, JThS 27 (1976), S. 148–151, hier: S. 151.

198 A.a.O. (oben Anm. 191), S. 30.

199 Ebd.

200 Unhaltbar ist die Konjektur *k*[*k*]*rt ḥrṣ štm* (»two talents of gold«) von *Kramalkov*, a.a.O. (oben Anm. 191), S. 33ff., s. die Argumente bei *Teixidor*, Syr. 50 (1973), S. 420f., vgl. auch *P. Xella*, RSFen 3 (1975), S. 227–244, hier: S. 235.

201 S. die Abbildungen bei *Dunand-Duru*, a.a.O. (oben Anm. 191), Atlas pl. XXXI, 2,3.

202 S. dazu jetzt auch *K. Galling*, BaghM 7 (1974), S. 85–95 mit Taf. 11 und 12.

203 Vgl. auch *Milik*, Recherches I, S. 426; *Teixidor*, Syr. 50 (1973), S. 421. Die Endung *-t* in *k*[*p*]*rt* ist dann entweder als normale Femininendung *-(a)t* (s. *Friedrich-Röllig*, PPG², §§ 212ff.; *Segert*, GPP, S. 86 sub 43.41) oder als feminines Abstraktaffix **-īt/ūt* (*Friedrich-Röllig*, a.a.O., § 207; *Segert*, a.a.O., S. 88 sub 43.421 und 43.422) zu verstehen.

204 So *Cassuto* (oben Anm. 169).

wogene Gleichsetzung mit hebr. כֹּפֶר »Bestechungsgeld« (1Sam 12,3; Am 5,12) ebenso abzulehnen wie die von *A. Caquot* für *phönizisch k*[ ]*rt* DD 13,1 (ergänzt zu *k*[*p*]*rt*) vorgeschlagene Deutung »couvercle« (≙ hebr. כַּפֹּרֶת). Keiner dieser *kpr*-Belege begegnet im Kontext von (kultischen) Sühneaussagen[205].

B) Die Wurzel *KPR* im Aramäischen[206]

I. *KPR* im Reichsaramäischen

1. Der ›Bestechungsbericht‹ AP 37 aus Elephantine

Eine Verbal-/Nominalform (?) der Wurzel *KPR* begegnet in dem Ende des 5. Jh.s v.Chr. verfaßten und an YDNYH, M^{C}WZYH und 'WRYH in Elephantine gerichteten brieflichen ›Bestechungsbericht‹ AP 37[207] in einem Zusammenhang, dessen Sinn aufgrund starker Textverderbnis schwerlich

205 Zu ug. *kpr* KTU 2.72,34 s. oben S. 61f.

206 Wörter mit der Konsonantenfolge *k-p-r* sind im Altaramäischen insgesamt 4mal belegt: KAI 214,10; 215,10; 224,23.26. Die mit diesen Belegen verbundenen epigraphischen, sprachlichen und historischen Interpretationsprobleme können hier nicht im einzelnen diskutiert werden: a) bei *kpyry* in den die »nordsyrische Form des Altaramäischen« *(H. Donner)* repräsentierenden »ja'udischen« Inschriften KAI 214 und 215 handelt es sich wohl um den pl.abs. eines **kpyr* »Dorf, Ortschaft«, vgl. *Lidzbarski*, a.a.O. (oben Anm. 189), S. 299; DISO, S. 126 s.v. *kpr* II; *Gibson*, SSI II, S. 67.71.79; *P.-E. Dion*, La Langue de Ya'udi, Waterloo/Ontario 1974, S. 28.39; *ders.*, JNES 37 (1978), S. 115–118, hier: S. 116 Anm. 9; *Brauner*, CLOA, S. 109; *E. Lipiński*, BiOr 33 (1976), S. 232; *ders.*, OLoP 8 (1977), S. 81–117, hier: S. 102, vgl. *Donner*, KAI II, S. 218.227; zu akk. *kapru* »Dorf, Ortschaft« s. oben Anm. 1. – b) Für *kpryh* KAI 224,23.26 hat sich als opinio communis die Auffassung »(seine) Dörfer, Ortschaften« herausgebildet, vgl. *R. Degen*, Altaramäische Grammatik der Inschriften des 10.–8. Jh. v.Chr. (AKM 38,3), Wiesbaden 1969, Reg. s.v. Sf. III 23.26; *Gibson*, a.a.O., S. 51; *Brauner*, a.a.O., S. 288f.; *Lipiński*, Studies I, S. 57; *ders.*, in: RTAT, S. 282, u.a. *M. Noths* Interpretation »(seine) Vorratshäuseranlagen« (ABLAK II, S. 194ff., bes. S. 195 Anm. 104; S. 245ff., hier: S. 252 mit Anm. 22; vgl. *H. Donner*, KAI II, S. 265.266.270; *Segert*, AAG, S. 538 [mit Fragezeichen]) bleibt aus historischen Gründen diskussionswürdig, s. *Weippert*, Landnahme, S. 117 Anm. 3; *Brauner*, a.a.O., S. 288.

207 Editio princeps: *E. Sachau*, Aramäische Papyrus und Ostraka aus einer jüdischen Militärkolonie, Leipzig 1911, pl. 11, Pap. 10, S. 51–54. Bearbeitungen: *A. Ungnad*, Aramäische Papyrus aus Elephantine, Leipzig 1911, Nr. 10; *W. Staerk*, Alte und neue aramäische Papyrus, Bonn 1912, Nr. 8; *M. Sprengling*, AJT 21 (1917), S. 444–447; *A. Cowley*, Aramaic Papyri of the fifth Century B.C., Oxford 1923, Nr. 37; *Grelot*, Documents araméens d'Égypte (LAPO 5), Paris 1972, Nr. 97; *B. Porten* (in collaboration with *J. C. Greenfield*), Jews of Elephantine and Arameans of Syene. Aramaic Texts with Translation, Jerusalem 1976, S. 80f. Zu einzelnen Interpretationsfragen von AP 37 s. noch *R. Yaron*, Introduction to the Law of the Aramaic Papyri, Oxford 1961, S. 37.120; *B. Porten*, Archives of Elephantine. The Life of an Ancient Jewish Military Colony, Berkeley/Los Angeles 1968, S. 29.43ff.53ff.69.90.93.159f.262.270.276.278.282.314; *A. Verger*, Ricerche giuridiche sui papiri aramaici di Elefantina (SS 16), Rom 1965, S. 41.153; *B. A. Ayad*, The Jewish-Aramean Communities in Ancient Egypt, Cairo 1975, S. 291ff.

ganz aufzuhellen ist. Mit einiger Sicherheit läßt sich folgender Briefinhalt rekonstruieren:
In offizieller Mission in Memphis, der ägyptischen Residenz des persischen Satrapen Aršāma (griech. 'Αρσάμης), schickt der (infolge Textverlust namentlich nicht bekannte) Absender von AP 37 von dort[208] an die Vorsteher der jüdischen Militärkolonie in Elephantine einen Brief, der die zwischen Ägyptern und Juden bestehenden Differenzen und ihre administrative und juristische Beilegung durch die persische Oberhoheit zum Gegenstand hat. Z. 2fin–5 des Textes berichten von jüdischen Petitionen bei persischen »Untersuchungsrichtern« (Z. 3: *ptyprs* [st.abs.sing.], *ptyprsm* [st.abs.pl.]; Z. 12: *ptyprs'* [st.det.sing.])[209], die aber erfolglos bleiben, weil die ägyptische Gegenseite mit unlauteren Mitteln (*šḥd* »(Bestechungs)Geschenk« Z. 4; *gnbyt* »diebisch« Z. 5)[210] vorgeht. Verstärkt wird diese Notlage durch bedrückende Nachrichten, die der Absender, wie er Z. 5–7 mitteilt, aus dem Amtsbezirk Theben erhalten hat: auch dort habe die jüdische Minderheit unter ägyptischer Pression zu leiden.[211] Dies veranlaßt den Briefschreiber Z. 8 offenbar zu der Überlegung, daß man früher bei Aršāma hätte intervenieren sollen, um eine Eskalation der Ereignisse zu vermeiden[212].
Ohne erkennbaren Zusammenhang mit diesem Briefpassus wird (Rs.) Z. 13–15 ein Rechtsfall in Memphis (?) geschildert: ḤWRY – ein Mitglied der dortigen jüdischen Gemeinde und zusammen mit ṢḤ' (Z. 14) Diener des Anani, seines Amtes Schreiber und Kanzler des Aršāma – wurde »wegen des Kruges« (*ᶜl kd'* Z. 13) gefangengesetzt. Der betreffende Textabschnitt lautet:

13 ḤWRY yhb ly kzy klwhy ᶜl kd' 'mr TYRY bw[
14 bṣwt mlk' wklyn lhn wnzq 'RŠM wkpr ṢH̊[‘
15 wḤWRY zy klw

P. Grelot[213] übersetzt:

»[13]Ḥûrî m'a donné, lorsqu'ils l'ont détenu à cause de la cruche. Tîriya a dit: ›.................. [14] par ordre du roi, et ils les détiennent, et Aršāma a subi un dommage, et Ṣéḥâ a .... 15 et Ḥûrî qu'ils ont détenu‹«.

208 S. dazu *Porten*, Archives . . ., S. 282f.; *Grelot*, a.a.O., S. 387ff.
209 S. dazu zuletzt *Grelot*, a.a.O., S. 388 Anm. d; *Porten*, Archives . . ., S. 53f.; *Hinz*, Altiranisches Sprachgut, S. 186 s.v. **patifrāsa-*; *Segert*, AAG, S. 548 s.v. פתיפרס (jeweils mit der älteren Lit.).
210 Zur Bestechung s. *Porten*, a.a.O., S. 282f.; vgl. DISO S. 294 s.v. *šḥd* II.
211 Worin diese Pression bestanden hat, läßt der Text nicht mehr erkennen. Zur Übersetzung von Z. 7 s. *Porten-Greenfield*, a.a.O. (oben Anm. 207), S. 81: »we are afraid because we are fewer by 2«.
212 Weitgehend undurchsichtig bleiben (Vs.) Z. 9 – (Rs.) Z. 12: soll von einem erneuten Vorstoß bei einem anderen Richter (namens *PYSN*, vgl. AP 40,2; 42,2) berichtet werden? Siehe dazu die verschiedenen Übersetzungen (oben Anm. 207), ferner *Porten*, Archives . . ., S. 47.69 Anm. 43; *E. Lipiński*, BiOr 31 (1974), S. 119 (zu Z. 12).
213 A.a.O. (oben Anm. 207), S. 390.

Die Übersetzung von *B. Porten – J. C. Greenfield*[214] lautet:

> »Ḥori gave me when they detained him because of the pitcher. Tiri [...] said ... (14) at the order of the king and they detained them. And ... the damage of Arsames and the compensation of Ṣeḥ[o ...] (15) and Ḥori whom they detained«.

Fraglich an diesem Passus ist nicht nur, ob sich Z.14 auf den Vorfall um ḤWRY bezieht[215], unsicher muß auch bleiben, was in diesem Kontext *kpr* und *nzq* bedeuten. Doch könnte gerade der Terminus *nzq* einen Hinweis für das Verständnis von *kpr* geben.

Die Basis *NZQ* liegt vor im Akkadischen, Phönizischen, Aramäischen (reichsaram., jüd.-aram., bibl.-aram. [›bibl.-hebr., mittelhebr.]) und im Arabischen[216]. Wie aus den alttestamentlichen Belegen dieser Wurzel hervorgeht – bibl.-aram. נזק *pe.* »Schaden erleiden, zu Schaden kommen« (Dan 6,3), *aph.* »schädigen, Schaden zufügen« (Esr 4,13[217].15.22 › bibl.-hebr. נֵזֶק [Var. נֶזֶק] »Beschädigung, Schaden« [Est 7,4]) –, ist überall davon die Rede, daß dem persischen Großkönig (מַלְכָּא, Est 7,4 מֶלֶךְ) bzw. den Königen (מַלְכִין, und den Provinzen: מְדִינָן Esr 4,15) aufgrund unrechtmäßigen Verhaltens seiner/ihrer Untergebenen Schaden zugefügt zu werden drohte. Daß es in der Verantwortlichkeit des Satrapen lag, solchem Schaden für Großkönig und Reich vorzubeugen, geht aus Dan 6,2f. hervor:

> »(2) Darius hielt es für gut, über das Reich 120 Satrapen einzusetzen, die (verteilt) sein sollten über das ganze Reich, (3) und über sie drei Oberstatthalter, von denen einer Daniel war, denen jene Satrapen Rechenschaft schuldig waren, damit der König nicht geschädigt würde (וּמַלְכָּא לָא־לֶהֱוֵא נָזִק)«[218].

Wie dieser Text zeigt, konnten der persische Großkönig und sein Reich zum »Geschädigten« (נָזִק) werden, falls einer der Satrapen im Amt versagte, d.h. insbesondere, wenn er seine »Rechenschaftspflicht« gegenüber dem Großkönig oder dessen »Oberstatthaltern« vernachlässigte[219]. Im Blick auf AP 37,14 könne dies bedeuten, daß auch ein Satrap (hier: Aršāma) als Repräsentant des Großkönigs durch Vorfälle rechtlicher Natur in der Führung seines Amtes gefährdet werden, d.h. »Schaden erleiden« konnte: *wnzq 'RŠM* »und Aršāma hat Schaden erlitten« (*nzq pe.*pf.3.Pers.sing.m.)[220]. Auf welche Weise entstandener »Schaden« wiedergutzu-

214 A.a.O. (oben Anm. 207), S. 80.
215 Vgl. *Grelot*, a.a.O. (oben Anm. 207), S. 391.
216 S. dazu die Wörterbücher jeweils s.v.
217 S. BHK³/S z.St., vgl. aber auch *F. Rosenthal*, A Grammar of Biblical Aramaic, Wiesbaden ⁴1974, S. 42 und *Vogt*, Lexicon, S. 111 s.v. נְזִק.
218 Übersetzung *O. Plöger*, KAT XVIII (1965), S. 92.
219 Zu den politischen, wirtschaftlichen und insbesondere zu den rechtlichen Verhältnissen im Achämenidenreich s. zusammenfassend *M. A. Dandamayev*, in: *G. Walser* (Hrsg.), Beiträge zur Achämenidengeschichte (Historia Einzelschriften 18), Wiesbaden 1972, S. 15–58, bes. S. 25ff.
220 Vgl. DISO, S. 176 s.v. *nzq*; *Grelot* (Zitat oben S. 67); oder ist substantivisch zu übersetzen: »und der Schaden des Aršāma«?, vgl. DISO, ebd.; *Porten-Greenfield* (Zitat auf dieser Seite); s. auch die folgende Anm.
221 Oder substantivisch: »und der Schadensersatz des SH̊C['«?, vgl. *Porten-Greenfield* (Zitat auf dieser Seite). Verbale Auffassung (»einen Schadensersatz verhängen«) vertreten *Sachau*, *Ungnad* und *Staerk* jeweils z.St. (s. oben Anm. 207). *Cowley* (a.a.O., z.St. [oben Anm.

machen war, könnte dann durch *wkpr* ṢH̊[' ausgedrückt worden sein: »und ṢH̊[' hat *kpr* = Schadenersatz (?) verhängt (?) (oder: geleistet??)« (*kpr pe.*[*pa.*?]pf.3.Pers.sing.m.)[221]. Doch muß dieser Deutungsversuch wegen der nicht weiter aufzuhellenden Rechtssituation notwendig hypothetisch bleiben.

2. Ostrakon Cl-G 175

In dem von *A. Dupont-Sommer*[222] teilweise mitgeteilten Elephantine-Ostrakon der Sammlung *Ch. Clermont-Ganneau* Cl-G 175 erscheint conc. 3 und 4 die Form *kprt* bzw. *wkprt* (*pe./pa.* [?] 1.Pers.sing.). Der Zusammenhang legt es nahe, mit *Dupont-Sommer* an die im Aramäischen für *kpr* auch sonst nachzuweisende Bedeutung »zurückweisen, verweigern« (vgl. syr. *kpr* [B] *pe.*) zu denken[223].

II. *KPR* im Mittelaramäischen: Der Zolltarif von Palmyra CIS II 3913[224]

Am 18. April 137 n.Chr. wurde vom Senat von Palmyra (Tadmor) per Dekret und in Gestalt einer griechisch-palmyrenischen Bilingue ein Gesetz erlassen, das, seit 1882/83 als »Zolltarif von Palmyra« (CIS II 3913)[225] bekannt, zu den Hauptquellen für die Kenntnis der politischen und ökonomischen Struktur von Palmyra zählt. Wie aus ihrer Präambel hervorgeht (CIS II 3913 gr. Z. 1–13, palm. Z. 1–11), diente diese lex vectigalis dazu, die Ein- und Ausfuhr von Waren sowie deren Verkauf innerhalb des palmyreni-

207]) übersetzt *kpr* mit »to pardon«, ebenso *Levine:* »kpr PN ›he pardoned PN‹, i.e. a particular obligation was waived« (*Presence,* S. 124). Weitere Erklärungsversuche in DISO, S. 126 s.v. *kpr* I.

222 »Yahô« et »Yahô-Ṣeba'ôt« sur des ostraca araméens inédits d'Elephantine, Académie des Inscriptions et Belles-lettres. Comptes rendues des séances de l'année 1947, Paris 1947, S. 175–191, hier: S. 181ff.

223 *Dupont-Sommer* übersetzt beidemal mit: »j'ai refusé« (a.a.O., S. 182), s. den Kommentar S. 183. Anders, und zwar im Sinne von *kpr* »(sühnen→) vergeben« (dem Mitmenschen gegenüber), wird *(w)kprt* interpretiert von *I. N. Vinnikov,* Slovar' aramejskikh nadpisej (Wörterbuch der aramäischen Inschriften), Palestinskij Sbornik 9,72 (1962), S. 148: »proščat'« (verzeihen), »izvinjat'« (entschuldigen).

224 Im Wortschatz des Nabatäischen ist – neben *qbr, qbrh, mqbr* und *mqbrh* als den üblichen Bezeichnungen des Nabatäischen für »Grab, Grabhöhle, Grabstätte« – ein masc. Nomen *kpr'* (st.emph.sing.) mit der Bedeutung »Grab(höhle)« belegt: CIS II 197,6.8; 198,1.5.10; 199,1.4; 200,1.4; 201,1; 202,1 u.ö., s. die Belege bei *J. Cantineau,* Le Nabatéen, t. II, Paris 1932, S. 108, zur Vokalisation *Ch. Clermont-Ganneau,* Études d'archéologie orientale, t. I, Paris 1895, S. 148. Vermutlich ist dieses nabatäische Wort aus altsyr. *kpr'* »Grab, Grabkammer« (s. *K. Beyer,* ZDMG 116 [1966], S. 242–254, hier: S. 247) entlehnt – ob durch Vermittlung von liḥyan. *kfr* (so *Cantineau,* a.a.O., S. 108; vgl. DISO, S. 126 s.v. *kpr* III und zu den Belegen unten Anm. 302; die umgekehrte Annahme bei *Hommel,* Nomina, S. 544), muß dahingestellt bleiben. Auch klass.-arab. *kafarun* (› soq. *kufáre*) liegt altsyr. *kpr'* zugrunde, s. WKAS I (K), S. 265 s.v.

225 Zu CIS II 3913 (Bearbeiter *J.-B. Chabot*) gehören noch die beiden Fragmente: *J. Starcky,* Inventaire des inscriptions de Palmyre X,143 (Damas 1949, S. 27). Der griechische Text der In-

schen Stadtgebietes durch detaillierte Bestimmungen zur Warenbesteuerung gesetzlich zu verankern[226].

Legt man der Aufbauanalyse von CIS II 3913 + Inv. X,143 und der chronologischen Zuordnung seiner einzelnen Teile die Ergebnisse der Arbeit *H. Seyrigs*[227] zugrunde, so ist die hier zu zitierende Klausel über die Kamelsteuer (gr. Z. 194–197, palm. Z. 118–121) Bestandteil des »Ediktes eines Gouverneurs« (gr. Z. 150–237, palm. Z. 74–151):

118 gmly' hn ṭᶜynyn whn sryqyn yhn
119 mt'ᶜlyn br mn tḥwm' ḥyb kl
120 gml dnr hyk bnmws' whyk dy 'šr
121 QRBLWN kšyr' b'grt' dy ktb lBRBRS

»(118) (Für) Kamele, sei es daß[228] sie beladen oder daß sie nicht beladen[229] (119) (hin)eingeführt werden [nach Palmyra] (von) außerhalb der (Stadt-)Grenzen[230], (gilt): schuldig ist (man für) jedes (120) Kamel[231] einen Denar gemäß dem Gesetz und wie es festgesetzt hat (121) der vortreffliche QRBLWN (gr. Z. 196: Κοὺρβούλων = Cn. Domitius Corbulo) in dem Brief, den er dem BRBRS (gr. Z. 197: Βάρβαρος) geschrieben hat«[232].

Ausgenommen von der Kamelsteuer sind »Kamelhäute« (palm. Z. 122–123)[233]:

122 ᶜl gldy' dy gmly['] 'p 'ln kprw dy mks
123 l' gbn

schrift jeweils auch bei *G. Dittenberger*, Orientis graeci inscriptiones selectae II, 1905, S. 323–339 (Nr. 629) und *R. Cagnat* u.a., Inscriptiones graecae ad res romanas pertinentes, III, S. 389–405 (Nr. 1056). Zur Lit. über CIS II 3913 bis 1918 s. CIS II/3, S. 34, danach u.a.: *D. Schlumberger*, Syr. 18 (1937), S. 271–297; *H. Seyrig*, Syr. 22 (1941), S. 155–167; *J. Starcky*, Palmyre, Paris 1952, S. 81ff.; *ders.*, Art. Palmyre, DBS VI (1960), Sp. 1066–1103, hier: Sp. 1081ff.; *O. Klíma*, in: Studia semitica philologica necnon philosophica (FS *J. Bakoš*), Bratislava 1965, S. 147–151; *M. Gawlikowski*, Palmyre VI (1973), S. 41ff.; *H. J. W. Drijvers*, in: ANRW II,8 (1977), S. 799–906, hier: S. 840ff.; *A. Piganiol*, Scripta Varia III (CollLat 133), Brüssel 1973, S. 149–162. Zum palmyrenischen »régime alimentaire«, wie es sich im Zolltarif spiegelt, s. *Milik*, Recherches I, S. 209ff., zu den öffentlichen Institutionen *J. Teixidor*, The Pagan God, Princeton/New Jersey 1977, S. 100ff.

226 S. dazu zuletzt *Drijvers*, a.a.O., S. 837ff.; vgl. *M. G. Raschke*, in: ANRW II 9/2 (1978), S. 635ff.; S. 643 mit Anm. 768.

227 A.a.O. (oben Anm. 225), S. 158.167.

228 Zu dem durch *hn* . . . *hn* eingeleiteten Satz s. die Parallelen bei *J. Hoftijzer – G. van der Kooij*, Aramaic Texts from Deir ᶜAlla, Leiden 1976, S. 232f., vgl. *Segert*, AAG, S. 420.

229 Wörtl.: »leer« (*sryqyn:* pt.pass.pl.abs.*pe.* von *srq*, vgl. palm. Z. 61f.). *Klíma* (a.a.O. [oben Anm. 225], S. 147f.) schlägt vor, bei den beladenen/nicht beladenen Kamelen an »trächtige«/»nichtträchtige« Kamelstuten zu denken, während gr. Z. 92f., palm. Z. 61f. von Kamelhengsten die Rede sei, s. dazu aber *J. Teixidor*, Syr. 48 (1971), S. 483.

230 Zum Verlauf der Stadtgrenzen von Palmyra s. *M. Gawlikowski*, Syr. 51 (1974), S. 231–242.

231 Wörtl.: »schuldig ist (*ḥyb:* pt.akt.m.sing.abs. *pe.* oder Adjektiv [Typ *qaṭṭāl*] von *ḥwb*) jedes Kamel«.

232 *Klíma*, a.a.O. (oben Anm. 225), S. 147f. übersetzt den Text folgendermaßen: »Kamele, wenn beladen und wenn leer hineingeführt werden (da sie) außerhalb der Stadtgrenze (gewe-

Der schwierige Satzteil: 'p 'ln kprw dy mks (123) l' gbn ist verschieden interpretiert worden: *S. Reckendorf*[234], dem *G. A. Cooke*[235] zustimmt, übersetzt: »Hinsichtlich der Kamelhäute soll man keinen Zoll erheben«[236]. – Anders *J.-B. Chabot*[237]: »Quod ad pelles camelinas attinet etiam eas deleverunt quia vectigal non exigitur«; dabei wird die Form *kprw* als 3.Pers. pl.m.*pe.*[238] eines Verbs *kpr* »abstergere, delere, negare« bestimmt[239]. – Die Bedeutung »wiedererstatten o.ä.« wird für *kpr* vermutet von *J. Hoftijzer:* »à cause des peaux des chameaux on donne une restitution aussi pour ceux pour lesquels on n'exige pas l'impôt«[240]. – Möglich ist vielleicht aber auch die von *B.A. Levine* vorgeschlagene Übersetzung: »Even for them they granted exemption; that they do not collect impost«[241]. Danach könnte *kprw* die 3.Pers.pl. (= allgemeines Subjekt »man«) m.pf.*pe.* (*pa.*?) eines Verbs *kpr* mit einer – doch bleibt das unsicher – aus hebr. IV כִּפֶּר »Lösegeld« entwickelten Spezialbedeutung »Steuer/Zollfreiheit bewilligen o.ä.« sein, so daß sich Z. 122–123 wie folgt übersetzen ließen:

»(122) Für die Häute der Kamel[e] (gilt): für sie aber (oder: ihrerseits) bewilligt man Zollfreiheit, indem (oder: so daß)[242] man (auf sie) eine Abgabe[243] (123) nicht erhebt[244]«.

III. *KPR* im Spätaramäischen

Gegenüber den vorhergehenden Sprachstufen des Aramäischen zeichnet sich das Spätaramäische durch die am Lautstand, an der Grammatik und am Lexikon zu beobachtende Aufspaltung in einen westlichen und einen östlichen Sprachzweig aus. Hinsichtlich der Wurzel *KPR* kommt dieser Sachverhalt an der (von Ausnahmen abgesehen) durchgängigen Bedeutungsdif-

sen sind), – so ist ein jedes Kamel einen Denar schuldig, wie dies im Gesetze verordnet steht und wie dies Corbulo der Kratistos festgesetzt hat im Briefe, den er dem Barbaros geschrieben hatte«.

233 Vom entsprechenden griechischen Text sind nur unzusammenhängende Buchstabenreste erhalten, s. *Cagnat,* a.a.O. (oben Anm. 225), S. 400.

234 ZDMG 42 (1888), S. 370–415, hier: S. 388.

235 A Text-Book of North-Semitic Inscriptions, Oxford 1903, S. 330.

236 Vgl. auch *Cagnat,* a.a.O. (oben Anm. 225), S. 399f.

237 CIS II, S. 54 (Kommentar dazu S. 70f.).

238 Vgl. *F. Rosenthal,* Die Sprache der palmyrenischen Inschriften und ihre Stellung innerhalb des Aramäischen (MVÄG 41,1), Leipzig 1936, S. 61.

239 Vgl. auch *J. Cantineau,* Grammaire de Palmyrénien épigraphique, Kairo 1935, S. 75: ». . . ils ont effacé«.

240 DISO, S. 126 s.v. *kpr* I (s. den Kommentar ebd.).

241 Presence, S. 124.

242 Die Relativpartikel wird dabei als Konjunktion verstanden, *Segert,* AAG, S. 328.360.436. Eine Interpretation der Wendung *kprw dy mks* als Genitiv-Konstruktion mit *dy* (dann: »Zollabgabe o.ä.«; zur Sache *Segert,* AAG, S. 327f.; speziell für das Reichsaramäische *J. D. Whitehead,* JNES 37 [1978], S. 119–140, hier: S. 121f.123.128ff.) scheitert wohl an dem Verbalafformativ *-w* bei *kprw.*

243 Zu *mks* (‹ akk. *miksu*) s. zuletzt *Kaufman,* Akkadian Influences, S. 72 s.v. *miksu*; *Tomback,* Lexicon, S. 177 s.v. *mkst.* Zum akkadischen Wort zuletzt *M. de J. Ellis,* JCS 26 (1974), S. 211–250; *F. R. Kraus,* BiOr 34 (1977), S. 151.

244 *gbn:* pt.akt.m.pl.abs. *pe.* von *gby* »fordern«, s. aber *Rosenthal,* a.a.O. (oben Anm. 238), S. 69: pt.akt. (mit Fragezeichen).

ferenzierung: »sühnen« *(westaramäisch)*[245] – »ab-, auswischen → ab-, verleugnen« *(ostaramäisch)*[246] zum Ausdruck.

1. Westaramäisch

a) Jüdisch-Aramäisch

Nach der Aufgliederung des Jüdisch-Aramäischen, die *E. Y. Kutscher*[247] dem von ihm bearbeiteten mittelhebräischen *(mhe)* und jüdisch-aramäischen *(ja)* Material von KBL³ zugrunde legte, sind drei verschiedene jüdisch-aramäische Sprachschichten zu unterscheiden: ja^b = das Jüdisch-Aramäische des babylonischen Talmuds, ein ostaramäischer Dialekt, der dem Syrischen und dem Mandäischen näher steht als den Dialekten ja^g und ja^t. – ja^g = das galiläische Jüdisch-Aramäische, zu dem zu zählen sind: das Jüdisch-Aramäische des Jerusalemer Talmud, der haggadischen Midraschim und der jerusalemischen Targume (CN, TPsJ, TFrag); ja^g ist ein westaramäischer Dialekt, der dem samaritanischen und dem christlich-palästinischen Aramäisch nahesteht. – ja^t = das Jüdisch-Aramäische des TO, des TJon und der nicht-jerusalemischen Targume der Hagiographen; als ostaramäischer Dialekt ist ja^t von ja^b und ja^g zu unterscheiden.

Dem Vorhaben, die jüdisch-aramäischen Formen der Wurzel *KPR* anhand dieser Klassifizierung zu beschreiben, stehen derzeit zwei Hauptschwierigkeiten entgegen: das Fehlen eines modernen Belegwörterbuchs des Jüdisch-Aramäischen und des Mittelhebräischen sowie der Umstand, daß die zur Verfügung stehenden Textausgaben veraltet und z.T. unzuverlässig sind[248]. Will man dennoch nicht auf den Versuch einer Darstellung der Wurzel *KPR* im Jüdisch-Aramäischen verzichten, so kann dies vorläufig nur unter weitgehender Ausklammerung der notwendigen historischen Differenzierung der Belege geschehen. Wir werden uns daher auf die summarischen Angaben ja^b, ja^g, ja^t und *ja* (wenn in allen drei Sprachschichten belegt) beschränken, ohne nach den hinter diesen Siglen stehenden Einzelüberlieferungen zu fragen.

Die Formen und ihre Bedeutungen:

KPR I »ab-, wegwischen → ab-, verleugnen«
  a) »ab-, wegwischen«

245 Vereinzelt – und unter den ostaramäischen Dialekten nur im Syrischen – ist für syr. *kpr (pa., ethpa.)* und für syr. *kuppār* die Bedeutung »die Sünde/n abwischen, tilgen« belegt, s. unten S. 78.

246 Vgl. für das Westaramäische auch chr.-pal. *kpr* (s. unten S. 79f.) und samar.-aram. *kpr* MM II 50,31 (s. dazu *J. C. Lebram*, VT 15 [1965], S. 167–237, hier: S. 219f.).

247 Einleitung zu KBL³, Liefg. I, Leiden 1967, S. XI; *ders.*, in: Hebräische Wortforschung (FS *W. Baumgartner* [VT.S XVI], Leiden 1967), S. 158–175.

248 Eine gewisse Ausnahme bildet *A. Sperber*, The Bible in Aramaic, 4 Bde, Leiden 1959ff., s. dazu *Kutscher*, a.a.O., S. 170f.; zu den Wörterbüchern s. S. 174f.

pe.: ja[b][249] und Der. ja[b] **kpr'* bBQ 101a[250], vgl. syr., mand. (+ Der.)
pa.: ja[249 (sic!)], vgl. syr. (+ Der.), chr.-pal., mand.
ethpa.: ja[t] (TargEsth II 3,8), vgl. [bibl.-hebr. כפר *pu.* Jes 28,18?][251] syr., mand.

b) »ab-, verleugnen«[252]
pe.: ja (› mhe *qal* [+ Der.]. *hif.*)[253], vgl. (samar.-aram.) syr. (+ Der.), chr.-pal. (+ Der.), mand. (+ Der.)
[*pa.:* ja [254], vgl. syr. (+ Der.), mand. (+ Der.)]

KPR II »sühnen«[255]
pa.: ja [vgl. bibl.-hebr. כפר *pi.* + Der., mhe כפר *pi.* + Der., samar.-hebr. כפר *pi.* + Der. (› samar.-aram.), qumran.-hebr. כפר *pi.* (› qumran.-aram. *pa.*) + Der.]
ethpa.: ja [vgl. bibl.-hebr. כפר *nitp.*, mhe, samar.-hebr. כפר *nif.*]

Zum Paᶜel von jüd.-aram. *kpr* II *»sühnen«* werden die folgenden *nominalen Derivate* gebildet:

[a) *kwpr':* ja[b] »Sühnegeld, Lösegeld« bBQ 40a.41b (‹ bibl.-hebr. IV כֹּפֶר, mhe כּוֹפֶר), vgl. samar.-hebr. כפר/כופר *(kūfar)*, qumran.-hebr. כפר/כופר]

b) *kppwr':* ja »Sühne« (sing. TFrag Lev 23,27 [Ausgabe M. Ginsburger Lev 23,29: *bywm ṣwm kppryn*]; TJon Hos 3,2; pl. *k(y)ppwryy'*, + *ywm':* »der Versöhnungstag«); ja[b]: *ywm' dkppwr', ywm' dkppwry*, vgl. bibl.-hebr. כִּפֻּרִים (יוֹם), samar.-hebr. כפורים *(kibbūrem)*, mhe כַּפָּרָה, (יוֹם הַ)כִּפֻּ/וּרִים, (יוֹם) כִּ(י)פּוּר, qumran.-hebr. (יום ה) כפורים

c) *kppwry:* ja[gt] »(das) Sühnen« (nomen actionis), nur mit vorgesetztem *byt*: α) Sühnestätte (TO Lev 16,2; TPsJ Lev 16,2, [*byt kppwrt'*; MS *kppwr'*], Targ 1Chr 28,11); β) Allerheiligstes (TJon 1Kön 6,5.19f.; Targ 2Chr 3,16 u.ö.)

249 *kpr* »abwischen« bBQ 101a; bHul 8b und bYev 115b wird von *Levy*, NheCW II, S. 386 s.v. כְּפַר 2 (vgl. *Dalman*, Wb II, S. 196 s.v.) zum *Peᶜal* gestellt. Dagegen stellt *Jastrow*, Dictionary, S. 662 s.v. כְּפַר die Belege bBB 167a; bHul 8b; bYev 115b zusammen mit Targ Prov 30,20; bGit 56a zum *Paᶜel* desselben Verbs; aber nur die beiden letzten Belege sind eindeutige *Paᶜel*-Formen (vgl. *Levy*, TargW I, S. 381 s.v. כְּפַר I *pa.*; NheCW II, S. 386 s.v. כְּפַר *pa.* 2), während *kpr* in bHul 8b; bYev 115b jeweils *Peᶜal* ist (vgl. *Levy*, NheCW II, S. 386 s.v. כְּפַר I *pe.* 2). Bei *kpr* bBB 167a kann man zwischen *Peᶜal* und *Paᶜel* schwanken.

250 S. *Levy*, NheCW II, S. 386 s.v. כְּפַר *pe.* 2; vgl. *Jastrow*, Dictionary, S. 662 s.v. *כַּפְרָא.

251 S. oben Prolegomena Anm. 58.

252 Als Grundbedeutung vermutet *Levy*, TargW I, S. 381 s.v. כְּפַר I wohl zu Recht: »etwas verwischen, entfernen, einen Ggst. oder auch in Gedanken, irgend etwas Gedachtes negiren«, vgl. auch *Driver*, Vocabulary, S. 34ff. und die analoge Bedeutungsentwicklung im Syrischen, Mandäischen (und im christlich-palästinischen Aramäisch), s. unten S. 79f.

253 Vgl. *Ch. Albeck*, Einführung in die Mischna (SJ VI), Berlin 1971, S. 214 und beispielsweise *Dalman*, Wb, S. 206 s.vv.

254 Dieses *Paᶜel* wird außer von KBL^3, S. 470 s.v. כפר (allerdings mit Fragezeichen) von keinem der herkömmlichen Wörterbücher angenommen.

255 *Levy*, TargW I, S. 381 s.v. כַּפַּר II expliziert die Bedeutung »sühnen« folgendermaßen: ». . . die Sünde verwischen, sie entfernen, abnehmen. – Das W.[ort] ist also eig. trop. vom vorg. כַּפַּר [sc. *Levys* כְּפַר I pa. ›wegwischen, abwischen‹] . . .« Für jüd.-aram. *kpr* »sühnen« (und Der.) rechnen wir statt mit einer Herleitung von jüd.-aram. *kpr pa.* »ab-, wegwischen« mit der Übernahme von bibl.-hebr. (bzw. mittelhebr.) כִּפֶּר »sühnen, Sühne schaffen«. Diese Ableitung dürfte der auffälligen Tatsache, daß *kpr* in der Bedeutung »sühnen« vorwiegend im westlichen Zweig der aramäischen Dialekte belegt ist (s. die Übersichtstabelle unten S. 101), am ehesten gerecht werden.

d) *kppwrt'*: ja[gt] »Sühnmal, Sühneort« (Transkription von bibl.-hebr. כַּפֹּרֶת), vgl. mhe כַּפּוֹרֶת, samar.-hebr. (ה)כפרת *(kibbāret)* [› samar.-aram. כפרתה/כפרה/כפרה]

Zwischen jüd.-aram. *kpr* II »sühnen« (*pa., ethpa.*; und Der. *kwpr', kppwr', kppwry, kppwrt'*) und mittelhebr. כפר »sühnen« (*pi., hitp., nitp.*; und Der. כּוֹפֶר, כִּ(י)פּוּר, כַּפָּרָה, כַּפֹּרֶת) lassen sich Bedeutungsdifferenzen nicht feststellen[256]. Hinsichtlich der hier interessierenden Frage nach der Wiedergabe der alttestamentlichen כפר (*pi., pu., hitp., nitp.*)-, IV כֹּפֶר-, כִּפֻּרִים- und כַּפֹּרֶת-Belege in den Targumen ergibt sich folgendes Bild:

Bibl.-hebr. כפר: Mit Ausnahme von Gen 32,21 (CN: *r*[c]*'/r*[c]*y pe.* + *'pyn* [pl.] »jmd. wohlwollend aufnehmen«; TPsJ: *sbr pe.* + *'pyn* [pl.] »jmd. gnädig sein, wohlwollend ansehen«; TO [v. 20]: *nwḥ aph.* + *(l)rwgz'* »jmd. Ruhe verschaffen«), TJon 1Sam 3,14 (*šbq ethpe.* »verziehen, vergeben werden«), TJon Jes 27,9 *(šbq ethpe.)*, TJon Jes 22,14 *(šbq ethpe.)*, TJon Jes 28,18 (*bṭl ethpe.* »aufhören, vernichtet werden«), TJon Jes 47,11 (*ᶜdy aph.* »entfernen, wegnehmen«), TJon Ez 16,63 (*šbq pe.* »verzeihen, vergeben«) und Targ Prov 16,14 (*dᶜk aph.* »auslöschen → dämpfen [sc. den Zorn]«, vgl. Peschitta) geben die palästinischen und die in Babylonien redigierten Targume bibl.-hebr. כפר »sühnen« *(pi., pu., hitp., nitp.)* immer mit jüd.-aram. *kpr* »sühnen« *(pa., ethpa.)* wieder.

Bibl.-hebr. IV כֹּפֶר *»Lösegeld; Bestechungsgeld«* wird von den Targumen nirgends mit jüd.-aram. *kwpr'* wiedergegeben; stattdessen finden sich folgende Äquivalente: a) *mmwn'/h* »Besitz, Geld, Vermögen«[257]: CN/TPsJ/TO Ex 21,30; CN/TO Num 35,31.32; *mmwn dšqr* »Mammon der Ungerechtigkeit« jeweils TJon 1Sam 12,3; Am 5,12[258]. – b) *pwrqn'* »Auslösung, Loskaufung«[259]: CN/TPsJ/TO Ex 30,12; TPsJ Num 35,31.32; Targ Ps 49,8; Targ Hi 33,24; 36,18; Targ Prov 13,8 (vgl. Prov 13,8 Syr.). – c) *ḥyllwp'* »(›das Eingetauschte‹) für, anstatt«: TJon Jes 43,3. – d) *mwhb'* »Gabe, Geschenk« Targ Prov 6,35 (vgl. Peschitta: *qurbānā*). – e) *šlḥwp'* »(das) Wechseln, Ersatz«: Targ Prov 21,18.

Bibl.-hebr. כִּפֻּרִים *»Sühnehandlung«* wird mit Ausnahme von CN Ex 30,16 *ksp pwrqnyy'* stets mit jüd.-aram. *k(y)ppwryy'/k(y)ppwr(y)yh* »Sühnehandlung« wiedergegeben: CN Ex 29,36; 30,10; TPsJ/TO Ex 29,36; 30,10.16; Num 5,8; 29,11 – *ywm' dk(y)ppwryyh:* TPsJ/TO Lev 23,27f.; 25,9[260].

Bibl.-hebr. כַּפֹּרֶת *»Sühnmal, Sühneort«* entspricht in den Targumen – bis auf Targ 1Chr 28,11 *(byt kppwry)*[261] – immer jüd.-aram. *kppwrt'/kpprt(h)*[262].

256 Für mittelhebr. כִּפֶּר (und Der.) s. die Mischna-, Tosefta- und (bab.) Talmud-Konkordanzen von *C. J. Kasowski* und die Konkordanzen zu den halachischen Midraschim (Mekhilta, Sifra, Sifre) und *B. Kosovsky* jeweils s.v.; vgl. auch die Wörterbücher von *Levy* (NheCW, TargW) und *Jastrow* (Dictionary) jeweils s.vv.

257 S. dazu *H. P. Rüger*, ZNW 64 (1973), S. 127–131; *ders.*, Art. Aramäisch II, TRE III, S. 602–610, hier: S. 607.

258 Weitere Belege für die Wendung *mmwn dšqr* bei *Rüger*, a.a.O., S. 128f.

259 S. dazu v.a. *J. v. Zijl*, JNWSL 2 (1972), S. 60–73.

260 Zu den Textformen von CN Lev 23,27f. (+ v. 29!); 25,9 und palästinisches Pentateuchtargum aus der Kairoer Geniza Lev 23,27f. (+ v. 30!) s. *R. Le Déaut*, VT 18 (1968), S. 458–471, hier: S. 467f.

261 *ᶜl byt kppwry* (bzw. *ᶜl byt kppwrt'*) auch in TPsJ/TO Lev 16,2 (Textw. עַל כַּפֹּרֶת, vgl. CN

Von der masoretischen Textüberlieferung abweichende targumische *kpr*-Belege:

Abweichend von der masoretischen Textüberlieferung, d.h. über die Übersetzungsbelege von hebr. כפר (*pi., pu., hitp., nitp.*; und Der.) in den Targumen hinaus, begegnet jüd.-aram. *kpr (pa., ethpa.)* in den Targumen noch an den folgenden Stellen, die jeweils zentrale Theologumena der targumischen Sühnetheologie zum Ausdruck bringen: CN/TPsJ/TFrag Ex 4,25 (jeweils *kpr pa.* [Sühnewirkung des Beschneidungsblutes]); CN/TFrag/pal. Pentateuchtargum aus der Kairoer Geniza Lev 22,27 (jeweils *kpr pa.*, CN *kpr ethpa.* [Sühnewirkung der »Bindung Isaaks«]); CN (Randglosse)/TFrag Num 20,29 (jeweils *kpr pa.* [sühnende Interzession Aarons]) sowie TPsJ/TO Ex 24,8 (jeweils *kppr'* »Sühne« [Sühnewirkung des Bundesblutes]):

> wnsyb mšh yt plgwt dm' dbmzyrqy' (TO: wnsyb mšh yt dm') wzrq ᶜl mdbḥ lkppr' ᶜl ᶜm' w'mr h' dyn 'dm (TO: dm) qyym' dygzr (TO: dgzr) YHWH ᶜymkwn ᶜl kl pytgmyy' (TO: ptgmyy') h'ylyn (TO: h'lyn)
>
> »Und Mose nahm die Hälfte des Blutes aus den Sprengschalen (TO: und Mose nahm das Blut) und sprengte [es] an den Altar zur Sühnung für das Volk, und er sprach: ›Siehe, das ist das Blut der Setzung, die Jahwe mit euch festgesetzt hat aufgrund aller dieser Worte‹«[263].

Darüber hinaus gibt es in den Targumen abweichend von MT zusätzliche Belege für: a) *(byt) kppwry* »(Haus des) Sühnen(s)« TPsJ/TO Lev 16,2; TJon 1Kön 6,5.19f.; 2Chr 3,16 u.ö.[264]. – b) *kyppwr* »Sühne« TJon Hos 3,2: *wyhbyt ksp tqly' kyppwr npšhwn* »und ich habe das Silber der Scheqel als Sühne für ihre (gemeint ist Israel) Seele = für sie gegeben«[265]. – c) »Versöhnungstag: *ywm ṣwmh dkyppwryyh* CN Lev 23,29; *ywm ṣwm kyppwryyh* pal. Pentateuchtargum aus der Kairoer Geniza Lev 23,30; *ywm' dkppwry* TPsJ Num 35,25[266] und *ywm' dkppwry* Targ Hhld 4,3[267]. – d) *kpr pa.*: TPsJ/TO Lev 6,19; 9,15 (bis; Textw. jeweils חטא *pi.*); Targ Hhld 3,3.

b) Samaritanisch-Aramäisch

Geht man für die Analyse der Wurzel *KPR* im samaritanischen Schrifttum vom Mᵉlîṣ, einem (samar.-)hebr. – arab. – (samar.-)aram. Glossar aus dem

Lev 16,2: *ᶜl kpprth*), s. dazu auch *Kasher*, Targum to Leviticus, S. 93. *byt kppwry* ferner in TJon 1Kön 6,5.19f. (Textw. [הַ]דְּבִיר); Targ 2Chr 3,16 (Textw. דְּבִיר) u.ö.

262 Zur Wiedergabe von *kprt* in 4QTargLev s. unten Teil III Anm. 466.

263 Ex 24,8 LXX und CN Ex 24,8 folgen dem masoretischen Text. Zu TPsJ/TO Ex 24,8 s. zuletzt v.a. *E. Kutsch*, Verheißung, S. 82; *ders.*, VT 23 (1973), S. 25–30, hier: S. 26; *ders.*, ZThK 74 (1977), S. 273–290, hier: S. 280ff.286.287.289; *ders.*, Neues Testament – Neuer Bund? Eine Fehlübersetzung wird korrigiert, Neukirchen-Vluyn 1978, S. 34ff., vgl. ferner *Le Déaut*, Liturgie juive, S. 34f.; *ders.*, BTB 4 (1974), S. 243–289, hier: S. 252 mit Anm. 24; S. 284; *A. Díez Macho*, in: *E. Schweizer – A. Díez Macho*, La iglesia primitiva. Medio ambiente, organización y culto, Salamanca 1974, S. 144f.; *R. Pesch*, Das Abendmahl und Jesu Todesverständnis (QD 80), Freiburg/Basel/Wien 1978, S. 95, u.a.

264 S. oben Anm. 261.

265 S. dazu *Le Déaut*, La nuit pascale, S. 147 mit Anm. 37.

266 S. dazu *Le Déaut*, Intercession, S. 46.

267 Zum Targ Hhld s. *R. Le Déaut*, Introduction à la littérature targumique I, Rom 1966, S. 140f., vgl. *ders.*, La nuit pascale, S. 175f.

10./11. Jh. n.Chr.[268] aus, so fällt zunächst auf, daß in der aramäischen Kolumne dieses ›Wörterbuchs‹ nirgends eine Verbalform der Wurzel *KPR* (»sühnen«) auftaucht und daß von den nominalen Formen nur *kprh* bzw. *kprth* (= כַּפֹּרֶת bzw. הַכַּפֹּרֶת) belegt ist. Dagegen werden in der hebräischen Kolumne folgende Formen der Wurzel כפר (»sühnen«) aufgeführt:

Verbformen
S. 487 Z. 44 כפר Dtn 21,8 SP (aram. *slḥ*; arab. *ġafara*)
S. 487 Z. 47 וכפר Ex 30,10 SP (aram. *wyslḥ*; arab. *kafara*)
S. 490 Z. 155 יכפר (aram. *yslḥ*; arab. *kafara*)
S. 491 Z. 156 ויכפר (aram. *wslḥ*; arab. *kafara*)
S. 491 Z. 189 בכפרך Ex 29,36 SP (aram. *bslwḥk*; arab. *kafara*)
dazu kommen:
S. 490 Z. 153 אכפר Ex 32,30 SP (aram. *'spy*; arab. *ġafara* X)
S. 490 Z. 154 אכפרה Gen 32,21 SP (aram. *'spy*; arab. *lafawa* VI)

Nominale Derivate
S. 491 Z. 186 כפור (aram. *slḥyw*; arab. *ġufrān*)
S. 491 Z. 187 הכפורים (aram. *slḥwyh*; arab. *al-ġufrān*)
S. 491 Z. 188 כופר Ex 21,30 SP (aram. *slwḥ*; arab. *dīya*)
S. 493 Z. 238 כפרת (aram. *kprh*; arab. *miqrama*)
S. 493 Z. 239 הכפרת (aram. *kprth*; arab. *al-miqrama*)[269]

Bei den Belegen für hebr. כפר (*pi., pu., hip., nitp.*; und Der.) bestehen zwischen dem samaritanischen Pentateuch (SP) und dem masoretischen Text keine Differenzen von theologischem Gewicht, wohl aber Abweichungen orthographischer, phonetischer, morphologischer und syntaktischer Art[270]. Dieses Bild ändert sich, sobald man die Untersuchung auf das Pentateuchtargum (ST)[271] ausdehnt: Verbale Formen der Wurzel כפר des SP werden im ST durch entsprechende Formen der Wurzel *SLḤ* »vergeben« wiedergegeben – mit Ausnahme von Gen 32,21 (*špy pe.* + *'pyn* »jemandes Gesichtszüge glatt machen = sich jmd. geneigt machen«) und Dtn 32,43 (*mrq pe.* »[abwischen ›] putzen, polieren«). Das gilt auch für die nominalen Derivate: כפר *kūfar* SP ≙ *slwḥ* ST (Ex 21,30; 30,12; Num 35,31.32); (ה)כפורים *kibbūrem* SP ≙ *slwḥyh* ST (Lev 23,27f.: *ywm slwḥyn*). Eine Ausnahme bildet lediglich (ה)כפרת *kibbāret* SP ≙ *kprh* bzw. *kprth* ST (Ex 35,12: *kbrth*)[272].

Diese Übersicht zeigt, daß sowohl im späten M^elîṣ als auch schon im SP hebr. כפר »sühnen« (und Der.) – von den angezeigten Ausnahmen abgese-

268 Edition: *Z. Ben-Hayyim*, Literary and Oral Tradition of Hebrew and Aramaic amongst the Samaritans, vol. II, Jerusalem 1957, S. 437–622 (mit Index S. 623–666).
269 *E. W. Lane*, Arabic-English Lexicon, Supplement, S. 2987 3. Spalte s.v. *miqrama*: »A coverlet (of a bed)«.
270 S. dazu *A. Murtonen*, Materials for a non-masoretic Hebrew Grammar, II, Helsinki 1960, S. 119f. und *R. Macuch*, Grammatik des Samaritanischen Aramäisch (StSam 1), Berlin 1969, §§ 65a.66b.66bβ.67a.67bαβ.71aα.74.76a.113a.b.126aα.126c.173a.174a.182j.
271 (Veraltete) Ausgabe: *H. Petermann–K. Vollers*, Pentateuchus Samaritanus, Berlin 1872–1891.
272 S. auch den *kprt*-Beleg in der 2. Samaritanischen Chronik Ri § L (X*) (ed. *J. MacDonald*, The Samaritan Chronicle No. II [BZAW 107], Berlin 1969, S. 113, samaritanischer Text: S. 41).

hen – immer mit aram. *slḥ pe.* »vergeben« (und Der.) wiedergegeben wird. Daß dieser Vorgang nicht auf das Aramäische als Übersetzungssprache zurückgeführt werden kann – *slḥ* ist gerade kein spezifisch aramäischer Terminus, und die palästinischen sowie die in Babylonien redigierten Targume geben bibl.-hebr. כפר in der Regel mit jüd.-aram. *kpr*, aber nie mit jüd.-aram. *slḥ* wieder –, sondern in der samaritanischen Theologie begründet zu sein scheint, ergibt sich schon daraus, daß סלח im masoretischen Text des Alten Testaments ausschließlich vom Vergebungshandeln Gottes ausgesagt, nie jedoch auf einen Menschen (auch nicht auf einen Priester!) als Subjekt der Vergebung bezogen wird[273]. Auch wenn in der samaritanischen Theologie, wie z.B. an der *kpr (pa.) – slḥ (ethpe.)*-Formel Lev 4,20 (u.ö.) ablesbar (Lev 4,20 ST: wyslḥ ᶜlyhwn khnh wystlḥ lhwn »und der Priester erwirkt ihnen Vergebung [MT: schafft ihnen Sühne], und es wird ihnen [von Gott] vergeben werden«), Gott als Quelle der Vergebung gilt, so erkennt die samaritanische Tradition dem aaronidischen Priester, dem »Stellvertreter Jahwes« (MM V 121,18f.), durch jene singuläre Verwendung von *slḥ* doch eine sehr weitgehende Mitwirkung am (göttlichen) Vergebungshandeln zu. Dieser Gebrauch von *slḥ* läßt sich auch in der samaritanischen Literatur der aramäischen Periode beobachten:

> »Fände sich doch wieder ein heiliger Priester, der vergeben könnte *(yslḥ)*, wie mein Bruder Aaron, damit es keine Plage mehr gebe! Fände sich doch ein heiliger Priester wie Eleazar, welcher der Gemeinde Sühne schaffen könnte *(ykpr)*, damit die Barmherzigkeit nicht weiche! Fände sich doch ein Priester wie sein Sohn Pinehas, der im Eifer aufstünde, damit die Tage der Barmherzigkeit nicht aufhörten!« (MM V 120,15–17)[274]

273 S. dazu unten S. 249ff. *slḥ (pa.)* in der Bedeutung »Vergebung erwirken« begegnet mit *menschlichem Subjekt* noch TO Num 18,1: »Und Jahwe sprach zu Aaron: ›Du und deine Söhne und das Haus deines Vaters mit dir: ihr sollt Vergebung erwirken wegen der Verschuldungen gegen das Heiligtum *(tslḥwn ᶜl ḥwby mqdš')*; und du und deine Söhne mit dir: ihr sollt Vergebung erwirken wegen der Verschuldungen gegen euer Priesteramt *(tslḥwn ᶜl ḥwby khwntkwn)*«. Aram. *slḥ* (pa.) für hebr. נָשָׂא עָוֹן noch in TO Lev 10,17, vgl. Bill. II, S. 366.

274 MM = *J. MacDonald*, Memar Marqah. The Teaching of Marqah, vol. I: The Text (BZAW 84), Berlin 1963. Die obige Übersetzung von MM V 120, 15–17 stammt von *C. Colpe*, ZDPV 85 (1969), S. 162–196, hier: S. 175. Weitere *kpr/slḥ*-Belege im samaritanischen Schrifttum der aramäischen Periode: a) *kpr:* außer dem zitierten Passus MM V 120, 15–17 *(kpr* Z. 16) noch Samaritan Chronicle No. II (zur Ausgabe s. oben Anm. 272) Ri § IF*: »Er (sc. Pinchas) ist es, der Sühne schafft *(ykpr)* für das Volk . . .« (vgl. dagegen Num 25,13 ST: *wslḥ ᶜl bny yśr'l*); zur samaritanischen Pinchas-Tradition s. *Kippenberg*, Garizim, S. 61ff. 64.68f.177.282, ferner *Colpe*, a.a.O., S. 173ff.; zur Pinchas-Gestalt im sonstigen antiken Judentum s. die Hinweise unten Teil II Anm. 209; MM IV 107,31: »Kein Priester schafft für uns Sühne« *(wl' khn ykpr ᶜlynn)*, dieser Satz ist bezogen auf die Unheilszeit nach der Vernichtung des Garizim-Tempels 129/128 v.Chr. durch Johannes Hyrkanus, s. dazu *Kippenberg*, a.a.O., S. 178; »Versöhnungstag« (*ywm hkppwr*, auch *ywm slwḥym* »Vergebungstag«): s. dazu das liturgische Stück für den Neumond des 7. Monats aus dem Durrān bei *A. Cowley*, The Samaritan Liturgy, vol. I, S. 47 Z. 15–22 (Übersetzung bei *H.-G. Kippenberg*, ZDPV 85 [1969], S. 76–103, hier: S. 99: »In ihm [sc. dem 7. Monat] sind: der heilige Versöhnungstag, der die Sünden vertreibt [*ṭrd ḥwbyh*], das Laubhüttenfest und das Fest der Lese«), zum Charakter des samaritanischen Versöhnungstages s. *J. MacDonald*, The Theology of the Samari-

2. Ostaramäisch: Syrisch und Mandäisch

Die Formen und ihre Bedeutungen

a) Syrisch[275]

α) *kpr* »ab-, auswischen«
pe. »ab-, auswischen, säubern«
ethpe. »unwirksam gemacht, aufgehoben werden«
pa. »ab-, auswischen, säubern«
    Der. *kuppār(ā)* »das Abwischen, Auswischen«[276], metaphorisch vom Beseitigen
    der Sünde/n *(kuppār ḥṭītā)* verwendet *mkapprānā* (Verbaladj.) »derjenige/
    dasjenige, der/das etwas abwischt, reinigt, beseitigt«
ethpa. »ausgewischt, getilgt«
β) *kpr* »ab-, verleugnen«
pe. »(ab)leugnen, vom Glauben abfallen«, + Präp. *men*: »etwas zurückweisen, verwei-
    gern«; + Präp. *b*: »etwas bewußt ableugnen, nichts davon (sc. von Gott) wissen wol-
    len, (den Wahrheitsanspruch jemandes) nicht anerkennen, Apostat werden«;
    spezieller: »verzichten auf, zurückweisen« (mit Bezug auf *ṭaybūṯā* »Wohltat« =
    »undankbar sein«)
    Das pt.pass. *pe. kp̄īr* »verneint, abgelehnt; ungläubig, verschmäht« wird auch un-
    persönlich verwendet: *kp̄īr bāk* »es ist dir versagt, nicht erlaubt«
    Der. *kāp̄ōrā, kāp̄ōrtā* »jemand, der (eine Person/Sache) leugnet«, speziell »der Un-
    gläubige, Heide«; + Präp. *b* mit folgendem *ṭaybūṯā/ṭaybwāṯā* (»Wohltat/en«)
    sowie *kāp̄ōrā* abs.: »(erwiesener) Wohltat/en uneingedenk = undankbar«

tans, London 1964, S. 196.267f., vgl. auch *M. R. Lehmann*, RdQ 3 (1963–1964), S. 117–124,
bes. S. 120f.; *S. Powels*, Der Kalender der Samaritaner anhand des Kitāb Ḥisab as-Sinīn und
anderer Handschriften (StSam 3), Berlin/New York 1977, S. 118ff.; *M. Baillet*, RB 85 (1978),
S. 481–499, hier: S. 489ff. – b) *slḥ*: außer dem zitierten Passus MM V 120,15–17 (*slḥ* Z. 15)
noch MM III 79,31: Verkündigung der »Worte der Vergebung« *(mly slyḥṯh)* durch den Hohenpriester, vgl. MM VI 140,1, zum Zusammenhang s. *Kippenberg*, Garizim, S. 179.246
(Übersetzung von MM VI 139,29–140,1 jetzt auch in: Textbuch zur neutestamentlichen Zeitgeschichte, hrsg. von *H.-G. Kippenberg* und *G. A. Wewers* [NTD Ergänzungsreihe 8], Göttingen 1979, S. 96f.); MM III 59,1f.: der Garizim heißt »Platz der Vergebung (*'tr slyḥwth),* den
der Herr der Welt geheiligt hat« (vgl. MM III 64,13; 68,17), s. dazu *Kippenberg*, Garizim, S.
191f.197f.223; zum *ywm slwḥym* »Vergebungstag« s. unter (a). – Daß nach samaritanischer
Auffassung dem priesterlichen *kpr/slḥ*-Handeln eine solche Bedeutsamkeit zukommt, dürfte
mit dem Priesterverständnis der samaritanischen Theologie zusammenhängen: »Und ich (sc.
die Gottheit des Alls) verherrlichte Pinchas, bereitete ihm eine Stelle und werde ihn in Ewigkeit
nicht von ihr entlassen, denn er ist die *Wurzel der Erlösung*, und ihm und seiner Nachkommenschaft nach ihm gehört das Hohepriestertum« (MM VI 139,23f. [Übersetzung *Kippenberg*, Garizim, S. 177]); zum samaritanischen Priestertum s. *ders.*, a.a.O., S. 176ff.
275 Zum Folgenden s. *R. Payne Smith*, Thesaurus Syriacus, t. I, Oxford 1879; *J. Payne
Smith* (Mrs. *Margoliouth*), A Compendious Syriac Dictionary founded upon the Thesaurus
Syriacus of R. Payne Smith, Oxford 1903; *K. Brockelmann*, Lexicon Syriacum, Halle [2]1928;
R. Köbert, Vocabularium Syriacum, Rom 1956 (jeweils s.vv., dort auch die Belegnachweise
aus der syrischen Literatur).
276 Mit Recht weist *Driver* (Vocabulary, S. 37) darauf hin, daß *kuppār(ā)* »exhibits clearly
the full development of meanings of the root and shows how it came ultimately to denote covering or hidding . . .« – Bedecken im Sinne eines »wiping (i.e. smearing) one thing on to another« (S. 38).

kāpōrā'īṯ (Adverb) »wie ein Ungläubiger, ungläubig«
kāpōrūṯā (f.) »Gottlosigkeit«; nur lexikalisch belegt ist das Femininum *kpīrūtā* »Unglaube«
kpūryā (m.) »Leugnung, Ableugnung«; speziell: *kpūryā dṭaybwātā* »Zurückweisung von (erwiesenen) Wohltaten = Undank«[277]

ethpe. »verleugnet werden«
pa. »zum Apostaten machen, zur Leugnung (Gottes, Christi) veranlassen«
Der. *mkapprānā* (Verbaladj.) »derjenige, der zur Leugnung (Gottes) oder zum Abfall vom Glauben verführt/veranlaßt«
aph. »zur Leugnung Gottes veranlassen, zur Apostasie bewegen«, besonders mit den Präp. *men* und *b* verwendet

b) Mandäisch[278]

α) *kpr* »ab-, auswischen« (weitere Bedeutungen sind strittig)[279]
pe./ethpe.[280]
Der. *kapar* »Tuch, Lappen«
pa. *(Bedeutung = pe.)*, mit verschiedenen Objekten: Gesicht, Augen, Tränen
ethpa. (pass.)

β) *kpr* »verleugnen, (vom Glauben) abfallen«
pe.
Der. *kapura*, pl. *kapuria* (nomen agentis) »Ungläubiger, Verleugner (Gottes)« (vgl. syr. *kāpōrā*); *kapruta* (Abstraktnomen) »Häresie, Abfall (vom Glauben), Unglaube«; *kupar*, var. *kupur* (vgl. arab. *kufrun*) »Unglaube«
pa.
Der. *kapuria* (nomen actionis) »Häresie, Abfall (vom Glauben), Unglaube«

Bei der Wurzel *KPR* im Syrischen und im Mandäischen (ebenso im Christlich-Palästinischen) lassen sich *zwei miteinander zusammenhängende Grundvorstellungen* unterscheiden:

1. Die Vorstellung des *Abwischens*, belegt durch die Verbalformen syr. *kpr* (α) *pe./ethpe.*; *pa./ethpa.* sowie durch die zu *kpr* (α) *pa.* gebildeten nominalen Derivate *kuppār(ā)* und *mkapprānā* (vgl. mand. *kpr* [α]*pe./ethpe.* und Derivat *kapar*; *pa./ethpa.*; chr.-pal. *kpr* [α] *pa.* »abwischen«: Lk 7,38.44; 10,11).
2. Die Vorstellung des *Leugnens* (als ›geistiges Ab- oder Auswischen‹), belegt durch die Ver-

277 Zu dieser Beleggruppe s. besonders *F. Schulthess*, ZA 27 (1912), S. 230–241, hier: S. 235f.

278 Zum Folgenden s. *Th. Nöldeke*, Mandäische Grammatik, Halle 1875; *M. Dietrich*, Untersuchungen zum mandäischen Wortschatz, Masch.Diss. Tübingen 1958, S. 142; *E. S. Drower – R. Macuch*, A Mandaic Dictionary, Oxford 1963; *E. Segelberg*, in: *R. Macuch*, Zur Sprache und Literatur der Mandäer (Studia Mandaica), Berlin/New York 1976, S. 190f.199f. (jeweils s.vv., dort auch die Belegnachweise aus der mandäischen Literatur).

279 S. dazu *Nöldeke*, a.a.O., S. 15; *Dietrich*, a.a.O., S. 142 einerseits, *Drower-Macuch*, a.a.O., S. 221 s.v. *kpr ethpe.* andererseits.

280 Zu den *ethpe.*-Belegen s. *Drower-Macuch*, a.a.O., S. 221 s.v. *kpr ethpe.* pt., abweichend *Nöldeke*, a.a.O., S. 230; *Dietrich*, a.a.O., S. 142.

281 Vgl. *Driver*, Vocabulary, S. 34ff.

balformen syr. *kpr* (β) *pe./ethpe. pa.; aph.* sowie durch die zu *kpr* (β) *pe.* gebildeten nominalen Derivate *kāp̄ōrā, kāp̄ōrtā, kāp̄ōrūta, kp̄ūryā* und durch das zu *kpr* (β) *pa.* gebildete Verbaladjektiv *mkapprānā* (vgl. mand. *kpr* [β] *pe.* und Derivate *kapura, kapruta, kupar*; *pa.* und Derivat *kapuria*; chr.-pal. *kpr* [β] *pe.* und Derivate **kpwr*, pl. **kpwryn* [st.emph. **kpwryy'*], **kpwrt'*).

Bedeutungsgeschichtlich kommt der Vorstellung des »Abwischens« Priorität zu[281].
Hinsichtlich der Frage, wo in der syrischen Übersetzung des Alten Testaments (Peschitta) syr. *kpr* Wiedergabe von hebr. כפר ist, kommen wir zu einem negativen Ergebnis: mit Ausnahme von Jes 28,18 ist dies nirgends der Fall. Stattdessen verwendet die Peschitta folgende Äquivalente:

An den P-Stellen wird כפר durchgängig mit *ḥsy pa./ethpa.*[282] übersetzt.
כִּפֻּרִים und כַּפֹּרֶת werden – mit Ausnahme von 1Chr 28,11 – überall mit *ḥussāyā* wiedergegeben.
Die Äquivalente von IV כֹּפֶר sind im einzelnen: *purqānā* »Heil, Erlösung« (Ex 30,12; Ps 49,8; Prov 13,8; Hi 33,24; 36,18)[283]. – *šuḥdā* »Bestechung(sgeschenk)« (1Sam 12,3; Am 5,12; Num 35,31.32). – *māmōnā* »Besitz, Geld, Vermögen« (Ex 21,30)[284]. – *ḥlap̄* »für« (Jes 43,3). – *qurbānā* »(Opfer)Gabe, Darbringung« (Prov 6,35)[285]. – *taḥlūp̄ā* »res permutata, compensatio« (Prov 21,18).

Ḥussāyā und *ḥsy pa./ethpa.* gehören zu den Haupttermini des Syrischen für »Sühne(leistung)« und »sühnen«. Für das Syrische wurde die Grundbedeutung der Wurzel *ḥsy* von *L. Delekat*[286] herausgearbeitet und von ihm für das Adjektiv *ḥasyā* mit »zurückhaltend, enthaltsam« angegeben. Verständlich wird dann die von dieser Grundbedeutung gebildete Bedeutung: »heilig, fromm«, d.h.: »sanctus« im Sinne von »purus, innocens«, sowie die Bedeutung des vom Adjektiv *ḥasyā* denominierten, nur im *pa./ethpa.* belegten Verbs: »heilig machen, heiligen, weihen«, mit den Einzelbedeutungen: »(ent)sühnen (häufig + Präp. *ʿal*); vergeben; erlösen«[287].

282 Mit Ausnahme von Lev 17,11: ». . . und ich habe es (sc. das Blut) euch auf den Altar gegeben *lḥussāyā* (Textw.: לְכַפֵּר) für euer Leben (pl.)«. – Im übrigen wird כִּפֶּר durch andere Wurzeln wiedergegeben: v.a. durch *šbq* »(los)lassen« + Sündenterminus = »vergeben« (*pe.*: Ex 32,30; Ez 16,63; *ethpe.*: Jes 6,7; 27,9; Prov 16,6); *šubqānā* »Erlassung (einer Schuld), Vergebung«: Neh 10,33 (MT 10,34); Dan 9,24, u.a.

283 S. dazu die Lit. oben Anm. 259.

284 S. dazu die Lit. oben Anm. 257.

285 S. dazu *H. P. Rüger*, ZNW 59 (1968), S. 113–122, hier: S. 121; *ders.*, Art. Aramäisch II, TRE III, S. 602–610, hier: S. 607.

286 VT 14 (1964), S. 7–66, hier: S. 28ff., dazu die ergänzenden (und korrigierenden) Bemerkungen von *Hugger*, Jahwe meine Zuflucht, S. 59ff.; *Fitzmyer*, Targum of Leviticus, S. 16 mit Anm. 29. Auf die Frage der Stellung von syr. *ḥsy* innerhalb der semitischen Sprachen kann hier nicht eingegangen werden, s. dazu außer *Delekat* und *Hugger* noch *L. Kopf*, VT 8 (1958), S. 161–215, hier: S. 173; *E. Gerstenberger*, Art. *ḥsh*, THAT I, Sp. 621; *T. Muraoka*, RdQ 8 (1972–75) S. 267f.; *E. Lipiński*, OLoP 8 (1977), S. 81–117, hier: S. 114; *G. Gamberoni*, Art. *ḥṣh*, ThWAT III, Sp. 72f.

IV. Zusammenfassung

Unsere Darstellung der Wurzel *KPR* in den aramäischen Dialekten können wir durch Anmerkungen zu *B. A. Levine*s »Observations on K-P-R in some Semitic Languages«[288] abschließen:

1. Voraussetzung und Mitte der *Levine'*schen Analyse von hebr. כִּפֶּר[289] bildet die Annahme, כִּפֶּר bringe analog akk. *kapāru* II nicht den Gedanken des »Bedeckens«, sondern den der »Abwehr«, »Reinigung« oder »Eliminierung« der Sünde zum Ausdruck. Zu begründen sucht *Levine* diese These mit Hilfe der Unterscheidung zwischen einem I כִּפֶּר (»to perform rites of expiation«) und einem von IV כֹּפֶר denominierten II כִּפֶּר, das in der Wendung כִּפֶּר עַל נֶפֶשׁ (»to serve as kôper for a life«) tradiert worden sei. Das Interesse an der Relation von sachlichem Gehalt (Abwehr/Reinigung der Sünde) und etymologisch erhobenem »Ursinn« von כִּפֶּר (‹ akk. *kapāru* II »ab-, auswischen«) bestimmt auch *Levines* Beobachtungen zur Wurzel *KPR* im Aramäischen.

2. Für (reichsaram.) äg.-aram. *kpr* AP 37,14 (*Levine:* »he pardoned«)[290] sowie für (mittelaram.) palm. *kprw* (*Levine:* »they granted exemption«)[291] wird von *Levine* Denomination »from a noun, the Aramaic form of kôper« angenommen[292]. Dies ist grundsätzlich möglich, bleibt aber mangels eines eindeutigen Belegs für ein »aramäisches כֹּפֶר« in Elephantine und/oder Palmyra – die einzig sichere, vermutlich allerdings von hebr. IV כֹּפֶר entlehnte (spät)aramäische Form ist ja[b] *kwpr'* bBQ 40a.41b[293] – lediglich eine Hypothese. Zu Folgerungen im Sinne der *Levine'*schen Grundannahme zur Bedeutung von hebr. כִּפֶּר bieten AP 37,14 und CIS II 3913 pal, Z. 122[294] aber ebensowenig eine Basis wie jüd.-aram. *kwpr'*, mittelhebr. כּוֹפֶר, samar.-hebr. כפר *(kūfar)* oder qumran.-hebr. כפר/כופר.

3. Auch für das Mittelhebräische und das Spätaramäische rechnet *Levine* mit einer semantischen Entwicklung der Wurzel *KPR*, die der im Akkadischen und (aufgrund der Äquivalenz *kuppuru* ≙ כִּפֶּר) im Biblisch-Hebrä-

287 S. dazu im einzelnen die Belege bei *R. Payne Smith,* a.a.O. (oben Anm. 275), Sp. 1326f. s.v. *ḥsy*. Lev 12,7aα, der einzige erhaltene Beleg für die Wiedergabe von hebr. כִּפֶּר durch die christlich-palästinische Version des AT (Ausgabe: *M. H. Goshen-Gottstein* [ed.], The Bible in the Syropalestinian Version I, Jerusalem 1973), lautet: *wyqrb khn' qwdm mr' wyḥss'* (Textw.: וְכִפֶּר) *ᶜlyh khn'* – wie im Syrischen wird auch im Christlich-Palästinischen hebr. כִּפֶּר durch *ḥsy pa.* wiedergegeben.

288 *Levine,* Presence, S. 123–127; vgl. zum Folgenden auch die tabellarische Übersicht unten S. 101.

289 S. dazu oben S. 24f.

290 S. dazu oben Anm. 221.

291 S. dazu oben S. 71.

292 *Levine,* Presence, S. 124.

293 S. dazu oben S. 73.

294 Diese beiden Belege werden von *Levine* lediglich zitiert, um zu zeigen, daß »the sense: ›to cover‹ is not clearly attested in Late Hebrew or Aramaic« (Presence, S. 124). Im Rahmen der Gesamtargumentation L.s kommt diesem ›Negativbefund‹ jedoch Beweiskraft für die Ausgangshypothese (s. oben Ziffer 1) zu.

ischen feststellbaren Bedeutungsentwicklung: »abwischen › sühnen (= die Sünde/n reinigen)« entsprechen soll:

a) Unproblematisch ist dabei das nur spätaramäisch (ja^{bt} *pe.* [und Der. ja^{b} **kpr'*]; *pa./ethpa.*; syr. *pe./ethpe.*; *pa.* [und Der.]/*ethpa.*; mand. *pe.* [und Der.]/*ethpe.*; *pa./ethpa.*; chr.-pal. *pa.*) belegte *kpr* »ab-, auswischen«, dem akk. *kapāru* II »ab-, auswischen« zugrunde liegt.
b) Aus der von *Levine* für bibl.-hebr. כִּפֶּר angenommenen Bedeutungsentwicklung: »abwischen → sühnen« ergibt sich, daß auch für mittelhebr. כפר (*pi.*, *hitp.*, *nitp.*; + Der.; dazu samar.-hebr. כפר und qumran.-hebr. כפר) und für spätaram. *kpr* (ja *pa.* [und Der.]/*ethpa.*; mittelaram.: qumran.-aram. *pa.*)[295] die Grundbedeutung »›wiping off‹ the sins, thus purifying and cleaning them«[296] anzusetzen ist. Ob man dieser These zustimmen kann, entscheidet sich an der Stichhaltigkeit ihrer – von *Levine* detailliert entfalteten – sprachgeschichtlich-sachlichen Voraussetzung (s. oben Ziffer 1).
c) Im Mittelhebräischen (Derivate vom Qal: כפרן, כפירה, כפרנו/ית) und im Spätaramäischen begegnet die Wurzel כפר/*KPR* in der Bedeutung »ab-, verleugnen«: im *Qal* (mittelhebr.)/*Pe^{c}al* (ja; samar.-aram.; syr. [und Der.]; chr.-pal. [und Der.]; mand. [und Der.]), im *Ethpe^{c}el* (syr.), im *Hif^{c}il* (mittelhebr.)/*Af^{c}el* (syr.) sowie im *Pa^{c}el* (ja? [297]; syr. [und Der.]; mand. [und Der.])[298]. Gibt es dafür eine plausible Ableitung?
Zur Lösung dieses Problems geht *Levine* von dem von ihm postulierten »II כִּפֶּר« aus: Wie dieses Verb in seiner spezifischen Bedeutung »to serve as kôper for a life« (כִּפֶּר עַל נֶפֶשׁ) von IV כֹּפֶר denominiert sei, so habe sich auch im Mittelhebräischen und im Spätaramäischen »a simplestem denominative kāpar/keper« mit der Bedeutung »to seek release from an obligation surreptitiously, by means of bribe or payoff; to conceal the fact of an obligation by deceit or bribery«[299] gebildet, d.h.: mittelhebr./spätaram. כפר/*KPR* (»ab-, verleugnen«) »represent a semantic development of BH [= Biblical Hebrew] kôper, and the comparable Aramaic form«[300]. Da auch dieser These nur dann zugestimmt werden kann, wenn deren Voraussetzungen – d.h. insbesondere die Annahme eines von IV כֹּפֶר denominierten »II כִּפֶּר« sowie die Annahme einer »comparable Aramaic form« zu hebr. IV כֹּפֶר (s. oben Ziffer 1 und 2) – geteilt werden, gehen wir für aram. *KPR* »ab-, verleugnen« mit *G. R. Driver*[301] von der Bedeutungsentwicklung: »ab-, auswischen → ab-, verleugnen« aus.

295 Zu samar.-aram. *kprh/kprth* s. oben S. 76.
296 *Levine*, Presence, S. 124.
297 S. dazu oben Anm. 249.
298 Anders *Levine*, Presence, S. 124. Zu dem lexikalischen Beleg eines *kpr* »sündigen« (vermutlich) im Sinne von mittelhebr./spätaram. כפר/*kpr* »leugnen → ungläubig sein« im aramäisch-mittelpersischen Glossar Frahangi Pahlavīg s. *E. Ebeling*, Das aramäisch-mittelpersische Glossar Frahang-i-Pahlavik im Lichte der assyriologischen Forschung (MAOG 14,1), Leipzig 1941, S. 66.71, vgl. auch *Chr. Bartholomae*, Altiranisches Wörterbuch, Strassburg 1904, Sp. 1597f. und DISO, S. 126 s.v. *kpr* IV. Der sprachgeschichtliche Wert dieses Belegs läßt sich allerdings erst nach dem Vorliegen einer Neuausgabe des Frahangi Pahlavīg ermessen, s. dazu *W. Lentz*, Acta Iranica 6 (1975), S. 313–316; *ders.*, ZDMG Suppl. 3/2 (1977), S. 1061–1083 (Lit.).
299 *Levine*, a.a.O., S. 125.
300 *Ders.*, ebd.
301 Vocabulary, S. 34ff., vgl. *Levy*, TargW I, S. 381 s.v. כְּפַר I.

Dritter Abschnitt: Die Wurzel *KFR* im Südsemitischen

A) *KFR* im Frühnordarabischen: Thamudisch und Safaitisch[302]

I. Thamudisch

Im Thamudischen sind folgende Wörter mit der Konsonantenfolge *k-f-r* nachweisbar:

ṢMKFR: Dieser PN ist bisher 2mal belegt: WTay 26 und HE 21.
WTay 26: ṣmkfr (b) ᶜIgl »Ṣamkaffar (b.) ᶜIgl«
ṣmkfr wird von *Winnett* aufgelöst zu *ṣm* (*ṣlm*?) + *kfr:* »Ṣalm has pardoned«.

KFR: JS 497: l-m ṣ-l-m-l b-k-f-r b-ṣ-b-y
Während *Jaussen-Savignac* für *kfr* hier auch die Bedeutung »Grab« erwogen haben, wird mit *Ryckmans, van den Branden* und *Jamme kfr* als PN (*Kāfir?*, *Kaffār?*) anzusetzen sein[303].
JS 518: l-r-g-' b-s-k-f-r b-š-b-r
Jaussen-Savignac lesen *bs kfr* und übersetzen unter Hinweis auf JS 497: »(Raga') a préparé un tombeau«; demgegenüber deutet *van den Branden -skfr* als safᶜel-Form von *kfr*: »Par Raga', fils de Sakfar, fils de Sabar«. *Ryckmans* versteht *kfr* analog JS 497 als PN. *Joüon* übersetzt: »De Raga' Bass; il a pardonné à Sabar«.

KFR'L: JS 521 k-f-r-'-l b-ḥ-y w-'-l-ẖ-b-ṣ
Die auch WTay 41 belegte Buchstabengruppe *k-f-r-'-l* wird übereinstimmend als theophorer Satzname aufgefaßt: »'Il couvre ou pardonne« (*Ryckmans* [mit Fragezeichen], *Jaussen-Savignac* unter Verweis auf saf. *KFRY*, *Winnett* unter Verweis auf tham. *ṢMKFR*)[304].

302 Zum Folgenden s. *Jaussen-Savignac*, Mission archéologique en Arabie I–II, Paris 1904–1914 (abgek.: JS); *G. Ryckmans*, Les noms propres sudsémitiques, t. I, Louvain 1934, S. 115.233; *P. Joüon*, Or. 4 (1935), S. 86–91; *A. van den Branden*, Les inscriptions thamoudéens (BMus 25), Louvain 1950, S. 289f.295; *A. Jamme*, Sabean Inscriptions from Maḥram Bilqîs (Mârib), Baltimore 1962; *F. V. Winnett*, Tayamanite Inscriptions, in: *F. V. Winnett – W. L. Reed*, Ancient Records from North Arabia, University of Toronto Press 1970 (abgek.: WTay); *G. L. Harding*, An Index and Concordance of Preislamic Arabian Names and Inscriptions, University of Toronto Press 1971, S. 376.501f.681; *F. V. Winnett – G. L. Harding*, Inscriptions from fifty Safaitic Cairns, Toronto/Buffalo/London 1978, S. 606 (s.v. *kfry*). – Zu der Frage, ob liḥyan. *kfr* »Grab(höhle), Grabstätte« (*D. H. Müller*, Epigraphische Denkmäler aus Arabien, 1889, Nr. 9.25.27.29 = JS 45.75.77 [Müller Nr. 29 nicht aufgeführt] = *W. Caskel*, Lihyan und Lihyanisch, Köln/Opladen 1954, Nr. 74.72.82.63; vgl. auch den Kommentar CIS II 197,6 z.St.) aus nab. *kpr'* entlehnt ist, s. oben Anm. 224.

303 *Joüon*, a.a.O., S. 89 übersetzt: »De Muṣimmlubb, il a pardonné à Sabîm«.

304 *E. Littmann*, Thamūd und Ṣafā. Studien zur altnordarabischen Inschriftenkunde (AKM 25/1), Leipzig 1940, S. 82 (Nr. 137) liest kfr'l bhy w'lt bṣ »Kafar-'ēl b. Haiy. Und, Allāt, gib ein wenig (?)!«. Zur Namenserklärung s. auch *A. van den Branden*, Histoire de Thamoud, Beyrouth ²1966, S. 65ff., bes. S. 72: »On le (sc. 'Il) considère encore comme maître des hommes . . . et en cas de besoin il leur pardonne (kfr)«.

NKFR: JS 98: nkfr 'st ᶜmmt »Nikfar, femme de ᶜAmamat«
Nach *Jaussen-Savignac* und *Ryckmans* ist nkfr als weiblicher PN zu verstehen[305].

YKFR: JS 495: y-k-f-r-l '-s-'-ẖ-w
Da hinter dem /l/ ein Trennungspunkt ist, deuten *Jaussen-Savignac* und *Ryckmans y-k-f-r* wohl zu Recht als PN: *Yakfar/Yakfur* (Impf.-Form von *kfr*); anders *H. Grimme*[306]: »Er (Gott) verzeihe (?) den Leuten (?), die gekommen sind«. Demgegenüber zieht *van den Branden* das /l/ zu *ykfr* und interpretiert die Buchstabengruppe als theophoren Satznamen (synkopierte Form): *Yakfur'il* = »'Il est ingrat« (unter Verweis auf klass.-arab. *kafara* »undankbar sein«); ebenso *Harding*, der aber auf klass.-arab. *kafirun* »hoch, erhaben« hinweist.

II. Safaitisch

Neben dem PN *KFR: »Kaffār* (?)« (2mal)[307] ist im Safaitischen 10mal die Namensform *KFRY: »Kafray* (?)«[308] belegt.

III. Deutungsversuche

Hinsichtlich der im Thamudischen und Safaitischen nachweisbaren Wörter mit der Konsonantenfolge *k-f-r* wurden bisher folgende Deutungen erwogen: a) *kfr* = *Nomen* mit der Bedeutung »Grab«; b) *kfr* = *Element der Personennamenbildung*, (α) dessen Bedeutung unsicher oder unbekannt ist (bzw. nicht weiter erklärt wird), (β) für dessen Interpretation auf klass.-arab. *kafara* »undankbar sein«, auf klass.-arab. *kafara* »(bedecken →) sühnen, vergeben« oder auf klass.-arab. *kafirun* »hoch, erhaben, gewaltig« verwiesen wird; c) *kfr* = *Verb* mit der Bedeutung »vergeben« (vgl. klass.-arab. *kafara*). Alle diese Deutungen sind allerdings ganz hypothetisch. Ob eine weitere Erklärungsmöglichkeit darin besteht, tham. und saf. *KFR* mit *Ch. Kuentz*[309] als (innerarabischen) Vorläufer von klass.-arab. *kāfūrun* 2 »Hülle der Palmblüte, Spatha« (‹ aram. *gup̄arā*) zu verstehen, muß ebenso dahingestellt bleiben wie die Annahme eines Zusammenhangs mit den altlibyschen Personennamen *KPR* und *NKPR*[310].

305 Zu den mit dem Augment /*n*/ gebildeten Namen s. *E. Littmann*, Semitic Inscriptions, New York/London 1905, S. 117.

306 Die Lösung des Sinaischriftproblems. Die altthamudische Schrift, Münster 1926, S. 42 (Nr. 61).

307 *Harding*, a.a.O. (oben Anm. 302), S. 501 s.v. vergleicht dazu klass.-arab. *kafirun* »hoch, erhaben, gewaltig«, s. zu diesem Wort WKAS I (K), S. 265 s.v. *kafirun*.

308 S. dazu den Kommentar von *H. Grimme*, Texte und Untersuchungen zur safatenisch-arabischen Religion, Paderborn 1929, S. 53. Nach *Harding* (a.a.O., S. 502 s.v. *KFRY*) ist es fraglich, ob *KFRY* statt zu *kfr* nicht eher zu »Ar. kifirri, spathe of the palm blossom« zu stellen ist, zu klass.-arab. *kiffirā* »Hülle der Palmblüte, Spatha« s. WKAS I (K), S. 10 s.v. *kāfūrun* 2 (dort auch die Nebenformen).

309 RdE 24 (1972), S. 108–110, hier: S. 110, vgl. auch die vorhergehende Anm.

310 S. dazu unten Anm. 334.

B) *KFR* im Altsüdarabischen

Neben *kfr* CIH 597,3, *kfrn* CIH 600,5 (= Hal. 48,5 = RES 2724,5) und *'kfrhw* CIH 308,9 ist im Altsüdarabischen von der Wurzel *KFR* lediglich die Verbalform *ykfrn* (Impf.sing.m.)[311] in der spätsabäischen Inschrift CIH 539 belegt. Z.1 dieses Textes lautet:

[. . .]'/ ykfrn/ ḥbhmw/ wyqbln/ qrbnhm[w

»[. . .] er sühne (oder: vergebe) ihre Schuld und nehme ihr[e] (Opfer-)Darbringung an . . .«[312].

Daß CIH 539 eine spätsabäische, genauer: eine jüdisch-sabäische Inschrift der monotheistischen Zeit ist, zeigt neben dem Umstand, daß die in der polytheistischen Zeit in Maᶜīn, Saba' und Qatabān geübte Praxis, Personen oder Statuetten einer Gottheit/dem Tempel zu weihen[313], in monotheistischer Zeit nicht mehr weiterbestand[314], vor allem die Erwähnung des auf jüdischen Einfluß zurückgehenden und ursprünglich als Umschreibung des jüdischen (und christlichen) Gottes dienenden Epithetons *RḤMNN* »der Barmherzige« (CIH 539,4.5, vgl. klass.-arab. *ar-Raḥmān*)[315]. Da ferner *ḥb*

311 Zum n-Imperfekt im Altsüdarabischen s. *M. Höfner*, Altsüdarabische Grammatik, Leipzig 1943, §§ 59ff. Die für *ykfrn* und *yqbln* vorgeschlagene Übersetzung erfordert allerdings die satzeinleitende Wunschpartikel /l/ (s. *Höfner*, a.a.O., § 63); diese könnte in dem nicht erhaltenen Zeilenanfang von CIH 539,1 gestanden haben, vgl. die Konjektur von *J. H. Mordtmann – D. H. Müller*, WZKM 10 (1896), S. 285–292, hier: S. 288 und die Bearbeitung durch *D. H. Müller*, ZDMG 30 (1876), S. 671–673.

312 *J. Dérenbourg*, in: CIH IV/2, S. 262 übersetzt: ». . . ignoscat culpam eorum et accipiat sacrificium eorum . . .«, wobei für *kfr* mit *Mordtmann-Müller*, a.a.O., S. 288 die für klass.-arab. *kaffara* (*kfr* A II1, zur Nomenklatur s. unten S. 87f.) anzusetzende Bedeutung »bedekken; tilgen; sühnen« angenommen wird, vgl. auch *K. Conti Rossini*, Chrestomathia Arabica Meridionalis Epigraphica, Rom 1931, S. 170 s.v. *kfr* 1: »tegat peccatum eorum«; *Jeffery*, Foreign Vocabulary, S. 250 mit Anm. 1 und *P. Fronzaroli*, in: AANL Anno 362 (1965), Ser. 8, vol. 20, S. 255.265.

313 Zur Sache s. *M. Höfner*, WM I, S. 522 s.v. Personendedikation; S. 548f. s.v. Votivgaben; *W. W. Müller*, AfO 24 (1973), S. 150–161, hier: S. 152; *ders.*, NESE 2 (1974), S. 127.145–148; *J. Ryckmans*, in: Proceedings of the 7th Seminar for Arabian Studies 28–29 June 1973, London 1974, S. 131–139.

314 Vgl. *J. Ryckmans*, L'institution monarchique en Arabie méridionale avant L'Islam (Maᶜîn et Saba) (BMus 28), Louvain 1951, S. 233: »Dans cette inscription (sc. CIH 539) toutefois l'offrande de sacrifices expiatoires a pris la place de l'offrande traditionelle d'un ex-voto«.

315 S. dazu *Ryckmans*, a.a.O., S. 233; *T. Fahd*, Le Panthéon de L'Arabie centrale à la veille de l'Hégire, Paris 1968, S. 140f., u.a. Zur Frage des jüdischen (und christlichen) Einflusses im antiken Südarabien sind jetzt besonders die hebräisch-sabäische Bilingue aus Bait al-Ašwāl AION 30 (1970), S. 154 (= NESE 2 [1974], S. 117ff.) und die hebräische Inschrift DJE 23 aus Bait al-Ḥaḍīr NESE 2 (1974), S. 113 zu beachten; zur Sache s. *H. P. Rüger*, Das Tyrusorakel Ez 27, Masch.Diss. Tübingen 1961, S. 120ff.; *M. Höfner*, in: *H. Gese – M. Höfner – K. Rudolph*, Die Religionen Altsyriens, Altarabiens und der Mandäer (RM 10,2), Stuttgart/Berlin/Köln/Mainz 1970, S. 260f.280 und zuletzt *Ryckmans*, Confessions publiques, S. 10ff.; *ders.*, Inscriptions sud-arabes anciennes, S. 445ff.461ff.; *G. Garbini*, in: *A. Dietrich* (Hrsg.), Akten des VII. Kongresses für Arabistik und Islamwissenschaft Göttingen 15.–22. August 1974, Göttingen 1976, S. 182–188, bes. S. 186ff.

»Schuld« (CIH 539,1, vgl. *ḥb* »sündigen« RES 4938,9, daneben *ḫb* »schuldig bleiben«)[316] und *qrbn* »(Opfer-)Darbringung, Gabe« (CIH 539,1)[317] als nordwestsemitische Lehnwörter aufzufassen sind, ist der Schluß kaum zu umgehen, daß das im Altsüdarabischen singuläre *kfr* aus dem Jüdisch-Aramäischen *(kpr)* oder aus dem Mittelhebräischen (כפר) entlehnt ist[318] und somit keinen Anhaltspunkt für eine Rekonstruktion der genuin altsüdarabischen Sühneauffassung bietet[319].

Auch die drei übrigen sabäischen *KFR*-Belege: CIH 308,9; 597,3 und 600,5 (= Hal. 48,5 = RES 2724,5) sind von jeher in die Diskussion um die Etymologie von hebr. כפר einbezogen worden. Dabei kann zumindest für *kfr* in mlkn/bkfr CIH 308,9 ein Zusammenhang mit כֹּפֶר (und Der.) ausgeschlossen werden; wiederzugeben ist diese Wendung vielleicht mit »der König in (mit) *kfr* (?)«[320]. Möglich bleibt auch die Annahme eines Ortsnamens.
Nicht eindeutig zu klären ist die Richtigkeit der Lesung *kfrn* in CIH 600,5 = Hal. 48,5 = RES 2724,5, da von diesem Text (der aus zwei, aber auf *einem* Stein angebrachten Inschriften: CIH 600,1–6 = CIH 600 A und CIH 600,7–13 = CIH 600 B besteht) nur die Kopie von *J. Halévy* existiert. Während RES 2724 z.St. die Lesung *kqrn* hat und der Bearbeiter *(G. Ryckmans)* *wqrn* vorschlägt (Übersetzung: »édit gravé sur pierre«)[321], liest neuerdings *M. Höfner*[322] wie-

316 S. dazu *W. W. Müller*, Die Wurzeln Mediae und Tertiae Y/W im Altsüdarabischen, Masch.Diss. Tübingen 1962, S. 43 s.v. *ḥwb*; S. 49 s.v. *ḥyb*; *ders.*, ZAW 75 (1963), S. 304–316, hier: S. 308 s.v. חוֹב; vgl. *Wagner*, Aramaismen, S. 52 (Nr. 89f.); KBL³, S. 283 s.vv. חוב; חוֹב.

317 S. dazu *Conti Rossini*, a.a.O. (oben Anm. 312), S. 234 s.v.; *Ryckmans*, Inscriptions sud-arabes anciennes, S. 459, ferner *J. Wensinck*, Art. Ḳurbān, EI¹ II, S. 1211; zu *qrbn* im Nordwestsemitischen s. *M. Sznycer*, in: Hommages à *A. Dupont-Sommer*, Paris 1971, S. 161–176, hier: S. 169ff.

318 Vgl. *Ryckmans*, a.a.O., S. 461ff.

319 Für die altsüdarabische Sühneauffassung ist v.a. das ›Corpus‹ der altsüdarabischen »Sühneinschriften« oder »Reueurkunden« heranzuziehen: CIH (504) 523; 532; 533; 546; 547; 568; 678; 39.11/r 1 (in: Corpus des inscriptions et antiquités sud-arabes, t. I, sect. 1: Inscriptions, Louvain 1977, S. 87f.); RES 2980; (3706) 3956; 3957; (4233); Ja 525; 702; 720 und Nami 74; s. dazu zuletzt *M. Höfner*, VT.S 16 (1967), S. 106–113; *dies.*, a.a.O. (oben Anm. 314), S. 338f.; *de Vaux*, Sacrifices, S. 97f.; *Ryckmans*, Confessions publiques; *ders.*, VDI 1 (1973), S. 113–123; *ders.*, Inscriptions anciennes, S. 104ff.; *ders.*, Inscriptions sud-arabes anciennes, S. 451.454ff.; *ders.*, in: FS *J. Henninger* (SIA 28), Bonn 1976, S. 259–308, hier: S. 263f.; *Henninger*, Pureté, Sp. 467–470. *Ryckmans* (Confessions publiques, S. 7ff.) erörtert eingehend das Problem des Verhältnisses dieser »Sühneinschriften« zu den ähnlichen Bestimmungen der alttestamentlichen Reinheitstora einerseits und zu den anderslautenden Reinheitsvorschriften des islamischen Rechts andererseits. Hinsichtlich der Frage nach einer möglichen Herkunft des mit dem Terminus *kaffāratun* (s. dazu unten S. 90ff.) bezeichneten islamischen *Rechtsinstituts* (nicht des *Wortes kaffāratun*!) aus vorislamischer Rechtstradition kommt er zu der plausiblen Feststellung, daß »certaines traditions divergentes, qui tendent à imposer pour les cas de ce genre (sc. des Verbots von Geschlechtsverkehr mit einer menstruierenden Frau) une kaffāra, une offrande expiatoire, pourraient attester l'existence d'un courant perpétuant l'ancien usage préislamique, puisqu'elles refléteraient exactement la situation que nous connaissons dans les inscriptions sud-arabes . . .« (a.a.O., S. 15, vgl. S. 3).

320 Anders CIH IV/3, S. 4: »rex in pago«.

321 RES V, S. 67 z.St.

322 Inschriften aus Ṣirwāḥ, Ḥaulān, II. Teil (Sammlung E. Glaser 12), SÖAW.PH 304,5 (1976), S. 24–27, hier: S. 26.

der *kfrn*. Wie CIH 600 A im ganzen »zu unvollständig (ist), um den Zusammenhang klar zu erkennen«[323], so ergibt sich auch für *kfrn* – vorausgesetzt, dieses Wort steht tatsächlich da! – keine eindeutige Übersetzung. *Höfner* kommentiert: »In Z. 5 ist zu kfrn hebr. כפר Pi. ›sühnen‹, כֹּפֶר ›Sühne, Lösegeld‹ zu vergleichen«[324].

Keineswegs unumstritten ist schließlich die Interpretation von *'kfrhw* (*'kfr* + Suff.) CIH 308,9[325]. Während *F. Hommel*[326] dieses Wort mit »Sühnopfer« übersetzte und *J. H. Mordtmann* und *D. H. Müller*[327] es (ebenso auch *kfrn* CIH 600,5) von *kfr* »bedecken« ableiteten (: »bedeckter/e Behälter«), wurde in CIH IV/1, S. 328 z.St. die Entsprechung *'kfr* ≙ hebr. I כֹּפֶר / כָּפָר vermutet: »pagos iuxta ripas canalis situs designare suspiciamur«[328]. Doch dürfte demgegenüber *'kfr* mit *N. Rhodokanakis*[329] als terminus technicus der Bewässerungskultur zu verstehen sein: *'kfrhw* = »ihre/seine Schleusen, Verschlüsse (?)« (‹ akk. *kupru* »Erdpech, Asphalt«?) oder »ihre/seine bedeckten Zisternen (?)« (‹ *kfr* »bedecken«?)[330].

C) *KFR* im Klassisch-Arabischen[331]

I. Die Formen und ihre Bedeutungen

Sieht man von den aus anderen (semitischen) Sprachen entlehnten Wörtern mit der Konsonantenfolge *k-f-r* ab[332], so lassen sich die Wortformen der Wurzel *KFR* im Klassisch-Arabischen folgendermaßen anordnen:

KFR A »bedecken, verhüllen, verbergen«

kfr I 1

kāfirun 1	bedeckend, verhüllend, verbergend
kafrun 1	das Bedecken, Verhüllen, Verbergen
kafrun 3	Staub, Erde

323 *Höfner*, a.a.O., S. 24.

324 A.a.O., S. 26.

325 Zu CIH 308 s. noch die Varianten aus der Sammlung Glaser bei *J. M. Solá Solé*, Inschriften aus Riyām, SÖAW.PH 243,4 (1964), S. 51ff.

326 Nomina, S. 545.

327 A.a.O. (oben Anm. 311), S. 288, vgl. *F. Hommel*, Aufsätze und Abhandlungen arabisch-semitologischen Inhalts, München 1892–1901, S. 190.223.227 Anm. 1, der darüber hinaus die Gleichung *'kfr* = כַּפֹּרֶת erwog (s. auch GB[17], S. 360 s.v. כַּפֹּרֶת).

328 Vgl. auch *Conti Rossini*, a.a.O. (oben Anm. 312), S. 170 s.v. *kfr* 2.

329 In: AOT[2], S. 470f.; *ders.*, Die Inschrift Glaser 1076a = CIH 308, AAWW.PH 75 (1938), S. 72.

330 *A. K. Irvine*, A Survey of Old South Arabian Lexical Material connected with Irrigation Techniques, Masch.Diss. Oxford 1962 und *V. A. Clark*, Abr-n 16 (1975–76), S. 1–15 gehen auf den Terminus nicht ein.

331 Zum Folgenden s. *E. W. Lane*, Arabic-English Lexicon, Book I, Part 7, London/Edinburgh 1885, S. 2620–2623; WKAS I (K), S. 261–268.571 (Nachträge). Der Koran wird nach kufischer Verszählung zitiert, deutsche Koranzitate nach der Ausgabe von *R. Paret*, Der Koran. Übersetzung, Stuttgart/Berlin/Köln/Mainz 1966.

332 Es handelt sich um folgende Wörter: *kafrun* 2 »Dorf, Weiler; abgelegene Gegend« (‹ aram. *kap̄rā*); *kufrun* 2 »Pech, Teer« (‹ syr. *kup̄rā* ‹ akk. *kupru*); *kāfūrun* 2 (mit zahlreichen Nebenformen) »Hülle der Palmblüte, Spatha«; *kafarun* »Unterwelt« (‹ aram. *kap̄rā*); *kāfūrun* 1 »Cinnamomum camphora« (‹ ind. *karpūra, kappūra*), davon denominiert *kfr* II 4 (mit Reflexiv *kfr* V 2); s. zu diesen Wörtern (ferner auch zu *takfīrun* »Krone« und zu *kāfir(i)kubun* »Heidenkeule, Totschläger«) WKAS I (K) jeweils s.v. (dort auch die wichtigste Lit.).

makfūrun 1	(von Staub) bedeckt
kfr II 1 (mit Reflexiv *kfr* V 1)	
+ *saiyi'ātun* (u.a.)	bedecken, verhüllen, tilgen; sühnen, abbüßen (Sünden, Missetaten)
takfīrun (inf.)	Sühnung, Abbüßung
kaffāratun	Sühne(tat), Buße (‹ mhe כַּפָּרָה), davon denominiert nachkoran. *kfr* II1: sühnen, abbüßen
kfr II 3	sich (vor jmd.) verneigen, jmd. Reverenz erweisen

KFR B »undankbar, ungläubig s./w.«[333] (vgl. altlib. *kpr*?)[334]

kfr I 2	
kāfirun 2, *kafūrun*	undankbar, ungläubig, gottlos (Elativ: *akfaru*)
kufrun 1, *kufūrun*, *kufrānun*	Undank, Unglaube, Gottlosigkeit (*kufriyun*: zum Unglauben gehörend, gottlos)
kufratun	Akt des Unglaubens
makfūrun 2	mit Undank behandelt/belohnt
kfr II 2	
takfīrun (inf.)	Verführung zum Unglauben
kaffārun	undankbar, ungläubig, gottlos
kfr III	
kfr IV	

333 Neben den Bedeutungen »undankbar sein« und »ungläubig sein« hat *M. M. Bravman* (The Spiritual Background of Early Islam. Studies in Ancient Arab Concepts, Leiden 1972, S. 75–82) als dritte Bedeutung von *KFR* B eine (jenen beiden Bedeutungen zugrundeliegende) »social meaning« postuliert: »›to be faithless, to repudiate, to desert‹, from which the religious meaning [*sc. ›ungläubig sein‹] developed« (S. 81), vgl. auch *G. H. A. Juynboll*, BiOr 30 (1973), S. 289. Analoges gilt nach *Bravman* auch für *kafara* »undankbar sein«, denn *kafara* in dieser Bedeutung »presupposes, on the one hand, the intellectual meaning ›not to recognize as true, to deny‹, but also, on the other hand, a social relationship as implied in the meaning ›to be faithless, to repudiate‹« (*Bravman*, ebd.). Neben Beispielen aus der altarabischen Poesie zitiert *Bravman* Koran Sure 60,4: *kafarna bikum* »we repudiate you« (a.a.O., S. 78); *Paret*, a.a.O. (oben Anm. 331), z.St. übersetzt: »wir wollen nichts von euch wissen« (vgl. dazu *ders.*, Der Koran. Kommentar und Konkordanz, Stuttgart/Berlin/Köln/Mainz 1971, S. 475 z.St.). Dazu ließe sich syr. *kpr pe.* »undankbar sein« (s. oben S. 78f.) vergleichen.

334 *O. Rössler*, ZA 50 (1952), S. 121–150, hier: S. 134: »Die Wurzel *kpr* ist . . . in Libyen schon alt, wie die altlibyschen Personennamen *KPR* (in den ägyptischen Quellen, gräzisiert Κάφαυρος), *NKPR* (in den antiken libyschen Inschriften) beweisen. Zum ersteren ist zu vergleichen Tuâreg *a-kfor* ›Energie, Tapferkeit‹, zum letzteren *a-nakfor* ›fier, difficile (cheval)‹ (eine maqtul-Bildung mit Labialdissimilation, vgl. den ganz parallelen Vorgang im Akkadischen!), das zugehörige Tuâreg-Verbum *ekfer* bedeutet ›piaffer, être fier, être difficile (cheval)‹. Hier haben wir die ursprüngliche libysche Bedeutung der Wurzel vorliegen, die dann von der arabisch-islamischen [sc. undankbar, ungläubig sein] nur überlagert wurde. Aber eine der libyschen verwandte haben wir als Grundbedeutung wohl auch für das arabische Verbum vorauszusetzen. Wenigstens erscheint dies ebenso plausibel wie eine Herleitung von den Bedeutungen ›bedecken-bestreichen-abwischen‹, die für die Wurzel *kpr* im Semitischen sonst belegbar sind«. Zu *KPR* als PN eines Libyers in Medinet Habu s. *M. Burchardt*, Die altkanaanäischen Fremdworte und Eigennamen im Aegyptischen, Teil II, Leipzig 1910, Nr. 976, vgl. *H. Ranke*, Die ägyptischen Personennamen, Bd. 1, Glückstadt 1935, S. 344 Nr. 14; Bd. 2, S. 322 Nr. 16. – Zu *kubbĕr* »abwischen, reinigen« als jüdisch-aramäisches/mittelhebräisches Lehnwort im Berberischen s. *W. Vycichl*, AION 32 (1972), S. 242–244, hier: S. 243f.

Nach der herkömmlichen Auffassung haben sich aus der schon altarabisch nachweisbaren Grundbedeutung *»bedecken«*[335] unabhängig voneinander die Bedeutungen *»undankbar sein«* (‹ »die empfangenen Wohltaten verdekken, verbergen«) – im Koran auf Gott bezogen (: »ungläubig sein, [Gott] leugnen«), wird dieses *kafara* zu einem Grundbegriff koranischer und islamischer Theologie[336] – und *»sühnen«* (‹ »die Sünden/schlechten Taten [des Menschen] bedecken [Subjekt Gott]«, erst im Koran belegt) entwikkelt[337].

Dagegen hat neuerdings *B. A. Levine*[338] – und darin ist ihm zunächst zuzustimmen – die Vermutung geäußert, daß man für klass.-arab. *KFR* wohl eher mit der Möglichkeit mehrerer *homonymer Wurzeln* zu rechnen habe. Doch ist seine Ansicht, »that kafara ›to cover‹ bears no relationship to kafara ›to be ungrateful, to expiate‹, etc.«[339], dahingehend zu modifizieren, daß zwar – aufgrund der von *M. M. Bravman* für *kafara* »undankbar sein« geltend gemachten Grundbedeutung »to be faithless, to repudiate, to desert«[340] – zwischen *kafara »bedecken«* und *kafara »undankbar, ungläubig sein«*[341] eine etymologische Verbindung nicht anzunehmen, für *kafara »bedecken«* und *kafara »sühnen«* dagegen ein sprachlicher (und sachlicher?) Zusammenhang nicht völlig von der Hand zu weisen ist[342].

Zusätzlich zu den beiden homonymen Wurzeln *KFR A* »bedecken (→ sühnen?)« und *KFR B* »undankbar, ungläubig sein« hat sich durch Vermittlung

335 Außer den oben Anm. 331 genannten Wörterbüchern (jeweils s.v.) s. dazu *Hommel*, Nomina, S. 544f.; *P. de Lagarde*, Übersicht über die im Aramäischen, Arabischen und Hebräischen übliche Bildung der Nomina, Göttingen 1889, S. 231f.; *Jeffery*, Foreign Vocabulary, S. 250; *Björkman, kāfir* (EI¹), S. 662; *Stamm*, Erlösen, S. 63. Nach *M. M. Bravman* (JCS 22 [1968–1969], S. 85–87) liegt arab. *kafara* »bedecken« das gemeinsemitische Wort für »Flügel« zugrunde.

336 S. dazu *Björkman, kāfir* (EI¹), S. 662ff.; *kāfir* (EI²), S. 425ff.; *M. R. Waldman*, JAOS 88 (1968), S. 442–455 (Lit.), ferner *J. Bouman*, Gott und Mensch im Koran, Darmstadt 1977, S. 109ff.147ff.234ff.; *Y. Y. Hadad*, JAOS 97 (1977), S. 519–530; *W. M. Watt – A. T. Welch*, Der Islam I (RM 25/1), Stuttgart/Berlin/Köln/Mainz 1980, S. 64.

337 Entsprechend werden z.T. auch *kaffāratun* und *kāfirun* 2 etymologisch auf *kafara* »bedecken« zurückgeführt, s. etwa *Th. W. Juynboll*, Handbuch des islamischen Gesetzes, Leipzig 1910, S. 122; *ders.*, *kaffāra*, S. 662; *Chelhod, kaffāra*, S. 424.

338 Presence, S. 126.

339 Ebd.

340 S. oben Anm. 333.

341 Im Hinblick auf *kafara* »undankbar, ungläubig sein« hat man immer wieder mit jüdischem (jüd.-aram./mittelhebr.) oder christlichem (syr.) Einfluß gerechnet, zur Diskussion s. *H. Hirschfeld*, Beiträge zur Erklärung des Koran, Leipzig 1886, S. 90; *J. Horovitz*, HUCA 2 (1925), S. 145–227, hier: S. 220; *ders.*, Koranische Untersuchungen, Berlin/Leipzig 1926, S. 59f.; *K. Ahrens*, ZDMG 84 (1930), S. 15–68, hier: S. 21f.40f.; *Björkman, kāfir* (EI¹), S. 662; *ders.*, *kāfir* (EI²), S. 425; *Jeffery*, Foreign Vocabulary, S. 250; *R. Paret*, Mohammed und der Koran. Geschichte und Verkündigung des arabischen Propheten, Stuttgart/Berlin/Köln/Mainz ²1966, S. 74, vgl. auch *Levine*, Presence, S. 125f. Nach *Bravman* (s. oben Anm. 333) ist dagegen auch für *kafara* »undankbar, ungläubig sein« mit genuin arabischer Herkunft zu rechnen, zumal das Verb in dieser Bedeutung schon in der altarabischen Poesie begegnet, vgl. *Hommel*, Nomina, S. 544f.; *Horovitz*, Koranische Untersuchungen, S. 59.

342 S. dazu unten S. 93ff.

von mittelhebr. כַּפָּרָה (»Sühne, Versöhnung; Sühnopfer«)[343] der erst im Koran belegte Rechtsbegriff *kaffāratun* »Sühne(tat), Buße« (mit seinem nachkoran. verbum denominativum *kaffara* »[einen gebrochenen Schwur] sühnen«) herausgebildet[344]. Gehen wir zur genaueren Analyse der Basis *KFR* A von deren Grundbedeutung »bedecken« aus[345]:

Für *KFR* A I 1 mit seinen Derivaten *kāfirun* 1, *kafrun* 1, *kafrun* 3 und *makfūrun* 1 und für *KFR* A II 1/V 1 (Reflexiv) ist die schon altarabisch belegte *profane Verwendung* kennzeichnend. So wird *kafara* z.B. ausgesagt von den Wolken, die die Sterne am nächtlichen Himmel verdekken/den Himmel bedecken; von der Nacht, die (etwas) bedeckt (= in Dunkelheit hüllt); vom Wind, der eine Spur oder Markierung (mit Staub) zudeckt (= verwischt!); von jemandem, der sein Hab und Gut oder eine Ware in einem Behälter verbirgt; von jemandem, der sich mit Waffen bedeckt (= eindeckt, behängt); von jemandem, der ein Kleid über eine Rüstung (Panzerhemd) deckt, u.a. – Das akt. Pt. *kafīrun* 1 wird ausgesagt von der Nacht, die alles in Dunkelheit hüllt; von den von Wolken bedeckten Bergspitzen; vom Meer, das alles bedeckt, was unter seiner Oberfläche ist; vom Sämann, der die Saat mit Erde zudeckt; von einem Gewappneten, der seine Rüstung mit einem Kleid verdeckt; vom Regen, u.a. – Diese Vorstellung ist ebenso für *kafrun* 1 »die Verhüllung (v.a.: der Nacht)«, *kafrun* 3 »Erde, Staub (= das, was zudeckt)« und *makfūrun* 1 »(von Staub) bedeckt« wie für die weniger häufig belegten Stammesmodifikationen *kfr* II1 und *kfr* V konstitutiv: »die (mit Federn) reichlich bedeckte Gans« (*kfr* II1), »der (mit Ketten) bedeckte Gefangene« (*kfr* II1), ein Kleid über eine Rüstung decken (*kfr* II1), sich (mit Waffen) bedecken (*kfr* V1), sich (in Kleider) hüllen (*kfr* V1), u.a.

II. Koran. *kaffara*, *kaffāratun* und nachkoran. *kaffara*

Erst im Koran ist *kafara* – und zwar ausschließlich in seiner II. Form (*KFR* AII1) – in *religiöser Verwendung:* mit Gott als Subjekt[346] + acc. rei (*saiyi'ātun* »Sünden, Missetaten« + Suff.) + *ᶜan* personae belegt (Sure 3,193.195; 4,31; 5,12.65; 8,29; 29,7; 39,35; 47,2; 48,5; 64,9; 65,5; 66,8)[347]. Läßt sich für diese *kaffara*-Belege die Bedeutungsentwicklung:

343 S. die Belege bei *Levy*, NheCW II, S. 386f. s.v., vgl. auch Bill. II, S. 280 Anm. h; S. 282 Anm. m; S. 261 Anm. α; S. 644.

344 S. dazu *Stamm*, Erlösen, S. 64ff., vgl. auch *Hirschfeld*, a.a.O. (oben Anm. 341), S. 90; *S. Fraenkel*, ZNW 5 (1904), S. 257f., hier: S. 258; *J. Horovitz*, HUCA 2 (1925), S. 145–227, hier: S. 220; *Ahrens*, a.a.O., S. 21f.; *Paret*, Kommentar (s. oben Anm. 333), S. 129 (zu Sure 5,95); WKAS I (K), S. 266 s.v. (mit Fragezeichen); anders neuerdings *Chelhod*, *kaffāra*, S. 424f. Gegen die von *de Lagarde* (a.a.O. [oben Anm. 335], S. 230, vgl. *ders.*, Mittheilungen IV, Göttingen 1891, S. 323ff.; *Hommel*, Nomina, S. 544f.; *A. Deissmann*, ZNW 4 [1903], S. 193–212, hier: S. 201ff.) vertretene Auffassung, »daß dem hebräischen כַּפֹּרֶת ein arabisches als technischer Ausdruck der Rechtskunde alltägliches *kaffârat* haarscharf entspricht« (S. 237, vgl. KBL³, S. 471 s.v. כַּפֹּרֶת [mit Fragezeichen]), ist alles Nötige bereits gesagt von *J. Wellhausen*, Reste arabischen Heidentums, Berlin (1887) ³1961, S. 193 mit Anm. 2; *Fraenkel*, a.a.O., S. 257f.; *W. Gottschalk*, Das Gelübde nach älterer arabischer Auffassung, Berlin 1919, S. 81; *Jeffery*, Foreign Vocabulary, S. 250; *Stamm*, Erlösen, S. 64, u.a.

345 Zum Folgenden s. die Belegnachweise bei *Lane*, a.a.O. (oben Anm. 331), S. 2620ff.; WKAS I (K), S. 261ff. jeweils s.vv.

346 Mit Ausnahme von Sure 2,271, wo das Almosengeben logisches Subjekt ist.

347 Zur Sache s. etwa *Ahrens*, a.a.O., S. 21f.; *Stamm*, Erlösen, S. 63f.65f.; *C. J. Evans*, Die

»die Sünden (des Menschen) sühnen, vergeben (Subjekt Gott)« ‹ »die Sünden bedecken« sprachlich auch wahrscheinlich machen[348], so ist dies noch kein ausreichendes Kriterium für die Beantwortung der Frage, ob *kaffara* in der Bedeutung »sühnen« (a) »echt arabischen Ursprunges«[349] ist, (b) im Alten Testament[350] oder (c) in der sprachlichen und theologischen Tradition des rabbinischen Judentums (der talmudischen Periode) wurzelt.
Für Sühne, die der *Mensch* leistet, ist das Verb *kaffara* im Koran noch nicht gebräuchlich.[351] Stattdessen kennt der Koran ein von mittelhebr. כַּפָּרָה entlehntes Substantiv *kaffāratun*, das im späteren islamischen Recht neben *dīya*, *fidya*, *ᶜāqila* und *qiṣāṣ* zu den Haupttermini der Schadenersatzregelung zählt[352].

Im *Koran* werden die folgenden *kaffāratun-Fälle* genannt: Werden statt der Wahrnehmung des ius talionis *(qiṣāṣ)*[353] freiwillig Almosen *(ṣadaqa)* gegeben, so gilt dies als *kaffāratun*: »Wir haben ihnen darin (sc. in der Thora) vorgeschrieben: Leben um Leben, Auge um Auge, Nase um Nase, Ohr um Ohr, Zahn um Zahn, und Verwundungen (ebenso. In allen Fällen ist) Wiedervergeltung (vorgeschrieben). Wenn aber einer Almosen damit gibt (indem er auf die Ausübung der Wiedervergeltung verzichtet), dann sei ihm das eine Sühne [*kaffāratun*] (für Vergehen, die er sich hat zuschulden kommen lassen)! Diejenigen, die nicht nach dem entscheiden, was Gott (in der Schrift) herabgesandt hat, sind die (wahren) Frevler« (Sure 5,45). Der Bruch einer »(regelrechten) eidlichen Bindung« *(yamīn)*[354] hat eine *kaffāratun* – eine *kaffāratun l-yamīni* »Sühne für einen (falschen oder gebrochnen) Schwur« – zur Folge (Sure 5,89). Und in Sure 5,95 wird die *kaffāratun* als Ersatz für eine gleichwertige Buße *(ǧazā')* im Falle vorsätzlicher Wildtötung während der Wallfahrt vorgeschrieben[355]: »Ihr Gläubigen! Tötet kein Wild,

Sühne der Sünde im Koran, Masch.Diss. Tübingen 1939; *J. Schacht*, Art. *k̲haṭa'*, EI¹ II, S. 986f.; *A. J. Wensinck*, Art. *k̲haṭī'a*, ebd. S. 993ff.

348 S. dazu aber unten S. 93ff. In der arabischen Pentateuchübersetzung des Saadja Gaon (Saadja b. Josef al-Fajjumi, 882–942 n.Chr.; Ausgabe: *J. Dérenbourg*, Version arabe du Pentateuque, Paris 1893) wird כִּפֶּר mit Ausnahme von Gen 32,21; Ex 30,15; Num 25,13 (jeweils *kaffara*) durchgängig mit *ġafara* »verzeihen, vergeben« (geschrieben גפר) wiedergegeben; כֹּפֶר wird mit *dīya* »Entschädigung, Sühnegeld« (Ex 21,30; Num 35,31.32; geschrieben דיה) und mit *fidya* »Ersatzleistung, Lösegeld« (Ex 30,12; geschrieben פדא), כִּפֻּרִים immer mit *ġufrān* »Verzeihung, Vergebung« (geschrieben גפראן) und כַּפֹּרֶת immer mit *ġišā'* »Decke, Hülle« (geschrieben גשא) wiedergegeben.

349 *Stamm*, Erlösen, S. 65.

350 So *Hirschfeld*, a.a.O. (oben Anm. 341), S. 90; *Zimmern*, BBR II, S. 92 Anm. 7; *K. Ahrens*, a.a.O. (oben Anm. 341), S. 21f.; *S. R. Driver*, Art. Propitiation, DB IV, S. 129; *Jeffery*, Foreign Vocabulary, S. 250, vgl. *Landsberger*, Date Palm, S. 31 Anm. 95.

351 Vgl. *Stamm*, Erlösen, S. 63ff.

352 Zu *dīya*, *fidya* usw. s. die entsprechenden Artikel in EI¹ und EI². Zu den *kaffāratun*-Bestimmungen des islamischen Rechts s. besonders *Juynboll*, a.a.O. (oben Anm. 337), S. 122.225f.267ff.291.298.308; *ders.*, *kaffāra*, S. 662; *Chelhod*, *kaffāra*, S. 424f.; *W. M. Watt – A. T. Welch*, Der Islam I (RM 25/1), Stuttgart/Berlin/Köln/Mainz 1980, S. 317.322f., ferner WKAS I (K), S. 266 s.v.

353 S. dazu *J. Schacht*, Art. *ḳiṣāṣ*, EI¹ II, S. 115ff., vgl. *J. K. Sollfrank*, Spuren altarabischer Rechtssformen im Koran, Masch.Diss. Tübingen 1962, S. 69f.98f.

354 S. dazu *Juynboll*, a.a.O. (oben Anm. 337), S. 266ff.; *Sollfrank*, a.a.O., S. 89f.97f.

355 S. dazu *E. Gräf*, Jagdbeute und Schlachttier im islamischen Recht. Eine Untersuchung zur Entwicklung der islamischen Jurisprudenz, Bonn 1957, S. 57f.

während ihr euch (bei der Wallfahrt) im Weihezustand befindet! Wenn einer von euch vorsätzlich welches tötet, ist eine Buße an Vieh (für ihn) fällig, gleich(wertig) dem, was er (an Wild) getötet hat, worüber zwei rechtliche Leute von euch entscheiden sollen. (Diese Buße hat er zu entrichten) als Opfertiere, die der Ka^cba zuzuführen sind (um dort geschlachtet zu werden). Oder (als Ersatzleistung ist für ihn) eine Sühne [*kaffāratun*] (fällig, und zwar) die Speisung von Armen oder was dem an Fasten entspricht. (Dies wird ihm auferlegt) damit er die bösen Folgen (?) seiner Handlungsweise (richtig) zu fühlen bekommt. Was (in dieser Hinsicht) bereits geschehen ist, rechnet Gott nicht an. Aber wenn einer es (künftig) wieder tut, wird Gott es an ihm rächen. Gott ist mächtig. Er läßt (die Sünder) seine Rache fühlen«.

Von dem Lehnwort *kaffāratun* wurde im nachkoranischen Arabisch ein Verb *kaffara* denominiert[356], das ausschließlich in den Wendungen *kaffara l-yamīna* (*yamīnahū* usw.)/*kaffara* ᶜ*ani l-yamīni* (ᶜ*an yamīnihī* usw.) »einen (gebrochenen) Schwur sühnen« vorkommt. Da Eidbruch (*ḥinṯ*, vgl. Sure 56,46) identisch ist mit dem Begehen einer Sünde, ist das Sühneleisten (*takfīrun* [*KFR* AII1 inf.]) für einen gebrochenen Eid nach der Definition der arabischen Lexikographen ». . . das Tun dessen, was notwendig ist, wenn man diesen bricht. Das Nomen ist *kaffārah*. Sühneleisten ist in Beziehung auf die Sünde soviel, wie das Annullieren in Beziehung auf die Belohnung«[357]. Zur Erklärung von *kaffāratun* zitiert *J. J. Stamm* eine weitere, interessante Lisān-Definition – »Und sie (die *kaffārah*) ist ein Ausdruck nach Handlung und Eigenschaft . . ., zu dessen Wesen es gehört, dass er die Sünde sühnt *('an tukaffira-lḫaṭi'ata)*, d.h. sie abwischt und verhüllt *(satara)*«[358] –, aus der er die (einseitige) Folgerung zieht: »Aus der Umschreibung mit ›abwischen‹ *(maḥā)* wird man, da *kafara* nach *Lane* sonst nur »bedecken« bedeutet, nicht schließen dürfen, dass die Wurzel auch den Sinn von ›abwischen‹ haben konnte, was auf die Bedeutung des akkadischen *kuppuru* führen würde«[359]; im Gegenteil: Wie die Lisān-Definitionen zeigen, dachten *Stamm* zufolge die arabischen Lexikographen bei *kaffāratun* sowie bei dem vom koranischen Homonym bedeutungsmäßig geschiedenen verbum denominativum *kaffara* »immer an das Bild vom Bedecken der Sünde«[360].

356 S. dazu außer *Stamm*, Erlösen, S. 64ff. auch *S. Fraenkel*, ZNW 5 (1904), S. 257f., hier: S. 258.

357 Lisān el-ᶜarāb VI 464 (zitiert bei *Stamm*, a.a.O., S. 64), s. dazu auch die Bemerkung von *Lane*, a.a.O. (oben Anm. 331), S. 2620 s.v. *kafara* 2. Nach *Wellhausen*, a.a.O. (oben Anm. 344), S. 193 Anm. 2 ist auch *takfīrun* »sicher jüdisch und wird im Hadith angewandt für ungeschehen machen«.

358 Lisān el-ᶜarāb VI 465 (zitiert bei *Stamm*, a.a.O., S. 64f.).

359 A.a.O., S. 65.

360 Ebd. Für *Stamm* wird es »dadurch um einen Grad wahrscheinlicher, daß auch im Hebräischen der abstrakten Bedeutung ›sühnen‹, ›Sühne schaffen‹ die konkrete ›die Sünde bedecken‹ zugrunde liegt« (ebd.).

III. Zusammenfassung und Vergleich von klass.-arab. *kaffara* mit hebr. כִּפֶּר

1. Die Wurzel *KFR* A »bedecken, verhüllen, verbergen (→ sühnen?)« steht in keinem etymologischen Zusammenhang mit der homonymen Wurzel *KFR* B »undankbar, ungläubig sein/werden« und ist daher von dieser zu trennen[361]. Das schließt allerdings nicht aus, daß beide Wurzeln sekundär zusammengefallen sein können, so daß die von *E. W. Lane*[362] vertretene Sicht der Bedeutungsentwicklung von *KFR* B: »undankbar sein; (Gott) leugnen, nicht anerkennen ‹ die Güte/Wohltaten (Gottes) verdecken, verbergen« akzeptabel erscheinen mag[363]. Doch fehlt für diese Annahme ein überzeugender Textbeleg.
2. Da *KFR* A (»bedecken«) auch der Bedeutungsaspekt des bedeckenden Verwischens eignet[364] und weil bei *kaffāratun* (‹ mhe כַּפָּרָה) und seinem nachkoranischen verbum denominativum *kaffara* nach den Definitionen der arabischen Lexikographen nicht nur an das Bild vom Bedecken/Verhüllen (= der Sichtbarkeit entziehen) einer Sache[365], sondern auch an das Bild vom Abwischen/Annullieren (= ungeschehen machen) der Sünde[366] zu denken ist, wird – bei gar nicht zu leugnender Dominanz der Vorstellung des Bedeckens – sowohl für *KFR* A als auch für koran./islam. *kaffāratun* und für nachkoran. *kaffara* die Bedeutungskomponente des bedeckenden Verwischens (einer Spur oder Markierung) bzw. des Abwischens/Annullierens (der Sünde) nicht auszuschließen sein[367].
3. Sollte sich für koran. *kaffara* »sühnen« (Subjekt: Gott, Objekt: die Sünden/Missetaten des Menschen) ein sprachlicher Anschluß an *KFR* A (»bedecken«) und somit der von *Stamm* behauptete »echt arabische Ursprung« dieses *kaffara* wahrscheinlich machen lassen (s. Ziffer 4), so könnte doch dieser Zusammenhang auch aus dem unter Ziffer 2 genannten Grund kaum als Argument für die These dienen, *kaffara* »sühnen« meine ursprünglich und ausschließlich das Bedecken der menschlichen Sünde/n durch Gott. Ein so verstandenes arab. *kaffara* »sühnen (‹ bedecken)« wäre im übrigen ein zu unsicherer und sachlich problematischer Interpretationsmaßstab für כִּפֶּר im Alten Testament.

361 Ob *KFR* B genuin arabisch oder aramäischer Herkunft ist, läßt sich wohl nicht mit letzter Sicherheit entscheiden, s. die Hinweise oben Anm. 341.

362 A.a.O. (oben Anm. 331), S. 2620b.

363 Vgl. *Björkman*, *kāfir* (EI¹), S. 662; *ders.*, *kāfir* (EI²), S. 425; *Bouman*, a.a.O. (oben Anm. 336), S. 148 Anm. 155a; S. 235f.

364 S. dazu oben S. 90, vgl. *Lane*, a.a.O. (oben Anm. 331), S. 2620b; *Driver*, Vocabulary, S. 37.

365 Lisān el-ᶜarāb VI 464: »Einige sagen, es ist als ob es (das zu Sühnende) bedeckt würde durch die *kaffārah*« (zitiert bei *Stamm*, Erlösen, S. 64).

366 S. die Zitate aus dem Lisān el-ᶜarāb (VI 464.465) oben S. 92.

367 *Paret*, a.a.O. (oben Anm. 331) übersetzt koran. *kaffara* immer mit »(schlechte Taten) tilgen«, vgl. auch die Angabe in WKAS I (K), S. 262 b: »bedecken, verhüllen, tilgen; sühnen, abbüßen (Sünden, Missetaten)«.

4. Daß nicht schon im altarabischen Schrifttum, sondern erst im Koran (und dann in der islamischen Theologie) das Verb *kaffara* »sühnen« (neben *ṣafaḥa* »verzeihen, vergeben«, *ġafara* »vergeben«, u.a.) belegt ist und hier zu einem bedeutsamen Terminus für das Vergebungshandeln Allāhs wird, dürfte darin begründet sein, daß der auf dem Zusammenhang von Kultgeschehen (Tieropfer) und Sühnegeschehen (Blutritus) basierende alttestamentliche (-nachalttestamentliche) כִּפֶּר-Begriff von Mohammed aufgegriffen und unter bewußter Uminterpretation jenes Zusammenhangs, für den es zudem in der eigenen religiösen Überlieferung keinen positiven Anknüpfungspunkt gab[368], im Rahmen der koranischen Theologie als Terminus für das göttliche Vergeben eigenständig tradiert wurde[369]: Sühne ist nach koranischer Theologie ausschließlich ein Akt des barmherzigen Gottes, des kultischen Sühnemittels Blut bedarf es dabei nicht (vgl. etwa Sure 22,36–37)[370]. Insofern ist koran. *kaffara* »sühnen« (Subjekt Gott) seiner Wort*bedeutung* nach zwar aus dem Alten Testament[371] oder, was wahrscheinlicher sein dürfte, aus dem rabbinischen Judentum entlehnt, hinsichtlich seines theologischen Aussagegehaltes aber eine Neuschöpfung koranischer Theologie[372] und in diesem Sinne dann »echt arabischen Ursprunges«. Dagegen könnte mit den arabischen Lexikographen für die Wort*bildung* dieses *kaffara* der Anschluß in der arabischen Sprachtradition gefunden, das Verb etymologisch also durchaus an *KFR* A (»bedecken«) angeschlossen werden[373], so daß *kaffara* »sühnen« und auch *kaffāratun* »Sühne(tat), Buße (= das, was [das zu Sühnende] bedeckt)«[374] für arabische

368 S. dazu oben S. 85f.

369 Zur Frage der Übernahme und Ablehnung jüdischen und/oder christlichen Gedankengutes durch Mohammed (und den Islam) s. die Hinweise bei *R. Paret* (Hrsg.), Der Koran (WdF 326), Darmstadt 1975, S. XVIIIff.192f., ferner *Bouman*, a.a.O. (oben Anm. 336), passim.

370 S. dazu *Gräf*, a.a.O. (oben Anm. 355), S. 33ff.; *J. Bouman*, Das Wort vom Kreuz und das Bekenntnis zu Allah. Die Grundlehren des Korans als nachbiblische Religion, Frankfurt/Main 1980, S. 227ff., bes. S. 240.

371 So die oben Anm. 350 genannten Autoren. Zu כִּפֶּר mit Subjekt Gott s. unten S. 115ff.

372 Zu dem Verweisungszusammenhang von »guten Werken« (Gebet, Almosen, Glaube, Gottesfurcht, Rückkehr zu Gott), Sündenvergebung (*kaffara*, *ġafara*, u.a.) und jenseitiger Gerechtigkeit (Erlösung, Eingang ins Paradies) s. *L. Gardet*, Islam, Köln 1968, S. 115ff., ferner *H. Ringgren*, in: Donum Natalicum *H. S. Nyberg* oblatum, Uppsala 1954, S. 118–134; *Bouman*, a.a.O., S. 227ff.241ff., u.a. Die besonders im rabbinischen Judentum lebendige Anschauung von der Sühnkraft nichtkultischer Sühnemittel wie Umkehr, Fasten, Wohltätigkeit und Liebeswerke (zur Sache s. *Lohse*, Märtyrer, S. 23ff.; *J. Schmid*, BiLe 26 [1965], S. 16–26; *J. Maier*, Geschichte der jüdischen Religion, Berlin/New York 1972, S. 184ff.; *R. Gradwohl*, Conc (D) 10 [1974], S. 563–567, jeweils mit zahlreichen Lit.-Hinweisen, vgl. auch unten S. 137ff.) macht es wahrscheinlich, daß – bei allen sachlichen Divergenzen im einzelnen wie im gesamten – zwischen der rabbinischen und der koranischen Sühneauffassung gewisse inhaltliche Berührungspunkte bestehen, die die Annahme einer modifizierten Übernahme von Elementen der frühjüdischen Sühneauffassung durch Mohammed als nicht ganz unbegründet erscheinen lassen.

373 Koran. *kaffara* »sühnen« wäre danach mit *KFR* A »bedecken« sekundär zusammengefallen.

374 S. die Lisān-Definition oben Anm. 365.

Ohren das ›Bedecken‹ (in dem oben Ziffer 2 umschriebenen Sinn) der Sünde/n des Menschen gemeint hat.

Vierter Abschnitt: Hebr. כפר im Rahmen der semitischen Sprachen

A) Abschließende Erwägungen zum Problem der Etymologie

In den bisherigen Arbeiten zur Etymologie der Wurzel כפר (Ableitung von akk. *kapāru/kuppuru oder* von arab. *kafara/kaffara*) hatten immer wieder bestimmte כֹּפֶר/כִּפֶּר-Belege die Beweislast für die jeweilige etymologische Hypothese mitzutragen: Gen 32,21; 1Sam 12,3; Jes 28,18; Jer 18,23 und Neh 3,37. Vergegenwärtigen wir uns abschließend noch einmal die beiden Grundpositionen anhand der zuletzt von *J. J. Stamm* (Ableitung vom Arabischen) und von *B. A. Levine* (Ableitung vom Akkadischen) vorgetragenen Hauptargumente.

Für die Ableitung vom Arabischen sprechen nach *Stamm:* (a) die Wendung כִּפֶּר פָּנִים בַּמִּנְחָה Gen 32,21 (»›das Antlitz mit dem Geschenk bedecken‹, was den Sinn von versöhnen hat«[375]); (b) das Substantiv כֹּפֶר in 1Sam 12,3, wo die »Grundbedeutung ›Deckung, Deckungsmittel‹ noch empfunden«[376] wird; (c) das in Neh 3,37 umformulierte (כִּסָּה anstelle von כִּפֶּר) Zitat aus Jer 18,23 und schließlich (d) die »analoge Bedeutungsentwicklung von arab. *kafara*«[377]. Demgegenüber ist *Levine* der Ansicht, »that biblical Hebrew *kippēr* and related forms do not reflect the motif of covering or concealing sins, but rather the sense of cleansing, and the elimination which results from it«[378]. Zur Untermauerung dieser These verweist *Levine* (a) auf Jer 18,23, wo der Parallelismus כִּפֶּר//מָחָה »would be precise if *kippēr* indeed meant ›to wipe off‹«[379]; (b) auf die Wendung כִּפֶּר + פָּנִים Gen 32,21 (vgl. כִּפֶּר + חֵמָה Prov 16,14), bei der es sich um ein »abbreviated idiom« für die sprichwörtliche Redeweise »to wipe the wrath off of one's face«[380] handeln

375 Erlösen, S. 62, vgl. *Reindl*, Angesicht, S. 12. Als Parallele verweist *Stamm* auf Gen 20,16.

376 Ebd. Zur Begründung verweist *Stamm* (a.a.O., S. 62f., mit *J. Wellhausen*, Die Composition des Hexateuchs und der historischen Bücher des Alten Testaments, Berlin [4]1963, S. 336f.) auf 1Sam 12,3a: וְאַעְלִים עֵינַי בּוֹ MT (»daß ich meine Augen damit verhüllte«). Selbst wenn MT als ursprünglicher Text gelten könnte (s. dazu aber unten Teil II Anm. 325), wäre die darauf gegründete etymologische Hypothese: כֹּפֶר = »Deckung, Deckungsmittel« äußerst vage.

377 A.a.O., S. 63ff., s. dazu ausführlich oben S. 87ff.

378 Presence, S. 57.

379 A.a.O., S. 58, vgl. ebd. Anm. 9.

380 A.a.O., S. 60 Anm. 18.

soll; (c) auf וְכֻפַּר Jes 28,18a MT[381] und schließlich (d) auf die – so *Levine* – inhaltliche Parallelität von akk. *kuppuru* und hebr. כִּפֶּר[382]. Wie eine von etymologischen Vor-Urteilen unabhängige Analyse von Gen 32,21; Jer 18,23 und Neh 3,37[383] jedoch zeigt, enthält keiner dieser כִּפֶּר-Belege einen sicheren, auf das akkadische *oder* auf das arabische Vergleichswort deutenden etymologischen Hinweis[384].

I. Für das Verständnis von Gen 32,21 ist weder von der Wendung כְּסוּת עֵינַיִם »Augendecke« Gen 20,16[385] (› כִּפֶּר Gen 32,21 »bedecken«) noch von der akkadischen Formulierung *kuppuru* + *pānu* (»Gesicht«)[386] (› כִּפֶּר Gen 32,21 »abwischen«), sondern – im Rahmen der vorpriesterschriftlichen Jakob-Esau-Überlieferung[387] – von der in Gen 27,42–45 erzählten Fluchtauffor-

381 S. dazu oben Prolegomena Anm. 58.

382 A.a.O., S. 56f.60f.63.123f., vgl. dazu oben S. 57ff.

383 Zu 1Sam 12,3 s. unten S. 167f., zu Jes 28,18 s. oben Prolegomena Anm. 58.

384 Allenfalls könnte Gen 32,21; Jer 18,23 (Neh 3,37) – wie schon Jes 28,18 (s. oben Prolegomena Anm. 58) – ein Hinweis darauf entnommen werden, daß, ohne für die jeweilige Textanalyse von Gewicht zu sein, die für das Akkadische und für das Arabische zu belegende *Polysemie (»abwischen« – »bedecken«) der gemeinsemitischen Wurzel KPR* (s. für das Akkadische oben Teil I Anm. 4, für das Arabische oben S. 90) rudimentär auch im Hebräischen erkennbar ist. Von daher wäre auch eine etymologische Verbindung von II כְּפוֹר »Reif« (s. dazu oben Prolegomena Anm. 14) zu dem der Basis כפר zu unterstellenden Bedeutungs*aspekt* des »Bedekkens«: II כְּפוֹר »(Belag →) Reif« als nicht gänzlich sinnlos zu erachten; die so supponierte Bedeutungsentwicklung von II כְּפוֹר sollte aber nicht zu dem Argument ausgeweitet werden, die Wurzelbedeutung von hebr. כפר sei »bedecken«. Zur Frage einer hinter den Einzelbedeutungen »abwischen« und »bedecken« stehenden ›Urbedeutung‹ der gemeinsemitischen Wurzel *KPR* s. *E. König*, ET 22 (1910/1911), S. 232–234, hier: S. 234; *S. H. Langdon*, ERE V (1912), S. 637–640, hier: S. 640 Anm. 3; *Driver*, Vocabulary, S. 37.38; *Milgrom*, Atonement, S. 78; *G. Conti*, RSO 50 (1976), S. 265–273, hier: S. 271f.; vgl. bereits GB[17], S. 359b im etymologischen Vorspann zum כפר-Artikel: »Übrigens hängen, wie d. erwähnten ar. Vv. zeigen, d. Bedeutungen (sc. bedecken, verhüllen einerseits, wegwischen andererseits) etymologisch zusammen«. Zu beachten ist in diesem Zusammenhang möglicherweise auch die Bedeutung der sumerischen Wortzeichen (GUR(.GUR); (ŠU.) ÙR; ŠU.ÙR.ÙR und ŠU.GUR.GUR) für akk. *kapāru* II/*kuppuru*, s. dazu *R. Labat*, Manuel d'Épigraphie Akkadienne, Paris [5]1976, Nr. 111.255.354; *C. Wilcke*, AfO 24 (1973), S. 1–17, hier: S. 14; *E. Leichty*, AfO 24 (1973), S. 78–86, hier: S. 83.84, vgl. *Landsberger*, Date Palm, S. 32.

385 Zur Erklärung von Gen 32,21 wird auf Gen 20,16 (und Hi 9,24) bereits verwiesen von *E. Castellus*, Lexicon Heptaglotton. Hebraicum, Chaldaicum, Syriacum, Samaritanum, Aethiopicum, Arabicum, conjunctim; et Persicum separatim, t. II, London 1686, col. 1787, s. ferner *A. Dillmann*, Genesis (KEH), [6]1892, S. 362; *Wellhausen*, a.a.O. (oben Anm. 376), S. 336f.; *H. Holzinger*, Genesis (KHC), 1898, S. 209, vgl. S. 160; *J. Skinner*, Genesis (ICC), [2]1930, S. 407, vgl. S. 319f.; GB[17], S. 359 s.v. I כפר *pi.* 1a; *Schötz*, Schuld- und Sündopfer, S. 103; *Stamm*, Erlösen, S. 62, u.a.

386 So *Levine*, Presence, S. 60f., der dafür auf CAD K, S. 179 s.v. *kapāru* A 3c verweist (vgl. auch *Cazelles*, Pureté, Sp. 494; *Moraldi*, Espiazione, S. 198). Wie *Landsberger*, Date Palm, S. 32 Anm. 98 zu Recht gegen AHw, S. 442 s.v. *kapāru* I G 2a eingewandt hat, wird *kapāru* G niemals mit *pānu(m)* »Gesicht (des Menschen)« als direktem Objekt konstruiert. Bei dem einzigen uns bekannten Beleg für *pānu* als dir. Obj. von *kapāru* (D): CT 28,29,8 (physiognomisches Omen) steht *kuppuru* mit nicht-therapeutischer Bedeutung in der Protasis, s. oben S. 41. Es liegt auf der Hand, daß man diese akkadische Formulierung nicht als Parallele für כִּפֶּר + פָּנִים in Gen 32,21 heranziehen kann.

derung Rebekkas auszugehen, derzufolge Jakob der Rache seines Bruders Esau (Gen 27,41.42) entfliehen und bei Laban bleiben soll, »bis sich der Grimm deines Bruders legt (שׁוּב *qal*), bis sich der Zorn deines Bruders von dir abwendet (שׁוּב *qal* inf.cstr.) und er vergißt (שָׁכַח), was du ihm angetan hast« (Gen 27,44b.45aαβ). Um in den Augen seines Bruders Gunst (חֵן Gen 33,8.10, vgl. v. 15 und Gen 32,6) zu finden, sendet ihm Jakob ›in Raten‹ Geschenke entgegen (Gen 32,14b–22), »denn er dachte: אֲכַפְּרָה פָנָיו mit dem Geschenk, das vor mir herzieht; erst dann will ich sein Gesicht sehen[388], vielleicht יִשָּׂא פָנָי« (Gen 32,21b). Daß כִּפֶּר פָּנִים den *Reverenzerweis* des עֶבֶד gegenüber dem אָדוֹן als dem (hier durch die Erstgeburt) Höhergestellten[389] durch Überbringung von *Huldigungsgeschenken* (מִנְחָה: Gen 32,14.19.21f.; 33,10; vgl. Gen 43,11.15.25f. und als Sachparallele Ps 45,13 [חִלָּה פָּנִים])[390] meint, zeigt zum einen die mit der komplementären Wendung נָשָׂא פָנִים »(jemandes Angesicht erheben ›) jem. günstig gesinnt sein, willfahren; Rücksicht nehmen auf, beistehen, helfen«[391] formulierte *Akzeptationserwartung* Jakobs und zum anderen die semantische Parallele Mal 1,9a[392]. Aufgrund dieser Kontextbezüge und semantischen Parallelen ist die singuläre Wendung כִּפֶּר פָּנִים Gen 32,21 ohne Rekurs auf eine supponierte (akkadische oder arabische) ›Grundbedeutung‹ der Wurzel כפר verständlich: »Ich will sein Angesicht besänftigen (= ihn versöhnen) mit dem Geschenk, das vor mir herzieht; erst dann will ich sein Angesicht sehen (= mich ihm nä-

387 S. dazu etwa *Noth*, ÜPent, S. 103ff. und zuletzt *E. Otto*, Jakob in Sichem. Überlieferungsgeschichtliche, archäologische und territorialgeschichtliche Studien zur Entstehungsgeschichte Israels (BWANT 110), Stuttgart/Berlin/Köln/Mainz 1979, S. 17ff.; *G. W. Coats*, in: Werden und Wirken des Alten Testaments (FS *C. Westermann*), hrsg. von *R. Albertz*, *H.-P. Müller*, *H. W. Wolff* und *W. Zimmerli*, Göttingen/Neukirchen-Vluyn 1980, S. 82–106, hier: S. 97ff.

388 D.h.: »(in den Bereich, die Umgebung jemandes eintreten →) jemandem begegnen«, vgl. dazu *Reindl*, Angesicht, S. 9f.149f. mit Anm. 393.

389 Zu beachten ist die אָדוֹן-עֶבֶד-Relation in Gen 32,5.19.21; 33,5.8.13.14.15, s. dazu *J. C. Greenfield*, in: Fourth World Congress of Jewish Studies, vol. I, Jerusalem 1967, S. 117–119, hier: S. 117f.; *Riesener*, *ʿbd*, S. 39f.157f. Zur rechtlichen Stellung des Erstgeborenen s. etwa *M. Tsevat*, Art. *b^ekôr* usw., ThWAT I, Sp. 648ff.

390 S. dazu *Seybold*, Reverenz, S. 5ff., vgl. *ders.*, Art. *ḥlh*, ThWAT II, Sp. 969ff. Zu מִנְחָה in der Bedeutung »Gabe, Geschenk (um Verehrung, Dank, Huldigung, Freundschaft, Abhängigkeit auszudrücken)« s. KBL[3], S. 568f. s.v. מִנְחָה I.

391 Zu נָשָׂא פָנִים s. *Nötscher*, Angesicht Gottes, S. 14ff.; *Reindl*, Angesicht, S. 11f.189f.204; *H. Schweizer*, Elischa in den Kriegen. Literaturwissenschaftliche Untersuchung von 2Kön 3; 6,8–23; 6,24–7,20 (StANT 37), München 1974, S. 124ff.; *A. S. van der Woude*, Art. *panîm*, THAT II, Sp. 441f.; *F. Stolz*, Art. *naśa*', THAT II, Sp. 112; *Seybold*, a.a.O., S. 6ff.; vgl. auch die parallele akkadische Wendung *pānam wabālu/babālu* »Nachsicht üben«, dazu *A. L. Oppenheim*, JAOS 61 (1941), S. 251–271, hier: S. 256; *S. M. Moren*, JCS 29 (1977), S. 65–72, hier: S. 70; AHw S. 819 s.v. *pānu* I A 9. Bei der Wendung נָשָׂא פָנִים sind das Subjekt des Verbs und der Träger von פָּנִים verschieden in: Gen 19,21; 32,21; Lev 19,15; Dtn 10,17; 28,50; 1Sam 25,35; Mal 1,9; 2,9; Ps 82,2; Hi 13,8.10; 32,21; 34,19; 42,8.9; Prov 6,35 (s. dazu unten Teil II Anm. 30); 18,5; Thren 4,16. Bei keinem dieser Belege ist mehr die wörtliche Bedeutung (»jemandes Angesicht erheben«) anzunehmen, s. dazu ausführlich *Schweizer*, a.a.O., S. 124ff.

392 S. dazu *Seybold*, Reverenz, bes. S. 7f.

hern, in seine Umgebung kommen), vielleicht erhebt er mein Angesicht (= ist er mir günstig/gnädig gesinnt)«[393].
Auch bei der Interpretation des Königsspruchs Prov 16,14 entscheidet nicht die (jeweils vorausgesetzte akkadische oder arabische) Etymologie der Wurzel כפר[394], sondern die – anhand der Sachparallelen הֵשִׁיב חֵמָה Prov 15,1a,

393 Vgl. auch *Herrmann, hilaskomai,* S. 302; *Maass, kpr,* Sp. 853; *Schweizer,* a.a.O., S. 140 und zur Sache auch *G. Krinetzki,* Jakob und wir. Exegetische und motivgeschichtliche Beobachtungen zu den wichtigsten Texten der Jakobsgeschichte, Regensburg 1979, S. 85ff. *Levine* (Presence, S. 60 mit Anm. 18) gelangt zu seiner Übersetzung von כִּפֶּר Gen 32,21 als »abwischen«, indem er aus Prov 16,14 חֵמָה als direktes Objekt zu כִּפֶּר ergänzt: »That I may wipe off (the wrath) from his countenance«, vgl. auch *Nötscher,* Angesicht Gottes, S. 52. Sosehr zu berücksichtigen ist, daß nach dem weiteren Kontext von Gen 32,21 (פָּנִים) auch von חֵמָה (Gen 27,44b; 27,45a: אַף) und nach dem näheren Kontext von Prov 16,14 (חֵמָה) auch von פָּנִים (Prov 16,15) die Rede ist – und sein muß, da Zorn unübersehbar auf dem Gesicht eines ergrimmten Menschen in Erscheinung tritt –, sosehr ist doch bei Gen 32,21 und bei Prov 16,14 sorgsam auf das jeweilige Objekt von כִּפֶּר zu achten: dieses ist in Gen 32,21 פָּנִים (als Sachparallelen vgl. Ps 45,13; Prov 19,6; Hi 11,19; Mal 1,9 [jeweils חִלָּה פָּנִים], s. dazu *Seybold,* Reverenz, S. 5ff.), in Prov 16,14 aber חֵמָה (als Sachparallelen vgl. Prov 21,14 [כפה *qal* + חֵמָה/אַף], Prov 15,1; 29,8 [שׁוב *hif.* + חֵמָה/אַף], s. dazu unten S. 98f.). *Levines* Ergänzung von כִּפֶּר פָּנִים Gen 32,21 durch חֵמָה (aus Prov 16,14) – so als stünde statt des »abbreviated idiom« אֲכַפְּרָה פָּנָיו eigentlich da: אֲכַפְּרָה [חֵמָה מִ·]פָּנָיו (*Levine:* »That I may wipe off [the wrath] from his countenance«) – beruht auf der Hypothese, כִּפֶּר bedeute wie das akkadische *kuppuru* ursprünglich »abwischen«.
394 Von »bedecken« als Grundbedeutung für כִּפֶּר Prov 16,14 gehen aus: *W. McKane,* Proverbs (OTL), 1970, S. 488; KBL³, S. 470 s.v. I כפר *pi.* 3a, u.a. Von »abwischen«: *Levine,* a.a.O., S. 60, u.a. *Crüsemann* (Königtum, S. 190f. mit Anm. 68) übersetzt כִּפֶּר an dieser Stelle – unter Hinweis auf Prov 16,6 als »näheren Kontext« – mit »sühnen« und kommentiert: ». . . ist dabei ›sühnen‹ im Sinne von ›wiedergutmachen‹ . . . oder – man vgl. Jes 47,11 – ›abwenden‹ gemeint? Für den lapidaren Spruch kann man wohl kaum zu einer überzeugenden Entscheidung kommen, muß sich also für alle diese Möglichkeiten offenhalten« (a.a.O., S. 190 Anm. 68). Abgesehen davon, daß Prov 16,14 inhaltlich nicht mit Prov 16,6 (s. dazu unten S. 140f.), sondern eher mit den oben Anm. 393 genannten Sachparallelen zu vergleichen ist, scheint uns die von *Crüsemann* für כִּפֶּר Prov 16,14 zwischen »wiedergutmachen« und »abwenden« vollzogene Bedeutungsdifferenz etwas künstlich zu sein, da Abwendung (des Zornes!) auch nach Prov 16,14 inhaltlich »Wiedergutmachung«, restitutio in integrum ist, s. dazu ausführlicher unten S. 110f.152. Einen anderen Sinngehalt von כִּפֶּר »abwenden« eröffnet dagegen Jes 47,11aβ (innerhalb der gegen Babel gerichteten Völkersprüche Jes 47,1–15, zum Gesamttext s. außer den Kommentaren zuletzt: *Preuss,* Verspottung, S. 222ff.225.234f.; *P.-E. Bonnard,* Le Second Isaïe. Son disciple et leurs éditeurs Isaïe 40–66, Paris 1972, S. 188ff.; *R. Martin-Achard,* in: Prophecy (FS *G. Fohrer* [BZAW 150]), ed. *J. A. Emerton,* Berlin/New York 1980, S. 83–105): »Da kommt Unheil über dich, du weißt keinen Zauber dagegen; Unglück fällt über dich, du kannst es nicht abwenden«. Daß für כִּפֶּר Jes 47,11aβ nicht von einer Grundbedeutung »bedecken, zudecken« (so KBL², S. 451 s.v. כפר *pi.* 2d; KBL³, S. 470 s.v. I כפר *pi.* 1c) auszugehen ist, zeigt neben der unmittelbaren Parallelformulierung v. 11aα לֹא תֵדְעִי שַׁחְרָהּ »du weißt keinen Zauber dagegen (sc. das Unheil)« (angeredet ist Babel; zu שׁחר *pi.* »zaubern« s. *H.-P. Müller,* WO 8 [1975/76], S. 65–76, hier: S. 73f. mit Anm. 57–58; vgl. *H. Wildberger,* BK X/1 [1972], S. 343.352) der gesamte gegen die Magie und Mantik Babels gerichtete Kontext, s. dazu die abgewogenen Beobachtungen von *C. Westermann,* ATD XIX (²1970), S. 151ff. Demnach dürfte כִּפֶּר in Jes 47,11aβ: »Unglück (הֹוָה) fällt über dich, du kannst es nicht abwenden (לֹא תוּכְלִי כַּפְּרָהּ)« in der (entlehnten) Bedeutung »wegsühnen (‹ kultisch reinigen)« vorliegen, wie sie für akk. *kuppuru* in den jungbabylonischen Ritualtexten charakteristisch ist, s. z.B. RAcc 140,354f.: »(354) Mit dem Kadaver des Schafes reinigt *(ukappar)* der Beschwörungspriester den Tempel. (355) Beschwörungen, um das Haus (gegen Böses) zu bannen, rezitiert er«, s.

הֵשִׁיב אַף Prov 29,8b (vgl. auch Prov 21,14: כָּפָה + חֵמָה/אַף) präzisierbare – Aussageabsicht der Wendung כִּפֶּר חֵמָה über den Bedeutungsgehalt des כִּפֶּר v. 14b:

»Des Königs Grimm[395] – Todesboten[396],
ein weiser Mann besänftigt ihn«[397].

II. Ebenso läßt sich auch der Vergeltungsbitte (= Bitte, nicht zu vergeben) Jeremias Jer 18,23aγδ:

אַל־תְּכַפֵּר עַל־עֲוֹנָם וְחַטָּאתָם מִלְּפָנֶיךָ אַל־תֶּמַח[398]

»Vergib nicht ihre Schuld, und ihre Verfehlung ›tilge‹ nicht vor dir«

kein sicherer Hinweis auf die Grundbedeutung der Wurzel כפר entnehmen[399], da trotz Ersetzung des כִּפֶּר Jer 18,23aγ durch כסה *pi.* »bedecken« in dem Jeremia-Zitat Neh 3,37a:

אַל־תְּכַס עַל־עֲוֹנָם וְחַטָּאתָם מִלְּפָנֶיךָ אַל־תִּמָּחֶה

»Vergib nicht ihre Schuld, und ihre Verfehlung laß nicht ausgetilgt sein vor dir«

durchaus fraglich ist, ob das כסה *pi.* von Neh 3,37aα ein erhellendes Licht auf die Etymologie des כִּפֶּר Jer 18,23aγ (und damit auf כִּפֶּר überhaupt) zu werfen vermag. Denn die Wendung כִּסָּה עַל עָוֹן Neh 3,37aα hat nicht mehr den konkreten Sinngehalt »(die) Schuld *bedecken*« bewahrt, sondern die

dazu oben S. 55; vgl. zur Sache auch die *namburbi*-Riten, d.h. »Löseriten« für ein Unheil, das von einem bösen Omen her droht (s. dazu oben Anm. 73).

395 Zum »Zorn des Königs« als lebensbedrohender Äußerung seiner Macht s. außer Prov 16,14 (und dem Gegenbild in Prov 16,15!) noch Prov 14,35; 19,12; 20,2.

396 מַלְאֲכֵי־מָוֶת MT bietet weder auf syntaktischer (LXX sing.: ἄγγελος θανάτου; danach lesen den Singular מַלְאַךְ: *F. Delitzsch*, Lese- und Schreibfehler im Alten Testament, Berlin 1920, S. 123; *C. H. Toy*, Proverbs [ICC], S. 323; bei *A. B. Ehrlich*, Randglossen zur Hebräischen Bibel VI, Leipzig 1913, S. 90 getilgt) noch auf inhaltlicher Ebene (*Dahood*, Proverbs, S. 36 verweist auf ug. ›Parallelen‹; *Vorländer*, Mein Gott, S. 264 sieht in den »Todesboten« regelrechte »Unterweltsdämonen«) Verständnisschwierigkeiten, vgl. auch Hi 33,22 und *G. Fohrer*, KAT XVI (1963), S. 454 z.St.; *Seybold*, Gebet, S. 36 mit Anm. 24.

397 Vgl. *Gese*, Lehre, S. 36; *B. Gemser*, HAT I/16 (^{2}1963), S. 70; *H. Ringgren*, ATD XVI/1 (^{3}1980), S. 66; *H.-J. Hermisson*, Studien zur israelitischen Spruchweisheit (WMANT 28), Neukirchen-Vluyn 1968, S. 72; *Maass*, *kpr*, Sp. 853, u.a. Zur (erfolglosen) Darbietung eines den Grimm und die Rache des betrogenen Ehemannes beschwichtigenden כֹּפֶר (Prov 6,35) s. unten Teil II Anm. 30.

398 Vgl. BHK^3/S z.St.; KBL^3, S. 538 s.v. מחה *qal* 2, ferner *A. Weiser*, ATD XX (^{6}1969), S. 152 z.St., u.a. Beibehaltung von MT (תְּמָחִי) vertreten z.B. *F. Hitzig*, KEH (^{2}1886) und *B. Duhm*, KHC (1901) jeweils z.St.; GB^{17}, S. 413 s.v. I מחה *hif.*, ferner zuletzt *M. Dahood*, Or. (1976), S. 327–365, hier: S. 350. *A. B. Ehrlich*, Randglossen zur Hebräischen Bibel IV, Leipzig 1912, S. 291 schlägt die Lesart תִּמַּח (3.f.sing.*nif.*, Subjekt חַטָּאתָם) vor.

399 Unter Verweis auf Neh 3,37aα wird das כִּפֶּר Jer 18,23aγ mit »bedecken« übersetzt von *Schötz*, Schuld- und Sündopfer, S. 103; *Stamm*, Erlösen, S. 63.72f.; KBL^2, S. 451 s.v. כפר *pi.* 2j; KBL^3, S. 470 s.v. I כפר *pi.* 1i, vgl. ferner *Knierim*, Sünde, S. 223f., u.a.

übertragene Bedeutung »(die) Schuld *vergeben*« (vgl. die Parallelen Ps 32,1; 85,3: כִּסָּה [Subjekt Gott] + acc. חַטָּאת/חֲטָאָה) angenommen[400]. Mit *Levine* kommen wir – allerdings auf anderem Wege und mit anderer Schlußfolgerung – deshalb zu dem Ergebnis, »that *kissāh* was substituted for *kippēr* in Neh 3:37 because it conveyed in a general way the notion of forgiveness, and not because it was taken as a precise synonym for *kippēr*«[401].

B) Methodologische Folgerung

Keiner der bisher untersuchten, in der Forschung für die Etymologie von כפר immer wieder herangezogenen כֹּפֶר- und כְּפֹר-Belege (Gen 32,21; 1Sam 12,3; Jes 28,18; Jer 18,23; Neh 3,37) vermag die These von der etymologischen Herkunft der Wurzel כפר aus dem Akkadischen (*kapāru* II »ab-, auswischen«) oder aus dem Arabischen (*KFR* A »bedecken, verhüllen, verbergen«) mit der erforderlichen Eindeutigkeit zu stützen. Dieser Sachverhalt dürfte mit der *Polysemie* zusammenhängen, die der Wurzel *KPR* sowohl im Akkadischen als auch im Arabischen eignet: denn wie für akk. *kapāru* »ab-, auswischen« die Vorstellung des »Bedeckens, Beschmierens« belegt ist, so ist umgekehrt auch für arab. *kafara* die Vorstellung des »Ab-, Verwischens« nachweisbar[402]. Ungeachtet dieses negativen Ergebnisses hinsichtlich einer akkadischen oder arabischen Etymologie von hebr. כפר bleibt zu bedenken, ob eine Übernahme von akk. *kuppuru* »kultisch reinigen« (*kapāru* II D) als eines *terminus technicus der mesopotamischen Ritualsprache* ins Hebräische nicht doch wahrscheinlich ist. Aber selbst wenn, wie wir annehmen, diese Frage zu bejahen ist[403] (vgl. die folgende Übersicht zur Wurzel *KPR* in den semitischen Sprachen), sind zahlreiche, über idiomatische und syntaktische Unterschiede hinausgehende Sachdifferenzen zu konstatieren[404], die die Annahme einer sachlichen Entsprechung zwischen hebr. כִּפֶּר und akk. *kuppuru* als sehr problematisch erscheinen lassen.
Der folgenden Untersuchung der Wurzel כפר im Alten Testament legen wir die von *J. Herrmann* zutreffend formulierte Einsicht zugrunde, »daß sowohl bedecken wie abwischen von dem etymologischen Raum der Wurzel

400 Vgl. dazu *Stamm*, Erlösen, S. 72f., der diese Frage offenläßt (». . . läßt sich nicht ersehen, ob und in welchem Maße die Konkretheit des Bildes verblaßt ist«), aber dennoch folgern kann: »Wichtig ist, daß die in Frage stehende Wendung bestätigt, daß ›die Sünde zudecken‹ soviel bedeuten konnte als ›die Sünde sühnen‹ bzw. ›vergeben‹. Die . . . dargelegte Bedeutungsentwicklung von kippär gewinnt dadurch [!] an Wahrscheinlichkeit« (H. von uns). Zu כסה *pi.* (Subjekt Mensch) + פֶּשַׁע (Prov 10,12; 17,9; 28,13; 31,33)/ עָוֺן (Ps 32,5)/ חָמָס (Prov 10,6.11) s. *Knierim*, a.a.O., S. 119–123.

401 Presence, S. 58, vgl. zur Sache auch *Gese*, Sühne, S. 91 Anm. 3.

402 S. dazu oben Anm. 384 und die Textbeispiele oben S. 43.90.

403 S. dazu unten S. 179f.

404 S. dazu oben S. 57ff.

Die Wurzel *KPR* in den semitischen Sprachen

Akkadisch	*Aramäisch*	*Arabisch*
kapāru II »ab-, auswischen« (› *ug.* kpr?) G Der. kāpiru; Gtn D »kultisch reinigen«, Der. kup(p)artu, kupīrātu, takpertu N (Pass. zu G) kapāru (III?) »ausschmieren« G Der. kāpiru, kupru (*hebr.* III כֹּפֶר, כפר qal; *aram.*; *arab.*) (D) Verbaladj. kuppuru N (Pass. zu G)	*Reichsaramäisch:* *äg.-aram.* kpr AP 37,14 *äg.-aram.* kpr pe. (?)/pa. (?) Cl-G 175 conc. 3.4 *Mittelaramäisch:* *palm.* kpr pe. (?)/pa. (?) CIS II 3913,122 *qumran.-aram.* kpr pa. »sühnen« (westaramäisch) *Spätaramäisch:* 1. kpr »ab-, auswischen → ab-, verleugnen« (ostaramäisch) a) »ab-, auswischen« pe.: *ja*[b] (Der. kpr'), *syr.*, *mand.* (+ Der.) ethpe.: *syr.*, *mand.* pa.: *ja*[bt], *syr.* (+ Der.), *chr.-pal.*, *mand.* ethpa.: *ja*[t], *syr.*, *mand.* b) »ab-, verleugnen« (*mhe* כפר qal, hif.) pe.: *ja*, [*samar.-aram.*] *syr.* (+ Der.), *chr.-pal.* (+ Der.), *mand.* (+ Der.) ethpe.: *syr.* pa.: (*ja*?) *syr.* (+ Der.), *mand.* (+ Der.) aph.: *syr.* - 2. kpr »sühnen« (westaramäisch) pa.: *ja* (+ Der.), (*samar.-aram.* Der. kprt, *samar.-hebr.* כפרת) ethpa.: *ja*	*KFR* A »bedecken, verhüllen, verbergen« *Frühnord-/Altsüdarabisch:* *tham.*, *saf.* kfr »(bedecken › ?) sühnen«? *sab.* kfr CIH 539,1 »sühnen, vergeben« *Klassisch-Arabisch:* kfr I 1 (+ Der.) kfr II 1 (mit Reflexiv kfr V 1) + saiyi'ātun »die Sünden tilgen« takfīrun »Sühnung, Abbüßung« kaffāratun »Sühne(tat), Buße« (+ Verb.denom. kfr II 1) kfr II 3 *KFR* B »undankbar, ungläubig s./w.« (vgl. *altlib.* kpr?) *Frühnordarabisch:* *tham.*, *saf.* kfr? *Klassisch-Arabisch:* kfr I 2 (+ Der.) kfr II 2 (+ Der.) kfr III kfr IV

Hebräisch:

כפר »sühnen, Sühne schaffen«

(?) → pi. *bibl.-hebr.* (Der. IV כֹּפֶר, כִּפֻּרִים, כַּפֹּרֶת), *mhe* (Der. כַּפָּרָה, u.a.), *samar.-hebr.* (+ Der.), *qumran.-hebr.* (+ Der.)
pu. (*bibl.-hebr.*, *samar.-hebr.*, *qumran.-hebr.*); hitp. (*bibl.-hebr.*, *mhe*); nitp. (*bibl.-hebr.*, *mhe*, *samar.-hebr.*: nif.)

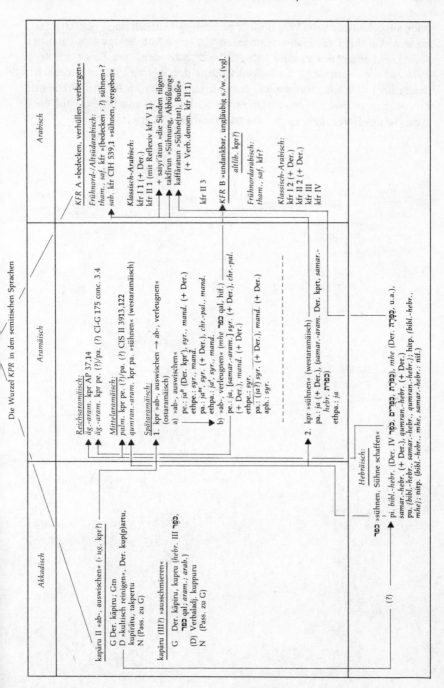

habe ausgehen können«[405] – ohne inneralttestamentlich noch verifizierbar zu sein. Da (über die bisher genannten כִּפֶּר- und כֹּפֶר-Belege hinaus auch sonst) kein alttestamentlicher כִּפֶּר-, כֹּפֶר-, כִּפֻּרִים- oder כַּפֹּרֶת-Beleg den Rekurs auf eine »sinnliche Grundbedeutung« der Wurzel כפר erforderlich macht oder nahelegt, bleibt eine genaue Erfassung des im Alten Testament mit »sühnen« und »Sühne« gemeinten Sachverhalts methodisch auf die Analyse des Sprachgebrauchs von כִּפֶּר (und Der.) verwiesen.

405 *Herrmann, hilaskomai*, S. 303, vgl. *ders.*, Sühne, S. 32–34; *Koch*, Sühneanschauung, S. 81–85, bes. S. 82f. und oben Anm. 384.

Zweiter Teil:

Versöhnung zwischen Menschen, Vergebung Gottes, Interzession und Auslösung des verwirkten Lebens – Die Wurzel כפר im Alten Testament außerhalb der Priesterschrift und der ihr nahestehenden Literatur

Erster Abschnitt: Die Belege und ihre syntaktisch-semantische Zuordnung

A) Die Belege

Im hebräischen Text des Alten Testaments ist die Wurzel כפר insgesamt 149mal belegt, verteilt auf 48 Nominal- und 101 Verbalformen. In den aramäischen Teilen des Alten Testaments fehlt die Wurzel.

Die 13 Belege des Verbalnomens כֹּפֶר »Lösegeld; Bestechungsgeld«[1] verteilen sich auf folgende Bücher: Ex: 2 (21,30; 30,12); Num: 2 (35,31.32); 1Sam: 1 (12,3); Jes: 1 (43,3); Am: 1 (5,12); Ps: 1 (49,8); Hi: 2 (33,24; 36,18); Prov: 3 (6,35; 13,8; 21,18).

Die 8 Belege des von כִּפֶּר »sühnen« abgeleiteten Abstraktnomens כִּפֻּרִים »Sühnung, Sühnehandlung«[2] (7mal als nomen rectum in einer Constructus-Verbindung: חַטַּאת הַכִּפֻּרִים [Ex 30,10; Num 29,11]; אֵיל הַכִּפֻּרִים [Num 5,8]; כֶּסֶף הַכִּפֻּרִים [Ex 30,16]; יוֹם (הַ)כִּפֻּרִים [Lev 23,27.28; 25,9]) begegnen ausschließlich im P-Schrifttum: Ex 29,36; 30,10.16; Lev 23,27.28; 25,9; Num 5,8; 29,11.

Das ebenfalls von כִּפֶּר abgeleitete Abstraktum כַּפֹּרֶת »(das Sühnende›) Sühnung, Sühneleistung → Sühnmal, Sühneort«[3] ist außer in 1Chr 28,11 ebenfalls nur im P-Schrifttum (26mal) belegt: Ex 25,17.18.19.20 (bis).21.22; 26,34; 30,6; 31,7; 35,12; 37,6.7.8.9 (bis); 39,35; 40,20; Lev 16,2 (bis).13.14 (bis).15 (bis); Num 7,89; 1Chr 28,11.

Die 101 Verbalformen, deren Verteilung auf die alttestamentlichen Bücher in der auf S. 106 folgenden Tabelle dargestellt wird, gehören ausnahmslos dem Intensivstamm (D-Stamm) an: *pi.* (92mal)[4], *pu.* (7mal), *hitp.* (1mal)[5] und *nitp.* (1mal)[6].

Während die Wurzel כפר in den Büchern Jos, Ri, 1/2Kön, Hos, Jo, Ob, Jon, Mi, Nah, Hab, Zeph, Hag, Sach, Mal, Ruth, Hhld, Pred, Klgl, Est, Esr überhaupt fehlt und im vorpriesterschriftlichen Pentateuch (6mal: Gen 32,21; Ex 32,30; Dtn 21,8a.b; 32,43 [jeweils כפר]; Ex 21,30 [כֹּפֶר]), in den

1 Zur Bildungsweise s. unten S. 174.

2 Zur Bildungsweise s. oben Prolegomena Anm. 26.

3 Zur Bildungsweise und zur Übersetzung s. unten Teil III Anm. 457.

4 Zur Vokalisation von כִּפֶּר s. *Bauer-Leander*, Grammatik § 45h′. Zu den Äquivalenten in LXX und zu den Thesen von *C. H. Dodd, D. Hill, L. Morris* u.a. s. zuletzt *H.-G. Link – C. Brown*, Art. Reconciliation (ἱλάσκομαι), in: *C. Brown* (ed.), The New International Dictionary of New Testament Theology III, Exeter/Grand Rapids/Mich. 1978, S. 148–166 (mit der Lit. S. 174ff.), ferner *M. Wolter*, Rechtfertigung und zukünftiges Heil. Untersuchungen zu Röm 5,1–11 (BZAW 43), Berlin/New York 1978, S. 37f., vgl. S. 39ff.

5 1Sam 3,14 (יִתְכַּפֵּר), s. dazu unten S. 135ff.

6 Dtn 21,8b (וְנִכַּפֵּר), s. dazu unten Anm. 163ff.

Fundort	כפר *pi.*	*pu.*	*hitp.*	*nitp.*	כֹּפֶר	כִּפֻּרִים	כַּפֹּרֶת	*Summe*
Gen	1							1
Ex	7	1			2	3	18	31
Lev	49					3	7	59
Num	15	1			2	2	1	21
Dtn	2			1				3
1Sam			1		1			2
2Sam	1							1
Jes	1	4			1			6
Jer	1				1			1
Ez 1–39	1							1
Ez 40–48	5							5
Am					1			1
Ps	3				1			4
Hi					2			2
Prov	1	1			3			5
Dan	1							1
Neh	1							1
1Chr	1						1	2
2Chr	2							2
Summe	92	7	1	1	13	8	27	149

Büchern Jos bis 2Kön (3mal: 1Sam 3,14; 2Sam 21,3 [jeweils כפר]; 1Sam 12,3 [כֹּפֶר]), in der prophetischen Literatur ([ausgenommen Ez 40–48] 9mal: Jes 6,7; 22,14; 27,9; 28,18; 47,11; Jer 18,23; Ez 16,63 [jeweils כפר]; Jes 43,3; Am 5,12 [כֹּפֶר]), in der Lied- und Weisheitsdichtung (11mal: Ps 65,4; 78,38; 79,9; Prov 16,6.14 [jeweils כפר]; Ps 49,8; Hi 33,24; 36,18; Prov 6,35; 13,8; 21,18 [jeweils כֹּפֶר]) und im apokalyptischen Danielbuch (Dan 9,24 [כפר]) vergleichsweise spärlich (insgesamt 30mal) vertreten ist, entfällt das Gros der Belege (insgesamt 119) auf die Priesterschrift (109mal: 72mal כפר; 3mal כֹּפֶר; 8mal כִּפֻּרִים; 26mal כַּפֹּרֶת), den Verfassungsentwurf Ezechiels Ez 40–48 (5mal: Ez 43,20.26; 45,15.17.20 [jeweils כפר]) und das Chronistische Geschichtswerk (5mal: Neh 10,34; 1Chr 6,34; 2Chr 29,24; 30,18 [jeweils כפר]; 1Chr 28,11 [כַּפֹּרֶת]). In diesen Überlieferungsbereichen hat die Wurzel auch ihre spezifische Begrifflichkeit entwickelt.

Bei den Verbformen stellt sich die Verteilung so dar, daß über drei Viertel (81: 79mal *pi.*, 2mal *pu.*) aller Belege (101) auf P, Ez 40–48 und ChrG entfällt[7]. Die Schlüsse, die aus dieser Verteilung gezogen werden können, sind allerdings nur von begrenztem Wert. Denn im vorliegenden Fall kommt der

7 S. die Auflistung unten S. 185f.

Wortstatistik lediglich Hinweischarakter auf die Entwicklung einer speziellen Begrifflichkeit des Verbs (כִּפֶּר als Terminus der Kultsprache) in einem bestimmten literarischen Bereich (P, Ez 40–48, ChrG) zu; um darüber hinaus zu einer Erfassung der Bedeutungsbreite und des jeweiligen Bedeutungsgehaltes von כִּפֶּר zu gelangen, ist von einer syntaktischen, semantischen und formkritischen Funktionsbestimmung des Verbs in seinem jeweiligen literarischen Kontext auszugehen.

B) Syntaktisch-semantische Zuordnung

Weist die statistische Übersicht über die von der Wurzel כפר gebildeten Verbformen auf die Entwicklung einer speziellen Begrifflichkeit des Verbs in einem bestimmten literarischen Kontext hin (כִּפֶּר als Terminus der Kultsprache in P, Ez 40–48 und ChrG), so erhebt sich auch für den übrigen, ausserkultischen Belegbereich von כִּפֶּר (Gen 32,21; Ex 32,30; Dtn 21,8a.b; 32,43; 1Sam 3,14; 2Sam 21,3; Jes 6,7; 22,14; 27,9; 28,18; 47,11; Jer 18,23; Ez 16,63; Ps 65,4; 78,38; 79,9; Prov 16,6.14; Dan 9,24; 2Chr 30,18; dazu Num 17,11.12; 25,13)[8] die Frage nach dem Bedeutungsgehalt und der Kontextgebundenheit dieses Verbs. Wenn man diese כִּפֶּר-Belege – statt der Reihenfolge der biblischen Bücher nach – der Reihenfolge ihres vermutlichen Alters nach ordnet (relative Chronologie)[9], so ergibt sich folgendes Bild[10]:

vorexilisch:	– Gen 32,21; Dtn 21,8b; 2Sam 21,3
	– Ex 32,30
	– Jes 6,7; 28,18; 22,14
	– Dtn 21,8a; Prov 16,6; 16,14
exilisch/ nachexilisch:	– Dtn 32,43
	– Jes 47,11
	– 1Sam 3,14; Jer 18,23; Ps 78,38; 79,9
	– Num 17,11.12
	– Num 25,13
	– 2Chr 30,18
	– Jes 27,9; Ez 16,63; Dan 9,24
nicht eindeutig bestimmbar:	– Ps 65,4

8 Anders *Gerber*, a.a.O. (oben Prolegomena Anm. 48), S. 186. Num 17,11f. (P^s) gehört literarisch zwar zum P-Schrifttum (Num 25,13 möglicherweise erst zu R^p, s. dazu unten S. 146f. mit Anm. 209), inhaltlich aber zur – ursprünglich extrasakrifikalen – Thematik »Sühne und Interzession«. Aus diesem Grunde werden diese drei כִּפֶּר-Belege (ebenso auch כִּפֶּר Ex 30,15.16 P^s; Num 31,50 P^s/R^p? [jeweils כֹּפֶר-Thematik], s. unten S. 161f., und כִּפֶּר 2Chr 30,18 [Thematik: Sühnehandeln Jahwes als »Vergebung« menschlicher Schuld], s. unten Anm. 213) in Teil II analysiert.

9 Zu diesem Verfahren s. *Wagner*, Aramaismen, S. 53, vgl. *Fuhs*, Sehen, S. 70ff.

10 Zur Einzelbegründung s. die folgenden Abschnitte.

Geht man davon aus, daß die semantische Funktion eines Verbs auf syntaktischer Ebene vor allem durch das *Objekt*, auf das sich die vom Verb beschriebene Handlung richtet, bestimmt wird *(Objektbezug)*, so lassen sich zunächst zwei Grundkategorien der Verwendung eines Verbs unterscheiden: ohne Objekt (absoluter Gebrauch) und mit Objekt[11]. Anhand der Unterscheidung: *Sachobjekt – Personalobjekt*[12] ist die zweite Grundkategorie noch weiter zu differenzieren. Und da die Verwendung des Verbs mit einer Präposition die bedeutungsmäßige Nuancierung der vom Verb beschriebenen Handlung zur Folge hat, ist zusätzlich auf das Vorhandensein eines *direkten* oder eines *präpositional angeschlossenen Sach-/Personalobjekts* zu achten. Demnach ergeben sich, wenn man neben dem *Objektbezug* auch die jeweilige *Subjektbindung* (Mensch/Gott) der vom Verb beschriebenen Handlung miteinbezieht, für die syntaktisch-semantische Funktion von כִּפֶּר im außerkultischen Belegbereich folgende Zuordnungen[13]:

I. Der Mensch als Subjekt der כִּפֶּר-Handlung
absolut: 2Sam 21,3 (+ בְּ instrumenti)[14]
direktes Sachobjekt (ohne nota acc.)[15]: Gen 32,21 (פָּנִים, + בְּ instrumenti [מִנְחָה]); Jes 47,11 (Pronominalsuff. 3.f.sing. [Bezugswort הֹוָה]); Prov 16,14 (Pronominalsuff. 3.f.sing. [Bezugswort חֵמָה])
passivisch: כפר *nitp.* Dtn 21,8b (gramm. Subjekt הַדָּם);
כפר *pu.* Prov 16,6 (gramm. Subjekt עָוֹן, + בְּ instrumenti)
präpositional angeschlossenes Objekt:
Sachobjekt: בְּעַד »für, zugunsten von«[16]: Ex 32,30 (חַטָּאת),
vgl. *passivisch* (כפר *pu.*): Num 35,33 (לָאָרֶץ)
Personalobjekt: עַל »für, zugunsten von«[17]: Num 17,11 (Pronominalsuff. 3.m.pl. [Bezugswort עֵדָה]).12 (עַם); 25,13 (בְּנֵי יִשְׂרָאֵל)

II. *Gott* als Subjekt der כִּפֶּר-Handlung
direktes Sachobjekt (ohne nota acc.): Dtn 32,43 (אַדְמַת עַמּוֹ)[18];

11 S. zur Sache *Floss*, Jahwe dienen, S. 8f. und *Fuhs*, Sehen, S. 73ff.91ff.
12 Zum Begriff »Objekt« in der hebräischen Grammatik s. jetzt *Fuhs*, Sehen, S. 92 Anm. 416 (Lit.).
13 Zum Folgenden vgl. auch (mit z.T. abweichenden Zuordnungen): *Gerber*, a.a.O. (oben Prolegomena Anm. 48), S. 186ff. (übernommen von *Herrmann*, Sühne, S. 36f.) und neuerdings *Garnet*, Atonement Constructions, S. 134ff.; *ders.*, Salvation, S. 125ff. An mehreren Stellen kommt es zu Überschneidungen hinsichtlich der syntaktischen Zuordnung von כִּפֶּר. So ist כִּפֶּר in 2Sam 21,3 zwar absolut gebraucht, steht aber in Sachparallele zu עָשָׂה mit präpositional (לְ) angeschlossenem Personalobjekt (Gibeoniten); in Gen 32,21 und Prov 16,14 bezieht sich כִּפֶּר auf פָּנִים bzw. חֵמָה als direktes *Sach*objekt, zugleich aber jeweils auf eine *Person*: das Angesicht Esaus bzw. den Zorn des Königs; in Ez 16,63 richtet sich die mit כִּפֶּר beschriebene Handlung auf ein präpositional angeschlossenes *Personal*objekt (לָךְ: Jerusalem) *und* auf ein präpositional angeschlossenes *Sach*objekt (לְכָל־אֲשֶׁר עָשִׂית »Bundesbruch« Jerusalems); vgl. noch Dtn 21,8b und Jes 22,14.
14 Vgl. aber auch die vorhergehende Anm.
15 Vgl. dazu oben Anm. 13.
16 S. dazu *Brockelmann*, Syntax, § 116b; KBL³, S. 135 s.v. I בַּעַד 4.
17 Zu diesem Gebrauch von עַל s. GK, § 119bb.
18 Zum Text von Dtn 32,43 s. unten S. 129ff.

Ps 65,5 (Pronominalsuff. 3.m.pl. [Bezugswort פֶּשַׁע pl. + Suff.]); Ps 78,38 (עָוֹן); Dan 9,24 (עָוֹן)

passivisch: כפר *pu.* Jes 6,7 (gramm. Subjekt חַטָּאת); 22,14 (gramm. Subjekt הֶעָוֹן הַזֶּה); 27,9 (gramm. Subjekt עֲוֹן יַעֲקֹב, + בְּ instrumenti [Handeln Jahwes]; 28,18 (gramm. Subjekt בְּרִית)

כפר *hitp.* 1Sam 3,14 (gramm. Subjekt עֲוֹן בֵּית־עֵלִי, + בְּ instrumenti)

präpositional angeschlossenes Objekt:

Sachobjekt: עַל »für, zugunsten von«[17]: Jer 18,23 (עָוֹן); Ps 79,9 (חַטָּאת pl.)

Personalobjekt: לְ: Dtn 21,8a (עַם + Suff. [Israel]); Ez 16,63 (Pronominalsuff. 2.f.sing. [Jerusalem], + לְכָל־אֲשֶׁר עָשִׂית [»Bundesbruch« als sündiges Verhalten Jerusalems])

בְּעַד »für, zugunsten von«[16]: 2Chr 30,18 (»alle Gottsuchenden«)

An keiner der aufgeführten Stellen ist Gott das Objekt des menschlichen כִּפֶּר-Handelns[19]; außer in den späten P^s- bzw. R^P-Texten Num 17,11f.; Num 25,13[20] ist nirgends ein Priester Subjekt von כִּפֶּר. Das Gros der genannten Belege (12) gehört zur *Verbkategorie:* כִּפֶּר *(Subjekt Gott) mit direktem/präpositional angeschlossenem Sachobjekt* (9mal ein *Sündenterminus:* 1Sam 3,14; Jes 6,7; 22,14; 27,9; Jer 18,23; Ps 65,4; 78,38; 79,9; Dan 9,24, vgl. sachlich auch Ez 16,63), wobei eine geradezu formelhafte Verbindung von כִּפֶּר mit עָוֹן auffällt: 1Sam 3,14; Jes 22,14; 27,9; Jer 18,23; Ps 78,38; Dan 9,24 (vgl. für den zwischenmenschlichen Bereich Prov 16,6). Möglicherweise deutet sich darin die Herausbildung einer speziellen, von der Verwendung des Verbs im kultischen Kontext unterschiedenen Begrifflichkeit an, die in besonderer Weise das Gott-Mensch-Verhältnis umschreibt *(Jahwes Sühnehandeln als »Vergebung« menschlicher Schuld)*; dem kommt die Beobachtung entgegen, daß diese כִּפֶּר-Belege in einem bestimmten literarischen Bereich (prophetische/der Prophetie nahestehende Überlieferungen) beheimatet sind. Mutatis mutandis weist auch die *Verbkategorie:* כִּפֶּר *(Subjekt Mensch [Mose, Aaron, Pinchas]) mit präpositional angeschlossenem Sach-/Personalobjekt* (Ex 32,30; Num 17,11.12; 25,13) auf eine zusammenhängende Thematik hin *(Sühnehandeln eines interzessorischen Mittlers)*. Und schließlich bildet die *Verbkategorie:* כִּפֶּר *(Subjekt Mensch) mit direktem ›Sach‹objekt* eine eigenständige Bedeutungsgruppe *(Sühne als »Wiedergutmachung« im zwischenmenschlichen Bereich)*, zu der Gen 32,21 und Prov 16,14 (aber auch 2Sam 21,3) zu zählen sind[21].
Um über diese vorläufige Zuordnung der außerkultischen כִּפֶּר-Belege hinaus die semantische Funktion von כִּפֶּר in seinem außerkultischen Belegbereich präziser bestimmen zu können, ist die Bedeutung des Verbs aus dessen sprachlicher (Wortfeld, synonyme und antonyme Parallelbegriffe) und

19 Auch *Garnet* betont, »that God is never the direct object of the verb« (Salvation, S. 124).
20 Vgl. oben Anm. 8.
21 Vgl. oben Anm. 13.

formkritischer Stellung (Gattung, Sitz im Leben) innerhalb des jeweiligen literarischen Kontextes zu erheben. Die Einbeziehung der – neben den genannten Verbkategorien eine weitere Bedeutungsgruppe bildenden – כֹּפֶר-*Belege (Sühne als Auslösung des verwirkten Lebens)* wird sich dabei sowie im Hinblick auf das Problem der Bedeutungsentwicklung der Wurzel כפר als notwendig erweisen.

Zweiter Abschnitt: Der dem Mitmenschen geltende כִּפֶּר-Erweis – Die Besänftigung von Zorn und die Wiedergutmachung von Schuld

Für das Vergeben und Verzeihen zwischen Menschen kennt das Alte Testament zahlreiche Termini und bildliche Wendungen: נָשָׂא פָּנִים »(jemandes Angesicht erheben›) jemandem günstig gesinnt sein, willfahren; Rücksicht nehmen auf jmd.«[22], נָשָׂא חַטָּאת/פֶּשַׁע »die Sünde wegnehmen, tragen« (Gen 50,17; Ex 10,17; 1Sam 15,25; 25,28)[23], עָבַר עַל פֶּשַׁע »an der Sünde vorübergehen« (Prov 19,11)[24], כִּסָּה פֶּשַׁע »die Sünde bedecken« (Prov 10,12; 17,9)[25], לֹא שִׁית חַטָּאת עַל »die Sünde nicht auf jemanden legen« (Num 12,11), לֹא חָשַׁב עָוֹן »die Sünde nicht anrechnen« (2Sam 19,20 [// לֹא זָכַר])[26], u.a.[27] Auch כִּפֶּר (aber nie סָלַח!) begegnet – ausschließlich in vorexilischen Texten – in Zusammenhängen, in denen es jeweils um eine Versöhnung zwischen Menschen geht: Gen 32,21; 2Sam 21,3 und Prov 16,6.14[28].

A) Die Besänftigung Esaus (Gen 32,21) und die Beschwichtigung des Königs (Prov 16,14)

Hinsichtlich der (schon untersuchten) כִּפֶּר-Belege Gen 32,21 und Prov 16,14[29] wird man von der gemeinsamen syntaktischen Konstruktion: כִּפֶּר (Subjekt Mensch) + acc. rei (פָּנִים eines Menschen [Gen 32,21]/חֵמָה eines Menschen [Prov 16,14]) auszugehen haben, da sie auf einen ähnlichen Bedeutungsgehalt von כִּפֶּר hindeutet. Dieser läßt sich für כִּפֶּר פָּנִים Gen 32,21

22 S. dazu oben Teil I Anm. 391.
23 S. dazu *Stamm*, Erlösen, S. 67; *Knierim*, Sünde, S. 50ff.
24 S. dazu *Stamm*, Erlösen, S. 72; *Knierim*, a.a.O., S. 119 Anm. 19.
25 S. dazu *Knierim*, a.a.O., S. 119ff.
26 S. dazu *Knierim*, a.a.O., S. 191f.; *Schottroff*, Gedenken, S. 115ff.
27 Vgl. zur Sache *Vriezen*, Sündenvergebung, Sp. 508. Für das rabbinische Judentum s. Bill. I, S. 168.284.286f.425.587.795f.; III, S. 519.646.
28 Ob auch ug. *kpr (ʿl) ḥṭʾ* KTU 2.72,30.34 in diesen Zusammenhang gehört, muß offenbleiben, s. dazu oben S. 61f.
29 S. oben S. 96ff.

(a) anhand der komplementären, auf die erwartete freundliche Reaktion des erzürnten Gegenübers bezogenen Wendung נָשָׂא פָנִים Gen 32,21bγ[30] sowie (b) aufgrund der Parallelformulierung חִלָּה פָנִים (z.B. Mal 1,9, bei Kontextverschiedenheit) mit »jemandes Angesicht besänftigen, jmd. (mit sich) versöhnen« wiedergeben und inhaltlich als Reverenzerweis des Untergebenen gegenüber dem Höhergestellten (hier gegenüber dem Erstgeborenen) durch Huldigungsgeschenke (בַּמִּנְחָה Gen 32,21bα) bestimmen: »Ich will sein Angesicht besänftigen (= ihn versöhnen) mit dem Geschenk, das vor mir herzieht; erst dann will ich sein Angesicht sehen (= mich ihm nähern, in seine Umgebung kommen), vielleicht erhebt er mein Angesicht (= ist er mir günstig/gnädig gesinnt)«.
In Prov 16,14 handelt es sich zwar nicht um denselben Bereich rechtlich-sozialer Verhaltensformen, doch meint auch hier die Wendung כִּפֶּר חֵמָה – nicht zuletzt nach Ausweis der Sachparallelen הֵשִׁיב אַף/חֵמָה (Prov 15,1; 29,8) und כָּפָה אַף, חֵמָה (Prov 21,14) – das »Besänftigen des (Königs-) Grimms« (durch menschliche Weisheit).

B) Die Wiedergutmachung von Schuld durch »verläßliche Güte« (Prov 16,6) und durch die rituelle Tötung der Sauliden (2Sam 21,3)

Gegenüber Gen 32,21 und Prov 16,14 ist in den beiden übrigen hier zu berücksichtigenden Belegen Prov 16,6 und 2Sam 21,3 eine schon an der jeweiligen syntaktischen Konstruktion ablesbare Bedeutungsverschiebung von כִּפֶּר zu beobachten. Zwar gilt auch nach Prov 16,6 der »verläßliche« חֶסֶד-

30 Zu נָשָׂא פָנִים s. die Hinweise oben Teil I Anm. 391. In diesem Zusammenhang ist auch auf die in Prov 6,35 geschilderte Nichtannahme eines כֹּפֶר (v. 35a // שֹׁחַד »Bestechungsgeschenk« v. 35b [zu כֹּפֶר s. unten S. 153ff.) im Falle des Ehebruchs mit einer verheirateten Frau hinzuweisen: Der »Grimm« (חֵמָה) und die »Rache« (נָקָם) des betrogenen Ehemannes (v. 34) können weder durch כֹּפֶר noch durch שֹׁחַד abgewendet werden. Verständnisschwierigkeiten an Prov 6,35 bereitet v.a. Versteil a: לֹא־יִשָּׂא פְּנֵי כָל־כֹּפֶר. Während BHK³/S z.St.; *A. B. Ehrlich*, Randglossen zur hebräischen Bibel VI, Leipzig 1913, S. 35; *C. Steuernagel*, HSAT (1923), S. 287 (vgl. *H. Ringgren*, ATD XVI/1 [³1980], S. 32, u.a.) die Lesung vorschlagen: פָּנֶיךָ לְכֹפֶר (Übersetzung bei *Ehrlich*, a.a.O.: »er wird dir keinen Gefallen erweisen mit Bezug auf ein Reuegeld«), nehmen wir als ursprünglichen Text an: לֹא־יִשָּׂא פָנָיו כָל־כֹּפֶר, vgl. auch *H. Wiesmann*, HS (1923), S. 25; *Dahood*, Phoenician Contribution, S. 134 (etwas anders jetzt *ders.*, Or. 48 [1979], S. 97–106, hier: S. 105 mit Anm. 29, der פְּנֵי beläßt, das י aber als Suff. der 3.m.sing. bestimmt »as in Phoenician«). Denn die von *Ehrlich* (a.a.O.) gegebene Begründung, die Wendung נָשָׂא פָנִים könne »nur mit Bezug auf Personen, nicht aber mit Bezug auf Sachen« gebraucht werden (vgl. auch *W. Frankenberg*, HK [1898], S. 50, u.a.), ist insofern nicht stichhaltig, als ein כֹּפֶר als materielle Ersatzgabe *immer* von einer Person gegeben wird; demnach wird v. 35 zu übersetzen sein: »Keine Entschädigung (oder: kein Bestechungsgeld) vermag (sein Angesicht zu erheben ›) ihn günstig zu stimmen / zu beschwichtigen, nicht willigt er ein (oder: ist er geneigt), daß du Bestechung mehrst«. Die – doppelt formulierte (v. 35a // v. 35b) – negierte Akzeptation eines שֹׁחַד-כֹּפֶר ist inhaltlich mit »Rache« (נָקָם v. 34b, als Folge von חֵמָה v. 34a) identisch, vgl. dazu auch *Schweizer*, a.a.O. (oben Teil I Anm. 391), S. 140f. Zu der in Prov 6,35 geschilderten Rechtssituation s. die Hinweise bei *Janowski*, Lösegeldvorstellung, S. 47 Anm. 97.

Erweis dem Mitmenschen, zugleich aber ist er – als »Wiedergutmachung« von Schuld (כפר *pu.* + עָוֹן) – konkreter Aufweis des Gottesbezuges. Da die formelhafte Wortverbindung כִּפֶּר עָוֹן ihre traditionsgeschichtlichen Wurzeln in der prophetischen / in der der Prophetie nahestehenden Überlieferung hat (1Sam 3,14; Jes 22,14; 27,9; Jer 18,23 [negiert]; Ps 78,38; Dan 9,24) und die כִּפֶּר-Aussage Prov 16,6 am ehesten als Umformung dieser prophetischen Überlieferung durch weisheitliches Denken zu verstehen sein wird, soll auf Prov 16,6 erst später eingegangen werden[31].
Mit dem in die frühe Königszeit zu datierenden כִּפֶּר-Beleg 2Sam 21,3 (innerhalb der dtr bearbeiteten Plagegeschichte 2Sam 21,1–14)[32] werden wir – allerdings nur zum Teil – zu der Bedeutung von כִּפֶּר zurückgeführt, die dieser Begriff in Gen 32,21 (und Prov 16,14) hat. Angesichts der äußerst komplexen literarhistorischen und religionsgeschichtlichen Problematik von 2Sam 21,1–14[33] beschränken wir uns im Folgenden auf eine Untersuchung derjenigen Aspekte, die für die Bedeutung von כִּפֶּר 2Sam 21,3 zu beachten sind:

1. In den Tagen Davids wird Israel von einer drei Jahre währenden Hungersnot heimgesucht (v. 1). Sie ist, wie der König durch ein Jahweorakel erfährt, die Folge einer Blutschuld (דָּמִים), die Saul und »sein Haus«[34] durch vertragsbrüchiges Vorgehen gegen die – einen legitimen Anspruch auf gesicherte Existenz in Israel besitzenden – Gibeoniten[35] auf sich und damit auf das von ihm vertretene Volk geladen hat. Aus dieser Gesamtisrael gefährdenden Notsituation ergibt sich für (den nunmehr verantwortlichen König) David die Grundfrage: Wie kann der durch die fortbestehende Blutschuld bedrohte *šalôm*-Zustand der Gemeinschaft wiederhergestellt werden, mit den Worten des Textes: »Was soll ich für euch (sc. die Gibeoniten) tun und womit kann ich (euch) Sühne schaffen [וּבַמָּה אֲכַפֵּר], daß[36] ihr das Eigentum Jahwes [= Israel] (wieder) segnet?«. Versucht man den Sinngehalt dieses כִּפֶּר von der Finalbestimmung v. 3bβ (»daß ihr das Eigentum Jahwes [wieder] segnet«) her zu erfassen, so scheint er zunächst der Bedeutung von כִּפֶּר in Gen 32,21 (»jemandes Angesicht besänftigen, jmd. [mit sich] versöhnen«) nahezustehen; denn dem בֵּרֵךְ v. 3bβ zufolge will David offenbar die Bedingungen dafür in Erfahrung bringen, »dass wieder normale Beziehungen zwischen den Gibeoniten und Israel eintreten, dass die Gibeoniten Israel wieder ›grüssen‹«[37]. Meint בֵּרֵךְ im vorliegenden Zusammen-

31 S. unten S. 140f.

32 Zur literarischen Problematik der dtr bearbeiteten Nachträge 2Sam 21–24 s. ausführlich *T. Veijola*, Die ewige Dynastie. David und die Entstehung seiner Dynastie nach der dtr Darstellung (STAT 193), Helsinki 1975, S. 106ff.124ff. (zu 2Sam 21,1–14: S. 106ff.115ff.126), vgl. auch *P. J. Kearny*, CBQ 35 (1973), S. 3–19, bes. S. 14ff.; *Smend*, Entstehung, S. 120; *J. Halbe*, VT 25 (1975), S. 613–641, hier: S. 631 Anm. 94.

33 S. dazu *G. Chr. Macholz*, ZAW 84 (1972), S. 157–182, hier: S. 171f.; *J. Blenkinsopp*, Gibeon and Israel. The Role of Gibeon and the Gibeonites in the Political and Religious History of Early Israel, Cambridge 1972, Index S. 145 z.St.; *McKeating*, Homicide, S. 59ff.; *Halbe*, a.a.O., S. 632f.634f.; *Crüsemann*, Königtum, S. 59f.133f.

34 Lies in v. 1b mit LXX בֵּיתֹה »sein Haus«, vgl. BHK^3/S z.St.

35 S. dazu *McKeating*, Homicide, S. 60.

36 Zur finalen Auffassung des Imperativs וּבָרְכוּ v. 3bβ s. GK, § 110i.

37 *G. Wehmeier*, Der Segen im Alten Testament. Eine semasiologische Untersuchung der Wurzel *brk* (ThDiss 6), Basel 1970, S. 155.

hang – dem ursprünglichen Sinn des Grußes gemäß – das Gegenteil von »verwünschen«, nämlich: »jemandem Gutes, Glück, Gedeihen wünschen, jemandem freundlich gesinnt sein, den Friedensgruß entbieten«[38], so ergibt sich für den die Versöhnungsabsicht Davids bekundenden Terminus כִּפֶּר die Bedeutung »jemandem seine Gunst erweisen, jmd. freundlich/gnädig stimmen«.

2. Allerdings geht aus dem in v. 5–9 berichteten Geschehen hervor, daß mit כִּפֶּר in v. 3bα – im Gegensatz zur Bedeutung dieses Terminus in Gen 32,21 – noch etwas anderes gemeint sein muß als ein Gnädigstimmen durch Huldigungsgeschenke. Denn die aus dem Rechtsanspruch auf gesicherte Existenz in Israel sich legitimierende Forderung der Gibeoniten nach Auslieferung von sieben Sauliden zum Zwecke ihrer *rituellen Tötung* – sie werden mit gebrochenen Gliedern »auf dem Berg vor Jahwe« ausgesetzt (v. 9, vgl. v. 6.13)[39] – zeigt, daß diesem Geschehen der Charakter eines zwar rechtsförmigen, den Regeln der Blutrache (Verhältnis der Gegenseitigkeit von Schuld und Strafe) entsprechenden[40], aber die Kategorien eines normalen Vergeltungsaktes dennoch überschreitenden Geschehens zukommt. Beachtet man außerdem, daß die Gibeoniten sich der Möglichkeit, daß ihrem legitimen Rechtsanspruch durch die Annahme einer Geldzahlung (כֶּסֶף וְזָהָב) Genüge getan werden *könnte* (v. 4a), bewußt zu sein scheinen, da sie diese ausdrücklich ablehnen (v. 4a) und – erst nach einer erneuten Frage Davids (v. 4b)! – stattdessen auf dem Vollzug der rituellen Tötung der Sauliden insistieren (v. 5ff.), so ist deutlich, daß in 2Sam 21,1–14 zwei verschiedene Vorstellungszusammenhänge miteinander kombiniert sind[41]: die aus dem Bereich des Rechts kommende Anschauung einer *Schadenersatzleistung durch Geben eines Gegenwertes* (vgl. כֹּפֶר Ex 21,30)[42] und die gleichsam ›sakrale‹ Konzeption einer *Wiedergutmachung von Blutschuld durch die rituelle Tötung der (stellvertretend) Schuldigen*, die – weil David dieser Art von »Sühnung« zustimmen konnte (v. 6b–9aα) – ihrerseits interpretierbar war »as a proper quid pro quo, paid not in money but in blood, by one group to another, as under clan law was customary«[43]. Aus diesem Grunde ist auch der Bedeutungsgehalt von כִּפֶּר v. 3bα nicht auf *einen* Aspekt festzulegen, weil die Frage בַּמָּה אֲכַפֵּר die Gibeoniten vor mehrere Wahlmöglichkeiten stellt: »Womit kann ich (euch) Schadenersatz leisten (d.h.: welche Art von כֹּפֶר ist für euch akzeptabel)?« oder: »Womit kann ich (euch) (rituelle) Sühne schaffen?«. So wird, nimmt man den oben anhand von v. 3bβ (»daß ihr das Eigentum Jahwes segnet«) dargelegten Bedeutungsaspekt von כִּפֶּר v. 3bα (»jemandem seine Gunst erweisen, jmd. freundlich/gnädig stimmen«) noch hinzu, das ›Sühne‹angebot Davids insgesamt als Reverenzerweis gegenüber den Gibeoniten zu verstehen sein

38 Vgl. *Wehmeier*, a.a.O., S. 153ff.; *C. A. Keller*, Art. *brk*, THAT I, Sp. 356f.359ff.

39 Die traditionelle Deutung des Geschehens v. 5ff. als stellvertretendes »Königsopfer« für den »Fruchtbarkeitsgott« (so vor allem *A. S. Kapelrud*, ferner *R. Dussaud*, *H. Cazelles*, *H. W. Hertzberg*, u.a.) stößt auf erhebliche Schwierigkeiten, s. dazu und zum Verständnis von יקע *hif.* »mit gebrochenen Gliedern aussetzen« (2Sam 21,6.9; *hof.*: 2Sam 21,13): *Preiser*, Vergeltung, S. 258ff.; *Wächter*, Tod, S. 162ff.; *Phillips*, Criminal Law, S. 25ff.; *K. Jaroš*, Die Stellung des Elohisten zur kanaanäischen Religion (OBO 4), Freiburg/Schweiz/Göttingen 1974, S. 312f.; *A. Green*, The Role of Human Sacrifice in the Ancient Near East, Missoula/Montana 1975, S. 164ff.; *McKeating*, Homicide, S. 60f.

40 Vgl. *J. Scharbert*, Solidarität in Segen und Fluch im Alten Testament und seiner Umwelt (BBB 14), Bonn 1958, S. 121f.; *Wächter*, a.a.O., S. 164f.; *Phillips*, Criminal Law, S. 84f., u.a. Zum rechtsförmigen Charakter von 2Sam 21,1–14 s. *Macholz*, a.a.O. (oben Anm. 33), S. 171f. In diesem Zusammenhang ist auch zu beachten, daß die Fragen v. 3aβ.b.4b zu den Redeformen der vorgerichtlichen Auseinandersetzung gehören, s. zur Sache *Boecker*, Redeformen, S. 25ff., bes. S. 31ff.

41 Vgl. *McKeating*, Homicide, S. 59ff., bes. S. 61f.

42 S. dazu unten S. 154ff.

43 *McKeating*, Homicide, S. 62.

– aufgrund der mit Gen 32,21 nicht mehr vergleichbaren, singulären Form der Wahrnehmung dieses ›Sühneangebotes‹ (rituelle Tötung der Sauliden als sakralrechtlicher Akt) allerdings als ein »Reverenzerweis« sui generis.

3. Das Verhältnis von v. 3 zu v. 14 ist nicht so zu bestimmen, daß »durch die Tötung der sieben Sauliden . . . David Sühne (erwirkt) und . . . Jahwes Zorn vom Land ab(wendet)«[44]. Denn die (wohl auf den dtr Redaktor zurückgehende) Schlußnotiz וַיֵּעָתֵר אֱלֹהִים לָאָרֶץ אַחֲרֵי־כֵן »und danach ließ sich Gott für das Land gnädig stimmen« (v. 14b, vgl. 2Sam 24,25bα mit Bezug auf den Altarbau und die Opferdarbringung Davids)[45] bezieht sich nicht auf die rituelle Tötung der Sauliden, sondern allein auf die *ehrenvolle Bestattung* ihrer Leichname sowie der Gebeine Sauls und Jonathans im Erbbegräbnisplatz der Saulfamilie. »Über die Entsühnung legt sich die pietas, und entscheidend ist die göttliche Erbarmung«[46].

C) Zusammenfassung

Hat die כִּפֶּר-Aussage *Gen 32,21* ihre Wurzeln vermutlich im Bereich rechtlich-sozialen Lebens und Verhaltens und meint die Wendung כִּפֶּר פָּנִים Gen 32,21bα ein Handeln, das als Reverenzerweis des Untergebenen gegenüber dem sozial oder rechtlich Höhergestellten (Esau als dem Erstgeborenen) geeignet ist, auf diesen zu eigenen Gunsten einzuwirken, ihn für sich einzunehmen, so ist dieser Bereich rechtlich-sozialer Verhaltensformen mit der כִּפֶּר-Aussage *Prov 16,14* zwar verlassen, dennoch meint כִּפֶּר aber auch hier ein Besänftigen, Freundlich- oder Gnädigstimmen des erzürnten menschlichen Gegenübers. Ein ungleich komplexerer Vorstellungszusammenhang ist demgegenüber in *2Sam 21,3* zu erkennen: Während dem unmittelbaren Kontext der Segensaussage v. 3bβ zufolge die כִּפֶּר-Aussage v. 3aα in sachlicher Nähe zu Gen 32,21b steht, wird der Bedeutungsgehalt dieses כִּפֶּר durch die Aspekte: Wiedergutmachung von bestehender Blutschuld durch Geben eines materiellen Gegenwertes (vgl. v. 4) und/oder durch die rituelle Tötung der (stellvertretend) Schuldigen (v. 5ff.) erweitert. Eine wiederum andere כִּפֶּר-Aussage liegt schließlich in *Prov 16,6* vor (Umformung der der prophetischen Überlieferung entstammenden Wendung כִּפֶּר עָוֹן durch weisheitliches Denken)[47]. Keiner dieser כִּפֶּר-Belege ist im kultischen Bereich beheimatet.

Im Blick auf die *weitere Geschichte des alttestamentlichen Sühnebegriffs* ist zu beachten, daß schon in diesen frühen (vorexilischen) כִּפֶּר-Belegen jene Thematik anklingt, die für den כִּפֶּר-Begriff insgesamt konstitutiv ist und die im Zuge seiner Ausgestaltung bis hin zu P, Ez 40–48 und ChrG in vielfältiger Variation und Differenzierung wiederkehrt: Das mit כִּפֶּר beschriebene Handeln oder Geschehen bezeichnet jeweils ein Handeln oder Geschehen in

44 *Maass, kpr,* Sp. 853, vgl. *Thompson,* Penitence, S. 115.

45 Zu 2Sam 24 s. zuletzt *Jeremias,* Reue Gottes, S. 66ff.; *Veijola,* a.a.O. (oben Anm. 32), S. 108ff.; *Rupprecht,* Tempel, S. 5ff.; *ders.,* ZAW 89 (1977), S. 205–214. Zu עתר *nif.* in 2Sam 21,14 und 2Sam 24,25 s. auch *R. Albertz,* Art. *ʿtr,* THAT II, Sp. 385f.

46 *Gese,* Sühne, S. 88.

47 S. dazu unten S. 140f.

exzeptionell kritischer Situation, in der aufgrund moralischer, rechtlicher oder religiöser Verschuldung das *Leben* des einzelnen oder der Gemeinschaft *verwirkt* ist und dieser Sünde-Unheil-Zusammenhang nur durch ein bestimmtes »Sühnehandeln« aufgehoben werden kann:

»Des Königs Grimm – *Todesboten*,
ein weiser Mann besänftigt ihn« (Prov 16,14).

Dritter Abschnitt: Das Sühnehandeln Jahwes – Die Vergebung menschlicher Schuld und die Vergeltung an den Feinden Israels/des einzelnen

A) Das Problem: כִּפֶּר als Terminus für das Vergebungshandeln Jahwes

Mehrere Male dient das Verbum כִּפֶּר im Alten Testament zur Bezeichnung des Eingehens Gottes auf ein menschliches Tun. Je nach Art dieses Tuns ist mit כִּפֶּר (+ Subjekt Gott) ein je verschieden qualifiziertes Handeln Gottes ausgesagt: Meint כִּפֶּר (+ Subjekt Gott) immer ein heilvolles Eingehen auf das Tun des/der Menschen? Wem gilt das göttliche כִּפֶּר-Handeln: Israel, dessen Feinden, einem einzelnen? Die in der bisherigen Forschung auf diese Fragen formulierten Antworten sehen sehr verschieden aus.
Die Differenzen beginnen allerdings schon bei der Frage, welche Belege überhaupt für die Konstruktion כִּפֶּר + Subjekt Gott namhaft zu machen sind. Während beispielsweise *J. J. Stamm* insgesamt 9 Belege anführt[48], sind es nach *F. Maass* nur 7[49], nach *K. Elliger* dagegen 15[50]. Dabei besteht jenseits aller sonstigen Interpretationsunterschiede aber darin Einigkeit, daß כִּפֶּר zumindest an den drei Psalmstellen Ps 65,4; 78,38; 79,9 sinngemäß mit »vergeben« zu übersetzen ist: »Wenn Jahwe selber Sühne schafft, oder etwas als gesühnt ansieht, so heißt das, daß er Versöhnung gewährt. Ver-

48 Jes 22,14; Ez 16,63; Ps 65,4; 78,38; 79,9; 2Chr 30,18, ferner Dtn 21,8a; 32,43; Jer 18,23: Erlösen, S. 59f., vgl. *ders.*, *slḥ*, Sp. 153 und die unterschiedlichen Nennungen bei *Gerber*, Verba denominativa, S. 187f. (14 Belege), *Herrmann, hilaskomai*, S. 304 (5 Belege + 3 »unsichere« Belege, ebd. Anm. 19), *Koch*, Sühneanschauung, S. 66f. (8 Belege, anders *ders.*, Sinaigesetzgebung, S. 47 Anm. 3: 7 Belege), *Garnet*, Atonement Constructions, S. 134ff., *ders.*, Salvation, S. 127ff. (10 Belege), u.a.
49 Ex 32,30; Dtn 32,43; Jes 27,9; Ps 65,4; 78,38; 79,9; Dan 9,24: *kpr*, Sp. 851f. (Jes 28,18 wird als textlich unsicher ausgeklammert).
50 Dtn 21,8a; 32,43; Jer 18,23; Ez 16,63; Ps 65,4; 78,38; 79,9; Dan 9,24; 2Chr 30,18; pass.: Dtn 21,8b; 1Sam 3,14; Jes 6,7; 22,14; 27,9 »und wohl auch Nu 35,33« (Leviticus, S. 71 Anm. 23).

söhnung aus freier Gnade, ohne Mitwirkung eines Opfers oder einer sonstigen Zeremonie, geschenkt, ist aber wesensgleich mit Vergebung«[51]. Aber wiederum: Was heißt in diesen Fällen »Vergebung« und »Versöhnung«? Wem wird sie zuteil? Wer erbittet sie, und warum wird sie erbeten? Läßt sich gar ein kultischer Haftpunkt der jeweiligen Vergebungsaussage erkennen? Und schließlich: Was bedeutet כִּפֶּר (+ Subjekt Gott) an den Stellen, an denen – wie etwa in Dtn 32,43 – die Übersetzung »vergeben« nicht so auf der Hand liegt wie in Ps 65,4; 78,38 und 79,9?

B) Das Vergeben Jahwes zwischen Gericht und Heil – כִּפֶּר im prophetischen und apokalyptischen Schrifttum

I. Negation der Vergebung und Vergebung als eschatologisches Gericht/Heil

1. Jes 22,14

Als Zeugnis der Auseinandersetzung Jesajas mit seinen Gegnern hinsichtlich einer historisch genau fixierbaren Situation, nämlich des Abzuges der Truppen Sanheribs von Jerusalem 701 v.Chr., ist hier zunächst das zu den vermutlich letzten Worten des Propheten zählende Stück Jes 22,1–14[52] zu berücksichtigen. Gattungsmäßig ist Jes 22,1–14 eine *begründete Unheilsankündigung* mit Aufweis der Schuld (Prophetenrede v. 1–13) und Ankündigung der Unvergebbarkeit dieser Schuld (Jahwerede v. 14a.bα)[53]. Daß zwischen Schuldaufweis v. 1–13 und Unheilsankündigung v. 14a.bα ein expliziter Bezug besteht, geht – abgesehen von der auf ein Begründungsverhältnis zwischen v. 1–13 und v. 14a.bα zielenden formalen Struktur der Einleitungswendung v. 14a – auch aus der Formulierung הֶעָוֹן הַזֶּה *»diese* Schuld« (v. 14bα) hervor. Worin besteht dieser עָוֹן?
Dem Rückblick v. 5–8a zufolge hat Jesaja die Einschließung Jerusalems durch die assyrischen Truppen als Hereinbrechen des »Tages Jahwes« erlebt (v. 5a), d.h. als Tag des Unheils, das *Jahwe* »gemacht« und »von fern her gebildet« hat (v. 11b). Die angemessene Reaktion auf dieses Handeln Jahwes wäre ›rituelle Untergangstrauer‹ gewesen, zu der Jahwe »an jenem Tag«

51 *Stamm*, Erlösen, S. 59 (im Anschluß an *Köhler*, Theologie, S. 203f.205), zustimmend *Maass*, *kpr*, Sp. 852, vgl. auch *Herrmann*, *hilaskomai*, S. 304; KBL³, S. 471 s.v. I כפר *pi*. 3b.
52 Zur Jesajanität und literarischen Einheitlichkeit von Jes 22,1–14 s. zuletzt *H. Wildberger*, BK X/2 (1978), S. 809ff., ferner *Hoffmann*, Intention, S. 49ff.56ff.; *Huber*, a.a.O. (oben Prolegomena Anm. 58), S. 23f.38ff.; *Dietrich*, Jesaja, bes. S. 193ff., vgl. S. 108.158.240 u.ö.; *Chr. Hardmeier*, Texttheorie und biblische Exegese. Zur rhetorischen Funktion der Trauermetaphorik in der Prophetie (BEvTh 79), München 1978, S. 362ff. Anders zuletzt *O. Kaiser*, ATD XVIII (1973), S. 111ff., der lediglich v. 1b–4.12–14 als jesajanisch betrachtet, das Mittelstück v. 5–11 dagegen für eine mehrschichtige Ergänzung aus späterer Zeit hält, s. dazu die in der genannten Lit. geführte Einzeldiskussion; vgl. zur Gesamtauslegung auch *Donner*, Israel, S. 126ff.

aufrief (v. 12) und wie sie der Prophet vollzieht (v. 4)[54], nicht dagegen Verteidigungsmaßnahmen, in die sich die Stadtbevölkerung stürzt, ohne auf den *eigentlichen* Urheber der Bedrängnis zu blicken (v. 8b–11). Diese durch die Verteidigungsmaßnahmen gegen die Assyrer überspielte und nach deren Abzug durch Jubel und Freude (v. 1b–2a.13) verdrängte Einsicht in *Jahwes* Unheilswerk (v. 11b) ist die Schuld Jerusalems und zugleich der Grund für das unbezweifelbar gewisse, eidlich verbürgte (Schwursatz v. 14bα!) Ende der Geschichte Jahwes mit seinem Volk:

»Doch[55] in meinen Ohren hat sich Jahwe Zebaoth offenbart:
›Wahrlich, nicht wird euch[56] diese Schuld vergeben,
bis ihr tot seid!‹ (אִם־יְכֻפַּר הֶעָוֹן הַזֶּה לָכֶם עַד־תְּמֻתוּן)« (v. 14a.bα)

In kaum zu überbietender Schärfe wird dem »carpe diem!«, dem vordergründigen Jubel über das Heute angesichts einer ungewissen Zukunft (»Laßt uns essen und trinken, denn morgen sind wir tot!« [v. 13]), das Gerichtshandeln Jahwes angesagt: Ein Leben ohne Vergebung Gottes ist ein Leben unter dem Gericht, das ein Gericht zum Tode ist[57]. Die *Negation der Vergebung* ist reale *Todesdrohung*[58].

2. Jes 27,9 und Ez 16,63

Neben Jes 22,14 ist hier ein weiterer Beleg für die Wendung כִּפֶּר עָוֹן in einer prophetischen Unheilsankündigung zu beachten, der dem Verständnis von jeher große Schwierigkeiten bereitet hat: Jes 27,9. In der vierten, von der

53 Die in LXX[h] fehlende abschließende Botenspruchformel ist wohl zu streichen, zur Begründung s. *Dietrich*, a.a.O., S. 196 Anm. 332, vgl. *Donner*, a.a.O., S. 128; *Wildberger*, a.a.O., S. 809; anders z.B. *Hardmeier*, a.a.O., S. 365.

54 S. zu diesem Aspekt besonders *Hardmeier*, a.a.O., S. 362ff.

55 Die die Unheilsankündigung v. 14bα einleitende Offenbarungsformel נִגְלָה בְאָזְנָי יְהוָה צְבָאוֹת v. 14a steht formal und inhaltlich der in prophetischen Unheilsankündigungen zuweilen begegnenden Schwurformel נִשְׁבַּע בְּאָזְנַי י״י (z.B. Am 4,2; 6,8; 8,7) nahe, s. dazu *Wildberger*, a.a.O., S. 828f.; *L. Markert*, Struktur und Bezeichnung des Scheltworts. Eine gattungskritische Studie anhand des Amosbuches (BZAW 140), Berlin/New York 1977, S. 209. Diese durch einen Schwursatz mit negativem Schwurinhalt fortgesetzte Offenbarungsformel leitet eine Einheit ein (v. 14a.bα), in der der Kopula וְ im Verhältnis zum Vorhergehenden die Funktion einer Begründung zukommt (vgl. Am 6,8); man wird dieses וְ deshalb als ursprünglich zu belassen haben, vgl. *Wildberger*, a.a.O., S. 808f.; *Markert*, a.a.O., S. 209 mit Anm. 27; eine Streichung wird beispielsweise von *Donner*, Israel, S. 128 erwogen.

56 Mit 1QIs[a] ist לָכֶם hinter יְכֻפַּר zu stellen.

57 Aus *G. Fohrers* Übersetzung von v. 14b (»Ihr werdet diese Sünde mit dem Tode büßen müssen« [Die Propheten des Alten Testaments, Bd. 1, Gütersloh 1974, S. 157]) könnte der Schluß gezogen werden, der Tod sei hier als Sühne(= Buß)mittel verstanden. Gemeint ist mit der Formulierung עַד־תְּמֻתוּן »bis ihr tot seid« aber: »solange ihr lebt« gibt es für euch keine göttliche Vergebung, bis zu eurem Tode nicht!, vgl. *Wildberger*, a.a.O., S. 829.

58 Zu dem vergleichbaren, von Jes 22,14bα aber dennoch unterschiedenen Schwursatz 1Sam 3,14 s. unten S. 135ff.

endzeitlichen Sühnung der Schuld Jakobs handelnden Prophetie über die jahwefeindliche Stadt (Jes 27,6–11)[59] stellt der spätnachexilische Prophet[60] »das Wesen des mit dem Weinberg versinnbildlichten endzeitlichen Israel im Lichte seiner Vergangenheit als an seinem Gott schuldig gewordenes Volk«[61] dar, dessen Schuld gesühnt und dessen Sünde entfernt werden wird:

»Darum wird *darin* die Schuld Jakobs gesühnt (יְכֻפַּר עֲוֹן־יַעֲקֹב), und ist *das* die ganze Frucht der Tilgung (סור *hif.*inf.cstr.) seiner Sünde, daß *er* (sc. Jahwe) machen wird alle Altarsteine wie Kalksteine, die zertrümmert sind: nicht werden wieder erstehen Ascheren und Räucheraltäre« (v. 9).

Sühnung der Schuld Jakobs – durch ein *Gerichtshandeln* Gottes an seinem Volk? War nicht in Jes 22,14 die *Negation der Vergebung* als ein Gerichtshandeln Jahwes bestimmt worden, und wäre das nicht auch die für Jes 27,9 zu erwartende Aussageintention? Oder sollte man, da doch ein endzeitlicher *Heils*zustand im Blick ist (v. 6!), nicht wenigstens erwarten, daß »*Jakob* seine Altäre vernichtet und eben damit seine Schuld wiedergutmacht«[62]? Hält man sich allerdings an die überlieferte, durch Eingriffe kaum zu verändernde Textgestalt von Jes 27,6–11[63], so wird dem Sachverhalt Rechnung zu tragen sein, daß dem Aussagezusammenhang v. 6 + 9b zufolge Israel ein *endzeitlicher Heilszustand durch ein Gerichtshandeln Jahwes* angekündigt wird: *Dadurch* wird in den »kommenden Tagen« Jakob-Israel (v. 6aα//β) Wurzeln schlagen – aufblühen – das Antlitz der Erde mit seiner Frucht füllen (v. 6), daß *Jahwe* seine widergöttlichen Kultstätten und Götzenbilder zertrümmert (v. 9b); *darin* (בְּזֹאת) besteht die Sühnung der Schuld Jakobs

59 S. dazu zuletzt *Wildberger*, a.a.O., S. 1013ff. (mit der älteren Lit. S. 885). Eine u.E. überzeugende Deutung dieses schwierigen Textes, der beim Lesen in der Tat zunächst »einen dunklen und holprigen Eindruck« hinterläßt (*O. Kaiser*, ATD XVIII [1973], S. 181), hat jüngst *R. Hanhart* vorgelegt in: Beiträge zur Alttestamentlichen Theologie (FS *W. Zimmerli*), hrsg. von *H. Donner*, *R. Hanhart* und *R. Smend*, Göttingen 1977, S. 152–163. Zur zeitlichen Einordnung und zur literarischen Problematik der »Jesaja-Apokalypse« Jes 24–27 s. jetzt ausführlich *Wildberger*, a.a.O., S. 892ff.905ff. Zur Frage der literarischen und thematischen Zusammengehörigkeit der Lieder über die (jahwe)feindliche Stadt Jes 24,10–12; 25,1–5; 26,1–6 und 27,6–11 s. *ders.*, a.a.O., S. 904.926ff.951ff.975ff.1013ff. und besonders *Hanhart*, a.a.O., S. 152f.159ff.

60 Zur Datierung s. *Wildberger*, a.a.O., S. 905ff., vgl. S. 904.911.1017f.; *Hanhart*, a.a.O., S. 160 Anm. 16.

61 *Hanhart*, a.a.O., S. 153.

62 *Wildberger*, a.a.O., S. 1015 (H. v. uns). In Bejahung dieser Frage bezieht *Wildberger* denn auch das Personalsuffix von בְּשׂוּמוֹ v. 9bα auf Jakob v. 9a als Subjekt (so auch *G. Fohrer*, Das Buch Jesaja, 2. Band Kap. 24–39, Zürich/Stuttgart 1962, S. 39.41), weil er, wie schon andere Ausleger vor ihm, unter »Jakob« die ehemaligen Bewohner des Nordreichs versteht und in der »Stadt« (v. 10f.) Samaria sieht (a.a.O., S. 1015ff.1018ff.1021, vgl. auch *Plöger*, Theokratie, S. 91; *Fohrer*, a.a.O., S. 41; *O. Kaiser*, ATD XVIII [1973], S. 182f., u.a.). Demgegenüber kann nach *Hanharts* überzeugender Analyse (a.a.O., S. 153ff.) mit »Jakob-Israel« nur das geschichtliche Israel (der hellenistischen Zeit) und mit der »Stadt« nur Jerusalem gemeint sein.

63 S. dazu *Hanhart*, a.a.O., S. 153ff. und *Wildberger*, a.a.O., S. 1013f.

und die Tilgung seiner Sünde (v. 9a), daß *Jahwe* so an seinem Volk handelt (. . . בְּשׂוּמוֹ v. 9b)[64]. Ist dieses Gericht im Blick auf v. 6 für Israel ein »Gericht zum Leben«[65], so im Blick auf die Vernichtung der befestigten Stadt Jerusalem mit ihren Kultstätten und Götzenbildern (v. 8. 10–11a) aber »eine drohende und anklagende Erinnerung daran, daß das Leiden, das Jahwe über Israel bringt, angesichts von Jahwes besonderer Zuwendung zu Israel und von Israels besonderer Schuld, ein Leiden von besonderer Tiefe und Schwere ist«[66] – aber eben aufgrund dieses in Zuwendung wie Gericht sich erweisenden besonderen Verhältnisses Jahwes zu Israel dennoch ein Leiden, das Israel Raum für Hoffnung und Trost gibt. Denn durch das Gericht Jahwes, das sich in der Vernichtung der fremden Kultstätten und Götzenbilder ereignet (v. 9b) und das seinen Grund darin hat, daß Israel ein »Volk ohne Einsicht« (לֹא עַם־בִּינוֹת) ist, dessen sich Jahwe nicht erbarmt (רחם *pi.*) und dem er sich nicht gnädig erweist (חָנַן [v. 11b]), steht eben auch diese Uneinsichtigkeit Israels unter dem Gericht, das gerade darum der Anfang eines neuen Gottesverhältnisses ist[67]. So wird Israel am Ende der Zeit durch die harte Sühnung seiner Schuld, die das Ende seiner geschichtlichen Existenz heraufführt, zur Erkenntnis seiner selbst als eines von Jahwe abgekehrten Volkes und – nur so und nicht anders – darin zu einem neuen Anfang der Hinwendung zu seinem Schöpfer geführt, der sich seiner wieder gnädig annimmt und ihm ein blühendes Leben (v. 6) als Israel coram Deo ermöglicht. So verschieden der Aussagegehalt der beiden כִּפֶּר-Belege Jes 22,14 und Jes 27,9 auch ist – beide Stellen zeigen Israels Glauben daran, daß sich Jahwe, sein Gott, in Gericht und Gnade an ihm erweist als der, als der er seinem Volk in geschichtlicher Begegnung offenbar geworden ist.

Von diesem Grundgedanken ist auch die der Ezechielschule entstammende *Heilsankündigung* über Juda-Jerusalem Ez 16,59–63[68] geprägt. Der Hauptakzent dieses Textes liegt auf dem gnadenvollen »Gedenken« (זָכַר) Jahwes (v. 60a), durch das Jerusalem zum rechten »Gedenken« (v. 61.63) gebracht werden soll: Der Rede vom Heilshandeln Jahwes ist in v. 59aβ.b kontrastierend die Erinnerung an sein Strafhandeln vorangestellt, das in der Treulosigkeit Jerusalems gegenüber dem Gottesbund begründet ist. Dieses überraschende Heilshandeln Jahwes beinhaltet, daß Jahwe im Gedenken an seine Zusage (בְּרִית) gegenüber dem »Mädchen« Jerusalem (Aufnahme von v. 8) eine »immer gültige Zusage« (בְּרִית עוֹלָם) aufrichten wird (v. 60.62a), die das

64 Zur Aufnahme eines בְּזֹאת durch בְּ + inf.cstr. s. Gen 34,22; 1Sam 11,2, vgl. Gen 34,15, u.a.

65 *Hanhart*, a.a.O., S. 154.

66 *Ders.*, ebd.

67 Zu der dieser Wendung zugrundeliegenden Tradition s. *Hanhart*, a.a.O., S. 161 Anm. 18; *Wildberger*, a.a.O., S. 1020f. und ausführlicher *G. Braulik*, in: Studien zum Pentateuch (FS *W. Kornfeld*), hrsg. von *G. Braulik*, Wien/Freiburg/Basel 1977, S. 165–195, hier: S. 174ff.

68 Zur literarischen Problematik und zur zeitlichen Ansetzung dieses Nachtrags s. *W. Zimmerli*, BK XIII/1 (1969), S. 341f.369ff.; *ders.*, Ezechiel. Gestalt und Botschaft (BSt 62), Neukirchen-Vluyn 1972, S. 77.90.116; *J. Garscha*, Studien zum Ezechielbuch. Eine redaktionskritische Untersuchung von 1–39, Bern/Frankfurt 1974, S. 279.308; vgl. auch *H. Graf Reventlow*, Wächter über Israel. Ezechiel und seine Tradition (BZAW 82), Berlin 1962, S. 88ff., u.a.

»Weib« Jerusalem zu einer doppelten Erkenntnis führen soll: durch das von Scham (כלם *nif.*, בוש, כְּלִמָּה) getragene Gedenken an seinen ungehorsamen Wandel (v. 61aα.63a) zur *Selbsterkenntnis*, die als Wirkung des Heilshandelns Gottes (: der Aufrichtung seiner בְּרִית עוֹלָם v. 60b.62a) der *Erkenntnis Jahwes* (v. 62b) parallel läuft[69]. Zwar hat in der verheißenen Zukunft die Erinnerung an den vergangenen ungehorsamen Wandel keine bestimmende Macht mehr über Juda-Jerusalem, aber »die verfehlte Vergangenheit bleibt in der von der Gnade Gottes bestimmten Zukunft des Volkes im Gefühl der Scham gegenwärtig«[70]. Die bewußte Absage an die Vergangenheit, die positiv Erkenntnis Jahwes ist, eröffnet die Möglichkeit, das in der Aufrichtung eines neuen Bundes sich konkretisierende Heilshandeln Gottes als *Vergebung der vergangenen Schuld* zu erfahren (כָּל־אֲשֶׁר עָשִׂית v. 63bα ist Aufnahme von כַּאֲשֶׁר עָשִׂית v. 59aβ [mit der Explikation v. 59b]). Durch Aufrichtung der neuen, ewigen בְּרִית, die die Zeit des Gerichts (d.h. des Exils) beendet, schafft Gott Sühne für das bundesbrüchige Volk: »(62) Und ich richte meinen Bund mit dir auf, und du sollst erkennen, daß ich Jahwe bin, (63) damit (לְמַעַן!) du daran denkst und beschämt seist und den Mund wegen deiner Beschämung nicht mehr auftust, wenn ich dir Sühne schaffe (בְּכַפְּרִי־לָךְ) für alles, was du getan hast, spricht ‹ der Herr › Jahwe«.

3. Dan 9,24

»Auf seiten der ältesten Tradenten apokalyptischen Grundwissens wird die ›dualistische Konzeption der Geschichte‹ keineswegs von der Absicht getragen, die Geschichte diesseits des Gerichts durch einen ›fatalistischen Dualismus‹ zum Stillstand zu bringen. Worum es geht, ist das exakte Gegenteil: Durch einen grundstürzenden und universal wirksamen Eingriff Gottes soll die Geschichte jenseits des Gerichts neu in Bewegung versetzt werden. (. . .) Das einzige, woran sich ›Israel‹ noch halten kann, ist ein gänzlich neu ansetzendes Erlösungshandeln Gottes . . .«[71]. Im Danielbuch kommt diese Hoffnung auf einen gottgewirkten Fortgang der Geschichte jenseits des Gerichts in Daniels Nachdenken (Dan 9,2) über das Jeremia-Wort von den 70 Jahren (Jer 25,11; 29,10) und dessen zahlensymbolischer Deutung (auf die »70 Jahrwochen«) durch den *angelus interpres* Gabriel Dan 9,24ff.[72] zum Ausdruck. Die Grundfrage, die der Apokalyptiker aufgrund der Notsitua-

69 Zur Herausarbeitung dieses Sachverhalts s. vor allem *Schottroff*, Gedenken, S. 151f.

70 *Schottroff*, a.a.O., S. 152.

71 *K. Müller*, Art. Apokalyptik/Apokalypsen III, TRE III, S. 202–251, hier: S. 226, vgl. zur Sache auch *Gese*, Apokalyptik (passim); *R. Hanhart*, in: Wort, Lied und Gottesspruch (FS *J. Ziegler* [FzB 1]), hrsg. von *J. Schreiner*, Würzburg 1972, S. 49–58 und zusammenfassend zur Frage des Verhältnisses der Apokalyptik zur Prophetie und zur Weisheit *Zimmerli*, Theologie, S. 202ff.; *Kaiser*, Einleitung, S. 283ff.; *K. Koch* (u.a.), Das Buch Daniel (EdF 144), Darmstadt 1980, S. 158ff.

72 Zum zahlensymbolischen Charakter der 70 Jahrwochen s. *O. Plöger*, KAT XVIII (1965), S. 139ff., ferner *R. Hanhart, in: A. Jepsen – R. Hanhart*, Untersuchungen zur israelitisch-jüdischen Chronologie (BZAW 88), Berlin 1964, S. 84 Anm. 44; *ders.*, Drei Studien zum Judentum (TEH 140), München 1967, S. 14ff; *Koch*, a.a.O., S. 149ff.; *ders.*, VT 28 (1978), S. 433–441; *O. H. Steck*, in: Kirche (FS *G. Bornkamm*), hrsg. von *D. Lührmann – G. Strecker*, Tübingen 1980, S. 53–78, hier: S. 68ff. und zur Traditionsgeschichte der 70 Jahre (Jer 25,11; 29,10 und Sach 1,12) *Jeremias*, Nachtgesichte, S. 130ff.

tion der Religionsverfolgung unter Antiochus IV. Epiphanes (Sept. 175 – Dez. 164 v.Chr.)[73] im Blick auf die mit der Wiederherstellung des geschändeten Tempels identische Zeit der Erlösung und Gottesgerechtigkeit stellt, lautet nicht: »›Warum die Not‹?, sondern: ›Wie lange (עד מתי) dauert es‹, bis das im Gesicht geschaute Unheil vorbei, das wunderbare Neue da ist? (8,13; 12,6)«[74]. Obwohl diese Frage in dem (authentischen) großen Bußgebet Dan 9,4–19.20[75] nicht expressis verbis gestellt wird, ist sie, wie die eindringlichen Bitten um Vergebung der Schuld und um erneute Zuwendung Gottes zu seinem (noch verwüsteten) Heiligtum zeigen (Dan 9,16–19), dennoch präsent, so daß man die in v. 24ff. geschaute Wende zum Neuen »als den ersten Erweis der göttlichen Barmherzigkeit verstehen . . . (kann), an die im Gebet appelliert worden ist«[76].

Daß – als Inhalt der apokalyptischen Enthüllung – das *Ende* der vergangenen wie gegenwärtigen Notsituation zugleich die *Wende* zu der von Gott heraufgeführten Heilszeit ist, auf die der Apokalyptiker harrt, geht auch in formal stringenter Weise aus dem der Deuterede Gabriels Dan 9,25–27 vorangestellten Summarium Dan 9,24 hervor:

> »Siebzig Jahrwochen sind bestimmt über dein Volk und über deine heilige Stadt, um[77] auszutilgen[78] den Frevel und zu versiegeln[79] die Sünde[80] und zu sühnen die Schuld und um zu bringen ewige Gerechtigkeit und zu versiegeln Gesicht und Prophet[81] und zu salben Hochheiliges«.

73 Zu den chronologischen Fragen s. besonders *Hanhart*, a.a.O. (»Untersuchungen«), S. 83f. mit Anm. 44; *ders.*, a.a.O. (»Studien«), S. 14ff. Zum König Antiochus im Danielbuch zuletzt *J. C. H. Lebram*, VT 25 (1975), S. 737–772; *Koch*, a.a.O., S. 269 s.v.; *Steck*, a.a.O., S. 62ff.

74 *Zimmerli*, Theologie, S. 206, vgl. S. 207ff.209.

75 S. dazu *O. Plöger*, KAT XVIII (1965), S. 137ff.; *Zimmerli*, a.a.O., S. 206f.; *ders.*, in: Rechtfertigung (FS *E. Käsemann*), hrsg. von *J. Friedrich*, *W. Pöhlmann* und *P. Stuhlmacher*, Tübingen 1976, S. 575–592, hier: S. 585 mit Anm. 26; *A. Lacocque*, HUCA 47 (1976), S. 119–142. Zur dtr Prägung von Dan 9,4ff. s. besonders *Steck*, Israel, S. 113ff.121ff.131.; *ders.*, a.a.O., S. 72ff.

76 *Plöger*, a.a.O., S. 139.

77 Zur finalen Auffassung von לְ s. *Plöger*, a.a.O., S. 134; *A. Lacocque*, CAT XVb (1976), S. 139; temporal (»bis«) übersetzen *A. Bentzen*, HAT I/19 (1952), S. 66; *Koch*, Sühneanschauung, S. 98, u.a.

78 Das K[e]tîb כַּלֵּא (inf. *pi.* eines II כלא) ist sekundäre Nebenform von I כלה mit der (für I כלה *pi.* kennzeichnenden) Bedeutungsauffächerung: »zum Abschluß bringen, vollenden → (einer Sache/einem Vorgang) ein Ende machen, beendigen« (s. dazu *G. Gerleman*, Art. *klh*, THAT I, Sp. 831ff.). Der neutrale Begriff des »Abschließens« gewinnt je nach Kontext und Bezugswort einen positiven oder negativen Aspekt; mit פֶּשַׁע als Objekt bedeutet dieses כלה »dem Frevel ein Ende bereiten > den Frevel vernichten, austilgen«, vgl. KBL[3], S. 455 s.v. I כלה *pi.* 4c. Grundsätzlich möglich bleibt auch das semasiologisch verwandte I כלא, s. *Plöger*, a.a.O., S. 134. Die von *Plöger* (a.a.O., S. 132) für (II) כלא gewählte Übersetzung »vollmachen« hat ihren Grund in der Annahme, daß die drei Infinitive לְכַלֵּא, לַחְתֹּם, לְכַפֵּר »eine leichte Abfolge verraten: ist das Maß des Frevels voll, kann die Sünde versiegelt und dann die Schuld weggeschafft werden« (a.a.O., S. 134, vgl. S. 140 und *A. Bentzen*, a.a.O., S. 66). Aber sowenig hier vom »Bedecken« der Schuld (so übersetzt *Plöger*, a.a.O., S. 132 den Ausdruck כִּפֶּר עָוֺן) die Rede ist, sowenig liegt hier – entgegen Dan 8,23 (תמם *hif.*) – die Anschauung vom »Vollmachen« des Maßes des Frevels vor; auch das »Versiegeln« (חָתַם) der Sünde meint nicht das konkrete Verschließen und

In zwei parallelen Aussagereihen mit je drei synonymen Gliedern wird das Ende der Gerichtszeit (לְכַפֵּר עָוֹן/לַחְתֹּם הַחַטָּאת/לְכַלֵּא הַפֶּשַׁע) und der Beginn der Heilszeit (לִמְשֹׁחַ קֹדֶשׁ קָדָשִׁים/לַחְתֹּם חָזוֹן וְנָבִיא/לְהָבִיא צֶדֶק עֹלָמִים) geschildert[82]. Dabei ist es für das Verständnis des hier beschriebenen Vorgangs konstitutiv, daß jener negative[83] und dieser positive Aspekt des göttlichen Handelns nicht auseinanderdividiert werden, sondern als zusammengehörige Aspekte ein und desselben Handelns erscheinen: Erst mit dem Ende der Gerichtszeit wird die Heilszeit heraufgeführt, die identisch ist mit dem Kommen ewiger Gottesgerechtigkeit, der »Versiegelung« von Gesicht und Prophet (prophetische Schau)[84] und der »Salbung« (d.h. Wiedereinweihung) des Jerusalemer Heiligtums[85]. Da die der Heilszeit und damit dem Ende der 70 Jahrwochen vorangehende Zeit als Zeitraum des זַעַם (Dan 8,19; 11,36), d.h. als Zeit des Zornes Gottes über die Sünden seines Volkes Israel, bestimmt wird, bedeutet die Wende vom Gericht zum Heil nicht nur die Beseitigung des vom »Frevelkönig« (als dem letzten Glied in einer Reihe von vier Weltreichen) ausgehenden Unheils[86], sondern eben auch die Vergebung der Schuld der Vergangenheit, die die Ursache des göttlichen Zornes

Aufbewahren des Verschlossenen in einem Behälter, sondern – im *Bild* einer »Versiegelung« veranschaulicht – den rechtswirksamen Akt des Wegschließens, Abtuns der Sünde, vgl. *B. Otzen*, Art. *ḥtm*, ThWAT III, Sp. 286f., vgl. Sp. 284ff. Daher verraten jene drei Infinitive u.E. nicht »eine leichte Abfolge«, sondern sie sind synonyme Ausdrücke für den *einen* Gedanken des Abtuns und der Vergebung der Schuld durch Gott.

79 Wir lesen wiederum das K^e^tîb לַחְתֹּם »um zu versiegeln«, vgl. *Plöger*, a.a.O., S. 132; *Bentzen*, a.a.O., S. 66; *Otzen*, a.a.O., Sp. 286f.; *M. Delcor*, Le livre de Daniel (SB), Paris 1971, S. 202. Das Q^e^rê (לְהָתֵם »um vollzumachen«, vgl. Dan 8,23) bevorzugen *Koch*, Sühneanschauung, S. 98; *ders.*, Art. *ḥtm*, THAT II, Sp. 1047; *A. Lacocque*, CAT XVb (1976), S. 139.143; *Steck*, a.a.O. (oben Anm. 72), S. 69 Anm. 70. Wie bei dem vorhergehenden Infinitiv (K^e^tîb לְכַלֵּא) wird das K^e^tîb לַחְתֹּם von *Koch* mit der Begründung abgelehnt, es sei »Korrektur aus einer Zeit, die die Auffassung von schicksalswirkender Tat nicht mehr verstand« (a.a.O., S. 98 Anm. 1).

80 Wegen der singularischen Parallelausdrücke ist das Q^e^rê חַטָּאת zu lesen.

81 Zur Versiegelung von »Gesicht und Prophet« in dem Sinne, daß der frühere prophetische Offenbarungsempfang durch die eschatologische Erfüllung seine bindende Bestätigung erhält, s. *Otzen*, a.a.O. (oben Anm. 78), Sp. 287f.

82 Zur nachexilischen Verwendung von צְדָקָה/צֶדֶק s. *F. Crüsemann*, EvTh 36 (1976), S. 427–450, hier: S. 446ff. Zu der Frage, ob die hier vorliegende Sühnung auch eine Gerechtmachung, eine »Rechtfertigung des Gottlosen« einschließt, s. die Erwägungen von *Zimmerli*, a.a.O. (oben Anm. 75), S. 584ff.

83 Dieser Aspekt ist deswegen negativ, weil das als כִּלֵּא, חָתַם und כִּפֶּר bestimmte Handeln Jahwes auf die negativ qualifizierte Trias עָוֹן-חַטָּאת-פֶּשַׁע bezogen ist. Als ein dem Heilshandeln korrespondierendes Gerichtshandeln, das die Zeit des Zornes Gottes durch Vergebung der in ihr begangenen Sünden (vgl. v.4–20!) beendet, ist dieses Handeln – weil die menschliche Sünde und Schuld überwindend – ein positives Tun Gottes, auf dessen Verwirklichung der Apokalyptiker hofft, s. dazu jetzt *Steck*, a.a.O. (oben Anm. 72), S. 69ff.

84 Vgl. oben Anm. 81.

85 Zur Rolle des Tempels in der Daniel-Apokalypse s. *Janssen*, a.a.O., S. 52ff.; *Zimmerli*, Theologie, S. 210 und *Jeremias*, Nachtgesichte, S. 144ff.

86 S. dazu *Jeremias*, a.a.O., S. 143f. und zu den vier Weltreichen jetzt *K. Koch* (u.a.), Das Buch Daniel (EdF 144), Darmstadt 1980, S. 182ff.

ist[87]. So läßt sich die in Dan 9,24ff. geschaute und vom *angelus interpres* auf das Ende der Gerichtszeit Gottes gedeutete Wende zum Neuen verstehen als Erweis der göttlichen Barmherzigkeit und Vergebung, um die der Apokalyptiker für sich und für sein Volk bittet (Dan 9,4–19.20).

II. Sühnegeschehen und Jahwevision: Jes 6,7

Zu dem Text (Jes 22,1–14) zurückkehrend, von dem wir ausgingen[88], bleibt abschließend zu erörtern, wie die dort als Todesdrohung qualifizierte Negation der Vergebung (Jes 22,14) sich in das Bild eines Propheten einfügt, der den – in Begrifflichkeit und Intention u.a. auf Jes 22,1–14 vorausweisenden[89] – Verstockungsauftrag erhält (Jes 6,9f.), dem selber aber die Zuwendung göttlicher Vergebung vor dieser Beauftragung zuteil wird (Jes 6,5–7). Nach den das visionäre Erleben Jesajas ausdrückenden Verben: רָאָה v. 1aβ – אָמַר v. 5a – שָׁמַע v. 8a läßt sich Jes 6,1–11[90] in drei Abschnitte gliedern: v. 1–4; v. 5–7 und v. 8–11[91]. Die Frage, warum Jesaja auf das in v. 1–4 Geschaute so reagiert, daß er sich als »unrein an Lippen inmitten eines Volkes mit unreinen Lippen« bekennt (v. 5), ist sachgemäß nur unter Beachtung des außergewöhnlichen Inhalts der Vision zu beantworten. Was aber ist deren Inhalt?

87 Vgl. *Zimmerli*, Theologie, S. 208; *Steck*, a.a.O. (oben Anm. 72), S. 65ff. In dem Sündenbekenntnis Dan 9,4–15 (formal eine Klage des Volkes) wird die Abkehr von Jahwe mit der negierten חִלָּה פָּנִים-Aussage formuliert (v. 13b). Nach *A. Lacocque* zeigt dieser Ausdruck, »that we are in a context of atonement. The oldest understanding of ›kuppurim‹, as a matter of fact, is a process of appeasing the wrath of God by the performance of a spiritual act which placates Him . . .« (HUCA 47 [1976], S. 119–142, hier: S. 137, mit Hinweis auf den – hier überhaupt nicht passenden – Text 1Sam 26,19). Der Wert, den dieses sogenannte »matter of fact« für das Verständnis von כִּפֶּר besitzt, wird an der Kommentierung der Wendung לְכַפֵּר עָוֹן Dan 9,24 durch denselben Autor deutlich: »Nous adoptons l'explication très simple de McNamara: ›Pour apaiser Dieu offensé par le péché« (CAT XVb [1976], S. 142). Demnach versteht *Lacocque* Jahwe als *Empfänger* des menschlichen כִּפֶּר-Handelns (vgl. S. 142f. und die Übersetzung S. 139).

88 S. oben S. 116f.

89 S. dazu *W. H. Schmidt*, Zukunftsgewißheit und Gegenwartskritik. Grundzüge prophetischer Verkündigung (BSt 64), Neukirchen-Vluyn 1973, S. 28; *ders.*, EvTh 37 (1977), S. 260–272, hier: S. 264.

90 Zu Jes 6,1–11(13) s. außer den Kommentaren (vor allem: *O. Kaiser*, ATD XVII [³1970], S. 56ff.; *H. Wildberger*, BK X/1 [1972], S. 230ff., mit der älteren Lit. S. 231) zuletzt: *Steck*, Jesaja 6; *Schmidt*, a.a.O. (»Zukunftsgewißheit«), S. 25ff.; *H.-P. Müller*, VT.S 26 (1974), S. 25–54; *Hoffmann*, Intention, S. 14ff.; *Dietrich*, Jesaja, S. 175ff.; *M. Görg*, TThZ 85 (1976), S. 161–166; *ders.*, Serafen; *H. Barth*, Die Jesaja-Worte in der Josiazeit. Israel und Assur als Thema einer produktiven Neuinterpretation der Jesajaüberlieferung (WMANT 48), Neukirchen-Vluyn 1977, S. 195f.; *Keel*, Jahwevisionen, S. 46–124; *R. Kilian*, in: Bausteine biblischer Theologie (FS *G. J. Botterweck*), hrsg. von *H.-J. Fabry* (BBB 50), Köln/Bonn 1977, S. 209–225; *J. Schreiner*, BZ 22 (1978), S. 92–97, u.a. Der von *Steck* (a.a.O., bes. S. 203ff.) zu Recht hervorgehobene Sachverhalt, daß Jes 6,1–11 den Anfang der »Denkschrift« (Jes 6,1–9,6) darstellt, soll durch die folgenden Überlegungen nicht eingeschränkt werden.

91 Anders *Wildberger*, a.a.O., S. 240f., der den Einschnitt zwischen v. 5 und v. 6 legt, s. aber *Keel*, a.a.O., S. 116 mit Anm. 237 und *Schreiner*, a.a.O., S. 92f.

Bei dem Versuch, den für das Sitzen Jahwes auf dem Thron (v. 1a), die Anwesenheit der Seraphen (v. 2ff.), das Beben der Türflügelzapfen (v. 4a) und den (das »Haus« füllenden) Rauch (v. 4b) prägenden Vorstellungszusammenhang traditionsgeschichtlich zu erfassen, stößt man *O. H. Steck* zufolge auf »Züge einer Jerusalemer Theophanietradition gewiß bereits vorisraelitischer . . . Herkunft, die durchweg zeigen, daß es sich hierbei um ein Erscheinen des Jahwe vom Zion gegen seine Feinde handelt«[92]. Mithin schaut Jesaja nach v. 1–4 eine »Szene eben beschlossenen Gerichts, derzufolge Jahwe zum Vernichtungsentscheid den Thron bestiegen hat, die Seraphen die Gerichtsdoxologie singen und der Tempel als Stätte der Gegenwart Jahwes Zeichen seiner gerichtstheophanen Präsenz aufweist . . .«[93]. Nimmt der Prophet dementsprechend wahr, daß das Gericht gegen das Volk Israel, dem er selber angehört (v. 5aβ), beschlossen ist, dann wird begreiflich, warum die in v. 1–4.8–10 als Rahmen vorliegende Gattung der »Vergabe eines außergewöhnlichen Auftrags in der himmlischen Thronversammlung«[94] um den in v. 5–7 geschilderten Vorgang erweitert werden muß: »Jesaja wäre ja auf der Stelle diesem Gericht verfallen, weil er jetzt als Unreiner (!) Jahwe selbst gesehen hat . . ., während er doch gerade für einen besonderen Auftrag hinsichtlich der Vollstreckung dieses Gerichtes am Volk gebraucht wird«[95].

Es wird allerdings zu fragen sein, ob diese traditionsgeschichtliche Bestimmung dem grundlegend-einmaligen Charakter jener Schilderung der Majestät Gottes v. 1–4 gerecht zu werden vermag, weil sie Einzelzüge des Visionsinhalts wie das Beben und den Rauch (v. 4), die traditionell mit Theophanien verbunden sind, dadurch »über Gebühr« präzisiert, daß sie in ihnen Zeichen der *gerichts*theophanen Präsenz Jahwes erkennt[96]. Versucht man demgegenüber den Inhalt der Majestätsschilderung Jes 6,1ff. vornehmlich unter dem Aspekt ihrer räumliche Verhältnisse und Vorstellungen überschreitenden Dimensionierung zu erfassen – Jesaja schaut Jahwes Thron riesengroß, das Tempelgebäude sprengend, so daß schon die Säume des Gewandes Jahwes den הֵיכָל füllen (v. 1) –, so gelangt man mit *O. Keel* zu der zwar allgemeinen, in dieser Allgemeinheit aber grundsätzlichen Einsicht, daß Jes 6,1–4 die unverhüllte Präsenz der *himmlischen* Majestät Gottes im *irdischen* Heiligtum beschreibt: »Der Prophet erfährt die sonst verborgene Anwesenheit Jahwes im Jerusalemer Heiligtum als eine Präsenz von derselben intensiven Gestalt, die der unverhüllten himmlischen Heilig-

92 A.a.O., S. 195 Anm. 22.

93 *Ders.*, a.a.O., S. 195, vgl. auch *Jeremias*, Theophanie, S. 173f.

94 *Steck*, a.a.O., S. 191.

95 *Ders.*, a.a.O., S. 193 Anm. 17 (H.i.O.).

96 S. dazu *Keel*, Jahwevisionen, S. 54 Anm. 43, vgl. S. 80f.116ff. Überhaupt wird der diesbezügliche traditionsgeschichtliche Ansatz von *Steck* noch einmal zu überdenken sein: Scheiden etwa »die auch traditionsgeschichtlich in ganz andere Vorstellungszusammenhänge gehörenden Belege mit der Wolke (Ex 24,15f.; Lev 16,2; 1Kg 8,10; Ez 10,4)« (*Steck*, a.a.O., S. 195 Anm. 22) für die Frage nach der Herkunft der Vorstellung vom »Füllen/Erfülltsein« (מָלֵא) des Tempels mit Rauch von vornherein aus? Hier scheint uns der Hinweis auf Ex 40,34f.; 1Kön 8,10f. und Ez 10,3f. (weniger auf die anderen Belege) zumindest nicht unangebracht zu sein (vgl. auch *Keel*, a.a.O., S. 122f.; *Görg*, Zelt, S. 62f.; *ders.*, Serafen, S. 39; *M. Delcor*, Art. *ml'*, THAT I, Sp. 900), besonders wenn man den Rauch versteht als »Chiffre, die von jedem Natur- (Vulkan) oder liturgischen Substrat (Räucherpraxis, Opferrauch) gelöst ist« (*Keel*, a.a.O., S. 123), s. im folgenden.

keit Jahwes eignet«[97]. Dieser Aspekt der unverhüllten Präsenz der himmlischen Majestät Jahwes im irdischen Heiligtum[98] wird durch die das Trishagion ausrufenden Seraphen (v. 3) noch gesteigert, »denn die Wesen, deren Ruf, wie eine Bewegung des lebendigen Gottes selbst, Beben und Rauch hervorruft, müssen sich ihrerseits vor Jahwes Heiligkeit verhüllen«[99]. Obwohl Beben und Rauch zu den traditionellen Theophanieelementen gehören (Beben: Ex 19,18; Ri 5,4; Ps 18,8; 68,9; 75,4, u.a.; Rauch: Gen 15,17; Ex 19,18; 20,18; Ps 18,9, u.a.), sind doch beide Phänomene, weil in Differenz zu sonstigen Theophanieschilderungen stehend (: nicht die Berge/Erde, sondern die Türflügelzapfen des *Tempels* beben; nicht ein Berg raucht, sondern das *Heiligtum* füllt sich mit Rauch)[100], zugleich losgelöst von jedem natürlichen (Gewitter/Vulkan) und liturgischen (Räucherpraxis/Opferrauch) Substrat[101]. *Daß* dem Ruf der Seraphen diese sonst nur dem Erscheinen Gottes vorbehaltenen Wirkungen (Beben und Rauch) zuerkannt werden, bezeugt, ungeachtet ihrer Unterordnung unter Jahwe (v. 2!), ihre »intime Zugehörigkeit zur Welt Jahwes«[102]. In diesem Licht ist auch ihre soteriologische Funktion Jes 6,6f. zu sehen.

Die Wahrnehmung der überwältigenden Majestät und Heiligkeit Jahwes zieht den als Wehewort gestalteten und durch das Bekenntnis der eigenen Unreinheit sowie der Unreinheit des Volkes explizierten »Angstruf« v. 5 nach sich. Formal wie inhaltlich ist dieser der Entsühnung v. 6f. vorangestellte und dieses Geschehen *e contrario* vorbereitende Vers eng mit v. 1–4 verklammert. Dabei bedeutet zwar nicht das »Sehen« (רָאָה) Gottes an sich schon den Tod für den Menschen, weil die beiden asyndetischen כִּי-Sätze v. 5aβ.γ + b zusammen den *einen* Grund für die Reaktion Jesajas angeben[103]; aber der Topos »Sehen« (v. 5b [verstärkt durch עֵינַיִם], mit explizitem Rückgriff auf v. 1aβ) bildet eine inkludierende Klammer um v. 1–5, in-

97 *Keel*, a.a.O., S. 54.

98 *Keels* Differenzierungen hinsichtlich der Frage, ob Jesaja Jahwe im irdischen oder im himmlischen Heiligtum geschaut habe (a.a.O., S. 51ff., vgl. *ders.*, AOBPs², S. 151ff. und die Ergänzungen S. 340f.), sind mit *Stecks* Sicht der Dinge (a.a.O., S. 194 Anm. 21, vgl. *ders.*, Friedensvorstellungen, S. 14ff. mit Anm. 15–16, ferner *Metzger*, Wohnstatt, S. 144ff. und die Lit.-Hinweise unten Teil IV Anm. 83) wohl nicht unvereinbar. Bei *Steck* gerät der Sachverhalt, daß der »Zion als Gottesberg der höchste Berg ist, wo Himmel und Erde unmittelbar ineinander übergehen« (a.a.O., S. 194 Anm. 21), zugunsten der Herausarbeitung der Gattung von Jes 6,1–11 u.E. zu sehr in den Hintergrund, s. zur Sache auch *M.-L. Henry*, Prophet und Tradition. Versuch einer Problemstellung (BZAW 116), Berlin 1969, S. 20ff.; *Wildberger*, a.a.O. (oben Anm. 90), S. 245f.

99 *Keel*, Jahwevisionen, S. 123, vgl. S. 113.124 und *Görg*, Serafen, S. 39. Zu den Seraphen s. ausführlich *Keel*, a.a.O., S. 70–115 und *Görg*, a.a.O. (passim).

100 Vgl. *Keel*, a.a.O., S. 121f. und oben Anm. 96.

101 Mit *Keel*, a.a.O., S. 123. Zu den mannigfachen Versuchen, die Herkunft des Rauches genau festzulegen, s. *ders.*, a.a.O., S. 122 Anm. 271 und *H. Wildberger*, BK X/1 (1972), S. 250f.

102 *Keel*, a.a.O., S. 123, vgl. *Görg*, Serafen, S. 39.

103 Vgl. *Steck*, a.a.O., S. 193 Anm. 17 und schon *Hermisson*, Sprache und Ritus, S. 90 Anm. 1.

nerhalb deren die *visio Dei* aufs höchste der Konstitution des Menschen Jesaja kontrastiert, weil sie zur Erkenntnis und zum Bekenntnis der »Unreinheit der Lippen« (v. 5aβγ), nicht aber zum hymnischen Gotteslob (v. 3) führt.

Daß mit dem Ausdruck »unrein an Lippen« (טְמֵא שְׂפָתַיִם) nicht ein Mangel in physischer Hinsicht[104], sondern ungleich grundsätzlicher die die Existenz betreffende Konstitution des Menschen angesichts der Heiligkeit Gottes ausgesagt wird, zeigt – abgesehen von der Formulierung (nicht: »*meine Lippen* sind unrein«, sondern) »*ich* bin ein אִישׁ טְמֵא שְׂפָתַיִם« – das formal als *Weheruf* gestaltete Satzgefüge v. 5. Dieser Weheruf besteht aus der Interjektion אוֹי mit לְ + Suff. der 1.c.sing. (v. 5aα) und einem begründenden (כִּי) Nachsatz (v. 5aβγ + b), der seinerseits aus zwei asyndetisch angeschlossenen parallelen, den individuellen und den kollektiven Aspekt entfaltenden כִּי-Sätzen in Nominalsatzformulierung zusammengesetzt ist. In der überwiegenden Zahl der alttestamentlichen Weherufe, die mit אוֹי formuliert sind (insgesamt 23 [bzw. 25] Belege), wird an die (mit der Präp. לְ + Personalsuff. verbundene) Interjektion אוֹי »wehe« ein begründender Nachsatz angeschlossen, durch den der אוֹי-Weheruf – im Unterschied zum הוֹי-Weheruf – seinen spezifischen, auf die Thematik der Vernichtung, des Untergangs und des Todes bezogenen Sinngehalt erhält (אָבַד: Num 21,29; Jer 48,46; in Frage gestelltes הָיָה: Num 24,23; הָרַג: Jer 4,31; שָׁדַד: Jer 4,13, u.a.)[105].

In Jes 6,5 kommt diese Thematik im »Verstummen« (oder »Vernichtet-Werden«: II דמה *nif.*)[106] des Propheten zum Ausdruck. Als »Verstummender« ist der Prophet dem Tode preisgegeben, als ein »Unreiner an Lippen«, der angesichts der im Gotteslob der Seraphen wie im Beben und Rauch präsenten Majestät Jahwes nicht in Gotteslob ausbrechen kann, jemand, dessen

104 Dies wird von *Wildberger*, a.a.O., S. 251f. zumindest erwogen: »טמא bezeichnet sonst kultische Unreinheit. Der kultisch Unreine hat keinen Zutritt zum Heiligtum, und ein Mensch mit unreinen Lippen, das heißt doch wohl zunächst: einer, der unreine Nahrung zu sich genommen hat, darf im Angesicht der Gottheit das Wort gewiß nicht ergreifen« (S. 251) – aber: »Jesaja hat den Ausdruck im übertragenen Sinn verwendet: unrein sind seine Lippen, weil sie Unlauteres, Unwahres, vielleicht auch, weil sie nicht angemessen von Gott gesprochen hatten« (ebd.) – obwohl: »Woran Jesaja bei seinem Bekenntnis *konkret* denkt, läßt sich bloß vermuten. An speziell prophetische Verfehlungen zu denken, verbietet die Parallele von den unreinen Lippen des Volkes« (S. 252). Doch verdeckt u.E. diese Argumentation, daß das Problem auf einer grundsätzlich anderen Ebene angesiedelt ist: Als »Unreiner an Lippen« steht der *ganze Mensch* vor der Heiligkeit Gottes, vgl. *Hermisson*, a.a.O., S. 90 und im folgenden (s. auch die nicht auf konkrete Verfehlungen bezogenen Sündentermini v. 7b, vgl. *Wildberger*, a.a.O., S. 252f.!).

105 S. dazu im einzelnen *G. Wanke*, ZAW 78 (1966), S. 215–218; *H.-J. Zobel*, Art. *hôj*, ThWAT II, Sp. 382ff. (mit der älteren Lit.), ferner *E. Jenni*, Art. *hôj*, THAT I, Sp. 474ff.; *E. Otto*, ZAW 89 (1977), S. 73–107, u.a. Zur Frage des Sitzes im Leben der אוֹי- und der הוֹי-Rufe s. zusammenfassend *Kaiser*, Einleitung, S. 265f.

106 Zu II דמה s. *A. Baumann*, Art. *dmh*, ThWAT II, Sp. 277ff., bes. Sp. 281, vgl. auch *E. Jenni*, ThZ 15 (1959), S. 321–339, hier: S. 322; *Wildberger*, a.a.O., S. 232f.251; *Keel*, Jahwevisionen, S. 56 Anm. 49.

Leben verwirkt ist. Mitten im Licht der die ganze Erde überstrahlenden Herrlichkeit Gottes (v. 3) ist er unter diejenigen versetzt, die wie die Toten in der Finsternis der Gottferne Jahwe nicht loben: unter ein Volk »mit unreinen Lippen« (v. 5aγ), dem jenes Geschick in ungleich größerer Wucht noch bevorsteht (Jes 6,9f.).
In diese Zerrissenheit und Gottferne hinein ereignet sich durch einen der Seraphen die Wirklichkeit göttlicher Zuwendung:

> »(6) Da flog einer der Seraphen zu mir mit einer Glühkohle in seiner Hand, die er mit einer Greifzange vom Altar genommen hatte, (7) berührte (damit) meinen Mund[107] und sprach: ›Siehe, dies hat deine Lippen berührt[108], so weicht deine Schuld (וְסָר עֲוֺנֶךָ) und deine Sünde wird gesühnt (וְחַטָּאתְךָ תְּכֻפָּר)‹«.

Wie die Frage nach der Bedeutung der Reaktion Jesajas auf die Wahrnehmung der göttlichen Heiligkeit (v. 5) sachgemäß nur unter Beachtung des außergewöhnlichen Inhalts der Vision v. 1–4 zu beantworten war, so ist auch das in v. 6f. berichtete Geschehen der Entsühnung nicht isoliert zu betrachten, sondern auf diese Schauung Gottes und auf jene Reaktion des Propheten zu beziehen. Um der Verdeutlichung der grundsätzlichen Verlorenheit des Menschen angesichts der machtvollen Präsenz Gottes im Heiligtum willen trägt Jes 6,1–7 die Züge eines grundlegend-einmaligen, prinzipiellen Geschehens. Daß Jesaja dabei herkömmliche Kultvorstellungen übernommen hat, ist nicht das entscheidende Problem; dieses »stellt sich dort, wo das Schema des Herkömmlichen durchbrochen und den überlieferten Vorstellungen ein neuer Gehalt gegeben wird«[109]. In Jes 6,1–7 ist dies in mehrfacher Hinsicht der Fall: zunächst in der alles menschliche Vorstellen überschreitenden Dimensionierung der göttlichen Heiligkeit und Majestät, d.h. in der symbolischen Veranschaulichung des Tempels (*dem* Ort der Gegenwart Gottes in Israel) als eines ›Stück Erde‹, das in den Himmel hineinragt, bzw. als eines ›Stück Himmel‹, das die Erde berührt[110] (v. 1–2); sodann in dem eine kultisch-liturgische Begehung transzendierenden hymnischen Wechselgesang aus dem Munde numinoser, zur Welt Jahwes gehörender Wesen (Seraphen) mit einer an theophane Traditionen zwar anknüpfenden, hinsichtlich des Ortes der Theophanie aber singulären Folgewirkung (Beben und Rauch [v. 3–4]); schließlich in dem Bewußtsein des Propheten, angesichts des Widerfahrnisses der Gegenwart Jahwes nicht zum heilvollen Leben berufen, sondern in den Bereich der Gottferne, des Todes versetzt zu sein (v. 5), und endlich in dem Akt der Entsühnung (v. 6f.) selbst.
Dem grundsätzlichen Charakter der »Unreinheit« des Propheten (und Israels) entsprechend ist dieser Entsühnungsritus weder als bloße »Lippenwei-

107 Wörtlich: »und er ließ meinen Mund berühren«.
108 Man könnte auch konditional übersetzen, s. *Brockelmann*, Syntax, § 164a, vgl. *O. Kaiser*, ATD XVII (^{3}1970), S. 56.
109 *Henry*, a.a.O. (oben Anm. 98), S. 20.
110 Zur Sache s. die Lit.-Hinweise oben Anm. 98.

he«[111] noch als eine (mesopotamischen) Mundwaschungsriten oder (ägyptischen) Mundöffnungsriten[112] analoge Reinigungszeremonie zu verstehen. Losgelöst von der Mittlerfunktion eines Priesters wird dieser Vorgang der Entsühnung – auch darin »dem Bereich des kultisch Praktizierbaren« entrückt[113] – von einem derjenigen Wesen vollzogen, die aufgrund ihrer

111 So einige der älteren Jes-Kommentare: *A. Dillmann – R. Kittel*, KEH (^{6}1898), S. 58f.; *K. Marti*, KHC (1900), S. 66; *O. Procksch*, KAT (1930), S. 56f., u.a. Zur Ablehnung dieser Interpretation s. bereits *Stamm*, Erlösen, S. 117 mit Anm. 1, vgl. auch *Hermisson*, Sprache und Ritus, S. 90.

112 So zuletzt *H. Cazelles*, in: Homenaje a Juan Prado, ed. *L. A. Verdes – E. J. A. Hernandez*, Madrid 1975, S. 89–108, hier: S. 99ff. und *M. Weinfeld*, VT 27 (1977), S. 178–195, hier: S. 180f. Während *Cazelles* auf die ägyptischen Mundöffnungsriten (s. dazu den Überblick bei *D. Meeks*, Art. Pureté et impureté, DBS IX (1979), Sp. 430ff., bes. Sp. 440f., mit der älteren Lit.) nur en passant verweist, zieht er im Anschluß an *I. Engnell* (The Call of Isaiah. An Exegetical and Comparative Study, Uppsala/Leipzig 1949, S. 40f.) besonders die akkadischen Beschwörungsserien *Šurpu* und *Maqlû* als »Parallelen« heran (a.a.O., S. 100f.), ohne allerdings auf Einzelheiten der akkadischen Texte einzugehen.
Über allgemeine Text›vergleiche‹ dieser Art hinausgehend glaubt *Weinfeld* (a.a.O.), eine »striking parallel« zu Jes 6,7 in dem altbabylonischen Gebet des *bārû*-Priesters JCS 22,25,5f. gefunden zu haben, in dem *kapāru* II G (»abwischen«) in Parallele zu *mesû* G (»waschen«) steht: »Ich wusch meinen Mund und meine Hände, ich wischte ab meinen Mund mit dicht belaubtem Zedernholz« (zum Text s. oben Teil I Anm. 23). Obwohl in Jes 6,6f. kein Zedernholz erwähnt wird, erweist sich nach *Weinfeld* jener altbabylonische Text doch in dreifacher Hinsicht als »striking parallel« zu Jes 6,6f.: zum einen gehe aus Num 19,6 hervor, daß Zedernholz auch in Israel Verwendung in Reinigungsritualen fand, zum anderen sei es »quite possible«, daß die Glühkohle, mit der der Seraph die Lippen Jesajas berührt, »came from burned cedar wood« (a.a.O., S. 181; Textargument ebd. Anm. 20: Jub 21,12), und schließlich sei auch der Altar, von dem der Seraph die Glühkohle nimmt, aus Zedernholz gemacht (Textargumente: Ex 30,10; 1Kön 6,22f. [richtiger: 6,20b.21, s. dazu *Fritz*, Tempel, S. 23ff.]).
Nun ist diese Argumentation schon deshalb gezwungen, weil eben in Jes 6,6f. kein Zedernholz, auch nicht andeutungsweise, erwähnt wird und es diesem Text aus den herangezogenen Belegen Num 19,6; Jub 21,12 oder Ex 30,10; 1Kön 6,20b.21 (sic!) auch nicht ›vermittelt‹ werden kann. Der (an sich richtige) Hinweis darauf, daß Zedernholz im Alten Testament Reinigungsfunktion zugeschrieben wird (Num 19,6), wäre nur dann von argumentativem Wert für Jes 6,6f., wenn nach diesem Text der Seraph den Berührungsgestus mit einem Stück Zedernholz ausführte oder zumindest: wenn die Glühkohle (רִצְפָּה) »came from burned cedar wood« (*Weinfeld*). In Jub 21,12 ist von den *im Opferkult allein verwendbaren Holzarten* die Rede; daß Glühkohle aus Zedernholz oder überhaupt aus einem der hier aufgezählten Hölzer gewonnen wird, läßt sich nur unter Mißachtung der Aussageabsicht von Jub 21,12–15 behaupten (zur Holzkohlengewinnung s. die Hinweise unten Anm. 116).
Aber *Weinfelds* Interpretation ist auch – und vor allem! – deshalb abzulehnen, weil der altbabylonische Text JCS 22,25,5f. das jeweils konkret vollzogene *Waschen (mesû)* von Mund und Händen, das *Abwischen (kapāru)* des Mundes mit Zedernholz zum Zweck der *kultischen Reinheit* (vgl. die Reinigungsaussage Z. 7f. und als Sachparallele TuL 106,46ff., s. oben Teil I Anm. 23), der Jesajatext dagegen die in einem zeichenhaften Ritus durch den Seraphen vollzogene *Berührung* des Mundes/der Lippen mit Glühkohle zum Zeck der *Sündenvergebung* zum Inhalt hat, s. im folgenden. In diesem Zusammenhang ist auch daran zu erinnern, daß der akkadische Terminus *kapāru* II/*kuppuru* – der letztlich den Ausschlag für den Vergleich von JCS 22,25,5f. mit Jes 6,7 gegeben haben mag (s. *Weinfeld*, a.a.O., S. 180) – nie mit einem der akkadischen Sündenbegriffe (s. dazu oben Teil I Anm. 39) als Objekt verbunden wird, vgl. dazu oben Teil I Anm. 165.

113 *Henry*, a.a.O. (oben Anm. 98), S. 21.

Zugehörigkeit zur Welt Jahwes zugleich die Distanz repräsentieren, die den Menschen von der göttlichen Heiligkeit und Majestät trennt[114]. Die Entsühnung Jesajas mit einer dem (geschauten) Altar[115] entnommenen Glühkohle (רִצְפָּה)[116] läßt sich weder dem verwendeten Sühnemittel noch der Struktur des Vorgangs nach herkömmlichen kultischen Reinigungszeremonien zuordnen. Man mag darüber nachdenken, ob die Berührung mit der Glühkohle für Jesaja eigentlich tödlich gewesen wäre[117] – der vorliegende Text zeigt sich an einem auf das schmerzvolle Erleben des Propheten bezogenen subjektiven Aspekt des Entsühnungsaktes gänzlich uninteressiert. Ihm kommt es darauf an, den Bezug zum Heiligen in Gestalt eines *zeichenhaften Ritus* (v. 6.7aα)[118] als Berührung des Menschen mit einem Element aus dem geschauten Transzendenzbereich Gottes abzubilden und dessen Sinn in der Form eines *deklarierenden Wortes* aus dem Munde des (im Auftrag Jahwes agierenden) Seraphen (v. 7aβ) als Weichen der Schuld und Vergebung der Sünde zu erschließen (v. 7b). So wie das *Verstummen, Vernichtet-Werden* des Propheten (v. 5aα) ein Eintreten in den Bereich des Todes war, so ist die *Berührung der Lippen* mit der Glühkohle (nicht eine Verbrennung, sondern) ein dem Tode Entrissenwerden, das im Hören und Antworten (v. 8) den Direktbezug zu dem berufenden und beauftragenden Gott eröffnet.

C) Sühnehandeln Jahwes, Vergebungsbitte und Vergeltungsdenken – כִּפֶּר im Umkreis dtn-dtr Theologie

I. Dtn 32,43 und Ps 79,9

Von durch Gott gewirkter Entsühnung des »Landes seines Volkes« (d.h. Gesamtisraels) ist in dem heilseschatologischen Schluß (v. 43) des Moselie-

114 Vgl. *Keel,* Jahwevisionen, S. 113f.123.124; *Görg,* Serafen, S. 28–29.

115 Es könnte sich dabei um den Räucheraltar handeln (so *H. Wildberger*, BK X/1 [1972], S. 252), doch ist das keineswegs sicher, vgl. *Elliger*, Leviticus, S. 69. Grundsätzlich wird zu beachten sein, daß der Text von v. 6 sich nicht in der Schilderung von Details wie Aussehen, Beschaffenheit des (lediglich מִזְבֵּחַ genannten!) Altars und einer etwaigen Bestückung mit Weihrauch ergeht, sondern auf das für den Gesamtvorgang Wesentliche konzentriert bleibt, d.h.: auf den Vorgang der Entnahme von Glühkohle (s. dazu die folg. Anm.) von diesem *geschauten, himmlischen Altar* durch einen der *zur Welt Jahwes gehörenden Seraphen.*

116 Entscheidend ist dabei nicht der Gesichtspunkt der *Beschaffenheit* der Glühkohle (רִצְפָּה, LXX: ἄνθραξ; vgl. noch 1Kön 19,6 und zur Herstellung *H. F. Fuhs*, Art. *gḥl* usw., ThWAT I, Sp. 1004ff.), sondern der ihrer *Herkunft:* Wie bei den im Kontext von Theophanien erwähnten (jeweils anders benannten) Glühkohlen Ps 11,6; 18,13 = 2Sam 22,13; Ps 140,11 (u.a., s. *Fuhs*, a.a.O., Sp. 1006ff.) handelt es sich bei der רִצְפָּה Jes 6,6 um ein ›Himmelsphänomen‹.

117 In der exegetischen Literatur zur Stelle nimmt dieses Nachdenken immer wieder einen breiten Raum ein. Singulär aber ist die Verbindung, die *A. B. Ehrlich* zwischen Sühne und Schmerz konstruiert: »Der dem Altar JHVHs entnommene Glühstein sühnt durch seine Berührung die Sünden des Propheten. Dies setzt aber voraus, daß die Berührung schmerzlich war; sonst hätte sie kaum sühnende Kraft haben können« (Randglossen zur hebräischen Bibel, Bd. IV, Leipzig 1912, S. 27).

118 Vgl. *Gese*, Sühne, S. 89f.

des Dtn 32,1–43 die Rede, das in zeitlicher und thematischer Nähe zum dtn-dtr Schrifttum steht und das mit Hilfe einer Rahmung (Dtn 32,27–30; 32,44f.) erst nachträglich in das DtrG eingeschoben wurde[119]. Hinsichtlich der Textgestalt von Dtn 32,43 ist zu beachten, daß Dtn 32,43 LXX (8 Stichen) und 4QDtn 32,43 (6 Stichen)[120] jeweils einen Text bieten, der von Dtn 32,43 MT erheblich abweicht und dem ursprünglichen Text sehr nahe kommt (im Folgenden richtet sich die Stichenzählung nach den acht, als a, b usw. durchgezählten Stichen von Dtn 32,43 LXX):

Dtn 32,43 MT	*4QDtn 32,43*
a) . . .	a) הרנינו שמים עמו
b) . . .	b) והשתחוו לו כל אלהים
c) הרנינו גוים עמו	c) . . .
d) . . .	d) . . .
e) כי דם עבדיו יקום	e) כי דם בניו יקום
f) ונקם ישיב לצריו	f) ונקם ישיב לצריו
g) . . .	g) ולמשנאיו ישלם
h) וכפר אדמתו עמו	h) ויכפר אדמת עמו

a) . . .	a) »Jubelt, ihr Himmel, mit ihm,
b) . . .	b) und werft euch nieder vor ihm, all ihr Götter!
c) »Preist, ihr Völker (Heiden), sein Volk!	c) . . .
d) . . .	d) . . .
e) Denn das Blut seiner Knechte rächt er,	e) Denn das Blut seiner Söhne rächt er
f) und Rache übt er an seinen Feinden,	f) und übt Rache an seinen Feinden,
g) . . .	g) seinen Hassern vergilt er
h) und er entsühnt sein Land, sein Volk (?)«[121].	h) und entsühnt das Land seines Volkes«.

119 Zu Dtn 32 s. zuletzt *D. Eichhorn*, Gott als Fels, Berg und Zuflucht. Eine Untersuchung zum Gebet des Mittlers in den Psalmen, Bern/Frankfurt 1972, S. 46ff.; *W. Schlisske*, Gottessöhne und Gottessohn im Alten Testament. Phasen der Entmythologisierung im Alten Testament (BWANT 5. Folge, H. 17), Stuttgart/Berlin/Köln/Mainz 1973, S. 58–71.73ff.; *R. Meyer*, in: Josephus-Studien. Untersuchungen zu Josephus, dem antiken Judentum und dem Neuen Testament (FS *O. Michel*), hrsg. von *O. Betz*, *K. Haacker* und *M. Hengel*, Göttingen 1974, S. 285–299, hier: S. 291f.; *G. E. Mendenhall*, in: No Famine in the Land (FS *J. L. McKenzie*), ed. *J. W. Flanagan – A. Weisbrod Robinson*, Missoula/Montana 1975, S. 63–74; *N. Lohfink*, in: *J. Coppens* (éd.), La notion biblique de Dieu. Du Dieu révélé au Dieu des Philosophes (BEThL 41), Louvain 1976, S. 101–126; *S. Hidal*, ASTI 9 (1977/78), S. 15–21; *O. Loretz*, UF 9 (1977), S. 355–357 (jeweils mit der älteren Lit.). Für alle mit Dtn 32 zusammenhängenden Textprobleme s. demnächst *B. Volkwein*, Textkritische Untersuchungen zu Dtn 32,1–43 (AnBib).

120 4QDeut[q]: *P. W. Skehan*, BASOR 136 (1954), S. 12–15; vgl. *ders.*, VT.S 4 (1957), S. 148–160, hier: S. 150 Anm. 1; *ders.*, in: *D. N. Freedman – J. C. Greenfield* (ed.), New Directions in Biblical Archaeology, Garden City/New York 1971, S. 99–111, hier: S. 103f. und BHS z.St. Eine Abbildung von 4QDeut[q] 32,43 bietet *E. Würthwein*, Der Text des Alten Testaments. Eine Einführung in die Biblia Hebraica, Stuttgart [4]1973, S. 137 Abb. 9b (dazu S. 136).

121 Zur Wortfolge »sein Land, sein Volk« s. *Meyer*, a.a.O. (oben Anm. 119), S. 291 mit Anm. 20.

Vergleicht man Dtn 32,43 MT, Dtn 32,43 LXX und 4QDtn 32,43 miteinander, so läßt sich für Dtn 32,43 ein ursprünglicher Text erkennen, dessen Gestalt mit *B. Volkwein*[122] folgendermaßen zu rekonstruieren ist:

הרנינו שמים עמו והשתחוו לו בני אלהים
כי דם בניו יקום וכפר אדמת עמו

»Jubelt, ihr Himmel, mit ihm, und werft euch nieder vor ihm, ihr Gottessöhne!
Denn das Blut seiner Söhne rächt er, und er entsühnt das Land seines Volkes«.

Gegenüber dem Text Dtn 32,43 MT, der nicht allein die Verkürzung einer ursprünglichen Textform, sondern vor allem eine »dogmatische Änderung« darstellt[123], verfolgt der rekonstruierte ursprüngliche Text, der in erweiterter Form in Dtn 32,43 LXX vorliegt und teilweise durch 4QDtn 32,43 (wohl der hebräischen Vorlage für Dtn 32,43 LXX) bezeugt wird, eine andere Aussageabsicht: Der himmlische Hofstaat (בְּנֵי אֱלֹהִים, vgl. Dtn 32,43 LXX: ἄγγελοι θεοῦ und 4QDtn 32,43 כל אלהים) wird aufgefordert, Jahwe zu preisen und sich vor ihm niederzuwerfen, weil dieser in der künftigen Zeit der Heilsvollendung seinen »Söhnen« (בָּנָיו = Israel) Rache verschafft (נָקָם) und so das »*Land* seines Volkes« entsühnt (כִּפֶּר), und d.h. (unter Einbeziehung von Dtn 32,8f.): weil Jahwe durch den Akt der »Rache« an den Feinden Israels die – durch das an Israel begangene Unrecht gestörte – *kosmische Ordnung* wiederherstellt[124]. Daß mit diesem כִּפֶּר-Handeln Gottes ein Israel zugute kommender *Lebensvergeltungsakt*[125] gemeint ist, geht deutlich aus dem Parallelismus von כִּפֶּר mit נָקָם (+ דָּם) hervor[126], demzufolge das vergossene Blut, der gewaltsam erlittene Tod vergolten wird[127], so daß das Unrecht nicht ungesühnt bleibt: »durch Lebenshingabe wird der Heilszustand des kosmischen Gleichgewichts, der Ordnung wieder erreicht«[128].

122 Zitiert bei *Lohfink*, a.a.O., S. 118 Anm. 56 (vgl. die Übersetzung S. 120). Teilweise (d.h. in bezug auf den dritten Stichos) anders *Skehan*, a.a.O., S. 12ff. und *F. M. Cross*, Die antike Bibliothek von Qumran und die moderne Biblische Wissenschaft. Ein zusammenfassender Überblick über die Handschriften vom Toten Meer und ihre einstigen Besitzer, Neukirchen-Vluyn 1967, S. 169f. mit Anm. 32. Als ursprünglicher Text wird Dtn 32,43 MT verteidigt von *E. S. Artom*, RSO 32 (1957), S. 285–291, vgl. auch *G. von Rad*, ATD VIII (^{2}1968), S. 139.

123 *Meyer*, a.a.O. (oben Anm. 119), S. 292, vgl. *ders.*, in: Verbannung und Heimkehr. Beiträge zur Geschichte und Theologie Israels im 6. und 5. Jh. v.Chr. (FS *W. Rudolph*), hrsg. von *A. Kuschke*, Tübingen 1961, S. 197–209, hier: S. 205f.

124 S. dazu besonders *Gese*, Sühne, S. 88, vgl. ferner *Meyer*, a.a.O. (oben Anm. 119), S. 201ff.; *Lohfink*, a.a.O. (oben Anm. 119), S. 119f.

125 *Gese*, ebd.

126 S. dazu jetzt *Dietrich*, Rache, bes. S. 453ff.458f.461ff. נָקָם mit Subjekt Jahwe begegnet v.a. in der Prophetie der Exilszeit, s. dazu *W. Dietrich*, Prophetie und Geschichte. Eine redaktionsgeschichtliche Untersuchung zum deuteronomistischen Geschichtswerk (FRLANT 108), Göttingen 1972, S. 97f. und *G. Sauer*, Art. *nqm*, THAT II, Sp. 108f.

127 Der Vergeltungsaspekt von נָקָם, den auch *Koch* (Blut, S. 438 Anm. 10) nicht einfach übergeht, ist für Dtn 32,43 besonders am Qumran-Text ablesbar: שׁוב *hif.* + Obj. נָקָם »Rache« // שׁלם *pi.* // כפר *pi.*, zur Sache s. *Dietrich*, a.a.O., S. 455ff.; *Sauer*, a.a.O., Sp. 107f.; *W. Schottroff*, Art. *pqd*, THAT II, Sp. 479ff.; *G. Gerleman*, Art. *šlm*, ebd., Sp. 924.930f.932f.

128 *Gese*, Sühne, S. 88.

Daß Gottes Rache an den Feinden Israels Erweis seines gnädigen Eintretens für sein Volk ist, kommt auch in dem die aktuelle Notsituation des Exils voraussetzenden Klagelied des Volkes Ps 79[129] zum Ausdruck, das zentrale Vorstellungsinhalte des dtr Geschichtsbildes insofern tradiert, »als die Zerstörung Jerusalems und die Notlage durch die Feinde Israels 587 v. Chr. als Zürnen Jahwes (vgl. v. 1ff.) verstanden und v. 8 auf die Schuld der Vorfahren zurückgeführt werden«[130]. Ps 79 weist die traditionellen Elemente eines Klageliedes des Volkes auf: Invocatio (v. 1), dreigliedrige Klage (v. 1–4) mit dem Hinweis auf das Verhalten der Feinde (v. 1–3), mit der Schilderung der eigenen Not (v. 4) und – in Frageform: עַד־מָה »wie lange?« – mit dem Hinweis auf das Verhalten Gottes (v. 5), der den Übergang zu dem großen Bittteil v. 6–12 kennzeichnet. Abgeschlossen wird das Klagelied in v. 13 durch ein Element des Vertrauens (Bekenntnis der Zuversicht), der Erhörungsgewißheit, und durch ein ein Dankelement enthaltendes Lobgelübde.

Wie für die Gattung des Klageliedes des Volkes typisch, wird die Bitte v. (5)6–12 als ein auf das *Ergehen der Feinde* (v. 6 [mit Begründung v. 7].10aγ.b.12) und auf das *eigene Ergehen* (v. 8–9) bezogener *Doppelwunsch* formuliert, der zur Begründung des göttlichen Eingreifens die Motive: Ansehen Jahwes vor den Völkern (v. 10aα.β) und eigene Hilflosigkeit (v. 8b.11) enthält. Dieser formalen Struktur des Bitteils zufolge wird ein Ende des gegenwärtigen Unheilsstatus (Herrschaft der גּוֹיִם [v. 1] über Israel als Zeichen der Gerichtsdauer) als umfassende Restitution des Heilsstatus Israels durch Gott gedacht (v. 8f.) und inhaltlich als Gericht an den Feinden des Gottesvolkes bestimmt (v. 6f.10aγ.b.12).

Daß diese Bestimmung nicht ungehemmter Destruktionslust, sondern dem »Postulat von Gerechtigkeit in einer Welt voller Ungerechtigkeit«[131] entspringt, zeigt nicht nur das Fehlen einer Ausmalung des Wie des vergeltenden Eingreifens Gottes, sondern die als Nicht-Gedenken der Schuld der Väter (לֹא זָכַר עָוֹן v. 8aα)[132], als rettendes Erbarmen Gottes (רַחֲמִים v. 8aβ), als Hilfe (עָזַר) des »Gottes unseres Heils« (אֱלֹהֵי יִשְׁעֵנוּ v. 9aα), als Errettung

129 Zu der in Ps 79 vorausgesetzten geschichtlichen Situation (und damit zur Datierung dieses Psalms) s. *E. Janssen*, Juda in der Exilszeit. Ein Beitrag zur Frage der Entstehung des Judentums (FRLANT 69), Göttingen 1956, S. 19f.72; *Kraus*, a.a.O., S. 714f.717.

130 *Steck*, Israel, S. 110, vgl. *Kraus*, a.a.O., S. 715.716. Zu dem Ps 79 zugrundeliegenden dtr Geschichtsbild s. *Steck*, a.a.O., S. 121ff.135.141 Anm. 3, vgl. auch *Dietrich*, a.a.O. (oben Anm. 126 [»Prophetie«]), S. 97f. Auch der nachexilische Geschichtspsalm Ps 78 ist vom dtr Geschichtsbild geprägt, s. dazu im einzelnen *Steck*, a.a.O., S. 110 Anm. 6; S. 141 Anm. 3; S. 205 Anm. 2; *Kraus*, a.a.O., S. 702f.703ff.712 und zuletzt besonders *Eichhorn*, a.a.O. (oben Anm. 119), S. 54ff. (anders *A. F. Campbell*, CBQ 41 [1979], S. 51–79, der für eine Frühdatierung eintritt: 10. Jh. v. Chr.). In dem den fortgesetzten Abfall der Väter schildernden Geschichtsrückblick Ps 78,32ff. – der *Eichhorn* zufolge die Kenntnis deuterojesajanischen Gedankengutes voraussetzt (a.a.O., S. 61.66) – wird das Heilshandeln Jahwes, des צוּר (»Fels«) und גֹּאֵל (»Erlöser«) Israels (v. 35), durch mehrere inhaltlich synonyme Wendungen expliziert (v. 38): er war barmherzig (רַחוּם), vergab Schuld (כִּפֶּר עָוֹן), vertilgte nicht (לֹא הִשְׁחִית), wandte seinen Zorn ab (הֵשִׁיב אַפּוֹ) und weckte nicht seinen Grimm (לֹא הֵעִיר חֲמָתוֹ).

131 *Dietrich*, Rache, S. 464, vgl. auch S. 463ff.472 Anm. 118.

132 S. dazu *Schottroff*, Gedenken, S. 237f.

(הַצִּיל v. 9bα)[133] und Vergebung der Sünden (כַּפֵּר עַל חַטָּאת v. 9bβ) erhoffte Restitution des heilvollen Bezuges zu Jahwe, die zugleich das Ende der Zorneszeit Gottes (v. 5!) ist.

II. Jer 18,23

In dem Klagelied des einzelnen Jer 18,(18 dtr)19–23[134] zeigt sich insofern eine gegenüber Ps 79 veränderte Situation, als die Bitte v. 21–23 (nach Invocatio v. 19 und Klage v. 20) nicht als Doppelwunsch, sondern nur als ein auf das Ergehen der Widersacher Jeremias bezogener Wunsch formuliert ist. Doch besteht darin Übereinstimmung mit Ps 79, daß das Eingreifen Gottes gegen die Feinde des Beters sein vergeltendes Gerichtshandeln an ihnen meint, durch dessen Vollzug dem Beter die erhoffte Restitution zuteil wird. Zur Begründung dieser in ihrer Konkretion überaus harten (v. 21.22a) und in v. 23aγ.bαβ negativ (לֹא כַּפֵּר עַל עֲוֹן // לֹא מָחָה חַטָּאת)[135] und positiv entfalteten Vergeltungsbitte wird kontrastierend auf die (vergebliche) Fürbitte des Propheten für seine Widersacher (v. 20b) verwiesen. So wird durch die thematische Verklammerung von v. 20–23 (Klage und Bitte) durch das Motiv des Gotteszornes (v. 20bβ; 23bβ) deutlich, was die Vergeltungsbitte inhaltlich bedeutet: Bitte um Wirksamwerden des göttlichen Zornes (אַף), um dessen Abwendung willen (שׁוב *hif.* + חֵמָה) der Prophet fürbittend vor Gott gestanden hatte.

D) Zusammenfassung

Unter den alttestamentlichen Termini und Umschreibungen für das Vergeben Gottes[136] bilden die insgesamt 13 (bzw. 14) Belege für die Konstruktion כִּפֶּר + JHWH als (grammatisches/logisches) Subjekt (Dtn 21,8a[137]; 32,43; 1Sam 3,14[138]; Jes 6,7; 22,14; 27,9; [28,18][139] Jer 18,23; Ez 16,63; Ps 65,4;

133 S. dazu *Stamm*, Erlösen, S. 44f.

134 S. dazu *C. Westermann*, Grundformen prophetischer Rede (BEvTh 31), München 1960, S. 64 und zur Literarkritik *W. Thiel*, Die deuteronomistische Redaktion von Jeremia 1–25 (WMANT 41), Neukirchen-Vluyn 1973, S. 217f., vgl. auch oben S. 99f.

135 S. dazu oben S. 99.

136 S. dazu *Stamm*, Erlösen, S. 47ff.66ff.86.105ff.142ff.; *ders.*, *slḥ*, Sp. 152f.; *Koch*, Vergeltungsdogma, S. 154f.; *ders.*, Sühneanschauung, S. 64f.; *ders.*, Sühne, S. 219f.; *ders.*, *ḥṭ'*, Sp. 862f.; *Vriezen*, Sündenvergebung, Sp. 508; *Knierim*, Sünde, S. 44ff.50ff.114ff. 117ff.186.191f.202ff.204.222ff.; *Schottroff*, Gedenken, S. 233ff.; *ders.*, Art. *pqd*, THAT II, Sp. 479f.; *Jeremias*, Reue Gottes, S. 63.78.111, vgl. S. 69ff.109ff.; *Göbel*, *slḥ* (passim). Für das rabbinische Judentum s. Bill. I, S. 495; II, S. 363ff.585. Auf die einzelnen Termini (und auf die These von *Koch*, Sühne, S. 219: »Die göttliche Vergebung der Sünden spielt im vorexilischen Israel keine Rolle«) soll an anderer Stelle eingegangen werden.

137 S. dazu unten S. 166.

138 S. dazu unten S. 135ff.

78,38; 79,9; Dan 9,24; 2Chr 30,18[140]) eine zahlenmäßig zwar kleine, hinsichtlich ihres spezifischen Beitrags zur Thematik der erbetenen, gewährten oder abgelehnten Vergebung inhaltlich jedoch gewichtige Textgruppe:

1. *Subjektbindung* (Jahwe als Subjekt) und *Objektbezug*[141] zeigen, daß *Gott nicht das Objekt, sondern das Subjekt des mit* כִּפֶּר *bezeichneten Handelns* ist. Wie an keiner dieser Stellen von einer Versöhnung, Beschwichtigung oder einem Gnädigstimmen Gottes durch den Menschen die Rede ist, so wird auch nirgends davon gesprochen, daß Gott vom Menschen Sühne fordert: Gott gewährt, ermöglicht Sühne (Dtn 32,43), d.h. er »vergibt« (Jes 6,7; 27,9; Ez 16,63; Ps 65,4; 78,38; Dan 9,24), während der Mensch um Vergebung bittet (Dtn 21,8a; Ps 79,9; 2Chr 30,18). Auch dort, wo das כִּפֶּר-Handeln Gottes als Ablehnung von Vergebung (Jes 22,14, vgl. 1Sam 3,14) und somit als Gerichtshandeln an seinem Volk erscheint, erweist sich Jahwe in diesem Tun als der, als der er Israel in geschichtlicher Begegnung offenbar geworden ist.

2. Die besondere Bedeutung von כִּפֶּר (+ Subjekt JHWH) geht aus den *synonymen*[142] und *antonymen*[143] *Parallelbegriffen/-wendungen* hervor, die als Interpretamente der jeweiligen כִּפֶּר-Aussage aufzufassen sind: Danach ist Jahwes Sühnehandeln das Gegenteil seines – den Feinden Israels geltenden – zürnenden, rächenden und vergeltenden Handelns (Dtn 32,43; Ps 79,6.10aγ.b.12) und gleichbedeutend mit dem Entfernen, Abwischen, Bedecken, Nicht-Gedenken, der Austilgung und Versiegelung von Sünde und Schuld (Jes 6,7; 27,9; Jer 18,23; Ps 79,8; Dan 9,24; Neh 3,37), mit dem Nicht-Auferlegen von unschuldigem Blut (Dtn 21,8a), mit der Abwendung seines Zornes (Ps 78,38), mit seinem Nicht-Vertilgen (Ps 78,38), Erbarmen (Ps 78,38; 79,8), Helfen und Erretten (Ps 79,9).

3. Ungeachtet dieser terminologischen Vielfalt und auch ungeachtet der Disparatheit der Gattungen, innerhalb deren die Rede vom כִּפֶּר-Handeln Gottes begegnet[144], werden diese כִּפֶּר-Aussagen von einer *gemeinsamen Grundproblematik* bestimmt, die sich auf das *Sein des Menschen coram*

139 Nach dem Zusammenhang (Jes 28,14–22) ist auch in Jes 28,18 Jahwe als allein Handelnder gemeint, s. dazu oben Prolegomena Anm. 58.

140 S. dazu unten Anm. 213.

141 עָוֹן (1Sam 3,14; Jes 22,14; 27,9; Jer 18,23; Ps 78,38; Dan 9,24); חַטָּאת (Jes 6,7; Ps 79,9[pl.]); פֶּשַׁע (Ps 65,4[pl.]); das als Bundesbruch qualifizierte sündige Tun Jerusalems (Ez 16,63); das Volk Israel (Dtn 21,8a) bzw. das Land des Volkes Israel (Dtn 32,43); eine bestimmte Personengruppe (2Chr 30,18).

142 סור *qal/hif.*: Jes 6,7 (עָוֹן); 27,9 (חַטָּאת); מָחָה חַטָּאת: Jer 18,23 (negiert); רַחוּם, לֹא הִשְׁחִית, לֹא הֵעִיר חֵמָה, הֵשִׁיב אַף: Ps 78,38; הִצִּיל, עָזַר, קִדֵּם רַחֲמִים, לֹא זָכַר עָוֹן: Ps 79,8f.; כַּלֵּא הַפֶּשַׁע, חָתַם חַטָּאת: Dan 9,24.

143 נָקָם: Dtn 32,43; שָׁפַךְ חֵמָה, נוֹדַע נְקָמָה, הֵשִׁיב חֶרְפָּה: Ps 79,6.10aγ.b.12.

144 Prophetische Gerichtsankündigung (Jes 22,14 [vgl. 1Sam 3,11–14]; Jes 27,6–11), prophetische Heilsankündigung (Ez 16,59–63), Gebet (Dtn 21,8a; 2Chr 30,18b–19), Klagelied des Volkes (Ps 79), Klagelied des einzelnen (Jer 18,18–23), Hymnus (Ps 65), Lehrgedicht (Dtn 32,1–43), Geschichtspsalm (Ps 78), prophetischer Visionsbericht (Jes 6,1–11) und apokalyptische Vision (Dan 9,20–27).

Deo bezieht: Da es in den genannten Texten durchweg um Situationen geht, in denen aufgrund rechtlicher, moralischer oder religiöser Verschuldung das *Leben des einzelnen/der Gemeinschaft verwirkt* ist, bezieht sich das (erbetene, gewährte oder abgelehnte) Sühnehandeln Gottes jeweils auf eine exzeptionell kritische Situation, in der es nicht um einen Teilaspekt menschlichen Seins, sondern um das Sein des Menschen selbst geht. Diesen Bezug des göttlichen כִּפֶּר-Handelns zur *Situation des Menschen zwischen Leben und Tod* lassen die einzelnen Belege in verschiedener Hinsicht (terminologisch/sachlich) erkennen: so wird Vergebung – sofern sie nicht abgelehnt wird (Jes 22,14; 1Sam 3,14) – erfahren/erbeten als Errettung vom Tode (Jes 6,7), als Wiedererlangung der Gottesnähe (Ps 65,2–5), als Lebenserrettung des barmherzigen Gottes (Ps 78,38; 79,8f.), als »Heilung« durch Gott (2Chr 30,18–20), als »Rache« Gottes an dem lebensbedrohlichen Tun der Feinde (Dtn 32,43; Ps 79,6–12; vgl. Jer 18,19–23) oder erwartet als Verwirklichung des endzeitlichen Heilszustandes (Jes 27,9; Ez 16,63; Dan 9,24). Die Vergebung Gottes ist Erweis seines Heilshandelns am Menschen, aber Preisgabe an den Tod, wo sie abgelehnt wird.

4. Im Zusammenhang der Frage nach der *traditionsgeschichtlichen Herkunft* der mit כִּפֶּר (+ Subjekt JHWH) formulierten Vergebungsaussage stößt man auf die formelhafte Wortverbindung כִּפֶּר עָוֺן, die ausschließlich in prophetischen (Jes 22,14; 27,9; Jer 18,23) bzw. der Prophetie nahestehenden (1Sam 3,14; Ps 78,38; Dan 9,24) Überlieferungen belegt ist[145]. Da diese Wortverbindung »mit Hilfe des . . . aus dem Kultus stammenden Begriffs kpr . . . im Blick auf das ᶜawon-Geschehen von der Sühnung bzw. der Sühnemöglichkeit«[146] spricht, stellt sich die Frage, ob sie auch ein kultisches Geschehen voraussetzt oder im Blick hat.

Nach *R. Knierim* »kann an einer kultischen Herkunft und Verwurzelung des Begriffes kpr kein Zweifel bestehen, wie denn auch die Stellen (Jes 6,7) 1S 3,14; Ps 78,38 und sogar Jes 22,14 (im Anschluß an v. 12) deutlich kultische Vorstellungsgehalte erkennen lassen«[147]. Obwohl *Knie-*

145 S. dazu auch *Knierim*, Sünde, S. 200ff.223.227f.

146 *Ders.*, a.a.O., S. 201f.

147 A.a.O., »S. 201. Daß der Jerusalemer Tempel als Ort der Vergebungszusage galt, geht deutlich aus 2Chr 30,18 (s. dazu unten Anm. 213) und aus dem Hymnus Ps 65 (mit dem Introitus v. 2–4 und dem dem Corpus v. 6–14 vorangestellten Makarismus v. 5) hervor, zum Aufbau, Sitz im Leben und zur Datierung (vorexilisch? nachexilisch?) s. im einzelnen *F. Crüsemann*, Studien zur Formgeschichte von Hymnus und Danklied in Israel (WMANT 32), Neukirchen-Vluyn 1969, S. 192ff.201f.; *H.-J. Kraus*, BK XV/2 (^{5}1978), S. 609f. Ohne formale Analogie ist der im hymnischen Anredestil geprägte Introitus v. 2–4, in dem entscheidende Vorgänge des Tempelkults lobend dem auf dem Zion thronenden Weltschöpfer zugeschrieben werden. Ob die Formulierung in v. 3b–4: »Zu dir ›bringt‹ alles Fleisch (4) die frevlerischen Taten. Stärker als ›wir‹ sind unsere Sünden, du aber vergibst (sühnst) sie« (zur Textgestalt s. *Kraus*, a.a.O., S. 609) ein Beleg ist für »die gesetzliche Anschauung, daß Vergebung durch *kultische Sühne* erwirkt werden könne« (*Stamm*, Erlösen, S. 134f. [H. von uns], vgl. auch *Thompson*, Penitence, S. 151f.), läßt sich nur vermuten, bleibt letztlich aber unsicher: »Wie die Vergebung oder Sühnung erfolgt, ist nicht deutlich. Aus Vs. 3b ›zu dir kommt . . .‹ darf man vielleicht schließen, daß an ein Aufsuchen Jahwes im Tempel gedacht ist. Die Vergebung

rim in der Fortsetzung dieses Satzes konstatiert, daß die »Gerichtsankündigung Jes 22,14 und 1S 3,14 ein unkultischer oder – was 1S 3,14 betrifft – nur bedingt kultischer Vorgang«[148] ist, kann er der verbreiteten Ansicht, daß »die Darbringung von Opfern zum Zweck der Sühne schon für die alte Zeit durch 1S 3,14 einwandfrei bezeugt«[149] wird, dennoch zustimmen[150]. Aber weder ist die begründete Gerichtsankündigung 1Sam 3,11–14 (mit Scheltwort v. 13b[151] und einem Schwursatz als Drohwort v. 14 [vgl. Jes 22,14][152] in alte Zeit zu datieren[153] noch läßt sich der Formulierung des Schwursatzes v. 14b:

»Wahrlich die Schuld (עָוֹן) des Hauses Eli soll in Ewigkeit
nicht durch *minḥa* und durch *zaebaḥ* gesühnt werden (יִתְכַּפֵּר)«

ein Hinweis auf die Sühnung von Schuld durch זֶבַח- und מִנְחָה-Opfer entnehmen. Denn mit Hilfe der *Gegenüberstellung:* זֶבַח – מִנְחָה werden hier, wie in 1Sam 2,29; Jes 19,21; Am 5,25; Ps 40,7; Dan 9,27, *klassifizierend die beiden Grundarten des Opfers* – entweder unter dem Aspekt: *tierische Opfer – vegetabilische Opfer*[154] oder (u.E. wahrscheinlicher) unter dem Aspekt: (Schlachtopfer als) *Gemeinschaftsopfer* – (Gabeopfer als) *Ganzopfer*[155] genannt, um den priesterlichen Opferdienst als ganzen, d.h. pars pro toto den *gesamten Opferkult* zu bezeichnen[156]. Demnach wird in 1Sam 3,14 nicht die Möglichkeit bzw. Unmöglichkeit einer Sühnung durch *bestimmte Opferarten* erwogen[157], vielmehr will der Text sagen, daß die

erfolgt wohl wie im Gesetz durch das Mittel kultischer Sühne« (*Stamm*, a.a.O., S. 135), s. zur Sache noch *Koch*, Sühne, S. 225f. (dazu den Einwand von *Maass, kpr*, Sp. 851f.). Immerhin zeigt aber der Zusammenhang v. 2ff., daß (in nachexilischer Zeit?) der Tempel der Bereich war, in dem Vergebung der Schuld und Gottesnähe (v. 5!) erfahren wurden, vgl. *Kraus*, a.a.O., S. 611 und *Knierim*, a.a.O., S. 126.

148 A.a.O., S. 227.

149 *Herrmann, hilaskomai*, S. 305 (im Original teilweise gesperrt), vgl. *ders.*, Sühne, S. 52ff.; ferner *O. Thenius–M. Löhr*, KEH (^{3}1898), S. 24 (mit der älteren Lit.); *Stamm*, Erlösen, S. 106; *Kraus*, Gottesdienst, S. 141; *Thompson*, Penitence, S. 100f.; *von Rad*, Theologie I, S. 268; *Schmid*, Bundesopfer, S. 29; *Zevit*, ᶜĕglâ Ritual, S. 385; *Garnet*, Atonement Constructions, S. 137; *ders.*, Salvation, S. 128; unentschieden bleibt *H. J. Stoebe*, KAT VIII/1 (1973), S. 125. Die von der Deutung als Sühnopfer sich distanzierende Interpretation *Kochs* eröffnet leider keine sachgemäßere Verstehensmöglichkeit; wie schon *A. B. Davidson* (Exp. 5. Series, 10 [1899], S. 92–103, hier: S. 96) übersetzt auch *Koch:* »Der Frevel des Hauses Eli in bezug auf die Schlachtopfer und Gaben soll ewiglich nicht gesühnt werden« (Sühneanschauung, S. 73) und bemerkt dazu: »So wird es sich also um einen besonderen Sühneritus handeln, mit dem die Elisöhne versuchen konnten, ihrer kultischen Verfehlung ledig zu werden« (a.a.O., S. 74, vgl. S. 66 und *ders.*, Versöhnung, Sp. 1369; *ders.*, Sühne, S. 221 Anm. 7). Zur instrumentalen Auffassung des בְּ s. aber zu Recht *Thompson*, a.a.O., S. 101 Anm. 2.

150 Sünde, S. 201 Anm. 44.

151 Zur Konjektur יַעַן (statt עָוֹן) s. zuletzt *Veijola*, a.a.O. (oben Anm. 32), vgl. auch *Stoebe*, a.a.O., S. 122 z.St.

152 S. dazu oben S. 116f.

153 S. dazu jetzt ausführlich *Veijola*, a.a.O. (oben Anm. 32), S. 38ff. (1Sam 3,11–14 ist eindeutig dtr geprägt und möglicherweise ein Produkt des prophetischem Denken nahestehenden DtrP), vgl. *Smend*, Entstehung, S. 117 und zur Sache auch *Stoebe*, a.a.O., S. 86.117f.

154 So *J. Vollmer*, Geschichtliche Rückblicke und Motive in der Prophetie des Amos, Hosea und Jesaja (BZAW 119), Berlin 1971, S. 41 mit Anm. 149.

155 Analog zur Gegenüberstellung: זֶבַח – עוֹלָה, s. dazu *Rendtorff*, Studien, S. 140ff.

156 Vgl. *Gese*, Sühne, S. 90, ferner *Milgrom*, Lev 17:11, S. 153 Anm. 22; *ders.*, Sacrifices, S. 769f.

157 So jüngst wieder *B. Lang*, Art. *zbḥ*, ThWAT II, Sp. 530; *Zevit*, ᶜĕglâ Ritual, S. 385, vgl. auch *Stoebe*, a.a.O., S. 125.

Schuld des Hauses Eli durch den *Opferdienst* der Eliden[158] niemals gesühnt werden kann. So entspricht die Gerichtsankündigung 1Sam 3,14b in der Grundaussage der als Todesdrohung qualifizierten Negation der Vergebung Jes 22,14bα: Die Schuld der elidischen Priesterschaft ist (weil nicht durch den Opferkult als Zentrum priesterlichen Handelns [1Sam 2,27ff. !] sühnbar, deshalb) *durch nichts* wiedergutzumachen, das Leben ist endgültig verwirkt.

5. Keine der Stellen, an denen die formelhafte Wortverbindung כִּפֶּר עָוֹן (+ Subjekt JHWH) belegt ist (1Sam 3,14; Jes 22,14; 27,9; Jer 18,23; Ps 78,38; Dan 9,24), setzt ein kultisches, auf den Ablauf eines Sühnerituals bezogenes Geschehen voraus[159]. Da die auf die Negation der Vergebung zielende Gerichtsankündigung Jes 22,14bα (daran anschließend 1Sam 3,14b) der älteste Beleg für die Wortverbindung כִּפֶּר עָוֹן (+ Subjekt JHWH) ist, ließe sich vermuten, daß die(se) negative Form der כִּפֶּר-Aussage auch traditionsgeschichtlich ursprünglich ist. Doch zeigt gerade »das Fehlen entsprechender negativer kpr-Formulierungen im Sakralrecht – Nu 35,33 ausgenommen – . . ., daß die ursprüngliche kpr-Aussage die positive ist«[160]. Dies wird durch die (Jes 22,14 zeitlich vorausliegende) positive Vergebungsaussage Jes 6,7[161] bestätigt. Für deren Verständnis scheint uns der Sachverhalt von entscheidender Bedeutung zu sein, daß schon in Jes 6,1ff. herkömmliche Kultvorstellungen durchbrochen sind und eine grundlegend neue Dimension im Verhältnis Gott – Mensch in den Blick genommen ist, die den Propheten zur Wahrnehmung des göttlichen Auftrags im *Bereich geschichtlicher Ereignisse* befähigt.

Vierter Abschnitt: Das Sühnehandeln eines interzessorischen Mittlers – Die Abwendung des Todesgeschicks von Israel

A) Das Problem: כִּפֶּר als Terminus für das nichtkultische Sühnehandeln des Menschen

Der tiefgreifende und theologiegeschichtlich bedeutsame Wandel, der sich vor, besonders aber nach den Ereignissen der Jahre 66–70/73 n.Chr. in der pharisäisch-rabbinischen Sühnetheologie vollzog, läßt sich – wie besonders der haggadische Midrasch über R. Jochanan b. Zakkai zu zeigen vermag – inhaltlich als Ersetzung des Tempelkults durch die Torafrömmigkeit bestimmen:

158 Opferdienst ist priesterliches Handeln *kat'exochēn*; der Bezug auf die elidische *Priesterschaft* dürfte der Anlaß für den Rekurs auf Ausdrücke des *Opferkultes* gewesen sein.

159 Vgl. *Knierim*, Sünde, S. 201f.227f.

160 *Ders.*, a.a.O., S. 202, vgl. S. 228.

161 S. dazu oben S. 123ff.

»Einmal, als Rabban Jochanan b. Zakkai von Jerusalem kam, folgte ihm R. Jehoschua^c und erblickte den Tempel in Trümmern. ›Wehe uns‹, rief R. Jehoschua^c, ›daß der Ort, an dem die Ungerechtigkeiten von Israel gesühnt wurden (מקום שמכפרים בו), verwüstet ist!‹ – ›Mein Sohn‹, antwortete Rabban Jochanan, ›sei nicht betrübt. Wir haben eine andere Sühne (כפרה אחר), so wirkungsvoll wie diese. Und worin besteht sie? In den Taten der Liebe (גמילות חסדים), wie gesagt ist (Hos 6,6): ›Barmherzigkeit will ich und nicht Opfer‹« (ARN 4,5 [20a])[162].

Worauf diese, nicht zuletzt an den jeweiligen Sühneaussagen ablesbare Umdeutung der Kultbegriffe im Frühjudentum im einzelnen zurückzuführen ist, kann im vorliegenden Zusammenhang nicht erörtert werden[163]. Was im Folgenden dagegen näher untersucht werden soll, ist der Sachverhalt, daß schon innerhalb des Alten Testaments – und hier vornehmlich im Umkreis weisheitlichen Denkens – die Vorstellung einer Sühnung von Schuld durch nichtkultische Sühnemittel begegnet. Orientiert man sich an dem terminologisch durch כִּפֶּר und (bei Einbeziehung von Sir [hebr./griech.] durch) ἐξιλάσκεσθαι vorgegebenen Rahmen, so sind dabei die beiden Vorstellungszusammenhänge (I) »Sühne und Fasten« und (II) »Sühne durch Wohltätigkeit und durch ›verläßliche Güte‹« zu berücksichtigen.

I. Sühne und Fasten

Als *individuelles Sühnemittel* wird das Fasten außer in Sir 34,25f. (v.26: »So [wie einer, der sich nach einer Leichenberührung wäscht und die Leiche danach wieder anfaßt, v.25] ist ein Mensch, der wegen seiner Sünden fastet [νηστεύων ἐπὶ τῶν ἁμαρτιῶν αὐτοῦ] und dasselbe doch wieder tut. Wer wird auf sein Gebet [τῆς προσευχῆς αὐτοῦ] hören, und was hat er von seiner Kasteiung [ἐν τῷ ταπεινωθῆναι αὐτόν]?«[164]) vor allem in den pharisäischen Kreisen entstammenden Psalmen Salomos genannt: »Er (sc. der Gerechte [ὁ δίκαιος]) sühnt (ἐξιλάσατο) unwissentliche Sünden durch Fasten (ἐν νηστείᾳ) und demütigt seine ›Seele‹ (ταπεινώσει ψυχήν αὐτοῦ), und der Herr reinigt jeden frommen Menschen und sein Haus« (PsSal 3,8)[165]. Der Zusammenhang von individuellem Gebetsfasten und Sühne begegnet besonders im rabbinischen Judentum[166], aber auch im hellenistischen Judentum (TestRub 1,10; TestSim 3,4; TestJud 15,4; TestJos 3,4; 4,8; 9,2; 10,1f.; TestBenj 1,4)[167]; im Alten Testament ist er für

162 Übersetzung *J. Neusner*, Jud. 33 (1977), S. 117–126, hier: S. 118, vgl. zur Sache *ders.*, Kairos 21 (1979), S. 121–132 und *Janssen*, Geschichtsbild, S. 127ff.198.

163 S. dazu besonders *Klinzing*, Umdeutung (passim) und *J. Neusner*, Jud. 33 (1977), S. 30–35.117–126, vgl. *Lohse*, Märtyrer, S. 23ff. (jeweils mit Lit.).

164 Zur Synonymität von νηστεύειν »fasten« (≙ צום) und ταπεινόομαι ἐμαυτόν »sich selbst erniedrigen« (≙ II ענה *pi.* + נֶפֶשׁ oder II ענה *hitp.*) s. *J. Behm*, Art. νῆστις κτλ., ThWNT IV, S. 928ff.; *R. Arbesmann*, Art. Fasten, RAC VII, Sp. 454f.; *W. Grundmann*, Art. ταπεινός κτλ., ThWNT VIII, S. 6ff., u.a.

165 Übersetzung: *S. Holm-Nielsen*, Die Psalmen Salomos, JSHRZ IV/2 (1977), S. 68 (zur Lesart ψυχήν ebd. Anm. 8a). Zur Sühneanschauung der PsSal s. zuletzt *Klinzing*, Umdeutung, S. 157ff. und *J. Schüpphaus*, Die Psalmen Salomos, Leiden 1977, S. 30ff.; *Sanders*, Paul, S. 397f.

166 S. Bill. II, S. 241ff.; IV/1, S. 77ff.

167 Vgl. *Arbesmann*, a.a.O. (oben Anm. 164), S. 452f.

den Terminus כִּפֶּר nicht zu belegen (vgl. zur Sache aber 1Kön 21,27ff., ferner 2Sam 12,16; Ps 35,13; Neh 1,4ff.).

In Qumran war individuelles Fasten offenbar unbekannt, als *kollektiver »Selbstminderungsritus«* begegnet es aber, wie im rabbinischen Judentum[168], im Zusammenhang mit dem großen Versöhnungstag[169]. Dieser heißt im hellenistischen Judentum (bei Josephus, Philo) ἡ νηστεία[170] (vgl. Apg 27,9; yYom 8,44d u.ö.). Auch im Alten Testament sind kultische Sühneriten und kollektives Fasten am großen Versöhnungstag aufeinander bezogen: II ענה *pi.* + נֶפֶשׁ (pl.) (Lev 16,29.31; 23,27; Num 29,7); II ענה *pu.* (Lev 23,29)[171].

II. Sühne durch Wohltätigkeit und durch »verläßliche Güte«

1. Sühne durch Wohltätigkeit

Zusammen mit dem Fasten und dem Gebet gehört nach Mt 6,1–4.5–8.16–18 das Almosengeben (ἐλεημοσύνη) zu den drei (im Verborgenen zu übenden) religiösen Grundverhaltensweisen des Menschen. Die sühnende Wirkung des Almosengebens wird in Sir 3,30 (hebr.)[172] mit כפר formuliert:

אש לוהטת יכבו מים
כן צדקה תכפר חטאת

»Brennendes Feuer löscht Wasser aus:
so sühnt Wohltätigkeit (Almosen) Sünde«[173].

Nach Tob 4,10; 12,9 errettet Almosengeben bzw. Wohltätigkeit gar aus Todesverfallenheit: ἐλεημοσύνη (γὰρ) ἐκ θανάτου ῥύεται (vgl. auch Sir 19,12). Während צְדָקָה im Alten Testament nur in Dan 4,24 (Dan 4,27 LXX: ἐλεημοσύνη pl.) in der Bedeutung »Wohltätigkeit, Barmherzigkeit, Almosen« belegt ist, dokumentieren die aus Sir und Tob zitierten צְדָקָה≙ἐλεημοσύνη-Belege[174] einen Bedeutungswandel des alttestamentlichen Gerechtigkeitsbegriffs, der sich außer in LXX (Dtn 6,25; 24,13; Ps 24,5; 33,5; 103,26; Jes 1,27 u.ö.) und vereinzelt im Neuen Testament (Mt 6,1–4; Apg 9,36 u.ö.) besonders im rabbinischen Judentum

168 S. Bill. IV/2, Register S. 1264–1266 s.v. Sühnemittel, ferner *H. A. Brongers,* OTS 20 (1977), S. 1–21; *Martin-Achard,* Fêtes, S. 113f.

169 Vgl. auch Jub 34,17–19, s. dazu (und zu Jub 5,17f.) *M. Testuz,* Les idées religieuses du livre des Jubilés, Genf/Paris 1960, S. 149f.; *Sanders,* Paul, S. 379f.

170 S. dazu *Lyonnet,* Expiation, S. 895f.; *Arbesmann,* a.a.O. (oben Anm. 164), Sp. 448f.; *Thyen,* Sündenvergebung, S. 121f.; *Martin-Achard,* Fêtes, S. 106.112f. (jeweils mit Belegen), vgl. auch *Wolter,* a.a.O. (oben Anm. 4), S. 60 Anm. 120.

171 Weitere Beispiele für kollektives Sühnefasten bei *Brongers,* a.a.O. (oben Anm. 168), S. 11ff.

172 Der hebräische Sir-Text wird zitiert nach: The Book of Ben Sira. Text, Concordance and an Analysis of the Vocabulary (The Historical Dictionary of the Hebrew Language), Jerusalem 1973.

173 v. 30b gr.: καὶ ἐλεημοσύνη ἐξιλάσεται; syr.: *šbq pe.*

174 Zu den weiteren (hier nicht zitierten) Belegen s. *G. L. Prato,* Il problema della teodicea in Ben Sira. Composizione dei contrari e richiamo alle origini (AnBib 65), Rom 1975, S. 393f. Zur Sühnefunktion von Almosen s. jetzt mit reichem Belegmaterial *K. Berger,* NTS 23 (1977), S. 180–204, hier: S. 183ff., vgl. auch *U. Wilckens,* EKK VI/1 (1978), S. 240f. mit Anm. 758.

nachweisen läßt[175]. Diesem Gerechtigkeitsbegriff korrespondiert im Frühjudentum (Sir 3,30; Tob 4,10; 12,9) und im rabbinischen Judentum (bBer 55a u.ö.) ein gewandelter Sühnebegriff[176].

2. Sühne durch »verläßliche Güte«

Obwohl das Almosengeben (צדקה, מצוה) im rabbinischen Judentum zusammen mit den »Liebeswerken« (גמילות חסדים) zu den »guten Werken« (מעשׂים טובים) zählte, wurden die Werke der Wohltätigkeit von den »Liebeswerken« dennoch unterschieden (tPea 4,19 u.ö.)[177]. Ob die Elternehrung zu den (sühnenden) »Liebeswerken« gehörte, war im Rabbinat strittig[178]; daß das Ehren der Eltern Sühnkraft besitzt, belegt für das Frühjudentum Sir 3,3f. (gr.):

»Wer den Vater ehrt, sühnt Sünden (ἐξιλάσκεται ἁμαρτίας),
und wie einer, der Schätze sammelt, ist der, der seine Mutter achtet«[179].

Als Schriftbeweis für die sühnende Wirkung von »Liebeswerken« gilt im rabbinischen Judentum (neben 1Sam 3,14) auch Prov 16,6[180]:

בְּחֶסֶד וֶאֱמֶת יְכֻפַּר עָוֹן וּבְיִרְאַת יְהוָה סוּר מֵרָע׃

»Durch *ḥaesaed wae*ʾ*aemaet* wird Schuld gesühnt,
und durch Jahwefurcht entgeht man dem Bösen«[181].

Entgegen der nachbiblischen Exegese von Prov 16,6[182], derzufolge der Ausdruck חֶסֶד וֶאֱמֶת aufgegliedert und seine beiden Einzelelemente als »Liebeswerke« (חֶסֶד) und als »Tora« (אֱמֶת) gedeutet werden, stellt diese Wendung nach der ursprünglichen Aussageabsicht von Prov 16,6 ein Hendiadyoin dar (die dem ersten Nomen vorangestellte Präp. בְּ gilt für den Gesamtausdruck!), bei dem das nachgestellte אֱמֶת Näherbestimmung zu חֶסֶד ist: »*ḥaesaed* (Huld, Güte, Liebe), auf die man sich verlassen kann«[183]. Dieser dem Mitmenschen geltende[184] verläßliche

175 S. dazu *Schmid*, Gerechtigkeit, S. 72f.; vgl. *ders.*, WuD 12 (1973), S. 31–41, hier: S. 32.37f.; ferner *Stuhlmacher*, Gerechtigkeit Gottes, S. 183f.; *K. Koch*, Art. *ṣdq*, THAT II, Sp. 529f. und die Belege bei Bill. I, S. 388; II, S. 188f.; IV/1, S. 536ff.
176 Vgl. *Berger*, a.a.O. (oben Anm. 174), S. 183ff.
177 S. Bill. IV/1, S. 537.541.559ff.562 und *M. Hengel*, Eigentum und Reichtum in der frühen Kirche. Aspekte einer frühchristlichen Sozialgeschichte, Stuttgart 1973, S. 27.
178 S. Bill., a.a.O., S. 560.563.
179 Syr.: *šbq pe*. Zu Sir 3,3f. vgl. Sir 3,14–16! In der Weisheitsliteratur wird das Elterngebot in positiven und in negativen Formulierungen tradiert, vgl. *R. Albertz*, ZAW 90 (1978), S. 348–374, hier: S. 367ff., ferner *B. Lang*, ZDMG Suppl. 3/1 (1977), S. 149–156.
180 S. Bill. IV/1, S. 562.564.
181 Eine Korrektur von סוּר מֵרָע in מוּסַר רָע (vgl. BHK³/S z.St., ferner *G. Kuhn*, Beiträge zur Erklärung des salomonischen Spruchbuches [BWANT Folge 3, H. 6], Stuttgart 1931, S. 38) ist unnötig. Zu dem in der Weisheitsliteratur häufiger belegten, differenziert zu beurteilenden Ausdruck סוּר מֵרָע (Ps 34,15; 37,27; Hi 1,1.8; 2,3; 28,28; Prov 3,7; 13,19; 14,16; 16,6.17) s. *J. Becker*, Gottesfurcht im Alten Testament (AnBib 25), Rom 1965, S. 223.226f.233ff.
182 S. Bill. IV/1, S. 564.
183 S. dazu v.a. *W. Zimmerli*, Art. χάρις κτλ., ThWNT IX, S. 372ff. und *Gese*, Johannesprolog, S. 186ff., ferner *H. J. Stoebe*, Art. *ḥaesaed*, THAT I, Sp. 601f.609f.611ff.; *H. J. Zobel*, Art. *ḥaesaed*, ThWAT III, Sp. 53.54f.55f.56ff.
184 Vgl. *Zobel*, a.a.O., Sp. 55f., anders *Knierim*, Sünde, S. 226f.

חֶסֶד-Erweis vermag עָוֹן zu sühnen. Daß von dem in »verläßlicher Güte« Handelnden nicht eine ›sittliche Leistung‹ erbracht wird, erhellt schon aus dem Prinzip der Gegenseitigkeit des חֶסֶד-Erweises: »*ḥäsäd* setzt ein bestehendes mehr oder weniger enges Gemeinschaftsverhältnis voraus und bezeichnet die diesem Verhältnis gemäße, es auszeichnende Freundlichkeit und Güte, die aber gerade in Gesinnung und Tat über das entschieden hinausgeht, was normalerweise, unter Absehung der besonderen Beziehung zueinander, üblich wäre«[185]. Der in Prov 16,6a unter dem Aspekt der Zuverlässigkeit, der andauernden Gültigkeit (Doppelausdruck חֶסֶד וֶאֱמֶת) beschriebene gemeinschaftsgemäße und darum lebenserhaltende חֶסֶד-Erweis, der bestehenden עָוֹן[186] zu sühnen, d.h. wiedergutzumachen oder zu entfernen (vgl. das parallele סוּר) vermag, verläuft nicht gleichsam weltimmanent, sondern ist konkreter Aufweis des Gottesbezuges (יִרְאַת יְהוָה v. 6b). Beachtet man den synthetischen Parallelismus zwischen v. 6a und v. 6b (es entsprechen sich חֶסֶד וֶאֱמֶת – יִרְאַת יְהוָה, יְכֻפַּר עָוֹן – רָע (מִן) סוּר), so wird deutlich, daß auch סוּר מֵרָע (hier und in Prov 13,19; 14,16; 16,17 [im Unterschied zu Ps 34,15; 37,27; Hi 1,1.8; 2,3; 28,28; Prov 3,7]) nicht das Meiden des sittlichen Übels, sondern das Meiden des Bösen, des Unheils schlechthin meint.[187] Demnach will Prov 16,6 sagen: Durch »verläßliche Güte« (חֶסֶד וֶאֱמֶת) und (d.h.:) durch »Frömmigkeit« (יִרְאַת יְהוָה)[188] wird bestehendes Unheil »gesühnt«: in seiner Wirkmächtigkeit entfernt und abgewendet. Diese Vorstellung einer Sühnung von Schuld (כִּפֶּר עָוֹן) durch ein bestimmtes menschliches Grundverhalten (חֶסֶד וֶאֱמֶת) ist für das Alte Testament zwar singulär, traditionsgeschichtlich aber als Umformung einer ursprünglich in prophetischer Verkündigung verwurzelten כִּפֶּר-Aussage (כִּפֶּר עָוֹן 1Sam 3,14; Jes 22,14; 27,9; Jer 18,23 [negiert]; Ps 78,38; Dan 9,24)[189] durch weisheitliches Denken erklärbar[190].

Wie die im Folgenden zu analysierenden Belege für das (z.T. im Bereich des Kultes vollzogene) *Sühnehandeln eines interzessorischen Mittlers* zeigen, ist das Vorkommen *nichtkultischer Sühnemittel* aber schon inneralttestamentlich nicht auf den Bereich der Weisheit beschränkt. Daraus ergeben sich Interpretationsprobleme besonderer Art: So bewirkt die Interzession nach *K. Koch* »nicht in gleicher Stärke Entsündigung wie die Sühne – sie kann viel eher abgewiesen werden, stellt kein Vollzugshandeln dar, sondern erwartet, daß Jahwe den entscheidenden Schritt unternimmt. Es ist deshalb begreiflich, daß das Wort כפר nirgends (eindeutig) bei dem Bericht über eine Fürbitte erwähnt wird. Es handelt sich um zwei verschiedene Vorstel-

185 *Gese*, Johannesprolog, S. 186.

186 Speziell zu עָוֹן in Prov 16,6 s. *Knierim*, a.a.O., S. 226–228.

187 Zu diesem Gebrauch von רַע s. *Becker*, a.a.O. (oben Anm. 181), S. 223.226f.233ff., vgl. auch *H. J. Stoebe*, Art. *r^cc*, THAT II, Sp. 800f.

188 Zu dem sittlichen Begriff der Gottesfurcht (= »Frömmigkeit, Religion«) s. *Becker*, a.a.O., S. 210–261.285, vgl. S. 184ff. und *S. Plath*, Furcht Gottes. Der Begriff ירא im Alten Testament, Stuttgart 1962, S. 54ff.; *H.-P. Stähli*, Art. *jr'*, THAT II, Sp. 775ff.

189 S. oben S. 133ff.; vgl. zu Prov 16,6b auch die סוּר-Formulierungen in Jes 6,7 und Jes 27,9 (oben S. 117ff.127ff.)! Ob man die durch weisheitliches Denken umgeformte כִּפֶּר-Aussage Prov 16,6 als »verrechenbare Vergebungsprognose« bezeichnen kann (so *Knierim*, Sünde, S. 227, vgl. S. 226ff.), erscheint uns angesichts der Aussagestruktur (vgl. den Parallelismus »Jahwefurcht«!) als durchaus zweifelhaft (vgl. auch die Einschränkung bei *Knierim*, a.a.O., S. 227 Anm. 109).

190 Anders *Schmidt* (Glaube, S. 127), demzufolge die Sentenz Prov 16,6 »wohl nur dann voll verständlich (wird), wenn man sie als indirekte Kritik an der priesterlichen Auffassung, Sühne vollziehe sich durch Sühnopfer, ansieht«.

lungen«[191]. Ist diese Sicht der Dinge zutreffend, oder läßt sich nicht vielmehr ein genuiner Zusammenhang der Interzessionsthematik mit den כִּפֶּר-Überlieferungen erweisen?[192]

B) Sühne durch prophetische und durch priesterliche Interzession

I. Die Interzession Moses Ex 32,30–34 und Ex 32,7–14

Das Bild von Mose, »dem gewaltigen Meister der Fürbitte«[193], geht überlieferungsgeschichtlich auf die in der späten Königszeit ausgebildete *Tradition des fürbittenden (Propheten) Mose*[194] zurück, zu deren frühesten Textzeugen Ex 32,7ff. und Ex 32,30ff. gehören.

Ex 32,30–34aα.β.b ist Teil eines einheitlichen (jehowistischen?) Erzählzusammenhangs[195], der literarisch von Ex 32,4b.7–14*[196] vorausgesetzt

191 Sühneanschauung, S. 75.

192 Zur Interzession im Alten Testament s. zuletzt (jeweils mit Nachweis der älteren Lit.): *C. Westermann*, Art. Gebet II 4c, RGG³ II, Sp. 1214f.; *J. Scharbert*, Art. Fürbitte, BL², Sp. 501; *ders.*, ThGl 50 (1960), S. 321–338; *ders.*, Heilsmittler (passim); *H. J. Boecker*, Art. Gebet 3, BHH I, Sp. 520f.; *J. Jeremias*, Kultprophetie und Gerichtsverkündigung in der späten Königszeit Israels (WMANT 35), Neukirchen-Vluyn 1970, S. 3f.139ff.; *ders.*, EvTh 31 (1971), S. 305–322; *Le Déaut*, Intercession (passim); *O. Michel*, Art. Gebet II (Fürbitte), RAC IX (1976), Sp. 1–19.33–36; *C. Houtman*, ZAW 89 (1977), S. 412–417; *U. Kellermann*, BN 13 (1980), S. 63–83, ferner (soweit erschienen) die Artikel: *pgʿ*, *pll*, *ʿmd*, *ʿtr* (u.a.) in THAT und ThWAT, s. auch die Hinweise im folgenden.

193 *F. Giesebrecht*, Das Buch Jeremia (HKAT), Göttingen 1894, S. 87.

194 Zur Berechtigung der Redeweise von der Interzession des *Propheten* Mose s. besonders *L. Perlitt*, EvTh 31 (1971), S. 588–608, hier: S. 599ff., vgl. auch *Jeremias*, EvTh 31 (1971), S. 305–322, hier: S. 307ff.; *Reichert*, Jehowist, S. 192f. Zur Tradition von der Fürsprache des Mose im antiken Judentum s. *Lohse*, Märtyrer, S. 87ff.; *Le Déaut*, a.a.O., S. 51ff.; *Michel*, a.a.O. (oben Anm. 192), Sp. 8f.; *K. Haacker – P. Schäfer*, in: Josephus-Studien (FS *O. Michel*), hrsg. von *O. Betz*, *K. Haacker* und *M. Hengel*, Göttingen 1974, S. 148 mit Anm. 2; S. 152f.159.160f.

195 So *Zenger*, Sinaitheophanie, S. 79ff.103.111.117f. *Zenger* veranschlagt in Ex 32 für JE: v. 1–4a.5.6.15aα.19.20a.bα.30–34aαβ.b (zur Streichung von v. 34a s. S. 86f.), vgl. auch *J. Loza*, VT 23 (1973), S. 31–55 (der allerdings auch Ex 32,7–14* zu JE zählt) und *H. Valentin*, Aaron. Eine Studie zur vorpriesterschriftlichen Aaronüberlieferung (OBO 18), Freiburg/Schweiz/Göttingen 1978, S. 254ff.265ff.267ff. (der v. 33b für eine späte Zufügung hält). Anders hinsichtlich der literarischen Zuordnung von Ex 32 jüngst: *Perlitt*, Bundestheologie, S. 209f. (»levitisch-deuteronomisch«, vgl. *Jeremias*, Reue Gottes, S. 60; *H. H. Schmid*, Der sogenannte Jahwist. Beobachtungen und Fragen zur Pentateuchforschung, Zürich 1976, S. 89ff.); *B. Childs*, OTL (1974), S. 558ff. (wahrscheinlich J); *H.-D. Hoffmann*, Reform und Reformen. Untersuchungen zu einem Grundthema der deuteronomistischen Geschichtsschreibung (AThANT 66), 1980, S. 307ff.

196 Ex 32,9 (deest in LXX) ist aus Dtn 9,13 eingetragene Glosse, s. *Zenger*, a.a.O., S. 82f. In der Regel hält man Ex 32,7(9)–14 für einen »dtr Zusatz«, so zuletzt: *Perlitt*, a.a.O., S. 208f. (für v. 9–14); *Dietrich*, a.a.O. (oben Anm. 126), S. 96; *Zenger*, a.a.O., S. 81ff.103.111. 118.164 (sog. »erste dtr Bearbeitung« von JE); *Smend*, Entstehung, S. 68; *Hoffmann*, a.a.O., S. 307ff., vgl. im übrigen die Übersicht bei *Zenger*, a.a.O., S. 219f. und *Loza*, a.a.O., S. 32 Anm. 1. Eine andere Beurteilung vertreten *J. G. Plöger*, Literarkritische, formgeschichtliche

wird. Dieser Grundschicht von Ex 32 zufolge benutzt das Volk die Anwesenheit Moses auf dem Sinai (Ex 24,12*.15a; 31,18aα.b) dazu, ein Gottesbild anzufertigen und dieses kultisch zu verehren (Ex 32,1–4a.5f.). Als Mose bei seiner Rückkehr das Stierbild und das Treiben des Volkes sieht, wirft er aus Zorn die Tafeln der עֵדֻת zu Boden und zerstört das Gottesbild (Ex 32,15aα.19.20a.bα). Am nächsten Morgen kehrt er zu Jahwe zurück, in der Absicht, diesen für die »große Sünde« des Volkes (חטא *qal* + חֲטָאָה גְדֹלָה, vgl. 2Kön 17,21 dtr) um Vergebung zu bitten (Ex 32,30–32). Jahwe aber hebt die Strafe für die Sünde nicht auf, sondern er verzögert sie bis zum »Tage meiner Heimsuchung« (Ex 32,33.34*).

Ex 32,30–34 enthält die Vergebungsbitte Moses v. 30–32 und die Antwort Jahwes v. 33–34. Die Vergebungsbitte Moses untergliedert sich in die *Ankündigung an das Volk* v. 30b (eingeleitet durch die Tatbestandsfeststellung v. 30aβ) und in die – um eine zweite Bitte für den Fall der nicht gewährten Vergebung (v. 32b) erweiterte – *Realisierung vor Jahwe* v. 32a (eingeleitet durch die um eine Tatbestandsdarstellung v. 31bβ erweiterte Tatbestandsfeststellung v. 31bα):

»(30) Am nächsten Morgen sagte Mose zum Volk: ›Ihr habt eine große Sünde begangen. Jetzt will ich zu Jahwe hinaufsteigen אוּלַי אֲכַפְּרָה בְּעַד חַטַּאתְכֶם‹. (31) Und Mose kehrte zu Jahwe zurück und sprach: ›Ach dieses Volk hat eine große Sünde begangen, sie haben sich einen goldenen Gott gemacht. (32) Und nun, אִם־תִּשָּׂא חַטָּאתָם! Wenn nicht, streiche mich doch aus deinem Buch, das du geschrieben hast!‹«

Da Ankündigung (v. 30b) und Realisierung (v. 32a) der Vergebungsbitte zusammen auszulegen sind (vgl. die Parallelität der Tatbestandsfeststellungen v. 30aβ und v. 31bα), besteht das von Mose dem sündigen Volk in Aussicht gestellte, unter der Bedingung eines »Vielleicht« unternommene כִּפֶּר-Handeln in der Bitte um Sündenvergebung (v. 32a: אִם־תִּשָּׂא חַטָּאתָם »wenn du doch ihre Sünde vergeben könntest«)[197], so daß man אוּלַי אֲכַפְּרָה בְּעַד חַטַּאתְכֶם v. 30bβ übersetzen kann: »vielleicht kann ich Vergebung für eure

und stilkritische Untersuchungen zum Deuteronomium (BBB 26), Bonn 1967, S. 77ff.; *G. Seitz,* Redaktionsgeschichtliche Studien zum Deuteronomium (BWANT 93), Stuttgart/Berlin/Köln/Mainz 1971, S. 51ff.; *Jeremias,* a.a.O., S. 59–66, vgl. noch *Lohfink,* Landverheißung, S. 17ff. und – mit Berücksichtigung der Forschungsgeschichte – *Valentin,* a.a.O., S. 231ff.

197 Es ist zu beachten, daß die Wendung נָשָׂא + חַטָּאת »Verfehlung (eines anderen weg)tragen → vergeben« hier auf Jahwe und nicht auf Mose bezogen ist! Die Verkennung oder zumindest: die ungenaue Erfassung dieses Sachverhalts führt beispielsweise bei *S. Herrmann,* GPM 31 (1977), S. 151–157, hier: S. 154f. zur These vom »stellvertretenden Todesleiden« Moses. Zu der 7mal belegten Wendung נָשָׂא + חַטָּאת »Verfehlung (eines anderen weg)tragen → vergeben« (Gen 50,17; Ex 10,17; 32,32; Jos 24,19; 1Sam 15,25; Ps 25,18; 32,5; dazu bedeutungsgleich: נָשָׂא + חֵטְא: Jes 53,12; נָשָׂא + חֲטָאָה: Ex 34,7) s. *Knierim,* Sünde, S. 50–54 (mit den dortigen Querverweisen), vgl. *Stamm,* Erlösen, S. 67ff.; *Zimmerli,* Jes 53, S. 215ff.; *Knierim, ḥṭ',* Sp. 544f.; *Koch, ḥṭ',* Sp. 861f.865; *Göbel, slḥ,* S. 23 mit Anm. 26; *G. Gerleman,* in: Beiträge zur alttestamentlichen Theologie (FS *W. Zimmerli*), hrsg. von *H. Donner, R. Hanhart* und *R. Smend,* Göttingen 1977, S. 132–139, hier: S. 136.

Sünden erwirken«[198]. Dabei impliziert diese כַּפֵּר-Formulierung nicht, wie die Bitte für den Fall der nicht gewährten Vergebung v. 32b nahelegen könnte, den Gedanken des stellvertretenden (Leidens oder) Sühnetodes des Mittlers Mose[199]; vielmehr will die in v. 32b formulierte Bitte des Mose: ». . . wenn nicht, streiche mich doch aus deinem Buch, das du geschrieben hast« sagen, daß er *nach* dem als Folge der von Gott nicht gewährten Sündenvergebung zu erwartenden Untergang des Volkes (zu beachten ist die v. 32b aufnehmende מָחָה-Formulierung v. 33b und die Ankündigung des göttlichen פָּקַד v. 34b)[200] »das *gleiche Schicksal* – Vernichtung – wie das zu bestrafende Volk zu erleiden wünscht«[201], nämlich: aus dem »Buche Gottes« gestrichen zu werden (vgl. v. 32b mit v. 33b). Das einzige Mittel, mit dem Mose die Sünde des Volkes zu sühnen sucht, ist seine auf die göttliche Vergebung gerichtete Interzession[202]. Beides, die Interzession Moses und die negative, weil die Strafe nicht aufhebende, sondern nur hinauszögernde Reaktion Gottes, gab dem nach dem Untergang des Nordreiches 722 v. Chr. weiterexistierenden Israel-Juda theologisch erheblich zu denken.

In Gestalt einer heilsgeschichtlich fundierten Exegese von Ex 32,30–34 liegt das Ergebnis dieses Nachdenkens in Ex 32,7f.10–14 vor[203]. Dieses Stück besteht aus einer den Vernichtungsbeschluß gegen Israel begründenden *Rede Jahwes zu Mose* v. 7f.10 (mit Tatbestandsdarstellung v. 7f. [vgl. Dtn 9,12aβ.b], Tatbestandsfeststellung v. 9 dtr [vgl. Dtn 9,13] und Rechtsfolgebeschreibung v. 10 [vgl. Dtn 9,14]), aus der diesen Vernichtungsbeschluß Jahwes abwen-

198 Vgl. *Stamm*, a.a.O., S. 60; *ders.*, Das Leiden des Unschuldigen in Babylon und Israel, Zürich 1946, S. 71.

199 So *Herrmann*, Sühne, S. 48f.; *ders.*, *hilaskomai*, S. 304 und die bei *Scharbert*, Heilsmittler, S. 84 Anm. 46 genannten Autoren, ferner neuerdings *Thompson*, Penitence, S. 73 mit Anm. 2; *Jeremias*, Reue Gottes, S. 60; *Garnet*, Atonement Constructions, S. 135 mit Anm. 9; *Herrmann*, a.a.O. (oben Anm. 197), S. 153ff. Auch Dtn 1,37f.; 3,23ff. ist nicht der Gedanke eines stellvertretenden (Sühne-)Leidens des Mose zu entnehmen, vgl. *Th. W. Mann*, JBL 98 (1979), S. 481–494.

200 Daß die nicht gewährte Vergebung der Sünde des Volkes dessen (verzögerten) Untergang bedeutet, zeigt v. 34b, vgl. *Knierim*, Sünde, S. 53; zu dem hier verwendeten פקד-Begriff s. *W. Schottroff*, Art. *pqd*, THAT II, Sp. 477ff.483f.

201 *Stamm*, Erlösen, S. 60 (H. v. uns), vgl. *F. Hesse*, Die Fürbitte im Alten Testament, Masch.Diss. Erlangen 1951, S. 33; *Lyonnet*, Expiation, S. 886 Anm. 4; *J. Scharbert*, ThGl 50 (1960), S. 321–338, hier: S. 325 mit Anm. 37; *ders.*, Heilsmittler, S. 84f.98f.; *Koch*, Sühne, S. 219 Anm. 3 (z.T. anders noch *ders.*, Sühneanschauung, S. 74f.); *Hengel*, Atonement, S. 8.

202 Obwohl auch *Scharbert* für Ex 32,30 die These vom stellvertretenden Leiden oder »Sühnetod« des Mose verneint, kann er dennoch formulieren, daß »die Haltung des Mose an dieser Stelle der des ›Gottesknechtes‹ in Js 53 schon beträchtlich nahe(kommt)« (Heilsmittler, S. 85; vgl. *L. Ruppert*, Jesus als der leidende Gerechte? Der Weg Jesu im Lichte eines alt- und zwischentestamentlichen Motivs [SBS 59], Stuttgart 1972, S. 74, u.a.). Über Berechtigung oder Nichtberechtigung dieses Satzes wäre nur im Rahmen einer Analyse der Überlieferungsgröße »Leidender Gerechter« zu entscheiden; zur These vom »leidenden Mittler« Mose s. etwa *von Rad*, Theologie I, S. 306ff.; II, S. 284ff.428ff.; *Minkner*, Bürgschaftsrecht, S. 132ff.; *Gerstenberger*, in: *E. Gerstenberger – W. Schrage*, Leiden (Biblische Konfrontationen), Stuttgart/Berlin/Köln/Mainz 1977, S. 79ff.; *L. Ruppert*, Conc (D) 12 (1976), S. 571–575, hier: S. 573f., ferner *Scharbert*, a.a.O., S. 96ff., bes. die kritischen Bemerkungen S. 98f.

203 S. dazu die Hinweise oben Anm. 196.

denden *Fürbitte Moses* v. 11–13 (vgl. Dtn 9,[25]26–29) und der positiven *Reaktion Gottes* darauf v. 14 (vgl. Dtn 10,10). Anders als in der Vergebungsbitte Moses Ex 32,32 werden in der – Formulierungen und Motive der Jahwerede v. 7f.10 aufgreifenden – Fürbitte v. 11–13 heilsgeschichtliche Argumente aufgeboten, um den göttlichen Vernichtungsbeschluß (v. 10aβ, vgl. Dtn 9,14b; Num 14,12a) abzuwenden: der Hinweis auf die machtvolle Herausführung des Gottesvolkes aus Ägypten (v. 11b, vgl. Dtn 9,26.29; Num 14,13) und – damit zusammenhängend – auf die erschrockene Reaktion der Ägypter im Falle der Durchführung der Vernichtungsabsicht (v. 12a), vor allem aber der Rückverweis auf den Väterschwur (v. 13, vgl. Dtn 9,27f.; Num 14,16). Auf diesen letzten Einwand hin, der den Ton trägt[204], nimmt Jahwe seinen Vernichtungsbeschluß gegen Israel zurück: »Da tat Jahwe das Unheil leid (וַיִּנָּחֶם יְהוָה עַל־הָרָעָה), das er über sein Volk hatte bringen wollen« (v. 14). Wie die Parallelität der an Jahwe gerichteten Bitten Moses: »Wende dich ab von der Glut deines Zornes (שׁוּב מֵחֲרוֹן אַפֶּךָ)« (v. 12aα) // »laß dich des über dein Volk geplanten Unheils gereuen (וְהִנָּחֵם עַל־הָרָעָה לְעַמֶּךָ)« (v. 12aβ) zeigt[205], bedeutet das »Bereuen« (נִחַם) Jahwes die Aufhebung (שׁוּב) des göttlichen Zornes, der Israel vernichten würde (v. 10aβ, vgl. v. 11bα)[206]. Auf die Interzession des Mose hin nahm Jahwe sein gegen Israel gerichtetes Strafvorhaben zurück (v. 14) oder, wie die späteren Texte formulieren: Jahwe »erhörte« (שָׁמַע) die Vergebungsbitte Moses (Dtn 10,10) bzw. auf die Bitte Moses hin »vergab« er (סָלַח) die Sünde Israels (Num 14,19f., vgl. Ex 34,6f.9).

Am Rande sei angemerkt, daß der thematische Zusammenhang von göttlicher Vernichtungsabsicht und menschlicher »Sühnetat« in Gestalt einer Bitte um Aufhebung des Gotteszornes auch in der (nur fragmentarisch erhaltenen und in der Tradition des deuteronomistischen Geschichtsbildes stehenden) voressenischen Gebetssammlung 4QDibHam[207] begegnet. Die Eingangszeilen von Kol. II dieser Gebetssammlung, die u.a. Aussageelemente von Ex 32,7ff. 30ff. aufgreifen, lauten:

8 »(. . .) Du (sc. Gott) empfandest Zorn gegen sie (sc. unsere Väter), um sie zu vernichten, doch du verschontest
9 sie, weil du sie liebtest und um deiner *b^e^rît* willen – denn Mose sühnte
10 ihre Sünde (כיא כפר מושה [10] בעד חטאתם)[208] – und um der Erkenntnis deiner großen Macht und der Fülle dei[ner] Güte willen
11 für ewige Geschlechter. Möge sich doch dein Zorn und dein Grimm abwenden von deinem Volk Israel (ישוב נא אפכה וחמתכה מעמכה ישראל) wegen all [ihrer Sü]nde, indem du gedenkst
12 deiner Wundertaten, die du getan hast vor den Augen der Völker«.

204 Vgl. *Jeremias*, Reue Gottes, S. 64.

205 Vgl. Jon 3,9 und zur Sache Jer 4,28 (negiert); Joel 2,14; Ps 90,13.

206 Zur Interpretation von נחם s. besonders *Jeremias*, a.a.O., S. 39–113, ferner *H. van Dyke Parunak*, Bib. 56 (1975), S. 512–532; *H. J. Stoebe*, Art. *nḥm*, THAT II, Sp. 59ff., bes. Sp. 64f.; *B. Maarsingh*, in: Übersetzung und Deutung (FS *A. R. Hulst*), Nijkerk 1977, S. 113–125, bes. S. 118ff. Zum Motiv vom »Ablassen« bzw. von der »Abwendung« des Gotteszorns s. unten S. 152.

207 Text: *M. Baillet*, RB 68 (1961), S. 195–250, vgl. die Ergänzungen und Korrekturen bei *K. G. Kuhn*, RdQ 4 (1963), S. 166–169; zur Interpretation außerdem *Steck*, Israel, S. 113.116ff.120.121ff. u.ö.; *Thyen*, Sündenvergebung, S. 91 Anm. 1; *Lichtenberger*, Menschenbild, S. 93 Anm. 1; *Garnet*, Salvation, S. 9ff. Das Motiv vom Zorn(gericht) Jahwes (4QDibHam II,11; III,11; V,5; VI,11) ist ein konstitutives Element des dtr Geschichtsbildes, s. dazu die Hinweise unten Anm. 239.

208 Zum perfektiven Aspekt der כפר-Formulierung s. *Garnet*, a.a.O., S. 11.

II. Sühne durch priesterliche Interzession

1. Die sühnende Eifertat des Pinchas Num 25,6–15

Nach der Grundstelle der alttestamentlichen Pinchas-Tradition Num 25,6–15[209] hat der Aaronide Pinchas dadurch die von Gott gewirkte »Plage« zum Stillstand gebracht (עצר *nif.* + הַמַּגֵּפָה [v. 8]), daß er einen Israeliten samt einer Midianiterin, mit der dieser sich eingelassen hatte, mit einem Speer durchbohrte (v. 7f.). Als Belohnung für diese den Jahweeifer (קִנְאָה) aufnehmende und unter den Israeliten verwirklichende Eifertat (v. 11a) wird Pinchas von Gott eine bestimmte Heilszusage gegeben: »Siehe, ich gebe ihm meine Zusage von Heil (בְּרִיתִי שָׁלוֹם)« (v. 12)[210]. Die Inhaltsbestimmung dieser בְּרִית folgt in v. 13: »Ihm und seinen Nachkommen nach ihm soll eine ewige בְּרִית des Priestertums zuteil werden, dafür daß er für seinen Gott geeifert und für die Israeliten Sühne geschaffen hat (וַיְכַפֵּר עַל־בְּנֵי יִשְׂרָאֵל)«. Dabei wird durch den – zugleich als Begründung für die Jahwezusage v. 13a formulierten – Rückgriff (v. 13b) auf die Eifertat des

209 Die literarische Problematik von Num 25 ist bislang noch nicht befriedigend geklärt, vgl. die Kommentare. Der am wenigsten unsicheren Lösung zufolge (*Noth*, ÜSt, S. 201f.212; *ders.*, ÜPent, S. 16.81.213f.; *ders.*, ATD VII [1966], S. 170ff.) dürfte die Beispielerzählung Num 25,1–5 (Überlieferung vom Abfall zum Baal Peor) aus dem alten Pentateuchgut stammen (s. aber *Veijola*, a.a.O. [oben Anm. 32], S. 114 mit Anm. 54, der in Num 25 Spuren dtr Bearbeitung findet: v. 3b.8b.11) und trotz literarischer Unebenheiten nicht auf zwei Quellen (etwa J: v. 1f.4; E: v. 3.5, so *Jaroš*, a.a.O. [oben Anm. 39], S. 390ff.) zu verteilen sein, s. dazu zuletzt *J. Halbe*, Das Privilegrecht Jahwes Ex 34,10–28. Gestalt und Wesen, Herkunft und Wirken in vordeuteronomischer Zeit (FRLANT 114), Göttingen 1975, S. 157 Anm. 42, vgl. S. 157ff. 304ff. Ihr ursprünglicher Schluß scheint durch Num 25,6–18 verdrängt worden zu sein. Diese Pinchas-Geschichte »steht nicht auf eigenen Füßen, sondern lehnt sich an die aus den alten Quellen stammende Erzählung Num 25,1–5 an« (*Noth*, ÜSt, S. 201); sie gehört weder zu P^g noch zu P^s, sondern stellt wohl einen – auf die Schlußredaktion des Pentateuch (R^P) zurückgehenden (?) – Zusatz zu Num 25,1–5 dar, entstanden aus dem späten »Interesse eines Nachweises der Vererbung des Hohenpriesteramtes auf der legitimen Linie Aaron – Eleasar – Pinehas« (*Noth*, ÜPent, S. 81, vgl. S. 16.213f., zur Sache ferner *Gunneweg*, Leviten, S. 158–171, bes. S. 161f.; *Milgrom*, Studies, S. 18f.). Wie Num 25,10–13 schon aus sprachlichen Gründen nicht einfach auf $P^{g/s}$ zurückgeführt werden kann (s. besonders *H. Holzinger*, Numeri [HAT XVIII, 1903], S. 127, vgl. *Noth*, ÜSt, S. 202 und zur dtr Bearbeitung von Num 25: *Veijola*, a.a.O.), so ist auch die dort vorliegende Sühneanschauung (Sühne als Abwendung des Gotteszornes) mit den kultischen Sühneaussagen von P nicht in Einklang zu bringen, s. im folgenden. Zur Pinchas-Überlieferung im antiken Judentum s. *M. Hengel*, Die Zeloten. Untersuchungen zur jüdischen Freiheitsbewegung in der Zeit von Herodes I. bis 70 n.Chr. (AGSU I), Leiden/Köln ²1976, S. 152–181 u.ö.; *ders.*, in: Josephus-Studien (FS *O. Michel*), hrsg. von *O. Betz*, *K. Haacker* und *M. Hengel*, Göttingen 1974, S. 175–196, hier: S. 181.183.186f. 189.196, ferner *K. G. Kuhn*, Der tannaitische Midrasch Sifre zu Numeri, Stuttgart 1959, S. 519ff.; *Lyonnet*, Expiation, S. 893ff.; *ders.*, Intercession, S. 166; *ders.*, in: *Lyonnet-Sabourin*, Sin, S. 144f.; *Le Déaut*, Intercession, S. 47.55f., vgl. auch *K. Haacker*, ThB 6 (1975), S. 1–19, hier: S. 12ff.; *ders.*, Jud. 33 (1977), S. 161–177, hier: S. 164ff. Zur samaritanischen Pinchas-Tradition s. die Hinweise oben Teil I Anm. 273.

210 Zur Aufsprengung einer Constructus-Verbindung durch das Suffix der 1. Person am nomen regens s. *Kutsch*, Verheißung, S. 26 mit Anm. 133 und 135. Zum Verständnis von בְּרִית Num 25,12 als »Zusage« s. *ders.*, a.a.O., S. 74 Anm. 127; S. 118.121.150.

Pinchas v. 11a (בְּקַנְאוֹ אֶת־קִנְאָתִי) der Sinngehalt des כִּפֶּר v. 13b präzisiert: »Sühne für die Israeliten« ist hier die durch die קִנְאָה bewirkte Abwendung des Zornes Gottes (שׁוב *hif.* + Obj. חֵמָה [v. 11a, vgl. v. 8: עצר *nif.* + הַמַּגֵּפָה]) als des Israel geltenden göttlichen Vernichtungswillens (v. 11b). Da die sühnende (= Jahwes Zornesgericht abwendende) Eifertat des Pinchas nach Num 25,6ff. als *Grund* für die Pinchas und seinen Nachkommen geltende Zusage des ewigen Priestertums fungiert, läßt sich ein kultisch-ritueller Bezug des כִּפֶּר-Begriffs Num 25,13b – in Gestalt eines (als *Folge* jener Eifertat gewährten) Rechts auf die immerwährende Ausübung des kultischen Sühnevollzuges[211] – nicht erweisen[212].

2. Die Sühnehandlung Aarons Num 17,6–15

Definiert man Interzession als »Eintreten für andere im *Gebet*«[213], so ist der Zusammenhang von Sühne und *priesterlicher* Interzession alttestamentlich erst für die nachexilische Zeit und auch für diesen Zeitraum nur äußerst spärlich zu belegen[214]. Demgegenüber ist die Sühnehandlung Aarons Num 17,6–15 P^s nach dem masoretischen Textzusammenhang zwar nicht als Für*bitte*, gleichwohl aber als eine bestimmte – kultische – Form interzessorischen Handelns zu verstehen[215].

Literarisch knüpft Num 17,6–15 P^s an den älteren P^s-Bestand von Num 16

211 Vgl. etwa *H. Cazelles'* Übersetzung von Num 25,13b: »En récompense de sa jalousie pour son Dieu, il pourra accomplir le rite d'expiation sur les enfants d'Israël« (Les Nombres [SB], ²1958, S. 119, vgl. ebd. Anm. a), ähnlich schon *W. Rudolph*, Der »Elohist« von Exodus bis Josua (BZAW 68), Berlin 1938, S. 131 Anm. 2 und neuerdings *J. de Vaulx*, Les Nombres, Paris 1972, S. 302. In dieselbe Richtung tendiert der Textänderungsvorschlag von BHK³/S jeweils App. z.St.: »prps וְכִפֶּר«.

212 Vgl. auch *Lyonnet*, Expiation, S. 894 Anm. 4 (unter Hinweis auf die Übersetzung der Versionen); *ders.*, in: *Lyonnet-Sabourin*, Sin, S. 123 Anm. 12 und neuerdings *N. Ilg*, in: *M. Delcor* (éd.), Qumrân. Sa piété, sa théologie et son milieu (BEThL 46), Paris/Leuven 1978, S. 257–263, hier: S. 261. Zum Verständnis von ויכפר SifBam 25,13 s. *Kuhn*, a.a.O. (oben Anm. 209), S. 527 mit Anm. 196; *Hengel*, a.a.O. (oben Anm. 209 »Zeloten«), S. 162; *Le Déaut*, Intercession, S. 47 Anm. 3. Zu der Interzessionsaussage Ps 106,30 s. *B. Janowski*, Psalm 106,28–31 und die Interzession des Pinchas (erscheint in VT 33 [1983]).

213 In unserem Zusammenhang ist dafür auf das interzessorische Gebet Hiskias 2Chr 30,18f. hinzuweisen: Die Unreinheit vieler Anwesender am Mazzenfest Hiskias (2Chr 30), die mit der Teilnahme von Leviten aus dem Nordreich begründet wird (s. dazu *Haag*, Mazzenfest; *ders.*, Pascha, S. 103ff.), wird aufgrund der auf göttliche Vergebung zielenden Interzession (פלל *hitp.*) des davidischen Königs (2Chr 30,18f.) »geheilt« (רפא 2Chr 30,20): »Jahwe, der Gütige, vergebe (19) jedem, der sein Herz darauf gerichtet hat (יְכַפֵּר בְּעַד כָּל־לְבָבוֹ הֵכִין), Gott zu suchen, Jahwe, den Gott seiner Väter, auch wenn er nicht im Stande der Reinheit ist, wie es das Heiligtum erfordert«, vgl. zu diesem Text auch *W. Rudolph*, HAT I/21 (1955), S. 303 und zu den theologiegeschichtlichen Problemen besonders *Willi*, Chronik, S. 190ff.

214 Vgl. *Scharbert*, Heilsmittler, S. 94f.275ff.; *Le Déaut*, Intercession, S. 46ff.49f.55f.

215 Zur Literarkritik von Num 17,6–15 s. außer den Kommentaren besonders *Gunneweg*, Leviten, S. 171–188, bes. S. 182f.187f., vgl. *Noth*, ÜPent, S. 19 Anm. 59; S. 138 Anm. 354; *ders.*, ÜSt, S. 204.217; *ders.*, ATD VII (1966), S. 107f.

an; in diesem geht es nicht um die Frage der Ausübung von Priesterfunktionen (Handhabung des »Räucherwerks«) durch Laien (die »250« als Repräsentanten der Gesamtgemeinde: Num 16,2), sondern vielmehr um »die Legitimität des priesterlichen Ranges und Standes (›Heiligkeit‹) im Sinne von P«[216]. Diese am Heiligkeitsbegriff orientierte Frage der Legitimität priesterlichen Handelns (Num 16,7a: »Derjenige, den Jahwe erwählt, der wird heilig sein«) soll – damit aus nachexilischer Perspektive die absolute Sonderstellung des aaronidischen Priestertums gegen illegitime Ansprüche sichernd – durch die Erzählung über ein negativ (älterer P^s-Bestand von Num 16) und über ein positiv (Num 17,6–15P^s) verlaufendes Gottesurteil in »mosaischer Zeit« beantwortet werden. Positiv geht dieses Ordal für Aaron deshalb aus, weil dem wegen des »Murrens« (לון *nif.* [Num 17,6]) der Israeliten gefaßten göttlichen Vernichtungsbeschluß (כלה *pi.* + Subjekt JHWH) durch die kultische Sühnehandlung Aarons Einhalt geboten wird: Auf den begründeten (כִּי v. 11b) Auftrag des Mose an Aaron, mit dem Räucherwerk (קְטֹרֶת) Sühne für die Israeliten zu schaffen v. 11a (vgl. Sir 45,16 [hebr.])[217], folgt in v. 12b–13 der Ausführungsbericht:

»Und er (sc. Aaron) legte das Räucherwerk auf und schaffte Sühne für das Volk (וַיְכַפֵּר עַל־הָעָם). (13) Und als er hintrat zwischen die Toten und die Lebenden, da wurde die Plage zum Stillstand gebracht (וַתֵּעָצַר הַמַּגֵּפָה)«.

Wie Pinchas durch die Abwendung des göttlichen Grimms (הֵשִׁיב חֵמָה מִן: Num 25,11, vgl. Ps 106,23; Sir 46,7 [hebr.], ferner Jer 18,20) Sühne für Israel schafft[218], so besteht die heilvolle Wirkung der (kultischen) Sühnehandlung Aarons[219] in der Eindämmung der durch den Gotteszorn gewirkten Plage: וַתֵּעָצַר הַמַּגֵּפָה Num 17,13b, vgl. v. 15b (die Wortverbindung עצר *nif.* + הַמַּגֵּפָה ferner in Num 25,8; Ps 106,30 [jeweils Interzession des Pinchas]; 2Sam 24,21.25, vgl. 1Chr 21,22 [Altarbau und Opferdarbringung Davids]).

Erst im nachbiblischen Judentum wurde diese priesterliche Sühnehandlung Aarons – vor allem aufgrund der Wendung »und er stand (וַיַּעֲמֹד) zwischen den Toten und den Lebenden« (Num 17,13a) – als interzessorisches *Gebet* verstanden, so in TPsJ Num 17,13: *bṣlw* »durch sein Gebet« (vgl. Num 16,48 Vulg: *deprecatus est*), in CN Num 17,13: *bᶜy rḥmyn* »um (göttliche) Barmherzigkeit bittend« und vor allem in SapSal 18,20–25, dem midraschartigen Kommentar zu Num 17,6–15: προσευχή »Gebet« v. 21 (vgl. λόγος v. 22) und θυμιάματος ἐξιλασμός »sühnendes Räucherwerk« v. 21 als priesterliche Insignien)[220].

216 *Gunneweg*, a.a.O., S. 187.
217 S. dazu *Janssen*, Gottesvolk, S. 20f.
218 Zur Wendung הֵשִׁיב חֵמָה מִן s. unten S. 152.
219 Zum Zusammenhang von Sühne und Räuchern s. unten Anm. 222 und unten S. 152f. mit Anm. 242.
220 S. dazu *Lyonnet*, Expiation, S. 887ff. 890. 895. 898; *ders.*, in: *Lyonnet-Sabourin*, Sin, S. 142. 146; *Le Déaut*, Intercession, S. 46. 47. 49f. 55. Weitere (Targum-)Belege für die sühnende Interzession Aarons: CN (Randglosse)/TFrag Num 20,29, s. dazu *Le Déaut*, a.a.O., S. 47f.

C) Das Lösegeld des *angelus intercessor* Hi 33,24; 36,18

Nach *K. Seybold* hat man auch in dem fürbittenden מַלְאָךְ מֵלִיץ von Hi 33,23f. »eine prophetische Gestalt oder vielmehr einen priesterlichen Amtsträger«[221] zu sehen. Doch spricht u.E. nichts gegen die traditionelle Deutung dieser Gestalt als Fürsprecher*engel* – auch nicht der deutlich kultische Hintergrund der in Hi 33,25–30 berichteten Restitution des Kranken[222]:

22 »Da naht seine Seele sich der Grube
und sein Leben den Todesboten.
23 Wenn ihm dann ein Bote zur Seite steht,
ein Mittler, einer von tausend,
die dem Menschen seine Pflicht kundtun sollen,
24 und er ist ihm gnädig und sagt:
›Errette ihn (oder: laß ihn frei [?])[223] vor dem Abstieg in die Grube,
ich habe ein כֹּפֶר[224] gefunden!‹
25 ‹ Fett wird ›[225] sein Fleisch vor Jugend . . .«.

Bei dem vom Fürsprecherengel bei dem Todkranken gefundenen »Lösegeld«, dessen Empfänger nach dem Kontext von Hi 33,19–30 Gott ist, handelt es sich weder um die Krankheit oder das Leiden (das Gott als כֹּפֶר anrechnet) noch um ein Sühnopfer des Kranken noch gar um ein vom *angelus*

Zur sühnenden Interzession des Hohenpriesters am großen Versöhnungstag s. noch TargHhld 4,3: »Und die Lippen des Hohenpriesters flehten im Gebet *(hww b^{c}yyn bṣlwt')* am Versöhnungstag zu Jahwe . . .«, ferner TPsJ Num 35,25, s. dazu *Le Déaut,* Intercession, S. 46.

221 Gebet, S. 61, vgl. S. 46f.60ff.83f.91ff.95f., vgl. *Gerstenberger,* Der bittende Mensch, S. 138f. Zur Auslegung von Hi 33,23f. im rabbinischen Judentum s. *Jeremias,* Lösegeld, S. 218f.

222 Zu der in priesterlichen (!) Termini beschriebenen Interzession der Engel TestLev 3,5f. (»die Dienst tun und zum Herrn Sühne darbringen (λειτουργοῦντες καὶ ἐξιλασκόμενοι πρὸς κύριον) für alle (unwissentlichen) Verfehlungen der Gerechten. (6) Sie bringen dem Herrn Wohlgeruch des Räucherwerks als ein vernünftiges und unblutiges Opfer dar«, Übersetzung: *J. Becker,* Die Testamente der Zwölf Patriarchen, JSHRZ III/1 [1974], S. 49) s. *E. Sjöberg,* Gott und die Sünder im palästinensischen Judentum (BWANT 79), Stuttgart 1938, S. 243f.247; *A. J. B. Higgins,* NTS 13 (1966/67), S. 211–239, hier: S. 211. Zur Fürsprecherengel-Vorstellung im antiken Judentum s. zuletzt *Higgins,* a.a.O., S. 211ff.; *J. F. Ross,* JBL 94 (1975), S. 38–46, hier: S. 45f.; *P. Schäfer,* Rivalität zwischen Engeln und Menschen. Untersuchungen zur rabbinischen Engelvorstellung (SJ 8), Berlin-New York 1975, S. 28ff.62ff. Zur Interzession des *Deute*engels Sach 1,12 s. jetzt *Jeremias,* Nachtgesichte, S. 94ff.227.

223 Für das פְּדָעֵהוּ des MT wird z.T. (unter Hinweis auf v.28) die Lesung פְּדֵהוּ, z.T. (unter Hinweis auf 2MSS^{Ken}) die Lesung פְּרָעֵהוּ vorgeschlagen, vgl. die Kommentare, ferner zuletzt *J. Levêque,* Job et son Dieu II, Paris 1970, S. 579 Anm. 8 (פְּרָעֵהוּ); *H. Bobzin,* Die ›Tempora‹ im Hiobdialog, Masch.Diss. Marburg 1974, S. 424f. (פְּרָעֵהוּ); *Ross,* a.a.O., S. 40 mit Anm. 14 (פְּדֵהוּ); vgl. auch 11QTargJob col. XXXIII,1 (zu Hi 33,24): *pṣhy*. Für Beibehaltung von MT plädiert neuerdings *L. L. Grabbe,* Comparative Philology and the Text of Job: A Study in Methodology, Missoula/Montana 1977, S. 105ff.

224 »Da der Ausdruck sonst unvollständig ist«, fügt *G. Fohrer,* KAT XVI (1963), 455 z.St. hinter כֹּפֶר ein נַפְשׁוֹ ein.

225 S. dazu *Fohrer,* a.a.O., S. 455 z.St.

intercessor stellvertretend beigebrachtes Lösegeld, sondern allein um das die Interzession ermöglichende Bußverhalten des Kranken, d.h. um dessen Umkehr[226]. Auch wenn der כֹּפֶר-Begriff nur in Hi 33,24; 36,18 im Zusammenhang der *Restitution eines Kranken* begegnet, so entsprechen diese »Lösegeld«-Stellen doch in ihrem Aussagegehalt den übrigen alttestamentlichen כֹּפֶר-Belegen: Die Gabe eines כֹּפֶר bewirkt Errettung aus *Todesverfallenheit*[227], durch sie geschieht *Existenzstellvertretung*[228] (vgl. die פָּדָה-Formulierung Hi 33,28). Die Warnung Elihus vor Spott und »hohem Lösegeld« (רָב־כֹּפֶר Hi 36,18) impliziert die Bitte an Hiob, nicht das zu verweigern, was nach Hi 33,23f. als das *wahre* Lösegeld gilt: umzukehren und nach *Gottes* Willen zu leben[229].

D) Zusammenfassung

1. Sowohl im Alten Testament als auch im nachbiblischen Judentum wird von außerordentlichen Gestalten (wie Abraham, Mose, Samuel, Elia, Elisa, u.a.) erzählt, die aufgrund ihrer Vollmacht *vor Gott für andere eintreten.* Ihr interzessorisches Handeln vollzieht sich jeweils in einer Situation, die – als Ursache – durch eine bestimmte *Verschuldung eines einzelnen/einer Gemeinschaft gegen Gott* und – als Folge – durch ein *ahndendes Eingreifen Gottes* (z.B. in Form einer »Plage« [נֶגַע, מַגֵּפָה] als Manifestation des Gotteszorns)[230] als unheilvoll qualifiziert und von seiten des jeweiligen Verursachers dieses Sünde-Unheil-Zusammenhangs irreparabel ist. Dieser Grundstruktur interzessorischen Handelns zufolge ist der Interzessor ein *Mittler, der stellvertretend in den durch moralische, religiöse oder rechtliche Verschuldung zwischen Gott und Mensch entstandenen »Riß« tritt* (עָמַד בַּפֶּרֶץ: Ez 22,30; Ps 106,23; Sir 45,23 hebr., vgl. Ps 106,29f.; Ez 13,5 [עָלָה בַּפֶּרֶץ]), in der Absicht, durch sein »Dazwischentreten« den Vernichtungswillen Jahwes abzuwenden (הֵשִׁיב חֵמָה מִן: Num 25,11; Jer 18,20; Ps 106,23) und so ein heilvolles Gott-Mensch-Verhältnis zu ermöglichen. Als stellvertretendes Handeln vollzieht sich interzessorisches Handeln darum immer in einer Zone besonderer Gefährdung[231], in der es nicht um ein beliebiges Geschick

226 Vgl. *Fohrer*, a.a.O., S. 460 mit Anm. 17; S. 461.477; *A. Weiser*, ATD XIII (^{5}1968), S. 223f. (der allerdings v. 24 auf Gott bezieht); *F. Hesse*, ZBK AT 14 (1978), S. 180f.; *Seybold*, Gebet, S. 84 Anm. 45; *Ross*, a.a.O. (oben Anm. 222), S. 41f. Zu *Seybolds* Hinweis auf die »babylonische Analogie« *W. G. Lambert*, AfO 19,59,159 s. *Janowski*, Lösegeldvorstellung, S. 51 Anm. 114.

227 Zur Situation der Todesverfallenheit s. innerhalb von Hi 33,13–30 besonders v. 18.22. 24.28.30, vgl. dazu *Stamm*, *pdh*, Sp. 399f.

228 *Gese*, Sühne, S. 87, zu den alttestamentlichen כֹּפֶר-Belegen s. unten S. 153ff.

229 Vgl. *Fohrer*, a.a.O., S. 477; *Hesse*, a.a.O., S. 188.

230 Zum Wortfeld »Gotteszorn« (im AT) s. die Artikel *'anăp*, *ḥemā* und *ḥarā* im THAT und ThWAT, ferner *P. Considine*, SMEA 18 (1969), S. 85–159; *Milgrom*, Studies, S. 21 mit Anm. 75; S. 30f. mit Anm. 109.

231 »Und er (sc. Aaron) stand zwischen den Toten und den Lebenden, da wurde die Plage zum Stillstand gebracht« (Num 17,13), s. zur Sache auch *Wächter*, Tod, S. 162ff.

für den schuldigen einzelnen oder für das schuldige Volk, sondern um dessen Untergang oder Überleben geht. Diese *Grenzsituation zwischen Leben und Tod* haben auch die auf die göttliche Vergebung der Sünde Israels oder auf die Rücknahme der gegen sein Volk gefaßten Vernichtungsabsicht Jahwes zielenden alttestamentlichen כִּפֶּר-Aussagen Ex 32,30 (JE?); Num 17,11.12 (P^s) und Num 25,13 (R^P?) im Blick. In diesen thematischen Zusammenhang dürfte auch die Sühneaussage Num 8,19 (P^s) gehören[232].

2. Daß das mit כִּפֶּר formulierte *interzessorische Sühnehandeln* Moses Ex 32,30 (vgl. 4QDibHam II,8f.), Aarons Num 17,11f. (vgl. Sir 45,16 hebr.), des Pinchas Num 25,13 (vgl. Sir 45,23 hebr.) und der Leviten Num 8,19 *nicht ein Versöhnen, Beschwichtigen, Gnädigstimmen der erzürnten Gottheit* ist, geht schon aus der syntaktischen Konstruktion der כִּפֶּר-Formulierungen Ex 32,30; Num 8,19; 17,11.12; 25,13 hervor. Denn im Unterschied zu Gen 32,21 (כִּפֶּר + פָּנִים des erzürnten Esau) und Prov 16,14 (כִּפֶּר + חֵמָה des Königs)[233] findet sich an den genannten Stellen nicht die Konstruktion: כִּפֶּר + Objekt »Angesicht (פָּנִים)/Zorn (חֵמָה) Gottes«, vielmehr wird hier durch den jeweiligen Objektbezug: כִּפֶּר בְּעַד חַטַּאתְכֶם Ex 32,30 (vgl. 4QDib Ham II,8f.), כִּפֶּר עֲלֵיהֶם, כִּפֶּר עַל־הָעָם Num 17,11.12 (vgl. Sir 45,16) und כִּפֶּר עַל־בְּנֵי יִשְׂרָאֵל Num 8,19; 25,13 (vgl. Sir 45,23) das mit כִּפֶּר formulierte

232 In dem späten Zusatz Num 8,16b–19 zu den Ausführungen über die Levitenweihe Num 8,5–22*p^s (zur Literarkritik s. unten Teil III Anm. 91) wird eine inhaltlich vor allem an Num 3,11–13.40–51 anknüpfende, als Jahwerede stilisierte theologische Begründung der Aussonderung der Leviten gegeben: sie sind Ersatz für die Erstgeburt der Israeliten (s. dazu *Kellermann*, Priesterschrift, S. 118ff.123f., zur Sache ferner *W. Zimmerli*, in: *ders.*, Studien zur alttestamentlichen Theologie und Prophetie. Gesammelte Aufsätze II [TB 51], München 1974, S. 235–246; *Stamm, pdh*, Sp. 394; zu Num 3,12 LXX s. die Hinweise bei *Janowski*, Lösegeldvorstellung, S. 49 Anm. 106). Nach v. 19aα geht die Übergabe der Leviten an Aaron und seine Söhne auf Jahwes Entschluß zurück (vgl. dagegen v. 11: die Leviten gelten als תְּנוּפָה »von seiten der Israeliten«, s. dazu unten Teil III Anm. 91); das Ziel dieser Übergabe besteht den beiden parallelen Finalbestimmungen v. 19aβ und v. 19aγ zufolge in dem »Dienst« der Leviten am Begegnungszelt und darin, »Sühne zu schaffen für die Israeliten« (לְכַפֵּר עַל־בְּנֵי יִשְׂרָאֵל). Während nach Num 8,12.21 die beiden Farren von Mose bzw. Aaron dargebracht werden, um *Sühne für die Leviten zu schaffen* (s. dazu unten Teil III Anm. 91), belegt Num 8,19 die innerhalb des gesamten Alten Testaments singuläre Vorstellung, daß *die Leviten für die Israeliten Sühne schaffen*. Dies bedeutet nicht, daß den Leviten damit Priesterrechte zugesprochen und sie gleichsam zu Aaroniden ›aufgewertet‹ werden (s. als Kontrast 1Chr 6,34, vgl. zur Sache *Kellermann*, a.a.O., S. 119; *Milgrom*, Studies, S. 28; *Garnet*, Atonement Constructions, S. 147, und zur priesterschriftlichen Levitentheorie *Gunneweg*, Leviten, S. 138ff.; *Milgrom*, a.a.O., S. 5–59; *R. Abba*, VT 27 [1977], S. 257–267; *ders.*, VT 28 [1978], S. 1–9). Andererseits ist aber zu beachten, daß die Leviten, obwohl sie bei P überall als eine Art *clerus minor* gelten, zugleich eine Sonderstellung und einen hohen Rang einnehmen können (vgl. *Gunneweg*, a.a.O., S. 146ff.). Im vorliegenden Zusammenhang drückt sich dies in ihrer singulären Sühnefunktion aus, durch die sie bewirken, daß »es nicht mehr unter den Israeliten eine Plage (נֶגֶף) gibt, wenn die Israeliten sich dem Heiligtum nahen (wollen)« (v. 19b). Eine ähnliche *interzessorische Funktion* kommt den Leviten auch nach Num 1,48–54 zu, wo der von ihnen gebildete innere Lagerring die Gemeinde der Israeliten vor dem קֶצֶף bewahrt (v. 53), s. dazu *Kellermann*, a.a.O., S. 25ff.32.119f.; *F. J. Helfmeyer*, Art. *ḥnh*, ThWAT III, Sp. 14f., ferner *Milgrom*, a.a.O., S. 21 mit Anm. 75; S. 30 mit Anm. 110.

233 S. dazu oben S. 98f.

Sühnehandeln als *ein dem schuldig gewordenen Israel zugute kommendes Handeln des stellvertretenden Mittlers* bestimmt.

3. Das stellvertretende, Israel zugute kommende Handeln des interzessorischen Mittlers entspricht dem *gnädigen Handeln Gottes an seinem Volk:* Wie Jahwe als Erweis seiner Barmherzigkeit seinen eigenen Zorn abwenden und Israels Schuld vergeben kann (Ps 78,38: כִּפֶּר עָוֹן//הֵשִׁיב אַפּוֹ, vgl. Ps 79,5–7.8f.; Dan 9,16.24)[234], so kann in singulären Situationen ein prophetischer/priesterlicher Mittler stellvertretend für Israel vor Gott eintreten und durch dieses Handeln *Vergebung der Sünde* (Ex 32,30bβ.32a, vgl. 4QDibHam II,8f.), *Rücknahme des vernichtenden Grimms* (Num 25,11, vgl. Ps 106,23) und *Beendigung der »Plage«* (Num 8,19; 17,13.15, vgl. Num 25,8; Ps 106,30) erwirken und d.h.: *Sühne schaffen* (כִּפֶּר) für Israel.

Das Motiv vom »*Ablassen*« (שׁוּב מִן) bzw. von der »*Abwendung*« (הֵשִׁיב מִן) *des menschlichen/göttlichen Zorns* (חָרוֹן, חֵמָה, אַף oder Wortverbindung חֲרוֹן אַף) ist alttestamentlich in breiter Streuung belegt[235]: a) חָרוֹן (אַף)/חֵמָה/אַף + שׁוּב (מִן): α) vom *menschlichen Zorn:* Gen 27,44f. (bis); β) vom *Zorn Gottes:* Ex 32,12; Num 25,4; Jes 12,1; Jer 2,35; Hos 14,5; Jon 3,9; Hi 14,13; Dan 9,16; 2Chr 12,12; 29,10; 30,8 (vgl. 4QDibHam II,11; VI,11[236] und שׁוּב abs.: Jo 2,14; Ps 90,13); negiert: Jes 5,25; 9,11.16.20; 10,4; Jer 4,8; 23,20; 30,24 (vgl. שׁוּב abs.: Jer 4,28). – b) חָרוֹן (אַף)/חֵמָה/אַף + הֵשִׁיב (מִן): α) vom *menschlichen Zorn:* Prov 15,1; 29,8 (vgl. 1QS 10,20); β) vom *Zorn Gottes:* Bei dieser Beleggruppe ist zwischen zwei Verwendungsweisen zu unterscheiden: 1. *Gott* wendet seinen Zorn selber ab: Ps 78,38; Prov 24,18; Esr 10,14; negiert: Hi 9,13; 2. nicht Gott, sondern ein *Fürsprecher* wendet den göttlichen Grimm ab (immer הֵשִׁיב חֵמָה מִן): Num 25,11 (Pinchas); Jer 18,20 (Jeremia); Ps 106,23 (Mose [AssMos 11,17 spricht vom »Besänftigen« Gottes: *placare deum*]), vgl. Sir 46,7 hebr. (Josua und Kaleb)[237]. Auffallend ist, daß die zuletzt genannten Belege (Num 25,11; Jer 18,20; Ps 106,23) dem *dtr-nachdtr Überlieferungsbereich* zugehören[238], in dem das Motiv vom Zorn(gericht) Jahwes in vielfältiger Weise tradiert wurde[239].

4. Einen *kultischen Bezug* lassen von den 7 alttestamentlichen (und nachalttestamentlichen) Belegen, an denen כִּפֶּר interzessorische Bedeutung hat, lediglich Num 17,11.12 und Sir 45,16 (hebr.) erkennen[240]. Im Unterschied aber zu Hi 42,7ff. – Abwendung des göttlichen Zorns durch ein Brandopfer

234 S. dazu oben S. 120ff.132f. mit Anm. 130.

235 Vgl. im folgenden auch die (allerdings unvollständigen) Hinweise bei *W. Holladay*, The Root ŠÛBH in the Old Testament with particular Reference to its Usages in Covenental Contexts, Leiden 1958, S. 77f.100f., ferner *H.-J. Fabry*, Die Wurzel ŠÛB in der Qumran-Literatur. Zur Semantik eines Grundbegriffes (BBB 46), Köln-Bonn 1975, S. 213ff.

236 S. dazu *Steck*, Israel, S. 116ff.

237 S. dazu *Janssen*, Gottesvolk, S. 22f.

238 S. dazu oben S. 146f. mit Anm. 209.212, zu Jer 18,20 s. *Thiel*, a.a.O. (oben Anm. 134), S. 119.217f.

239 S. dazu *Steck*, Israel, Register S. 364 s.v. »Zorn(gericht) Jahwes«; *D. J. McCarthy*, in: *J. L. Crenshaw – J. T. Willis* (ed.), Essays in Old Testament Ethics, New York 1974, S. 99–110.

240 Vgl. *Lyonnet*, in: *Lyonnet-Sabourin*, Sin, S. 123f.; *Milgrom*, Studies, S. 30 Anm. 109, u.a. Anders beispielsweise *G. Fichtner*, Art. ὀργή, ThWNT V, S. 408.

(עֹלָה, vgl. Hi 1,5) der Freunde Hiobs und durch die Fürbitte (פלל *hitp.*) Hiobs[241] – besteht das Sühnemittel der Interzession Aarons Num 17,6–15P^{s} nicht in einem tierischen Opfer, sondern in *Räucherwerk* (קְטֹרֶת, vgl. SapSal 18,21; TestLev 3,5f.)[242].

Fünfter Abschnitt: Die Auslösung des verwirkten Lebens – Die alttestamentlichen כִּפֶּר-Aussagen im Licht der Stellvertretungsproblematik

A) Das Problem: כִּפֶּר und כֹּפֶר – Schwierigkeiten und Aspekte der Verhältnisbestimmung

Wie der forschungsgeschichtliche Überblick zur Etymologie der Wurzel כפר zeigte, hat man von jeher versucht, den Sinngehalt des Verbs כִּפֶּר von dem Nomen IV כֹּפֶר »Lösegeld; Bestechungsgeld« her zu bestimmen[243]. Während dabei mehrere Exegeten zu der Auffassung gelangten, כִּפֶּר sei von כֹּפֶר denominiert[244], wurde ein Verständnis von כִּפֶּר als verbum denominativum besonders von *J. J. Stamm* unter Hinweis auf den Unterschied abgelehnt, der zwischen כִּפֶּר und כֹּפֶר hinsichtlich des Verwendungsbereichs besteht: »Während כִּפֶּר dem kultisch-sakralen Bereich angehört, ist כֹּפֶר ein Wort von bürgerlich-juristischer Natur«[245]. Schließt man von diesem durch כֹּפֶר angezeigten nichtreligiösen Gebrauch »auf den religiösen Gebrauch des Stammes, so bringt man unfehlbar den Gedanken einer Kompensation an ihn heran, auf den er – für sich betrachtet – mit keinem Zuge hinweist«[246]. Aufgrund dieses Arguments hat *K. Koch* auf eine Untersuchung des Substantivs כֹּפֶר, »das mit Sühne im hier zu behandelnden Sinn nur selten ver-

241 S. dazu *G. Fohrer*, KAT XVI (1963), S. 78.537ff.; *Seybold*, Gebet, S. 94f., vgl. auch *Stamm*, Erlösen, S. 61 und jetzt *F. Crüsemann*, in: Werden und Wirken des Alten Testaments (FS *C. Westermann*), hrsg. von *R. Albertz, H.-P. Müller, H. W. Wolff* und *W. Zimmerli*, Göttingen/Neukirchen-Vluyn 1980, S. 373–393, hier: S. 383ff.

242 Zu SapSal 18,21 s. oben S. 148 mit Anm. 220, zu TestLev 3,5f. s. oben Anm. 222; zum »sühnenden Räucherwerk« im rabbinischen Judentum s. *Lohse*, Märtyrer, S. 22. Die religiösen Aspekte des Räucherns bedürften einer gesonderten Untersuchung, s. dazu die Hinweise bei *E. Lipiński*, in: RTAT, S. 267; *Keel*, Sühneriten, S. 424ff.; *ders.*, AOBPs², S. 130; *Haran*, Temples, S. 230ff.; *W. W. Müller*, Art. Weihrauch, PRE Suppl. Bd. XV (1978), Sp. 700ff.

243 S. oben S. 22f. Zum Folgenden s. die z.T. erweiterte Darstellung bei *Janowski*, Lösegeldvorstellung. Aus Raumgründen konnte auf den Ansatz von *A. Schenker* dort nicht mehr eingegangen werden, s. unten Anm. 268.

244 S. oben S. 22f.

245 Erlösen, S. 62, vgl. S. 65f. und *O. Procksch*, Art. λύω κτλ., ThWNT IV, S. 330; s. zur Sache auch *Moraldi*, Espiazione, S. 188f.191.195f.200 Anm. 1; S. 209.211.220.

246 *Koch*, Sühneanschauung, S. 83.

bunden wird«[247], in seinen Arbeiten zum alttestamentlichen Sühnebegriff ganz verzichtet.

Die Ausklammerung der כֹּפֶר-Belege ist allerdings – abgesehen von der Beantwortung der Frage: Denomination (כֹּפֶר → כִּפֶּר) oder Derivation (כִּפֶּר → כֹּפֶר)[248] – schon deshalb nicht gerechtfertigt, weil einige כִּפֶּר-Texte der Sache nach deutlich auf die כֹּפֶר-Problematik anspielen (2Sam 21,3f.)[249] und es umgekehrt כֹּפֶר-Belege gibt, in denen dieses Wort seinem Sinngehalt nach einem bestimmten Bedeutungsaspekt von כִּפֶּר nahesteht (Prov 6,35)[250] oder in einem Kontext erscheint, der traditionell dem כִּפֶּר-Begriff vorbehalten ist (Interzession: Hi 33,24; 36,18)[251]. Im Interesse einer sachgemäßen Erfassung nicht nur der einzelnen Bedeutungsaspekte der Wurzel כפר, sondern auch der alttestamentlichen Sühnetheologie wird darum zu fragen sein, ob die alttestamentlichen כֹּפֶר-Belege nicht auf eine Bedeutung der Wurzel כפר hinweisen, die – bei aller sonstigen Differenz! – gerade für die כִּפֶּר-Belege im kultischen und außerkultischen Bereich konstitutiv ist. Der älteste כֹּפֶר-Beleg (Ex 21,30), der diesen Terminus unzweifelhaft als »ein Wort von bürgerlich-juristischer Natur« ausweist, vermag eine erste, positive Antwort auf diese Frage zu geben.

B) כֹּפֶר als Terminus der Rechtssprache

I. Die Auslösung des verwirkten Lebens durch einen materiellen Gegenwert: Ex 21,30; Num 35,31f. und Ex 30,12

Im Bundesbuch Ex 20,22–23,33 wird innerhalb der kasuistisch formulierten Rechtssätze Ex 21,1–22,16 (außer Ex 21,12–17) auch die Rechtsmaterie: *Tötung eines Menschen durch ein stößiges Rind mit und ohne Verschulden seines Eigentümers* Ex 21,28–32[252] abgehandelt. Seiner sprachlichen Gestalt nach stellt dieser Abschnitt ein kunstvolles Gefüge verschiedener Haupt- und Unterfälle dar[253]: Während v. 28 und v. 29 als die beiden Hauptfälle gleichgeordnet sind, kennzeichnet das auf den zweiten Teil (v. 29bβ) der Rechtsfolgebestimmung v. 29b sich zurückbeziehende Suffix

247 *Koch*, Sühne, S. 219 Anm. 5.
248 S. dazu unten S. 174.
249 S. oben S. 112ff.
250 S. oben Anm. 30.
251 S. oben S. 149f.
252 Zu Ex 21,28–32 (und seiner literarischen Problematik) s. zuletzt *Greenberg*, Postulates, S. 13ff.; *Paul*, Studies, S. 78ff.; *Phillips*, Criminal Law, S. 24.32.90ff.101; *ders.*, Murder (passim); *Liedke*, Rechtssätze, S. 27f.33f.46f.49f.50f.52f.; *J. J. Finkelstein*, Temple Law Quarterly 46 (1973), S. 169–290; *Jackson*, Reflections, S. 41ff.; *ders.*, Goring Ox, S. 108ff.; *McKeating*, Homicide, S. 56; *Boecker*, Recht, S. 141ff.; *F. C. Fensham*, JNWSL 5 (1977), S. 23–41, hier: S. 31f.35f., dort auch jeweils Nennung und Diskussion der altorientalischen Parallelen CH (Codex Hammurabi) §§ 250–252 und CE (Codex von Ešnunna) §§ 54–55.
253 S. dazu im einzelnen *Liedke*, a.a.O., S. 33f., zur sprachlichen Gestalt der kasuistischen Rechtssätze S. 31ff.

von עָלָיו (v.30a) den v.30 als Unterfall zu dem zweiten Hauptfall v.29. V.31 (eingeleitet durch אוֹ) und v.32 (eingeleitet durch אִם) sind jeweils Unterfälle zu v.29f. Nach dem ersten Teil (v.28bα) der dreigliedrigen Rechtsfolgebestimmung (v.28b) des ersten Hauptfalles v.28 (Thema: Tötung durch ein stößiges Rind *ohne Verschulden* seines Eigentümers) muß das Rind, das einen Menschen (Mann oder Frau) zu Tode stößt, ebenfalls getötet werden, und zwar durch die von der Gemeinschaft zu vollziehende Fluchstrafe der Steinigung (סָקַל)[254]. Obwohl im vorliegenden Fall (Tötung eines Menschen durch ein *Tier*) die Frage eines subjektiven Verschuldensmomentes nicht gestellt werden kann, wird das Rind dennoch als ›Täter‹ des Tötungsaktes betrachtet[255] und gesteinigt, wobei hier noch Vorstellungen über den »objektiven Frevelcharakter eines Fehlhandelns«[256] leitend sind. So archaisch diese sein mögen, so sehr ist der magische Charakter der Schuld doch darin bereits zurückgewichen, daß »die auf dem Tier liegende Schuldrealität . . . nicht ohne weiteres den Eigentümer (infiziert)«[257]: dieser bleibt straffrei (נָקִי v.28bγ), sofern er nicht fahrlässig seine Aufsichtspflicht über das stößige Tier vernachlässigt hat.

Hat aber der Besitzer des stößigen Rindes keine Konsequenzen aus der ihm bekannt gemachten Gefährlichkeit des Tieres gezogen, so tritt als Rechtsfolge die Todesstrafe für den Viehbesitzer zu der Steinigung des Rindes hinzu (v.29b). Weil der Viehbesitzer durch sein Verhalten (Fahrlässigkeit) die Tötung eines Menschen zwar nicht verursacht, wider besseres Wissen aber auch nicht verhindert hat, ist der Tatbestand eines *konkurrierenden Verschuldens*[258] gegeben, der mit der Todesstrafe belegt wird: »er wird sterben« (יוּמָת). Wie im Falle der Tötung ohne menschliches Verschulden wird auch hier das Tier, als der *unmittelbar Schuldige*, durch Steinigung getötet.

Diese Rechtssituation wird auch von dem als Unterfall zu dem zweiten Hauptfall v.29 formulierten Rechtssatz v.30 vorausgesetzt. Dieser eröffnet die Möglichkeit, die »Sekundärschuld des Eigentümers«[259], d.h. das infolge fahrlässigen Verhaltens *verwirkte Leben* des Viehbesitzers, durch ein (wohl von der Familie des Getöteten oder von der Rechtsgemeinde[260] auferlegtes)

254 Vgl. *Horst*, Recht, S. 190. Zu der in Ex 21,28–32 dreimal erwähnten Strafe der Steinigung (v.28.29.32) s. noch *A. Jepsen*, Untersuchungen zum Bundesbuch (BWANT 41), Stuttgart 1927, S. 35f.; *Greenberg*, Postulates, S. 15 mit Anm. 20; *Schüngel-Straumann*, Tod, S. 127ff., bes. S. 130f.140; *Paul*, Studies, S. 78f.; *Phillips*, Murder, S. 109f.111f.; *Liedke*, a.a.O., S. 49f.; *Boecker*, Recht, S. 141ff., vgl. S. 31ff., u.a.

255 Vgl. *Horst*, a.a.O., S. 191f.; *Boecker*, a.a.O., S. 143; *Schüngel-Straumann*, a.a.O., S. 38.112ff. und jetzt ausführlich *Phillips*, Murder (passim).

256 *Horst*, a.a.O., S. 191, vgl. *Boecker*, a.a.O., S. 143.

257 *Horst*, a.a.O., S. 190f.

258 S. dazu besonders *Horst*, a.a.O., S. 190f., vgl. *Boecker*, a.a.O., S. 143; *Phillips*, Criminal Law, S. 90ff.; *ders.*, Murder (passim); *McKeating*, Homicide, S. 58.

259 *Horst*, a.a.O., S. 191.

260 Vgl. *Paul*, Studies, S. 82 Anm. 1, ferner *Jepsen*, a.a.O. (oben Anm. 254), S. 36; *F. Horst*, Art. Gerichtsverfassung in Israel, RGG^3 II, Sp. 1427ff.; *Boecker*, a.a.O., S. 143.

»Lösegeld« – dessen Höhe für jeden einzelnen Fall möglicherweise nach Analogie von Ex 21,22 festgesetzt wurde[261] – auszulösen:

אִם־כֹּפֶר יוּשַׁת עָלָיו וְנָתַן פִּדְיֹן נַפְשׁוֹ כְּכֹל אֲשֶׁר־יוּשַׁת עָלָיו׃

»Falls ihm ein Lösegeld auferlegt wird, so soll er (es) als Auslösung für sein Leben geben in der vollen Höhe, die ihm auferlegt wird«.

Für das Verständnis dieser Bestimmung und insbesondere des Terminus כֹּפֶר ist dreierlei zu beachten: (1) Aufgrund des Sachverhalts, daß die Tötung eines Menschen nach Ex 21,12 als ein durch nichts (anderes als den Tod des Mörders) auszugleichendes Verbrechen gilt[262], ist deutlich, daß der Rechtssatz Ex 21,30 nicht eine alltägliche Schadensregulierung formuliert, sondern eine *Ausnahmeregelung* trifft – eine Ausnahme aber nicht von der Bestimmung, daß, wer einen Menschen erschlägt, dem Tode verfallen ist (מוֹת יוּמָת Ex 21,12) – denn nach Ex 21,28ff. wird das Rind als der unmittelbar Schuldige behandelt (und gesteinigt: v. 28.29.32), hinsichtlich seines Besitzers kann ›nur‹ von konkurrierendem Verschulden gesprochen werden –, sondern eine Ausnahme, die sich allein auf die Tatbestandsdefinition Ex 21,29a (schuldhaftes Verhalten = Fahrlässigkeit des Besitzers eines als stößig bekannten Rindes) bezieht[263]. – (2) Da der in dieser Weise rechtswidrig Handelnde in die Situation gerät, daß er sein Leben für das Leben des getöteten Menschen schuldet (v. 29bβ), ist das, was durch כֹּפֶר ausgelöst werden soll (Wurzel פדה), nicht das Leben des Getöteten, sondern sein eigenes Leben[264]; zugleich aber dient die כֹּפֶר-Summe der geschädigten Familie als Kompensation für das Leben des Getöteten. כֹּפֶר meint demnach nicht nur eine *Kompensation (»Wergeld«) für das Leben des Getöteten*, sondern auch – und vor allem! – die *Lösung des eigenen Lebens aus Todesverfallenheit*. Dies geht aus der den Terminus כֹּפֶר explizierenden Wendung פִּדְיֹן נַפְשׁוֹ »Auslösung« für *sein* (sc. des Mittäters) Leben« hervor[265]. – (3) Auch wenn der (Mit-)Schuldige (bei der Familie des Getöteten) durch die Erstattung eines »Lösegeldes« eine Änderung der Rechtsfolgebestimmung (יוּמָת v. 29bβ) erwirken kann, so zeigt doch die zweimalige Passivformulierung יוּשַׁת עָלָיו v. 30a.bβ, daß er der Situation der Todesverfallenheit nur entgeht, wenn die Familie des Getöteten bestimmt, *ob* diese »Auslösung« und *zu welchem Preis* sie möglich sein soll. Auch wenn also der Schuldige scheinbar sich selber auslöst (»so gibt er es . . .«), wird die Auslösung doch als eine *von außen* auf ihn zukommende Möglichkeit der Befreiung aus Todesverfallenheit und darum nicht als Strafe, sondern als Geschenk, als ›Begnadigung‹ empfunden[266].

Für das Verständnis von כֹּפֶר in Ex 21,30 heißt dies: In einer Situation, die von seiten des (in der beschriebenen Weise) schuldig gewordenen Menschen

261 S. dazu *Phillips*, Criminal Law, S. 89f.; *ders.*, Murder, S. 115f., aber auch *Weismann*, Talion, S. 364.

262 Zur Rechtsform der sog. *môt-jûmăt*-Reihe s. zuletzt *Schulz*, Todesrecht, S. 5ff.; *V. Wagner*, Rechtssätze in gebundener Sprache und Rechtssatzreihen im israelitischen Recht. Ein Beitrag zur Gattungsforschung (BZAW 127), Berlin 1972, S. 16ff.

263 Vgl. *Greenberg*, Postulates, S. 13ff.; *Paul*, Studies, S. 78ff.; *Phillips*, Criminal Law, S. 90ff.; *ders.*, Murder, bes. S. 108ff., u.a. Anders *Jackson*, Reflections, S. 41ff.; *ders.*, Goring Ox, S. 108ff.

264 Vgl. *Weismann*, Talion, S. 364ff.; *Paul*, a.a.O., S. 82.

265 Vgl. *Jepsen*, Begriffe des »Erlösens«, S. 182ff.185f.190; *Stamm*, Erlösen, S. 10f.; *ders.*, *pdh*, Sp. 392f.; *Gese*, Sühne, S. 87, ferner *Scharbert*, Fleisch, S. 36f.; *C. Westermann*, Art. *naepaeš*, THAT II, Sp. 86f. und zur Problematik die Lit.-Hinweise bei *Janowski*, Lösegeldvorstellung, S. 33 Anm. 31.

266 Vgl. *Jepsen*, a.a.O., S. 182f.185.

irreparabel ist, so daß er dem Tode verfallen ist (יוּמָת Ex 21,29bβ), bewirkt die כֹּפֶר-Gabe (neben der Kompensation für das Leben des Getöteten) die *Lösung des eigenen Lebens aus Todesverfallenheit:* sie ist פִּדְיֹן נַפְשׁוֹ »Auslösung seines Lebens«. Obwohl »von außen auferlegt«, ist dieses כֹּפֶר dennoch weder eine *Buß*leistung (das wäre eher der verdiente Tod: Ex 21,29bβ) noch einfach eine dem Schuldigen auferlegte Geld*strafe*[267]; vielmehr wird die כֹּפֶר-Summe, die Errettung vom drohenden Tode bewirkt, schon in diesem frühen Rechtstext nicht nur als eine die Schuld ausgleichende Ersatzgabe, sondern vor allem als *Auslösung des verwirkten Lebens* (פִּדְיֹן נַפְשׁוֹ) und d.h.: als *Existenzstellvertretung*, als *Lebensäquivalent*[268] verstanden. Die-

267 So *J. Pedersen*, in: *K. Koch* (Hrsg.), Um das Prinzip der Vergeltung in Religion und Recht des Alten Testaments (WdF 125), Darmstadt 1972, S. 8–87, hier: S. 30f., vgl. *Procksch* (oben Anm. 245) S. 330 und *Garnet*, Atonement Constructions, S. 134.

268 Vgl. *Gese*, Sühne, S. 87. In seinem Aufsatz »Que signifie le mot כֹּפֶר? Qu'est-ce qu'une ›expiation‹?« (s. Literaturnachtrag) schlägt *A. Schenker* ein etwas anderes Verständnis von כֹּפֶר vor (vgl. bereits *ders.*, Was ist ein *kofär?* Der Zusammenhang zwischen zivilrechtlicher *kofär*-Zahlung und kultischer Sühnung, in: X. Kongreß der International Organization for the Study of the Old Testament, Wien 1980, Short Communications: Abstracts, S. 27). Nach *Schenker* ist כֹּפֶר die »Beschwichtigungsgabe« oder »Vergleichssumme, Abfindungssumme«, die ein Schuldiger an die von ihm geschädigte Partei/Familie/Sippe zahlt, um sie zu beschwichtigen, so daß diese auf ihr legitimes Recht (Forderung der Todesstrafe) verzichtet: כֹּפֶר bedeutet »die Erlegung einer Summe an Stelle einer härteren Strafe . . ., also das . . ., was man den Vergleich oder den gütlichen Ausgleich eines Konfliktes nennt. Der in Betracht gezogene Aspekt ist nicht so sehr die Auslösung eines Lebens (dafür gibt es den Ausdruck *pidyon näfäsch*) als vielmehr die Ersetzung einer harten Strafe oder Rache durch ein gentlemen's agreement, das für den Schuldigen eine glimpflichere Lösung darstellt« (Was ist ein *kofär?*, S. 27). In Ex 21,30 werden zwei verschiedene Termini – כֹּפֶר und פִּדְיֹן נַפְשׁוֹ – für diejenige Summe genannt, die der Schuldige an die geschädigte Partei (die Familie des Getöteten) zu zahlen hat; *Schenker* zufolge sind diese beiden Ausdrücke aber nicht als Synonyme zu verstehen, sondern sie bezeichnen zwei verschiedene Aspekte ein und derselben Zahlungssumme: *ein* Aspekt des Abkommens zwischen den beiden Parteien (Schuldiger – Geschädigter) ist der Loskauf des Lebens des Schuldigen (פִּדְיֹן נַפְשׁוֹ), der *andere*, durch כֹּפֶר bezeichnete Aspekt läßt sich nach *Schenker* dem Text Ex 21,30 nicht entnehmen. Um hier weiterzukommen, ist auf die kontextgleichen כֹּפֶר-Belege Gen 32,21 und Prov 16,14 zu rekurrieren, an denen כִּפֶּר das Besänftigen des erzürnten Bruders Esau durch ein Geschenk (Gen 32,21) bzw. das Beschwichtigen des ergrimmten Königs durch Weisheit (Prov 16,14) meint (vgl. auch oben S. 96ff.). Von daher ergibt sich als Bedeutung von כֹּפֶר in Ex 21,30: die für die Beschwichtigung der Familie des Getöteten notwendige Abfindungs- oder Vergleichssumme.
Mit *Schenker* ist festzuhalten, daß כֹּפֶר eine Strafreduktion herbeiführt, die von der geschädigten Partei inauguriert wird. Diese besteht nicht unbarmherzig auf ihrem Recht (Forderung der Todesstrafe: Ex 21,29bβ), sondern stimmt einem Ausgleich, einem Vergleich zu. Wichtig dabei ist, daß sie diesem Vergleich zustimmen *kann*, es aber nicht muß; daß sie es dennoch tut, ist ein Zeichen der Barmherzigkeit gegenüber dem schuldig gewordenen Mitmenschen (vgl. auch oben S. 155f.). Unbeschadet dieses Sachverhalts scheint uns aber (im Unterschied zu *Schenker*) die Problematik des כֹּפֶר-Begriffs etwas anders gelagert zu sein: 1. Wenn *Schenker* argumentiert, daß es für die Auslösung eines Lebens einen anderen Ausdruck als כֹּפֶר, nämlich פִּדְיֹן נַפְשׁוֹ, gebe, so ist doch nicht zu übersehen, daß dieser »andere Ausdruck« eben in Ex 21,30, also in unmittelbarer Nähe von כֹּפֶר, steht (vgl. Ps 49,8; Hi 33,24.28, s. oben S. 149f. und unten S. 171ff.). – 2. Die Logik der kasuistischen Formulierung Ex 21,30 (אִם . . . וְ »wenn – dann«), die Aufnahme der satzeröffnenden יוּשַׁת-Wendung im abschließenden Relativsatz sowie die Fortführung der Protasis mit נָתַן פִּדְיֹן נַפְשׁוֹ zeigen, daß mit dem auferlegten כֹּפֶר eine Summe ge-

ser Aspekt gab dem Terminus כֹּפֶר auch seinen über rein rechtliche Kategorien (»Schadensregulierung«) hinausweisenden, traditionsgeschichtlich wirksam gewordenen Sinngehalt.

Der rechtsgeschichtliche Ausnahmecharakter von Ex 21,30 wird durch die auf den vorsätzlichen (v. 31) und den unvorsätzlichen (v. 32) Totschläger bezogenen Prohibitive Num 35,31f.[269] bestätigt. Der Grund für die An-

meint ist, die vom Schuldigen als פִּדְיֹן נַפְשׁוֹ, d.h. zur »Auslösung seines (eigenen) Lebens« gegeben werden soll; da diese Summe der geschädigten Partei gegeben werden soll, dient sie dieser – die den ersten, wichtigen Schritt zur gewaltfreien Konfliktlösung durch die Gewährung/Auferlegung eines כֹּפֶר selber getan hat! – gleichzeitig als Entschädigung für das ihr zugefügte Unrecht. – 3. Hätte man sagen wollen, daß die כֹּפֶר-Gabe dazu dient, die Angehörigen des Getöteten durch eine materielle Abfindung zu »beschwichtigen«, so hätte man dies auch ausdrücken können, und zwar wie in Gen 32,21; Prov 16,14 mit כִּפֶּר פָּנִים/חֵמָה oder wie in Prov 6,35 mit נָשָׂא פָּנִים (s. dazu oben Anm. 30), etwa: »Wenn ihm ein כֹּפֶר auferlegt wird, so gibt er es in der vollen Höhe, die ihm auferlegt wird, um damit die Familie des Getöteten zu beschwichtigen«. Da Ex 21,30 nicht so, sondern mit פִּדְיֹן נַפְשׁוֹ formuliert, will dieser Text offenbar den Aspekt der Auslösung des *Schuldigen* durch ein כֹּפֶר, d.h. durch ein »Lebensäquivalent«, in den Vordergrund rücken: Der *Schuldige* steht im Mittelpunkt der Rechtsformulierung, ihm gewährt die geschädigte Partei in Souveränität die Gabe eines כֹּפֶר als ein *sein verwirktes Leben* auslösendes Äquivalent, mit dessen Zahlung sie sich ihrerseits (als Kompensation) zufrieden gibt. – 4. Nun gibt es einen כֹּפֶר-Beleg, bei dem nicht der Schuldige, sondern der *Geschädigte* im Blickpunkt steht: Prov 6,35. Aber hier ist die Formulierung charakteristischerweise anders als in Ex 21,30: »Kein כֹּפֶר vermag ihn zu beschwichtigen (לֹא־יִשָּׂא פְּנֵי כָל־כֹּפֶר), nicht willigt er ein, wenn du Bestechung (שֹׁחַד) mehrst« (zum Text s. oben Anm. 30). Auch wenn man hier כֹּפֶר (mit *Schenker*) als »Beschwichtigungsgabe« versteht, so ist doch vom Kontext her deutlich, daß mit der Nichtannahme dieses כֹּפֶר das Leben des Schuldigen (des Ehebrechers) als verwirkt qualifiziert ist. Zu dem ersten, wichtigen Schritt, den die Familie des Getöteten nach Ex 21,30 tut, kommt es hier erst gar nicht. Faßt man diese Überlegungen zur Bedeutung von כֹּפֶר im Rechtsbereich zusammen, so läßt sich sagen: Mit der Gabe eines כֹּפֶר ist der Vergleich zwischen Schuldigem und Geschädigtem, der gütliche Ausgleich eines Konfliktes intendiert (vgl. das obige Zitat von *Schenker*). Entscheidend für den konkreten Sinngehalt von כֹּפֶר scheint der vom jeweiligen Text gewählte *Aspekt* zu sein, d.h. der Sachverhalt, ob der *Schuldige* oder ob der *Geschädigte* (oder gar ob ein *Dritter*: der »bestochene« Richter) im Blickpunkt steht: (a) Steht der *Schuldige* im Blickpunkt, so dient die ihm von seiten der geschädigten Partei auferlegte/gewährte כֹּפֶר-Gabe – außer als (eine die geschädigte Partei zufriedenstellende) Kompensation – zur Auslösung seines eigenen Lebens aus Todesverfallenheit (Ex 21,30, abgelehnt in Num 35,31f., s. im folgenden); (b) steht der *Geschädigte* im Blickpunkt, so kann eine von seiten des Schuldigen beigebrachte כֹּפֶר-Gabe zu seiner Beschwichtigung dienen (Prov 6,35); selbst bei dieser (in Prov 6,35 negierten) Möglichkeit steht das durch die Nichtannahme sanktionierte Geschick des Schuldigen im Hintergrund: sein Leben ist verwirkt, es kann nicht ausgelöst werden (wie 2Sam 21,3 zeigt [s. oben S. 112ff.], scheint diese Bedeutungsentwicklung schon früh eingesetzt zu haben und mit der Verwendung von כִּפֶּר im zwischenmenschlichen Bereich zusammenzuhängen, vgl. Gen 32,21 und unten S. 176f.); (c) steht ein *Dritter* – der zwischen Schuldigem und Geschädigtem entscheidende Richter – im Blickpunkt, so kann ein כֹּפֶר dazu dienen, dessen Parteinahme zugunsten einer bestimmten Seite zu beeinflussen, d.h. ihn zu »bestechen« (Am 5,12; vgl. 1Sam 12,3, s. im folgenden).

269 Nach *Noth* (ÜSt, S. 192ff.199f.217; vgl. *ders.*, ATD VII [1966], S. 218f.) ist Num 35,16–34 als ein (in sich geschichteter) sekundärer Zusatz zu Num 35,9–15 zu betrachten, der seinerseits schon die späte Zusammenarbeitung von P^g + P^s mit DtrG, also die Schlußredaktion des Pentateuch (R^P), voraussetzt bzw. dieser angehört. Zur literarischen Problematik s. zuletzt auch *Schüngel-Straumann*, a.a.O., S. 29ff.52f. und *Schulz*, a.a.O., S. 9 Anm. 14. Zu einem Kontrastbeispiel zu der in Num 35,31f. vorgeschriebenen Rechtspraxis s. *Janowski*, Lösegeldvorstellung, S 40 Anm. 70.

wendung dieses Verbots auf den – im jetzigen Textzusammenhang *nach* v. 30f. genannten – unvorsätzlichen Totschläger v. 32 ist darin zu sehen, daß nach den Rechtsbestimmungen Num 35,22–29 der unvorsätzliche Totschläger in seiner Asylstadt bis zum Tod des Hohenpriesters bleiben mußte (v. 28: »Denn in seiner Asylstadt soll er bleiben bis zum Tod des Hohenpriesters; erst nach dem Tod des Hohenpriesters darf der Totschläger auf seinen Grund und Boden zurückkehren«, vgl. v. 25b)[270] und (vorher) nicht durch ein כֹּפֶר ausgelöst werden durfte:

וְלֹא־תִקְחוּ כֹפֶר לָנוּס אֶל־עִיר מִקְלָטוֹ לָשׁוּב לָשֶׁבֶת בָּאָרֶץ עַד־מוֹת הַכֹּהֵן׃

»Auch dürft ihr kein Lösegeld zu dem Zweck annehmen, daß einer nicht in seine Asylstadt zu fliehen braucht, (wie auch) zu dem Zweck, daß er wieder im Land wohnen darf – (dies gilt) bis zum Tod des ›Hohen‹priesters« (v. 32)[271].

Dem gedanklichen Zusammenhang zwischen v. 28 und v. 32 zufolge stand v. 32 »zunächst zwischen v. 28 und v. 29 und war die letzte Bestimmung zum Recht des unvorsätzlichen Totschlägers«[272], d.h. zu den Rechtsbestimmungen v. 22–28 (+ Schlußnotiz v. 29). Der Terminus כֹּפֶר, der gemäß dieser ursprünglichen Textfolge v. 22–28(32).29 *vor*, nach dem jetzigen Textzusammenhang aber *nach* der Bestimmung über den vorsätzlichen Totschläger v. 30f. genannt wird, führte dazu, das zunächst nur hinsichtlich des unvorsätzlichen Totschlägers formulierte Verbot der Annahme eines כֹּפֶר – entsprechend der Grundunterscheidung: unvorsätzliche – vorsätzliche Tötung (Num 35,9ff.) – auch auf den vorsätzlichen Totschläger, d.h. den Mörder, auszudehnen:

וְלֹא־תִקְחוּ כֹפֶר לְנֶפֶשׁ רֹצֵחַ אֲשֶׁר־הוּא רָשָׁע לָמוּת כִּי־מוֹת יוּמָת׃

»Ihr sollt aber kein Lösegeld für das Leben eines Mörders annehmen, der des Todes schuldig ist; vielmehr ist er dem Tode verfallen« (v. 31).

Das Verbot der Auslösung eines Mörders (der kein Recht auf Asylgewährung hat) bedeutet die Preisgabe an den die Blutrache vollziehenden גֹּאֵל הַדָּם (vgl. v. 16–21.30a)[273].

Num 35,30f.33f. »schlossen sich an den v. 29, den ursprünglichen Schlußsatz, an, nahmen aber v. 32, die Stelle, die den Anlaß bot, in sich hinein«[274]. Nach dem jetzigen Textzusammenhang v. 30–34 geben somit v. 33f. für das

270 Zum Verständnis von Num 35,28 und zum Asylproblem s. die Hinweise bei *Janowski*, Lösegeldvorstellung, S. 40 Anm. 71. Zu der interessanten Interpretation von Num 35,25 durch TPsJ Num 35,25 s. *Le Déaut*, Intercession, S. 46; *ders.*, BTB 4 (1974), S. 243–289, hier: S. 281ff.

271 Anderslautende Übersetzungen von v. 32 finden sich bei *Weismann*, Talion, S. 374 und bei *Schüngel-Straumann*, Tod, S. 34.

272 *Schüngel-Straumann*, a.a.O., S. 37.

273 Zum »Bluträcher« s. etwa *Christ*, Blutvergiessen, S. 126ff.

274 *Schüngel-Straumann*, Tod, S. 37.

in v. 31 (Mörder), aber auch für das in v. 32 (unvorsätzlicher Totschläger) formulierte Verbot: לֹא־תִקְחוּ כֹפֶר »ihr sollt kein Lösegeld annehmen!« dieselbe, auf Gen 9,5f. (P^g)[275] anspielende Begründung. Diese ist nicht nur rechtlich (zu Num 35,33b vgl. den Talionsrechtssatz Gen 9,6a), sondern auch – und vor allem! – theologisch gefaßt, weil das *Land, in dem Jahwe inmitten der Israeliten »wohnt«* (שָׁכַן v. 34aβ.b)[276], durch schuldhaftes Blutvergießen nicht verunreinigt (טמא *pi.* v. 34aα) und entweiht (חנף *hif.* v. 33aα.β) werden darf. Da nach diesem umfassenden theologischen Verständnis die Tötung eines Menschen ein gewaltsamer Eingriff in die heilvolle Ordnung der Schöpfung ist, weil sie unmittelbar das Land als die Israel von Jahwe verliehene Existenzbasis verletzt, kann diese Ordnung nur wiederhergestellt werden, indem dem Land Sühne geschaffen wird durch den rechtmäßigen Tod des Urhebers jener Verletzung:

וְלֹא־תַחֲנִיפוּ אֶת־הָאָרֶץ אֲשֶׁר אַתֶּם בָּהּ כִּי הַדָּם הוּא יַחֲנִיף אֶת־הָאָרֶץ
וְלָאָרֶץ לֹא־יְכֻפַּר לַדָּם אֲשֶׁר שֻׁפַּךְ־בָּהּ כִּי־אִם בְּדַם שֹׁפְכוֹ׃

»Ihr sollt das Land nicht entweihen, in dem ihr euch befindet. Denn das (schuldhaft vergossene) Blut ist es, das das Land entweiht; und dem Land kann für das Blut, das in ihm vergossen worden ist, nicht Sühne geschaffen werden außer durch das Blut (= den rechtmäßigen Tod) dessen, der es vergossen hat« (v. 33)[277].

In diesem rechtliche und theologische Kategorien miteinander verbindenden Text erscheint כפר *pu.* nicht unter dem Aspekt einer dem Täter zusätzlich (von außen) auferlegten Strafe – die Gültigkeit der Todesstrafe im Falle von Menschentötung (Ex 21,12) wird ebenso vorausgesetzt wie das Verbot der Annahme eines כֹּפֶר für den Mörder und für den unvorsätzlichen Totschläger (Num 35,31f.) –, sondern unter dem Aspekt der dem Land, als dem durch den gewaltsamen Tod eines seiner Bewohner eigentlich ›Geschädigten‹, geltenden *restitutio in integrum.* Der elementare Wert, den das Land, in dem Jahwe inmitten seines Volkes »wohnt« (שָׁכַן v. 34aβ.b), für den Fortbestand menschlichen Lebens hat, kommt nach Num 35,33f. darin zum Ausdruck, daß jede blutige Gewaltausübung von Menschen auf Menschen, die zur »Entweihung« und »Verunreinigung« des Landes als der Basis heilvoller menschlicher Existenz führt, von Israel in Wahrnehmung schöpfungsgemäßer Bestimmung (vgl. Gen 9,6!) geahndet werden soll[278] – und zwar durch den Tod des Urhebers jener Bluttat[279].

275 S. dazu außer den Kommentaren (v.a.: *C. Westermann*, BK I/1 [1974], S. 623ff.) *Scharbert*, Fleisch, S. 73ff.; *Schulz*, Todesrecht, S. 76 Anm. 314; *Paul*, Studies, S. 61f.; *Phillips*, Criminal Law, S. 95f.; *ders.*, Murder, S. 122f.; *McKeating*, Homicide, S. 64f.; *Christ*, a.a.O., S. 17.19.21f.61.62.123.139f.146.

276 Zur priesterschriftlichen Vorstellung vom שָׁכַן Jahwes inmitten der Israeliten s. ausführlich unten S. 295ff.

277 Zur metonymischen Bedeutung von דָּם in Num 35,33 s. *Christ*, a.a.O., S. 18f.26f.84, vgl. *B. Kedar-Kopfstein*, Art. *dam*, ThWAT II, Sp. 256f.

278 Vgl. *T. Frymer-Kensky*, BA 40 (1977), S. 147–155, hier: S. 154; *O. H. Steck*, Welt und Umwelt (Biblische Konfrontationen), Stuttgart/Berlin/Köln/Mainz 1978, S. 84.

Ein besonderes Interpretationsproblem stellt die Anweisung für die Erhebung einer »Kopfsteuer« Ex 30,11–16P^s (כֹּפֶר v. 12) dar[280]. In diesem Text ist von einer »Musterung«[281] der erwachsenen männlichen Mitglieder der Kultgemeinde die Rede, bei der von jedem Gemusterten ein halber Schekel erhoben wird, der als כֹּפֶר נַפְשׁוֹ Jahwe gegeben werden soll. Die Schwierigkeiten des Textverständnisses resultieren u.a. daraus, daß es sich bei dieser Abgabe, die im Fortgang des Textes תְּרוּמָה לַיהוָה (v. 13b) bzw. תְּרוּמַת יְהוָה (v. 14b.15b) genannt wird, *ursprünglich* um »eine in der nachexilischen Gemeinde laufend erhobene Kultsteuer«[282], mit dem Zweck, »den

279 Zur priesterschriftlichen Bewertung der Tötungsdelikte s. zusammenfassend *Schüngel-Straumann*, Tod, S. 221ff.

280 Zum Nachtragscharakter von Ex 30,11–16 s. *M. Noth*, ATD V (^{3}1965), S. 193f., vgl. *ders.*, ÜPent, S. 18; *Görg*, Zelt, S. 36f.; *Fritz*, Tempel, S. 158, u.a.; anders *J. Liver*, in: *M. Haran* (ed.), *Y. Kaufmann* Jubilee Volume, Jerusalem 1960, S. 54–67 (zustimmend *Milgrom*, Studies, S. 31 Anm. 113). Die besondere Problematik dieses Abschnitts hängt u.a. damit zusammen, daß man seit den Arbeiten von *J.-R. Kupper* (in: *A. Parrot* [éd.], Studia Mariana, Leiden 1950, S. 99–110; *ders.*, Les nomades en Mésopotamie au temps des rois de Mari, Paris 1957, S. 6.23ff.) und von *E. A. Speiser* (BA 149 [1958], S. 17–25) Ex 30,11–16 mit den altbabylonischen *tēbibtu(m)* (»Reinigung[sritual]« oder »Musterung, Zensus«?)-Texten aus Mari und Chagar Bazar verglichen hat, ohne bislang zu einem sicheren Ergebnis gelangt zu sein, s. dazu vorläufig *J. T. Luke*, Pastoralism and Politics in the Mari Period, Ann Arbor/Mich. 1965, S. 248ff. und *J. M. Sasson*, The Military Establishments at Mari (StP 3), Rom 1969, S. 9 mit Anm. 30–32; *ders.*, Art. Mari, IDB Suppl. Vol., Nashville 1976, S. 567ff., hier: S. 569.571 (jeweils mit der älteren Lit.).

281 Zu פָּקַד in der Bedeutung »mustern« (in Ex 30,11–16: 5mal, in v. 12 Wechselbegriff zu נָשָׂא רֹאשׁ) s. *W. Schottroff*, Art. *pqd*, THAT II, Sp. 472f. Zur Frage der Volkszählung (im AT) s. *G. von Rad*, Der Heilige Krieg im alten Israel, Göttingen ^{4}1965, S. 37f.; *C. Colpe*, Art. Volkszählung, BHH III, Sp. 2115f.; *G. Cornfeld – G. J. Botterweck* (Hrsg.), Die Bibel und ihre Welt, Bd. II, Bergisch Gladbach 1969, Sp. 1464–1472; *Kellermann*, Priesterschrift, S. 4ff.32ff.49ff.159ff.; *M. Barnouin*, VT 27 (1977), S. 280–303, vgl. auch *Hengel*, a.a.O. (oben Anm. 209 »Zeloten«), S. 134ff.

282 *M. Noth*, ATD V (^{3}1965), S. 193. Die alte Frage, »ob das Geld ein- für allemal zum Bau des Zeltes verwendet werden soll, oder eine beständige Abgabe für die Bedürfnisse des Kultus ist« (*E. Reuss*, Das Alte Testament übersetzt, eingeleitet und erläutert, Bd. III, Braunschweig 1893, S. 364 Anm. 5), ist zuletzt von *Milgrom* (Studies, S. 81.86, vgl. *ders.*, Lev 17:11, S. 151 Anm. 12) im ersteren Sinn beantwortet worden; demzufolge übersetzt er Ex 30,16aβ nicht: »und du sollst es (sc. das Sühnegeld) für den Dienst am Zelt der Begegnung aufwenden«, sondern: »and assign it for the construction for the Tent . . .« (a.a.O., S. 81). Doch ist bei *Milgrom* der hinsichtlich seiner Motive *uneinheitliche Charakter* von Ex 30,11–16 nicht gesehen (vgl. auch *ders.*, Studies, S. 29ff., bes. S. 30 Anm. 108), s. dazu außer *Noth* noch *Schottroff*, Gedenken, S. 306f.; zu der »für den Dienst am/im Zelt der Begegnung« aufzuwendenden allgemeinen Tempelsteuer s. *W. Rudolph*, HAT I/20 (1949), S. 177ff.; *de Vaux*, ATL II, S. 244f.; *Görg*, Zelt, S. 36f.; *Floss*, Jahwe dienen, S. 66; *Fritz*, Tempel, S. 158; *H.-P. Stähi*, Art. *rwm*, THAT II, Sp. 758f.

Eine jährliche Geldzuwendung von einem Drittelschekel »für den Dienst unseres Gotteshauses«, d.h. für den Tempelkult schlechthin (zu dieser Bedeutung von עֲבֹדָה s. *Floss*, a.a.O., S. 66f.; *Riesener*, *ʿbd*, S. 262ff.266f.), ist für die nachexilische Zeit in Neh 10,33 belegt; nach Neh 10,34 ist diese regelmäßige Tempelsteuer außer für das Schaubrot, für das regelmäßige Speise- und Brandopfer (u.a.) auch für die zur Entsühnung Israels bestimmten Sündopfer (לַחַטָּאוֹת לְכַפֵּר עַל־יִשְׂרָאֵל) zu geben. Wie *Rudolph* (a.a.O., S. 179) bemerkt, hat Neh 10,34 »auffallend viele chronistische Wendungen«, so daß man fragen kann, »ob diese Angaben über den Zweck der Tempelsteuer nicht chronistische Zutaten sind. Immerhin ist auch mit der umgekehrten Möglichkeit zu rechnen, daß ein so wichtiges Dokument wie Neh 10 auf die Folgezeit eingewirkt hat«. Im Hinblick auf die hier interessierende Frage ist festzuhalten, daß die Wendung לְכַפֵּר עַל־יִשְׂרָאֵל ebenfalls – und in einem Neh 10,33f. entsprechenden Kontext – in 1Chr 6,34

Israeliten zu einem Gedenken (זִכָּרוֹן) vor Jahwe« zu verhelfen (v. 16bα), nach dem *jetzigen Textzusammenhang* aber um die »sekundäre und merkwürdig auf urtümliche Vorstellungen zurückgreifende Begründung«[283] jener allgemeinen Tempelsteuer handelt. Dieser (sekundären) Begründung zufolge hat die von jedem erwachsenen Israeliten erhobene »Kopfsteuer« die Funktion, ein »Lösegeld für sein (sc. des Gemusterten) eigenes Leben« zu sein, »damit unter ihnen keine Plage (נֶגֶף) entstehe, wenn man sie mustert« (v. 12aβ.b). Hinter dieser Anweisung steht die (u.a. auch in 2Sam 24 überlieferte) Vorstellung, daß die Zählung und Konskription von Personen etwas Gefährliches ist, da sie (den Zorn Gottes und als dessen Manifestation) eine »Plage« über die Gezählten heraufbeschwören kann. Aus diesem Grunde ist jeder Gemusterte verpflichtet, einen halben Schekel als »Lösegeld für sein Leben« zu geben, damit unter den Gezählten keine »Plage« entstehe[284].

Wie in Ex 21,30 (כֹּפֶר expliziert durch פִּדְיֹן נַפְשׁוֹ) und in Num 35,31 (כֹּפֶר לְנֶפֶשׁ).32 (כֹּפֶר) so meint auch hier die Wendung כֹּפֶר נַפְשׁוֹ die Auslösung des individuellen Lebens aus einer Situation, in der es um *Leben und Tod* des einzelnen und der Gemeinschaft geht. Neu gegenüber Ex 21,30 (und auch gegenüber Num 35,31f.) ist, daß der dem priesterlichen Verfasser von Ex 30,11–16 vorgegebene כֹּפֶר-Begriff von ihm (oder einer späteren Hand?) mit Hilfe des כִּפֶּר- und des כִּפֻּרִים-Begriffs exegesiert wird: Die als כֹּפֶר נַפְשׁוֹ gezahlte Abgabe – die deshalb auch direkt כֶּסֶף הַכִּפֻּרִים »das Sühnegeld« genannt werden kann (v. 16aα)[285] – soll dazu dienen, »um für eure (einzelnen) Personen = für (jeden von) euch Sühne zu schaffen« (לְכַפֵּר עַל־נַפְשֹׁתֵיכֶם v. 15bβ und v. 16bβ)[286]. Daß dies nicht der ursprüngliche Zweck der לְזִכָּרוֹן לִפְנֵי יְהוָה (v. 16bα) geleisteten allgemeinen Tempelsteuer (תְּרוּמָה v. 13b.14b.15b) ist, liegt auf der Hand[287].

begegnet: »Aaron und seine Söhne räucherten auf dem Brandopfer- und auf dem Räucheraltar, sie waren da für alle Tätigkeit am Allerheiligsten und hatten für Israel Sühne zu schaffen, alles genau nach dem Befehl Moses, des Knechtes Gottes« (Übersetzung: *W. Rudolph*, HAT I/21 [1955], S. 58, vgl. den Kommentar S. 59ff. und zur Echtheit von 1Chr 6,34–38 jetzt *Willi*, Chronik, S. 213 mit Anm. 35).

283 *Noth*, a.a.O., S. 193, vgl. *Schottroff*, a.a.O., S. 307.

284 S. dazu auch *Koch*, Sühneanschauung, S. 21f. mit Anm. 2.

285 Es sei denn, daß mit LXX כֶּסֶף תְּרוּמָה vorauszusetzen ist, vgl. *Schottroff*, a.a.O., S. 307.

286 Vgl. *Scharbert*, Fleisch, S. 65, ferner *Westermann*, a.a.O. (oben Anm. 265), Sp. 86f. Es bedeutet u.E. eine (folgenreiche) Verzerrung des Aussagegehaltes von כֹּפֶר, wenn man urteilt, daß »zur Abwendung der durch die Zählung heraufbeschworenen ›Plage‹ *Jahwe* durch Erhebung einer Abgabe *versöhnt werden*« soll (*Schottroff*, a.a.O., S. 307 [H. v. uns]), vgl. auch *Cornfeld-Botterweck* (a.a.O. [oben Anm. 281], Sp. 1466.1469), die gar von »Versöhnung der göttlichen Macht« durch Darbringung eines »›Sühne‹-Opfer(s) (kofaer in Ex 30,12f.)« sprechen.

287 Auch bei der Abgabe des im Midianiterkrieg erbeuteten Goldes an das Heiligtum Num 31,48–54 P^s (oder später, s. *Noth*, ÜPent, S. 19 mit Anm. 62, vgl. *ders.*, ÜSt, S. 200; *ders.*, ATD VII [1966], S. 200f.) ist hinsichtlich ihrer Zweckbestimmung überlieferungsgeschichtlich zwischen לְכַפֵּר עַל־נַפְשֹׁתֵינוּ לִפְנֵי יְהוָה (v. 50a) und זִכָּרוֹן לִבְנֵי יִשְׂרָאֵל לִפְנֵי יְהוָה (v. 54bβ) zu unterscheiden. Anlaß für diese »Darbringung für Jahwe« (קָרְבַּן יְהוָה) zum Zwecke der Sühne »für jeden von uns« (לְכַפֵּר עַל־נַפְשֹׁתֵינוּ) war eine nach der Rückkehr aus dem Krieg veranstaltete Musterung der Wehrfähigen, mit dem Ergebnis, daß kein einziger im Midianiterkrieg gefallen war (v. 48f.). Analog Ex 30,11ff. wird diese Zählung als Gefährdung der Gemusterten verstanden, aus der allein eine sühnende Darbringung עַל־נַפְשֹׁתֵינוּ herausführt, s. dazu und zu der parallelen Motivierung dieser Gabe (v. 52: תְּרוּמַת יְהוָה, vgl. v. 29) als זִכָּרוֹן לִבְנֵי יִשְׂרָאֵל לִפְנֵי יְהוָה im einzelnen *Noth*, ATD VII (1966), S. 201; *Scharbert*, Heilsmittler, S. 100; *ders.*, Fleisch, S. 65f.; *Schottroff*, a.a.O., S. 307f.; *Milgrom*, Lev 17:11, S. 151.

Exkurs II:
Dtn 21,1–9 und die kollektive Verantwortung bei unaufgeklärten Tötungsdelikten

Nach Num 35,33 (R^P?), das die Nichtannahme eines כֹּפֶר im Falle von Mord (Num 35,31) wie im Falle von unvorsätzlicher Tötung (Num 35,32) aus der Sicht von Gen 9,5f. (P^g) begründet[288], kann die Integrität des Landes, in dem schuldhaft Blut vergossen wurde, nur wiederhergestellt werden, indem dem Land durch den Tod des Urhebers dieser Schuldrealität Sühne geschaffen wird. Was aber hatte zu geschehen, falls der Mörder oder unvorsätzliche Totschläger unbekannt war und auch mit seiner späteren Entdeckung nicht gerechnet werden konnte? Dieses Rechtsproblem ist das Thema von Dtn 21,1–9 (vgl. 11QTemple col. 63,1[?]–9): Ein ungesühntes Verbrechen – Mord oder unvorsätzlicher Totschlag[289] – belastet die Angehörigen einer Gemeinschaft, auf deren Gemarkung ein Erschlagener gefunden wird, mit einer Schuldrealität. Da der Täter unbekannt ist, steht im Mittelpunkt des Textes nicht die Frage des Verhältnisses: Täter – Tat und demzufolge auch nicht das Problem der Deliktahndung, sondern allein *die Bluttat und die Beseitigung der durch sie verursachten Blutschuld.*

Mit den neueren Arbeiten zum deuteronomischen Gesetzeskorpus von *R. P. Merendino, G. Nebeling, G. Seitz* und *M. Rose*[290] gehen wir davon aus, daß in Dtn 12–26 vordtn Überlieferungsgut mit jüngeren (dtn-dtr) Erweiterungen und Interpretamenten verknüpft ist. Ungeachtet der methodischen und inhaltlichen Differenzen, die hinsichtlich des literarischen Werdens jener vordtn Überlieferungsschicht insbesondere zwischen den Analysen von *Merendino* und *Nebeling* zu konstatieren sind[291], ist für die *vordtn Grundschicht von Dtn 21,1–9* ein Textbestand zu erheben, der nach *Merendino* v. 1aα* (»wenn ein Erschlagener gefunden wird«). 1b.3bα* (ohne Demonstrativpronomen und Relativsatz). 4aα* (ohne »die Ältesten jener Stadt« und ohne אֵיתָן). 4b (ohne בַּנָּחַל). 6b (ohne בַּנָּחַל). 7.8b[292], nach *Nebeling* v. 1aα. γ.b.2a* (ohne »deine Richter«). 3b.4* (ohne »die Ältesten jener Stadt«). 5aα* (nur »dann sollen die Priester hinzutreten«). [5a?]6aβ.b (von הַקְּרֹבִים ab). 7.9a* (möglicherweise ohne וְאַתָּה)[293], nach *Seitz* dagegen v. 1a* (ohne בָּאֲדָמָה + Relativsatz). b.2 (ohne וְשֹׁפְטֶיךָ und הַזְּקֵנִים statt זְקֵנֶיךָ).3.4.7[294] umfaßte. Diese nach ihrem Textbestand jeweils unterschiedlich bestimmte vordtn Grundschicht von Dtn 21,1–9 – zu der u.E. mit *Merendino* v. 8b[295] und mit

288 S. oben S. 158ff.

289 Ebenso wie das Opfer bleibt auch der Täter vollkommen unbestimmt, s. dazu *Schüngel-Straumann*, Tod, S. 66f.217f. Altorientalische Vergleichstexte zur vorliegenden Rechtsproblematik werden genannt und analysiert bei *A. Jirku*, ZAW 79 (1967), S. 359f.; *M. Liverani*, JESHO 17 (1975), S. 146–164, hier: S. 153ff.; *M. Heltzer*, The Rural Community in Ancient Ugarit, Wiesbaden 1976, S. 63ff.; bes. S. 65; *H. Klengel*, in: *B. Alster* (Hrsg.), Death in Mesopotamia (CCRAI 26), Kopenhagen 1980, S. 189–197.

290 *R. P. Merendino*, Das deuteronomische Gesetz. Eine literarkritische, gattungs- und überlieferungsgeschichtliche Untersuchung zu Dt 12–26 (BBB 31), Bonn 1969; *G. Nebeling*, Die Schichten des deuteronomischen Gesetzeskorpus. Eine traditions- und redaktionsgeschichtliche Analyse von Dtn 12–26, Masch. Diss. Münster 1970; *G. Seitz*, Redaktionsgeschichtliche Studien zum Deuteronomium (BWANT 93), Stuttgart/Berlin/Köln/Mainz 1971; *M. Rose*, Der Ausschließlichkeitsanspruch Jahwes. Deuteronomische Schultheologie und die Volksfrömmigkeit in der späten Königszeit (BWANT 106), Stuttgart 1975; s. zur Sache auch *Kaiser*, Einleitung, S. 117ff.

291 S. dazu *Nebeling*, a.a.O., S. 17ff.22ff.

292 A.a.O., S. 234ff., vgl. S. 251.

293 A.a.O., S. 170ff., vgl. S. 257.

294 A.a.O., S. 115f. (zu v. 6 äußert sich *Seitz* nicht).

295 *Merendino*, a.a.O., S. 239.241. V. 8a ist wohl Hinzufügung der dtn (dtr?) Redaktion (vgl. *Merendino*, a.a.O., S. 238f.; *Nebeling*, a.a.O., S. 54f. mit Anm. 236; S. 175, u.a.).

J. L'Hour und *Nebeling* v. 9a[296] zu zählen sind – wird von den genannten Exegeten übereinstimmend als *kasuistisch formuliertes Satzgefüge* mit den Elementen: *Tatbestandsdefinition* (v. 1) – *Rechtsfolgebestimmungen* (v. 2–8b) – *Abschlußformel* (v. 9a) bezeichnet. Gehört v. 8b zum vordtn Grundbestand dieses »Rechtsentscheides«[297], so bildet diese auf die Beseitigung der Blutschuld bezogene deklaratorische Wendung: »so wird ihnen das Blut gesühnt (וְנִכַּפֵּר לָהֶם הַדָּם)«[298] den Abschluß der Rechtsfolgebestimmungen v. 2–7*. Nach dem Sinn dieser Wendung ist zunächst zu fragen.

Da ein Mörder für seine Tat verantwortlich ist und für sie zur Rechenschaft gezogen wird (Ex 21,12), kann weder eine andere Person noch ein Tier als Substitut des Täters mit der Todesstrafe belegt werden[299]. Wenn aber der Mörder unbekannt bleibt und deshalb nicht zur Verantwortung gezogen werden kann, ergibt sich das *Problem* der durch die Tat verursachten, infolge der Unbekanntheit des Täters zunächst aber nicht zu behebenden, sondern *fortbestehenden Schuldrealität,* für deren Beseitigung nur die betroffene Gemeinschaft selbst – repräsentiert durch die »Ältesten« und, so *Nebeling,* durch die »Priester«, die in nächster Nähe des Fundortes ansässig sind[300] – Sorge tragen kann und muß. Dieser *Beseitigung der die Gemeinschaft trotz deren subjektiver Unschuld belastenden Schuldrealität* gelten der Ritus des Genickbrechens der jungen Kuh (v. 4*), der Akt der Handwaschung (v. 6b) und das Aussprechen der Unschuldsbeteuerung (v. 7). Dabei ist zu beachten, daß der Passus v. 6b.7 eine aus *Handlung* (Waschen der Hände v. 6b) und *Wort* (Unschuldsbeteuerung v. 7) bestehende Geschehenseinheit beschreibt, die als umfassende *Eidesleistung* auf die das Gemeinwesen belastende *Bluttat* bezogen ist, die *nicht begangen* zu haben die Ältesten stellvertretend für die Gemeinschaft bezeugen sollen:

6b »Und sie sollen ihre Hände über der Kuh, der das Genick am Bach gebrochen wurde, waschen[301],

7 und sie sollen Zeugnis ablegen und sprechen: ›Unsere Hände haben dieses Blut[302] nicht vergossen und unsere Augen haben nichts gesehen‹«.

Weil durch das Genickbrechen der jungen Kuh[303], durch das Waschen der Hände und das Aussprechen der Unschuldsbeteuerung die die Gemeinschaft belastende Schuldrealität beseitigt

296 *J. L'Hour,* Bib. 44 (1963), S. 1–28, hier: S. 20; *Nebeling,* a.a.O., S. 175f., vgl. auch *Rose,* a.a.O. (oben Anm. 290), S. 33 Anm. 3.

297 *Nebeling,* a.a.O., S. 170ff., bes. S. 176f.274ff.

298 Die Umpunktierung des *Nitpa*^{c}*el* נִכַּפֵּר (‹ *נִתְכַּפֵּר) in ein *Nifa*^{c}*al* (so etwa *A. Dillmann,* KEH [^{2}1886], S. 338) erübrigt sich, zu נִכַּפֵּר s. *Bauer-Leander,* Grammatik, S. 283s; GK, § 55k nimmt Verschreibung für הִתְכַּפֵּר an, 11QTemple col. 63,7 hat statt des *nitp.*pf.cons. ein *pu.*pf.cons. (וכופר). Zu der aufgrund von 4QSam^{a} ([אז תראפ[ו ו]נכפר [לכם], vgl. LXX) in 1Sam 6,3 MT vorgenommenen Textänderung von *O. Thenius,* KEH (1864), S. 24f. s. jetzt *P. D. Miller – J. J. Roberts,* The Hand of the Lord. A Reassessment of the »Ark Narrative« of 1 Samuel, Baltimore/London 1976, S. 53, vgl. *H. J. Stoebe,* KAT VIII/1 (1973), S. 146 z.St.

299 Nach Ex 21,28ff. wird das stößige Rind als der unmittelbar Schuldige gesteinigt, s. oben S. 154ff.

300 A.a.O. (oben Anm. 290), S. 176f.

301 Nach 11QTemple col. 63,5 (vgl. auch LXX!) vollzieht sich das Waschen der Hände über dem »Kopf« der jungen Kuh.

302 Bei הַדָּם הַזֶּה handelt es sich nicht um das Blut der jungen Kuh (so *J. Milgrom,* Art. ^{c}Eglah ^{c}Arufah, EJ VI [1971], Sp. 476), sondern – wie aus der metonymen Bedeutung der auch hier vorliegenden Wendung שָׁפַךְ דָּם (s. dazu *Christ,* Blutvergiessen, S. 17ff.26f.28ff.; *B. Kedar-Kopfstein,* Art. *dam,* ThWAT II, Sp. 256f., u.a.) hervorgeht – um das *schuldhaft vergossene Blut des Erschlagenen,* d.h. um den Mord, den nicht begangen zu haben die Ältesten (bzw. die Priester) eidlich bekennen, s. dazu auch unten Anm. 305.

303 S. dazu im folgenden.

ist, kann die den Ältesten (und den Priestern) als den Repräsentanten des Gemeinwesens zugute kommende *Sühnung der Blutschuld* formell deklariert werden:

8b »So wird ihnen das Blut (= die Blutschuld) gesühnt werden (וְנִכַּפֵּר לָהֶם הַדָּם)«.

Auf diese Weise soll Israel »das unschuldige Blut« (דָּם נָקִי), d.h. die schuldhafte Bluttat[304], aus seiner Mitte tilgen (v. 9a).

Wie aber ist in diesem Kontext die Tötung der jungen Kuh zu verstehen? Ist sie überhaupt erforderlich oder nicht eher ein archaisches Survival, dessen Sinn allenfalls zu vermuten ist? Da gegen eine Auffassung des Tötungsaktes als Opfer vor allem die Tötungsart (עָרַף »[das Genick] brechen«)[305], der Tötungsort und die die Tötung Ausführenden sprechen, hat man den Vorgang u.a. als Analogiezauber (sei es, »daß es den Ältesten ebenso wie der Kuh ergehen soll, wenn sie die Unwahrheit sagen«[306], sei es, daß man »mit der Tötung der Kuh und der dazu gehörenden Fluchformel den Mörder an Jahwe [übergibt], damit dieser ihn strafen möge, weil die Gemeinschaft dazu nicht imstande ist«[307]), als Analogiehandlung (»So wie die Kuh beseitigt wird, so verschwindet nun die Last vom Lande«)[308], als an der Kuh stellvertretend vollzogenen Straf- oder Vergeltungsakt[309] oder schließlich als symbolische Wiederholung des Verbrechens (wodurch dieses für die Gemeinschaft unschädlich gemacht werden soll)[310] verstehen wollen[311]. Doch soll mit der rituellen Tötung der jungen Kuh weder der Mörder per analogiam mit dem Tode getroffen noch das Tier stellvertretend für die Tat des Mörders bestraft werden. So-

304 Zur Bedeutung von דָּם נָקִי s. *Christ*, a.a.O., S. 27.34ff.62 und *C. van Leeuwen*, Art. *nqh*, THAT II, Sp. 103ff., u.a.

305 Anders z.B. *Zevit*, ʿeglâ Ritual, S. 383f. Der – auf *nicht opferfähige* Tiere (Esel: Ex 13,13; 34,20; Hund: Jes 66,3) angewendete – Terminus עָרַף läßt überdies nicht erkennen, ob mit dem Genickbrechen eine Tötung gemeint ist, bei der Blut fließt, s. dazu auch *H. J. Ehlhorst*, ZAW 39 (1921), S. 58–67, hier: S. 59; *Christ*, a.a.O., S. 88 mit Anm. 380. Infolgedessen ist es höchst fraglich, ob der Bach – wie zahlreiche Ausleger vermutet haben – das Blut der Kuh mit sich fortschwemmt (s. etwa die Schilderung bei *R. Press*, ZAW 51 [1933], S. 227–255, hier: S. 238, vgl. ferner die bei *Christ*, a.a.O., S. 88 Anm. 381 angegebene Lit. und *Koch*, Sühneanschauung, S. 63; *Schüngel-Straumann*, Tod, S. 67.217). Eine Handlung mit dem *Blut der Kuh* (falls dieses bei dem Tötungsakt überhaupt ausfloß!) scheint von vornherein nicht im Blick zu sein, vgl. auch *Elhorst*, a.a.O., S. 59 Anm. 1; *Christ*, a.a.O., S. 88; *McKeating*, Homicide, S. 62f. Anm. 22; *Phillips*, Murder, S. 124; *C. C. Carmichael*, VT 29 (1979), S. 129–142, hier: S. 133f.

306 *Scharbert*, Heilsmittler, S. 108 Anm. 25, vgl. *Garnet*, Salvation, S. 71 Anm. 3.

307 *Ehlhorst*, a.a.O., S. 64.

308 *Christ*, Blutvergiessen, S. 89.

309 So die bei *Christ*, a.a.O., S. 89 Anm. 385 genannten Autoren, ferner *A. Dillmann*, KEH (^{2}1886), S. 338; *Preiser*, Vergeltung, S. 271, u.a.

310 *A. Roifer*, Tarb. 31 (1961/62), S. 119–143.

311 Das Spektrum der Interpretationsmöglichkeiten ist damit noch nicht erschöpft; neben der bei *Schüngel-Straumann*, Tod, S. 67 Anm. 78 angeführten Deutung von *H. Junker* ist noch der Versuch zu erwähnen, den Ritus Dtn 21,1ff. mit dem Azazel-Ritus Lev 16,10.21f. zu vergleichen, so v.a. *Press*, a.a.O. (oben Anm. 305), S. 236ff., vgl. *G. von Rad*, ATD VIII (^{2}1968), S. 97f.; *Paschen*, Rein, S. 39; *Milgrom*, a.a.O. (oben Anm. 302), Sp. 476; *Christ*, Blutvergiessen, S. 88f. Dagegen spricht sowohl die beim Azazel-Ritus fehlende Tötung des Tieres (die Nachricht von dem zu Tode gestürzten »Sündenbock« mYom VI,6 sollte nicht einfach für die alttestamentliche Überlieferung als authentisch vorausgesetzt werden, s. dazu unten Teil III Anm. 450) als auch die bei dem Ritus mit der jungen Kuh fehlende Übertragung der Schuld durch die Handaufstemmung, anders *Koch*, Sühneanschauung, S. 63: »Von einer Handaufstemmung ist nicht die Rede, sie mag aber vorausgesetzt sein« (unter Hinweis auf *Press*, a.a.O., S. 238).

wenig das durch Genickbrechen getötete Tier, das – anders als das stößige Rind Ex 21,28ff.[312] – den Tod des חָלָל (Dtn 21,1) nicht verschuldet hat, an die Stelle des Täters treten kann, um stellvertretend die ihm geltende Todesstrafe zu erleiden, sowenig repräsentiert auch das Blut des getöteten Tieres das Blut des Erschlagenen[313], ja »die Bestimmungen zum casus interessieren sich im Grunde überhaupt nicht für den Mörder und noch weniger für sein Opfer, das Anliegen der vv. 2–9 ist vielmehr, wie die Blutschuld, die nun auf der zunächst gelegenen Stadt liegt, beseitigt werden kann, ohne daß sie dem Volk zum Schaden gereicht«[314].

Nimmt man demzufolge den der vordtn Grundschicht von Dtn 21,1–9 zugehörigen v. 4* auch inhaltlich als Bestandteil der Rechtsfolgebestimmungen ernst – und zwar der Rechtsfolgebestimmungen, deren Sinn es ist, einen Weg zur Beseitigung der durch die Bluttat entstandenen Schuldrealität *in Ansehung der Unbekanntheit des Täters* aufzuzeigen –, so ergibt sich für die Tötung der Kuh ein Verständnis, das der Tatbestandsdefinition v. 1* und der Aussageintention der Rechtsfolgebestimmungen v. 2–7* (+ 8b) eher gerecht wird als die oben genannten Deutungen (Analogiezauber, Straf- oder Vergeltungsakt, u.a.): Da derjenige, der einen Menschen erschlägt, nach altisraelitischem Recht dem Tode verfallen ist (Ex 21,12), der Totschläger von Dtn 21,1ff. aber infolge seiner Unbekanntheit nicht bestraft und die durch seine Tat entstandene Schuldrealität deshalb weder durch den Tod des Täters noch durch eine Schadenersatzzahlung in Form eines כֹּפֶר[315] beseitigt werden kann, muß ein *Äquivalent* gefunden werden, das – wie dies zunächst auch bei dem *Todes*geschick der Fall ist, das den bekannten Totschläger unabwendbar trifft (Ex 21,12) – wesentlich das Moment der *Lebenshingabe* enthält, das aber im Unterschied zu der dem bekannten Totschläger geltenden Todes*strafe* nicht ein Straf- oder Vergeltungsmoment impliziert, sondern allein auf die Beseitigung der in der Gemeinschaft durch den Mord entstandenen Schuldrealität zielt. Dieses Äquivalent besteht in der *ersatzweisen Hingabe des Lebens eines Tieres,* der »noch nicht zur Arbeit benutzten, also dem natürlichen Ursprungsbereich noch nicht entzogenen jungen Kuh«[316].

Ist die נִכַּפֵּר-Aussage v. 8b als eine ›Sühnedeklaration‹ zu verstehen, die den Ritus (Genickbrechen der jungen Kuh als ersatzweise Lebenshingabe v. 4) und den Unschuldseid (Waschen der Hände und Unschuldsbeteuerung v. 6b–7) rechtlich formell abschließt und so die erfolgte Aufhebung der Schuldrealität deklariert, so ist die auf die *göttliche Vergebung* bezogene כַּפֵּר-Aussage v. 8a:

כַּפֵּר לְעַמְּךָ יִשְׂרָאֵל אֲשֶׁר פָּדִיתָ יְהוָה
וְאַל־תִּתֵּן דָּם נָקִי בְּקֶרֶב עַמְּךָ יִשְׂרָאֵל

»Vergib (oder: schaff Sühne) deinem Volk Israel, das du erlöst hast, Jahwe,
und laß nicht dasein (gib nicht) unschuldiges Blut inmitten deines Volkes Israel«.

nach fast einhelligem Urteil der Forschung auf den dtn (dtr?) Redaktor zurückzuführen, der mit diesem Gebet »der ganzen Prozedur eine neue Deutung gegeben hat. Nun ist es . . . Gott, der kraft seines Erbarmens die Entsündigung schafft. Diese Stelle spricht entschieden gegen die weitverbreitete Meinung, daß Jahwe der Empfänger der Sühne sei; er ist vielmehr der eigentlich Handelnde bei dem Sühnegeschehen, denn er wendet den von dem Mord verursachten Unheilsbann ab. Der Empfänger der Sühne ist Israel«[317].

312 S. oben S. 154ff.
313 So *Milgrom,* a.a.O. (oben Anm. 302), Sp. 476.
314 *Schüngel-Straumann,* Tod, S. 67, vgl. S. 217f.
315 So *Jackson,* Reflections, S. 48f., s. dagegen aber zu Recht *Phillips,* Murder, S. 125f.; *McKeating,* Homicide, S. 63.
316 *Gese,* Sühne, S. 89.
317 *G. von Rad,* ATD VIII (^{2}1968), S. 98.

II. Das unrechtmäßig angenommene Lösegeld: Am 5,12; 1Sam 12,3 und Prov 6,35

Die Rechtsbestimmung, daß dem (des Todes) Schuldigen ein כֹּפֶר auferlegt und von ihm als Lösegeld für sein eigenes Leben *gegeben* (נָתַן) werden kann, gilt ausschließlich für den in Ex 21,29f. definierten Fall konkurrierenden Verschuldens. Das *Verbot der Annahme* eines כֹּפֶר »für das Leben eines Mörders« (Num 35,31) ist spätere Präzisierung des alten Rechtsgrundsatzes, daß, wer einen Menschen erschlägt, dem Tode verfallen ist (Ex 21,12)[318].
Wo, wie in Am 5,12[319], dennoch von der *Annahme* (לָקַח) eines כֹּפֶר gesprochen wird, kann demnach nur eine mit Ex 21,29f. vergleichbare oder eine gegenüber diesem Rechtsfall veränderte Rechtssituation vorliegen. Daß für Am 5,12b nur die zweite Möglichkeit in Frage kommt, zeigt die formale Struktur von Am 5,12, derzufolge die zwischen צֹרְרֵי צַדִּיק und וְאֶבְיוֹנִים בַּשַּׁעַר הִטּוּ stehende Wendung לֹקְחֵי כֹפֶר zusammen mit diesen Parallelausdrücken die Beschuldigungen Am 5,12a expliziert: Die *Annahme eines* כֹּפֶר wird in einem Atemzug mit *Rechtsbeugung* und *Bedrückung der Bedürftigen* genannt. Diese Korrumpierung der Rechtspflege wird in dem Weheruf Jes 5,20.23.24a als *Verkehrung der Wahrheit* geschildert[320] und sowohl in Jes 1,23 (שֹׁחַד//שַׁלְמֹנִים, vgl. שֹׁחַד Jes 5,23)[321] als auch in Am 5,12 (כֹּפֶר) durch den Ausdruck »*Bestechungsgeld, Bestechungsgeschenk*« verdeutlicht. »Sei es, daß man den Begüterten auf diese Weise ermöglichte, sich von der Todesstrafe zu befreien, sei es, daß man Sühnegeld annahm, um jemanden von einer schweren, aber rechtlicherweise unumgänglichen Verpflichtung, etwa vom Zwang zur Leviratsehe, zu entbinden«[322] – offenbar wurde כֹּפֶר »zur Sühnung von allerlei Verbrechen entgegengenommen, für die keine Sühnung mit Geld zulässig gewesen wäre«[323].
Diese Gefahr der Zerrüttung des Rechtswesens durch die Annahme von

318 S. oben S. 154ff.

319 Zur Analyse der (zur Sammlung der »Worte des Amos aus Thekoa« gehörenden) begründeten Unheilsankündigung Am 5,12.16f. s. *H. W. Wolff*, BK XIV/2 (1969), S. 130.271.273f.291ff.; *W. Rudolph*, KAT XIII/2 (1971), S. 198f. Allgemein zur Sozialkritik des Amos und speziell zu Am 5,12 s. außerdem *H. Donner*, OrAnt 2 (1963), S. 229–245, hier: S. 235ff.; *K. Koch*, in: Probleme biblischer Theologie (FS *G. von Rad*), hrsg. von *H. W. Wolff*, München 1971, S. 236–257, hier: S. 245f.; *ders.*, Die Propheten I. Assyrische Zeit, Stuttgart/Berlin/Köln/Mainz 1978, S. 55ff., bes. S. 59f.; *J. Botterweck*, BiLe 12 (1971), S. 215–231, hier: S. 223ff.; *M. Fendler*, EvTh 33 (1973), S. 32–53, hier: S. 43f.; *W. H. Schmidt*, Zukunftsgewißheit und Gegenwartskritik. Grundzüge prophetischer Verkündigung (BSt 64), Neukirchen-Vluyn 1973, S. 66ff.; *O. Keel*, BZ 21 (1977), S. 200–218; *W. Schottroff*, in: *ders.* – *W. Stegemann* (Hrsg.), Der Gott der kleinen Leute. Sozialgeschichtliche Bibelauslegungen, Bd. 1, München/Gelnhausen 1979, S. 39–66.

320 S. dazu etwa *H. Wildberger*, BK X/1 (1972), S. 195ff.

321 Zu שַׁלְמֹנִים Jes 1,23 s. die Hinweise bei *B. Janowski*, Erwägungen zur Vorgeschichte des israelitischen *šelamîm*-Opfers, UF 12 (1980), S. 231–259, hier: S 242 Anm. 73.

322 *V. Maag*, Wortschatz und Begriffswelt des Buches Amos, Leiden 1951, S. 230.

323 *Ders.*, ebd.

כֹּפֶר, durch widerrechtliche Aneignung fremden Gutes, durch Bedrückung und Mißhandlung der sozial Schwachen hat noch die Frage Samuels 1Sam 12,3[324] im Blick, der als Amtsträger der vorköniglichen Zeit vom versammelten Volk die Bestätigung seiner korrekten Amtsführung erwartet (und erhält [v. 4]):

> »Da bin ich, erhebt Anklage gegen mich vor Jahwe und vor seinem Gesalbten! Wessen Rind habe ich genommen, wessen Esel habe ich genommen? Wem habe ich Unrecht getan, wen misshandelt? Von wem habe ich (unrechtmäßig) Lösegeld angenommen (וּמִיַּד מִי לָקַחְתִּי כֹפֶר) ›oder ein Paar Sandalen[325]? Erhebt Anklage gegen mich‹[326], ich will es erstatten!«[327].

324 Zur dtr Herkunft (bzw. Bearbeitung) von 1Sam 12,1–5 s. *H. J. Boecker*, Die Beurteilung der Anfänge des Königtums in den deuteronomistischen Abschnitten des 1. Samuelbuches. Ein Beitrag zum Problem des »deuteronomistischen Geschichtswerks« (WMANT 31), Neukirchen-Vluyn 1969, S. 64ff., vgl. *ders.*, Redeformen, S. 161; *H. J. Stoebe*, KAT VIII/1 (1973), S. 234ff. und *Crüsemann*, Königtum, S. 11f.60.62ff.

325 Gegen MT (וְאַעְלִים עֵינַי בּוֹ »daß ich meine Augen damit verhüllte«) folgt LXX καὶ ὑπόδημα wohl einem ursprünglicheren Textvertreter, der auch von Sir 46,19 hebr bezeugt wird (כופר ונעלם ממ[י לקח]תי »von [wem habe] ich Lösegeld (oder) auch nur ein Paar Sandalen [genommen]«) und u.E. MT vorzuziehen ist, vgl. auch *Herrmann, hilaskomai*, S. 303 Anm. 12 und zuletzt *Boecker*, Redeformen, S. 161; *ders.*, Die Beurteilung . . ., S. 67 Anm. 3; *Stoebe*, a.a.O., S. 230f.232 (z.St.); vgl. dazu auch *R. Gordis*, JNES 9 (1950), S. 44–47, der allerdings (unter Hinweis auf *S. R. Driver*, Notes on the Hebrew Text of the Book of Samuel, Oxford 1890, S. 69) נַעֲלָם konjiziert und dieses von עלם derivierte Nomen als ein Synonym zu כֹּפֶר auffaßt: »From whose hand have I taken ransom-money or a bribe; testify against me« (a.a.O., S. 45, vgl. auch *Th.* and *D. Thompson*, VT 18 [1968], S. 79–99, hier: S. 92 Anm. 3). Doch sprechen sowohl die Textgestalt von Sir 46,19 hebr. נעלם (gr. ὑποδημάτων, vgl. 1Sam 12,3 LXX und zu נעלם Sir 46,19 jetzt auch *T. Penar*, Northwest Semitic Philology and the Hebrew Fragments of Ben Sira [BibOr 28], Rom 1975, S. 82, mit Lit.) als auch die Bedeutung von נַעֲלַיִם in Am 2,6; 8,6 (»›ein Paar Sandalen‹ ist offenbar eine stehende Wendung für eine Kleinigkeit, einen ›Pfifferling‹, ähnlich wie der Schuhriemen von Gen 14,23 . . .« [*Rudolph*, a.a.O. (oben Anm. 319), S. 141, vgl. ebd. Anm. 5]) für die Ursprünglichkeit von נַעֲלַיִם in 1Sam 12,3: Die Korrektheit der Amtsführung Samuels findet auch darin eine Bestätigung, daß er sich nicht einmal ein Paar Sandalen (als »das geringste mögliche Bestechungsgeschenk« [*Rudolph*, a.a.O., S. 141]? Oder allgemeiner: als ein Objekt ohne Wert?), geschweige denn ein Rind, einen Esel usw. widerrechtlich angeeignet hat, vgl. dazu *E. Cassin*, ASoc 3e série 1952, Paris 1955, S. 107–161, hier: S. 131ff.

326 Lies mit LXX: ἀποκρίθητε κατ' ἐμοῦ = עֲנוּ בִי (statt עֵינַי בּוֹ MT).

327 Zu den Redeformen in 1Sam 12,3–5 s. *Boecker*, Redeformen, S. 161. Ob כֹּפֶר in Prov 13,8 (»כֹּפֶר für eines Mannes [oder: jemandes] Leben ist sein Reichtum, aber der Arme hört kein Schelten«) ebenfalls »Bestechungsgeschenk« bedeutet, ist nicht mit letzter Sicherheit zu sagen: ». . . here wealth is not seen as an asset but a liability. This means, that the *mashal* cannot be about the possibility of having enough money to ransom one's life. In fact it concerns the likelihood of blackmail. While the poor man is immune from such a threat, having nothing with which to buy the blackmailer off, the rich man can constantly be preyed upon to make cover up payments« (*Phillips*, Murder, S. 117, vgl. *W. McKane*, Proverbs. A new Approach, London 1970, S. 458, s. zu גְּעָרָה aber *A. Caquot*, Art. *gʿr*, ThWAT II, Sp. 53). In der Regel wird für das שָׁמַע גְּעָרָה des MT die Emendation לֹא מָצָא גְאֻלָּה vorgeschlagen, so *C. Steuernagel*, HSAT (1923), S. 296; *B. Gemser*, HAT I/16 (1963), S. 62; *G. Liedke*, Art. *gʿr*, THAT I, Sp. 429; vgl. BHS App. z.St. und *H. Ringgren*, ATD XVI/1 (³1980), S. 56 mit Anm. 5, s. dazu aber die Kritik bei *McKane*, a.a.O., S. 458 und zuletzt *M. Schwantes*, Das Recht der Armen (BET 4), Frankfurt/Bern/Las Vegas 1977, S. 218f.

C) כֹּפֶר als Terminus der theologischen Sprache

I. Israels Auslösung durch Jahwe: Jes 43,3f.

Im Unterschied zur Verwendung von כֹּפֶר im Kontext rechtlicher Bestimmungen geht es im theologischen Verwendungsbereich dieses Wortes um die *Auslösung durch Gott*. Weil Gott selbst es ist, der dieses כֹּפֶר gibt, »übersteigt es jedes menschliche Mass, ein vernünftiges Wertverhältnis zwischen dem Losgekauften und dem bezahlten Preis besteht nicht«[328]. Diesen spezifisch theologischen Gehalt des mit der göttlichen Gabe eines כֹּפֶר verbundenen Vorgangs bringt Jes 43,3b.4 in singulärer Weise zum Ausdruck. Seiner formalen Struktur nach besteht dieses zweite Unterthema (Auslösung Jakob-Israels durch Jahwe) des deuterojesajanischen Heilsorakels Jes 43, 1–7[329] aus der perfektisch formulierten, aber präsentisch zu übersetzenden[330] Heilszusage v. 3b, der Begründung v. 4a und der imperfektisch formulierten Folge v. 4b:

3b נָתַתִּי כָפְרְךָ מִצְרַיִם כּוּשׁ וּסְבָא תַּחְתֶּיךָ׃
4a מֵאֲשֶׁר יָקַרְתָּ בְעֵינַי נִכְבַּדְתָּ וַאֲנִי אֲהַבְתִּיךָ
4b וְאֶתֵּן אָדָם תַּחְתֶּיךָ וּלְאֻמִּים תַּחַת נַפְשֶׁךָ׃

3b »Ich gebe Ägypten als *Lösegeld für dich*[331], Kusch und Saba *an deiner Statt*,
4a weil du teuer bist in meinen Augen, wertgeachtet, und ich dich liebe.
4b So gebe ich Menschen[332] *für dich* und Nationen *für dein Leben*«.

Der Heilszusage v. 3b zufolge gibt Jahwe (an Kyros als den Empfänger des כֹּפֶר) Ägypten, Kusch und Saba, d.h. das ganze damals bekannte Nordost-

328 *Stamm*, Erlösen, S. 40.

329 Zur Herkunft und gattungsmäßigen Einordnung s. *K. Elliger*, BK XI/1 (1978), S. 275ff.281ff.292ff.303f., zur Interpretation von Jes 43,1–7 s. außerdem *Stamm*, a.a.O., S. 40ff.; *H. E. von Waldow*, ». . . denn ich erlöse dich«. Eine Auslegung von Jes 43 (BSt 29), Neukirchen 1960, S. 10ff.12f.15ff.38ff.; *C. Stuhlmueller*, Creative Redemption in Deutero-Isaiah (AnBib 43), Rom 1970, S. 17.19ff.110ff.185ff.; *D. Baltzer*, Ezechiel und Deuterojesaja. Berührungen in der Heilserwartung der beiden großen Exilspropheten (BZAW 121), Berlin/New York 1971, S. 92ff.; *A. Schoors*, I am God Your Saviour. A Form-Critical Study of the Main Genres in Is. XL–LV (VT.S 24), Leiden 1973, S. 76ff.; *H. D. Preuss*, Deuterojesaja. Eine Einführung in seine Botschaft, Neukirchen-Vluyn 1976, S. 70ff.; *Grimm*, Verkündigung Jesu, S. 234ff.238ff. Zur Exegese von Jes 43,3f. im rabbinischen Judentum s. *Jeremias*, Lösegeld, S. 222f.; *Lohse*, Märtyrer, S. 78 und *Grimm*, a.a.O., S. 242ff.

330 *Elliger*, a.a.O., S. 270.297, vgl. S. 293.

331 1QIs[a] hat die umgekehrte Wortfolge: מצרים כופרך.

332 Entgegen der üblichen Textherstellung אֲדָמוֹת »Länder« (so zuletzt *Stuhlmueller*, a.a.O., S. 111 mit Anm. 388 und die dort genannten Ausleger, vgl. BHK³/S App. z.St.) für אָדָם MT (beibehalten von *Schoors*, a.a.O., S. 68; *Preuss*, a.a.O., S. 70, vgl. *Grimm*, a.a.O., S. 239, u.a., s. ferner 1QIs[a] האדם, 1Qs[b] אדם) schlägt *Elliger* (a.a.O., S. 274.299) אִיִּים »Inseln« vor. Auch bei dieser Lesart wäre – wie bei Ägypten, Kusch usw. – von personalen Größen (den dort lebenden Menschen) die Rede.

Afrika[333], zur Auslösung Jakob-Israels aus dem Exil und damit zur Bewahrung des Lebens Israels (vgl. auch Jes 45,14–17). Versteht man v. 4b als (imperfektisch formulierte) Folge dieser Heilszusage, dann besagt dieser Vers »nicht nur in anderer Gestalt dasselbe wie v. 3b, sondern geht darüber hinaus«[334], weil auch die fernen (Länder mit ihren) Menschen und Völker in das Heilshandeln Gottes an Israel einbezogen werden. Diese beiden Aussagen, die Heilszusage v. 3b und die Folge v. 4b, bei denen kaum an konkrete politische Verhältnisse, sondern an die unvergleichliche Größe der göttlichen Heilszuwendung gedacht ist[335], bilden eine inkludierende Klammer um den die Begründung für dieses Handeln Gottes enthaltenden v. 4a: Die Auslösung Jakob-Israels aus dem Exil hat ihren Grund in der *Liebe Gottes zu seinem Volk*, sie ist das den ersten Exodus überhöhende, gnädige Handeln des Schöpfers und Bildners Israels (Jes 43,1a)[336]. An der Lösegeldaussage v. 3b ist bedeutsam, daß hier, im Unterschied zu Ex 21,30 und zu Ex 30,12, nicht der Urheber der Verschuldung, sondern der Geschädigte (Jahwe) das כֹּפֶר zur Auslösung des Schuldigen (des aufgrund eigener Verschuldung ins Exil geratenen Volkes Israel) gibt. Das mit נָתַן כֹּפֶר umschriebene Handeln Gottes ist Erweis seiner Liebe zu seinem Volk und deshalb *Erlösungshandeln* (vgl. die גָּאַל-Formulierung Jes 52,3).

Dieser Aussagegehalt von Jes 43,3b.4 läßt sich anhand der Komposition von v. 3b und v. 4b noch vertiefen. Denn der כֹּפֶר-Begriff v. 3bα wird im Parallelstichos v. 3bβ sowie in v. 4bα von dem suffigierten תַּחַת und in v. 4bβ (chiastische Stellung zu v. 3bα) von der Wortverbindung תַּחַת נַפְשֶׁךָ aufgenommen[337]. Das aber bedeutet: Der zentrale Aussagegehalt des כֹּפֶר-Begriffs liegt, wie das synonyme תַּחַת zeigt, im *Stellvertretungsgedanken*[338]. Wo Lösegeld (כֹּפֶר) *an die Stelle* (תַּחַת) eines verwirkten Lebens tritt, erwirkt es die Lösung des Menschen aus Todesverfallenheit. Hierin bestätigt sich, daß כֹּפֶר als *Existenzstellvertretung*, als *Lebensäquivalent* zu verstehen ist[339].

333 S. dazu *Elliger*, a.a.O., S. 297f.

334 *Ders.*, a.a.O., S. 299.

335 Zur Frage der Konkretion der Heilszusage v. 3b s. besonders *von Waldow*, a.a.O. (oben Anm. 329), S. 40ff., vgl. *Stamm*, Erlösen, S. 40f.; *Schoors*, a.a.O. (oben Anm. 329), S. 73f.; *Elliger*, a.a.O., S. 297ff.; *Grimm*, a.a.O., S. 240f.

336 Zu dem für die Theologie Deuterojesajas konstitutiven Zusammenhang von Schöpfung und Erlösung s. die in Anm. 329 angegebene Lit., ferner *R. Albertz*, Weltschöpfung und Menschenschöpfung. Untersucht bei Deuterojesaja, Hiob und in den Psalmen (CThM Reihe A, Bd. 3), Stuttgart 1974, S. 1–53; *E. Haag*, TThZ 85 (1976), S. 193–213.

337 Auch in Prov 21,18 ist תַּחַת als Äquivalent von כֹּפֶר zu verstehen: »Lösegeld (כֹּפֶר) für den Gerechten – der Frevler, und an Stelle (תַּחַת) der Redlichen – der Treulose« (vgl. 1Q 34,3,1,5 [s. unten Teil III Anm. 401]), s. dazu außer den Kommentaren noch *Jeremias*, Lösegeld, S. 219; *Lohse*, Märtyrer, S. 97; *Hermisson*, a.a.O. (oben Teil I Anm. 397), S. 147 mit Anm. 1; *McKane*, a.a.O. (oben Anm. 327), S. 561; *Grimm*, Verkündigung Jesu, S. 239ff. Zu Num 3,12 LXX s. *Janowski*, Lösegeldvorstellung, S. 49 Anm. 106.

338 Vgl. *Grimm*, a.a.O., S. 235f. mit Anm. 624; S. 238ff.

339 Vgl. oben Anm. S. 156ff. Entgegen *K. Elliger*, BK XI/1 (1978), S. 299 (vgl. S. 202 Anm. 1) ist es u.E. nicht belanglos, daß die die כֹּפֶר-Aussage Jes 43,3bα explizierende תַּחַת-Aussage Jes 43,4bβ durch die Hinzufügung von נֶפֶשׁ erweitert wird. Denn der נֶפֶשׁ-Begriff begleitet von

II. Das vom *angelus intercessor* »gefundene« Lösegeld (Hi 33,24; 36,18) und die Negation einer Selbsterlösung des Menschen (Ps 49,8)

Nach den bisher untersuchten alttestamentlichen »Lösegeld«-Belegen bewirkt die Gabe eines כֹּפֶר immer die *Lösung des verwirkten Lebens aus einem den Schuldigen existentiell gefährdenden Unheilsgeschehen* – sei es (1), daß der Schuldige sich durch Erstattung eines begrenzten, ihm auferlegten materiellen Äquivalents auslösen kann (Ex 21,30; 30,12 [bzw. sich nicht auslösen kann: Num 35,31f.]), sei es (2), daß nicht der Schuldige, sondern Gott das Subjekt der Auslösung, der Geber eines (inkommensurablen) כֹּפֶר ist (Jes 43,3f.), oder sei es schließlich (3), daß die Auslösung von dem stellvertretenden Handeln eines interzessorischen Mittlers *(angelus intercessor)* erhofft wird, der (bei dem todkranken Hiob) ein כֹּפֶר »gefunden« hat (Hi 33,24; vgl. 36,18)[340].
In dem verbleibenden כֹּפֶר-Beleg Ps 49,8 geht es demgegenüber nicht darum, ob das verwirkte Leben in einer *akuten* Notlage und d.h.: *noch einmal* vor dem Tode bewahrt werden kann, sondern vielmehr um die *Frage, ob durch die Erstattung eines* כֹּפֶר *eine endgültige Errettung vom Todesgeschick möglich ist.*

Der spätnachexilische Weisheitspsalm Ps 49[341] beginnt nach der *Überschrift* (v. 1) mit einer ausführlichen *Einleitung* (v. 2–5), die, in Form eines »Lehreröffnungsrufes«, eine Aufforderung zum Hören (v. 2f.) und die Ankündigung eines »Lebensrätsels« (v. 4f.) enthält. Der durch den Kehrvers v. 13.21 in zwei Teile (v. 6–12 und v. 14–20) untergliederte *Hauptteil* (v. 6–20) führt mit v. 6f. (Aufnahme von Elementen des Klageliedes des einzelnen) zunächst in die Thematik des Psalms ein: die aus persönlichem Erleben des Psalmisten heraus gestellte Frage nach der Furcht vor der Bedrängnis durch reiche und gottlose Menschen. Die *Lösung des Lebensrätsels* (das Geschick des Menschen angesichts des Todes und nach dem Tode) und damit der Grund dafür, warum letztlich kein Anlaß zur Furcht vor den Reichen besteht, wird in zwei Schritten entfaltet, aus *negativer Sicht:* mit Reichtum kann sich niemand bei Gott vom Todesgeschick loskaufen, die Reichen besitzen deshalb keinen Vorteil (v. 8–10); aus *positiver Sicht:* Bekenntnis der Zuversicht, daß Gott den Beter (d.h. den [armen] Frommen) aus der Macht der Scheol errettet (v. 16), während die selbstsicheren Reichen der Macht des Todes verfallen sind (v. 14–16). In v. 17–20 (mit dem Kehrvers v. 21) ergeht an den/die Zuhörer eine *weisheitliche Mahnrede,* die sinngemäß v. 8–15 wiederholt.

Die an dem Kehrvers v. 13.21 erkennbare Wiederholungstendenz des gesamten Psalms[342] ist auch für die Relation: v. 8 – v. 16 zu beachten und als

Anfang an die כֹּפֶר-Aussage und ist für diese geradezu konstitutiv: Ex 21,30; 30,12; Num 35,31; Ps 49,9; Prov 13,8, vgl. Hi 33,28 (נֶפֶשׁ + פָּדָה).

340 S. dazu oben S. 149f.

341 Zur Gattung von Ps 49 s. *H.-J. Kraus,* BK XV/1 (^{5}1978), S. 518f. und jetzt ausführlich *A. Schmitt,* Entrückung – Aufnahme – Himmelfahrt. Untersuchungen zu einem Vorstellungsbereich im Alten Testament (FzB 10), Stuttgart 1973, S. 200ff. (zur Datierung s. S. 249ff.); zur Auslegung im rabbinischen Judentum s. *Jeremias,* Lösegeld, S. 222f.; *Grimm,* Verkündigung Jesu, S. 242ff.

342 S. dazu ausführlich *Schmitt,* a.a.O., S. 195ff.

Korrespondenz von Wiederaufnahme (פָּדָה v. 8a – פָּדָה v. 16a)[343] und Gegenüberstellung (Negation des פָּדָה//des נָתַן כֹּפֶר durch den Menschen v. 8a.b :: פָּדָה//לָקַח allein durch Gott v. 16a.b) zu beschreiben:

8 אַךְ לֹא־פָדֹה יִפָּדֶה אִישׁ לֹא־יִתֵּן לֵאלֹהִים כָּפְרוֹ׃
16 אַךְ־אֱלֹהִים יִפְדֶּה נַפְשִׁי מִיַּד־שְׁאוֹל כִּי יִקָּחֵנִי סֶלָה׃

8 »›Doch‹ niemand kann je ›sich loskaufen‹[344], nicht kann er ›Jahwe‹[345] sein Lösegeld geben«.

16 »Doch Jahwe wird meine Seele loskaufen, aus der Gewalt der Scheol[346], fürwahr, nimmt er mich (oder: der Gewalt . . . entreißt er mich)«.

Sofern man in der Auslegungsgeschichte von Ps 49 nicht die Ursprünglichkeit von v. 16 bezweifelte[347], hat man diesen Vers sehr oft auf die Befreiung aus der Macht der Feinde (repräsentiert durch die Scheol-Sphäre), auf die Bewahrung vor einem vorzeitigen und bösen Tod, auf die Rettung aus einer akuten Notlage, auf die Überwindung des Todes durch eine ausgestaltete Jenseitshoffnung oder auf die Unsterblichkeit des Frommen gedeutet[348]. Doch sprechen der sonst für die »Entrückung« durch Gott verwendete Terminus לָקַח v. 16b (vgl. Gen 5,24; 2Kön 2,3.5.9f.; Ps 73,24; Sir 48,9)[349] und die Einbindung von v. 16 in den Gesamtkontext des Psalms[350] für die Erwartung einer endgültigen, mit einer Errettung aus der Macht der Scheol verbundenen *Erlösung (*פָּדָה*) der* נֶפֶשׁ *vom Todesgeschick* und d.h.: für die Hoffnung auf die postmortale Jahwegemeinschaft. Dieser »Erwartung des ›ewigen Lebens‹ in der Transzendenz der Gottesgemeinschaft«[351] kontra-

343 v. 9: »Zu teuer ist der Loskauf (פִּדְיוֹן) ›seiner‹ Seele, er muß es aufgeben für immer« ist wohl sekundäre Glosse zu v. 8, s. *Kraus*, a.a.O., S. 518. Mit LXX ist נַפְשׁוֹ für נַפְשָׁם MT zu lesen, vgl. *Kraus*, a.a.O., S. 517 z.St.; BHK³/S App. z.St.

344 Die Lesung אַךְ (c 8 MSS) für das אָח des MT und (damit zusammenhängend) die Umpunktierung des יִפְדֶּה MT in das impf. *nif.* יִפָּדֶה wird von der Mehrzahl der Ausleger vertreten bzw. vorgeschlagen, vgl. BHK³/S App. z.St.; *Kraus*, a.a.O., S. 517; *Schmitt*, a.a.O., S. 197 Anm. 16 (mit Lit.). Zu der ungewöhnlichen, aber auch sonst belegten Verbindung eines inf.abs.*qal* mit einer *nif.*-Form s. GK, § 113w, vgl. *Schmitt*, a.a.O., S. 197 Anm. 16. *Dahood*, AncB 16 (1965), S. 295 behält das אָח des MT bei, übersetzt es aber als emphatische Partikel (»alas«), zustimmend *Schmitt*, a.a.O., S. 197f. Für Beibehaltung des MT sind zuletzt eingetreten: *H. Gross*, in: Wort, Lied und Gottesspruch (FS *J. Ziegler* [FzB 2]), hrsg. von *J. Schreiner*, Würzburg 1972, S. 65–70; *Garnet*, Atonement Constructions, S. 150; *ders.*, Salvation, S. 132.

345 יְהוָה statt אֱלֹהִים im elohistischen Psalter.

346 Gegen die masoretische Akzentuierung ist מִיַּד־שְׁאוֹל zum zweiten Halbvers zu ziehen, vgl. dazu *Schmitt*, a.a.O., S. 218ff.

347 S. dazu *Schmitt*, a.a.O., S. 193ff.

348 Zu diesen verschiedenen Interpretationsmodellen s. *H.-J. Kraus*, BK XV/1 (⁵1978), S. 522f., vgl. *L. G. Perdue*, JBL 93 (1974), S. 533–542, hier: S. 541f.

349 S. dazu ausführlich *Schmitt*, a.a.O., S. 85ff.165ff.232f.300ff., ferner *Kraus*, a.a.O., S. 522f.; *H. H. Schmid*, Art. *lqḥ*, THAT I, Sp. 878f.; *Gese*, Tod, S. 45f.

350 S. dazu *Schmitt*, a.a.O., S. 233ff.

351 *Gese*, Tod, S. 46, vgl. *ders.*, Schriftverständnis, S. 17 und *von Rad*, Theologie I, S. 418ff.; *ders.*, Weisheit in Israel, Neukirchen-Vluyn 1970, S. 263f.; *G. Stemberger*, Kairos 14

stiert aufs höchste die in v. 8 gezeichnete *Realität des allgemeinen Todesgeschicks:* Dem Schicksal des *Sterbenmüssens* kann der Mensch nicht entrinnen, auch nicht durch die Erstattung eines noch so großen »Lösegeldes« (vgl. v. 7!); hinsichtlich der Verfallenheit an die *Macht des Todes* aber gibt es für den Frommen, für den Jahwetreuen, die Hoffnung auf eine Gemeinschaft mit Gott über den Tod hinaus. Sosehr die Gabe eines כֹּפֶר das durch eine rechtliche, religiöse oder moralische Verschuldung verwirkte Leben auslösen kann – das menschliche Todesgeschick kann diese Gabe nicht aufheben.

D) Zusammenfassung

1. Der *ursprüngliche Sitz im Leben* des Verbalnomens כֹּפֶר »Lösegeld; Bestechungsgeld« (Ex 21,30; 30,12; Num 35,31.32; 1Sam 12,3 [vgl. Sir 46,19hebr]; Jes 43,3; Am 5,12; Ps 49,8; Prov 6,35; 13,8; 21,18; Hi 33,24; 36,18) ist im *privaten Schadenersatzrecht* Altisraels zu sehen. Sowohl im Falle konkurrierenden Verschuldens (Ex 21,29f.) als auch im Falle unmittelbaren Verschuldens (Ex 30,12) bewirkt die Gabe eines כֹּפֶר die *Lösung des individuellen Lebens (נֶפֶשׁ) aus Todesverfallenheit.* Dabei ist bedeutsam, daß auch dort, wo nicht Gott (s. Ziffer 2), sondern der jeweils schuldig gewordene Mensch Subjekt der כֹּפֶר-Gabe ist, »das Lösen als Geschenk empfunden (wird). Am deutlichsten an der einen Stelle, wo scheinbar der Mensch sich selber löst, Ex 21,30; denn gerade hier ist Lösung gleich Begnadigung«[352] – nicht Bestrafung. Der Ausnahmecharakter der in Ex 21,30 für den Fall konkurrierenden Verschuldens formulierten Rechtsbestimmung wird durch Num 35,31f. gleichsam via negativa bestätigt: Die Annahme eines כֹּפֶר ist weder im Falle vorsätzlicher noch im Falle unvorsätzlicher Tötung erlaubt. Bedeutet das Verbot der Auslösung eines Mörders Num 35,31 (der kein Recht auf Asylgewährung hat) Preisgabe an den die Blutrache vollziehenden גֹּאֵל הַדָּם, so steht hinter der Verbotsformulierung Num 35,32 die Asylrechtsbestimmung für den unvorsätzlichen Totschläger (Num 35,22–29). Die durch die positive Bestimmung Ex 21,30 – wie auch durch die negativen Bestimmungen Num 35,31f. – genau definierte Rechtssituation konkurrierenden Verschuldens wird im Zuge der Korrumpierung der Rechtspflege ihres singulären Charakters beraubt (Am 5,12; vgl. die Frage Samuels 1Sam 12,3 [vgl. Sir 46,19]). So wird es möglich, daß כֹּפֶר als »Bestechungsgeld« auch im Falle des Ehebruchs mit einer verheirateten Frau angeboten (aber seitens des betrogenen Ehemannes abgelehnt) wird (Prov 6,35).

2. Hinsichtlich der Bedeutung von כֹּפֶר im theologischen Sprachbereich ist

(1972), S. 273–290, hier: S. 286f.; *U. Kellermann*, ZThK 73 (1976), S. 259–286, hier: S. 275f.

352 *Jepsen*, Begriffe des »Erlösens«, S. 185, vgl. S. 182.

zwischen verschiedenen Aspekten zu unterscheiden: (a) In Jes 43,3 meint כֹּפֶר die *Auslösung durch Gott* (Erlösung Israels aus dem Exil). Die Aufnahme des כֹּפֶר-Begriffs Jes 43,3bα durch den תַּחַת-Begriff Jes 43,3bβ (vgl. Jes 43,4bα.β und Prov 21,18) zeigt, daß der eigentliche Aussagegehalt von כֹּפֶר im *Stellvertretungsgedanken* liegt: Wo Lösegeld »an die Stelle« (תַּחַת) des verwirkten Lebens tritt, bewirkt es die Lösung des Menschen aus Todesverfallenheit. כֹּפֶר ist als *Existenzstellvertretung*, als *Lebensäquivalent* verstanden. – (b) Von stellvertretendem Handeln zugunsten eines (durch schwere Krankheit) dem Tode preisgegebenen Menschen ist in Hi 33,24 (vgl. Hi 36,18) die Rede, denn hier meint כֹּפֶר die Auslösung durch ein vom *angelus intercessor* bei dem Todkranken »gefundenes« und an Gott gezahltes Lösegeld. – (c) Im Unterschied zu כֹּפֶר in Jes 43,3 und Hi 33,24 (36,18) meint כֹּפֶר in dem spätnachexilischen Beleg Ps 49,8 nicht die Auslösung aus einer akuten Notlage (wie Exil oder schwerer Krankheit), sondern die – allerdings negierte – *Selbsterlösung des Menschen vom Todesgeschick überhaupt.* Der Realität des Sterbenmüssens kontrastiert die Hoffnung des Beters auf eine Gemeinschaft mit Gott über den Tod hinaus (Ps 49,16). In dieser neuen Theologie einer »Erwartung des ›ewigen Lebens‹ in der Transzendenz der Gottesgemeinschaft«[353] hat der »Lösegeld«-Begriff lediglich noch als Gegenbegriff zum göttlichen פָּדָה-Handeln eine Funktion. Inneralttestamentlich ist damit seine Bedeutungsentwicklung abgeschlossen.

3. Für die Beantwortung der Frage, ob כִּפֶּר von כֹּפֶר *denominiert*[354] oder ob das Nomen vom Verb *deriviert* ist, gibt es keine eindeutigen Anhaltspunkte. Die Grundregel, »daß eine mehr singuläre Wortform zumeist die ursprüngliche sein wird, während die dem allgemeinen Schema sich einfügende als sekundär zu betrachten ist«[355], ist im vorliegenden Fall deshalb nicht anwendbar, weil sich sowohl כִּפֶּר als auch כֹּפֶר dem allgemeinen Wortbildungsschema problemlos einfügen.[356] Läßt sich demzufolge weder für כִּפֶּר noch für כֹּפֶר eine sichere Priorität angeben, so bleibt – will man das Problem nicht überhaupt offenlassen – u.E. als wahrscheinlichste Annahme die, daß sowohl das Verb als auch das Nomen *aus der gemeinsamen Basis KPR abgeleitet* sind[357] und im Verlauf ihrer jeweiligen Bedeutungsentwicklung konvergieren bzw. sich gegenseitig beeinflussen[358].

353 *Gese*, Tod, S. 46, vgl. den Zusammenhang a.a.O., S. 43ff. und *ders.*, Schriftverständnis, S. 17.

354 So die oben S. 23 mit Anm. 48 genannten Autoren.

355 *Bauer-Leander*, Grammatik, S. 446f.

356 Zur Bildungsweise von כֹּפֶר: einsilbiges (Impf.-)Nomen vom Typ *quṭl*, s. im einzelnen *Barth*, Nominalbildung, § 74c; *Bauer-Leander*, a.a.O., § 61l'', vgl. auch *Stamm*, Erlösen, S. 62.65f.; *Meyer*, HG³, § 34,7.

357 S. dazu die Hinweise oben Teil I Anm. 384.

358 Vgl. auch unten S. 176f. und zur Sache *Herrmann*, Sühne, S. 99; *Garnet*, Atonement Constructions, S. 133ff.

Zwischenergebnis:

Die Wurzel כפר im Alten Testament außerhalb von P, Ez 40–48 und ChrG

»Das AT kennt drei Wege der V.(ersöhnung): 1. den Weg des *Rechts* mit der Wiedergutmachung des angerichteten Schadens, 2. den Weg des *Kultus* mit dem Opfer und anderen Reinigungsmitteln, wobei Blut und Wasser eine große Rolle spielen, 3. den Weg der *Fürbitte*, welche eine Vertiefung und Vergeistigung des Opfers ist, in der Gott durch einen Mittler selber den zerbrochenen Bund wiederherstellt. Alle drei Wege zeigen, wie die Sünde ernst genommen wird und nur durch Aufwand aller göttlichen und menschlichen Kräfte überwunden wird«[359]. Wie immer man im einzelnen die Relation dieser »drei Wege der Versöhnung« theologie- und religionsgeschichtlich beurteilen mag – alle drei Wege und dazu der durch die *Vergebung Gottes* eröffnete Weg der Versöhnung spiegeln sich in paradigmatischer Weise in der Verwendung der Wurzel כפר wider. Am Ende unserer Untersuchung der Wurzel כפר außerhalb der Priesterschrift und der ihr nahestehenden Literatur sollen – im Blick auf die nachfolgende Darstellung der kultischen Sühnetheologie (Teil III und IV) – die bisherigen Hauptergebnisse zusammengefaßt werden.

1. Die grundlegende Aussageintention

Wo immer das Verb כפר *(pi./pu./hitp./nitp.)* oder das Verbalnomen כֹּפֶר in den vielfältig miteinander verbundenen Themenbereichen: *zwischenmenschliche Versöhnung und Wiedergutmachung*[360], *Sühnehandeln Jahwes*[361], *Sühnehandeln eines interzessorischen Mittlers*[362] und *Auslösung des verwirkten Lebens durch die Gabe eines Lebensäquivalents*[363], verwendet wird, begegnet die Wurzel כפר – und zwar von Anfang an – im *Kontext menschlicher Schulderfahrung*. Da nach diesen außerkultischen כִּפֶּר- und כֹּפֶר-Aussagen sich der einzelne oder das Volk als in einem die individuelle

359 *Jacob*, Versöhnung, Sp. 2097 (H.i.O.).

360 Gen 32,21; 2Sam 21,3; Prov 16,6; 16,14.

361 Dtn 21,8a (vgl. 11QTemple col. 63,6); Dtn 32,43 (txt.em., vgl. 4QDeut^q 32,43); 1Sam 3,14; Jes 6,7; 22,14; 27,9; Jer 18,23; Ez 16,63; Ps 65,4; 78,38; 79,9; Dan 9,24; 2Chr 30,18.

362 Ex 32,30 (vgl. 4QDibHam II,8f.); Num 17,11.12 (vgl. Sir 45,16 hebr); Num 25,13 (vgl. Sir 45,23 hebr).

363 כֹּפֶר: Ex 21,30; 30,12 (vgl. כִּפֶּר in Ex 30,15.16; Num 31,50, ferner in Neh 10,34; 1Chr 6,34); Num 35,31.32 (vgl. כֻּפַּר in Num 35,33, ferner in Dtn 21,8b [vgl. 11QTemple col. 63,7]); 1Sam 12,3 (vgl. Sir 46,19hebr); Jes 43,3; Am 5,12; Ps 49,8; Prov 6,35; 13,8; 21,18; Hi 33,24; 36,18.

oder die kollektiv-nationale Existenz umgreifenden Unheilsgeschehen befindlich erfährt, betrifft das Problem der Aufhebung dieses Sünde-Unheil-Zusammenhangs nie einen Teilaspekt menschlichen Seins, sondern das *Sein des Menschen selbst*. In dieser Grundsituation menschlichen Lebens, in der aufgrund rechtlicher, moralischer oder religiöser Verschuldung die individuelle oder die kollektiv-nationale Existenz verwirkt ist und der *Mensch zwischen Leben und Tod* steht, wird die *Errettung aus Todesverfallenheit, die Ermöglichung neuen Lebens durch ein Sühnehandeln* bewirkt, das der Mensch erbittet (Dtn 21,8a; Ps 79,9; 2Chr 30,18) und Gott gewährt (Dtn 32,43; Jes 6,7; 27,9; Ez 16,63; Ps 65,4; 78,38; Dan 9,24; vgl. כֹּפֶר in Jes 43,3); die Negation der Vergebung aber bedeutet Preisgabe an den Tod, sie ist Lebensnichtung (Jes 22,14; 1Sam 3,14).
Nirgends meint כִּפֶּר ein Versöhnen, Gnädigstimmen oder Beschwichtigen Gottes. Auch dort, wo – wie im Falle von Ex 32,30; Num 17,11f. und Num 25,13 – ein Mensch (Mose, Aaron, Pinchas) oder der *angelus intercessor* (Hi 33,24; 36,18) Subjekt des Sühnehandelns ist, meint כִּפֶּר (oder die Gabe eines כֹּפֶר: Hi 33,24; 36,18) nicht das Gnädigstimmen der erzürnten Gottheit, sondern das dem schuldig gewordenen Volk (bzw. dem Kranken: Hi 33,24; 36,18) zugute kommende *Handeln des stellvertretenden Mittlers:* Wie Gott seinen eigenen Zorn abwenden und Israels Schuld vergeben kann (Ps 78,38, vgl. Ps 79,5–7.8f.; Dan 9,16.24), so kann in singulären Situationen auch ein (prophetischer/priesterlicher) Mittler stellvertretend in den durch religiöse Verschuldung zwischen Gott und Mensch/Israel entstandenen »Riß« eintreten und durch dieses – die eigene Existenz gefährdende – *interzessorische Sühnehandeln* Vergebung der Sünde (Ex 32,30bβ.32a), Rücknahme des vernichtenden Grimms (Num 25,11) und Beendigung der »Plage« (Num 17,13.15, vgl. Num 25,8) erwirken.
Für die Frage der Bedeutungsentwicklung von כפר (s. Ziffer 2) ist der Sachverhalt zu beachten, daß schon der älteste Sprachgebrauch der Wurzel (כִּפֶּר: Gen 32,21; Dtn 21,8b; 2Sam 21,3; כֹּפֶר: Ex 21,30) jene *anthropologische Grundsituation des verwirkten Lebens* und der im Menschen angelegten *Verantwortlichkeit für Ausgleich durch ein bestimmtes Sühnehandeln* deutlich erkennen läßt. Dabei wird gerade im Bereich zwischenmenschlicher Schadensregulierungen die Lösung des verwirkten Lebens aus Todesverfallenheit durch ein stellvertretendes כֹּפֶר »als Geschenk empfunden. Am deutlichsten an der einen Stelle, wo scheinbar der Mensch sich selber auslöst, Ex 21,30; denn gerade hier ist Lösung gleich Begnadigung«[364]. Die Hoffnung auf solche ›Begnadigung‹ steht auch hinter der Überlegung Jakobs Gen 32,21.

2. Aspekte der Bedeutungsentwicklung

Anstelle der Nachzeichnung einer in sich geschlossenen Begriffsgeschichte der Wurzel כפר, die durch die Ungeklärtheit zahlreicher Zwischenglieder terminologischer und sachlicher Art erschwert wird, sollen im Folgenden lediglich einige Aspekte der Bedeutungsentwicklung hervorgehoben werden:

Erfährt der כִּפֶּר-Begriff seine spezifische Ausformung – möglicherweise unter Einfluß von außen (s. Ziffer 4) – in der priesterlichen Tradition (Ez 40–48, P), so liegt hier auch seine hauptsächliche Verbreitung[365]. Über den *ursprünglichen Sitz im Leben der Wurzel* כפר läßt sich demgegenüber wenig Sicheres sagen. Doch scheint es, daß – wie die ältesten כִּפֶּר- und כֹּפֶר-Belege (Gen 32,21; Dtn 21,8b; 2Sam 21,3; Ex 21,30) vermuten lassen – der eigentliche Boden der durch כפר zum Ausdruck kommenden Sühneanschauung der *Bereich des (Sakral-)Rechts* (Dtn 21,8b; 2Sam 21,3; *ius civile:* Ex 21,30) sowie der *Bereich rechtlich-sozialer Verhaltensformen* (Gen 32,21: Ver›sühnung‹ des erzürnten menschlichen Gegenübers durch Reverenzerweis) gewesen ist[366]. Auf dieser frühen Stufe der Begriffsbildung sind jeweils verschiedene Sachaspekte an dem Vorgang der Bedeutungsfixierung der einzelnen כפר-Belege beteiligt gewesen (s. die Übersicht auf der folgenden Seite). Diese Bedeutungsbreite der Wurzel כפר geht, wie vor allem Ex 30,11–16 P[s] (Variierung der כֹּפֶר-Aussage v. 12 durch כִּפֻּרִים v. 16 und כִּפֶּר v. 15.16, vgl. Num 31,50 P[s]; Neh 10,34) und Prov 6,35 (Nähe der כֹּפֶר-Aussage zur Bedeutung von כִּפֶּר in Gen 32,21; Prov 16,14) noch zeigen, auch in nachexilischer Zeit nicht verloren.

Relativ früh, aber nicht vor der späten Königszeit (Ex 32,30; Dtn 21,8a; Jes 6,7; 22,14) und gehäuft dann seit dem Exil (Dtn 32,43 [?]; Jer 18,23; Ps 78,38; 79,9; [spät]nachexilisch: Jes 27,9; Ez 16,63; Ps 65,4 [?]; Dan 9,24; 2Chr 30,18) tritt כִּפֶּר – jeweils in extrasakrifikalem Kontext – als *Terminus der religiös-theologischen Sprache* in Erscheinung. Hinsichtlich der an dieser Begriffsbildung beteiligten Traditionsschichten konnte eine Konzentrierung der mit כִּפֶּר gebildeten *Vergebungsaussage* in prophetischen bzw. der Prophetie nahestehenden Überlieferungen festgestellt werden (formelhafte Wendung כִּפֶּר עָוֹן: 1Sam 3,14; Jes 22,14; 27,9; Jer 18,23; Ps 78,38; Übernahme in den weisheitlichen Bereich: Prov 16,6). Nirgends ist hier ein Priester das Subjekt des כִּפֶּר-Handelns; dennoch kann sich dieses Sühnegeschehen im kultischen Raum ereignen (s. Ziffer 5).

3. Sühnopfer in vorexilischer Zeit?

Die These, daß »die Darbringung von Opfern zum Zweck der Sühne schon für die alte Zeit . . . einwandfrei bezeugt«[367] sei, läßt sich weder durch 1Sam 3,14 noch durch Dtn 21,8b oder 2Sam 21,3 stützen. Will die dtr geprägte Gerichtsankündigung sagen, daß die Schuld des Hauses Elis durch

364 *Jepsen,* Begriffe des »Erlösens«, S. 185.
365 S. die statistischen Übersichten oben S. 105ff. und unten S. 185ff.
366 Ähnlich neuerdings *Garnet,* Atonement Constructions, S. 134f.152.159ff.
367 *Herrmann, hilaskomai,* S. 305 (im Original teilweise gesperrt), vgl. auch die oben Anm. 149 genannten Autoren.

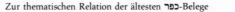

Zur thematischen Relation der ältesten כפר-Belege

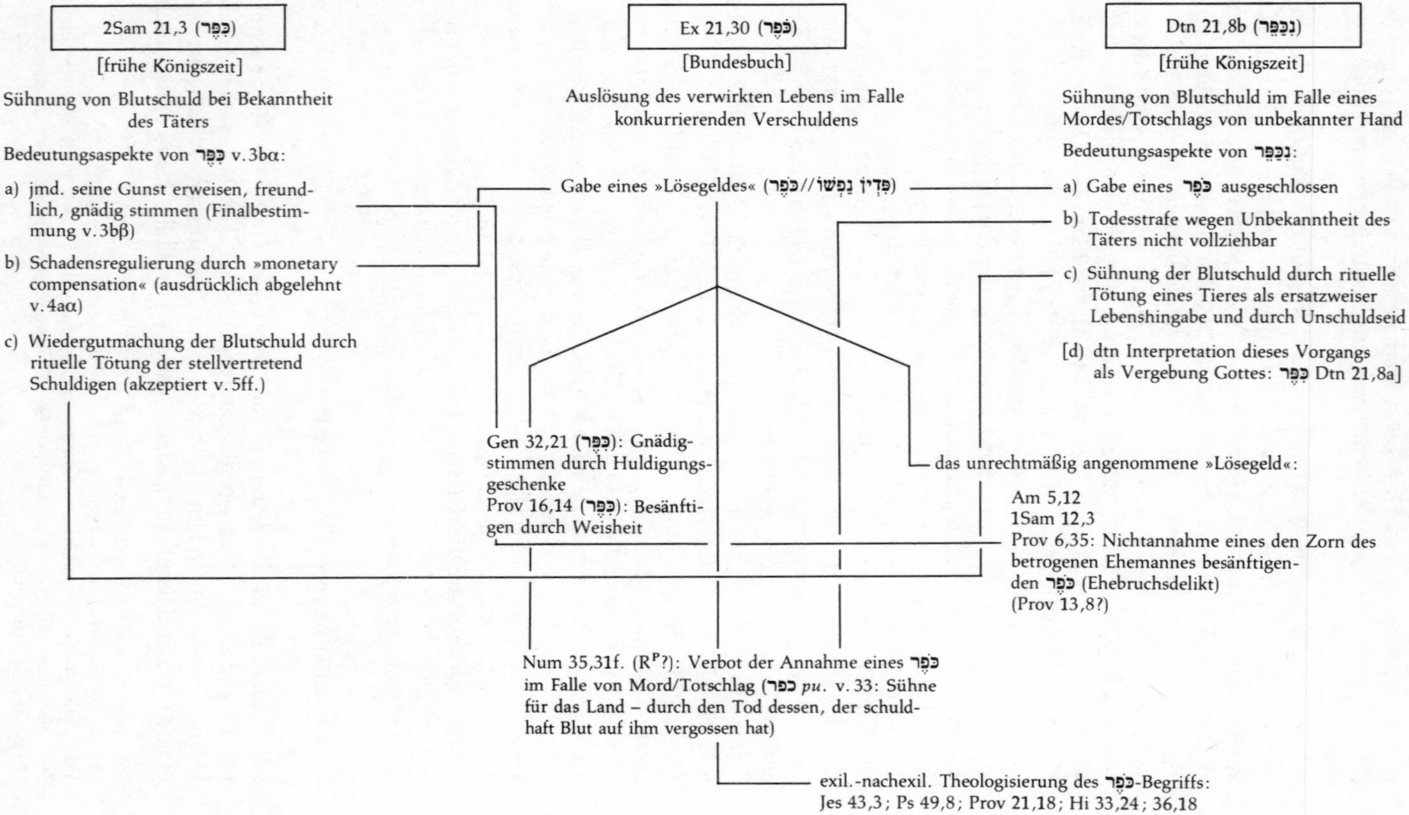

den *Opferdienst* der Eliden (repräsentiert durch die beiden Grundarten des Opfers: Ganzopfer und Gemeinschaftsopfer) niemals gesühnt werden kann, so ist auch die Tötung der jungen Kuh Dtn 21,1–9 nicht als *Sühnopfer,* sondern als *Ritualisierung eines Sühnaktes*[368] zu verstehen. Und ebenso meint das Aussetzen der Leichname der sieben Sauliden 2Sam 21,1–14 nicht den Vollzug eines sühnenden (»Königs-«)Opfers (an die »Fruchtbarkeitsgottheit«)[369], sondern die Wiedergutmachung von Blutschuld durch die *rituelle Tötung der stellvertretend Schuldigen*[370].

4. כִּפֶּר und die mesopotamische Ritualtradition

Anstelle einer etymologischen Herleitung der Wurzel כפר aus dem Akkadischen (*kapāru* II »ab-, auswischen«) oder aus dem Arabischen (*kafara* A »bedecken, verhüllen, verbergen«) gehen wir davon aus, daß sich in den einzelnen semitischen Sprachen – graduell verschieden – jeweils eigenständige Bedeutungsentwicklungen der gemeinsemitischen Wurzel *KPR*[371] vollzogen haben, die nicht von Anfang an, sondern erst relativ spät und auch dann nur partiell konvergieren[372]. Im Falle von akk. *kuppuru* und hebr. כִּפֶּר, den allein in Frage kommenden Vergleichsgrößen, ist diese Bedeutungskonvergenz u.E. darauf zurückzuführen, daß hebr. כִּפֶּר »sühnen, Sühne schaffen« als Terminus der Kultsprache (Ez 40–48, P, ChrG) die zu *kuppuru* »kultisch reinigen« führende Bedeutungsentwicklung von akk. *kapāru* II »ab-, auswischen« bereits voraussetzen kann und wahrscheinlich in Kenntnis jungbabylonischer Ritualtradition (1. Hälfte des 1. Jts.)[373] – allerdings kaum vor Ezechiel (c. 40–48)[374] – auf dieses *kuppuru* auch zurückgegriffen hat. Gegenüber der These *H. Zimmerns,* »solche sprachliche Entlehnung weist . . . aber mit Wahrscheinlichkeit auch wieder auf sachliche Beeinflussung«[375], wird dabei aber zu beachten sein, daß diese *Möglichkeit einer sprachlichen Übernahme nicht notwendig die Annahme einer sachlichen Entsprechung zwischen akk. kuppuru und hebr.* כִּפֶּר zur Folge hat. Dies wird zum einen durch die zwischen dem akkadischen und dem hebrä-

368 S. zu diesem Ausdruck *Gese,* Sühne, S. 89.90.
369 S. dazu oben Anm. 39.
370 Auf das besondere Problem »Entsündigungs- und Schuldriten in vorexilischer Zeit« kann hier nicht näher eingegangen werden; diskutiert werden in diesem Zusammenhang folgende Texte: Gen 8,20ff.; 1Sam 6,3ff.; 1Sam 26,19; 2Sam 24,25; 2Kön 12,17; Jes 1,18; Hos 4,8; Mi 6,7; Ps 40,7, u.a., s. dazu vorläufig *Koch,* Sühneanschauung, S. 69ff.90 Anm. 1; *ders.,* Sühne, S. 221 Anm. 7; *ders., ḥṭ',* Sp. 863.868f.; *Hoftijzer,* Feueropfer, S. 127 Anm. 5; *Rendtorff,* Studien; *Thompson,* Penitence und *Levine,* Presence (s. jeweils das Register zu den einzelnen Texten).
371 S. dazu die Hinweise oben Teil I Anm. 384.
372 Vgl. die Übersicht oben S. 101.
373 S. oben S. 57.
374 S. dazu unten S. 228ff.
375 BBR II, S. 92.

ischen Terminus bestehenden Sachdifferenzen[376], zum anderen aber durch die Tatsache unterstrichen, daß dem Aussagegehalt von akk. *kuppuru* »kultisch reinigen« im Alten Testament nur *ein* כִּפֶּר-Beleg, nämlich Jes 47,11, auch sachlich entspricht: doch bedeutet gerade diese »sachliche Entsprechung« größte Differenz in der Sache![377]. Vorläufig besteht u.E. deshalb kein Anlaß, die Richtigkeit der Ansicht *J. Herrmanns* über den »Seiteneinfluß« von akk. *kuppuru* auf hebr. כִּפֶּר in Zweifel zu ziehen: »Sie (sc. die Annahme etwaiger assyrisch-babylonischer Einflüsse) reicht aus für einzelne Züge, aber die Arbeit, welche die Verfasser von P geleistet haben, erklärt sie nicht entfernt«[378].

5. Vorexilische Wurzeln der kultischen Sühnetheologie

Der auf die anthropologische Grundsituation des verwirkten Lebens bezogene Aussagegehalt der Wurzel כפר (s. Ziffer 1) wird in der kultischen Sühnetheologie der Priesterschrift (und von Ez 40–48, ChrG) in einzigartiger Weise vertieft. Konnte aber P – über die Aufnahme und Vertiefung jener Aussageintention der Wurzel כפר hinaus – in der Ausgestaltung ihrer Sühnetheologie an vorexilische Gegebenheiten anknüpfen, oder ist die Entstehung der priesterschriftlichen Sühnetheologie »von dem aus, was wir an kultisch-rituellen Bestimmungen und Einrichtungen im AT außerhalb P überliefert finden, ein Rätsel . . ., das auch unter Zuhilfenahme von Ez 40–48 nicht zu lösen ist«[379]? Obgleich sich *in vorexilischen Texten die Darbringung eines Sühnopfers nicht nachweisen* läßt (s. Ziffer 3), so ist doch die Vorstellung, daß der *(Jerusalemer) Tempel der Ort des Sühnevollzuges* ist, schon *für die vorexilische Zeit durch Jes 6,1ff.* zu belegen.[380] Allerdings zeigt gerade dieser exemplarisch durch Sprache und Anschauungswelt des Kultes geprägte Text, daß – vor allem in der alles menschliche Vorstellen überschreitenden Dimensionierung der thronenden Majestät Gottes, in dem eine normale kultisch-liturgische Begehung transzendierenden hymnischen Wechselgesang aus dem Munde numimoser Wesen (Seraphen) sowie in dem Akt der Entsühnung selbst – der Rahmen überlieferter Kultvorstellungen durchbrochen und ein auf das direkte Gegenüber von Gott und Mensch bezogenes prinzipielles Geschehen in der *Koinzidenz von zeichenhaftem Ritus* (Berührung mit der Glühkohle v. 6.7aα) *und deklarierendem Wort* (v. 7aβ) zur Anschauung kommt. In dem *sakramentalen Akt des die Entsühnung vollziehenden Seraphen Jes 6,6f.*[381] wird eine Grund-

376 S. dazu oben S. 57ff., vgl. zur Sache auch schon die Andeutungen bei *Herrmann*, Sühne, S. 33f.103; *Schrank*, Sühnriten, S. 87 Anm. 1 und *Schötz*, Schuld- und Sündopfer, S. 104ff.
377 S. dazu oben Teil I Anm. 394.
378 *Herrmann*, Sühne, S. 103.
379 *Ders.*, ebd., vgl. S. 98.
380 Zu כִּפֶּר in Ps 65,4 (vorexilisch? nachexilisch?) s. oben Anm. 147.

struktur kultischen Geschehens erkennbar, wie sie – mit anderen Begriffen und Vorstellungsinhalten – auch die priesterliche Sühnetheologie geprägt hat. Von »vorexilischen Wurzeln« der späteren Sühnetheologie oder von einem kult- und traditionsgeschichtlichen Anknüpfungspunkt an vorexilische Gegebenheiten wird man angesichts dieser Strukturanalogie allerdings nicht sprechen können[382].

381 Nach *K. R. Joines* (Serpent Symbolism in the Old Testament. A Linguistic, Archaeological, and Literary Study, Haddonfield/New Jersey 1974, S. 53.54) fungieren die Seraphen als »agents of divine redemption«, vgl. auch *Görg*, Serafen, S. 39 mit Anm. 77.

382 Zur Frage des Wandels der Sühnevorstellungen in exilisch-nachexilischer Zeit s. vorläufig *Koch*, Sühne.

Dritter Teil:

Kultgeschehen als Sühnegeschehen – Die Wurzel כפר in der Priesterschrift, im Verfassungsentwurf Ezechiels und im chronistischen Geschichtswerk

Erster Abschnitt: Die Belege und ihre syntaktisch-semantische Zuordnung

A) Die Belege

Während die im Alten Testament insgesamt 149mal belegte Wurzel כפר im vorpriesterschriftlichen Pentateuch, in den Büchern Jos bis 2Kön, in der prophetischen Literatur (ausgenommen Ez 40–48), in der Lied- und Weisheitsdichtung und im apokalyptischen Danielbuch vergleichsweise spärlich (30mal) vertreten ist[1], entfällt das Gros der Belege (insgesamt 119) – und dabei alle כִּפֻּרִים- und כַּפֹּרֶת-Stellen – auf die *Priesterschrift* (109mal: 72mal כפר *pi./pu.*; 3mal כֹּפֶר »Lösegeld«: Ex 30,12; Num 35,31.32[2]; 8mal כִּפֻּרִים »Sühnung, Sühnehandlung«[3]: Ex 29,36; 30,10.16; Lev 23,27.28; 25,9; Num 5,8; 29,11; 26mal כַּפֹּרֶת »[das Sühnende ›] Sühnung, Sühneleistung → Sühnmal, Sühnort«[4]: Ex 25,17.18.19.20[*bis*].21.22; 26,34; 30,6; 31,7; 35,12; 37,6.7.8.9 [*bis*]; 39,35; 40,20; Lev 16,2 [*bis*].13.14 [*bis*].15 [*bis*]; Num 7,89), auf den *Verfassungsentwurf Ezechiels* (5mal: כִּפֶּר: Ez 43, 20.26; 45,15.17.20) und das *chronistische Geschichtswerk* (4mal כִּפֶּר: Neh 10,34; 1Chr 6,34; 2Chr 29,24; 30,18; 1mal כַּפֹּרֶת: 1Chr 28,11). Über drei Viertel (81: 79 *pi.*, 2 *pu.*) aller Verballexeme (101) finden sich in P, Ez 40–48 und ChrG: Ex 29,33 (*pu.*).36.37; 30,10 *(bis)*.15.16; Lev 1,4; 4,20. 26.31.35; 5,6.10.13.16.18.26; 6,23; 7,7; 8,15.34; 9,7 *(bis)*; 10,17; 12, 7.8; 14,18.19.20.21.29.31.53; 15,15.30; 16,6.(10)[5] 11.16.17*(bis)*.18.20. 24.27.30.32.33*(ter)*.34; 17,11*(bis)*; 19,22; 23,28; Num 5,8; 6,11; 8,12. 19.21; 15,25.28*(bis)*; 17,11.12; 25,13; 28,22.30; 29,5; 31,50; 35,33

1 S. die Übersicht oben S. 105ff.

2 Zur Bildungsweise von כֹּפֶר s. oben S. 174.

3 Zur Bildungsweise s. oben Prolegomena Anm. 26.

4 Zur Bildungsweise und Übersetzung s. unten Anm. 457.

5 לְכַפֵּר עָלָיו Lev 16,10a »um für ihn (sc. den Azazelbock) Sühne zu schaffen« ist »im Zusammenhang sinnlos« und vermutlich »durch Schreibversehen hereingekommen« (*Elliger*, Leviticus, S. 201), vgl. auch *I. Benzinger*, ZAW 9 (1899), S. 65–88, hier: S. 84 Anm. 1; BHK[3]/S App. z.St.; *M. Noth*, ATD VI ([2]1966), S. 104; *Maass, kpr*, Sp. 845; *Aartun*, Versöhnungstag, S. 77f.; *Wefing*, Entsühnungsritual, S. 61.67f.76, u.a. GB[17], S. 359 s.v. I כפר *pi.* 2 schlägt vor, die Wendung mit »um die Sühneriten *über ihm* zu vollziehen« wiederzugeben (vgl. *Herrmann*, Sühne, S. 37), doch wäre das »formal und inhaltlich ungewöhnlich« (*Maass*, ebd.). *Levine*, der diese Schwierigkeit empfunden hat, übersetzt dieses לְכַפֵּר עָלָיו »to perform rites of expiation beside it« (Presence, S. 80); doch ist diese Interpretation ebensowenig überzeugend wie der Vorschlag von *Milgrom:* »Rather in keeping with the rule of kippēr with a non-human object, ᶜal means literally ›on, over‹ referring to the transfer of sins/impurity to the scapegoat« (Sanctuary, S. 391 Anm. 10, vgl. *ders.*, JBL 95 [1976], S. 292, ähnlich *Garnet*, Atonement Constructions, S. 146; *ders.*, Salvation, S. 131) – denn כִּפֶּר עַל heißt nicht »Sünden übertragen auf«, sondern »Sühne schaffen für, zugunsten von«!

(pu.); Ez 43,20.26; 45,15.17.20; Neh 10,34; 1Chr 6,34; 2Chr 29,24; 30,18[6].

B) Syntaktisch-semantische Zuordnung

Bei der syntaktisch-semantischen Zuordnung der in P, Ez 40–48 und ChrG belegten Verballexeme der Wurzel כפר gehen wir wiederum davon aus, daß die semantische Funktion eines Verbs außer durch die *Subjektbindung* vor allem durch das *Objekt*, auf das sich die Handlung des übergeordneten Verbs richtet, und durch die – diese Handlung bedeutungsmäßig differenzierenden – *Präpositionalbestimmungen* festgelegt wird[7]. Da an den genannten Stellen nie Gott, sondern – mit Ausnahme von Lev 1,4 (das Opfertier), Lev 17,11b (das Blut), Num 8,19 (die Leviten) und Ez 45,15.17 (der נָשִׂיא) – immer der *Priester handelndes/grammatisches Subjekt des Sühnevollzuges* ist, kann das Kriterium »Subjektbindung« bei der folgenden Aufstellung unberücksichtigt bleiben:

I. כִּפֶּר absolut
  Lev 16,32
  + בְּ loci: Lev 6,23; 16,17a.27 (בַּקֹּדֶשׁ »im Heiligtum«)[8]
  + בְּ instrumenti: Ex 29,33 (Pronominalsuff. 3.m.pl. [Bezugswort אֹתָם, Rückbezug auf v.32]; Lev 7,7 (Pronominalsuff. 3.m.sing. [Bezugswort אָשָׁם]; Lev 17,11b (בַּנֶּפֶשׁ)[9], ferner Lev 5,16 (s. unter III B a 1); Lev 19,22 (s. unter III B a 3); Num 5,8 (s. unter III B a 1); Num 35,33 (s. unter III A d)

II. כִּפֶּר + nota accusativi + Sachobjekt (Altar/Heiligtum)
  Lev 16,20a (קֹדֶשׁ, אֹהֶל מוֹעֵד, מִזְבֵּחַ). 33aα (מִקְדַּשׁ הַקֹּדֶשׁ). β (מִזְבֵּחַ, אֹהֶל מוֹעֵד); Ez 43,20 (Pronominalsuff. 3.m.sing. [Bezugswort מִזְבֵּחַ]). 26 (מִזְבֵּחַ); Ez 45,20 (בַּיִת »Tempel[anlage]«)

III. כִּפֶּר mit präpositional angeschlossenem Objekt
  A) *Sachobjekt* (Altar/Heiligtum)
    a) עַל: Ex 29,36.37 (jeweils מִזְבֵּחַ); Ex 30,10a (קַרְנֹתָיו [Bezugswort: Räucheraltar]; Lev 8,15 (עָלָיו [Bezugswort מִזְבֵּחַ])[10]; Lev 14,53 (בַּיִת »Aussatzhaus«); Lev 16,18 (מִזְבֵּחַ)

6 Einige dieser כִּפֶּר-Belege gehören nicht zur Thematik »kultische Sühne«: *Ex 30,15.16*P[s] (s. oben S. 161f.); *Num 8,19*P[s] (s. oben Teil II Anm. 232); *Num 17,11.12*P[s] (s. oben S. 147f.); *Num 25,13*R[P] (?) (s. oben S. 146f.); *Num 31,50*R[P] (?) (s. oben Teil II Anm. 287); *Num 35,33*P[s] (s. oben S. 159f.) und *2Chr 30,18* (s. oben Teil II Anm. 213). Aus Gründen der Vollständigkeit werden diese Belege in der folgenden Aufstellung aber mit aufgeführt. Zu Neh 10,34 und 1Chr 6,34 s. auch oben Teil II Anm. 282.

7 Vgl. oben S. 108.

8 Anders *Rendtorff*, Studien, S. 224.232 Anm. 1, der aber das Nebeneinander von Lev 16,17a und Lev 16,17b übersieht, s. dazu auch *Elliger*, Leviticus, S. 205 und ausführlich *Wefing*, Entsühnungsritual, S. 95f.

9 S. dazu unten S. 244f.

10 Anders *Gerber* (a.a.O. [oben Prolegomena Anm. 48], S. 186), der das Suffix von עָלָיו personal auffaßt.

b) עַל (Räucheraltar) + מִן des Mittels: Ex 30,10b (Blut des Sündopfers)[11]

c) עַל (Heiligtum) + מִן der Ursache: Lev 16,16 (Unreinheiten und Übertretungen der Israeliten)[12]

d) לְ: Num 35,33 (כפר *pu.*, אֶרֶץ, + בְּ *instrumenti* [בְּ mit nomen regens דָּם])

B) *Personalobjekt* (Israel, dessen kultischer/e Repräsentant/en, der einzelne)

a) עַל »für, zugunsten von«[13]

1. עַל allein: Ex 30,15.16; Lev 1,4; 4,20.31; 8,34; 12,7.8; 14,20.21; 16,30.33b; 17,11a; Num 8,12.19.21; 15,25.28(*bis*); 17,11.12; 25,13; 28,22.30; 29,5; Ez 45,15; Neh 10,34; 1Chr 6,34; 2Chr 29,24
(Lev 16,10 [Azazelbock])[14]
\+ בְּ instrumenti: Lev 5,16 (אֵיל הָאָשָׁם); Num 5,8 (בּוֹ [Bezugswort אֵיל הַכִּפֻּרִים]), ferner Lev 19,22 (s. unter III B a 3)
\+ לִפְנֵי יְהוָה: Lev 5,26; 10,17; 14,18.29.31; 23,28; Num 31,50, ferner Lev 15,15.30 (s. unter III B a 2); Lev 19,22 (s. unter III B a 3)

2. עַל + מִן der Ursache[12(sic!)] (Sünde, Unreinheit, Ausfluß): Lev 4,26 (חַטָּאת); 5,6 (חַטָּאת)[15].10 (חַטָּאת [+ Relativsatz]); Lev 14,19 (טֻמְאָה); Lev 16,34 (כָּל־חַטָּאת); Num 6,11 (sündiges Tun)
\+ לִפְנֵי יְהוָה: Lev 15,15.30 (jeweils זוֹב)

3. עַל + עַל der Ursache[16] (Sünde, Versehen): Lev 4,35 (חַטָּאת [+ Relativsatz]); Lev 5,13 (חַטָּאת [+ Relativsatz]) 18 (שְׁגָגָה [+ Relativsatz])
\+ בְּ *instrumenti* (אֵיל הָאָשָׁם) + לִפְנֵי יְהוָה: Lev 19,22 (חַטָּאת [+ Relativsatz])

b) בְּעַד »für, zugunsten von«[17]: Lev 9,7(*bis*); 16,6.11.17b.24; Ez 45,17 (2Chr 30,18 [Subjekt Gott])[18]

Vergleicht man diese Aufstellung mit der Übersicht zur Konstruktion von כפר außerhalb von P, Ez 40–48 und ChrG[19], so lassen sich (vorläufig) folgende Gemeinsamkeiten und Unterschiede festhalten: Wie außerhalb von P, Ez 40–48 und ChrG *Jahwe niemals das Objekt des menschlichen* כִּפֶּר-*Handelns* ist, so ist er es auch nicht in P, Ez 40–48 und ChrG. Im Bereich des Kultes ist – von den angezeigten Ausnahmen Lev 1,4; 17,11b; Num 8,19 und Ez 45,15.17 abgesehen – *immer der Priester das handelnde Subjekt des Sühnevollzuges.* Während außerhalb von P, Ez 40–48 und ChrG ein Sündenterminus oder auch die חֵמָה/פָּנִים eines Menschen (Gen 32,21;

11 מִדַּם חַטַּאת הַכִּפֻּרִים »(mit) etwas von dem Blut des Sühnungssündopfers«, zu dieser Bedeutung von מִן (als Spezialfall des partitiven Gebrauchs von מִן) s. GK, § 119w Anm. 1; *Brockelmann*, Syntax, § 111a; KBL³, S. 566 s.v. מִן 8, vgl. auch *Elliger*, Leviticus, S. 71 Anm. 30.

12 Zum kausativen Gebrauch (»wegen, infolge von«) von מִן s. GK, § 119z; *Brockelmann*, a.a.O., § 111h; KBL³, S. 566 s.v. מִן 4, vgl. *Elliger*, a.a.O., S. 71 mit Anm. 28; anders *Koch* (s. dazu unten Anm. 345).

13 Zu diesem Gebrauch von עַל s. GK, § 119bb.

14 S. dazu oben Anm. 5.

15 Sam und LXX setzen hier (wie in Lev 4,35) עַל voraus, vgl. *Elliger*, a.a.O., S. 56.71 Anm. 28.

16 Zum kausativen Gebrauch von עַל s. GK, § 119aa Anm. 2; *Brockelmann*, Syntax, § 110e; *Elliger*, a.a.O., S. 71 Anm. 29; z.T. anders *Koch* (s. dazu unten Anm. 346).

17 S. dazu *Brockelmann*, a.a.O., § 116b; KBL³, S. 135 s.v. I בְּעַד 4.

18 S. dazu oben Teil II Anm. 213. Anders *Garnet*, Atonement Constructions, S. 149; *ders.*, Salvation, S. 132.

19 Oben S. 108f.

Prov 16,14) direktes Objekt von כִּפֶּר sein kann, ist in P, Ez 40–48 und ChrG zwar eine Sache (Altar/Heiligtum [s. oben II]), aber *niemals ein Mensch, der menschliche Körper (oder ein Teil desselben) oder ein Sündenterminus direktes Objekt von כִּפֶּר*. Im kultischen Bereich ist der Mensch, dessen defizientes Sein (als Sünder, Unreiner) zuweilen explizit mit מִן/עַל der Ursache (Sünde, Versehen, Unreinheit, Ausfluß) umschrieben wird (s. oben III Ba2–3), nicht das direkte Objekt der vom Priester vollzogenen כִּפֶּר-Handlung, sondern *jemand, »für« den oder »zugunsten« dessen (בְּעַד/עַל) der Priester* – mit einem eigens genannten Sühnemittel (Lev 5,16; 19,22; Num 5,8) und »vor Jahwe« (לִפְנֵי יְהוָה) – *Sühne schafft*.

Die Konstruktion כִּפֶּר + עַל *der Person/Sache* hat ein deutliches Übergewicht (unter Abzug von Lev 16,10[20] insgesamt 58mal: mit Personalobjekt 50mal, mit Sachobjekt 8mal, vgl. außerhalb von P, Ez 40–48 und ChrG: Jer 18,23; Ps 79,9 [Subjekt JHWH, Sündenterminus als Sachobjekt]). Darüber hinaus begegnen folgende Konstruktionen: כִּפֶּר + בְּעַד *der Person* (8mal, vgl. außerhalb von P, Ez 40–48 und ChrG: Ex 32,30 [Subjekt Mose, Sündenterminus als Sachobjekt]); כִּפֶּר + *nota acc.* + *Sachobjekt* (6mal), כִּפֶּר *ohne Objekt* (Lev 16,32, dazu je 3mal + בְּ loci/instrumenti) und 1mal כפר *(pu.)* + לְ der Sache (Num 35,33, vgl. außerhalb von P, Ez 40–48 und ChrG: Dtn 21,8a; Ez 16,63 [Subjekt jeweils JHWH, Personalobjekt Israel/Jerusalem]).

Bereits 1905 resümierte *J. Herrmann* in kritischem Rückblick auf die damals vorliegenden Untersuchungen zur Wurzel כפר, »daß in unserer Frage eine Argumentation beliebt ist, welche von der verschiedenen Konstruktion des Wortes כ׳ (= כפר) aus in weitgehendem Maße auf die Bedeutung der betreffenden Phrase schließt, m.a.W. die Konstruktion zu erklären versucht, natürlich zumeist von allgemeinen psychologischen Erwägungen aus. (. . .) bei der Mehrdeutigkeit der in Betracht kommenden Präpositionen muß man sich sehr hüten, zum Zwecke der Erklärung der Konstruktion über die durch den *sachlichen* Befund erschlossenen Vorstellungen hinauszugehen«[21]. Angesichts neuerer Arbeiten zum Thema hat diese Kritik nichts von ihrer Aktualität eingebüßt[22].

Gleichwohl ist jenes Problem der Verschiedenheit der Präpositionen nicht einfach von untergeordneter Bedeutung, und zwar nicht nur wegen der (strittigen) Interpretation der 8mal belegten Konstruktion: כִּפֶּר + עַל mit Sachobjekt (Ex 29,36.37; 30,10a.b; Lev 8,15; 14,53; 16,16.18) oder der Frage der Synonymität von עַל und בְּעַד in der Konstruktion: כִּפֶּר + עַל/בְּעַד mit Personalobjekt (s. oben III Ba–b)[23], sondern auch deshalb, weil »the

20 S. dazu oben Anm. 5.

21 Sühne, S. 37 (H.i.O.), vgl. dazu auch *Maass, kpr*, Sp. 845.

22 Dies gilt insbesondere im Blick auf *Garnet*, Atonement Constructions (passim); *ders.*, Salvation, S. 124ff.; vgl. auch die Feststellung von *Milgrom*: »The key to the meaning of the piel of כפר is in its adjunct prepositions« (Lev 17:11, S. 150).

23 Nach *Milgrom* sind diese beiden Präpositionen nicht ganz synonym: »The difference is that על can only refer to persons other than the subject, but when the subject wishes to refer to

syntactic difference between cultic and non-cultic exposition . . . reflects a difference in conception«[24]. Damit aber sind wir bei einem Teil der Sachfragen, die Gegenstand der folgenden Abschnitte sein werden.

Zweiter Abschnitt: Sühne und Opfer – Prolegomena zur Verwendung von כִּפֶּר in P, Ez 40–48 und ChrG

A) Überblick

Um über die syntaktische Zuordnung des Verballexems כפר hinaus dessen Bedeutungsgehalt präziser zu bestimmen, ist zu fragen, bei welchen Anlässen bzw. in welchem thematischen Zusammenhang P, Ez 40–48 und ChrG den Terminus כִּפֶּר jeweils verwenden. Zwar ist nicht zu übersehen, daß hinter der »Vielgestaltigkeit von Sühnopferriten, ihren Unterschieden und Ähnlichkeiten, ein bestimmtes System«[25] steht, zugleich aber ist auch deutlich, daß dieses System »wegen gewisser, aus historischer Entwicklung heraus verständlicher Überschneidungen und Anpassungen nicht ohne weiteres einsichtig ist«[26]. Der folgende Überblick – bei dem Ex 30,15.16; Num

himself he must use בעד (e.g. Lev 9,7; 16,6, 11,24; Ezek 45,22). This distinction is confirmed by Iob 42,8 . . .« (*kpr* [engl. Summary]). Dem widersprechen allerdings folgende Texte und Beobachtungen: (1) Lev 9,7b; 16,17.24; Ez 45,17, wo Aaron bzw. der נָשִׂיא Sühne schafft: בַּעֲדָם »für sie (= die Israeliten)« Lev 9,7b (//בַּעַדְךָ וּבְעַד בֵּיתְךָ v. 7aβ [zum Text s. LXX, vgl. BHK^3/S App. z.St.; *Elliger*, Leviticus, S. 122, u.a.; zum Zusammenhang s. unten Anm. 30]), בְּעַד כָּל־קְהַל יִשְׂרָאֵל »für die ganze Versammlung Israels« Lev 16,17bβ (//בַּעֲדוֹ וּבְעַד בֵּיתוֹ v. 17bα), בְּעַד הָעָם »für das Volk« Lev 16,24bβ (//בַּעֲדוֹ »für sich«), בְּעַד בֵּית־יִשְׂרָאֵל »für das Haus Israel« Ez 45,17; (2) der Sachverhalt, daß in Hi 42,8 nicht כִּפֶּר, sondern פלל *hitp.* steht (vgl. oben S. 152f. mit Anm. 241); und schließlich (3) ist auch der Hinweis auf Ez 45,22 irreführend, da hier zunächst nur vom *Darbringen* der חַטָּאת, nicht vom Sühnehandeln des נָשִׂיא die Rede ist: »Der Fürst aber soll an jenem Tage für sich und für das ganze Volk des Landes einen Sündopferstier darbringen (עָשָׂה)«. Daß diese Opferdarbringung der Entsühnung dient, ist selbstverständlich implizit gemeint.

Daß die Bedeutungsdifferenz zwischen den Wendungen כִּפֶּר עַל und כִּפֶּר בְּעַד nicht so groß sein kann, wie *Milgrom* annimmt, zeigt im übrigen ihre Parallelität in Ez 45,15 (לְכַפֵּר עֲלֵיהֶם) und Ez 45,17 (לְכַפֵּר בְּעַד בֵּית־יִשְׂרָאֵל), s. zu diesem Text unten Anm. 220. Hätte man in diesem letzten Fall statt mit בְּעַד mit עַל formuliert, also לְכַפֵּר עַל בֵּית־יִשְׂרָאֵל geschrieben, so wäre das Wort בַּיִת als »Tempel« interpretierbar (vgl. Lev 14,53 in bezug auf das »Aussatzhaus«, ferner auch Lev 16,16!) und damit diese Wendung doppeldeutig geworden. Vielleicht hängt die Wahl der Präposition בְּעַד in Lev 9,7a.b; 16,6.11.17; Ez 45,17 (jeweils בַּיִת + בְּעַד, vgl. zu Lev 16,24 *Elliger*, a.a.O., S. 201 Anm. z.St.) mit dieser Absicht einer Vereindeutigung der Sühneaussage zusammen.

24 *Levine*, Presence, S. 64 (dort als Frage formuliert).

25 *Gese*, Sühne, S. 94.

26 *Ders.*, ebd.

8,19; 17.11.12; 25,13; 31,50; 35,33; 2Chr 30,18[27] und Lev 16,10[28] aus sachlichen Gründen unberücksichtigt bleiben – soll erste Hinweise zur Differenzierung der Größe »Sühnopfer« geben:

1. חַטָּאת *zur Entsühnung Israels, seiner/s kultischen Repräsentanten, des einzelnen und des Heiligtums*
   a) חַטָּאת zur Entsühnung von Altar und Heiligtum
      α) חַטָּאת allein: Ex 29,36, vgl. v. 37 (Priesterweihe); 30,10b, vgl. v. 10a (Weihe des Räucheraltars); Lev 8,15 (Priesterweihe); Lev 16,16.18, vgl. v. 20.33aα.β (großer Versöhnungstag); Ez 43,20 (Weihe des Brandopferaltars); 45,20 (Entsühnung des Heiligtums am 7. I.)
      β) חַטָּאת in Verbindung mit עֹלָה: Ez 43,26 (Weihe des Brandopferaltars)
   b) חַטָּאת zur Entsühnung Israels, seiner/s kultischen Repräsentanten und des einzelnen
      α) חַטָּאת allein: Lev 4,20.26.31.35 (jeweils Sünde בִּשְׁגָגָה); 5,6 (besondere Fälle: Unterlassung der Zeugenpflicht, Verunreinigung durch Berühren von unreinen Sachen oder von Aas unreiner Tiere, unbesonnenes Schwören); 5,13 (Bedürftigkeitsnovelle zu 5,1–6); 6,23 (Sündopfertora); 10,17 (Nachspiel zum Zwischenfall mit Nadab und Abihu 10,1–7); 16,6.11, vgl. v. 17a.b.27 (jeweils großer Versöhnungstag); Num 15,28a, vgl. v. 28b (jeweils Sünde בִּשְׁגָגָה); 28,22; 29,5, vgl. 28,30 (jeweils Opferkalender); Neh 10,34 (jährliche Tempelsteuer)
      β) חַטָּאת in Verbindung mit עֹלָה: Lev 5,10 (Bedürftigkeitsnovelle zu 5,1–6); 9,7a (Aarons erste Opferhandlung); 12,7 (Tora über die Wöchnerin). 8 (Bedürftigkeitsnovelle); 15,15 (Tora über Ausfluß beim Mann). 30 (Tora über Blutfluß bei der Frau); 16,24 (25) (großer Versöhnungstag); Num 6,11 (Nasiräat); 8,12, vgl. v. 21 (jeweils Levitenweihe); 2Chr 29,24 (Kultreform Hiskias)
      γ) חַטָּאת in Opferreihen (immer in Verbindung mit עֹלָה): Lev 9,7b (v. 3f.: חַטָּאת, עֹלָה, מִנְחָה, שְׁלָמִים; veränderte Reihenfolge in v. 15–21 [Aarons erste Opferhandlung]); 14,18.19.20 (Normalfall v. 10–20: אָשָׁם mit Blut- und Ölritus, חַטָּאת, עֹלָה, מִנְחָה [Aussatztora]); 14,21.29.31 (Bedürftigkeitsfall v. 21–32: dieselbe Reihenfolge); Num 15,25: עֹלָה, מִנְחָה, נֶסֶךְ, חַטָּאת (Sünde בִּשְׁגָגָה); Ez 45,17b: חַטָּאת, מִנְחָה, עֹלָה, שְׁלָמִים (Opfer des נָשִׂיא)

2. אָשָׁם *zur Entsühnung des einzelnen*
   a) אָשָׁם allein: Lev 5,16 (Vergehen בִּשְׁגָגָה an heiligen Abgaben); 5,18 (allgemeines Schuldopfergebot für den Fall einer Sünde לֹא יָדַע); 5,26 (Meineid bei Eigentumsvergehen); 7,7 (Schuldopfertora); 19,22 (geschlechtlicher Umgang mit einer verlobten Sklavin); als Nachtrag zu Lev 5,20–26: Num 5,8 (אֵיל הַכִּפֻּרִים statt Schuldopferwidder Lev 5,25 [Rückerstattung von Veruntreutem])
   b) אָשָׁם in Opferreihen: Lev 14,10–20.21–32 (s. oben unter 1bγ)

3. עֹלָה *zur Entsühnung Israels, seiner/s kultischen Repräsentanten, des einzelnen und des Heiligtums*
   a) עֹלָה zur Entsühnung des Heiligtums: Ez 43,26 (עֹלָה und חַטָּאת, s. oben unter 1aβ)
   b) עֹלָה zur Entsühnung Israels, seiner/s kultischen Repräsentanten und des einzelnen
      α) עֹלָה allein: Lev 1,4 (Rinderbrandopfer)
      β) עֹלָה in Verbindung mit חַטָּאת: Lev 5,10; 9,7a; 12,7.8; 15,15.30; 16,24(25); Num

27 Zu diesen Belegen s. oben Anm. 6.
28 S. dazu oben Anm. 5.

6,11; 8,12; 2Chr 29,24 (s. oben unter 1bβ)

γ) עֹלָה in Opferreihen

γ1) (zusammen mit חַטָּאת:) Lev 9,7b; 14,10–20.21–32; Num 15,25; Ez 45,17b (s. oben unter 1bγ)

γ2) (ohne חַטָּאת:) Ez 45,15: מִנְחָה, עֹלָה, שְׁלָמִים (תְּרוּמָה-Bestimmungen)

4. מִלֻּאִים-*Opfer zur Entsühnung der kultischen Repräsentanten Israels*
Lev 8,34 par. Ex 29,33 (Priesterweihe)

5. *Sühnewirkung der* נֶפֶשׁ, *die im Blut ist*
Lev 17,11a.b (Begründung des Blutgenußverbots)

6. *Ohne (explizite) Erwähnung von Opfern*

a) (Blut des חַטָּאת-Opfers:) Lev 16,30.32.33b.34 (großer Versöhnungstag); 23,28 (Festkalender: großer Versöhnungstag)

b) »Dienst« (עֲבֹדָה) der Aaroniden zur Entsühnung Israels: 1Chr 6,34

7. *Kathartischer Vogelritus zur Entsühnung des Aussatzhauses*
Lev 14,53 (Tora über Aussatz an Häusern)

Wie dieser Überblick zeigt, sind es nicht allein die traditionell als »Sühnopfer« bezeichneten Sünd- und Schuldopfer (חַטָּאת und אָשָׁם), die Sühne wirken; von der kultgeschichtlich bedeutsamen Ausnahme des זֶבַח und des זֶבַח שְׁלָמִים abgesehen[29], dienen nach priesterlichem Verständnis *alle Hauptarten des Opfers* (עֹלָה, שְׁלָמִים[30], מִנְחָה, נֶסֶךְ, חַטָּאת und אָשָׁם) und d.h.:

29 Diese Frage kann hier nicht weiter verfolgt werden, s. dazu die Lit.-Hinweise bei *B. Janowski*, Erwägungen zur Vorgeschichte des israelitischen *šᵉlamîm*-Opfers, UF 12 (1980), S. 231–259.

30 Eine Sühnefunktion des שְׁלָמִים-Opfers ist lediglich in Lev 9,7bPg² und in Ez 45,13–17 (תְּרוּמָה-Bestimmungen) ausgesagt; in beiden Überlieferungszusammenhängen begegnet שְׁלָמִים nicht allein, sondern jeweils in Verbindung mit anderen Opferarten: 1. Die Sühnefunktion des שְׁלָמִים-Opfers in Lev 9 ist allerdings weniger deutlich, als es zunächst scheint. Denn es ist zwar nach der an Aaron ergehenden Anweisung Moses zur Opferdarbringung des Volkes v.7b eindeutig von Sühne die Rede (». . . und verrichte das Opfer des Volkes und schaffe Sühne für sie [וְכַפֵּר בַּעֲדָם], wie Jahwe geboten hat«), und ebenso sind mit dieser Opferdarbringung des Volkes die in der Vorbereitungsanweisung v.3f.*Pg¹ genannten Opfer: חַטָּאת, עֹלָה, שְׁלָמִים und מִנְחָה gemeint (vgl. den Ausführungsbericht v.15–21*Pg¹ und in dem Schlußabschnitt v.22–24*Pg¹ die Notiz v.22bPg¹, s. zu diesen verschiedenen Opferreihen besonders *Rendtorff*, Studien, S. 13f.32.35.120.127f.166.173, vgl. auch *Schmid*, Bundesopfer, S. 42; *Eisenbeis, šlm*, S. 273f.); doch bleibt zu fragen, warum neben die *differenzierende* Anweisung, Aaron solle *sein Sünd- und sein Brandopfer* verrichten, um damit Sühne für sich und für sein Haus zu schaffen (v.7aβγPg², Vorbereitungsanweisung v.2Pg², Ausführungsbericht v.8[a.]b–14Pg²), die *summarische* Anweisung: ». . . und verrichte *das Opfer des Volkes* und schaffe Sühne für sie . . .« (v.7bα) gesetzt wurde. Wenn es richtig ist, daß der hinter dem Siglum Pg² stehende Bearbeiter von Lev 8–10 (s. dazu *Elliger*, Leviticus, S. 11f.104ff.) in Lev 9,7 das Stichwort כִּפֶּר eingeführt hat (*Elliger*, a.a.O., S. 128), so könnte die Wahl des summarischen Ausdrucks »Opferdarbringung des Volkes« v.7bα ihren Grund darin haben, daß eine explizite Verbindung des שְׁלָמִים-Opfers mit dem כִּפֶּר-Begriff durch Pg² – etwa in der Form: ». . . und verrichte das Sündopfer, das Brandopfer, das Heilsmahlopfer und das Speiseopfer des Volkes und schaffe Sühne für sie« (statt der jetzigen Formulierung von v.7bα) – zu Miß-

das *gesamte Opferwesen* der Sühne[31]. Ein kultgeschichtlich auffallender Sachverhalt liegt bei dem ursprünglichen Hauptopfer auch der priesterschriftlichen Texte, nämlich der עֹלָה, vor, die – von Lev 1,4 (עֹלָה allein) und Ez 45,15 (מִנְחָה, עֹלָה, שְׁלָמִים) abgesehen – nur in Verbindung mit einer חַטָּאת Sühnefunktion hat: עֹלָה zur Entsühnung des Heiligtums (Ez 43,26 [s. oben unter 1aβ]), zur Entsühnung von Menschen (10mal [s. oben unter 1bβ], dazu 9mal in Opferreihen [s. oben 1bγ; 3bγ]). Diese ›Verdrängung‹ der עֹלָה durch die חַטָּאת wird im Folgenden immer wieder zu beobachten sein[32].

Außer der Einbeziehung aller Hauptopferarten (ausgenommen זֶבַח und זֶבַח שְׁלָמִים) in das System der kultischen Sühne ist die Priesterschrift bestrebt, auch andere Kulthandlungen in Sühnehandlungen umzudeuten. So werden – als eine Spezialform des זֶבַח – auch das Einsetzungsopfer (מִלֻּאִים Lev 8,34 par. Ex 29,33), der bei der »Musterung« der Israeliten als כֹּפֶר zu zahlende Halbschekel (Ex 30,11–16: כֹּפֶר v. 12, כֶּסֶף הַכִּפֻּרִים v. 16aα, כַּפֵּר v. 15bβ.16bβ, vgl. Num 31,48–54: כַּפֵּר v. 50), die Interzession der Leviten (Num 8,19), Aarons (Num 17,6–15: כַּפֵּר v. 11.12) und des Pinchas (Num 25,6–15: כַּפֵּר v. 13)[33], ja sogar ein kathartischer Vogelritus (Lev 14,53) unter den zentralen Gedanken der Sühne gestellt[34].

verständnissen hätte Anlaß geben können, da von einer Sühnefunktion der שְׁלָמִים sonst bei P sowie in der P vorausliegenden Kulttradition (ursprünglich) nirgends die Rede ist. – 2. Ein ursprünglicher (!) Zusammenhang von Sühne und שְׁלָמִים-Opfer ist auch für das in seinem Grundbestand vorpriesterschriftliche Stück Ez 45,10–17 nicht anzunehmen (anders *Eisenbeis*, a.a.O., S. 254f.). Denn: »Eine ursprünglich an das Volk gerichtete (2.plur.) Anweisung ist sek. durch die Vorschaltung von 1–8(9) zum Wort an die Fürsten geworden. Die in 3.pers.plur. vom Volk redenden Sühneformeln in 15 und 17 sind im Gefolge dieser Umredaktion zugefügt worden« (*W. Zimmerli*, BK XIII/2 [²1979], S. 1152). Ziel dieser Redaktion, die mit der Hinzufügung von v. 15bα eine Unterordnung von v. 13–15 unter v. 9 schafft, war es, »die dadurch entstehenden Spannungen durch die interpretierende Erweiterung 16–17 auszugleichen« (*Zimmerli*, a.a.O., S. 1153), dergestalt daß das Volk die תְּרוּמָה ursprünglich den Priestern, nunmehr aber dem »Fürsten« zu geben und dieser damit die Opferleistung zu erfüllen, d.h. מִנְחָה, עוֹלָה und שְׁלָמִים (v. 15aβ) bzw. חַטָּאת, מִנְחָה, עוֹלָה und שְׁלָמִים (v. 17bα) darzubringen habe, um Sühne für das Volk zu schaffen (zu dem hier vorliegenden תְּרוּמָה-Begriff s. *Gese*, Verfassungsentwurf, S. 70ff., vgl. *Zimmerli*, a.a.O., S. 1154f.). Diese redaktionellen Eingriffe und Erweiterungen bringen es mit sich, daß in Ez 45,15.17 keine engere Beziehung der Sühneaussagen v. 15bα.17bβ zu einem der genannten Opfer mehr zu erkennen ist, sondern nach der vorliegenden Textgestalt von Ez 45,13–17 *ihnen allen gleichermaßen Sühnefunktion* zukommt, vgl. *Koch*, Sühneanschauung, S. 79.98; *Maass*, *kpr*, Sp. 850.851; *Gese*, Sühne, S. 94; nicht ganz zutreffend *Milgrom*, Lev 17:11, S. 153 Anm. 22; *ders.*, Sacrifices, S. 769. Zu den drei Opferreihen in v. 15aα // v. 17bα (+ חַטָּאת!) und v. 17a s. besonders *Rendtorff*, Studien, S. 28f.31.32 (mit Anm. 4).34 (mit Anm. 1).121.127.128.170.176; *Zimmerli*, a.a.O., S. 1155ff.

31 Vgl. *Gese*, Sühne, S. 94f., ferner *Koch*, Sinaigesetzgebung, S. 47; *ders.*, Versöhnung, Sp. 1369; *ders.*, Sühne, S. 231; *Elliger*, a.a.O., S. 32f., u.a. Zur kultgeschichtlichen Problematik s. umfassend *Rendtorff*, a.a.O., S. 7ff.31ff.199ff.235ff.241ff.250ff.

32 S. zur Sache auch *Rendtorff*, a.a.O., S. 31ff.235ff.241ff.250ff.

33 Zu diesen Texten s. oben Anm. 6 mit den dortigen Querverweisen.

34 Vgl. *Koch*, Sühneanschauung, S. 7; *ders.*, Sinaigesetzgebung, S. 47; *ders.*, Priesterschrift, S. 101; *ders.*, Sühne, S. 231.

Angesichts dieser Verschiebungen, Überlagerungen und Adaptionen, hinter denen jeweils besondere kult- und theologiegeschichtliche Entwicklungen stehen, empfiehlt es sich, für die folgenden Analysen von dem Sachverhalt auszugehen, daß der weitaus größte Teil (nämlich 56) der insgesamt (81, und unter Abzug von Ex 30,15.16; Num 8,19; 17,11.12; 25,13; 31,50; 35,33; 2Chr 30,18 und Lev 16,10)[35] 71 כפר-Belege in P, Ez 40–48 und ChrG im *Zusammenhang eines* חַטָּאת-*Ritus* begegnet: 31mal חַטָּאת allein (s. oben unter 1aα.bα), 11mal חַטָּאת in Verbindung mit עֹלָה (s. oben unter 1aβ.bβ), 9mal חַטָּאת in Opferreihen (s. oben 1bγ) und 5mal ohne explizite Erwähnung einer חַטָּאת, aber im חַטָּאת-Kontext (s. oben unter 6a). Dabei ist allerdings zu beachten, daß diese חַטָּאת-Texte zwischen einer *Entsühnung des Altars/Heiligtums* (חַטָּאת allein: Ex 29,36.37; 30,10a.b; Lev 8,15; 16,16.18.20a.33aα.β; Ez 43,20; 45,20; in Verbindung mit einer עֹלָה: Ez 43,26) und einer *Entsühnung von Menschen* (Israels, seiner/s kultischen Repräsentanten, des einzelnen: 38mal [s. oben 1bα–γ]) ausdrücklich differenzieren[36]. Läßt sich über *das überlieferungsgeschichtliche Verhältnis und den sachlichen Zusammenhang dieser beiden Sühnetraditionen* Genaueres sagen? Weil in beiden Traditionen der mit dem kultischen Sühnegeschehen verbundenen Blutapplikation eine konstitutive Funktion zukommt, wird die Klärung dieser Problematik für das Verständnis des kultischen Sühnegeschehens von entscheidender Bedeutung sein.

B) Priesterschriftliche Sinaierzählung, priesterliche Opfertora und kultisches Sühnegeschehen

Innerhalb der Priesterschrift finden sich die Riten, die auf die *Entsühnung von Menschen* zielen, zuerst in der *Opfertora Lev 1–7*. Denn die *priesterschriftlichen* כפר-*Belege vor Lev 1–7* beziehen sich entweder auf eine erst im Zuge der kultgeschichtlichen Entwicklung zu einem Sühnopfer umgedeutete Opferart (מִלֻּאִים-Opfer zur Entsühnung der kultischen Repräsentanten Israels: Ex 29,33, vgl. Lev 8,34), auf die Entsühnung von Gegenständen des Kultes (חַטָּאת zur Entsühnung des Brandopferaltars: Ex 29,36.37/des Räucheraltars: Ex 30,10a.b) oder überhaupt auf ursprünglich nichtkultische Traditionen (Ex 30,15f. [כֹּפֶר-Thematik])[37].
Geht man für die Darstellung der priesterschriftlichen Sühnetheologie von den כִּפֶּר-Belegen in Lev 1–7 aus, so ergibt sich allerdings die Frage nach dem literarischen Verhältnis der Opfertora Lev 1–7 zur priesterschriftlichen Sinaierzählung Ex 24,15b–18a; 25,1 – Num 10,10* P^g. Ihr müssen wir uns kurz zuwenden.

35 S. dazu oben Anm. 5 und 6.
36 Vgl. dazu auch die Übersicht zur syntaktischen Konstruktion von כִּפֶּר oben S. 186f.
37 S. dazu oben S. 161f.

1. Die (literarisch sekundäre) Opfergesetzgebung Lev 1–7[38] tritt retardierend zwischen Ex 35,1–40,35* P^g (Bericht über die Ausführung der Herstellungsanweisungen für das Zeltheiligtum) und den Bericht über den Beginn des Kultes Lev 8–10* Pg^1[39], der literarisch wie inhaltlich die priesterliche Grundschrift (P^g) im Buch Leviticus fortsetzt und der durch Lev 1,1 P^g (?) mit den entsprechenden P^g-Partien am Ende des Buches Exodus (Ex 35,1–40,35* P^g) verklammert ist. Es ist von erheblichem sachlichem Gewicht, daß die – literarisch sekundäre – Opfertora Lev 1–7 den ursprünglichen Erzählungszusammenhang der priesterschriftlichen Sinaiperikope genau an der Stelle unterbricht, die den Übergang von der ›Besitzergreifung‹ des אֹהֶל מוֹעֵד durch den כְּבוֹד יְהוָה Ex 40,34f. (Lev 1,1) P^g zum Beginn des Kultes mit der Priesterweihe und der ersten Opferhandlung Aarons Lev 8–10* Pg^1 markiert[40]. Entsprechendes gilt von der ebenfalls literarisch sekundären Reinheitstora Lev 11–15, die mittels Lev 10,10f. an die Erzählung von Nadab und Abihu Lev 10,1–7* Pg^1 anschließt und mittels Lev 15,31 zur Überlieferung vom großen Versöhnungstag überleitet[41]. In ihrer Grundschicht (*Elliger:* Lev 16, 1–2bα.3a[?].4.11.14f.17.20b.22b–24.34b) bildete diese Überlieferung ihrerseits einmal die unmittelbare Fortsetzung des Komplexes Lev 8–10, und zwar in dessen durch Pg^2 redigierter Form[42]. Das bedeutet, daß »die Grundschicht von c16 ebenfalls zu Pg^2 gehört«[43] und daß hinsichtlich des literarischen Wachstums der einzelnen Partien von Lev »das Versöhnungsritual in einer ersten Form und das Heiligkeitsgesetz, vielleicht ebenfalls noch in einer kürzeren Form, die ersten Erweiterungen bildeten, daß dann die Opfer- und Reinheitsgesetze folgten und c 27 auch zeitlich am Schluß rangiert«[44].

2. Aufgrund seiner nachträglichen Einschaltung in den Erzählungszusammenhang der priesterschriftlichen Sinaiperikope (Ex 24,15b–18a; 25,1–40,35*; Lev 1,1 P^g (?) und Lev 8–10* Pg^1) steht der Überlieferungskomplex Lev 1–7 an kompositorisch exponierter Stelle. Hinsichtlich der Frage seines literarischen Werdens gehen wir von der entsprechenden Analyse *K. Elligers*[45] aus, derzufolge zwischen einer ersten und einer zweiten Opfergesetzreihe (Lev 1–5 mit der Hauptschicht Po^1 und Lev 6f. mit der Hauptschicht Po^2) zu unterscheiden und hinsichtlich der Chronologie mit drei Hauptphasen zu rechnen ist: Noch während des Exils wurde in einer *ersten Hauptphase* »auf der Basis bereits vorhandener Aufzeichnungen«[46] und in der Reihenfolge: עֹלָה, זֶבַח שְׁלָמִים, מִנְחָה und חַטָּאת die Hauptschicht (Po^1) der in Lev 1–5 tradierten Opferrituale entworfen, zu der wenigstens Lev 1,1–13; 3,1–16; 2,1f.4.8f.; 4,13–21*.22–35 gehörten und die – wohl noch vor der Konzipierung von Po^2 – sukzessive (in welcher Reihenfolge?) um die Bedürftigkeitsnovellen Lev 1,14–17; 5,7–10.11–13 und die das אָשָׁם-Opfer betreffenden Stücke Lev 5,14–26 (später möglicherweise noch um Lev 2,11ff.; 4,3–12) erweitert wur-

38 S. dazu *Elliger*, Leviticus, S. 9ff., vgl. auch *Rendtorff*, Gesetze, S. 4.5ff.23ff.38ff.; *M. Noth*, ATD VI (²1966), S. 2ff., bes. S. 4ff.; anders *Koch*, Priesterschrift, S. 98.

39 Zur literarischen Schichtung von Lev 8–10 (: Pg^1, Pg^2 [Überarbeitung von Pg^1] und zusätzliche Erweiterungen) s. *Elliger*, a.a.O., S. 11f.104ff., vgl. auch *Walkenhorst*, Sinai, S. 33ff.116ff.

40 S. dazu ausführlicher unten S. 313ff.

41 Vgl. *Elliger*, a.a.O., S. 12f.140ff.

42 *Ders.*, a.a.O., S. 14.

43 *Ders.*, ebd.

44 *Ders.*, a.a.O., S. 10.

45 A.a.O., S. 10f.26ff.79ff. Dem methodisch anders orientierten Ansatz von *Rendtorff* (Gesetze) und von *Koch* (Priesterschrift) können wir nicht folgen, s. dazu bereits die Kritik von *Elliger*, a.a.O., S. 8f.30f.; *Schmitt*, Zelt, S. 251ff.; *Fritz*, Tempel, S. 115f. und zum Postulat einer Gattung »Ritual« unten S. 328ff. Im folgenden wird der Ausdruck »Ritual« ausschließlich im Sinne seiner religionswissenschaftlichen Definition (»rituell festgelegter Handlungsablauf«) verwendet.

46 *Elliger*, a.a.O., S. 10.

den. In einer *zweiten Hauptphase* wurde – wohl in frühnachexilischer Zeit – die Hauptschicht (Po^2) der in Lev 6f. enthaltenen Reihe der Opfertorot an jene, zu diesem Zeitpunkt fast abgeschlossene Opfertora Lev 1–5 angefügt, zu der Lev 6,1–6.7–10.17–20a.22; 7,1–6.11–21.37f. gehörten und die ebenfalls etappenweise um Bestimmungen über die Priesteranteile (Lev 6,11; 7,7–10.14b) sowie um weitere Hinzufügungen (Lev 7,28–31.35a; 7,32–34.35b.36) ergänzt wurde. Zu einer *dritten Hauptphase*, die »die im ersten nachexilischen Jahrhundert sich herauskristallisierende Bedeutung des Hohepriesteramts«[47] widerspiegelt, gehörten schließlich Lev 4,3–12 (damit zusammenhängend die Überarbeitung von Lev 4,13–21), vielleicht Lev 6,12–14 (später Lev 6,15.16) und »die meisten der bisher noch nicht erwähnten Sätze und Abschnitte von c 1–7 . . ., wobei im Einzelfalle nicht zu entscheiden ist, ob es sich um Zusätze zu der noch selbständigen Quelle P handelt oder um solche, die bei oder gar erst nach der Zusammenarbeitung von P mit dem älteren Geschichtswerk JE hereinkamen«[48], also R^P angehören.

3. Während in Lev 1–5 die ersten drei Opferarten (עֹלָה, מִנְחָה und זֶבַח שְׁלָמִים)[49] nach der *Art der Opfermaterie* unterteilt sind, gliedern sich die חַטָּאת-Bestimmungen Lev 4,1–5,13 nach dem *Stand* (Hoherpriester 4,3–12; ganze Gemeinde 4,13–21; Fürst 4,22–26; jemand aus dem Volk 4,27–35 [mit weiterer Differenzierung nach der Art der Opfermaterie: Ziege 4,27–31, Schaf 4,32–35])[50] und nach dem *Vermögen des Opfernden* (5,7–13). Dieses von den עֹלָה-, מִנְחָה- und זֶבַח שְׁלָמִים-Bestimmungen Lev 1–3 abweichende Gliederungsprinzip hat seinen Grund in der gegenüber jenen Opferarten andersartigen Struktur des חַטָּאת-Opfers: Da es sich nach der Angabe des Opferanlasses um versehentliche Sünden handelt (חָטָא בִּשְׁגָגָה Lev 4,2.22.27, שָׁגָה 4,13)[51] und die חַטָּאת zur Entsühnung des auf diese Weise »schuldpflichtig« (אַשְׁמָה [inf.cstr. *qal*] Lev 4,3, אשׁם *qal:* Lev 4,13.22.27; 5,[1: נָשָׂא עָוֹן]2.3.4.5, vgl. אָשָׁם in Lev 5,6.7)[52] gewordenen Volkes Israel, seines kultischen Repräsentanten (Hoherpriester) oder des einzelnen dient, steht nicht sosehr im Vordergrund, *was* jeweils als Sündopfer dargebracht wird[53], sondern *wer* dieses darbringt. Unter der Thematik: חַטָּאת-*Opfer zur Entsühnung versehentlich begangener Sünden* stehen – durch die gegenüber dem kasuistischen Satzgefüge Lev 1,2–17 + 3,1–17[54] eigenständige Einleitung Lev 4,1f. formal zusammengehalten – sämtliche Abschnitte von Lev 4,1–5,13. Diese thematische Geschlossenheit kann allerdings nicht darüber hinwegtäuschen, daß Lev 4,1–5,13, wie u.a. die von dem Hauptgliederungsprinzip abweichende An-

47 *Ders.*, a.a.O., S. 11.

48 *Ders.*, ebd.

49 Zur ursprünglichen Reihenfolge: מִנְחָה, זֶבַח שְׁלָמִים, עֹלָה s. *Rendtorff*, Studien, S. 8ff.

50 Zu dieser Kreuzung der Gliederungsprinzipien: Stand des Opfernden und Tierart s. *Elliger*, a.a.O., S. 58, vgl. auch *Rendtorff*, a.a.O., S. 9.

51 S. dazu unten S. 252ff. Zu den sonstigen Anlässen für die Darbringung einer חַטָּאת s. *Rendtorff*, a.a.O., S. 206.

52 S. dazu unten S. 255ff.

53 An diesem Punkt können deshalb auch am ehesten Modifikationen ansetzen, s. die Bedürftigkeitsnovellen Lev 5,7–13.

54 Lev 1,2–17 und 3,1–17 bilden zusammen ein kasuistisches Satzgefüge, bestehend aus dem durch כִּי eingeleiteten Hauptfall Lev 1,2 und dem jeweils durch אִם eingeleiteten ersten (Lev 1,3a) und zweiten (Lev 3,1a) Unterfall. Während auf diese Weise die beiden Opferarten עֹלָה und זֶבַח שְׁלָמִים unter dem gemeinsamen Oberbegriff קָרְבָּן »Darbringung« (Lev 1,2) zusammengefaßt werden, werden die beiden Unterfälle nach der Art der jeweiligen Opfermaterie weiter differenziert, s. dazu auch *Rendtorff*, Gesetze, S. 11; *ders.*, Studien, S. 8f., vgl. S. 89.153.182, ferner *Koch*, Priesterschrift, S. 52.100; *M. Noth*, ATD VI (^{2}1966), S. 12.16.20; *Elliger*, Leviticus, S. 48; *Liedke*, Rechtssätze, S. 22; *D. W. Baker*, JSOT Suppl. Ser. 11 (1979), S. 9–15.

wendung der חַטָּאת auf konkrete Einzelfälle Lev 5,1–6 und die Novellen Lev 5,7–13 zu erkennen geben, *keine ursprüngliche literarische Einheit* ist.

4. Bei der literarkritischen Analyse der חַטָּאת-Bestimmungen Lev 4,1–5,13 geht *K. Elliger*[55] von 4,22–35, den Abschnitten über das Sündopfer eines Fürsten (4,22–26) und eines gewöhnlichen Mannes (4,27–35), aus. Dabei zeigt der detaillierte Vergleich dieser Stücke zunächst, daß der Zusammenhang zwischen 4,27–31 und 4,32–35 enger ist als zwischen diesen Abschnitten und 4,22–26. Daß in 4,22–26 redaktionell eingegriffen wurde, geht aus einem Vergleich mit dem – die Bestimmungen von Lev 4,1–5,13 ergänzenden – Sündopfergesetz Num 15,22–31 und hier insbesondere mit v. 22–25a hervor[56]: denn in Num 15,24b wird ein Ziegenbock (שְׂעִיר־עִזִּים), der in Lev 4,22–26 als Sündopfertier eines נָשִׂיא gilt (4,23), als Sündopfertier der Gemeinde bestimmt, während der Farre (פַּר בֶּן־בָּקָר), der in Lev 4,13–21 das Sündopfertier der ganzen Gemeinde ist (4,14), in Num 15,24a das Brandopfertier der Gemeinde darstellt, das zusammen mit dem Zusatzspeis- und Trankopfer (מִנְחָה וְנֶסֶךְ)[57] und dem Ziegenbocksündopfer dazu dient, die versehentliche Sünde (שׁגה *qal* Num 15,22; שְׁגָגָה Num 15,24) der Gemeinde zu sühnen. Da nach der überzeugenden Analyse *Elligers*[58] der נָשִׂיא ursprünglich als Repräsentant der Gesamtheit galt, war der Ziegenbock auch nach der Grundform von Lev 4,22–26 (s. Ziffer 5) das Sündopfertier der ganzen Gemeinde der Israeliten (vgl. Lev 9,3.15)[59] bzw. ihres Repräsentanten; und da ferner die Zusatzbestimmungen von Num 15,24 (neben dem Ziegenbocksündopfer ein Farre als Brandopfer der Gemeinde, dazu das Speis- und Trankopfer) nicht nur eine auf die Anhäufung der Opfer zielende kultgeschichtliche Weiterentwicklung, sondern zugleich »auch ein Zurücklenken zu älterem Brauch«[60] widerspiegeln, bedeutet dies insgesamt, daß das Subjekt der Grundform von Lev 4,22–26 die Gesamtheit bzw. deren Repräsentant und »das Gliederungsprinzip [sc. von Lev 4,22–35] ursprünglich einfach dies war: das Ganze 22ff. – der Einzelne 27ff. . . . «[61].

5. Es sind vor allem drei Gründe, die dafür sprechen, daß Lev 4,22–35 (und dazu die Einleitung 4,2aβγδ.b) »ein ursprünglich selbständiges, in sich geschlossenes Korpus«[62] darstellt: die regelmäßige Erwähnung des Brandopferaltars als Ort der Schlachtung (4,24.29.33), der beim Fettritus ebenso regelmäßig erfolgende Hinweis auf das זֶבַח שְׁלָמִים (4,26.31.35) und das Fehlen dieser beiden Größen in 4,3–21. Daß in der Grundform von 4,22–26 der ursprüngliche Anfangsabschnitt des Sündopfergesetzes Lev 4,1–5,13 vorliegt, folgt aus der singulären Klassifikationsformel חַטָּאת הוּא 4,24b, »die die Besonderheit des Blutritus begründen will und hernach (aber nicht vorher!) fortbleiben kann«[63]. Unbeschadet der allgemeinen Übereinstimmung, die zwischen 4,22–26 und 4,27–35 besteht, zeigt 4,22–26 gegenüber 4,27–35 Eigenheiten, die ih-

55 A.a.O., S. 57–68.

56 S. dazu *Elliger*, a.a.O., S. 58f.72 und *Kellermann*, Sündopfergesetz, S. 109.112f., vgl. *ders.*, Priesterschrift, S. 105f. und unten S. 254f.

57 Zu מִנְחָה und נֶסֶךְ als Zusatzopfer in den priesterlichen Texten s. *Rendtorff*, Studien, S. 169f.

58 A.a.O., S. 72.

59 Zum Ziegenbock als dem typischen Sündopfertier s. *Elliger*, a.a.O., S. 73 Anm. 34, vgl. auch *Rendtorff*, a.a.O., S. 228ff.; *W. Bok*, in: Mélanges *A. Abel*, vol. III, Leiden 1978, S. 1–15; *O. Keel*, Heiliges Land 7 (1979), S. 51–61, hier: S. 57ff. Daß das Ziegenbockopfer nach der Grundschicht von Lev 4,22ff. (s. im folgenden) »einmal das höchste Opfer« war, könnte *Elliger* zufolge darauf hindeuten, daß »die Opferart noch aus der Wüstenzeit« stammt (a.a.O., S. 72).

60 *Elliger*, a.a.O., S. 58.

61 *Ders.*, a.a.O., S. 59.

62 *Ders.*, ebd.

63 *Ders.*, ebd. Zum Ausdruck »Klassifikationsformel« (statt »Deklarationsformel«) s. unten S. 221f.

rerseits eine besondere Beziehung von 4,22–26 zu 4,13–21 andeuten und die durch die Berücksichtigung von 4,3–12 klarer hervortreten: Schließen die sachlichen Übereinstimmungen, die zwischen 4,3–12 und 4,13–21 insbesondere hinsichtlich des »großen Blutritus« (4,5–7//4,16–18 [im Unterschied zum »kleinen Blutritus« 4,25//4,30//4,34])[64] und des Verfahrens mit dem Rest des Tieres (Verbrennung: 4,11f.//4,20a.21a)[65] bestehen, dieses Anfangsstück gegenüber 4,22–35 zusammen, so zeigen andererseits die zwischen 4,3–12 und 4,13–21 zu konstatierenden Stil- und Sachdifferenzen[66], daß »im Unterschied zu 3–12 in 13–21 ein älterer Text«[67] verarbeitet ist, der seinerseits der redigierten Form von 4,22–26 nahesteht.

6. Faßt man *Elligers* detaillierte Argumentation hinsichtlich des literarischen Werdens von Lev 4,1–5,13[68] zusammen, so ergibt sich folgendes Bild: Ein älteres Sündopfergesetz, das in der Einleitung 4,2aβγδ.b und in der Grundform von 4,22–35 (Gliederungsprinzip: Gesamtheit bzw. deren Repräsentant v. 22ff. – einzelner v. 27ff.) ziemlich intakt erhalten ist (Vorlage von »Po¹«), ist in drei Etappen umgebildet und erweitert worden: (a) Der ursprünglich auf die Gesamtheit bzw. deren Repräsentanten bezogene Abschnitt 4,22–26, der einen Ziegenbock als Sündopfertier vorsah, wurde auf einen נָשִׂיא umgearbeitet und für das Sündopfer der Gesamtheit die Novelle 4,13–21 geschaffen, die zwar einen Farren als Sündopfertier forderte, aber im Blutritus nach dem Vorbild von 4,22–35 (»kleiner Blutritus«) gestaltet war. Der Bearbeiter der Grundform von 4,22–26.27–35 und der Verfasser der Vorform von 4,13–21[69] sind identisch (»Po¹«) und für die Aufnahme der חַטָּאת-Bestimmungen 4,1–5,13 in die Opfertora Lev 1–7 sowie (mittels Lev 4,1.2aα) für deren Einfügung in die priesterschriftliche Sinaierzählung verantwortlich. – (b) Im Sinne des Hauptgliederungsprinzips von Lev 4,1–5,13 wurde jenes ältere Sündopfergesetz 4,22–35 um den jüngsten und darum literarisch einheitlichen Abschnitt über das Sündopfer des Hohenpriesters 4,3–12 erweitert und gleichzeitig, d.h. von dem Verfasser von 4,3–12, das Gesetz über das Sündopfer der Gesamtheit 4,13–21 überarbeitet. – (c) Bevor jene Novelle über das Sündopfer des Hohenpriesters 4,3–12 und die Überarbeitung 4,13–21 hinzukamen, erhielten die Sündopferbestimmungen 4,1f.*13–21.*22–35 des hinter dem Siglum Po¹ stehenden Bearbeiters und Verfassers einen ersten Nachtrag in Gestalt der einzelne Sonderfälle regelnden Bestimmungen 5,1–6, die ihrerseits (wann?) durch die Bedürftigkeitsnovellen 5,7–10 und 5,11–13 ergänzt wurden. Insgesamt bildet 5,1–13 das Schlußstück des eigentlichen Sündopfergesetzes 4,(1f.)3–35. Dessen Konzeption des kultischen Sühnegeschehens soll im Folgenden näher untersucht werden.

64 Zu den Ausdrücken »kleiner Blutritus« und »großer Blutritus« s. unten S. 222ff.
65 S. dazu unten S. 236ff.
66 S. dazu *Elliger*, Leviticus, S. 60f.
67 *Ders.*, a.a.O., S. 61.
68 A.a.O., S. 61ff.67f.
69 Zu den Textabgrenzungen s. *Elliger*, a.a.O., S. 67f.

Dritter Abschnitt: Vergebung, Reinigung und Weihung – Die Entsühnung Israels, seiner/s kultischen Repräsentanten, des einzelnen und des Heiligtums

A) Das Sündopfer, das Schuldopfer und die konstitutiven Elemente des kultischen Sühnegeschehens

Wodurch vollzieht sich nun in den חַטָּאת-Riten die Sühne, und wie ist die in Lev 4,1–5,13 7mal belegte כִּפֶּר-Aussage (4,20.26.31.35; 5,6.10.13; dazu 3mal in den אָשָׁם-Bestimmungen Lev 5,14–26; v.16.18.26) zu verstehen? Bei dem Versuch, diese Fragen zu beantworten, stößt man zunächst auf eine grundsätzliche Schwierigkeit, die, ohne sie hier ausführlich thematisieren zu können, wenigstens angedeutet werden soll: So detailliert nämlich das Sündopfergesetz Lev 4,1–5,13 wie auch die übrigen priesterlichen Opferbestimmungen den *äußeren Vollzug der Riten* – unter genauer Abgrenzung der Tätigkeit von Priestern und Laien[70] – mitteilen, sosehr scheinen doch »fast alle Fragen nach der *Bedeutung der einzelnen Riten* unbeantwortet«[71] zu bleiben. Diese »Zone des Schweigens und des Geheimnisses«[72], die die Opferriten umgibt, hängt wohl damit zusammen, daß nicht ›Vorstellungen‹ Riten hervorbringen, sondern »die Riten . . . ihrerseits die Vorstellungen, ja Erleben und Empfinden«[73] erzeugen und gestalten. Aus diesem Grunde »findet der moderne Kritiker am Ursprung eines Rituals immer andere Rituale; nie stößt er auf den Ursprung *des* Rituals. Darum bleibt ein Ritenkatalog wie der des Levitikus am Ende doch ein stummes und versiegeltes Werk, selbst und vor allem wenn er Opferarten unterscheidet«[74].
Dieser Sachverhalt, so ernst zu nehmen er ist, kann allerdings nicht von dem Versuch einer Sinndeutung der in Lev 4,1–5,13; 5,14–26 überlieferten חַטָּאת- und אָשָׁם-Riten dispensieren. Dies um so weniger, als nicht nur die auf die anthropologische Grundsituation verwirkten Lebens bezogene Angabe des Opferanlasses (Sünde בִּשְׁגָגָה Lev 4,2.22.27, vgl. 4,13), sondern auch die jene חַטָּאת- und אָשָׁם-Riten abschließenden כִּפֶּר-Formeln, die in Lev 4,20.26.31.35; 5,10.13.16.18.26 (ferner in Lev 19,22; Num 15,25.28) mit der passivisch formulierten Zusage der göttlichen Vergebung (נִסְלַח) zu einer Art Hendiadyoin verbunden sind, selbst wichtige Hinweise für das

70 S. dazu *Elliger*, a.a.O., S. 30f. u.ö.

71 *von Rad*, Theologie I, S. 264 (H. v. uns).

72 *Ders.*, a.a.O., S. 273, vgl. S. 266.

73 *Burkert*, Homo Necans, S. 37, vgl. S. 31ff. und *ders.*, in: *G. Stephenson* (Hrsg.), Der Religionswandel unserer Zeit im Spiegel der Religionswissenschaft, Darmstadt 1976, S. 168–187, hier: S. 171ff., zur Sache ferner *Koch*, Sühneanschauung, S. 1ff.7f.; *von Rad*, a.a.O., S. 263ff.

74 *P. Ricoeur*, Symbolik des Bösen. Phänomenologie der Schuld II, München 1971, S. 111 (H.i.O.).

Verständnis der Sühneriten enthalten[75]. Beide Aspekte, derjenige der menschlichen Schulderfahrung und derjenige der göttlichen Vergebungszusage, bilden gleichsam eine inkludierende Klammer um die den Vollzug des jeweiligen חַטָּאת-Ritus konstituierenden und gliedernden Ritualakte: Darbringen des Opfertieres – Handaufstemmen – Schlachten – Blutstreichen/-sprengen (+ Wegschütten des restlichen Blutes) – Fettabheben – Fettverbrennen[76]. Vergleicht man die עֹלָה-, זֶבַח שְׁלָמִים- und חַטָּאת-Rituale in Lev 1,2–13(14–17) + 3,1–17 und 4,1–5,13 miteinander[77], so ergibt sich, daß der *Handaufstemmungsgestus* und der (verschieden gestaltete) *Blutritus* genuine Bestandteile des חַטָּאת-Rituals sind[78]. Es empfiehlt sich deshalb, von der Analyse dieser beiden Ritualakte auszugehen.

I. Die Handaufstemmung beim Opfer – Gestus der Sündenübertragung oder der Identifizierung mit dem Opfertier?

Im technischen Sinn: »die Hand/Hände (auf den Kopf eines Menschen/Opfertieres) aufstemmen« ist die Wortverbindung סָמַךְ + יָד/יָדִים*[79]/יָדַיִם[80] insgesamt 23mal im Alten Testament belegt, und zwar außer im Zusammenhang der חַטָּאת-Bestimmungen Lev 4,4.15.24.29.33 auch bei der Darbringung der עֹלָה Lev 1,4.(10 LXX) und des זֶבַח שְׁלָמִים Lev 3,2.8.13, ferner in Lev 8,14.18.22 par. Ex 29,10.15.19 (vgl. 11QTemple col. 15,18); Lev 16,21; Lev 24,14 (vgl. ZusDan 13,34 LXX); Num 8,10.12; 27,18.23; Dtn 34,9 und 2Chr 29,23 (vgl. JosAnt IX,268). Mit Ausnahme von 2Chr 29,23 handelt es sich dabei ausschließlich um priesterschriftliche Belege[81]. Um den Aussagegehalt der Wendung סָמַךְ יָד/יָדַיִם/*יָדִים עַל (רֹאשׁ) zu bestim-

75 S. dazu unten S. 249ff.

76 Vgl. *Rendtorff*, Studien, S. 212.

77 S. dazu ausführlich *Rendtorff*, Gesetze, S. 5ff.; *ders.*, Studien, S. 89ff.153ff.212ff.

78 S. unten S. 221ff.

79 S. dazu *Péter*, Imposition des mains, S. 52 Anm. 10.

80 Zur Handauflegung/-stemmung im AT s. besonders *Volz*, Handauflegung; *Matthes*, Sühnegedanke; *Lohse*, Ordination; *ders.*, Art. Ordination, RGG^3 III, Sp. 1671ff.; *ders.*, Art. Handauflegung, EKL^2 II, Sp. 13f.; *ders.*, Art. χεῖρ κτλ., ThWNT IX, S. 413ff., bes. S. 417f.420ff.424; *D. Daube*, The New Testament and Rabbinic Judaism, London 1956, S. 224ff.; *Moraldi*, Espiazione, S. 254ff.; *ders.*, Art. Expiation, DSp IV, Sp. 2031; *Koch*, Sühneanschauung, S. 18f.25ff.32.43 (mit Anm. 2).46.47f.49.50f.60f.94f.96; *ders.*, Sinaigesetzgebung, S. 47f.; *ders.*, Sühne, S. 225ff.; *ders.*, *ḥṭ'*, Sp. 867; *ders. (-J. Roloff)*, Art. Sühne, RBL, S. 475f.; *de Vaux*, ATL II, S. 179.260.290.298f.303; *B. J. van der Merwe*, OuTWP 5 (1962), S. 34–43; *Coppens*, Handauflegung; *ders.*, in: Les Actes des Apôtres. Traditions, rédaction, théologie (BEThL 48), Leuven/Louvain 1979, S. 405–438; *Schmid*, Bundesopfer, S. 29f.; *Elliger*, Leviticus, S. 34.215f.334; *Rendtorff*, Studien, S. 92f.155.214ff.220.232.249.253f.; *Sabourin*, Priesthood, S. 140; *Minkner*, Bürgschaftsrecht, S. 62ff.; *F. Stolz*, Art. *smk*, THAT II, Sp. 160ff.; *Gese*, Sühne, S. 95ff.; *J.-Th. Maertens*, SR 6 (1976/77), S. 637–649; *Péter*, Imposition des mains; *Daly*, Christian Sacrifice, S. 100ff.; *P. R. Ackroyd*, Art. *jad* usw., ThWAT III, Sp. 452; *Wefing*, Entsühnungsritual, S. 120f.122ff.

81 Außerhalb von P und ChrG (2Chr 29,23) kommt סָמַךְ + יָד nur in Am 5,19 vor: der Erschöpfte »stützt seine Hand an die Wand«.

Die alttestamentlichen »Handaufstemmungs«-Belege

Beleg		Subjekt	Objekt	Ort	Empfänger
Ex	29,10	Aaron u. seine Söhne	יְדֵיהֶם	עַל רֹאשׁ	Sündopferfarre
	29,15	Aaron u. seine Söhne	יְדֵיהֶם	עַל רֹאשׁ	Brandopferwidder
	29,19	Aaron u. seine Söhne	יְדֵיהֶם	עַל רֹאשׁ	Einsetzungswidder
Lev	1,4	der Opferherr	יָדוֹ	עַל רֹאשׁ	Rind (עֹלָה)
	3,2	der Opferherr	יָדוֹ	עַל רֹאשׁ	Rind (זֶבַח שְׁלָמִים)
	3,8	der Opferherr	יָדוֹ	עַל רֹאשׁ	Schaf (זֶבַח שְׁלָמִים)
	3,13	der Opferherr	יָדוֹ	עַל רֹאשׁ	Ziege (זֶבַח שְׁלָמִים)
	4,4	der Hohepriester	יָדוֹ	עַל רֹאשׁ	Sündopferfarre
	4,15	die Ältesten d. Gemeinde	יְדֵיהֶם	עַל רֹאשׁ	Sündopferfarre
	4,24	ein Fürst	יָדוֹ	עַל רֹאשׁ	Sündopferbock
	4,29	jemand aus dem Volk	יָדוֹ	עַל רֹאשׁ	Sündopferziege
	4,33	jemand aus dem Volk	יָדוֹ	עַל רֹאשׁ	Sündopferschaf
	8,14	Aaron u. seine Söhne	יְדֵיהֶם	עַל רֹאשׁ	Sündopferfarre
	8,18	Aaron u. seine Söhne	יְדֵיהֶם	עַל רֹאשׁ	Brandopferwidder
	8,22	Aaron u. seine Söhne	יְדֵיהֶם	עַל רֹאשׁ	Einsetzungswidder
	16,21	Aaron	יָדָיו	עַל רֹאשׁ	Azazelbock
	24,14	die Zeugen der Gotteslästerung	יְדֵיהֶם	עַל רֹאשׁ	Gotteslästerer
Num	8,10	die Israeliten	יְדֵיהֶם	עַל הַלְוִיִּם	Leviten
	8,12	die Leviten	יְדֵיהֶם	עַל רֹאשׁ	Sündopfer- u. Brandopferfarre
	27,18	Mose	ידך	עָלָיו	Josua
	27,23	Mose	יָדָיו	עָלָיו	Josua
Dtn	34,9	Mose	יָדָיו	עָלָיו	Josua
2Chr	29,23	der König u. die Gemeinde	יְדֵיהֶם	עֲלֵיהֶם	Sündopferböcke

men, sollen diese Belege zunächst nach Subjekt, grammatischem Objekt (»Hand/Hände«), Ort (adverbielle Näherbestimmung durch Präposition עַל) und Empfänger der Handaufstemmung gegliedert werden (s. die Übersicht S. 200)[82].

Versteht man das ידך in Num 27,18MT mit LXX als Defektivschreibung des gemeinten suffigierten Duals (»deine Hände«)[83], so lassen sich diese 23 סָמַךְ-Belege in zwei syntaktische Kategorien einteilen[84]: 1. סָמַךְ mit *singularischem Subjekt* + gramm. Objekt (a) im *Singular* (יָדוֹ »seine Hand«): Lev 1,4; 3,2.8.13; 4,4.24.29.33; + gramm. Objekt (b) im *Dual* (יָדָיו/ידך [script.def.] »seine/deine beiden Hände«): Lev 16,21 (שְׁתֵּי יָדָיו!); Num 27,18 (vgl. LXX).23; Dtn 34,9. – 2. סָמַךְ mit *pluralischem Subjekt* + gramm. Objekt יְדֵיהֶם *»ihre Hände«*: Ex 29,10.15.19; Lev 4,15; 8,14.18.22; 24,14; Num 8,10.12; 2Chr 29,23. Da aus der Konstruktion allein nicht zu erkennen ist, ob in diesen Fällen die die Handaufstemmung vollziehenden Personen dem jeweiligen Empfänger (Opfertier/Gotteslästerer/Leviten) nur *eine Hand* (יְדֵיהֶם = Plural) oder *beide Hände* (יְדֵיהֶם = Dual) aufstemmen, scheint die Wendung: סָמַךְ (mit plur. Subjekt) + יְדֵיהֶם grundsätzlich ambivalent zu bleiben; doch spricht der Kontext von Lev 4,15 dafür, daß hier die Ältesten als Repräsentanten der Gemeinde jeder *seine Hand* und demzufolge sie insgesamt *ihre Hände* (יְדֵיהֶם = Plural) auf den Kopf des Opfertieres stemmen[85]. Während dieser Sinn auch für das יְדֵיהֶם in Ex 29,10.15.19; Lev 8,14.18.22; Num 8,12 und 2Chr 29,23 angenommen werden könnte, bleibt der Numerus von יְדֵיהֶם in Lev 24,14 und Num 8,10 fraglich. Gehen wir zur Klärung dieses Problems wie zur Beantwortung der Frage nach Funktion und Bedeutung des Handaufstemmungsgestus von den relativ eindeutigen und thematisch zusammengehörigen Texten Num 27,18.23 und Dtn 34,9 aus!

1. Die Handaufstemmung als symbolischer Rechtsakt – סמך יד(ים) על außerhalb des Opferkontextes

Die Tradition, daß Mose dem Josua bei dessen Amtseinsetzung die Hände aufstemmte, findet sich nur in (Sekundärschichten) der Priesterschrift: Num 27,18.23; Dtn 34,9[86]. Während in Dtn 34,9 das Erfülltsein (מָלֵא) Josuas mit רוּחַ חָכְמָה (v. 9aα) mit dem Handaufstemmungsakt begründet wird (כִּי-Formulierung v. 9aβ), kommt in Num 27,13a*.b–23 eine andere Auf-

82 Vgl. auch *Péter*, a.a.O., S. 50.
83 S. dazu ausführlich *Péter*, a.a.O., S. 50f.
84 Vgl. *Péter*, a.a.O., S. 51ff.54f.
85 Mit *Péter*, a.a.O., S. 52f., vgl. schon die Vermutung von *Elliger*, Leviticus, S. 215 Anm. 19.
86 S. dazu besonders *Lohse*, Ordination, S. 19ff.; *K. Baltzer*, Die Biographie der Propheten, Neukirchen-Vluyn 1975, S. 53ff.; zur literarkritischen und traditionsgeschichtlichen Analyse von Num 27,12–23 und Dtn 34,1–9 s. *Mittmann*, Deuteronomium, S. 107ff.

fassung von der Erlangung des Amtscharismas zu Wort, derzufolge der »Geist« bereits in Josua war (v. 18aβ), bevor Mose seine Hände auf ihn stemmte. Was hier durch die Handaufstemmung (Anordnung v. 18b, Ausführungsbericht v. 23a) bewirkt wird, ist nicht die Übertragung der רוּחַ Moses, sondern die Übermittlung von einem Teil seines הוֹד auf Josua: »und übertrage etwas von deiner Hoheit/Autorität auf ihn« (v. 20a)[87]. Besteht deshalb zwischen Num 27,18.20.23 und Dtn 34,9 eine Differenz hinsichtlich dessen, *was* durch die Handaufstemmung jeweils übertragen wird, so stimmen beide Überlieferungen doch darin überein, *daß* die Handaufstemmung zur Übermittlung einer Gabe von Mose an Josua dient[88].
Dabei bedeutet die Anweisung an Mose, nur einen *Teil* seines הוֹד auf Josua übergehen zu lassen (Num 27,20a), nicht eine Minderung der Autorität Josuas – das würde weder zur Intention eines Amtseinsetzungsberichts noch zur Gehorsamsforderung Num 27,20b passen –, sondern sie stellt eine von P beabsichtigte Betonung der überragenden Stellung Moses dar[89]. Entscheidend am Vorgang dieser Handaufstemmung und seiner Tradierung durch P ist vielmehr, daß zwar ein *Teil* der »Hoheit« Moses, dieser aber *ganz* auf Josua übergeht, und daß dadurch die Fortsetzung des mit Mose begonnenen Weges der autoritativen Führung Israels als gesichert erscheint. Da bei der Handaufstemmung der Geist *Moses* (Dtn 34,9) bzw. ein Teil *seiner* Hoheit/Autorität (Num 27,20) auf Josua übergeht, kommt in diesem Gestus eine »Subjektübertragung (zur delegierenden Sukzession)«[90], eine Autoritätsübertragung zum Ausdruck. Der in dieser Weise in die Nachfolge Moses tretende Josua ist der für sein Amt bevollmächtigte Träger des Amtscharismas. Diese Vorstellung einer Subjekt- bzw. Autoritätsübertragung dürfte auch hinter dem Handaufstemmungsgestus Num 8,10 P^s (Levitenweihe) stehen[91].

87 Zu הוֹד s. *D. Vetter*, Art. *hôd*, THAT I, Sp. 472ff., bes. Sp. 473; *G. Warmuth*, Art. *hôd*, ThWAT II, Sp. 375ff., bes. Sp. 378 (jeweils Lit.).
88 Vgl. *Lohse*, Ordination, S. 20f.
89 Vgl. *Baltzer*, a.a.O. (oben Anm. 86), S. 54ff.
90 *Gese*, Sühne, S. 96.
91 Zusammen mit Num 8,9b.11.20.22aγ.b bildet Num 8,10 eine Ergänzungsschicht zum Grundbestand von Num 8,5–22, der Num 8,5–9a.12–16a.21.22aαβ umfaßt und ebensowenig wie jene Ergänzungsschicht zu P^g gehört, s. *Kellermann*, Priesterschrift, S. 115ff., bes. S. 123. Nach dieser Grundschicht von Num 8,5–22* P^s geht es um die Levitenweihe, bei der – dem ursprünglichen Textbestand zufolge – Mose der allein Handelnde ist und die sich in einen Befehlsbericht (v. 5–9a.12–16a) und einen Ausführungsbericht (v. 21.22aαβ) gliedert. Der Befehlsbericht sieht zunächst die Reinigung der Leviten (v. 6.7), sodann die Darbringung eines Sündopferfarrens und eines Brandopferfarrens (mit Zusatzspeisopfer, v. 8.9a.12) und abschließend die symbolisch-rituelle Übereignung der Leviten an Jahwe (v. 13ff.) vor; in knapperer Form werden diese Grundakte vom Ausführungsbericht (v. 21.22aαβ) wiederholt. Der Annahme *Kellermanns*, daß der Handaufstemmungsgestus, den die Leviten »vor dem Begegnungszelt« (v. 9a) an den beiden Farren zu vollziehen haben (v. 12), »durch das nachfolgende לכפר deutlich als Übertragung der sündigen Substanz auf das Opfertier charakterisiert (wird)« (a.a.O., S. 122, vgl. S. 118.123), käme selbst unter der Voraussetzung, daß die These von der Übertragung der Sünde durch das Handaufstemmen als richtig anzuerkennen wäre, wenig

Die Frage des Verständnisses von יְדֵיהֶם Lev 24,14 als Plural oder als Dual mußte oben offengelassen werden, für die Deutung des Handaufstemmungsgestus Lev 24,10–14.(15a.)23 spielt sie allerdings kaum eine entscheidende Rolle. Diese ätiologische Rahmenerzählung[92] schildert den Fall eines Schutzbürgers ägyptischer Nationalität, der im Streit mit einem Israeliten dessen Gott Jahwe lästert und daraufhin bis zur Fällung des Rechtsentscheides in Gewahrsam genommen wird. Der diesen Rechtsfall entscheidende (an Mose gerichtete) Jahwespruch lautet:

> »Führe den Flucher hinaus vors Lager. Und alle, die (ihn) gehört haben, sollen ihre Hände auf seinen Kopf stemmen (וְסָמְכוּ כָל־הַשֹּׁמְעִים אֶת־יְדֵיהֶם עַל־רֹאשׁוֹ); dann soll die ganze Gemeinde ihn steinigen« (v. 14).

Wahrscheinlichkeit zu. Nimmt man den Wortlaut von v. 12 – »und die Leviten sollen ihre Hände auf den Kopf der Farren stemmen; dann richte den einen als Sündopfer und den anderen als Brandopfer her für Jahwe, um für die Leviten Sühne zu schaffen« – ernst, dann sagt der Text zunächst nicht mehr, als daß Sühne für die Leviten durch die Darbringung eines Farren als חַטָּאת und eines weiteren Farren als עֹלָה geschieht (in v. 21 ist die Handaufstemmung und die Darbringung der Opfertiere weggelassen und die Sühneaussage an die Erwähnung der תְּנוּפָה angeschlossen). Nach dem Opferakt soll Mose die Leviten vor Aaron und seine Söhne hinstellen und sie Jahwe als תְּנוּפָה darbringen. Die Frage, »ob sich hinter הניף תנופה ein de facto praktizierter symbolischer Übergaberitus verbirgt oder ob der Ausdruck ohne realen Hintergrund im übertragenen Sinne gebraucht wird« (*Kellermann*, a.a.O., S. 122), wird dahingehend zu beantworten sein, daß תְּנוּפָה hier wie in v. 15.21 und in Ex 35,22; 38,24.29 im übertragenen Sinne zu verstehen ist, s. *Kellermann*, a.a.O., S. 117f.122f.; *Elliger*, Leviticus, S. 102f. und zuletzt *J. Milgrom*, IEJ 22 (1972), S. 33–38; *ders.*, Art. Wave Offering, IDB Suppl.Vol., Nashville 1976, S. 944ff. (mit der älteren Lit.). Auf diese Weise sind die Leviten aus den Israeliten auszusondern, weil sie Jahwe gehören (v. 14). Nach ihrer Reinigung und nach der Opferhandlung mit dem Dedikationsritus der תְּנוּפָה können sie ihren »Dienst« am Begegnungszelt antreten (v. 15–16a, vgl. v. 22aαβ), zur עֲבֹדָה der Leviten s. *Milgrom*, Studies, S. 60ff.; *Floss*, Jahwe dienen, S. 63ff.; *Riesener*, *ʿbd*, S. 49ff.257ff.265f.

Im Gegensatz zum Grundbestand von Num 8,5–22*P^s kommt es der Ergänzungsschicht (s. oben) »vor allem darauf an, die Gemeinde der Israeliten und Aaron an der Feier zu beteiligen« (*Kellermann*, a.a.O., S. 123). Dadurch, daß nun die Israeliten (und zwar die Vertreter der Gesamtgemeinde) ihre Hände auf die Leviten (auf ausgewählte, wiederum die Gesamtheit der Leviten repräsentierende Vertreter) stemmen sollen (v. 10b), »wird deutlich, daß der Verfasser die Leviten als von der Gemeinde an Jahwe übergeben ansieht« (*Kellermann*, ebd.). Diese Bedeutung des Handaufstemmungsgestus als eines – von der עֵדָה, dem Rechtsträger dieser Handlung zu vollziehenden – *rechtsverbindlichen Übereignungsritus* wird durch die Näherbestimmung v. 11aβ bestätigt, derzufolge Aaron die Leviten Jahwe als תְּנוּפָה »von seiten der Israeliten« (מֵאֵת בְּנֵי יִשְׂרָאֵל) darbringen soll, damit sie den »Dienst Jahwes« verrichten können: »Durch die Handaufstemmung als verbindlichen Rechtsakt überträgt die Gemeinde das, was sie ist und darstellt, auf die Leviten . . . Wenn man so will, schickt die עדה die Leviten in die Gestellungsbürgschaft zu Jahwe ins Zelt, damit sie dort für die Gemeinde bürgen und gleichsam als Ersatz Jahwe übereignet werden« (*Minkner*, Bürgschaftsrecht, S. 68f.), vgl. schon *A. Vincent*, in: Mélanges Syriens offerts à *M. R. Dussaud*, t. I, Paris 1939, S. 267–272, hier: S. 269 und *Gese*, Sühne, S. 96 mit Anm. 8. Die theologische Begründung für die Funktion der Leviten, Ersatz für die Erstgeburt der Israeliten zu sein, findet sich in dem späten Zusatz Num 8,16b–19, s. dazu oben Teil II Anm. 232.

92 Zur literarischen Analyse von Lev 24,10–23 s. *Elliger*, Leviticus, S. 329ff., anders neuerdings *Cholewiński*, Heiligkeitsgesetz, S. 96ff.; zu Einzelfragen s. noch *Schulz*, Todesrecht, S. 42ff.; *J. Weingreen*, VT 22 (1972), S. 118–123; *H. Schult*, DBAT 7 (1974), S. 31f.; *J. B. Gabel – C. B. Wheeler*, VT 30 (1980), S. 227–229.

Zu beachten ist hierbei, daß nur von denjenigen die Handaufstemmung zu vollziehen ist, die die Gotteslästerung gehört haben, während die Strafe der Steinigung[93] von der ganzen Gemeinde ausgeführt werden soll. Nach *K. Elliger* »erklärt sich der Ritus bei der Steinigung leicht aus der Vorstellung, daß schon durch das rein akustische Vernehmen der Gotteslästerung gerade die Hörer mit Sünde infiziert worden sind, die sie nun auf den Infektionsherd zurückgeben, während die ganze Gemeinde den Herd austilgt, um ihre Heiligkeit zu wahren«[94]. Diese Interpretation ist u.E. jedoch zweifelhaft, und zwar nicht nur wegen der Unhaltbarkeit der im Anschluß an *P. Volz* auch von *Elliger* vertretenen Annahme, »daß das Handaufstemmen bei P die Übertragung einer sündigen (gelegentlich auch einer heiligen) Substanz oder Macht bedeutet«[95], sondern auch aufgrund der Tatsache, daß von einer Mitschuld der Zeugen nicht – auch nicht in der von *P. Volz*, *K. Elliger* und zuletzt von *R. Péter* formulierten Weise (: ›Infizierung der Hörer mit Sünde‹ durch das akustische Vernehmen der Gotteslästerung)[96] – die Rede sein kann.

Die Zeugen der Gotteslästerung sind nicht (mit)schuldig, sondern sie *bezeugen die Schuld eines anderen.* Da sie im vorliegenden Fall (und in ZusDan 13,34 LXX) die Identifizierung des Täters anstelle der im gerichtlichen Belastungsverfahren sonst üblichen Zeugenaussage[97] symbolisch durch die Handaufstemmung vornehmen, ist dieser Akt – der unmittelbar *nach* der Verbringung des Delinquenten aus dem Gewahrsam hinaus vors Lager und *vor* der Vollstreckung der Steinigungsstrafe durch die ganze Gemeinde stattfinden soll (v. 14, vgl. v. 23) – als ein *sakralrechtlicher Indikationsgestus* zu verstehen: durch ihn sollen die Zeugen in Gegenwart der versammelten Gemeinde *den Täter als Täter kennzeichnen* und solidarisch

93 S. dazu die oben Teil II Anm. 254 genannte Lit.

94 Leviticus, S. 334. Ähnlich interpretierte schon *Volz* (Handauflegung, S. 97), auf den *Elliger* (ebd.) sich ausdrücklich beruft, vgl. auch *M. Noth*, ATD VI (^{2}1966), S. 157 und neuerdings *Christ*, Blutvergiessen, S. 105f.; *Péter*, Imposition des mains, S. 53.

95 A.a.O., S. 334, vgl. S. 34, s. dazu im folgenden.

96 S. zu dieser Deutung die zutreffende Kritik von *Matthes*, Sühnegedanke, S. 104. Auch von der »Anschauung schicksalswirkender Tat« her wird die Deutung des Handaufstemmungsgestus Lev 24,14 als Schuldübertragung – *Koch*: die Zeugen »geben damit ihren Anteil an der Sünde-Unglück-Verhaftung zurück, welche sie durch das Zusammenleben mit dem Verbrecher betroffen hat« (Sühneanschauung, S. 51) – u.E. nicht ›natürlicher‹ (so *Kochs* Einwand [a.a.O., S. 51 Anm. 3] gegen die Kritik von *Matthes*).

97 Zur Funktion der Zeugen im altisraelitischen Gerichtsverfahren s. *Boecker*, Redeformen, bes. S. 72ff.80f.164f.; *ders.*, Recht, S. 26f.30f.147f.; *C. van Leeuwen*, Art. *ʿed*, THAT II, Sp. 211ff. In ZusDan 13,34ff. LXX – wo im übrigen von einer Gotteslästerung nicht die Rede ist! – folgt der Handauflegung der beiden Zeugen auf den Kopf Susannas (»Da erhoben sich die beiden Ältesten mitten im Volk und legten die Hände auf ihr Haupt« [v. 34]) deren Zeugenaussage (v. 36–41), die durch die Bekräftigungsformel »Das bezeugen wir!« abgeschlossen wird; dann fährt der Text fort: »Da glaubte es die Versammlung ihnen als Ältesten des Volkes und als Richtern, und man verurteilte sie (sc. Susanna) zum Tode« (Übersetzung *O. Plöger*, Zusätze zu Daniel, JSHRZ I/1 [1973], S. 79).

(v. 14aβ!) dafür *bürgen, daß er und kein anderer es war, der Jahwe gelästert hat*[98].

2. Zur These der Sündenübertragung

Was bedeutet nun die Handaufstemmung im Kontext der Opferdarbringung? In welchem Verhältnis steht dieser die eigentliche Opferhandlung vorbereitende Akt zum kultischen Sühnegeschehen, und vor allem: Läßt sich der Gestus des Aufstemmens der beiden Hände Aarons auf den Azazelbock Lev 16,21f. diesem Geschehen zuordnen? Mit Ausnahme des אָשָׁם-Opfers[99] begegnet die Handaufstemmung bei allen Tieropfern (עֹלָה: Ex 29, 15; Lev 1,4; 8,18; Num 8,12; זֶבַח שְׁלָמִים: Lev 3,2.8.13; מִלֻּאִים: Ex 29,19; Lev 8,22; חַטָּאת: Ex 29,10; Lev 4,4.15.24.29.33; 8,14; Num 8,12; 2Chr 29,33). Bei welchem dieser Opfer wurde sie ursprünglich praktiziert? Zur Beantwortung dieser Frage gehen wir mit *R. Rendtorff*[100] und *H. Gese*[101] von dem (im Zusammenhang des chronistischen Berichtes von der Kultreform Hiskias 2Chr 19,3–31,20[102] überlieferten) Weihefest Hiskias 2Chr 29,20–36 aus, das sich in eine offizielle und eine private Feier gliedert. Nach 2Chr 29,21 wurden jeweils sieben Farren, Widder und Lämmer als Brandopfer[103] und sieben Ziegenböcke als Sündopfer von Hiskia und den שָׂרֵי הָעִיר dargebracht; nach der Schlachtung[104] der zum Brandopfer bestimmten Tiere nahmen die Priester deren Blut und sprengten (זָרַק) es an den Altar (v. 22). Dann wurden die sieben Sündopferböcke »vor den König und die ganze Gemeinde« gebracht, die – so wird das nicht näher bestimmte וַיִּסְמְכוּ zu beziehen sein – ihre Hände auf sie stemmten (v. 23); darauf schlachteten »die Priester« die חַטָּאת-Böcke,

98 Ähnlich schon *Matthes*, Sühnegedanke, S. 104f., vgl. ferner *Coppens*, Handauflegung, Sp. 633; *E. Lohse*, Art. χεῖϱ κτλ., ThWNT IX, S. 418 Anm. 26; *Minkner*, Bürgschaftsrecht, S. 68. Die Solidarität der Zeugen erstreckt sich also nicht auf den Täter (vgl. *Coppens*, ebd.), sondern auf das gemeinsame Zeugnisablegen durch die Handaufstemmung. Durch diese Solidarhaftung wird die Rolle der Zeugen als durch die Handaufstemmung am Rechtsvorgang beteiligter *Subjekte* besonders betont: mit ihrer *Person* verbürgen sie sich dafür, die Gotteslästerung gehört zu haben.

99 S. dazu unten S. 255ff.

100 Studien, S. 68.71.72f.80.93.96.101f.214, vgl. *Koch*, Sühneanschauung, S. 50f.

101 Sühne, S. 95.

102 S. dazu außer den Kommentaren (besonders *W. Rudolph*, HAT I/21 [1955], S. 293ff.) *Willi*, Chronik, S. 199ff.; *P. Welten*, Geschichte und Geschichtsdarstellung in den Chronikbüchern (WMANT 42), Neukirchen-Vluyn 1973, S. 180.182f.

103 Mit *Rudolph*, a.a.O., S. 296 Anm. z.St. ist in v. 21 לְעֹלָה einzufügen, vgl. *Rendtorff*, Studien, S. 80 Anm. 3; S. 93.

104 Die Frage des Opferschlachtens in der chronistischen Literatur ist eine crux interpretum, auf die hier nicht näher eingegangen werden kann, s. dazu *J. Hänel*, ZAW 55 (1937), S. 46–67; *Rudolph*, a.a.O., S. 297; *Rendtorff*, a.a.O., S. 96.101f.; *Laaf*, Pascha-Feier, S. 94ff.; *Willi*, Chronik, S. 199 Anm. 47.

»und sie führten mit ihrem Blut den Entsündigungsritus am (Brandopfer)Altar durch/sie brachten ihr Blut als Sündopfer am (Brandopfer)Altar dar (וַיְחַטְּאוּ אֶת־דָּמָם הַמִּזְבֵּחָה)[105], um für ganz Israel Sühne zu schaffen (לְכַפֵּר עַל־כָּל־יִשְׂרָאֵל)« (v. 24a).

Wenn der Chronist die Handaufstemmung nur bei der חַטָּאת, nicht aber bei der עֹלָה (der sein besonderes Interesse gilt)[106] erwähnt, so kann dies nur bedeuten, daß für ihn dieser Akt »eng zur chattat hinzu(gehörte), während er für die ᶜola mindestens nicht als konstitutiv betrachtet wurde, so daß er unerwähnt bleiben konnte – wenn nicht der Chronist sogar einen ᶜola-Ritus vor Augen hatte, in dem das Handaufstemmen ganz fehlte«[107]. Da in den älteren עֹלָה-Texten die Handaufstemmung fehlt[108] und sie auch beim זֶבַח שְׁלָמִים außer in Lev 3,2.8.13 nirgends erwähnt wird, dürfte sich der Schluß nahelegen, daß dieser Akt – auch wenn er nicht in allen Sündopferritualen genannt wird (er fehlt z.B. in Lev 9,8–11.15; 16,11.14.15) – ein *ursprünglicher Bestandteil der* חַטָּאת war und im Zuge der priesterschriftlichen Ausgestaltung der Opfersystematik vom Sündopfer auf das Brand-, Heilsmahl- und Einsetzungsopfer übertragen wurde[109].
So deutlich die ursprüngliche Zugehörigkeit der Handaufstemmung zum Sündopferritual auch sein mag, so schwierig scheint es doch zu sein, die Frage nach der Herkunft und Funktion dieses Gestus beim Opfer zu beantworten. Von den zahlreichen Interpretationsversuchen[110] ist im Folgenden auf die in neuerer Zeit von *R. Rendtorff* und *K. Koch* formulierte Sündenübertragungsthese näher einzugehen, weil sie das Verständnis des kultischen Sühnegeschehens unmittelbar betrifft.

Da die im Kontext der Opferdarbringung begegnenden סָמַךְ-Belege keine ausdrücklichen Angaben über Funktion und Bedeutung der Handaufstemmung machen, ist es »nötig . . ., nach Erwähnungen der Handaufstemmung außerhalb des chattat-Rituals zu fragen. Der wichtigste Beleg dafür findet sich in Lev 16,21«[111]:

»(21) Aaron stemmt seine beiden Hände auf den Kopf des lebendigen Bockes, bekennt über ihm alle Verschuldungen und alle Übertretungen der Israeliten, durch die sie sich irgend ver-

105 חטא *pi.* in der Bedeutung »einen Ritus der Entsündigung durchführen« (oder: »als Sündopfer darbringen«) ist außer an der vorliegenden Stelle noch in Lev 6,19 und Lev 9,15 belegt, s. dazu unten Anm. 226.
106 S. dazu *Rendtorff,* Studien, S. 68.71.72f., vgl. auch *G. von Rad,* Das Geschichtsbild des chronistischen Werkes (BWANT 54), Stuttgart 1930, S. 50f.; *Koch,* Sühneanschauung, S. 96f.98.
107 *Rendtorff,* a.a.O., S. 93.
108 Zu Lev 1,4 s. unten S. 216ff.
109 Vgl. *Rendtorff,* Studien, S. 93.155.214.236.249.253f.; *Gese,* Sühne, S. 95, ferner auch *Koch,* Sühneanschauung, S. 50f. Anders *Elliger,* Leviticus, S. 34.37 (ursprünglich zum Brandopfer gehörig, s. dazu unten Anm. 181); vage Vermutungen, die nicht weiterhelfen, bei *Wefing,* Entsühnungsritual, S. 122f. mit Anm. 283, vgl. auch unten Anm. 183.
110 Vgl. für die ältere Lit. die Überblicke bei *Moraldi,* Espiazione, S. 253f.; *van der Merwe,* a.a.O. (oben Anm. 80), S. 38ff.; *A. Charbel,* זבח שלמים. Il sacrificio pacifico nel suoi riti e nel suo significato religioso e figurativo, Jerusalem 1967, S. 35ff.
111 *Rendtorff,* Studien, S. 215.

fehlt haben, gibt sie auf den Kopf des Bockes und schickt (ihn) mit Hilfe eines dafür Bereitstehenden in die Wüste. (22) Der Bock trägt auf sich alle ihre Verschuldungen fort in eine abgelegene Gegend; so schickt er den Bock in die Wüste«.

»Nach dem hier ausgesprochenen Verständnis« – so *R. Rendtorff* – »werden also die Sünden der Israeliten durch ein bei der Handaufstemmung gesprochenes Bekenntnis auf den Bock übertragen, der sie wegträgt (נָשָׂא) und dadurch – das ist zweifellos der Sinn des Ganzen – unwirksam macht«[112]. Mit dem in Lev 16,22a begegnenden Topos »(die) Schuld tragen« (נָשָׂא עָוֹן) bringt nun *Rendtorff* den Text Lev 10,17 in Verbindung, der ebenfalls die Wendung נָשָׂא עָוֹן enthält:

»Warum habt ihr das Sündopfer nicht an heiliger Stätte gegessen? Es ist doch hochheilig, und gerade es hat man euch gegeben, die Schuld der Gemeinde zu tragen (וְאֹתָהּ נָתַן לָכֶם לָשֵׂאת אֶת־עֲוֹן הָעֵדָה), um für sie Sühne zu schaffen vor Jahwe (לְכַפֵּר עֲלֵיהֶם לִפְנֵי יְהוָה)«.

Rendtorff zufolge ist der Sinn von Lev 10,17 »offenbar der, daß durch das Essen des chattat-Tieres durch die Priester die Sünde der ›Gemeinde‹ beseitigt wird. Das setzt aber voraus, daß die Sünde zuvor auf das Tier übertragen wurde, so daß sie dann ›weggetragen‹ werden kann«[113]. Nach diesen beiden Texten (Lev 16,21f. und Lev 10,17) werden die Sünden »durch die Handaufstemmung . . . auf das Tier übertragen und dann durch Beseitigung oder Vernichtung des Tieres unwirksam gemacht«[114]. Nimmt man schließlich – und das ist *Rendtorffs* drittes Argument – zu der in Lev 10,17bβ formulierten Finalbestimmung לְכַפֵּר עֲלֵיהֶם לִפְנֵי יְהוָה noch Lev 1,4 hinzu:

»Er stemmt seine Hand auf den Kopf des Brandopfer(tiere)s; so wird ihm Wohlgefallen zuteil, indem es ihm Sühne schafft (לְכַפֵּר עָלָיו)«,

so scheint deutlich, daß die Handaufstemmung der *Übertragung der Sünde* (Lev 16,21), die Vernichtung des »Sündentieres« (Lev 16,22) und die Beseitigung der Sünde durch das Essen des חַטָּאת-Tieres (Lev 10,17a.bα) aber dem *Unwirksammachen der Sünde* und beides zusammen der kultischen *Sühne* (Lev 10,17bβ; 1,4b) dient. Dabei dürfte »die in Lev 16,21f. ausgesprochene Erklärung (sc. der Handaufstemmung) den Ausgangspunkt für die Einführung dieses Ritus in das Opferritual gebildet«[115] haben.
War schon *P. Volz* davon überzeugt, daß es »nicht wohl an(geht), zwischen der Handaufstemmung auf den Asaselbock und der im übrigen Cult einen solchen Unterschied zu machen, wie es [W. R.] Smith [Die Religion der Semiten, Tübingen 1899] S. 324f. thut«[116], und nahm er demzufolge an, daß »die Handauflegung auf das Sündopfertier gleichfalls die Übertragung einer Substanz von Einem auf das Andere vermittelt«[117], so erkennt auch *K. Koch* dem Hand-

112 Ebd.
113 A.a.O., S. 215f., vgl. S. 249.
114 A.a.O., S. 216, vgl. S. 232.
115 A.a.O., S. 216.
116 Handauflegung, S. 95, vgl. *ders.*, Biblische Altertümer, Stuttgart ²1925, S. 127.143.
117 Handauflegung, S. 95 (im Original gesperrt), vgl. S. 99: »Ich glaube also, daß auch im israelitischen Kult ursprünglich der Fluch oder die Unreinheit, die auf der Gesamtheit bzw. nach späterer Anschauung auch auf dem Einzelnen lastet, auf das Sühnopfertier durch die aufgestemmte gespreizte Hand gelegt und in die Sphäre der menschenfeindlichen Dämonen überliefert wurde«. Zur detaillierten Kritik der Thesen von *Volz* s. *Matthes*, Sühnegedanke (passim); zu den religionsgeschichtlichen ›Parallelen‹, die *Volz* (a.a.O., S. 96f., vgl. *Koch*, Sühnean-

aufstemmungsgestus Lev 16,21 eine Schlüsselfunktion bei der Interpretation des kultischen Sühnegeschehens zu[118].

Nach *Koch* stellt Lev 16 ein dreifach gegliedertes »Sühneritual« dar (erhalten in v. 6–10. 11–20a.20b–24), dessen »Ritualstil« in v. 10 durch den Hinweis auf den Azazelritus unterbrochen wird[119]. Da man, so *Koch*, nach der Anweisung v. 9a, den für Jahwe bestimmten Ziegenbock darzubringen, nicht die jetzt vorliegende Formulierung von v. 9b (»und er [sc. Aaron] besorgt ihn [sc. den Ziegenbock für Jahwe] als Sündopfer«), sondern – analog zu den Anordnungen von Lev 4 – eine Erwähnung der Handaufstemmung erwartet, ist anzunehmen, daß P an dieser Stelle den Wortlaut ihrer »Vorlage« geändert hat; und da ferner – wiederum analog zu Lev 4 – nach v. 9b wenigstens eine v. 6ff. abschließende Sühneaussage zu erwarten ist, »wird man in der Annahme nicht fehlgehen, daß v. 10 eine Aussage, nach der die Handlungen v. 7ff. Sühne für die ganze Gemeinde bewirken . . . verdrängt hat, um dem Leser vorzeitig Aufschluß über das Geschick des zweiten Bockes zu geben«[120]. Stand also »anstatt v. 10 einmal eine Sühneaussage«, so kann »mit ›sühnen‹ . . . hier nur die Handaufstemmung gemeint sein. So haben es jedenfalls die Glossatoren von v. 10f. verstanden . . .; denn der Asaselbock, ›auf dem‹ nach v. 10 gesühnt wird, wird nicht getötet, wohl aber geschieht auf ihm eine Handaufstemmung v. 21; v. 11 sühnt Ahron mittels eines Farren, *bevor* er ihn schlachtet. Dem entspricht [Lev] 1,4b, wo ebenfalls die Sühneaussage nach der Handaufstemmung und vor der Schlachtung gemacht wird«[121].

Die Lev 16,8 fortsetzende Anweisung über die Behandlung des Azazelbockes, auf dessen »Sühnefunktion« v. 10 vorausweist, findet sich in dem dritten Abschnitt (v. 20bff.) jenes »dreifach gegliederten Rituals« Lev 16,6–10.11–20a.20b–24. Zwar fehlt hier die כִּפֶּר-Aussage, »stattdessen steht aber נָשָׂא עָוֹן v. 22, was im Endeffekt mit ›sühnen‹ bei diesem Gebrauch zusammenfällt – wie denn v. 10 richtig interpretiert hat«[122].

Während die frühen, »R^P« vorausliegenden Überlieferungen zeigen, daß bei der Entsühnung von Menschen »die Sünde durch Handauflegung auf das Tier übertragen und dieses in die Wüste weggeschickt oder dort verbrannt«, die Blutapplikation aber »einzig bei der Heiligtumssühne verwendet«[123] wurde, zeichnet sich die Sühneauffassung von »R^P« dadurch aus, daß in einem Sünden- oder Schuldritus »der Sünder seine Sünde auf ein Tier überträgt und dieses dem Priester übergibt, damit es und zugleich die Sünde durch Jahwes Heiligkeit vernichtet

schauung, S. 92) zur Unterstützung seiner Hauptthese aufbietet – bei keinem der genannten Texte ist von der Handaufstemmung die Rede! –, s. bereits *Matthes*, a.a.O., S. 116f., vgl. *Lohse*, Ordination, S. 23 Anm. 6.

118 S. die Einzelnachweise oben Anm. 80, zur Aufnahme der Grundthese von *Volz* s. *Koch*, Sühneanschauung, S. 25 Anm. 2. Die Übertragungsthese haben u.a. auch vertreten: *Blome*, Opfermaterie, S. 53ff.; *M. Noth*, ATD VI (^{2}1966), S. 13; *Schmid*, Bundesopfer, S. 29f.; *Elliger*, Leviticus, S. 34.334; *Kellermann*, Priesterschrift, S. 118.122.123; *Minkner*, Bürgschaftsrecht, S. 75f. (im Anschluß an *Noth*).

119 Zu der von *Rendtorff* und *Koch* eruierten Gattung »Ritual« s. die Lit.-Hinweise oben Anm. 45. Zur Analyse von Lev 16 durch *Rendtorff* und *Koch* s. die Darstellung bei *Wefing*, Entsühnungsritual, S. 20ff.

120 *Koch*, Sühneanschauung, S. 43, vgl. S. 8 Anm. 2; S. 23.49 und *ders.*, Priesterschrift, S. 93f.

121 *Ders.*, Sühneanschauung, S. 43 (H.i.O.), vgl. neuerdings, im Anschluß an *Koch*, auch *Wilckens:* »Es findet also (sc. durch die Handaufstemmung) eine reale Übertragung der Sünde als der dinglich vorhandenen, Böses ausstrahlenden Tatsphäre von den Tätern auf einen stellvertretenden Träger statt. Nach Lev 16,10 geschieht das als ›Sühne‹-Vollzug« (EKK VI/1 [1978], S. 237). Zu Lev 16,10 s. oben Anm. 5.

122 *Koch*, Sühneanschauung, S. 45.

123 *Ders.*, a.a.O., S. 60f., vgl. *ders.*, Sühne 229f.

wird. Die Vertilgung wird endgültig, wenn das Blut und damit die Lebenskraft des Tieres auf und vor den Altar gespritzt oder gegossen wird«[124]. Sowohl im Falle des Azazelritus Lev 16,21f., »für P. eine *Nebenhandlung*«[125], als auch im Falle des Blutritus am Altar (Lev 4f. u.ö.) bzw. im Allerheiligsten (Lev 16,14ff.), »für P. die *eigentlich sühnende Handlung*«[126], geschieht die Entsühnung des Menschen dadurch, daß dessen Sünde durch die Handaufstemmung auf ein Tier übertragen und durch die Beseitigung oder Vernichtung dieses »Sündentieres« ausgelöscht wird. Sobald das Tier »in die Wüste weggeschickt oder dort verbrannt«[127] worden bzw. sobald das Blut des »Sündentieres« durch Bespritzung über heilige Gegenstände (Altarhörner, Vorhang, כַּפֹּרֶת) und Ausschüttung an den Altarsockel »zum Verschwinden gebracht«[128] ist, ist »der Tod des Sündentieres stellvertretend für den menschlichen Eigentümer vollendet«[129] und somit die Beseitigung der Sünde endgültig besiegelt[130].

Trotz unterschiedlicher Gewichtungen in der Textauslegung besteht zwischen den Auffassungen von *P. Volz, R. Rendtorff* und *K. Koch* doch darin Übereinstimmung, daß durch die Handaufstemmung die Sünde des Menschen wie eine »dingliche, raumerfüllende Substanz«[131] auf ein Tier übertragen und durch dessen Entfernung (Elimination) oder Tötung (Opfer) beseitigt wird. Ziel und Wirkung dieser *Sündenbeseitigung* ist die *Sühne*. Der von allen drei Exegeten für diese Interpretation herangezogene *Haupttext*, den *Rendtorff* und *Koch* auch zum Ausgangspunkt ihrer Argumentation machen, ist *Lev 16,21f.*

Nun kann gar kein Zweifel bestehen, daß in Lev 16,21f. von einer Übertragung der Sünden (Israels) mittels der Handaufstemmung die Rede ist, im Gegenteil: Lev 16,21f. ist der einzige Text des Alten Testaments (vgl. mYom VI,2)[132], wo dies der Fall ist:

»(21) Aaron stemmt seine beiden Hände *auf den Kopf* des lebendigen Bockes, bekennt[133] *über ihm* alle Verschuldungen der Israeliten und alle ihre Übertretungen, durch

124 *Ders.*, Sühneanschauung, S. 32, vgl. S. 18f.25.26f. und *ders.*, Sühne, S. 230f.
125 *Ders.*, Sühne, S. 230.
126 *Ders.*, a.a.O., S. 231 (H. zum Teil i.O.).
127 *Ders.*, Sühneanschauung, S. 61.
128 *Ders.*, *ḥṭ'*, Sp. 867.
129 *Ders.*, ebd.
130 *Kochs* Interpretation ist vielfach aufgenommen worden, vgl. zuletzt besonders *Thyen*, Sündenvergebung, S. 35; *Otto*, Fest, S. 70.74f.; für das Echo in der neutestamentlichen Wissenschaft s. etwa *U. Wilckens*, ZNW 67 (1976), S. 64–82, hier: S. 70; *ders.*, EKK VI/1 (1978), S. 236ff.; *H. Patsch*, Abendmahl und historischer Jesus (CThM A, Bd. 1), Stuttgart 1972, S. 152; in der Dogmatik: *W. Pannenberg*, Grundzüge der Christologie, Gütersloh ³1969, S. 273f.
131 *Koch*, Blut, S. 434, vgl. *Volz*, Handauflegung (passim). Die *Materialität der Sünde* hat v.a. *Koch* eindrücklich beschrieben, so etwa in: Sühne, S. 229: ». . . Frevel ist hier wie sonst stoffähnlich gedacht, eine unsichtbare, raumhafte Sfäre, die den Sünder mit seiner Umgebung einhüllt seit dem Augenblick der Tat. Die Sfäre der Übeltat ist schicksalwirkend, sie führt im Lauf der Zeit zu Unheil und Tod«, vgl. *ders.*, Sühneanschauung, S. 15ff.; *ders.*, Vergeltungsdogma (passim) und zusammenfassend jetzt *ders.* (*– J. Roloff*), Art. Tat-Ergehen-Zusammenhang, RBL, S. 486ff.
132 In JosAnt III,240f. und 11QTemple col. 26,11 fehlt die Handaufstemmung.
133 Vgl. 11QTemple col. 26,11; mYom VI,2, s. dazu und zu den Sündenbekenntnissen des

die sie sich irgend verfehlt haben[134],
gibt sie *auf den Kopf* des Bockes und schickt (ihn) mit Hilfe eines dafür Bereitstehenden in die Wüste.
(22) Der Bock trägt *auf sich* alle ihre Verschuldungen fort in eine abgelegene Gegend; so schickt er den Bock in die Wüste«.

Der Azazelbock trägt »auf sich« die »auf ihn« übertragenen Verschuldungen Israels in eine abgelegene Gegend, die Wüste, fort. Daß es sich in Lev 16,21f. um den »besonderen Fall einer ausdrücklich zur *s^e^mîkā* hinzutretenden Sündenabladung«[135] und nicht um die ursprüngliche Funktion der Handaufstemmung beim Opfer handelt, geht zum einen aus dem den Dual יָדָיו präzisierenden שְׁתֵּי, zum anderen aber daraus hervor, daß das סָמַךְ Aarons durch die Wendung וְנָתַן אֹתָם עַל־רֹאשׁ הַשָּׂעִיר (v.21bα) als »Geben der Verschuldungen auf den Kopf des Bockes« expliziert wird (womit zugleich das durch הִתְוַדָּה »bekennen« v.21a ausgedrückte Wortgeschehen verdinglicht ist). Das Wegschicken des die Verschuldungen Israels tragenden Azazelbockes in die Wüste ist nicht als Opfer – auch von einem Zu-Tode-Kommen dieses Tieres berichtet erst mYom VI,6 –, sondern als *eliminatorischer Ritus* zu verstehen, dessen Grundstruktur in der *magischen Übertragung (kontagiöse Magie) und anschließenden Entfernung (Elimination) der materia peccans durch ein dafür vorgesehenes Substitut* besteht[136].
Ein solcher Eliminationsritus mit Handauflegung ist auch in dem hethitischen »Pestritual« KUB IX 32 (und Duplikate)[137] erhalten: Um eine im Heerlager wütende Seuche magisch zu entfernen, hat jeder General (des Königs) einen farbig geschmückten Widder zu stellen; man bindet die Tiere nachts vor den Zelten an und treibt sie bei Tagesanbruch aufs freie Feld hin-

Hohenpriesters in mYom III,8; IV,2 *A. Strobel*, Erkenntnis und Bekenntnis der Sünde in neutestamentlicher Zeit (ATh I/37), Stuttgart 1968, S. 29f. (Lit.). ידה *hitp.* ist im AT 11mal in der Bedeutung »(die Sünden) bekennen« belegt: a) abs.: Dan 9,4; Esr 10,1; Neh 9,3; 2Chr 30,22; b) mit Sachobjekt (Sündenbegriff): Lev 5,5; 16,21; 26,40; Num 5,7; Dan 9,20; Neh 1,6; 9,2. Der in Lev 16,21 mit עַל + Suff.3.m.sing. gegebene Hinweis auf den Ort des Sündenbekenntnisses (vgl. 11QTemple col. 26,11: והתודה על ראשו) ist singulär. Zum Thema »Sündenbekenntnis« und zur Bedeutungsambivalenz der Wurzel ידה *hif./hitp.* s. *Knierim*, Sünde, S. 20ff.125f.187f.193f.208f.; *Steck*, Israel (Register S. 362 s.v. Sündenbekenntnis); *G. Bornkamm*, in: *ders.*, Geschichte und Glaube I, Gesammelte Aufsätze Bd. III (BEvTh 48), München 1968, S. 122–139; *C. Westermann*, Art. *jdh hi.*, THAT I, Sp. 674ff.; *Milgrom*, Cult, S. 106ff.; *G. Mayer* u.a., Art. *jdh* usw., ThWAT III, Sp. 455ff. (zu Lev 16,21f. s. Sp. 470.471); *Wefing*, Entsühnungsritual, S. 121.123ff.

134 V.21aβ ist spätere Hinzufügung, s. *Elliger*, Leviticus, S. 206, vgl. auch *Koch*, Priesterschrift, S. 95; *Knierim*, a.a.O., S. 229ff., bes. S. 230.

135 *Gese*, Sühne, S. 95.

136 Den Opfergedanken für den »Sündenbockritus« lehnen jetzt auch *Wefing* (a.a.O., S. 125f.128) und *Tawil* (ʿAzazel, S. 55) ab, zu mYom VI,6 s. unten Teil III Anm. 450.

137 Übersetzung und Interpretation dieses Textes bei *Kümmel*, Ersatzkönig, S. 310ff., vgl. *ders.*, Ersatzrituale, S. 192 und *Gurney*, Aspects, S. 49, früher bereits *S. Landersdorfer*, BZ 19 (1931), S. 20–28, hier: S. 24ff.; *J. Friedrich*, Aus dem hethitischen Schrifttum, 2. Heft, 1925, S. 11f., vgl. auch *Aartun*, Versöhnungstag, S. 94ff.

aus. Nach weiteren Vorbereitungshandlungen beginnt der eigentliche Eliminationsritus:

Vs. 18 »Dann legen die Generäle ihre Hände auf die Widder . . .[138]
23 . . . Die Generäle verneigen sich
24 vor den Widdern, und der König verneigt sich vor der geschmückten Frau. Darauf bringt man die Widder und die Frau, Brot und Bier mitten durch das Lager hindurch
26 und treibt sie in die Steppe hinaus, man geht und läßt sie ins feindliche Gebiet hinein
weglaufen, (so daß) sie zu keinem Ort von uns gelangen[139].
28 Dabei spricht man jeweils ebenso: ›Siehe, was für Böses für Menschheit, Rinder, Schafe, Pferde, Maultiere
30 und Esel dieses Lagers in ihm war, siehe, das haben jetzt diese Widder und diese Frau aus dem Lager fortgebracht,
32 dasjenige Land, das sie antrifft, mag diese böse Seuche nehmen!‹«

Auf die Herkunft und religionsgeschichtliche Bedeutung dieser Eliminationsriten sei im Folgenden etwas ausführlicher eingegangen.

Exkurs III:
Der »Sündenbockritus« Lev 16,10.21f. und die Eliminationsriten des antiken Mittelmeerraums

Die alttestamentlichen Eliminationsriten Lev 14,2b–8.48–53 (kathartischer Ritus mit zwei Vögeln)[140], Lev 16,10.21f. (»Sündenbockritus«) und Sach 5,5–11 (Einschließung der »Bosheit« im Epha und dessen Wegschaffung durch zwei weibliche Wesen mit Storchenflügeln ins »Land Sinear«)[141] stehen religionsgeschichtlich in engem Zusammenhang mit den hethitischen Eliminationsriten, dem Eliminationsritus (?) KTU 1.127,29–31 aus Ugarit und den ionisch-griechischen φαρμακός-Riten aus Kolophon, Abdera, Athen und Massalia-Marseille[142], die jeweils die räumliche Entfernung des stofflich verstandenen Bösen, der *materia*

138 In Z. 19–23 (vgl. Z. 12–14) folgt die literarisch spätere Widmung der Tiere an den Gott, s. dazu *Kümmel*, Ersatzkönig, S. 311, vgl. S. 317.318.

139 Zu KUB IX 32 Vs. 25–27 s. auch *Haas-Thiel*, Beschwörungsrituale, S. 185 Anm. 212 mit weiteren Parallelen.

140 S. dazu unten Anm. 204.

141 S. dazu außer den Kommentaren (besonders: *W. Rudolph*, KAT XIII/4 [1976], S. 118ff.): *Gese*, Apokalyptik, S. 212f.; *K. Seybold*, Bilder zum Tempelbau. Die Visionen des Propheten Sacharja (SBS 70), Stuttgart 1974, S. 32.35f.50f.61ff.74ff. u.ö.; *M. Delcor*, Religion d'Israël et Proche Orient ancien. Des Phéniciens aux Esséniens, Leiden 1976, S. 420ff.; *Jeremias*, Nachtgesichte, S. 10ff.195ff. u.ö.

142 S. dazu *W. Burkert*, Griechische Religion der archaischen und klassischen Epoche (RM 15), Stuttgart 1977, S. 139ff.398; *ders.*, Structure and History in Greek Mythology and Ritual, Berkeley/Los Angeles/London 1979, S. 59ff.; *W. Fauth*, Art. Opfer, KP IV, Sp. 309f.; *D. Wachsmuth*, Art. Thargelia, KP V, Sp. 650f. (jeweils mit der älteren Lit.), ferner *Kümmel*, Ersatzrituale, S. 197f.; *ders.*, Ersatzkönig, S. 312f.; *E. des Places*, La religion grecque. Dieux, cultes, rites et sentiment religieux dans la Grèce antique, Paris 1969, S. 92f.; *Goltz*, Studien, S. 283ff.; *Hengel*, Atonement, S. 24ff.

peccans, zum Inhalt haben[143]. Um die Struktur dieses im antiken Mittelmeerraum (Kleinasien, Syrien-Palästina, Griechenland) verbreiteten Ritualtyps zu bestimmen und um die in Religionswissenschaft und Exegese immer wieder zu beobachtende terminologisch-sachliche Ungenauigkeit hinsichtlich der Verhältnisbestimmung von Ersatzopfer – Substitutionsritus – »Sündenbockritus« – Sühnopfer zu vermeiden, ist mit *H. M. Kümmel*[144] sorgfältig zwischen dem auf dem Gedanken der magischen Stellvertretung basierenden *Substitutionsritus* und dem nicht stellvertretenden *Eliminationsritus* zu differenzieren.

Im Unterschied zum *Ersatzopfer*, für das der »Ersatz echter Darbringungs- und Gabenopfer durch geringerwertige *Surrogate*«[145] kennzeichnend ist (alttestamentliches Beispiel: die im Bedürftigkeitsfall mögliche Ersetzung einer Kleinvieh-חַטָּאת durch das Sündopfer von zwei (Turtel-)Tauben Lev 5,7–10 und dessen Ersetzbarkeit durch ein Zehntel Epha Grieß Lev 5,11–13), wird bei dem Ersatz durch *Substitute* »nicht ein Kultmittel durch ein anderes Kultmittel ersetzt zugunsten dessen, der den Ritus für sich selbst durchführt bzw. durchführen läßt, sondern dieser selbst wird durch das Substitut – Lebewesen oder Bild – vertreten, das mit ihm identifiziert wird, an seine Stelle tritt oder stellvertretend sein Schicksal erfährt. Es liegt demnach kein Opfer vor«[146]. Das der magischen Substitution zugrundeliegende Prinzip beruht im Unterschied zum Analogiezauber nicht auf der Äquivalenz von Bild und Abbild, sondern weitgehend auf der Identität von sich Gleichendem: Kann man Original und Abbild – meist ein lebendes Tier oder figürliche Imitationen von Mensch oder Tier – nicht nur als ähnlich, sondern als identisch ansehen, so »lag der Gedanke an einen Austausch, an einen Ersatz des einen durch das gleichwertige andere . . . nahe. (. . .) Nicht Schicksalsidentität, sondern Schicksalsübertragung und -ablenkung auf den magischen Stellvertreter wird dabei bewirkt«[147].

Als bedeutsame Sonderform der vornehmlich in Beschwörungsritualen belegten Substitutionsriten war in Mesopotamien der sog. Ersatzkönigsritus seit dem Beginn des 2. Jts. v.Chr. bekannt und vor allem in neuassyrischer Zeit verbreitet. Um das Eintreffen unheilverheißender Omina oder drohender Götterstrafen abzuwenden, wurde der von ihnen bedrohte Mensch – im Falle der Ersatzkönigsrituale: der Herrscher – durch tierische Substitute, figürliche Imitationen von Mensch oder Tier (dem »Ersatz[bild]«: *andunānu, dinānu, nakkuššu* [hurr. Lehnwort], *nig̃sagilû* [sum. Lehnwort], *mašḫulduppû*[148], *pūḫu, puḫizarru, puḫukaru, ṣalmu, taḫḫu* und *tamšīlu*), vor allem aber durch einen lebenden Menschen, eben den »Ersatzkönig« (*šar pūḫi*; *ṣalam šarri pūḫi* »Ersatzkönigs-Bild«)[149], für die durch die Omina angekündigte Zeit der Gefährdung vertreten, der das jenem Herrscher bestimmte tödliche Unheil auf sich zu

143 Vgl. zur Sache bereits *Kutsch*, Sündenbock, Sp. 506f.; *K. Koch*, Art. Sündenbock, BHH III, Sp. 1894f. und neuerdings *Aartun*, Versöhnungstag, S. 84ff.; *Tawil*, ʿAzazel. Zu erwähnen ist in diesem Zusammenhang auch die jüdische *Kapparot*- und die *Tashlikh*-Zeremonie, zur *Kapparot*-Zeremonie s. *P. Fiebig*, ZNW 4 (1903), S. 341–343; *G. Klein*, ZNW 4 (1903), S. 343f.; *J. Z. Lauterbach*, Rabbinic Essays, 1951, S. 354ff.; EJ X (1971), Sp. 756ff.; zur *Tashlikh*-Zeremonie s. *Lauterbach*, a.a.O., S. 299ff.; EJ XV (1971), Sp. 829f.

144 Ersatzrituale, S. 1ff.188ff.; *ders.*, Ersatzkönig (passim).

145 *Kümmel*, Ersatzkönig, S. 294 (H.i.O.).

146 *Ders.*, ebd.

147 *Ders.*, Ersatzrituale, S. 4, vgl. die Argumentation S. 1ff.188ff. und *ders.*, Ersatzkönig, S. 295ff., zur Sache ferner *S. H. Hooke*, VT 2 (1952), S. 2–17; *J. Bottéro*, Akkadica 9 (1978), S. 2–24, hier: S. 7f.

148 S. dazu oben S. 52 mit Anm. 125.

149 Zum mesopotamischen Ersatzkönigsritus s. zuletzt *Kümmel*, Ersatzrituale, S. 169ff. (mit der älteren Lit.), vgl. *ders.*, Ersatzkönig, S. 289ff., darüber hinaus: *S. Parpola*, Masch. Diss. Helsinki (o.J.), S. 54–65 (vgl. *R. Borger*, BiOr 29 [1972], S. 36); *A. R. W. Green*, The Role of Human Sacrifice in the Ancient Near East, Missoula/Montana 1975, S. 85ff.; *J. Bottéro*, Akkadica 9 (1978), S. 2–24. Gegen den Versuch von *M. A. Beek* (VT.S 15 [1966], S.

ziehen und – gegebenenfalls bis zu seinem (gewaltsamen) Tode – zu übernehmen hatte. Die Übernahme des unheilvollen Geschicks durch das Substitut kann weder als Opfer noch als stellvertretende Sühnung einer Schuld interpretiert werden[150], vielmehr beruht sie allein auf dem magischen Prinzip der Identität und darum auch der Austauschbarkeit von Original und Abbild: *similia similibus substituentur.*

Für die hethitischen Ersatzkönigsriten kann eine intime Kenntnis der mesopotamischen Vorbilder vorausgesetzt werden[151]. Aber gegenüber den wohl seit der Mitte des 14. Jh.s v.Chr. aus Mesopotamien übernommenen *šar-pūḫi*-Riten zeichnen sich die entsprechenden hethitischen Riten durch eigenständige Motive[152] aus, von denen das wichtigste dasjenige der *magischen Entfernung (Elimination) des Unheils* ist. Nach der Grundaussage dieses neuen hethitisch-hurritischen Ritualmotivs, das teils neben der Substitutionsvorstellung (»Ersatz[bild], Substitut«: heth. *ešri-*, *ḫimma-*, *šena-*, *tarpalli-*, *tarpanalli-*, *tarpašša-*; hurr. *nakušši-*, *puḫugari-*), teils aber auch für sich allein belegt ist[153], geht es nicht mehr um die Übernahme des den König bedrohenden tödlichen Unheils durch das stellvertretende Substitut bis hin zu dessen ritueller Tötung, sondern ausschließlich um die räumliche Entfernung des auf das jeweilige Ersatzlebewesen (Mensch [öfter ein Kriegsgefangener], lebendes Tier) übertragenen Bösen zurück in sein Herkunftsland, d.h. nach der Perspektive dieser Ritualtradition: ins feindliche Ausland, damit das ganze Land Ḫatti davon frei wird, und die Götter sich ihm wieder freundlich zuwenden[154].

Wenn es zutrifft, daß die hethitischen Ersatzkönigsrituale zeitlich zwischen ihren altbabylonischen Vorbildern und den neuassyrischen *šar-pūḫi*-Briefen stehen, also in das 14.–13. Jh. v.Chr. gehören[155], und jene älteren mesopotamischen Ritualtraditionen »bei der hethitisch vorliegenden Überarbeitung, möglicherweise bereits auf dem Überlieferungswege im nordsyrischen Raum, mit dem anderen magischen Motiv der Elimination von Unreinheit durch einen

24–32), den »Ersatzkönig als Erzählungsmotiv in der altisraelitischen Literatur« (so der Titel des Aufsatzes) nachzuweisen (aufgenommen von *F. Stolz*, THAT II, Sp. 538) s. zu Recht *Kümmel*, Ersatzkönig, S. 290 Anm. 13; S. 315 Anm. 85.

150 S. dazu *Kümmel*, Ersatzrituale, S. 192ff.; *ders.*, Ersatzkönig, S. 313ff.; vgl. *Gurney*, Aspects S. 48 und oben S. 59.

151 *Kümmel*, Ersatzrituale, S. 188ff.; *ders.*, Ersatzkönig, S. 297.307ff.

152 Nach *Kümmel* verbinden »nur die hethitischen Rituale . . . mit dem Motiv der magischen Stellvertretung des Königs, der Ablenkung von dessen ominöser Bedrohung auf den mit ihm identifizierten rituellen Amtsträger, also dem eigentlichen Substitutionsmotiv, das Motiv eines eliminatorischen Ritus vom sogenannten ›Sündenbock‹-Typus« (Ersatzrituale, S. 191). Im Blick auf das oben S. 43ff. erwähnte *namburbi*-Ritual OECT 6 pl. VI + wäre jedoch zu erwägen, ob dieses Urteil in seiner Ausschließlichkeit zutrifft. Zuzugestehen ist, daß ein Eliminationsritus in Reinform zweifellos nicht, eine Mischform aus Substitutionsritus (ist so die Ritualfunktion des Höhlenentenbildes aus Ton 21'-Rs.4' zu deuten?) und eliminatorischem Ritus dagegen mit hoher Wahrscheinlichkeit vorliegt. Allerdings weicht dieser Eliminationsritus vom traditionellen Typ darin ab, daß die Ursache des Übels (Höhlenenten) im Sinne sympathetischer Magie zugleich das Mittel für die Eliminierung des Bösen ist.

153 Die Texte mit Übersetzung und Kommentar bei *Kümmel*, Ersatzrituale, S. 7ff.; vgl. *ders.*, Ersatzkönig, S. 297ff. und die Auswahl bei *C. Kühne*, in: RTAT, S. 196ff. Zum Motiv der magischen Elimination s. noch *V. Souček*, MIOF 9 (1963), S. 164–174, hier: S. 170 Anm. 49; *Gurney*, Aspects, S. 47ff.; *Haas-Thiel*, Beschwörungsrituale, S. 185 mit Anm. 212.

154 Neben der Sündenbeseitigung bewirkt die Elimination auch die »Versöhnung« der Götter, s. etwa die (oben S. 211 ausgelassene) Widmung der Ersatzlebewesen an die Gottheit KUB IX 32 + Z. 12ff.19ff. (der Text bei *Kümmel*, Ersatzkönig, S. 130.311). Auch dies ist kein mit den alttestamentlichen כִּפֶּר-Überlieferungen vergleichbares »Sühnemotiv«!

155 S. dazu ausführlich *Kümmel*, Ersatzrituale, S. 180ff.

›Sündenbock‹ vermischt worden (sind)«[156], so könnte die Annahme, daß dieser eliminatorische Ritus im (südostanatolisch-)nordsyrischen Raum beheimatet war und von dort einerseits in den ionisch-griechischen (φαρμακός-Riten), andererseits in den syrisch-palästinischen, speziell den israelitischen (»Sündenbockritus« Lev 16,10.21f.) Überlieferungsbereich vordrang, eine zusätzliche Bestätigung durch einen ugaritischen Text erhalten, auf den hier – ohne darin schon das »missing link« zwischen der hethitischen und der altisraelitischen Form dieses Ritualmotivs sehen zu wollen[157] – wenigstens hingewiesen sei: Es handelt sich um den Schlußabschnitt (*Dietrich-Loretz:* Aj 29–Ak 31 = KTU 1.127,29–31) der als Opfertexte einzustufenden Inschriften des Lungenmodells aus Ugarit RS 61/24.277 (Text bei: *M. Dietrich – O. Loretz,* Ugaritica VI [1969], S. 165–179, hier: S. 166–172 = KTU 1.127).
Allerdings hängt eine Inanspruchnahme von KTU 1.127,29–31 für das Motiv der Elimination u.a. von dem Verständnis der Verbalform *yḥdy* KTU 1.127,31 ab. Syntaktisch besteht jener Schlußabschnitt der Lungeninschriften aus einem Bedingungsgefüge, das sich aus einer zweiteiligen Protasis und einer zweiteiligen Apodosis zusammensetzt; die Protasis (Z. 29) und der erste Teil der Apodosis (Z. 30) lauten:

29 hm qrt tuḫd. hm mt yᶜl bnš
30 bt bn bnš yqḥ ᶜz

29 »wenn die Stadt eingenommen wird[158], wenn der Tod *(mōt)* die *bnš*-Leute[159] befällt,
30 (dann) soll das Haus der *bn-bnš* (= Angehörige der *bnš*-Leute)[160] eine Ziege nehmen«.

Während *Dietrich-Loretz* die Fortsetzung (Z. 31) der Apodosis: *w yḥdy mrḥqm* mit »und (an ihr [sc. der Ziege]) sollen sie (sc. die Angehörigen der *bnš*-Leute) das Zukünftige schauen« (*ḥdy* = »schauen, sehen«) übersetzten[161], faßt *K. Aartun*[162] diese Zeile als Parallelstichos zu Z. 30 auf (vgl. auch die Parallelität *hm . . . // hm . . .* in Z. 29) und ergänzt als Objekt zu *yḥdy* das ᶜz aus Z. 30. Schwierigkeiten bei der weiteren Interpretation von Z. 31 bereitet weniger das aus den Ergebenheitsformeln der ugaritischen Briefe bekannte *mrḥqm: m* (Präp.) + *rḥq* (Nomen) + enkl. *-m* = »von ferne, aus der Ferne« (vgl. hebr. מֵרָחוֹק)[163] als vielmehr die zu *yqḥ* Z. 30 parallele Verbform *yḥdy,* die *Aartun*[164] mit arab. *ḥadā* (tertiae *y/w*) »(ein Tier/Tiere) antreiben« verbindet[165], so daß er für den zweiten Teil der Apodosis folgende Übersetzung vorschlagen kann:

156 *Ders.,* Ersatzkönig, S. 318.
157 Daß zwischen dem hethitisch-hurritischen und dem nordsyrisch-palästinischen Raum gerade auch hinsichtlich religiös-ritueller Überlieferungen engere Beziehungen bestanden haben, wird immer deutlicher, s. dazu die Hinweise bei *B. Janowski,* Erwägungen zur Vorgeschichte des israelitischen *šᵉlamîm*-Opfers, UF 12 (1980), S. 231–259, hier: S. 258 Anm. 185.
158 Oder: »wenn sie (koll.) die Stadt einnehmen«, s. *J. Sanmartín,* UF 9 (1977), S. 260 Anm. 14.
159 S. dazu *K. Aartun,* BiOr 33 (1976), S. 285–289.
160 *M. Heltzer,* AION 33 (1973), S. 93–97, hier: S. 95 übersetzt *bt bn bnš* mit »the daughter of the son of a man«, vgl. ebd. Anm. 23.
161 Ugaritica 6 (1969), S. 165–179, hier: S. 172, ähnlich *Heltzer,* a.a.O., S. 95: »and the far (= the future) will be seen« mit dem Kommentar: »that means that we have to do with the predicting of the future by observation of the sacrificed goat«.
162 BiOr 33 (1976), S. 285–289, hier: S. 287, vgl. *ders.,* Versöhnungstag, S. 91f.
163 *Ders.,* a.a.O., S. 288, vgl. *ders.,* Die Partikeln des Ugaritischen I (AOAT 21/1), Kevelaer/Neukirchen-Vluyn 1974, S. 12.51ff.; II (AOAT 21/2), Kevelaer/Neukirchen-Vluyn 1978, S. 49f.
164 BiOr 33 (1976), S. 285–289, hier: S. 288, vgl. *ders.,* Die Partikeln . . . II, S. 50.76.165.
165 Zustimmend jetzt *O. Loretz,* Die Psalmen, Teil II (AOAT 207/2), Kevelaer/Neukirchen-Vluyn 1979, S. 497.

31 »und es (das Haus der *bn bnš*) soll (sie [d.h. die Ziege]) in die Ferne (wörtlich: von ferne) antreiben«.

Trifft diese Etymologie von ug. *ḥdy* KTU 1.127,31 zu[166], dann könnte KTU 1.127,29–31 im Blick auf eine akute Notsituation (tödliche Bedrohung durch die Einnahme der Stadt; Tod/Pest) formuliert sein, die aufzuheben der vorgeschriebene Ritus: magische Elimination des Unheils mittels eines tierischen Substitutes, in der Lage war[167].

3. Die Identifizierung mit dem Opfertier und das Problem der Stellvertretung – סמך יד(ים) על im Kontext der Opferdarbringung

Die für den eliminatorischen »Sündenbockritus« Lev 16,10.21f. charakteristischen Elemente: (a) *Aufstemmen der beiden Hände auf den Kopf des Tieres,* (b) (»Geben« der Verschuldungen Israels auf den Kopf des Bockes =) *Übertragung der materia peccans auf den rituellen Unheilsträger* und (c) anschließendes *Wegschicken des »Sündenbockes« in die Wüste,* fehlen bei dem im Kontext der Opferdarbringung belegten Handaufstemmungsgestus Lev 1,4; 3,2.8.13; 4,4.15.24.29.33; Lev 8,14.18.22 par. Ex 29,10.15.19[168];

166 Zu den übrigen ug. *ḥdy*-Belegen s. außer *Aartun*, BiOr 33 (1976), S. 285–289, hier: S. 287f. jetzt *H. F. Fuhs*, BN 2 (1977), S. 7–12; *ders.*, Sehen, S. 50ff.58.63 (ohne Erwähnung von *ḥdy* KTU 1.127,31), ferner *A. S. van der Woude*, Art. *ḥzh*, THAT I, Sp. 533; *A. Jepsen*, Art. *ḥzh*, ThWAT II, Sp. 824; *Loretz*, a.a.O., S. 497.

167 So *Aartun*, a.a.O., S. 288f., vgl. *ders.*, Versöhnungstag, S. 91f. Zu erwägen wäre u.E. auch, ob die Entsendung der Ziege nicht als ein Darbieten des Tieres zum Zeichen der Kapitulation der (eingenommenen!) Stadt und als Ausdruck des Willens seiner Bewohner zu künftiger Loyalität zu verstehen ist. Aber auch diese Annahme muß, vor allem wegen des unbestimmten »in die Ferne«, hypothetisch bleiben.

168 Zu den Pluralformen in Lev 8,18 par. Ex 29,15 und Lev 8,22 gegenüber den Singularformen in Lev 8,14 par. Ex 29,10 und Ex 29,19 s. Sam LXX Lev 8,18.22 (jeweils Singular), vgl. *Elliger*, Leviticus, S. 105 z.St. In seinem Grundbestand ist Lev 8 älter (*Elliger:* Pg[1]) als Ex 29, s. dazu im einzelnen *Elliger*, a.a.O., S. 106ff.; *Walkenhorst*, Sinai, S. 34ff.116ff. Kompositorisch wichtig ist, daß Lev 8 in seinem priesterschriftlichen Grundbestand »über die den Zusammenhang unterbrechenden Opfergesetze Lev 1–7 hinweg an den mit Ex 35 beginnenden Ausführungsbericht an(knüpft), der Ex 40 bis zu Fertigstellung der göttlichen Wohnung gediehen ist« (*Elliger*, a.a.O., S. 106, vgl. oben S. 194f.); demzufolge markiert im Erzählungszusammenhang von Pg die Priesterweihe Lev 8*Pg (1) den Beginn des Kultes am Sinai. Diese Priesterweihe sieht nach der Investitur Aarons und seiner Söhne Lev 8,6–13 par. Ex 29,4–9 die Darbringung verschiedener Opfer vor: חַטָּאת Lev 8,14–17 par. Ex 29,10–14, עֹלָה Lev 8,18–21 par. Ex 29,15–18 und מִלֻּאִים Lev 8,22–29(30) par. Ex 29,19–26, s. dazu zuletzt *Rupprecht*, Quisquilien, S. 80ff.; *Füglister*, Sühne, S. 160ff. An der erst in dem Schlußstück Lev 8,31ff., und hier innerhalb von v. 33–35 (*Elliger:* Pg[2]) begegnenden Sühneaussage (v. 34: »Wie man heute verfahren ist, hat Jahwe geboten zu verfahren, um euch Sühne zu schaffen [לְכַפֵּר עֲלֵיכֶם]«), die vom Kopisten Ex 29,33 aufgegriffen und interpretiert wird (: »Sie sollen sie [die Dinge = das Fleisch des Einsetzungswidders und das Brot im Korb, v. 32] essen, mit denen Sühne für sie geschaffen wurde [אֲשֶׁר כֻּפַּר בָּהֶם], um ihnen die Hand zu füllen und um sie zu heiligen. Ein Fremder darf nicht [LXX: davon] essen; denn sie sind Heiliges«), ist interessant, daß »in dieser jüngeren Schicht Pg[2] nun auch das Einsetzungsopfer unter den Zentralgedanken der Sühne . . . gestellt wird . . .« (*Elliger*, a.a.O., S. 120, vgl. S. 111). Zu מִלֻּאִים als Opferbezeichnung s. *Rendtorff*, Gesetze, S. 21 Anm. 79; *ders.*, Studien, S. 12; *Elliger*, a.a.O., S. 119.120

Num 8,12 und 2Chr 29,23. Die Annahme, daß »die in Lev 16,21f. ausgesprochene Erklärung (sc. der Handaufstemmung) den Ausgangspunkt für die Einführung dieses Ritus in das Opferritual gebildet hat«[169], entbehrt nicht nur der exegetischen Grundlage, sie präjudiziert auch in signifikanter Weise die Deutung des kultischen Sühnegeschehens. Zwar ist es richtig, daß in Lev 1,4 »innerhalb des ᶜola-Rituals von ›Sühne‹ (כפר) die Rede ist und daß sie mit der Handaufstemmung verbunden wird«[170]; daß aber die kultische Sühne wesentlich in der *Beseitigung der durch die Handaufstemmung auf ein Tier übertragenen Sünden* besteht, läßt sich nur aufgrund einer Kombination von Lev 16,21f., Lev 10,17 und Lev 1,4 behaupten[171].

Die Bearbeitung, die die Vorlage von Lev 1,3f. in v. 3b.4b durch »Po¹« erfahren hat[172], macht zum einen deutlich, daß für den Opfernden die Erlangung des göttlichen »Wohlgefallens« (רָצוֹן לִפְנֵי יְהוָה) von der Darbringung seines Brandopfertieres »am Eingang des Begegnungszeltes« (v. 3b) abhängt, und zum anderen, daß der Opfernde das göttliche »Wohlgefallen« dadurch erlangt, daß das Opfer ihm Sühne schafft:

> »Er (sc. der Opferherr) stemmt seine Hand auf den Kopf des Brandopfers; so wird ihm Wohlgefallen zuteil, indem[173] es ihm Sühne schafft (נִרְצָה לוֹ לְכַפֵּר עָלָיו)« (v. 4a.b)[174].

und ausführlich jetzt *Rupprecht*, a.a.O., S. 80ff., vgl. ferner *Cody*, Priesthood, S. 153f.; *M. Delcor*, Art. *ml'*, THAT I, Sp. 898f.; *Sabourin*, Priesthood, S. 137f.

169 *Rendtorff*, Studien, S. 216, vgl. *Volz*, Handauflegung, S. 95f.; *Koch*, Sühneanschauung, S. 25.

170 *Rendtorff*, Studien, S. 216, vgl. S. 232.253f.

171 S. dazu oben S. 206ff. Zu Lev 10,17 s. unten Anm. 272.

172 S. dazu *Elliger*, Leviticus, S. 29f.36, vgl. auch *Rendtorff*, Gesetze, S. 11 Anm. 41; S. 23.

173 Zu dieser Bedeutung des Inf.cstr. s. GK, § 114o.

174 Im Anschluß an Untersuchungen von *E. Würthwein* (ThLZ 72 [1947], Sp. 143–152, bes. Sp. 147f.; *ders.*, in: Tradition und Situation. Studien zur alttestamentlichen Prophetie [FS *A. Weiser*], Göttingen 1963, S. 115–131, bes. S. 117ff.) und *G. von Rad* (ThLZ 76 [1951], Sp. 129–132 = *ders.*, Gesammelte Studien zum Alten Testament [TB 8], München ³1965, S. 130–135; *ders.*, Theologie I, S. 273ff.) hat *R. Rendtorff* רָצוֹן/רָצָה (neben חָפֵץ und חָשַׁב) als termini technici der priesterlichen Kulttheologie dargestellt und konstatiert, »daß in der priesterlichen Kulttheologie ein enger Zusammenhang zwischen רצה und der Beachtung ritueller Vorschriften besteht« (ThLZ 81 [1956], Sp. 339–342, hier: Sp. 340). Dabei zeigt nach *Rendtorff* insbesondere Lev 7,18 (רצה *nif.*, חשב *nif.*; חשב *nif.* ferner in Lev 17,4; Num 18,27.30), daß »parallel zu der Aussage vom ›Wohlgefälligsein‹ die vom ›Anrechnen‹« steht und daß »die ›Anrechnung‹ des Opfers . . . hier auf Grund ganz bestimmter, genau abgrenzbarer kultischer Tatbestände (geschieht). Diese Anrechnung wird vollzogen durch das Aussprechen bestimmter ›deklaratorischer Formeln‹ durch den Priester« (Studien, S. 255). Daß zwischen רָצוֹן/רָצָה und der Beachtung bestimmter ritueller Vorschriften ein enger Zusammenhang besteht, ist von *Rendtorff* zu Recht hervorgehoben worden. Ob allerdings der auch in Lev 1,3b.4 begegnende רָצוֹן/רָצָה-Begriff in die priesterliche »Anrechnungstheologie« hineingehört (*Rendtorff*, Studien, S. 256), scheint uns demgegenüber noch nicht stichhaltig erwiesen: denn zum einen muß bezweifelt werden, ob die herangezogenen חשב *nif.*-Belege Lev 7,18; 17,4; Num 18,27.30 die These einer sog. priesterlichen »Anrechnungstheologie« zu stützen vermögen (s. dazu *K. Seybold*, Art. *ḥšb*, ThWAT III, Sp. 256ff.), zum anderen läßt sich Lev 1,3f. gerade nicht entnehmen, daß »das Urteil des Priesters . . . das rite vollzogene Opfer erst zu dem (macht), was es sein soll« (*Rendtorff*, Gesetze, S. 75). In Lev 1,3f. ist der – nach *Rendtorff* im Aussprechen der Formel עֹלָה הוּא »es ist ein Brandopfer« (Lev 1,9 [s. BHS z.St.].13.17; 8,21; Ex 29,18) beste-

Im Zuge der Systematisierung der priesterlichen Opfergesetze und der damit zusammenhängenden Einbeziehung aller Hauptopferarten (ausgenommen זֶבַח und זֶבַח שְׁלָמִים)[175] in das System der kultischen Sühne erfährt auch das Brandopfer – entgegen seiner kultgeschichtlich genuinen Qualifizierung als אִשֶּׁה רֵיחַ נִיחוֹחַ (Lev 1,9)[176] – einen neuen Sinngehalt, der zentral

hende – »deklaratorische Akt« des Priesters nicht die »Voraussetzung der Anrechnung« (*Rendtorff*, ThLZ 81 [1956], Sp. 341), vielmehr wird hier dem Opfernden der göttliche רָצוֹן und damit die Sühne allein durch die rite vollzogene Darbringung des Brandopfers *ohne* das Aussprechen einer priesterlichen Deklarationsformel zuteil. Überhaupt dürfte noch einmal zu erwägen sein, ob man im *Opfer*zusammenhang von »deklaratorischen Formeln« sprechen kann, s. dazu unten S. 221f. Allgemein zur Frage der «deklaratorischen Formeln« s. außer der schon genannten Lit.: *Koch*, Priesterschrift, S. 48.81f.; *ders.*, Art. Priesterspruch, BHH III, Sp. 1494; *Boekker*, Redeformen, S. 142; *Elliger*, Leviticus, S. 35.100.150 Anm. 4; S. 181 Anm. 9–10; S. 184; *Schulz*, Todesrecht, S. 140ff.; *Liedke*, Rechtssätze, S. 84f., u.a.

175 S. dazu oben S. 191 mit Anm. 29.

176 In der Priesterschrift wird das »Feueropfer« (אִשֶּׁה) gern durch רֵיחַ־נִיחוֹחַ ergänzt und sein Sinn durch dieses Attribut bestimmt. Wie immer man diese Wendung übersetzt – als »Beruhigungsduft, Beschwichtigungsgeruch« o.ä. –, deutlich ist, daß ihr Sinngehalt »von Hause aus allgemeiner [sc. als die Beschwichtigung des Gotteszornes über die Sünde] ist und נִיחוֹחַ einfach die Huldigung gegenüber dem Mächtigen, das Werben um sein Wohlwollen, das Sichversichern seines Beistandes meint, ohne daß ein ausgeprägtes Sündenbewußtsein im Spiele wäre oder wenigstens dominierte« (*Elliger*, Leviticus, S. 36, vgl. die Auflistung der Belege S. 35 Anm. 9; S. 50 Anm. 1; S. 223 Anm. 14), s. zu dieser Wendung ferner *M. Noth*, ATD VI (^{2}1966), S. 14; *Rendtorff*, Studien, S. 253; *P. A. H. de Boer*, VT.S 23 (1972), S. 27–47, hier: S. 37ff.; *F. Stolz*, Art. *nwḥ*, THAT II, Sp. 46; *Keel*, Sühneriten, S. 434; zu den wenigen Qumran-Belegen s. *Klinzing*, Umdeutung, S. 37 Anm. 97; speziell zu אִשֶּׁה: *Hoftijzer*, Feueropfer; *G. R. Driver*, Ugaritica 6 (1969), S. 181–186, hier: S. 181–184; *J. Blau*, JOS 2 (1972), S. 57–82, hier: S. 62ff.; *V. Hamp*, Art. *'eš* usw., ThWAT I, Sp. 458; *M. Dietrich – O. Loretz – J. Sanmartín*, UF 6 (1974), S. 460–462.
Die Priesterschrift, die den Ausdruck רֵיחַ־נִיחוֹחַ (z.T. in Verbindung mit אִשֶּׁה) insgesamt 38mal verwendet (3mal in Ex, 17mal in Lev, 18mal in Num) hat dabei »gewiß an die Beschwichtigung des göttlichen Zornes über die menschliche Sünde« (*Elliger*, a.a.O., S. 35) gedacht. Bezeichnend aber ist, daß bei ihr der Gebrauch dieser Wendung für die חַטָּאת- und die אָשָׁם-Opfer zahlenmäßig äußerst begrenzt und überdies bei den wenigen in Frage kommenden Fällen der Zusammenhang zwischen חַטָּאת/אָשָׁם und רֵיחַ־נִיחוֹחַ (אִשֶּׁה) nicht ursprünglich ist: (a) im Rahmen des Opferkalenders Num 28,1–30,1 wird innerhalb der Opfervorschriften für das Mazzotfest Num 28,17–25 eine Reihe von Opfern (v. 19–23) – wobei auch eine חַטָּאת genannt wird (v. 22: »und einen Sündopferbock, um für euch Sühne zu schaffen [לְכַפֵּר עֲלֵיכֶם]«) – bezeichnet als לֶחֶם אִשֵּׁה רֵיחַ־נִיחֹחַ לַיהוָה (v. 24a); ebenso sollen nach der Opfervorschrift für das Neujahrsfest (1. VII [Num 29,1–6]) die v. 2ff. aufgeführten Opfer – darunter eine חַטָּאת: »und einen Ziegenbock als Sündopfer, um für euch Sühne zu schaffen (לְכַפֵּר עֲלֵיכֶם)« (v. 5) – dargebracht werden לְרֵיחַ נִיחֹחַ אִשֶּׁה לַיהוָה (v. 6b). Dabei ist allerdings zu beachten, daß die Sätze über die zur Entsühnung Israels darzubringende Ziegenbock-חַטָּאת Nu 28,22; 29,5 (dazu Num 28,15.30 [»einen Ziegenbock, um für euch Sühne zu schaffen«]; 29,11.16.19.22.25.28.31.34.38) erst *nachträglich* in einen literarischen Zusammenhang eingesetzt worden sind, der seinerseits zu den jüngsten Stücken im Pentateuch zählt, s. dazu *M. Noth*, ATD VII (1963), S. 190, vgl. *ders.*, ÜSt, S. 200.217; *ders.*, ÜPent, S. 8 und zum Opferkalender Num 28f.: *L. Rost*, ThLZ 83 (1958), Sp. 329–334; *Rendtorff*, Studien, S. 14ff. u.ö.; *Laaf*, Pascha-Feier, S. 67ff.; *ders.*, in: Bausteine Biblischer Theologie (FS *J. Botterweck* [BBB 50]), hrsg. von *H.-J. Fabry*, Köln/Bonn 1977, S. 169–183, hier: S. 174f.; *Haag*, Pascha, S. 91; *Halbe*, a.a.O. (oben Teil II Anm. 209), S. 171f.; (b) Im Zusammenhang der Beschreibung eines חַטָּאת-Ritus findet sich die Wendung רֵיחַ־נִיחוֹחַ nur in Lev 4,31. Aber auch diese Stelle ist kein Beleg für einen ursprünglichen Zusammenhang zwischen רֵיחַ־נִיחוֹחַ und חַטָּאת, da der gesamte Fettritus bei der חַטָּאת kein genuiner Bestandteil des Sündopfers ist, sondern vom Ritual des זֶבַח שְׁלָמִים Lev 3 übernommen

vom Gedanken der Sühne bestimmt ist: Wirkt die Handaufstemmung selbst nicht schon sühnend[177] – auch nach Lev 1,3f. beruht die Sühnewirkung der עֹלָה auf der rite vorbereiteten (v. 3a.bα [Herzubringen des Opfertieres zum Eingang des Begegnungszeltes].4a [Aufstemmen der Hand]) Darbringung des Opfertieres –, so kann doch gerade das Interpretament Lev 1,4b zeigen, daß zwischen Handaufstemmung und kultischem Sühnegeschehen ein enger Zusammenhang besteht. Denn das göttliche »Wohlgefallen«, das der Opfernde dadurch erlangt, daß *das Opfertier ihm durch seinen Tod Sühne schafft*, ist »nicht da ohne den Vollzug des Opfers, genauer, soweit der Sünder selbst in Betracht kommt, ohne den Akt des Aufstemmens der Hand auf den Kopf des Opfertieres«[178], und d.h.: nicht ohne die als »Identifizierung des Opfernden mit seinem Opfer«[179] zu verstehende *subjektive Bedingung für die sühnende Wirkung des Opfers.*

Da Lev 16,21f. für die Deutung der Handaufstemmung beim Opfer ausscheidet und sich hinsichtlich der im Opferkontext begegnenden סָמַךְ-Belege kein Anhalt dafür findet, daß die Priesterschrift die Bedeutung dieses Gestus »in dem Sinne spezialisiert und verengert zu haben (scheint), daß nur die sündige Substanz übertragen wird«[180], ist für die Handaufstemmung im Kontext der Opferdarbringung eine Bedeutung anzunehmen, die der Aussageabsicht des diesen Gestus interpretierenden Zusatzes Lev 1,4b (Bearbeiter »Po¹«) entspricht, d.h. die eine *Identifizierung des Opfernden mit seinem Opfertier*[181], »eine Identifizierung im Sinne einer delegierenden Sukzession, eben eine Stellvertretung . . . und keine Abladung von bloßem ›Sündenstoff‹«[182] zum Ausdruck bringt: »In diesem Gestus drückt

wurde, s. *Rendtorff*, Studien, S. 220f., vgl. *Elliger*, a.a.O., S. 70. Von dorther wird auch der Ausdruck רֵיחַ־נִיחוֹחַ Eingang in die Schilderung des Aktes des Fettabhebens und der Fettverbrennung Lev 4,31 gefunden haben. Insgesamt läßt sich deshalb mit *J. Hoftijzer* sagen, daß P Spuren eines Gebrauchs von רֵיחַ־נִיחוֹחַ (אִשֶּׁה) enthält, »bei dem kein Teil eines Opfers unter diesen Begriff fiel, das (sc. wie das חַטָּאת-/אָשָׁם-Opfer) eine gestörte Beziehung zwischen Gottheit und Gläubigem oder Gläubigen zurechtzubringen bestimmt war« (Feueropfer, S. 124).

177 Vgl. bereits *Matthes*, Sühnegedanke, S. 106f.

178 *Elliger*, Leviticus, S. 36.

179 *Ders.*, a.a.O., S. 34.

180 *Ders.*, ebd. (vgl. S. 334) im Anschluß an *Volz*, Handauflegung. Zu Recht wendet *Gese* dagegen ein, daß beispielsweise Num 8,10 »entschieden gegen eine bei P später vorgenommene Einschränkung auf sündige Substanz spricht« (Sühne, S. 96 Anm. 8), s. dazu ausführlicher oben Anm. 91.

181 Auch wenn man mit *Elliger* (a.a.O., S. 34.37) der Meinung wäre, daß die Handaufstemmung ursprünglich zum Brandopfer gehörte (s. aber oben S. 205f.) und von dort in das Ritual des Sündopfers übernommen wurde, würde die Annahme, daß auf diesem Überlieferungswege P die ursprüngliche Bedeutung dieses Gestus (: Identifizierung des Opfernden mit dem Opfertier) »in dem Sinne spezialisiert und verengert zu haben (scheint), daß nur die sündige Substanz übertragen wird« (*Elliger*, a.a.O., S. 34), kaum an Wahrscheinlichkeit gewinnen. Denn abgesehen von den im Vorhergehenden gegen die These der Sündenübertragung vorgebrachten Argumenten wäre es auch dann viel wahrscheinlicher, daß die ursprüngliche Bedeutung der Handaufstemmung im Sündopferritual nicht »verengert«, sondern vertieft wurde, weil hier nicht nur eine Identifizierung des *Opfernden* mit dem Opfertier, sondern die Identifizierung eines ganz bestimmten Opfernden mit seinem Opfertier: nämlich die eines *Sünders* und d.h.: eben eine *Subjektübertragung*, nicht eine Objektabladung (Übertragung der *materia peccans*) stattfindet, s. im folgenden. Zu dem hier vorauszusetzenden Sündenbegriff s. unten S. 253ff.

sich gleichsam eine Subjektübertragung, aber keine Objektabladung aus«[183]. Dieser Sinngehalt der Handaufstemmung war auch für die Übertragung des Amtscharismas (»Geist«/ein Teil der »Hoheit« Moses) auf Josua Num 27,18.23; Dtn 34,9, für den sakralrechtlichen Indikationsgestus Lev 24,14 sowie für den rechtskräftigen Übereignungsritus Num 8,10 anzunehmen[184].

Von daher ergibt sich eine wichtige *Folgerung für das Verständnis des kultischen Sühnegeschehens:* Sowenig der »Sündenbockritus« Lev 16,10.21f. ein Opfer ist, sowenig läßt sich auch die Handaufstemmung in Lev 16,21 als Stellvertretungssymbolik verstehen; vielmehr bedeutet sie, ganz im Sinne kontagiöser Magie, die magische Übertragung des Unheils auf ein Lebewesen, das als ritueller Unheilsträger in die Wüste weggeschickt wird und so das stofflich verstandene Böse räumlich entfernt. *Diese Eliminierung der*

182 *Gese*, Sühne, S. 97.

183 *Ders.*, ebd. Zum Verständnis der Handaufstemmung als Identifizierung des Opfernden mit dem Opfertier vgl. ferner *Daube*, a.a.O. (oben Anm. 80), S. 224ff., bes. S. 229; *Péter*, Imposition des mains, S. 51f.54; jeweils mit Fragezeichen: *von Rad*, Theologie I, S. 269; *J. Roloff*, Art. Handauflegung, RBL, S. 193. Diesem Verständnis der Handaufstemmung läßt sich, wie *Péter* (a.a.O., S. 52) angemerkt hat, *de Vaux'* Deutung der Handaufstemmung als eine Art Präsentationsgestus – der das innere Beteiligtsein, die Absicht des Opferdarbringers ausdrückt, ». . . daß dieses Opfertier wirklich von ihm, dem Opfernden kommt, daß das Opfer, das vom Priester vorgestellt wird, in seinem Namen geopfert wird und daß die Früchte des Opfers auf ihn zurückkommen sollen« (*de Vaux*, ATL II, S. 260, vgl. S. 299 und *ders.*, Sacrifices, S. 29) – ohne Schwierigkeiten integrieren. Über *Péter* hinaus bleibt aber zu fragen, in welchem Verhältnis die Identifizierung des Opfernden mit dem Opfertier, die Präsentation dieses seines Tieres zum kultischen Sühnegeschehen steht – darin liegt das eigentliche Problem! Ähnlich wie *de Vaux* haben die Handaufstemmung beim Opfer interpretiert: *Matthes*, Sühnegedanke, S. 105ff.118f.; *Lohse*, Ordination, S. 22ff.; *Moraldi*, Espiazione, S. 264; *Coppens*, Handauflegung, Sp. 632; *Ringgren*, Israelitische Religion, S. 153f.; *M. Noth*, ATD VI (^{2}1966), S. 28 (anders S. 13); *Füglister*, Sühne, S. 146f.; *Roloff*, a.a.O., S. 193 (mit Fragezeichen), vgl. auch *van der Merwe*, a.a.O. (oben Anm. 80), S. 40.43. Die diesbezüglichen Ausführungen *Wefings* (a.a.O., S. 122f. mit Anm. 283) helfen deswegen nicht weiter, weil hier, ohne adäquate Textanalysen und Diskussion der Literatur, ein bestimmtes Verständnis der Handaufstemmung als zutreffend vorausgesetzt wird – nach *W.* ist die Handaufstemmung eine opfertechnische Vorbereitungshandlung: »Der Priester stemmt seine *eine* Hand auf den Kopf des Tieres, um es mit der anderen zu töten« (a.a.O., S. 122 [H.i.O.]) –, von dem her die Bedeutung von סמך in den einzelnen Belegen pauschal deduziert wird. Von dem gegen die »übrigen Semichadeutungen« (zitiert werden die Arbeiten von *Volz* und *Matthes*) erhobenen Vorwurf, daß sie »alle keine pragmatische Herleitung des Begriffes (leisten), sondern . . . jeweils von angenommenen Funktionen aus(gehen)« (a.a.O., S. 123 Anm. 286), ist die Argumentation *W.s* selber leider nicht freizusprechen – von der Frage der Praktikabilität eines derartigen simultanen Hantierens einmal abgesehen: Zumindest bei Großtieren (also im Falle von Lev 1,4; 3,2, vgl. Ex 29,10; Lev 4,4.15; 8,14) dürfte das Nebeneinander von Aufstemmen (dann wohl eher: Festhalten mit) der einen und Töten mit der anderen, freibleibenden Hand zu erheblichen Komplikationen (Ausschlagen/Wegspringen usw. der Tiere) geführt haben; möglicherweise war deshalb ein Niederwerfen der (größeren) Opfertiere, ein Zusammenbinden ihrer Vorder- und Hinterläufe u.a. vonnöten, vgl. zur Veranschaulichung die Darstellung über die altägyptischen Schlachtungsbräuche von *A. Eggebrecht*, Die Schlachtungsbräuche im Alten Ägypten und ihre Wiedergabe im Flachbild bis zum Ende des Mittleren Reiches, Masch.Diss. München 1973; *Keel*, AOBPs^2, S. 305ff. mit Abb. 438ff.

184 S. dazu oben S. 201ff.

materia peccans ist der Grundgehalt des »Sündenbockritus«, nicht aber der des kultischen Sühnegeschehens. Aber auch von dem Stellvertretungsgedanken der altorientalischen Substitutionsriten, die ebenfalls nicht als Opfer zu verstehen sind[185], unterscheidet sich die Vorstellung der mittels Handaufstemmung symbolisch vollzogenen *Subjektübertragung* auf das Opfertier in einem entscheidenden Punkt: Während aufgrund des magischen Prinzips der Identität von sich Gleichendem das Ersatzlebewesen bzw. das Ersatzbild die Stelle des (durch Krankheit, böse Omina u.a.) bedrohten Menschen einnehmen und dessen Schicksal bis zum (gewaltsamen) Tod stellvertretend auf sich ziehen kann, dieser bedrohte Mensch selbst aber verschont bleibt und so in das Unheilsgeschehen nicht mehr involviert ist, vollzieht sich in der Handaufstemmung eine *Identifizierung des Opfernden mit seinem Opfertier* und darum »in der Lebenshingabe des Opfertieres eine *den Opferer einschließende Stellvertretung*«[186].
Das aber bedeutet: Weil der Opfernde durch das Aufstemmen seiner Hand auf das Opfertier *an dessen Tod realiter partizipiert,* indem er sich durch diesen symbolischen Gestus mit dem sterbenden Tier *identifiziert,* geht es im *Tod des Opfertieres* weder um dessen auf die *satisfactio vicaria*[187] des Sünders zielende Straftötung[188] noch um die Beseitigung oder Vernichtung des Tieres als eines rituellen Sündenträgers[189], sondern um den *eigenen,* von dem sterbenden Opfertier stellvertretend übernommenen[190] *Tod des Sünders.* Darum ist das Wesentliche bei der kultischen Stellvertretung nicht die Übertragung, die »Abwälzung«[191] der *materia peccans* auf einen rituellen Unheilsträger und dessen anschließende Beseitigung[192], sondern *die im*

185 S. dazu oben S. 211ff.

186 *Gese,* Sühne, S. 97. Der Begriff der »inklusiven Stellvertretung« begegnet, mit Bezug auf die stellvertretende Bedeutung des Todes Jesu, bei *Ph. Marheineke,* s. dazu *W. Pannenberg,* Grundzüge der Christologie, Gütersloh ^{3}1969, S. 270f.

187 S. dazu *Moraldi,* Espiazione, S. 253f. und *Lohse,* Ordination, S. 23 Anm. 3 mit der dort jeweils angegebenen Lit., vgl. zur Sache ferner *Daly,* Christian Sacrifice, S. 120ff.

188 So *Volz,* Handauflegung, passim, bes. S. 97, s. dagegen bereits *Matthes,* Sühnegedanke, S. 97ff. und zur Sache ferner *Schötz,* Schuld- und Sündopfer, S. 106ff.; *Moraldi,* a.a.O., S. 90ff.

189 So v.a. *R. Rendtorff* und *K. Koch,* s. dazu oben S. 206ff. In diesem Tötungsakt geht es auch nicht um die Tötung des Tieres als solche, das Opfertier wird vielmehr getötet, damit mit seinem Blut, in dem die נֶפֶשׁ ist (Lev 17,11), die kultische Entsühnung vollzogen werden kann, s. dazu unten S. 242ff.

190 Als Kontrast vgl. etwa Ovids Konzeption des Tieropfers als einer *noxae datio,* s. dazu *B. Gladigow,* Der altsprachliche Unterricht 14 (1971), S. 5–23.

191 Dieser Ausdruck wird von *Koch,* Sühne, S. 229 (vgl. *ders.,* Blut, S. 456 Anm. 34) verwendet.

192 Unter kultischer Stellvertretung versteht *Koch* die Vertretbarkeit des Opfernden durch ein Tier, das dieser durch die Handaufstemmung zum Träger seiner Sünde macht (Sühneanschauung, S. 92–95, bes. S. 94f.). Eine genauere Prüfung der Argumentation *Kochs* ergibt, daß diese Art von Stellvertretung jenseits der für die kultische Sühneanschauung des Alten Testaments heranzuziehenden Textbasis liegt und ihren Ort in einem Daseinsverständnis hat, das vom »pars-pro-toto-Denken« geprägt ist. So stimmig *Kochs* Ausführungen zum »pars-pro-

Tod des Opfertieres, in den der Sünder hineingenommen wird, indem er sich mit diesem Lebewesen durch die Handaufstemmung identifiziert, *symbolisch sich vollziehende Lebenshingabe des homo peccator.* So repräsentiert der stellvertretende Tod des Opfertieres die Lebenshingabe des sündigen Menschen, eine Lebenshingabe aber, die nicht einfach eine Beseitigung von »Sündenstoff«, sondern etwas grundsätzlich anderes ist – was, danach wird im Rahmen der Analyse der sühnenden Blutriten zu fragen sein.

II. Die Applikation des Sündopferblutes an Altar und Heiligtum – Ein Ritus der zeichenhaften Lebenshingabe an das Heilige

In der Sündopfertora Lev 4,1–5,13 folgt auf das Darbringen (הֵבִיא, הִקְרִיב) des Opfertieres und auf den Handaufstemmungsgestus als dritter, ebenfalls vom Opfernden auszuführender Ritualakt das Schlachten des Tieres (שָׁחַט Lev 4,4bβ.15b.24aβ.29b.33b). Dieser Akt wird in Lev 4,24b durch die Formel חַטָּאת הוּא »es ist ein Sündopfer« von dem nachfolgend geschilderten (kleinen) Blutritus (Lev 4,25//4,30//4,34) stilistisch abgesetzt. Während nach *R. Rendtorff* »ein den Vorschriften gemäß durchgeführtes Opfer . . . vom Priester durch das Aussprechen der entsprechenden Formel als rite vollzogen deklariert und damit ›angerechnet‹«[193] wird, dürfte diese in der einfachsten Form aus Nomen (Opferterminus: עֹלָה / מִנְחָה / חַטָּאת / אָשָׁם / פֶּסַח/מִלֻּאִים/אִשֶּׁה) und Personalpronomen (הוּא, הִיא, הֵם) zusammengesetzte Wendung[194] nicht als »Vollzugsformel(n) . . ., die einen bestimmten Ritus

toto-Denken« in sich sein mögen – und *das* soll von uns alles andere als in Frage gestellt werden! –, sowenig scheinen sie uns »den Hintergrund zu erhellen, in den die alttestamentlichen Sühnevorstellungen eingebettet sind« (*ders.*, a.a.O., S. 95, vgl. *ders.*, Sühne, S. 229). Die Unstimmigkeit dieser These wird nicht zuletzt an den religionsgeschichtlichen ›Parallelen‹ deutlich, die *Koch* zum Verständnis der priesterschriftlichen Sühneanschauung heranzieht (Sühneanschauung, S. 88–92) und die nach seinem Urteil auf »überraschende Ähnlichkeiten zwischen Israel und den übrigen altorientalischen Religionen« (a.a.O., S. 88) führen. Keine dieser ›Parallelen‹ vermag allerdings die ihr zugedachte Deutungsfunktion zu übernehmen. Im einzelnen zitiert *Koch* folgende Texte: (a) unter Berufung auf *B. Baentsch* (Ex-Lev-Num [HKAT], 1903, S. 321) einen »Beleg aus der Kulttafel von Sippar«; dabei handelt es sich um das (verbreitete) Beschwörungsmotiv *»cor pro corde«* aus der Serie *utukkī lemnūti* (»Böse *utukku*-Dämonen«) CT XVII 37,16ff.: »Das Lamm gab er (als Substitut) für sein (des Patienten) Leben. Den Kopf des Lammes gab er für den Kopf des Menschen. Den Hals des Lammes gab er für den Hals des Menschen«, zum Text und zur Herkunft dieses Motivs s. ausführlich *V. Haas*, Or. 40 (1971), S. 410–430, hier: S. 424ff., vgl. *Kümmel*, Ersatzrituale, S. 5; *ders.*, Ersatzkönig, S. 294; (b) unter Berufung auf *S. H. Hooke* (VT 2 [1952], S. 2–17) mesopotamische Substitutionsvorstellungen, s. dazu oben S. 211ff.; und (c) unter Berufung auf *H. Zimmern* (Das babylonische Neujahrsfest [AO 25/3], Leipzig 1926, S. 3.10f.) den *kuppuru*-Ritus am babylonischen Neujahrsfest, s. dazu oben S. 54ff.

193 Studien, S. 256.

194 S. die Aufstellung bei *Rendtorff*, Gesetze, S. 74 Anm. 50; *Elliger*, Leviticus, S. 35 Anm. 7.

für vollendet und damit gültig«[195] erklärt, sondern als *neutrale Feststellung* zu verstehen sein, die dazu dient, das jeweils im Vorhergehenden nach seinen einzelnen Ritualakten – im Falle von Lev 4,22ff.: Darbringen des Opfertieres, Handaufstemmen, Schlachten – beschriebene Opfer mit der richtigen Bezeichnung zu versehen: חַטָּאת הוּא »es ist ein Sündopfer« (Lev 4,24b, vgl. Ex 29,14; Lev 4,21; 5,9.12; Num 19,9)[196]. Daß diese *priesterliche Klassifikationsformel* in dem Sündopferparagraphen Lev 4,22–26 nicht wie in dem Abschnitt Lev 4,13–21 am Ende des חַטָּאת-Ritus (Lev 4,21b: חַטַּאת הַקָּהָל הוּא, vgl. ebenso Ex 29,14; Lev 5,9.12; Num 19,9), sondern an der Nahtstelle zwischen dem Handaufstemmungs- und Schlachtritus Lev 4,24a und dem Blutritus Lev 4,25 steht, dürfte seinen Grund darin haben, daß sie die Besonderheit dieses Blutritus unterstreichen, ja im Zusammenhang der חַטָּאת-Bestimmungen Lev 4,1ff. erstmalig begründen will[197]. Gehen wir zur genaueren Analyse der Blutriten von Lev 4,1–35 aus!

1. Die beiden Grundformen der sühnenden Blutapplikation und ihr überlieferungsgeschichtliches Verhältnis

In der Sündopfertora Lev 4,1–35 wird unterschieden zwischen einem *kleinen Blutritus*, wenn ein einzelner (ein Fürst: 4,22–26; jemand aus dem Volk: 4,27–31.32–35), und einem *großen Blutritus*, wenn die Gesamtheit (die ganze Gemeinde Israel: 4,13–21; der Hohepriester als kultischer Repräsentant: 4,3–12) ein חַטָּאת-Opfer für sich darbringt[198]. Bei dem *kleinen Blutritus* gibt (נָתַן) der amtierende Priester etwas von dem Blut des Sündopfertieres an die Hörner des im Vorhof des Heiligtumsbezirkes stehenden Brandopferaltars (s. den Grundriß des priesterschriftlichen Begegnungszeltes auf der folgenden Seite)[199], während er das übrige, nicht weiter benötigte Blut an dessen Fundament ausschüttet (שָׁפַךְ), wo es in einer Rinne (vgl. Ez 43,13) ablaufen kann:

195 *K. Koch*, Art. Priesterspruch, BHH III, Sp. 1494. Diese Funktion einer (priesterlichen) Deklaration werden aber zweifelsohne die entsprechenden Formeln der Reinheitstora haben, s. *Rendtorff*, Gesetze, S. 74f.; *Elliger*, a.a.O., S. 35.100.150 mit Anm. 4, s. zur Sache auch oben Anm. 174.

196 Vgl. *E. Kutsch*, Die Salbung als Rechtsakt im Alten Testament und Alten Orient (BZAW 87), Berlin 1963, S. 12 Anm. 76, ferner *Scharbert*, Heilsmittler, S. 104 Anm. 16; *Elliger*, a.a.O., S. 35.

197 *Elliger*, a.a.O., S. 59. Anders *Koch*, Sühne, S. 230.

198 Mit *Gese* (Sühne, S. 94.99.100.101f.) sprechen wir von kleinem und großem Blutritus. Zuweilen werden andere Bezeichnungen gewählt (s. etwa *Rendtorff*, Gesetze, S. 12f.; *ders.*, Studien, S. 217ff.226.233f.; *Koch*, Priesterschrift, S. 52ff.; *ders.*, Sühne, S. 230f.; *Elliger*, a.a.O., S. 60f., u.a.); es ist aber jeweils derselbe Sachverhalt gemeint.

199 Vgl. auch die Grundrisse bei *D. W. Gooding*, The Account of the Tabernacle, Cambridge 1959, Tafel nach S. 114; *Koch*, Stiftshütte, Sp. 1875f. Abb. 3; *Pelzl*, Zeltheiligtum, S. 387 Abb. 6; *F. Michaeli*, CAT II (1974), S. 304; *Haran*, Temples, S. 152 Abb. 1. Zum אֹהֶל מוֹעֵד Ex 25ff. und seiner Einrichtung s. unten S. 328ff.

Grundriß des priesterschriftlichen Begegnungszeltes nach Ex 25–30

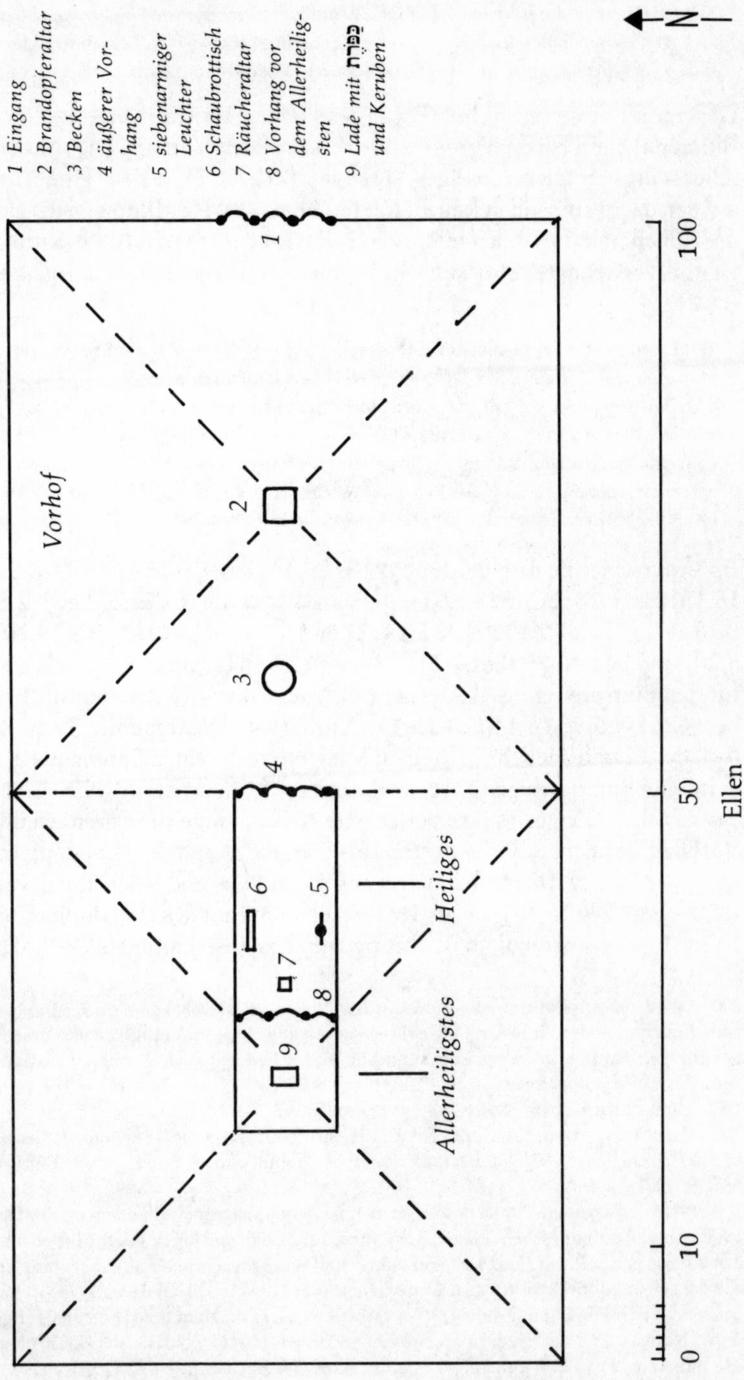

»Dann nimmt der Priester von dem Blut des Sündopfers mit seinem Finger und gibt es an die Hörner des Brandopferaltars; das (übrige) Blut schüttet er an den Fuß des Brandopferaltars« (Lev 4,25 [ebenso Lev 4,30.34 mit etwas abweichender Formulierung])[200].

Gegenüber dieser einfachen Form des kleinen Blutritus erstreckt sich die Blutapplikation bei dem *großen Blutritus* auf den Vorhang (פָּרֹכֶת) vor dem Allerheiligsten (siebenmaliges Sprengen [נזה *hif.*] mit dem Finger) sowie auf den davor stehenden Räucheraltar (Geben [נָתַן] des Blutes an die Hörner des Räucheraltars). Auch in diesem Fall wird das für den חַטָּאת-Ritus nicht weiter verwendete Blut am Sockel des Brandopferaltars ausgeschüttet (שָׁפַךְ):

»(5) Dann nimmt der gesalbte Priester von dem Blut des Farren und bringt es zum Begegnungszelt. (6) Der (amtierende) Priester taucht seinen Finger in das Blut und sprengt von dem Blut siebenmal vor Jahwe vor den Vorhang des Heiligtums. (7) Dann gibt der Priester von dem Blut an die Hörner des Altars für das wohlriechende Räucherwerk vor Jahwe, der im Begegnungszelt steht; das ganze (übrige) Blut des Farren schüttet er an den Fuß des Brandopferaltars, der am Eingang des Begegnungszeltes steht« (Lev 4,5–7 [ebenso Lev 4,16–18: חַטָּאת der ganzen Gemeinde, mit etwas abweichender Formulierung]).

Im Unterschied zu dem bei der עֹלָה (Ex 29,16; Lev 1,5.11; 8,19; 9,12; 2Kön 16,15; Ez 43,18; 2Chr 29,22 [*ter*]), beim זֶבַח שְׁלָמִים (Ex 24,6; Lev 3,2.8.13; 9,18; 17,6), beim שְׁלָמִים (Lev 7,14; 2Kön 16,13), beim מִלֻּאִים (Ex 29,20; Lev 8,24) und beim אָשָׁם (Lev 7,2)[201] verwendeten Terminus זָרַק, gebraucht P für den Blutsprengungsakt bei der חַטָּאת ausschließlich den Begriff נזה *hif.*: Lev 4,6.17; 5,9; 16,14(*bis*).15.19; Num 19,4. Während die Technik des הִזָּה, des Blutausgießens in kleinen Mengen, nicht einen Sprengquast, sondern eine Sprengschale (מִזְרָק) voraussetzt[202], meint das הִזָּה Lev 4,6b.17b das mit dem (Zeige-)Finger vollzogene siebenmalige Blutsprengen an den Vorhang vor dem Allerheiligsten (bzw. an die Wand des Brandopferaltars Lev 5,9; in Lev 16,14a.b: »vorn auf die כַּפֹּרֶת« und »siebenmal vor die כַּפֹּרֶת« [vgl. Lev 16,15]; in Lev 16,19: siebenmal auf den Brandopferaltar; in Num 19,2: siebenmal in Richtung auf das Begegnungszelt)[203]. Dieser

200 Mit dem »Ausschütten« des Blutes an den Altarsockel ist wohl kaum ein bestimmter Blutritus (»Rückgabe des Blutes an Jahwe«), sondern lediglich die ordnungsgemäße Beseitigung des für den Ritus nicht weiter verwendeten Blutes gemeint, vgl. *Rendtorff*, Studien, S. 146.220; *Christ*, Blutvergiessen, S. 12.137f.

201 Zum Blutritus beim אָשָׁם-Opfer s. unten S. 259.

202 Zu זָרַק s. *G. André*, Art. *zrq*, ThWAT II, Sp. 686ff. (Lit.), ferner *Rendtorff*, Gesetze, S. 8f.; *ders.*, Studien, S. 97ff.; *Elliger*, Leviticus, S. 35 mit Anm. 4; S. 69; *Christ*, Blutvergiessen, S. 137f., u.a.

203 נזה *hif.* (insgesamt 20mal im AT, dazu 4mal נזה *qal*) begegnet außerdem im Kontext von Weihe- und Reinigungsriten: a) mit *Salböl* (bzw. mit Salböl und Blut): Lev 8,11 (siebenmal an den Altar); Lev 8,30 par. Ex 29,21 (auf Aaron und seine Kleider und auf seine Söhne und die Kleider seiner Söhne); Num 14,16.27 (siebenmal vor Jahwe). – b) bei Aussatz, Levitenweihe, Leichenverunreinigung mit *Reinigungswasser:* Lev 14,7.51; Num 8,7 (»Entsündigungswasser«); Num 19,18.19.21, s. dazu im einzelnen *Vriezen*, Hizza, S. 201ff.; *ders.*, Theologie, S. 248 mit Anm. 1; S. 249, vgl. *Elliger*, a.a.O., S. 69; *N. H. Snaith*, ET 82 (1970–71), S. 23f.; *Christ*, a.a.O., S. 138.

Sprengritus wird durch die Zeremonie am Räucheraltar, an dessen Hörner ebenfalls mit dem Finger Blut gestrichen wird (נָתַן), fortgesetzt (Lev 4,7a.18a)[204].

204 Auch bei der Blutbestreichung bestimmter Körperteile des Menschen wird נָתַן verwendet, so beim Bestreichen von Aarons rechtem Ohrläppchen, rechtem Daumen und rechter großer Zehe mit dem Blut des Einsetzungswidders (Lev 8,23 par. Ex 29,20a [Aaron und seine Söhne, vgl. Lev 8,24a], s. dazu auch oben Anm. 168). Da diese Körperteile als »die extremen Körperbegrenzungspunkte . . . natürlich symbolisch für das Ganze« (*Gese*, Sühne, S. 99), d.h. für den durch die Blutbestreichung zu weihenden Menschen stehen und der übrige Teil dieses Blutes rings um den Altar gesprengt wird (זָרַק Lev 8,24b par. Ex 29,20b), kommt es »zu einer letzten Bindung Gott – Israel. (. . .) Mit der näpäš-›Substanz‹ des Blutes kann also eine Weihe an das Heilige erfolgen, ein inkorporierender, bleibender Lebenskontakt« (*Gese*, a.a.O., S. 98f.), vgl. auch *Elliger*, a.a.O., S. 119; *B. Kedar-Kopfstein*, Art. *dam*, ThWAT II, Sp. 264; *Füglister*, Sühne, S. 161f.
Derselbe Blutbestreichungsritus wird, allerdings erweitert um einen entsprechenden Ölritus, im Verlauf des Reinigungsopfers des vom Aussatz Geheilten verwendet: Lev 14,14 (Blut des Sündopfers). 17 (Öl), vgl. Lev 14,25.28 für den Bedürftigkeitsfall, zu dem in Lev 8,23 par. Ex 29,20 greifbaren Vorbild dieses »Initiationsritus« s. *Elliger*, a.a.O., S. 188. Dieser Blut- und Ölritus ist Bestandteil eines *Reinigungsopfers* (Lev 14,10–32 mit der Unterscheidung: Normalfall v. 10–20 – Bedürftigkeitsfall v. 21–32), das der *kultischen Rehabilitation des vom Aussatz Geheilten* dient (zu צָרַעַת »Aussatz« s. zuletzt *Seybold*, Gebet, S. 25f.31f.49ff.; *W. Th. In der Smitten*, Janus 61 [1974], S. 103–129, hier: S. 119f.; *E. V. Hulse*, PEQ 107 [1975], S. 87–105; *J. F. A. Sawyer*, VT 26 [1976], S. 241–245), dem aber ein in einen anderen kultgeschichtlichen Kontext gehörender *eliminatorischer Vogelritus* (Lev 14,2b–7) vorangeht, s. zu diesem Ritus ausführlich *Elliger*, a.a.O., S. 186ff., ferner *Seybold*, a.a.O., S. 40.93; *Haas-Wilhelm*, Riten, S. 141 (mit altorientalischen Parallelen!); *Minkner*, Bürgschaftsrecht, S. 78ff. und oben S. 221ff. Derselbe Vogelritus begegnet bei dem Reinigungsverfahren für das »Aussatzhaus« Lev 14,48–53. Obwohl der Zweck auch dieser Zeremonie die Reinigung ist (v. 48b.53b), wird die Wirkung dieses Vogelritus, der im Unterschied zu Lev 14,4–8 zur vollständigen Reinigung genügt, mit חִטֵּא »entsündigen« (v. 52, vgl. v. 49), dann auch mit כִּפֶּר angegeben: »So schafft er (sc. der Priester) Sühne für das Haus und es ist rein (וְכִפֶּר עַל־הַבַּיִת וְטָהֵר)«; zum Nachtragscharakter von Lev 14,48–53 s. *Elliger*, a.a.O., S. 177.179f.189ff.
Trotz der Reinerklärungen Lev 14,8a.9b ist der vom Aussatz Geheilte noch nicht so rein, daß er unmittelbar in die soziale Gemeinschaft wiederaufgenommen und zum Kult wiederzugelassen werden kann. Erst das nach einer siebentägigen Karenzzeit (v. 8b.9) am achten Tage stattfindende dreiphasige Ritualgeschehen (v. 10–20, vgl. v. 21–32 für den Bedürftigkeitsfall) bewirkt die endgültige Entsühnung und Reinheit (v. 20b, vgl. v. 31b). Dieses Reinigungsopfer beginnt mit der Präsentation des vom Aussatz Geheilten samt dessen Opfergaben vor Jahwe am Eingang des Begegnungszeltes (v. 10f.). Dann vollzieht der Priester mit dem Schuldopfer (אָשָׁם)-Lamm und dem Log Öl die תְּנוּפָה vor Jahwe (v. 12, s. zu תְּנוּפָה oben Anm. 91), schlachtet das Lamm (v. 13) und führt mit dessen Blut den oben beschriebenen Bestreichungsritus am Geheilten durch (v. 14). Bei dem anschließenden Ölritus (v. 15–18) ist zu beachten, daß das Öl nicht nur wie das Blut (v. 14) an Ohrläppchen, Daumen und große Zehe gegeben wird (v. 17), sondern daß es vorher siebenmal »vor Jahwe« gesprengt wird (v. 16: הִזָּה); man wird in dieser Zweigliedrigkeit eine Analogiebildung zu dem Blutritus Lev 8,23.24b par. Ex 29,20a.b sehen können (s. dazu *Elliger*, a.a.O., S. 189, der auch auf Ex 24,6.8 als *Sachparallele* hinweist, vgl. *Gese*, Sühne, S. 98). Nachdem der Priester den Rest des Öles auf den Kopf des Geheilten gegeben hat (v. 18a), ist die Entsühnung und damit die vollgültige Wiederaufnahme des Geheilten in die Gemeinschaft vollzogen: »So schafft ihm der Priester Sühne vor Jahwe (וְכִפֶּר עָלָיו הַכֹּהֵן לִפְנֵי יְהוָה)« (v. 18b, vgl. v. 21a.29b für den Bedürftigkeitsfall). Abgeschlossen wird das gesamte Restitutionsverfahren in v. 19f. durch die Opfertrias חַטָּאת, עֹלָה und מִנְחָה; auch hier wird deutlich auf die Sühnewirkung dieser Opfer hingewiesen: v. 19aβ (in v. 20b mit der Reinerklärung kombiniert), vgl. v. 31b (ohne Reinerklärung).

Nach *Th. C. Vriezen*[205] ist die *Zweigliedrigkeit des großen Blutritus* so zu erklären, daß die הִזָּה-Zeremonie am Vorhang vor dem Allerheiligsten einen vorbereitenden Weiheakt und das Bestreichen (נָתַן) der Hörner des Räucheraltars mit Blut den eigentlichen Reinigungs- oder Sühneakt darstellt: »Die expiatio oder lustratio geschieht (Lev 4f.), indem a) das Blut vor Gottes Angesicht verspritzt wird (hizza), danach b) das Blut mit dem Finger an die Hörner des Altars gestrichen wird (die eigentliche kipper-Handlung) und endlich c) der Rest des Blutes am Fuße des Altars weggegossen wird. Der hizza-Ritus hat eine besondere Bedeutung. Er findet nur bei Sühnopfern statt – als Einleitung des Opfervorgangs – und hat den Sinn einer Konsekration des Blutes vom Opfertier. Das Blut wird auf diese Weise vor Gottes Angesicht gebracht, um nach seiner Annahme durch Gott für die eigentliche Lustration (Reinigung) oder Expiation (Entsündigung, Sühne) verwendet werden zu können«[206].

Gegen diese Deutung des הִזָּה-Ritus als einer den eigentlichen Sühneakt vorbereitenden »Weihung des Opferblutes« sprechen allerdings folgende Gründe: 1. Nirgends findet sich in den in Frage kommenden Texten (Lev 4,6.17; 5,9; 16,14[*bis*].15.19; Num 19,4) ein impliziter oder gar expliziter Hinweis auf eine Akzeptation des »vor Jahwe« gesprengten Blutes durch Jahwe. – 2. Eine gegenüber Lev 4,6.17 umgekehrte Reihenfolge: Blutstreichen – Blutsprengen läßt sich durch Lev 16,18f. belegen. Auch bei dem den Aussätzigen in die soziale und kultische Gemeinschaft wieder integrierenden »Initiationsritus« Lev 14,14–18a (mit Blutritus v. 14 und doppeltem Ölritus v. 15–18a, vgl. Lev 14,24–29a für den Bedürftigkeitsfall) bedeutet das siebenmalige Sprengen (הִזָּה) des Öles לִפְנֵי יְהוָה (v. 16, vgl. v. 27) nicht dessen Weihung[207], die eindeutig bereits durch die תְּנוּפָה v. 12 (vgl. v. 24) erfolgt ist[208]; vielmehr ist der Ölritus v. 16 (vgl. v. 27) mit dem Ölritus v. 17.18a (vgl. v. 28.29a) zusammenzunehmen und diese Doppelgestalt des Ölritus als Ergebnis einer Übertragung des bei der Priesterweihe Lev 8,23.24b par. Ex 29,20a.b üblichen »Initiationsritus« auf den Fall des vom Aussatz Geheilten zu werten[209]. Der Bedeu-

Entsprechend dem Reinigungsopfer des vom Aussatz Geheilten (Lev 14,22.30.31a: Bedürftigkeitsfall) wird auch für die Wöchnerin (Lev 12,8a: Bedürftigkeitsfall), für den von krankhaftem Ausfluß geheilten Mann (Lev 15,14.15a), für die von krankhaftem Blutfluß geheilte Frau (Lev 15,29.30a) sowie für den nach einer Leichenverunreinigung wieder für rein erklärten Nasiräer (Num 6,10.11aα) ein aus zwei Turteltauben oder zwei gewöhnlichen Tauben – die eine als חַטָּאת, die andere als עֹלָה – bestehendes Reinigungsopfer vorgeschrieben, das für den jeweiligen Opferdarbringer Sühnewirkung besitzt: כִּפֶּר עַל Lev 12,8b; 14,31b; 15,15b.30b; Num 6,11aβ (mit jeweils abweichender Formulierung, s. dazu im einzelnen *Kellermann*, Priesterschrift, S. 88ff.94f., zu Lev 12,1–8 und Lev 15,1–18.19–33 s. *Elliger*, a.a.O., S. 157ff.197ff.). Auch der in Lev 12,6 geschilderte Normalfall (Reinigungsopfer: ein einjähriges Lamm als Brandopfer und eine Taube/Turteltaube als Sündopfer) wird mit der Sühneaussage abgeschlossen: »Er (sc. der Priester in Vertretung der noch unreinen Wöchnerin) bringt es dar vor Jahwe und schafft ihr Sühne, und sie wird rein von ihrem Blutfluß« (v. 7a). – Zum gesamten Komplex der Reinigungsopfer/-rituale s. zuletzt *Paschen*, Rein, S. 19ff.27ff.; *F. Maass*, Art. *ṭhr*, THAT I, Sp. 646ff.; *ders.*, Art. *ṭm'*, THAT I, Sp. 664ff.; *Cazelles*, Pureté, Sp. 491ff.; *H. Ringgren*, Art. *ṭhr*, ThWAT III, Sp. 306ff.; *M. André*, Art. *ṭm'*, ThWAT III, Sp. 352ff.; *J. Neusner*, The Idea of Purity in Ancient Judaism (SJLA 1), Leiden 1973, u.a. Zur Reinheitstora Lev 11–15 und ihren Riten s. umfassend *Elliger*, a.a.O., S. 12ff.140–199, ferner *Paschen*, a.a.O., S. 42ff.; *Seybold*, Gebet, S. 44.49ff.91ff. u.ö.; *Füglister*, Sühne, S. 157ff., u.a.

205 Hizza (passim), vgl. *ders.*, Theologie, S. 248 Anm. 1; S. 249. Der Ansatz *Vriezens* wurde aufgenommen von *J. Heuschen*, Art. Versöhnung, BL², Sp. 1835, vgl. auch *M. Noth*, ATD VI (²1966), S. 28f.; *Elliger*, a.a.O., S. 69. Zur Kritik s. jetzt auch *Wefing*, Entsühnungsritual, S. 54ff.113f.

206 Theologie, S. 248 Anm. 1.

207 So *Vriezen*, Hizza, S. 208.214, vgl. die Argumentation S. 213–219.

208 Zur תְּנוּפָה s. die Hinweise oben Anm. 91.

209 *Elliger*, a.a.O., S. 188.

tung jenes Blutritus Lev 8,23.24b par. Ex 29,20a.b[210] entsprechend ist der Sinn dieses doppelten Ölritus in der Wiederherstellung der Gemeinschaft zwischen Jahwe und dem vom Aussatz Geheilten zu sehen[211]. – 3. Ein Interpretationsversuch des הִזָּה-Ritus beim Sündopfer kann nicht unter Ausklammerung der *Frage nach dem überlieferungsgeschichtlichen Ort* der relevanten Texte und der in ihnen sich spiegelnden kultgeschichtlichen Problematik unternommen werden. Von daher ergibt sich eine von der These *Vriezens* abweichende Sicht der Dinge, die im Folgenden begründet werden soll.

In Lev 4,1–35 ist das Blutsprengen (jeweils in Verbindung mit dem am Räucheraltar zu vollziehenden Ritus des Blutstreichens) nur beim Sündopfer des Hohenpriesters (4,3–12) und der ganzen Gemeinde Israel (4,13–21) belegt, während die übrigen, literarisch primären (!) Abschnitte Lev 4,22–26 (Sündopfer eines Fürsten) und Lev 4,27–31.32–35 (Sündopfer eines beliebigen Mannes aus dem Volk)[212] nur das Bestreichen der (Brandopfer-)Altarhörner mit Blut, d.h. den kleinen Blutritus kennen: 4,25.30.34. Dies sowie die Tatsache, daß das Blutstreichen auch sonst oft – und z.T. sogar in vorpriesterschriftlichen Texten – als einziger Blutritus bei der חַטָּאת genannt wird (Lev 8,15aα.bα [par. Ex 29,12]; Lev 9,9; Ez 43,20; 45,19, vgl. Ex 30,10; 2Chr 29,24), spricht für die *ursprüngliche Nichtzusammengehörigkeit der beiden Blutriten*[213].

Darauf, daß der *Ritus des Bestreichens der (Brandopfer-)Altarhörner mit Blut* gegenüber dem Blutsprengungsritus und d.h.: der *kleine Blutritus* (Lev 4,25.30.34) gegenüber dem großen Blutritus (Lev 4,5–7.16–18: Blutsprengen an den Vorhang vor dem Allerheiligsten und Bestreichen der Hörner des Räucheraltars mit Blut) *überlieferungs- und kultgeschichtlich ursprünglich* ist, deutet – außer der schon erwähnten Tatsache, daß in der Sündopfertora Lev 4f. der kleine Blutritus integraler Bestandteil der gegenüber Lev 4,3–12.13–21 literarisch primären Abschnitte Lev 4,22–26.27–35 ist – zweierlei hin: Zum einen ist der Blutritus am Räucheraltar Lev 4,7a.18a kultgeschichtlich deutlich sekundär, weil der Räucher*altar* – an-

210 S. dazu oben Anm. 204.

211 Vgl. *Elliger*, a.a.O., S. 189. Einzig der Blutsprengungsritus Num 19,4 könnte im Sinne der These *Vriezens* als Weihung des Blutes der roten Kuh verstanden werden (*Vriezen*, Hizza, S. 209.213ff., vgl. *J. Milgrom*, VT 31 [1981], S. 62–72, hier: S. 66). Doch ist Num 19,4 deshalb nicht mit den הִזָּה-Belegen Lev 4,6.17; 5,9; 16,14 *(bis)*.15.19 zu vergleichen, weil Num 19,1–10a keine Opferhandlung beschreibt und die priesterliche Klassifikationsformel חַטָּאת הִוא Num 19,9b in dieses ohnehin späte Stück deutlich sekundär eingesetzt wurde, vgl. *Rendtorff*, Gesetze, S. 65 Anm. 49; *M. Noth*, ATD VII (1966), S. 123f.; *Wefing*, a.a.O., S. 57, zu Num 19,1ff. und zur Überlieferung von der Verbrennung der roten Kuh im rabbinischen Judentum, in Qumran und bei den Samaritanern s. *J. Bowman*, RdQ 1 (1958/59), S. 73–84; *ders.*, Samaritanische Probleme, Stuttgart/Berlin/Köln/Mainz 1967, S. 89ff.; *Rendtorff*, Gesetze, S. 64f.; *J. L. Blau*, Numen 14 (1967), S. 70–80; *M. J. Gruber – A. Strichovsky*, Art. Red Heifer, EJ XIV (1971), Sp. 9ff.; *W. Kirchschläger*, Kairos 18 (1976), S. 135–153, hier: S. 148ff.; *Zevit*, ᶜeglâ Ritual, S. 387ff.; *Milgrom*, ebd.

212 Zur literarischen Problematik s. oben S. 193ff.

213 Vgl. *Rendtorff*, Studien, S. 219.

ders als das Verbrennen von Räucherwerk (קְטֹרֶת) in Räucherpfannen![214] – erst spät im offiziellen Tempelkult Eingang fand[215]; zum anderen spricht für die Ursprünglichkeit des kleinen Blutritus der Umstand, daß in dem der Opfertora Lev 1–7 überlieferungsgeschichtlich vorausliegenden Stratum Lev 8–10* P^g (bzw. Pg^1 samt Bearbeitungsschicht Pg^2)[216] der Blutritus bei der חַטָּאת des künftigen (Lev 8,14–17 Pg^1 [par. Ex 29,10–14 P^s]) und des in sein Amt eingesetzten Hohenpriesters Aaron (Lev 9,8–11 Pg^2) im Unterschied zu Lev 4,3–12 (Sündopfer des Hohenpriesters) noch ganz am Brandopferaltar stattfindet (Lev 8,15aα.bα [par. Ex 29,12 P^s]; Lev 9,9) und der Ritus des Blutsprengens (הִזָּה) an den Vorhang vor dem Allerheiligsten noch unbekannt ist[217]:

»Mose schlachtete (den Sündopferfarren, v. 14), nahm das Blut und gab (נָתַן) mit dem Finger (etwas) rings an die Hörner des (Brandopfer-)Altars ‹ und entsündigte so den Altar ›; das (übrige) Blut goß er an den Fuß des Altars. ‹ So weihte er ihn, indem er ihm Sühne schaffte ›« (Lev 8,15)[218].

»Die Söhne Aarons brachten ihm (sc. Aaron) das Blut. Er tauchte den Finger in das Blut und gab (נָתַן) es an die Hörner des (Brandopfer-)Altars; das (übrige) Blut goß er an den Fuß des Altars« (Lev 9,9)[219].

Diese kultgeschichtlich ursprüngliche Form des am Brandopferaltar auszuführenden (kleinen) Blutritus belegen auch die vorpriesterschriftlichen Sündopferrituale Ez 43,18ff. und Ez 45,18ff. Die von einer prophetischen Rahmung umschlossene, an den »Menschensohn« ergehende kultische Anordnung zur erstmaligen Weihe des Brandopferaltars Ez 43,18–27[220] wird

214 Die Verbrennung von Räucherwerk ist in Israel von altersher Priestervorrecht, zum Räucherwerk s. zuletzt *M. Haran*, VT 10 (1960), S. 113–129; *ders.*, Temples, S. 230ff.; *Elliger*, Leviticus, S. 213 Anm. 8; *Gese*, Religionen, S. 169.174.178.179 und die Hinweise oben S. 153 mit Anm. 242.

215 S. dazu *Elliger*, a.a.O., S. 67.69.117.136f.213, vgl. zu dieser Frage jetzt auch *Fritz*, Tempel, S. 23f.112.146.166 Anm. 241, ferner *M. Noth*, BK IX/1 (1968), S. 121f.166; *Busink*, Tempel I, S. 288ff.; *E. Würthwein*, ATD XI/1 (1977), S. 84; *Wefing*, Entsühnungsritual, S. 110f.

216 S. den Überblick bei *Elliger*, a.a.O., S. 9ff.

217 Vgl. *Elliger*, a.a.O., S. 70; *Gese*, Sühne, S. 101f., ferner auch *Walkenhorst*, Sinai, S. 62ff.

218 Zu den Interpretationszusätzen Lev 8,15aβ.bβ s. *Elliger*, a.a.O., S. 113.115.119: sie gehören mit dem Nachtrag Ex 29,35b–37 zusammen und sind vermutlich auf dieselbe Hand wie dieser zurückzuführen, vgl. auch *Rendtorff*, Studien, S. 206.219. Noch später, weil »aus einer irrtümlichen Exegese des וּמָשַׁחְתָּ אֹתוֹ von Ex 29,36b hervorgegangen« (*Elliger*, a.a.O., S. 113), dürfte Lev 8,10aβ–11 sein, vgl. aber auch *Walkenhorst*, a.a.O., S. 129ff.

219 Zum gegenseitigen Verhältnis der Sündopferrituale Lev 8,14–17 par. Ex 29,10–14 und Lev 9,8–11 s. zuletzt *Walkenhorst*, a.a.O., S. 55ff.

220 Während Ez 43,18ff. von der erstmaligen Weihe des Brandopferaltars handelt, ist in Ez 45,18ff. von der am 1.I. (mit Wiederholung am 7.I.), d.h. jeweils zu Beginn des Jahres stattfindenden Entsündigung von Tempelhaus, Brandopferaltar und (wohl) innerem Osttor die Rede (zur literarischen und sachlichen Verwandtschaft von Ez 45,18ff. mit Ez 43,18ff. s. *Gese*, Verfassungsentwurf, S. 75ff., anders *W. Zimmerli*, BK XIII/2 [^{2}1979], S. 1159ff., der Ez 45,18ff. für jünger hält als Ez 43,18ff.). Im Unterschied zu dem Blutritus Ez 43,20 erstreckt sich die

in ihrem Grundbestand (v. 18.19*.20–24)[221] in die Zeit gehören, »in welcher der Altar des zweiten Tempels noch nicht geweiht war. (Sie) läßt erkennen, wie die Exilsgemeinde, welcher der Verf. angehört, die Dinge der näherrückenden Restitution des Kultes in Jerusalem in ihren Einzelfragen zu bedenken beginnt«[222]. Voraussetzung für diese Neukonstituierung des Opferkultes, der nach Ez 43,18b (vgl. v. 23) in der Darbringung von Brandopfern und der Sprengung (זָרַק!) von Blut besteht, ist die Weihung des im Zentrum der gesamten Tempelanlage stehenden Brandopferaltars[223]. Die kultische Maßnahme, die diesem Zweck dient, ist ein am Tage der Errichtung des Brandopferaltars mit dem Blut eines Sündopferstieres zu vollziehender und am zweiten Tag mit dem Blut eines Sündopferbockes zu wiederholender Entsündigungsritus (v. 19*.20f.; v. 22). Nach der jetzt vorliegenden Textgestalt von v. 20 ist diese Blutapplikation vom Propheten selbst auszuführen:

> »(...) und du sollst von seinem (sc. des Sündopferstieres) Blut nehmen und (es) an seine vier Hörner und an die vier Ecken der Einfassung und an die Umgrenzung ringsherum tun (נָתַן) und sollst ihn entsündigen (חִטֵּא) und entsühnen (כִּפֶּר)«.

In Ez 43,20 wird die Wirkung der Blutapplikation mit den beiden Verben חִטֵּא und כִּפֶּר beschrieben. Der *am Brandopferaltar auszuführende Blutbestreichungsritus* ist demnach – wie auch die den Vorgang der Entsündigung des gesamten Heiligtums (חִטֵּא Ez 45,18b) explizierenden, auf die rituelle Handlungsabfolge bezogenen Akte des »Nehmens« vom Blut des Sündopfers und des »Gebens« dieses Blutes an die Türpfosten des Tempelhauses, an

Blutapplikation Ez 45,19 nicht nur auf den Brandopferaltar: »Und der Priester soll von dem Blut des Sündopfers nehmen und (es) an ›die Türpfosten‹ des Tempelhauses (בַּיִת) und an die vier Ecken der Einfassung des Altars und an ›die Türpfosten‹ des Tores des inneren Vorhofes streichen (נָתַן)« (zur Textgestalt s. *Zimmerli*, a.a.O., S. 1158, vgl. *Gese*, a.a.O., S. 77). Wie Ez 45,18b ausdrücklich anordnet, soll diese Blutapplikation der Entsündigung (חִטֵּא) der gesamten Tempelanlage (מִקְדָּשׁ v. 18) dienen, für die pars pro toto das Tempelhaus (בַּיִת), der Brandopferaltar und das innere Osttor stehen (v. 19). Wenn v. 20aα formuliert: »Und so sollst du (auch) tun am 7. ›des Monats‹« (v. 20aβ dürfte eine Glosse sein, s. *Gese*, a.a.O., S. 78f., vgl. *Zimmerli*, a.a.O., S. 1161), so handelt es sich nicht um ein »zweites« Entsühnungsfest neben dem »ersten« von v. 19 – so scheint es allerdings die Glosse v. 20b verstanden zu haben (s. dazu *Gese*, Sühne, S. 79, vgl. *Zimmerli*, a.a.O., S. 1161) –, sondern um die Anordnung einer Septime zur Wiederholung desselben Blutritus, s. *Gese*, a.a.O., S. 77f., vgl. *Zimmerli*, a.a.O., S. 1161.

221 Zu v. 19 und zum Nachtragscharakter von v. 25–27 s. *Zimmerli*, a.a.O., S. 1102. 1104ff., speziell zu v. 26b s. *Rupprecht*, Quisquilien, S. 88. Daß in Ez 43,27 »die שְׁלָמִים deutlich als Opfer gekennzeichnet (sind), die im Zusammenhang mit Sühneriten stehen« (*Eisenbeis, šlm*, S. 255), läßt sich nicht erweisen; denn das כִּפֶּר (und das חִטֵּא) v. 26 bezieht sich eindeutig auf die siebentägige Altarweihe (v. 25–27a), während das Brandopfer und das שְׁלָמִים-Opfer (v. 27b) die *danach* darzubringenden Opfer des regulären Opferkultes sind, vgl. auch *Rendtorff*, Studien, S. 27. Zur Funktion der שְׁלָמִים in Ez 45,15.17 s. oben Anm. 30.

222 *Zimmerli*, a.a.O., S. 1100.

223 Zur Position des Brandopferaltars (Ez 43,13–17, s. dazu *Gese*, Verfassungsentwurf, S. 44ff.; *Zimmerli*, a.a.O., S. 1089ff.) im ezechielischen Tempelentwurf s. den Rekonstruktionsversuch bei *Rüger*, Tempel, Sp. 1943f. Abb. 4; *Busink*, Tempel II, S. 707f. Abb. 175.176; S. 730ff. mit Abb. 182.

die vier Ecken der Altareinfassung und an die Pfosten des inneren Osttores (Ez 45,19) bestätigen – der *zentrale Entsündigungs- und Sühnakt.* Bei diesem geht es nicht nur um »ein Wegtun der widergöttlichen Sündensubstanz, die dem von Menschen aus irdischem Material erbauten Altar anhaftet«, sondern vor allem um die Beseitigung der »auf dem Volke und seinem Tempelort« (Ez 8) liegende(n) Versündigung«[224], so daß das sündige Israel im Kult wieder Zugang zu Gott findet. Dieses durch den entsündigenden und sühnenden Weiheritus inaugurierte *In-Kontakt-Treten mit dem Heiligen* ist der *Grundgehalt der kultischen Entsühnung von Altar und Heiligtum*[225].

Es verdient Beachtung, daß die Relation חִטֵּא (»entsündigen, einen Ritus der Entsündigung durchführen«)[226] – כִּפֶּר (»sühnen, Sühne schaffen«) außer in dem vorpriesterschriftlichen Text Ez 43,20 (vgl. חִטֵּא allein: Ez 43,22 [*bis*].23a; 45,18b; כִּפֶּר allein: Ez 45,20b; כִּפֶּר + טִהַר: Ez 43,26) auch bei P und zwar ebenfalls im Kontext eines mit חַטָּאת-Blut am Brandopferaltar ausgeführten Weiheritus begegnet: in Lev 8,15aβ.bβ; Ex 29,36f. Überlieferungsgeschichtlich ist dabei die Beobachtung *K. Elligers* zu berücksichtigen, daß die auf die Entsühnung des Brandopferaltars bezogenen Versteile (Lev 8) v.15aβ.bβ (im folgenden Textzitat in spitzen Klammern) in den Textzusammenhang des Sündopferparagraphen Lev 8,14–17 (par. Ex 29, 10–14 [Weihe Aarons und seiner Söhne]) deutlich sekundär[227] eingefügt sind:

»Mose schlachtete (den Sündopferfarren), nahm das Blut und gab (נָתַן) (es) mit dem Finger rings an die Hörner des Altars ‹ und entsündigte so den Altar (וַיְחַטֵּא אֶת־הַמִּזְבֵּחַ) ›; das (übrige) Blut goß er an den Fuß des Altars. ‹ So weihte er ihn, indem er ihm Sühne schaffte (וַיְקַדְּשֵׁהוּ לְכַפֵּר עָלָיו) ›« (Lev 8,15).

Diesen Interpretationszusätzen Lev 8,15aβ.bβ zufolge dient das Blut der חַטָּאת (vgl. v.15aα.bα) zur Entsündigung (חִטֵּא), Weihung (קִדֵּשׁ) und Entsühnung (כִּפֶּר) des Brandopferaltars. Der dieses קִדֵּשׁ erklärende Terminus כִּפֶּר Lev 8,15bβ findet sich auch in Ex 29,25b–37 (Nachtrag zum Gros des

224 *Zimmerli*, a.a.O., S. 1102, vgl. S. 1106.1165f.

225 Vgl. *Gese*, Sühne, S. 100f., andeutungsweise auch *Maass, kpr,* Sp. 850f.

226 חטא *pi.* ist im AT insgesamt 15mal belegt: Gen 31,39; Ex 29,36; Lev 6,19; 8,15; 9,15; 14,49.52; Num 19,19; Ez 43,20.22(bis).23; 45,18; Ps 51,9; 2Chr 29,24. Diese 15 Belege verteilen sich auf drei verschiedene Bedeutungen, »von denen die eine, *etwas als verfehlt anerkennen müssen* (Gen 31,39), als ästimativ-deklaratives *Piᶜel* mit dem *Qal* in näherer Beziehung steht als die beiden deutlich denominierten Bedeutungen *entsündigen* (privativ zu חֵטְא) und *als Sündopfer* (חַטָּאת) *darbringen*« (*Jenni*, Piᶜel, S. 267, vgl. S. 270.274, ferner GK, § 52h; *Moraldi*, Espiazione, S. 135f.; *R. Knierim*, *ḥṭ'*, Sp. 541). »Entsündigen« bedeutet חִטֵּא in Ex 29,36; Lev 8,15; 14,49.52; Num 19,9; Ez 43,20.22*(bis)*.23; 45,18; Ps 51,19; »ein Sündopfer darbringen« in Lev 6,19; 9,15; 2Chr 29,24 (s. dazu oben S. 206 mit Anm. 105). Das *Piᶜel* von חטא bedeutet aber kaum »die Sünde(nfolge) intensivieren«, so vermutungsweise *Koch*, Sühneanschauung, S. 19 Anm. 1.

227 S. dazu oben Anm. 218.

Kapitels Ex 29)[228], wo im Anschluß an die Weihe Aarons und seiner Söhne ebenfalls von einer (wohl einmaligen, sieben Tage lang andauernden) Entsündigung und Weihung des Brandopferaltars die Rede ist:

»(36) Und einen Sündopferfarren sollst du täglich zur Sühnung (עַל־הַכִּפֻּרִים) zurichten und sollst den Altar entsündigen (וְחִטֵּאתָ עַל־הַמִּזְבֵּחַ), indem du ihm Sühne schaffst (בְּכַפֶּרְךָ עָלָיו), und du sollst ihn salben, um ihn zu weihen (לְקַדְּשׁוֹ). (37) Sieben Tage lang sollst du dem Altar Sühne schaffen (תְּכַפֵּר עַל־הַמִּזְבֵּחַ) und ihn weihen (וְקִדַּשְׁתָּ אֹתוֹ). Der Altar soll als etwas Hochheiliges gelten; jeder, der den Altar berührt, wird heilig (יִקְדָּשׁ)«.

Das spezielle Interpretationsproblem von Lev 8,15 und Ex 29,36f. besteht in der Wiedergabe der Wendung כִּפֶּר + Präp. עַל + Sachobjekt (Lev 8,15bβ; Ex 29,36aγ.37aα [jeweils Brandopferaltar], vgl. die 5 weiteren Belege: Ex 30,10a [Hörner des Räucheraltars].b [Pronominalsuff. =Räucheraltar]; Lev 14,53 [בַּיִת = Aussatzhaus]; Lev 16,16a [Heiligtum, vgl. v. 16b: Begegnungszelt].18 [Brandopferaltar, vgl. v. 20a.33aα.β: Heiligtum, Begegnungszelt, Brandopferaltar; jeweils + *nota acc.* !]). Kann der Priester »für« (עַל) eine Sache Sühne schaffen, so wie er es »für« (עַל) eine Person[229] tut? Angesichts dieser offenkundigen Schwierigkeit sind einige Ausleger denn auch für eine lokale Auffassung dieses עַל (= »auf, über«) eingetreten; so wird Ex 29,36f. von *M. Noth* folgendermaßen übersetzt: »(36) . . . indem du über ihm die Sühnung vollziehst . . . (37) Sieben Tage lang sollst du über dem Altar die Sühnung vollziehen . . .«[230]. Wenn *I. Benzinger*[231] für die angeblich lokale Bedeutung dieses עַל auf den Parallelismus mit חִטֵּא עַל Ex 29,36aβ hinweist, so verliert dieses Argument angesichts der Formulierung des sachlich verwandten Textes Lev 8,15aβ.bβ allerdings an Beweiskraft: . . . וַיְחַטֵּא אֶת־הַמִּזְבֵּחַ וַיְקַדְּשֵׁהוּ לְכַפֵּר עָלָיו. Wie aber läßt sich dann die Wendung כִּפֶּר + Präp. עַל + Sachobjekt (Altar/Heiligtum) verstehen?

Lev 8,15aβ.bβ weist auf die entsprechende vorpriesterschriftliche Tradition Ez 43,20 (und Ez 45,18b.19) zurück, von der her diese – nur bei P belegte! – Wendung verständlich wird. Denn wenn es richtig ist, daß die נָתַן-Aussage Ez 43,20a (»Geben« des Blutes an die vier Hörner usw.) und die חִטֵּא-/כִּפֶּר-Aussage Ez 43,20b den Gesamtvorgang der Weihe des Brandopferaltars nach Ursache und Wirkung beschreiben[232], dann heißt dies, daß der Priester (bzw. nach der jetzigen Textgestalt von Ez 43,20: der Prophet) durch das *»Geben« des Blutes an (עַל)* die vier Hörner, *an (אֶל)*[233] die vier Ecken der Einfassung und *an (אֶל)* die Umgrenzung des Brandopferaltars – bzw. *an (אֶל)* die Türpfosten des Tempelhauses, *an (אֶל)* die vier Ecken der Altareinfassung und *an (עַל)* die Pfosten des inneren Osttores (Ez 45,19) – *diesen Altar entsündigt und entsühnt:* וְחִטֵּאתָ אוֹתוֹ וְכִפַּרְתָּהוּ Ez 43,20b (bzw. dieses Heiligtum entsündigt Ez 45,18b: חִטֵּא + nota acc. + Sachobjekt, vgl. Ez 43,22.26; 45,20; Lev 8,15aβ). Im Lichte dieses für das kultische Sühnegeschehen konstitutiven *Aktes des Blutstreichens an . . .* (נָתַן עַל: Ez 43,20a; 45,19) ist u.E. die Bedeutung des עַל in der Wendung כִּפֶּר + Präp. עַל + Sachobjekt Ex 29,36.37; 30,10a.b; Lev 8,15bβ; 14,53; 16,16.18) zu sehen. Das wird dadurch bestätigt, daß

228 Zum literarischen Verhältnis von Lev 8 zu Ex 29 s. die Hinweise oben Anm. 168.
229 Zu כִּפֶּר + עַל + Personalobjekt s. die Übersicht oben S. 187.
230 ATD V (^{3}1965), S. 187 (ohne Begründung). Lev 8,15bβ übersetzt *M. Noth,* ATD VI (^{2}1966), S. 55 nicht lokal: ». . . und heiligte ihn, indem der ihn sühnte (לְכַפֵּר עָלָיו)«!
231 ZAW 9 (1889), S. 65–89, hier: S. 84f. Vgl. zur Sache auch – allerdings abgewogener – *A. Dillmann – V. Ryssel,* Exodus und Leviticus KEH (^{3}1897), S. 352.508 (zu Ex 30,10 und Lev 8,15).
232 S. oben S. 229f.
233 Zur Verwischung der Bedeutungsgrenze von עַל – אֶל speziell im Buch Ezechiel s. *W. Zimmerli,* BK XIII/1 (1969), S. 6; XIII/2 (^{2}1979), S. 1097.

der *unmittelbare Zusammenhang zwischen dem Blut der* חַטָּאת *und dem* כִּפֶּר *(bzw.* חִטֵּא*)* über die bisher herangezogenen Texte Ez 43,20 (vgl. v. 22.26); 45,18b.19 (vgl. v. 20); Lev 8,15 hinaus auch in Lev 16,18 erkennbar ist:

> »Dann geht er (sc. Aaron) hinaus zum Altar, der vor Jahwe steht und schafft ihm Sühne (וְכִפֶּר עָלָיו); er nimmt von dem Blut des Farren und von dem Blut des Bockes und tut (נָתַן) es rings an (עַל) die Hörner des Altars«[234].

Demnach bedeutet die Wendung כִּפֶּר עַל + Sachobjekt, daß der Priester *dem* Altar/Heiligtum/Aussatzhaus *Sühne schafft* bzw. *den* Altar/*das* Heiligtum *entsühnt,* weil er *an ihm mit dem Blut des Sündopfers die Sühnung vollzieht:*

> »Aaron soll an seinen (sc. des Räucheraltars) Hörnern einmal im Jahr die Sühnung vollziehen (וְכִפֶּר אַהֲרֹן עַל־קַרְנֹתָיו); mit einem Teil des Blutes vom Sühnungssündopfer (מִדַּם חַטַּאת הַכִּפֻּרִים) soll er einmal im Jahr die Sühnung an ihm vollziehen (יְכַפֵּר עָלָיו) in euren Generationen. Etwas Hochheiliges ist er für Jahwe« (Ex 30,10).

2. Zwischenergebnis

a) Wir gingen davon aus, daß in der Sündopfertora Lev 4,1–5,13 deutlich zwischen einem *kleinen Blutritus* (Lev 4,25.30.34: Streichen [נָתַן] von Blut an die Hörner des Brandopferaltars, Ausschütten [שָׁפַךְ] des übrigen Sündopferblutes am Fuß des Brandopferaltars) und einem *großen Blutritus* (Lev 4,5–7.16–18: siebenmaliges Sprengen [הִזָּה] von Blut an den Vorhang vor dem Allerheiligsten, Streichen [נָתַן] von Blut an die Hörner des Räucheraltars, Ausschütten [שָׁפַךְ] des übrigen Sündopferblutes am Fuß des Brandopferaltars) unterschieden wird. Die Frage nach dem überlieferungsgeschichtlichen Verhältnis dieser beiden Blutriten war aus drei Gründen zugunsten der *Priorität des kleinen Blutritus* zu beantworten: α) Die literarisch primären Abschnitte von Lev 4,1–5,13 kennen lediglich den kleinen Blutritus (Lev 4,22–26.27–31.32–35)[235]. – β) Der Räucheraltar fand erst spät Eingang in den offiziellen Tempelkult[236]. Dieser kultgeschichtlichen Entwicklung trägt der große Blutritus mit der Aufgliederung in das Blutsprengen (הִזָּה) an den Vorhang vor dem Allerheiligsten (Lev 4,6b.17b) und in das Blutstreichen (נָתַן) am Räucheraltar (Lev 4,7a.18a) Rechnung[237]. – γ) In dem der Opfertora Lev 1–7 überlieferungsgeschichtlich vorausliegenden Stratum Lev 8–10* Pg findet der Ritus mit dem חַטָּאת-Blut (Lev 8,14–17* Pg^1 [par. Ex 29,10–14 P^s]; Lev 9,8–11 Pg^2) noch ganz am Brandopferaltar statt (Lev 8,15a.b Pg^1 [par. Ex 29,12 P^s]; Lev 9,9 Pg^2). In Lev 8,14ff.* Pg^1 (par. Ex 29,10ff. P^s); Lev 9,8ff. Pg^2 ist auch der Ritus des Blut-

234 Ebenso wie Lev 8,15aβ.bβ ist Lev 16,18f.20a (Entsühnung von Altar und Heiligtum) sekundär in einen Kontext eingefügt, der primär von der Entsühnung von *Menschen* handelt, s. dazu unten S. 266ff.

235 Oben S. 227.

236 Oben S. 227f. mit Anm. 215.

237 S. dazu auch unten S. 234f.

sprengens (הִזָּה) an den Vorhang vor dem Allerheiligsten noch unbekannt[238].

b) Diese überlieferungs- und kultgeschichtlich ursprüngliche Form des kleinen Blutritus belegen auch die vorpriesterschriftlichen, im Unterschied zu Lev 8,15aα.bα; 9,9 (Entsühnung Aarons und seiner Söhne) auf die Entsündigung und Entsühnung von (Brandopfer-)Altar und Heiligtum bezogenen Texte Ez 43,20; 45,18b.19, in deren Tradition wiederum die Interpretationszusätze Lev 8,15aβ.bβ (Zusatz zu Pg^2); Ex 29,36f. P^s; Lev 16,18 (Bearbeitung von Pg^2) und Ex 30,10 P^s stehen. Charakteristisch für die durch diese Texte repräsentierte חַטָּאת-Überlieferung ist der *unmittelbare Zusammenhang von (kleinem) Blutritus und* *כִּפֶּר/חִטֵּא-Aussage.* Bei den Weiheriten für den Brandopferaltar Ez 43,19*–22 und für das gesamte Heiligtum Ez 45,18–20a haben wir es demnach mit einer *genuinen Funktion der* *חַטָּאת* zu tun[239], die von P (jeweils in literarisch sekundären Schichten) weitertradiert wird (Lev 8,15aβ.bβ; Ex 29,36f.; Lev 16,18; Ex 30,10) und rudimentär noch beim Chronisten erkennbar ist (2Chr 29,24). Sie besteht darin, daß *durch die Applikation des חַטָּאת-Blutes an den* – nach der ezechielischen Tradition: im Zentrum des Heiligtumsbezirkes[240] stehenden – *Brandopferaltar* (dazu an die Türpfosten des Tempels und an die Pfosten des inneren Osttores Ez 45,19) *die Entsühnung von Altar und Heiligtum gewirkt wird:* Indem der Priester den Ritus der entsündigenden und sühnenden Hingabe des Sündopferblutes, in dem die נֶפֶשׁ des Opfertiers ist (Lev 17,11)[241], am Brandopferaltar vollzieht, wird dieser und – weil er nach priesterlicher Kulttradition ursprünglich in der Mitte der Tempelanlage steht – damit das gesamte Heiligtum geweiht[242].

c) Neben dieser älteren ezechielischen חַטָּאת-Überlieferung, die von P aufgenommen und weitertradiert wird, gibt es in der Priesterschrift (und vereinzelt auch beim Chronisten) eine andere חַטָּאת-Überlieferung, derzufolge das Sündopferblut nicht zur Entsühnung von Altar und Heiligtum, sondern zur Entsühnung Israels, seiner/s kultischen Repräsentanten und des einzelnen dient. Auch wenn es sich nahelegt, in der durch Ez 43,20; 45,19; Lev 8,15aβ.bβ; Ex 29,36f.; Lev 16,18 und Ex 30,10 repräsentierten Sühnetradition »eine ältere Auffassung von den Blutriten zu sehen, dergegenüber die Funktion dieser Riten zur Sühne von Menschen ein späteres Stadium darstellt«[243], so bleibt doch zu fragen, ob nicht zwischen diesen beiden חַטָּאת-

238 Zum הִזָּה-Ritus s. oben S. 222ff. Das im Bedürftigkeitsfalle Lev 5,7–10 mit einem Teil des Taubenblutes (v. 9) vorgenommene »Spritzen an die Wand (sc. des Altars), statt des Bestreichens der vier Hörner bei einem zeitraubenden Altarumgang ist eine durch die geringe Blutmenge erzwungene Restriktion des Üblichen« (*Elliger*, Leviticus, S. 75), vgl. *Rendtorff*, Studien, S. 226f.; *Wefing*, Entsühnungsritual, S. 113.

239 So zuerst *Rendtorff*, a.a.O., S. 205f.219f.231f.233f.239f.247f. Zu den Folgerungen, die *Rendtorff* aus diesem Sachverhalt zieht, s. aber im folgenden.

240 Vgl. oben S. 229 mit Anm. 223.

241 S. dazu unten S. 242ff.

242 Vgl. *Gese*, Sühne, S. 101f.

243 *Rendtorff*, Studien, S. 220.

Überlieferungen – חַטָּאת zur *Entsühnung von Menschen* und חַטָּאת *zur Entsühnung von sakralen Gegenständen* – ein sachlicher Zusammenhang besteht.

3. Die beiden Grundtypen der kultischen Entsühnung und ihr sachlicher Zusammenhang

Ursprünglich begegnet der kleine Blutritus mit der an den Hörnern des Brandopferaltars vollzogenen Applikation des Sündopferblutes ausschließlich im Zusammenhang von *sühnenden Weiheriten* – für Altar und Heiligtum (Ez 43,20; 45,19, vgl. Lev 8,15aβ.bβ; Ex 29,36f.; Lev 16,18; Ex 30,10), für Aaron und seine Söhne (Lev 8,15aα.bα par. Ex 29,12, vgl. Lev 9,9) –, sekundär dann auch bei der kultischen *Entsühnung von Menschen* (Lev 4,22ff.27ff.32ff., vgl. 2Chr 29,24). Gegenüber dem für die *Entsühnung eines einzelnen* (Fürst, jemand aus dem Volk) vorgeschriebenen kleinen Blutritus Lev 4,25.30.34 ist bei dem anläßlich der *Entsühnung der Gesamtheit* (Israel, Hoherpriester als kultischer Repräsentant Israels) zu vollziehenden großen Blutritus Lev 4,5–7.16–18 eine kultgeschichtliche Weiterentwicklung festzustellen, die in der Zweigliedrigkeit von Blutbesprengungsritus (הִזָּה: 4,6b.17b) und Blutbestreichungsritus (נָתַן: 4,7a.18a) ihren prägnanten Ausdruck findet. Worauf ist diese Weiterentwicklung des sühnenden Blutritus zurückzuführen?

Während bei Pg der Blutritus beim Sündopfer des Hohenpriesters Lev 8,14–17* Pg[1] (par. Ex 29,10–14 P[s]); Lev 9,9 Pg[2] noch ganz am Brandopferaltar stattfindet (Lev 8,15aα.bα [Ex 29,12]; Lev 9,9) und hier auch der Blutbesprengungsritus (הִזָּה) am Vorhang vor dem Allerheiligsten noch unbekannt ist, taucht dieser הִזָּה-Ritus zuerst in der (späteren) Sündopfertora Lev 4,1–5,13 im Zusammenhang der Entsühnung des Hohenpriesters und der ganzen Gemeinde Israel auf (Lev 4,6b.17b). Seine Einführung in die Sündopfergesetzgebung Lev 4,1ff. dürfte auf den Einfluß der הִזָּה-Vorschrift in der Grundschicht von Lev 16 zurückgehen[244], wonach Aaron am großen Versöhnungstag das Blut seines Sündopferfarrens und das Blut des Sündopferbockes des Volkes in das Innere des Allerheiligsten zu bringen und damit jeweils »vorn auf die כַּפֹּרֶת« und »siebenmal vor die כַּפֹּרֶת« zu sprengen hat (Lev 16,14f.), um so Sühne für sich, sein Haus und die ganze Gemeinde Israel zu schaffen (Lev 16,17)[245]. Diesen der *Entsühnung des*

244 Vgl. *Elliger*, Leviticus, S. 70.

245 Mit *Elliger* gehen wir davon aus, daß in Lev 16 zwei in ihrem Ursprung getrennte Sühnefeiern – ein Ritus zur Entsühnung von Priesterschaft und Volk (Grundschicht Pg[2]) und ein Ritus zur Entsühnung von Altar und Heiligtum (Bearbeitungsschicht) – zusammengelegt worden sind, dergestalt daß »ein vielleicht erst unter babylonischem Einfluß im Exil erdachtes, vielleicht aber doch schon im Israel der Königszeit praktiziertes Tempelreinigungsritual in der Art von Ez 45,18ff. in das Ritual des Versöhnungstages aufgenommen« wurde (a.a.O., S. 214, vgl. S. 210 und zur Sache unten S. 266ff.).

Hohenpriesters und *der ganzen Gemeinde Israel* dienenden הִזָּה-Ritus Lev 16,14f. hat der Novellist von Lev 4,3–12, der gleichzeitig den Sündopferparagraphen Lev 4,13–21* überarbeitete[246], für die von ihm gestalteten חַטָּאת-Bestimmungen: *Sündopfer des Hohenpriesters* Lev 4,3–12 und *Sündopfer der ganzen Gemeinde Israel,* übernommen, aber wegen der singulären Bedeutung des großen Versöhnungstages und wegen des allein Aaron zukommenden Vorrechtes, an diesem Tag das Allerheiligste zu betreten (Lev 16,7!), aus dem Innern des Allerheiligsten an dessen äußere Abgrenzung, d.h. an den *Vorhang vor dem Allerheiligsten* verlegt (Lev 4,6b.17b).

Da der (im Innern des Heiligtums hängende) Vorhang vor dem Allerheiligsten aber nicht dem (äußeren) Brandopferaltar entspricht, an dem die priesterliche Tradition den Ritus der sühnenden Blutapplikation ursprünglich lokalisiert (kleiner Blutritus bei den Weiheriten für Altar und Heiligtum: Ez 43,20; 45,19; Lev 8,15aβ.bβ; Ex 29,36f.; Lev 16,18; Ex 30,10; für Aaron und seine Söhne: Lev 8,15aα.bα [par. Ex 29,12]; Lev 9,9)[247], tritt in der Fortsetzung der הִזָּה-Zeremonie an dem (*im Innern des Heiligtums* hängenden) Vorhang vor dem Allerheiligsten der *im Innern des Heiligtums* – dieser Innenaspekt ist entscheidend! – stehende Räucheraltar hinzu[248], an dessen Hörner der amtierende Priester nunmehr (Lev 4,7a.18a) wie ursprünglich an die Hörner des Brandopferaltars (Lev 4,25.30.35) mit seinem Zeigefinger einen Teil des Sündopferblutes zu streichen (נָתַן) hat.

Zwar repräsentiert der große Blutritus im Verhältnis zum kleinen Blutritus ein kult- und überlieferungsgeschichtlich späteres Entwicklungsstadium, doch bringt die *Zweigliedrigkeit* des großen Blutritus zugleich eine *Steigerung* zum Ausdruck, weil hier das Sündopferblut in das *Innere des Heiligtums* (Vorhang vor dem Allerheiligsten und Räucheraltar) und damit »möglichst nahe an den im Allerheiligsten gegenwärtigen Gott«[249] herangebracht wird. So spiegelt sich in der Differenzierung der sühnenden Blutriten eine für das kultische Sühnegeschehen bedeutsame kultgeschichtliche Entwicklung wider, an deren Beginn *Weiheriten für Altar und Heiligtum* stehen (Ez 43,20; 45,19, vgl. Ex 29,36f.; 30,10) und in deren Verlauf – über Zwischenstufen, die wie Lev 8,15 und Lev 16,14–20a durch das *Neben- und Ineinander zweier ursprünglich verschiedener* חַטָּאת*-Überlieferungen:* חַטָּאת zur Entsühnung von *Menschen* (Lev 8,15aα.bα [par. Ex 29,12] mit kleinem Blutritus; Lev 16,14f.17 mit הִזָּה-Ritus an der כַּפֹּרֶת) und חַטָּאת zur Entsühnung *sakraler Gegenstände* (Lev 8,15aβ.bβ; Lev 16,16*.18f.20a)

246 S. dazu oben S. 194ff.

247 Das Gewicht dieser Tradition macht sich noch in der Abfolge der Blutriten Lev 16,18f. (Bearbeitung von Pg^2) bemerkbar, wo in v. 18 die kult- und überlieferungsgeschichtlich ursprüngliche Form der Blutapplikation am Brandopferaltar vorgeordnet und dieser Blutritus in v. 19 nach dem Vorbild von Lev 16,14f. sekundär um den הִזָּה-Ritus ergänzt wird. Auch dieser Sachverhalt unterstreicht den Bearbeitungscharakter von Lev 16,18f., s. dazu auch *Elliger*, a.a.O., S. 214, ferner *Rendtorff*, Studien, S. 220; *Otto*, Fest, S. 70 Anm. 18; S. 73; *Wefing*, Entsühnungsritual, S. 108ff.161f.

248 Vgl. *Elliger*, a.a.O., S. 69.

249 *Ders.*, ebd., vgl. *Gese*, Sühne, S. 94.102.

gekennzeichnet sind[250] – immer deutlicher *Riten zur Entsühnung Israels, seiner/s kultischen Repräsentanten und des einzelnen* in den Vordergrund treten.

Die skizzierte kultgeschichtliche Entwicklung wird noch von einer weiteren Differenzierung bestimmt, die sich auf die *unterschiedliche Behandlung der nach dem Opfervollzug übrigbleibenden Teile des Sündopfertieres* bezieht: Läßt sich zwischen der Beseitigung des Übriggebliebenen durch *Verbrennen* oder durch *Essen* und einer der beiden Grundformen der sühnenden Blutapplikation (kleiner/großer Blutritus) ein ursprünglicher Zusammenhang erkennen?[251]

Geht man zur Beantwortung dieser Frage wiederum von der Sündopfertora Lev 4,1ff. aus, so fällt auf, daß bei dem Sündopfer der Gesamtheit Lev 4,3–12 (חַטָּאת des kultischen Repräsentanten).13–21 (חַטָּאת Israels) nach den Ritualakten: Fettabheben – kultische Verbrennung (הִקְטִיר) der Fetteile des Opfertieres (Lev 4,8–10.19, vgl. 4,26a [ohne Fettabheben]. 31aβ.35aβ)[252] in Lev 4,11f.21 ein weiterer Ritualakt genannt wird, der die rituelle Beseitigung der nach dem großen Blutritus (Lev 4,5–7.16–18) und der Fettverbrennung (הִקְטִיר: Lev 4,10b.19b) verbleibenden Teile des Opfertieres – das Fell, das ganze Fleisch nebst dem Kopf und den Unterschenkeln, die Eingeweide und den Gedärminhalt – durch Verbrennen (שָׂרַף) außerhalb des Lagers an einer »reinen Stätte« (an dem Ort, wo man die Asche hinschüttet) vorsieht[253]. Ist daraus zu folgern, daß die חַטָּאת-Überlieferung die rituelle Beseitigung der restlichen Stücke des Opfertieres durch Verbrennen ursprünglich mit dem großen Blutritus in Verbindung bringt?

Schon aufgrund des Sachverhalts, daß der große Blutritus Lev 4,5–7.16–18 gegenüber dem kleinen Blutritus kult- und überlieferungsgeschichtlich sekundär ist, kommt der Annahme, daß die rituelle Beseitigung des Übriggebliebenen durch Verbrennen (Lev 4,11f.21) ursprünglich mit dem großen Blutritus in Zusammenhang steht, wenig Wahrscheinlichkeit zu. Dies wird dadurch bestätigt, daß – mit Ausnahme von Lev 4,3–12.13–21 – alle anderen Texte mit einem ausgeführten חַטָּאת-Ritus, die diesen rituellen Beseitigungsakt erwähnen, nicht den

250 Vgl. auch 2Chr 29,21aβγ (»sieben Ziegenböcke für das Königreich, *für das Heiligtum* und für Juda«) mit 2Chr 29,23f., s. dazu oben S. 205f.

251 Zum Folgenden vgl. *Koch*, Sühneanschauung, S. 52ff.57; *Rendtorff*, Studien, S. 222ff.234.249; *Gese*, Sühne, S. 94.100.101f.; *Wefing*, a.a.O., S. 140f. Nach *Milgrom* (ḥaṭṭā't, vgl. *ders.*, Sacrifices, S. 766f.; *ders.*, Sanctuary) ist die Differenzierung in der Behandlung der nicht zum Opferritus verwendeten Teile des Sündopfertieres so zu erklären, daß die »burnt ḥaṭṭā't« sich auf einen höheren Grad von Unreinheit beziehe als die »eaten ḥaṭṭā't«; die beiden Arten der חַטָּאת unterscheiden sich also *Milgrom* zufolge allein nach dem Grad der Unreinheit, die sie reinigen (ḥaṭṭā't, S. 336). Abgesehen von der Fraglichkeit der *Milgromschen* Grundthese: חַטָּאת = »Reinigungsopfer« (s. dazu ausführlicher unten Anm. 287) ist kritisch anzumerken, daß eine These wie diejenige *Milgroms* nur möglich ist, wo der überlieferungsgeschichtlichen Problematik der herangezogenen Texte (s. dazu im folgenden) keinerlei Beachtung geschenkt wird und wo altorientalische Rechts- und Ritualüberlieferungen – im vorliegenden Fall Hethitische Gesetze § 44b (Übersetzung bei *R. Haase*, Die keilschriftlichen Rechtssammlungen in deutscher Übersetzung, Wiesbaden 1963, S. 69) und Šurpu VII, 59–63 (s. dazu oben S. 45) – zu Sachparallelen erhoben werden, die die Beweislast zu tragen haben: »Thus there is firm precedent in ancient Near Eastern praxis and vocabulary for explaning the burning of the ḥaṭṭā't because it absorbs the malefic impurity of the object which it has purged« (*Milgrom*, ḥaṭṭā't, S. 337) – obwohl weder in Hethitische Gesetze § 44b noch in Šurpu VII, 59ff. von Sühne und/oder Opfer, sondern ausschließlich von magischen Reinigungsriten die Rede ist.

252 S. dazu ausführlich *Rendtorff*, Studien, S. 220f.222.

253 S. dazu *ders.*, a.a.O., S. 222f.

großen, sondern den überlieferungsgeschichtlich primären kleinen Blutritus (am Brandopferaltar) aufweisen: Ez 43,19–21 (ohne Fettverbrennungsritus)[254]; Lev 8,14–17* Pg¹ (par. Ex 29,10–14 Pˢ); Lev 9,8–11 Pg² (jeweils mit Fettverbrennungsritus: Lev 8,16 par. Ex 29,13; Lev 9,10)[255]. Da wir es bei dem kleinen Blutritus Ez 43,20 (vgl. Ez 45,19); Lev 8,15aα.bα [par. Ex 29,12]; Lev 9,9; 16,18 (vgl. Ex 29,36f.; 30,10; 2Chr 29,24) mit einer genuinen Funktion der חַטָּאת zu tun haben, und hier jener Beseitigungsakt (Ez 43,21; Lev 8,17 par. Ex 29,14; Lev 9,11), der selbst keinen Opfercharakter hatte[256], integraler Bestandteil des jeweiligen חַטָּאת-Ritus ist, dürfte der *Zusammenhang von kleinem Blutritus und ritueller Beseitigung durch Verbrennen* (שָׂרַף) der nicht zum Opferritus verwendeten Teile des Sündopfertieres *ursprünglich* sein[257]. Der Sündopferritus war demnach ursprünglich ein Ritus, der der Gewinnung des an den Brandopferaltar (bzw. an das Heiligtum) zu applizierenden חַטָּאת-Blutes diente, während der gesamte Rest des Opfertieres außerhalb des Heiligtums an einer dafür vorgesehenen Stätte verbrannt wurde (Ez 43,20f.)[258]. Erst im Zuge der kultgeschichtlichen Entwicklung der חַטָּאת-Riten tritt – möglicherweise durch Vermittlung des זֶבַח שְׁלָמִים-Rituals Lev 3[259] – der (in Ez 43,20f.; 45,19 [vgl. 2Chr 29,24] noch fehlende) Fettverbrennungsritus hinzu (הִקְטִיר: Lev 8,16 par. Ex 29,13; Lev 9,10; dann: Lev 4,26a.31aβ.35aβ; 4,10b.19b)[260], durch den »die chattat über den Blutritus hinaus zum Tieropfer wurde«[261].

In Lev 4,22f.27ff.32ff.: חַטָּאת zur Entsühnung eines einzelnen (jeweils kleiner Blutritus v. 25.30.35 *und* Fettverbrennungsritus v. 26a [ohne Fettabheben].31aβ.35aβ), fehlt der Ritualakt der Beseitigung des Übriggebliebenen durch Verbrennen (שָׂרַף). Während der Fettverbrennungsritus (הִקְטִיר) noch nicht in Ez 40–48, aber schon in Pg – und zwar in beiden Schichten (Lev 8,16 Pg¹ [par. Ex 29,13 Pˢ]; Lev 9,10 Pg²) – greifbar ist[262], vermehrt erst die spätere Kultüberlieferung, die im Rahmen der Opfertora Lev 1–7 Sünd- und Schuldopfer in unmittelbare Nähe zueinander rückt (Lev 4,1–5,13; 5,14–26 und Lev 6,17–23; 7,1–10), den (kleinen) Blutritus der חַטָּאת um den Ritus des Essens der restlichen Stücke, der ebenso bei dem Schuldopfer vorliegt (Lev 7,6) und von dorther in das חַטָּאת-Ritual übernommen worden sein könnte[263]. Diese nicht dem Opferherrn, sondern der Priesterschaft geltende Vorschrift zum Ver-

254 Der Fettverbrennungsritus (und der Akt des Verbrennens der nicht zum Opferritus verwendeten Teile des Opfertieres) fehlt auch in Ez 45,19 und 2Chr 29,24. Zu dem wohl sekundären Charakter von Lev 16,25 (»Und das Fett des Sündopfers läßt er auf dem Altar in Rauch aufgehen«) s. *Rendtorff*, a.a.O., S. 221; *Elliger*, Leviticus, S. 206.216; *Wefing*, a.a.O., S. 137f.

255 Zu den Formulierungen vgl. *Rendtorff*, a.a.O., S. 223. Einen Sonderfall stellt die Vorschrift Lev 16,27 dar: Zum einen betrifft die hier vorgeschriebene Beiseiteschaffung und Verbrennung der beiden Sündopferkadaver nicht mehr den Verlauf der Sühnefeier (wie sie in der Grundschicht Lev 16* Pg² geschildert wird, s. *Elliger*, a.a.O., S. 206.216), zum anderen ist mit dem Blut, das hineingebracht worden ist, um im Heiligtum die Sühne zu vollziehen (לְכַפֵּר בַּקֹּדֶשׁ Lev 16,27aβ), nicht ein großer Blutritus, sondern der הִזָּה-Ritus (Lev 16,14f.) ausgeführt worden, vgl. zu Lev 16,27 auch *Wefing*, a.a.O., S. 139ff.

256 Vgl. *Rendtorff*, a.a.O., S. 233.

257 Vgl. *Koch*, Sühneanschauung, S. 54.56.59f.; *Gese*, Sühne, S. 101f., anders *Rendtorff*, a.a.O., S. 224f.

258 Vgl. *Gese*, a.a.O., S. 101; zu מִפְקָד Ez 43,21 s. *Gese*, Verfassungsentwurf, S. 47 Anm. 3, vgl. auch *W. Zimmerli*, BK XIII/2 (²1979), S. 1103, zur Sache ferner *Koch*, Sühneanschauung, S. 52ff.; *Rendtorff*, a.a.O., S. 222ff.; *Milgrom*, ḥaṭṭā't, S. 334f.

259 *Rendtorff*, a.a.O., S. 220f.234.239, vgl. S. 157ff. und *Koch*, a.a.O., S. 57.

260 Zu Lev 16,25 s. die Hinweise oben Anm. 254.

261 *Rendtorff*, Studien, S. 234, vgl. S. 249.

262 Anders *Gese* (Sühne, S. 101), der den Fettverbrennungsritus Lev 8,16 »deutlich als Hinzufügung« versteht, s. dazu aber die literarkritische Analyse von *Elliger*, Leviticus, S. 107f.118f.

263 Vgl. *Gese*, a.a.O., S. 94.101, ferner *Koch*, Sühneanschauung, S. 54.57.60.

zehr eines »negativen Mahlopfers«[264] taucht mit Bezug auf das חַטָּאת-Opfer zuerst in der neuen Sündopfertora Lev 6,17–23* Po² auf[265], wo eine andere Verwendung der übrigbleibenden Teile des Opfertieres als die rituelle Beseitigung durch Verbrennen vorgeschrieben wird:

»Der Priester, der es als Sündopfer darbringt (הַכֹּהֵן הַמְחַטֵּא אֹתָהּ)[266], muß es essen; an heiliger Stätte muß es gegessen werden, im Vorhof des Begegnungszeltes« (Lev 6,19).

Die Frage, wann diese Verzehrvorschrift – die noch ohne jede Einschränkung hinsichtlich einer bestimmten Art von Sündopfer (חַטָּאת des einzelnen usw.) formuliert ist – aufkam, muß offenbleiben; doch läßt sich angesichts der Tatsache ihres Fehlens in der Grundschicht von Ez 40–48[267] sowie in P^g^ (Lev 8,14–17* Pg¹; 9,8–11 Pg²) vermuten, daß sie erst aufkommen konnte, nachdem die חַטָּאת durch die nachezechielische Einführung des Fettverbrennungsritus (in Lev 8,16 par. Ex 29,13; Lev 9,10) über den (kleinen) Blutritus hinaus zum Tieropfer geworden war. Daß »ursprünglich das Fleisch ausnahmslos aller Sündopfer von den Priestern gegessen wurde«[268] und erst die Ausbildung neuer Blutriten, insbesondere des großen Blutritus, eine Differenzierung in der Behandlung der übriggebliebenen Stücke des Sündopfertieres nötig machte[269], zeigt der die letzte Stufe des Vorbaus der Sündopfertora (Lev 4,3–12.13–21*) sowie Lev 16,27 voraussetzende Interpretationszusatz Lev 6,23[270]:

»Aber alles Sündopfer, von dessen Blut etwas zum Begegnungszelt gebracht wird, um im Heiligtum die Sühne zu vollziehen (לְכַפֵּר בַּקֹּדֶשׁ), darf nicht gegessen werden; mit Feuer muß es verbrannt werden«.

Während sich die Verzehrvorschrift dem Gliederungsprinzip der in Lev 4,22–35 vorliegenden Grundform der Sündopfertora Lev 4,1–5,13 entsprechend auf das Sündopfer der Gesamtheit (Lev 4,22ff.) und auf das Sündopfer eines einzelnen (Lev 4,27ff.31ff.) und d.h.: ursprünglich auf *das Sündopfer allgemein* (Lev 6,17–20a.22) bezieht, ist die Einführung des rituellen Beseitigungsaktes der Verbrennung in Lev 4,3ff.13ff. auf die kultgeschichtlich späte Ausbildung neuer Blutriten zurückzuführen. Ein Verzehr der Reste des חַטָּאת-Tieres (durch die Priesterschaft!) kam hier schon deshalb nicht in Frage, weil in Lev 4,3–21 »die Heiligkeit der Gesamtheit, also auch der Priesterschaft, tangiert ist«[271]. Nur aus diesem Grunde wurde in Lev 4,3ff. – in einer verwirrenden Vermischung disparater Einzelüberlieferungen – die ursprüngliche Form der rituellen Beseitigung durch Verbrennen beibehalten und so auch mit dem großen Blutritus in Verbindung gebracht[272].

264 *Gese*, a.a.O., S. 94.100.101.
265 Zur literarischen Problematik s. *Elliger*, a.a.O., S. 85f.93.
266 Zur Bedeutung von חטא *pi.* (»als Sündopfer darbringen«) s. oben Anm. 226.
267 Vom »Essen« der חַטָּאת ist (jeweils im Kontext von Priesteranteilbestimmungen) erst in den späteren Stücken Ez 42,13; 44,29 (jeweils ohne Erwähnung eines Blutritus) die Rede, s. dazu *W. Zimmerli*, BK XIII/2 (²1979), S. 1059f.1063.1137.1139f., vgl. *Koch*, Sühneanschauung, S. 58.79; *Rendtorff*, Studien, S. 27.28.30.34.36.175.188.226 Anm. 1.
268 *Elliger*, Leviticus, S. 98.
269 Vgl. *Rendtorff*, Gesetze, S. 37 (anders *ders.*, Studien, S. 225); *Elliger*, a.a.O., S. 98.
270 *Elliger*, a.a.O., S. 86.94.
271 *Gese*, Sühne, S. 101, vgl. S. 94 und *Milgrom*, ḥaṭṭā't, S. 337.
272 Anders als Lev 6,17–23 ist Lev 10,16–20 ein typischer »Midrasch, der nicht nur (Lev) 6,17ff. in seiner schon um (Lev) 6,23 erweiterten Form, sondern auch die relativ späte Schicht des Sündopfergesetzes (Lev) 4,3ff. bereits voraussetzt« (*Elliger*, a.a.O., S. 136) und insgesamt den späten Versuch darstellt, die hinsichtlich der unterschiedlichen Behandlung der חַטָּאת Lev 6,17ff. und Lev 9,15 bestehende Spannung auszugleichen, s. dazu *Elliger*, a.a.O., S.

Angesichts des in der Differenzierung der sühnenden Blutriten (kleiner Blutritus, הִזָּה-Ritus, großer Blutritus) greifbaren Funktionswandels des Sündopfers – ursprünglich ein *Weiheritus für Altar und Heiligtum*, dann immer deutlicher ein *Opferritus zur Entsühnung Israels, seiner/s kultischen Repräsentanten und des einzelnen* – stellt sich abschließend die Frage nach dem sachlichen Zusammenhang dieser beiden Grundtypen der kultischen Entsühnung. *R. Rendtorff* zufolge ist in den Texten, nach denen die חַטָּאת zur Entsühnung von Altar und Heiligtum dient (Ez 43,20; 45,19, vgl. Lev 8,15aβ.bβ; Ex 29,36f.; Lev 16,18f.; Ex 30,10), nicht nur »eine ältere Auffassung von den Blutriten zu sehen, dergegenüber die Funktion dieser Riten zur Sühne von Menschen ein späteres Stadium darstellt«[273]; vielmehr komme in den חַטָּאת-Riten zur Entsühnung von Menschen auch eine von Ez 43,20; 45,19; Lev 8,15aβ.bβ; Ex 29,36f.; Lev 16,18f.; Ex 30,10 *unabhängige Sühnetradition* zu Wort, die – wenngleich in anderer Gestalt: עֹלָה als Sühnopfer für Vergehen der Gesamtheit, אָשָׁם als Sühnopfer für Vergehen eines einzelnen – vermutlich auf eine vorexilische Kultpraxis zurückgehe[274]. Während die unmittelbare Verbindung von Blutritus und כִּפֶּר allein »ein Spezifikum derjenigen Schicht der Überlieferung ist, die die chattat als Weihe- und Reinigungsopfer für Heiligtum und Altar versteht«[275], sei nach jenem anderen Ausschnitt der חַטָּאת-Überlieferung (חַטָּאת zur Entsühnung von Menschen) ein konstitutiver Zusammenhang zwischen כִּפֶּר und Handaufstemmung festzustellen, dergestalt daß »das Handaufstemmen mit der dadurch bewirkten Übertragung der Sünde auf das Opfertier (das später vernichtet wird) sühnende Wirkung hat«[276].

135f.138f., vgl. auch *M. Noth*, ATD VI (²1966), S. 73f.; *Rendtorff*, Studien, S. 224. Die theologische Begründung, die Lev 10,17aβ.b für die Verzehrvorschrift Lev 10,17aα gibt (zum Text s. oben S. 207), läßt sich schwerlich mit *Rendtorff* (Studien, S. 215f., vgl. S. 226.232. 233) und *Koch* (Sühneanschauung, S. 17, vgl. S. 5.25.53f. und *ders.*, Priesterschrift, S. 102; ähnlich *von Rad*, Theologie I, S. 261.284) so verstehen, als hinge die Sühnewirkung des Opfers vom Essen der חַטָּאת durch die Aaroniden ab, vgl. oben S. 207. Auch wenn man die Wendung נָשָׂא עָוֹן Lev 10,17b wörtlich versteht (»die Schuld tragen«, s. dazu *Knierim*, Sünde, S. 218ff.; *Zimmerli*, Jes 53, S. 215ff.), so ist doch nicht gemeint, daß dieses »Tragen« (= Beseitigen) der Schuld durch das Essen der חַטָּאת geschieht, sondern vielmehr, daß die Priester aufgrund der ihnen von Gott gegebenen חַטָּאת (»und es [sc. das Sündopfer] gerade hat er [sc. Jahwe] euch [sc. den Priestern] gegeben . . .«) dazu bestellt sind, als *Mittler* für die Gemeinde Israel deren Schuld zu tragen, indem sie – so ist der das נָשָׂא עָוֹן explizierende Inf.cstr. לְכַפֵּר zu verstehen (s. GK, § 114 o) – für sie mit dem Sündopfer das Sühneritual vollziehen. Demnach will Lev 10,17 lediglich besagen, »daß Jahwe den Priestern Anteil am Opferfleisch gibt unter der Bedingung, daß sie zugunsten des Volkes das Sühneritual vollziehen. Das Fleisch ist ›hochheilig‹, nicht weil die Sünde darauf übertragen worden ist, sondern weil es in Zusammenhang mit einem von Jahwe angeordneten und für das Heil des Volkes bedeutsamen Kultakt steht« (*Scharbert*, Heilsmittler, S. 104 Anm. 15), vgl. auch *Elliger*, a.a.O., S. 139; *Milgrom*, ḥaṭṭā't, S. 333f.

273 Studien, S. 220.

274 A.a.O., S. 233.239.248, s. dazu den Einwand von *Gese*, Sühne, S. 102 Anm. 12.

275 *Rendtorff*, a.a.O., S. 232.

276 *Ders.*, a.a.O., S. 220, vgl. S. 232. Daß bei der חַטָּאת zur Entsühnung von Menschen »Blut und kipper nicht notwendig zusammengehören«, ergibt sich nach *Rendtorff* auch daraus, »daß die Einführung von Mehl als chattat-Material möglich war (Lev 5,11ff) und daß dieser

Wir waren zu dem Ergebnis gekommen, daß in der unmittelbaren Verbindung von (kleinem) Blutritus und כִּפֶּר, wie sie für die Weiheriten von Altar und Heiligtum charakteristisch ist, eine genuine Funktion der חַטָּאת zum Ausdruck kommt, die schon vorexilisch in Ez 40–48 (Ez 43,19f.; 45,18b.19) und dann in der Grundschicht von P^g vorauszusetzen ist[277]. Fraglich sind demgegenüber Herkunft und Bedeutung der in nachexilischer Zeit aufkommenden חַטָּאת-Überlieferung, deren Spezifikum nach *Rendtorff* nicht der Zusammenhang von Blutapplikation und Sühnegeschehen, sondern derjenige von Handaufstemmung und כִּפֶּר sein soll. Sowenig allerdings der Handaufstemmung selbst, d.h. unabhängig von einem Blutritus, schon Sühnefunktion zukommt – dafür ist auch Lev 1,4 kein Beleg[278] –, sowenig läßt sich auch die These von einer durch die Handaufstemmung bewirkten Sündenübertragung wahrscheinlich machen[279]. Vor allem aber ist zu beachten, daß es *beide Formen der Blutapplikation*, die bei der *Entsühnung von Menschen* vorkommen: das *Blutsprengen* (הִזָּה) und das *Blutstreichen* (נָתַן), durchgängig mit dem *Altar* bzw. mit dem *Heiligtum* zu tun haben[280] – sei es mit dem Brandopferaltar (kleiner Blutritus: Lev 8,15aα.bα par. Ex 29,12; Lev 9,9; Lev 4,25.30.35; 2Chr 29,24), mit der כַּפֹּרֶת (הִזָּה-Ritus: Lev 16,14f., vgl. Lev 16,27) oder mit dem Vorhang vor dem Allerheiligsten und dem Räucheraltar (großer Blutritus: Lev 4,5–7.16–18, vgl. Lev 6,23; 10,18). Das aber bedeutet, daß diese חַטָּאת-Überlieferung nicht eine von jener älteren חַטָּאת-Überlieferung disparate Sühnetradition repräsentiert, auf die die Bezeichnung חַטָּאת erst sekundär übertragen wurde, sondern vielmehr, daß beide חַטָּאת-Überlieferungen – חַטָּאת zur Entsühnung von Altar und Heiligtum *und* חַטָּאת zur Entsühnung von Menschen – sachlich zusammengehören[281]. So geht es denn schon in der Altar- und Heiligtumsweihe Ez 43,19f. nicht um den isolierten Reinigungsakt eines sakralen Gegenstandes, sondern vielmehr um die rituelle Voraussetzung für die Neu-

Abschnitt des Rituals mit der gleichen kipper-Formel abgeschlossen wird wie die übrigen« (a.a.O., S. 232f., ähnlich neuerdings *Füglister*, Sühne, S. 147). Dieses Argument ist allerdings deshalb wenig überzeugend, weil die Bedürftigkeitsnovelle Lev 5,11–13 hinsichtlich des Wachstums (!) der Sündopferbestimmungen Lev 4,1–5,13 einen kultgeschichtlichen Endpunkt markiert, bei dem es primär darauf ankam, gerade auch dem *bedürftigen* Laien die Möglichkeit kultischer Entsühnung durch die Gestattung eines *Ersatzopfers* (zu diesem Terminus s. oben S. 212) zu eröffnen und zu erhalten. Im Vordergrund dieser Novelle steht also die erst im Zuge der Weiterentwicklung des Sühnekultes möglich gewordene und in Sonderfällen praktizierte Ersetzung eines blutigen Tieropfers durch ein vegetabilisches Opfer (grundsätzlich anders neuerdings *Geller*, Lev V,1–5, vgl. unten Anm. 382). Bei seiner Argumentation muß *Rendtorff* konsequenterweise zugeben, daß die Einführung einer Mehl-חַטָּאת umgekehrt auch nicht gerade für eine (unmittelbare) Verbindung von כִּפֶּר und Handaufstemmung spricht (a.a.O., S. 233).

277 S. oben S. 233.

278 S. oben S. 216ff.

279 S. dazu ausführlich oben S. 205ff.

280 Das gilt auch für חַטָּאת-Riten, bei denen das Blut bestimmten Menschen direkt appliziert wird, s. dazu oben Anm. 204; anders *Rendtorff*, Studien, S. 219.

281 S. dazu auch den Hinweis oben Anm. 250.

konstituierung des Kultes, und d.h. letztlich: um ein neues Jahwe-Israel-Verhältnis[282]. Indem die Priesterschrift den Vorgang der Entsühnung von Menschen auf diese Weise, d.h. unter der Aufnahme und weiteren Differenzierung der Blutriten, wesentlich von der Altar- und Heiligtumsweihe her bestimmt, hat sie das *kultische Sühnegeschehen primär als einen Akt der Weihung* verstanden, durch den das חַטָּאת-Blut in einem zeichenhaften Ritus (Blutsprengen, Blutstreichen) an das Heiligtum hingegeben wird. Selbst der Chronist, der nur an drei Stellen den Terminus כִּפֶּר verwendet (1Chr 6,34; 2Chr 29,24; 30,18), hat diese Anschauung nicht nur aufgenommen, sondern in der singulären Formulierung 2Chr 29,23.24a noch zugespitzt:

»(23) Und sie brachten die Sündopferböcke vor den König und die Gemeinde, und sie stemmten ihre Hände auf sie; (24) darauf schlachteten die Priester sie und *brachten ihr Blut als Sündopfer zum (Brandopfer-)Altar hin dar* (וַיְחַטְּאוּ אֶת־דָּמָם הַמִּזְבֵּחָה), *um für ganz Israel Sühne zu schaffen*«[283].

Enger läßt sich der Zusammenhang von *Applikation des Sündopferblutes an Altar und Heiligtum* und *kultischer Entsühnung von Menschen* kaum formulieren!

Halten wir fest: Nachdem der חַטָּאת-Ritus – ursprünglich ein Blutritus am Brandopferaltar mit anschließender Verbrennung (שָׂרַף) der übrigbleibenden Teile des Sündopfertieres[284] – durch die Einführung der Fettverbrennung seinen eigentlichen Opfercharakter erhalten hatte[285], war der priesterlichen Kultgesetzgebung die Möglichkeit gegeben, auch denjenigen, der die חַטָּאת darbrachte, mit den Ritualakten: Handaufstemmen und Schlachten, in das Opfergeschehen einzubeziehen. Weil der Opfernde durch das Aufstemmen seiner Hand auf das Sündopfertier (Lev 4,4.15.24.29.33; Lev 8,14 par. Ex 29,10; Num 8,12; 2Chr 29,23) an dessen Tod realiter partizipiert, indem er sich durch diesen symbolischen Gestus mit dem sterbenden Tier identifiziert, geht es in der Lebenshingabe des חַטָּאת-Tieres um den eigenen, von dem Opfertier stellvertretend übernommenen Tod des durch שְׁגָגָה schuldig gewordenen Menschen[286]. Indem der Priester das Blut dieses – durch die Handaufstemmung mit dem Opferherrn identifizierten – Sündopfertieres in einem zeichenhaften Ritus an den Brandopferaltar, an die äußere Abgrenzung des Allerheiligsten (Vorhang vor dem Allerheiligsten und Räucheraltar) oder an die כַּפֹּרֶת sprengt, wird eine *zeichenhaft-reale Lebenshingabe des Opfernden an das Heiligtum Gottes* vollzogen[287]. Wie

282 Vgl. oben S. 229f. und z.T. auch *Rendtorff*, Studien, S. 248f.

283 Zu diesem Text s. oben S. 206 mit Anm. 105.

284 S. dazu oben S. 236f.

285 Vgl. ebd.

286 Zu dem hier vorauszusetzenden Sündenbegriff s. unten S. 254ff.

287 *Gese*, Sühne, S. 97. Im Unterschied zu dieser positiven Sinnbestimmung des Sühnekultes wird die kultische Entsühnung weithin als ein *Negativum* verstanden: »Es geht also bei der ›Sühne‹ um die Elimination der Sünde (bzw. der Unreinheit) und um die Aufhebung des Sün-

gezeigt werden soll, ist die für dieses *Stellvertretungsgeschehen* konstitutive Relation: *Blutritus – Lebenshingabe* von Lev 17,11 her zu verstehen.

B) »Das Blut sühnt durch das Leben« – Lev 17,11 als Summe der kultischen Sühnetheologie

Trotz der Korrekturen, die die jüngste Forschung zum Heiligkeitsgesetz, insbesondere die Arbeit von *A. Cholewiński*[288], an dem von *K. Elliger* gezeichneten Bild der Entstehung von H und speziell von Lev 17[289] angebracht hat, besteht zwischen den Analysen *Elligers* und *Cholewińskis* doch darin Übereinstimmung, daß die kasuistisch formulierten Bestimmungen über den Umgang mit Blut Lev 17,10–14* (Grundschicht) von einem paränetischen Kommentar redaktioneller Herkunft umlagert sind, der nach *Elliger*

denzustandes. Durch diesen an sich negativen Akt wird der verlorengegangene oder zumindest beeinträchtigte Heilszustand wiederhergestellt« (*Füglister*, Sühne, S. 148). Auch nach *Milgrom* (Sanctuary, vgl. *ders.*, Atonement, S. 78ff.; *ders.*, Sacrifices, S. 766ff.; *ders.*, Cult, S. 127f.), der im Unterschied zu *P. Volz, R. Rendtorff* und *K. Koch* die Handaufstemmung beim Opfer nicht in seine Ausführungen miteinbezieht, besteht das Wesen der kultischen Sühne in der *Beseitigung der Sünde*, näherhin in der *Reinigung von Altar und Tempel*. Dem liegt die Annahme zugrunde, die חַטָּאת sei als »Reinigungsopfer« zu verstehen und das im Sühneritual verwendete Blut fungiere als »Reinigungsmittel« (vgl. außerdem *ders.*, Sin-Offering, S. 237ff.; ḥaṭṭā't, S. 337; zustimmend neuerdings *Brichto*, Slaughter, S. 29.35, modifizierend *Levine*, Presence, S. 101ff.). Von den Argumenten, die *Milgrom* zur Stützung dieser These anführt, vermag allerdings keines wirklich zu überzeugen (wenn ihm auch bei der theologischen Interpretation von חַטָּאת in mancher Hinsicht zugestimmt werden kann): So ist חַטָּאת nach *Milgrom* ein Derivat von חִטֵּא, »which carries no other meaning than ›to cleanse, expurgate, decontaminate‹ (e.g. Ezek. XLIII,22,26; Ps LI,9)« (Sin-Offering, S. 237). Sowenig der bloße Hinweis auf חִטֵּא Ez 43,22.26; Ps 51,9 zur Begründung der Übersetzung von חַטָּאת als »Reinigungsopfer« genügt, sowenig ist auch zu übersehen, daß חִטֵּא (Ex 29,36; Lev 8,15; 14,49.52; Num 19,9; Ez 43,20.22[*bis*].23; 45,18; Ps 51,9) ein von חֵטְא »Verfehlung, Sünde« denominiertes *Pi*ᶜ*el*-Verb mit der privativen Bedeutung »entsündigen« ist, s. oben Anm. 226. Daß das חַטָּאת-Opfer (davon denominiert חִטֵּא Lev 6,19; 9,15; 2Chr 29,24 mit der resultativ-produktiven Bedeutung »als Sündopfer darbringen«, s. oben Anm. 226) *auch* dazu dient, zu reinigen (z.B. den Brandopferaltar Ez 43,26: כִּפֶּר // טִהַר; in Verbindung mit anderen Opfern die Wöchnerin Lev 12,7f. und den nach einer Leichenverunreinigung wieder für rein erklärten Nasiräer Num 6,10f.), ist gar nicht zu bestreiten; ist חַטָּאת aber deswegen mit »Reinigungsopfer« wiederzugeben? Zwar ist nach *Milgrom* die »Reinigung« des Heiligtums durch das חַטָּאת-Blut ein Ritualakt, der zugunsten des schuldig gewordenen und darum der Sühne bedürftigen Menschen vollzogen wird (Sanctuary, S. 391 und passim), doch wird nicht recht ersichtlich, warum dies so ist: denn hier stehen der *Mensch mit seiner Schuld* und das kultische Sühneverfahren, das nach ›Analogie‹ altorientalischer Vorbilder eben als *dingliche »Reinigung« des Heiligtums* bestimmt wird (vgl. auch oben Anm. 251), letztlich unverbunden nebeneinander. Selbstverständlich ist kultische Sühne auch *Beseitigung der Sünde*, sie ist es aber nicht deshalb, weil das Heiligtum »rituell gesäubert«, »gereinigt« wird, sondern deshalb, weil durch die Applikation des חַטָּאת-Blutes an Altar und Heiligtum eine *stellvertretende Lebenshingabe* vollzogen wird, durch die der Sünde-Unheil-Zusammenhang aufgehoben wird, s. dazu auch im folgenden.

288 Heiligkeitsgesetz, vgl. *W. Thiel*, ZAW 81 (1969), S. 40–73.

289 *Elliger*, Leviticus, S. 218ff.

v. 10b.11aβ–12.14aγδ.b, nach *Cholewiński* dagegen v. 10b*.11–12.14aαβ.bα[290] umfaßt. Differenzen von größerem Gewicht ergeben sich allerdings bei dem Versuch, den traditionsgeschichtlichen Ort dieser Redaktion zu präzisieren, was wiederum mit der je verschieden beurteilten Problematik der literarischen Entstehung von H insgesamt zusammenhängt: Während nach *Elliger* »das Heiligkeitsgesetz . . . von vornherein für den Einsatz in die priesterliche Grundschrift, also niemals als selbständiges Korpus konzipiert sein (dürfte)«[291] und die Einzelstücke in vier Hauptphasen (Ph^1, Ph^2, Ph^3, Ph^4) eingefügt und bearbeitet worden sind[292], dürfte jene paränetische Schicht nach *W. Thiel*[293] schon vor der redaktionellen Eingliederung in P Bestandteil des Heiligkeitsgesetzes gewesen sein und diesem sein charakteristisches Profil und damit auch seinen Namen eingetragen haben. Aufgrund des Fehlens der »für H so charakteristischen Formeln«[294] (gemeint sind die Selbstvorstellungsformeln) hatte *R. Kilian* schon früher vorgeschlagen, die paränetische Schicht in Lev 17,10–14* einem »zweiten P-Redaktor« zuzuschreiben[295]. Da aber, wie dagegen *Cholewiński*[296] zu Recht eingewandt hat, das Fehlen der für H typischen Selbstvorstellungsformeln in Lev 17,10–14* noch kein ausreichendes Kriterium für das Vorhandensein eines »zweiten P-Redaktors« in dieser paränetischen Schicht ist, kommt dem eignen Vorschlag *Cholewińskis* große Wahrscheinlichkeit zu, die – auch für die paränetische Schicht in Lev 17,10–14* verantwortliche – »HG-Redaktion« (= Hauptredaktion des Heiligkeitsgesetzes) zu einer besonderen, von P-Kreisen unterschiedenen Priesterschule zu zählen, die »die frühe P-Literatur kennt und ihre Terminologie gelegentlich nachahmt«[297]. Auf diese Weise würde auch das Vorkommen des P-Terminus כִּפֶּר Lev 17,11aγ.b in einem Kontext verständlich, der ansonsten die typischen Züge von H (paränetischer Ton!), nicht aber von P trägt. Die Frage ist, was – angesichts des Verbots der Profanschlachtung, das in Lev 17,3f. formuliert und in Lev 17,5ff. präzisiert wird – die Begründung des für den sakralen Bereich geltenden *allgemeinen*[298] *Blutgenußverbots Lev 17,10–12** (Grund-

290 Vgl. auch *R. Kilian*, Literarkritische und formgeschichtliche Untersuchung des Heiligkeitsgesetzes (BBB 19), Bonn 1963, S. 18ff., der diese paränetische Schicht von v. 10–14* einem »zweiten P-Redaktor« zuschreibt, vgl. im folgenden. Das paränetische Element findet bei *V. Wagner*, ZAW 86 (1974), S. 307–316 keine Berücksichtigung.

291 Leviticus, S. 16.

292 S. den Überblick a.a.O., S. 14–20.

293 A.a.O. (oben Anm. 288), bes. S. 44ff.68ff., vgl. *Smend*, Entstehung, S. 60f.

294 *Kilian*, a.a.O. (oben Anm. 290) S. 18.

295 A.a.O., S. 18ff.

296 Heiligkeitsgesetz, S. 31 Anm. 60.

297 *Ders.*, ebd. Zum Verhältnis Heiligkeitsgesetz – P-Literatur s. *ders.*, a.a.O., S. 334ff. 339ff., vgl. auch *W. Thiel*, ThLZ 103 (1978), Sp. 258–260.

298 Anders neuerdings *Milgrom* (Lev 17:11; *ders.*, Sacrifices, S. 770; *ders.*, Atonement, S. 80), der – ohne die literarische Schichtung von Lev 17 zu berücksichtigen – v. 3ff. und v. 10ff. direkt aufeinander bezieht und konstatiert: »Lev 17,11 refers to the šelāmîm, the only sacrifice eaten by the offerer. Yet this nonexpiatory sacrifice bears in this context a strictly expiatory (kpr) function. This paradox is resolved by (Lev) 17:3–4: if one does not slaughter his animal at

schicht) bedeuten soll[299]. Die Antwort darauf hängt wesentlich vom Verständnis des zweiten Begründungssatzes כִּי־הַדָּם הוּא בַּנֶּפֶשׁ יְכַפֵּר Lev 17,11b und hier speziell von der präfixen Präposition בְּ in בַּנֶּפֶשׁ ab.

In der bisherigen, bereits mit den alten Versionen einsetzenden Auslegungsgeschichte von בַּנֶּפֶשׁ Lev 17,11b[300] sind in der Hauptsache drei bzw. vier verschiedene Deutungen dieses בְּ vertreten worden: als *beth instrumenti* (»durch, mittels«)[301], als *beth essentiae* (»als, in der Gestalt/Eigenschaft von«)[302] oder als *beth pretii* (»für, um«), sei es in der normalen Bedeutung »für, um den Preis von«[303] oder in der Sonderform eines sog. »*beth of exchange*« mit der Bedeutung »für, anstatt, anstelle von«[304]. Zweifellos kann die Präposition בְּ als *beth pretii* (»für, um«) in dem aus Ex 21,23b; Lev 24,18b (jeweils נֶפֶשׁ תַּחַת נָפֶשׁ) umformulierten Talionsrechtssatz נֶפֶשׁ בְּנֶפֶשׁ Dtn 19,21b, auf den *H. Cazelles* und *H. Ch. Brichto* zur Begründung ihrer Auffassung hinweisen[305], die Bedeutung »für, anstatt, anstelle von« annehmen; aber abgesehen davon, daß gerade das Heiligkeitsgesetz in Lev 24,18b (vgl. 24,20a) die Talionsformel – in Anlehnung an Ex 21,23b (vgl. 21,24f.) – mit Hilfe der Präposition תַּחַת »anstelle von« bildet, würde eine Interpretation von בַּנֶּפֶשׁ Lev 17,11b unter Zugrundelegung der Talionsformulierungen Ex 21,23b; Lev 24,18b; Dtn 19,21b den Begründungssatz Lev 17,11b in die Nähe einer Strafrechtsnorm, eben des *ius talionis*, rücken, das auf dem »Grundsatz streng gleicher Ersatzforderung für angerichteten Schaden«[306] beruht. Angesichts des Entstehungs- und Geltungsbereichs der Talionsformel[307], aber auch angesichts der zwischen Ex 21,23b; Lev 24,18b; Dtn 19,21b (נֶפֶשׁ תַּחַת/בְּנֶפֶשׁ »*ein* Leben *für ein anderes* Leben«) und Lev 17,11b (בַּנֶּפֶשׁ) nun einmal bestehenden Formulierungsdifferenzen ist eine Erklärung der Begründung des Blutgenußver-

the altar, ›bloodguilt shall be imputed to that man; he has shed blood‹. The animal slayer is a murderer unless he offers its blood on the altar to ransom his life (vs. 11)« (Sacrifices, S. 770), zustimmend dazu *Brichto,* Slaughter, S. 27. Zu der in Lev 17,11 angeblich vorliegenden כִּפֶּר-Vorstellung s. unten Anm. 308.

299 Zur religionsgeschichtlichen Problematik des Blutgenußverbotes s. zuletzt *Füglister,* Sühne, S. 150ff., vgl. *B. Kedar-Kopfstein, dam,* ThWAT II, Sp. 262.

300 S. dazu *Moraldi,* Espiazione, S. 237ff.; *L. Sabourin,* ScEc 18 (1966), S. 25–45; *Lyonnet,* in: *Sabourin-Lyonnet,* Sin, S. 175ff.; *Daly,* Christian Sacrifice, S. 112ff.

301 So zuletzt die Kommentare von *M. Noth,* ATD VI (^{2}1966), S. 110; *Elliger,* Leviticus, S. 218; *N. H. Snaith,* Leviticus and Numbers (CeB), 1967, S. 120, ferner *Herrmann, hilaskomai,* S. 307.311; *Vriezen,* Theologie, S. 250; *von Rad,* Theologie I, S. 282f.; *Scharbert,* Fleisch, S. 71f.; *Rendtorff,* Studien, S. 231; *Maass, kpr,* Sp. 850; *Gese,* Sühne, S. 98; *Füglister,* a.a.O., S. 143.144ff., u.a.

302 So *Milgrom,* Lev 17:11, bes. S. 149; *ders.,* Sacrifices, S. 769f.; *ders.,* Atonement, S. 80, vgl. auch *Cholewiński,* Heiligkeitsgesetz, S. 169.

303 So *Levine,* Presence, S. 67f., s. dagegen zu Recht *Brichto,* Slaughter, S. 27 (zu dessen eigener Deutung s. allerdings unten Anm. 308). Auch LXX (τὸ γὰρ αἷμα αὐτοῦ ἀντὶ τῆς ψυχῆς ἐξιλάσεται, vgl. Vulg *pro animae*) hat das בְּ allem Anschein nach als *beth pretii* verstanden, s. dazu *J. Schreiner,* in: Lied und Gottesspruch (FS *J. Ziegler* [FzB 1]), hrsg. von *J. Schreiner,* Würzburg 1972, S. 171–176, hier: S. 174f. und zur Übersetzung von Lev 17,11 durch die alten Versionen *Daly,* Christian Sacrifice, S. 127ff.136.

304 So *H. Cazelles,* Bible de Jérusalem, Paris 1958, S. 84f.; *ders.,* VT 8 (1958), S. 315 (jeweils unter Hinweis auf Dtn 19,21) und jetzt *Brichto,* Slaughter, S. 22ff.

305 *Brichto,* a.a.O., S. 28 mit Anm. 20.

306 *A. Alt,* in: Kleine Schriften I, München 1953, S. 341–344, hier: S. 341. Zur neueren Diskussion s. *Boecker,* Recht, S. 149ff. (Lit.) und zuletzt *T. Frymer-Kensky,* BA 43 (1980), S. 230–234.

307 S. dazu *V. Wagner,* a.a.O. (oben Teil II Anm. 262), S. 3–15.

bots von den genannten Talionsrechtssätzen her ganz unwahrscheinlich[308]. Aber auch die Deutung des בְּ Lev 17,11b als *beth essentiae* »als, in der Gestalt/Erscheinung von« ist – wenngleich aufgrund der synonymen Parallelität von דָּם und נֶפֶשׁ in Gen 9,4; Lev 17,14aα.bα; Dtn 12,23aβ[309] nicht a limine ausgeschlossen[310] – so doch u.E. deshalb wenig wahrscheinlich, weil Lev 17,11aα und d.h.: der unmittelbare Kontext (!) das Blut eindeutig als Sitz der נֶפֶשׁ bestimmt:

»denn die נֶפֶשׁ (= das Leben des Individuums, die Seele) des Fleisches (= des animalischen körperlichen Wesens) ist *im* Blut«[311].

Legt sich somit eine *instrumentale Auffassung* des בְּ in בַּנֶּפֶשׁ Lev 17,11b nahe, so bleibt doch zu fragen, was der Satz Lev 17,11b (»denn das Blut ist es, das *durch* die נֶפֶשׁ [= das Leben des Individuums, die Seele] Sühne schafft« im Gesamtzusammenhang von Lev 17,10–12 bedeuten soll. Dabei ist zunächst zu beachten, daß die *doppelte Begründung* (Lev 17,11aα + Lev 17,11b) des Blutgenußverbots (Lev 17,10a bzw. Lev 17,10a.b*) sich in ihren Einzelelementen: v. 11aα *(religionsgeschichtlich-ontologischer Aspekt)*[312] und v. 11b *(sühnetheologischer Aspekt)*, auf v. 10a (bzw. v. 10a.b*) und v. 11aβγ bezieht, zugleich aber eine *inkludierende Klammer* um v. 11aβγ, die positive göttliche Bestimmung zur Verwendung des Opferblutes, bildet:

וְאִישׁ אִישׁ מִבֵּית יִשְׂרָאֵל וּמִן־הַגֵּר הַגָּר בְּתוֹכָם"	10a	*Blutgenußverbot*
כִּי נֶפֶשׁ הַבָּשָׂר בַּדָּם הִוא	11aα	*religionsgesch.-ontolog. Begründung*
וַאֲנִי נְתַתִּיו לָכֶם עַל־הַמִּזְבֵּחַ לְכַפֵּר עַל־נַפְשֹׁתֵיכֶם	11aβγ	*Sühneblut als Gabe Gottes*
כִּי־הַדָּם הוּא בַּנֶּפֶשׁ יְכַפֵּר	11b	*sühnetheologische Begründung*

308 Diese Erklärung wird auch dann nicht wahrscheinlicher, wenn man mit *Brichto* (Slaughter, S. 22ff.) zusätzlich den כֹּפֶר-Begriff zu Hilfe nimmt und Lev 17,11b übersetzt: »for it is the blood which serves as kōper, compository payment, for the life (taken)« (S. 28, vgl. S. 23). Nach *Brichto* bringt Lev 17,11b eine »compository transaction«, eine *quid pro quo*-Relation zum Ausdruck, bei der das Blut als das כֹּפֶר das *quid*, d.h. das »compository element/payment«, die Präposition בְּ (in בַּנֶּפֶשׁ) das *pro* und die נֶפֶשׁ »not life as an abstraction nor the life of a person«, sondern vielmehr »the life of the victim, of the animal slaughtered« ist (a.a.O., S. 28). Durch die Heranziehung der oben genannten Talionsformulierungen wird כֹּפֶר demnach als *Strafmaß* definiert, das dazu dient, den durch das »mörderische Schlachten« des Opfertieres (so *Brichto* mit *Milgrom* [s. oben Anm. 298]) »angerichteten Schaden« wiedergutzumachen. Welche Funktion bei diesem Geschehen dem Altar Lev 17,11aβγ zukommt, bleibt rätselhaft. Im übrigen tragen *Brichtos* Ausführungen weder etwas zur Klärung der כֹּפֶר-Problematik (s. dazu oben S. 153ff.) noch zum Verständnis der Sühnefunktion des Opferblutes bei – allerdings wollen sie dies auch nicht, denn: »We do deny any particular ›atoning force‹ to the blood as such« (a.a.O., S. 29 Anm. 22).

309 S. dazu etwa *Elliger*, Leviticus, S. 227f.; *Christ*, Blutvergiessen, S. 136ff.; 141ff.; *Füglister*, Sühne, S. 148ff.

310 Die diesbezügliche Kritik von *Brichto* (a.a.O., S. 26f.) an *Milgrom* (Lev 17:11, S. 149) beruht auf einem Mißverständnis von GK, § 119i (bei *Brichto*, a.a.O., S. 26 Anm. 18). Für das alttestamentliche Hebräisch ist die Existenz eines *beth essentiae* alles andere als »dubious«, s. beispielsweise Ex 6,3; Jes 40,10 usw. (vgl. GK, ebd.; *Brockelmann*, Syntax, § 106g).

311 Zu den eingeklammerten Erläuterungen s. *Gese*, Sühne, S. 97f.

312 Dieser Ausdruck zuerst bei *Elliger*, Leviticus, S. 220.

10a »und jedermann vom Hause Israel und von den Schutzbürgern, die sich unter ihnen aufhalten, der irgend Blut genießt, . . . (und ich tilge sie aus der Mitte ihres Volkes aus.)

11aα Denn gerade das Leben des Fleisches ist im Blut.

11aβγ Und ich (Gott) selbst habe es euch auf/für den Altar[313] gegeben, damit es euch persönlich[314] Sühne schafft;

11b denn das Blut ist es, das durch das (in ihm enthaltene) Leben sühnt«.

Jahwe hat »es« – nämlich das Blut, in dem »das Leben des Fleisches« ist (v. 11aα) – den Israeliten »für den Altar«, d.h. für den Bereich des Kultes[315], zur Verfügung gestellt, »gegeben«, damit es den Israeliten Sühne schafft (v. 11aβγ). Besagt der die Gabe Gottes v. 11aβγ begründende Satz v. 11b, daß das Blut, in dem »das Leben des Fleisches« ist (v. 11aα), durch eben dieses Leben Sühne schafft, so v. 11aβγ, daß Jahwe das Blut – weil und insofern es Träger des Lebens ist (v. 11aα) – den Israeliten zum Zweck der Sühne gegeben hat. Der priesterliche Verfasser von v. 11b leitet die Sühnewirkung des Opferblutes demnach weder allein aus dem positiven Willen Gottes (v. 11aβγ)[316] noch allein aus der religionsgeschichtlich-ontologischen Qualifizierung des Blutes (v. 11aα), sondern – dem Begründungsverhältnis von v. 11aβγ – v. 11b entsprechend – aus dem *inneren Zusammenhang* von *religionsgeschichtlich-ontologischer Bestimmung* (das Leben des Fleisches ist im Blut) und *Gottes heilvoller Setzung* (dieses Blut ist Israel von Gott für den kultischen [Altar!] Sühnevollzug gegeben) ab. So erhält das allgemeine Blutgenußverbot darin seine eigentliche Begründung, daß *Jahwe* Israel für den *sakralen Bereich* – und d.h. nach priesterlicher Kulttheologie: für den Bereich wahrer menschlicher Existenz[317] – das Blut als Sühnemittel gegeben hat, weil es *Träger des Lebens* ist.

Der Satz »Das Leben des Fleisches ist im Blut« (Lev 17,11aα) formuliert allerdings alles andere als eine Erkenntnis über die materiale Beschaffenheit der Substanz Blut. Da das Blut und damit das in ihm enthaltende Leben normalerweise allein beim Tieropfer als der legitimen Form ritueller Tötung (שָׁחַט) auftritt, bildet sich für den kultischen Bereich, in dem auch die Aussagen von Lev 17,11 beheimatet sind, ein »kultisch-funktionaler Substanzbegriff des Blutes aus: Rituelle Freisetzung des Blutes ist Freisetzung des (individuellen) Lebens, der *näpäš*, und das Blut ist im kultischen Sinne die freigelegte Lebenssubstanz. Das ›legitime‹ Auftreten des Blutes in der all-

313 עַל־הַמִּזְבֵּחַ »auf den Altar«: weil der Altar der zentrale Gegenstand des Opferkultes ist, könnte diese Wendung hier zugleich in übertragener Bedeutung gemeint sein: »für den Altar«, d.h.: »für den Bereich des Opferkultes« (und nicht für den profanen Bereich), vgl. die Übersetzung *von Rads*: »und ich habe es euch für den Altar verliehen« (Theologie I, S. 283) und von *Koch*: »Ich stelle es aber euch nur auf dem Altar zur Verfügung« (Sühne, S. 230); *Maass* (*kpr*, Sp. 850) übersetzt direkt »zum Altardienst«.

314 Vgl. *Scharbert*, Fleisch, S. 71.

315 S. oben Anm. 313.

316 So offenbar *Elliger*, Leviticus, S. 228, s. dazu aber den Hinweis von *Cholewiński*, Heiligkeitsgesetz, S. 169 Anm. 61, vgl. auch *Maass*, a.a.O., Sp. 850.

317 S. dazu unten S. 303ff.

täglichen, normalen Opferpraxis prägt den Begriff des Blutes – zumal im kultischen Raum«[318].

Mit der Gabe des für die Entsühnung Israels, seiner/s kultischen Repräsentanten und des einzelnen bestimmten Blutes wird *das im Blut enthaltene Leben die Basis des kultischen Sühnegeschehens.* Weil der Opferherr durch das Aufstemmen seiner Hand auf das Opfertier in dessen Tod hineingenommen wird, an diesem Tod teilhat, indem er sich durch die Handaufstemmung mit dem Tier identifiziert, geht es in der Lebenshingabe des Sündopfertieres nicht um ein fremdes Todesgeschick, sondern um den eigenen, vom Opfertier stellvertretend übernommenen Tod des Opferherrn. Und indem der den Blutritus ausführende Priester das Blut und damit die in ihm enthaltene נֶפֶשׁ dieses mit dem Opferherrn durch die Handaufstemmung identifizierten Tieres in einem zeichenhaften Ritus (Blutsprengung, Blutstreichung) an das Heiligtum (Brandopferaltar, Vorhang vor dem Allerheiligsten, Räucheraltar) sprengt, wird damit eine zeichenhaft-reale Hingabe der נֶפֶשׁ dieses Menschen an das Heilige vollzogen[319].

Daß der Laie mit der Darbringung seines Opfertieres, insbesondere aber der Priester bei dem Vollzug der sühnenden Blutriten etwas leistet, sollte nicht bestritten werden – doch gründet diese *Leistung des Menschen* in einer *Gabe Gottes:* in der allem kultischen Handeln des Menschen vorausliegenden, es begründenden und die übliche Opferlogik des *do ut des* außer Kraft setzenden *göttlichen Gabe des Sühnemittels Blut (Lev 17,11aβγ).* Erst diese Gabe des im Blut enthaltenen Lebens ermöglicht die im stellvertretenden Tod des Opfertieres zeichenhaft-real sich vollziehende Auslösung des verwirkten menschlichen Lebens, und d.h.: die Sühne. Nichts widerspricht darum der Ansicht, der Kult sei »Selbsterlösung der Menschen« und »ein zäher, knifflicher, entsagungsvoller, verzweifelter Versuch des Menschen, sich das Heil . . . zu verdienen«[320], mehr als Lev 17,11aβγ: »*Ich (Gott) selbst* habe es (sc. das Blut, in dem das Leben ist) *euch* für den Altar gegeben, damit *es* für *euch persönlich* Sühne erwirkt«.

318 *Gese*, Sühne, S. 98, vgl. zur Sache auch *Christ*, Blutvergiessen, S. 136ff.

319 Vgl. *Gese*, ebd. Auch *Füglister* (Sühne, S. 145f.) versteht das בְּ in Lev 17,11b als *beth instrumenti*, doch zieht er daraus den Schluß, »daß die *Stellvertretungstheorie*, derzufolge die Opfer insofern Sühnkraft besitzen, als das (im Blut enthaltene) Leben des Opfertieres anstelle des verwirkten Lebens des opfernden Sünders tritt, in Lev 17,11 keinen exegetischen Anhalt hat« (a.a.O., S. 146 [H.i.O.]). Man versteht diese, im wesentlichen mit Argumenten *W. Eichrodts* (Theologie I, S. 101f. mit Anm. 341–342) begründete Schlußfolgerung nur, wenn man beachtet, wogegen sie sich richtet: »gegen die Ansicht, das Opferblut sei ein Ersatz für das Blut des Opfernden gewesen« (*Füglister*, a.a.O., S. 146 Anm. 14), und d.h.: gegen die alte Substitutionstheorie (s. dazu die Hinweise oben Anm. 187). U.E. ist die Kritik an der *satisfactio-vicaria*-Vorstellung wesentlich früher anzusetzen, nämlich bei der Handaufstemmung; von daher ergibt sich dann aber auch ein anderes Verständnis der Stellvertretungsproblematik, s. oben S. 199ff.

320 *Köhler*, Theologie, S. 189, vgl. dazu bereits oben S. 1f.6.

Exkurs IV: Zur Frage der Sühnewirkung des Passablutes

Angesichts der fundamentalen Bedeutung der sühnetheologischen Formulierung Lev 17,11, die sich noch in bYom 5a »Es gibt keine Sühne außer durch Blut« (vgl. bMen 93b; bZev 6a und Hebr 9,22) widerspiegelt, stellt sich die Frage, ob für das Alte Testament die Vorstellung einer Sühnewirkung auch des *Passa*blutes zu belegen ist. Im nachbiblischen Judentum Palästinas hat sich die Anschauung von einer Sühnewirkung auch des Passablutes vor allem im Zusammenhang mit der Tradition von der Heils- und Sühnebedeutung des Beschneidungsblutes entwickelt[321]. Die These, daß der Zusammenhang von Sühne und Passablut schon für die alttestamentliche, speziell für die priesterschriftliche Passaüberlieferung Ex 12,1–13(14) vorauszusetzen sei, hat im Anschluß an *N. Füglister*[322] jüngst *P. Laaf*[323] zu begründen versucht[324]. Danach wurde das Passa während der Königszeit in der dtn Passaüberlieferung Dtn 16,1–8 von einem apotropäischen Blutritus zu einem זֶבַח-Opfer umgestaltet[325]; diese Entwicklung griff P auf, verband sie mit der (so *Laaf*:) jahwistischen Überlieferung des Blutritus Ex 12,22[326] und paßte sie an die historische und theologische Situation der Exilszeit an. Dabei erhielt der Blutritus nicht nur Sühnecharakter[327], er wurde »damit zugleich ein Zeichen für den Bund zwischen Jahwe und Israel«[328].

Sowenig man aber hinsichtlich des Passaritus der priesterschriftlichen Überlieferung Ex 12,1–13(14) von einem Opfer – das es nach P legitimerweise nicht vor der Kultstiftung am Sinai gibt – sprechen kann[329], sowenig läßt sich auch die These von der Sühnewirkung des Passablutes Ex 12,7P aufrechterhalten. Denn nach P ist eine rituelle Verwendung von Opferblut, der Basis kultischer Entsühnung (Lev 17,11), erst mit der Kultstiftung am Sinai, nicht aber vorher in der Heilsgeschichte möglich. Darüber hinaus ist die sühnende Blutapplikation priesterliches Handeln *kat' exochēn*; legitimes Priestertum ist nach priesterschriftlicher Konzeption aaronitisches Priestertum[330], und dessen Amtseinsetzung (Lev 8) und erster Opfergottesdienst (Lev 9) sind wiederum Bestandteil der Kultstiftung am Sinai. Zwischen der primär auf Haus und Familie bezogenen Passafeier und dem kultischen Sühnegeschehen gibt es keine Verbindungslinien, auch nicht über den Blutritus Ex 12,7P. Man wird es daher bei der Annahme belassen müssen (und auch können!), daß die jehowistische (Ex 12,21–23) und die priesterschriftliche (Ex

321 S. dazu *Le Déaut*, La nuit pascale, S. 113f. mit Anm. 127; S. 199 Anm. 173; S. 209ff., u.a.

322 Die Heilsbedeutung des Pascha (StANT 8), München 1963, S. 97ff.104.250ff., vgl. *ders.*, Sühne, S. 155 Anm. 49.

323 Pascha-Feier, S. 112f.131ff.136f.139.161f.167.169.

324 Dieser Zusammenhang wurde schon früher häufiger postuliert, s. beispielsweise *Blome*, Opfermaterie, S. 173 mit Anm. 49; *Koch*, Sühneanschauung, S. 23 und die bei *Füglister*, a.a.O. (»Pascha«), S. 98 Anm. 108 genannten Autoren; vgl. zuletzt auch *Wyatt*, Atonement Theology, S. 423ff.

325 *Laaf*, Pascha-Feier, S. 113.126ff.160f.

326 Neuerdings weisen *E. Zenger* (Das Buch Exodus [Geistliche Schriftlesung 7], Düsseldorf 1978, S. 124ff. mit Anm. 69–71) und *J. Schreiner*, in: Studien zum Pentateuch [FS *W. Kornfeld*], hrsg. von *G. Braulik*, Wien/Freiburg/Basel 1977, S. 69–90) Ex 12,21–23 der jehowistischen Geschichtsdarstellung zu.

327 *Laaf*, Pascha-Feier, bes. S. 112f.131ff.161f.

328 *Ders.*, a.a.O., S. 139.

329 Das hat z.T., allerdings nicht deutlich genug, auch *Laaf* (a.a.O., S. 113) gesehen. Von einem Opfer spricht auch Ex 12,21–23 nicht, s. dazu zuletzt *Schreiner*, a.a.O. (oben Anm. 326), S. 82ff.

330 S. dazu besonders *Gunneweg*, Leviten, S. 138ff.

12,1–13[14]) Passaüberlieferung die Blutapplikation Ex 12,7 P bzw. Ex 12,22 JE als *apotropäischen Ritus* verstanden haben[331] und, wie die jeweiligen Ätiologien Ex 12,23 und Ex 12,13 zeigen, auch so verstanden wissen wollten.

Als Fest wurde das Passa erstmals von Josia gefeiert (2Kön 23,21–23). »Der Chronist hat nun in Anlehnung an die Josiareform (2Kön 22f.; 2Chr 34f.) auch die Reform des Hiskia (2Kön 18,3–6; 2Chr 29–31) durch eine Passafeier ausgezeichnet«[332]. Dabei ist der Chronist in 2Chr 35,1–19 bestrebt, die dtn Passaüberlieferung (Dtn 16,1–8) mit der nachexilischen Praxis, in der sich bereits priesterschriftliche Elemente durchgesetzt hatten (z.B. שָׁחַט statt זָבַח), in Einklang zu bringen und so eine Kompromißlösung zu schaffen[333]. Gegenüber 2Chr 35,1–19 stellt der Bericht über das Passa Hiskias 2Chr 30,1–27 eine durchaus eigenständige Überlieferung dar. Für die hier interessierende Frage nach einem eventuellen, womöglich ursprünglichen Zusammenhang von Sühne und Passablut ist dabei die Erkenntnis *H. Haags* wichtig, daß nach der vom Chronisten überarbeiteten Grundschicht von 2Chr 30[334] Hiskia Gesamtisrael, also auch die Nordstämme, zu einem Mazzotfest (nicht zu einer Passafeier!) nach Jerusalem eingeladen hat; der andere, vor allem am Stichwort קָהָל erkennbare Erzählungsfaden geht demgegenüber auf einen zweiten Bearbeiter zurück, der am Passabericht 2Chr 35,1–19 orientiert war, weil »in der damaligen Praxis . . . ein Mazzenfest ohne vorangehendes Pesach undenkbar«[335] war. Darum ist der jetzt vorliegende Text von 2Chr 30 von zwei verschiedenen Vorstellungen und Überlieferungen, einer »Mazzen/ᶜam- und einer Pesach/qahal-Überlieferung«[336], geprägt, wobei der Abschnitt über das mit כִּפֶּר (+ Subjekt Gott!) formulierte *interzessorische Gebet* Hiskias 2Chr 30,18–20[337] zu der vom Chronisten überarbeiteten Grundschicht gehört, während der Passus über das Schlachten des Passa und über das Blutsprengen (2Chr 30,15–17)[338] auf den zweiten Bearbeiter (»Pesach/qahal-Überlieferung«) zurückzuführen ist. So wird die These von einem genuinen (!) Zusammenhang zwischen Passablut und Sühnegeschehen auch von der chronistischen Überlieferung nicht bestätigt.[339]

C) Priesterliches Sühnehandeln zwischen menschlicher Schulderfahrung und göttlicher Vergebungszusage

»Es ist Willkür, sich einen geistigen ›prophetischen‹ Jahweglauben zu rekonstruieren und die ›priesterliche Kultreligion‹ als eine unerfreuliche Be-

331 S. dazu *Martin-Achard*, Fêtes, S. 29ff.; *Schmidt*, Glaube, S. 115ff.; *Schreiner*, a.a.O. (oben Anm. 326), passim (mit der älteren und neueren Lit.), ferner *Christ*, Blutvergiessen, S. 131ff.; *Otto*, Fest, S. 9ff.; *S. R. Garmendia*, La Pascua en el Antiguo Testamento. Estudio de los Textos Pascuales del Antiguo Testamento a la Luz de la Critica Literaria y de la Historia de la Tradition, Vitoria 1978, S. 204ff.; *G. Braulik*, BiKi 36 (1981), S. 159–165, u.a.

332 *E. Kutsch*, ZThK 55 (1958), S. 1–35, hier: S. 24.

333 S. dazu besonders *Haag*, Pascha, S. 99ff.; *ders.*, Mazzenfest, S. 87–94; *Schreiner*, a.a.O. (oben Anm. 326), S. 85ff.

334 Zur Abgrenzung s. *Haag*, Mazzenfest, S. 87ff.; vgl. *ders.*, Pascha, S. 103ff.

335 *Haag*, Mazzenfest, S. 91.

336 *Ders.*, a.a.O., S. 92.

337 S. dazu oben Teil II Anm. 213.

338 Terminus des Blutsprengens ist in 2Chr 30,16 זָרַק, vgl. 2Chr 35,11! Für den Blutsprengungsakt bei der חַטָּאת verwendet P nie זָרַק, sondern ausschließlich נזה *hif.*, s. dazu oben S. 222ff.

339 Anders *Koch*, Sühneanschauung, S. 97.98; *ders.*, Versöhnung, Sp. 1369. Zu beachten ist auch, daß der Chronist das חַטָּאת-Opfer nur in 2Chr 29,20ff. und in Esr 8,35 – beidemal nicht im Passazusammenhang! – erwähnt, zu 2Chr 29,20ff. s. oben S. 205f., zur Unterordnung der חַטָּאת unter die עֹלָה in Esr 8,35 s. *Koch*, Sühneanschauung, S. 96f.; *Rendtorff*, Studien, S. 71.73.

gleiterscheinung abzuwerten. Israels Glaube läßt sich unmöglich in zwei derart einander fremde Religionsformen zerlegen; vielmehr war Israel des Glaubens, daß sich Jahwes Heilszuwendungen nicht in geschichtlichen Taten oder auch in der gnädigen Lenkung der Einzelschicksale erschöpft, sondern daß Jahwe auch im Opferkultus eine Einrichtung geschaffen habe, die Israel einen ständigen Lebensverkehr mit ihm eröffnete. Hier war Jahwe dem Dank Israels erreichbar, hier durfte Israel im Mahl mit ihm Gemeinschaft haben, vor allem aber war hier Israel dem Vergebungswillen Jahwes erreichbar«[340].

Daß und in welchem Maße *Israel gerade auch im kultischen Sühnegeschehen dem Vergebungswillen Jahwes erreichbar* war, zeigt die in ihrem ersten Teil auf die Mittlerfunktion des die Entsühnung vollziehenden Priesters und in ihrem zweiten Teil auf die Vergebungszusage Jahwes bezogene, die חַטָּאת- und אָשָׁם-Bestimmungen Lev 4,1–5,13; 5,14–26 jeweils abschließende נִסְלַח-כִּפֶּר-Formel: Lev 4,20.26.31.35; 5,10[341].13.16.18.26; ferner Lev 19,22; Num 15,25.28[342]. Diese in ihrer *Grundform:* וְכִפֶּר עָלָיו/עֲלֵיהֶם הַכֹּהֵן וְנִסְלַח לוֹ/לָהֶם (»der Priester erwirkt Sühne für ihn/sie[pl.],und es wird ihm/ihnen vergeben werden«) in Lev 4,31 vorliegende, stets *zweigliedrige Formel* ist durch verschiedene Deutungszusätze erweitert und z.T. umgestaltet worden.

Insgesamt 23mal wird die kultische Sühneaussage durch den (größtenteils erweiterten) Satz וְכִפֶּר עָלָיו/עָלֶיהָ/עֲלֵיהֶם הַכֹּהֵן eingeleitet: Lev 4,20.26.31.35; 5,6[341].10.13.16 (mit umgekehrter Wortstellung: הַכֹּהֵן יְכַפֵּר).18.26; 12,7.8; 14,18.19.20.31.53; 15,15.30; 19,22; Num 6,11; 15,25.28. In vier Fällen folgt als zweiter Satz וטהר(ה) »und er/sie/es wird rein sein«: Lev 12,7.8 (Wöchnerin); 14,20 (Aussätziger); 53 (Aussatzhaus), in 12 Fällen וְנִסְלַח לוֹ/לָהֶם »und es wird ihm/ihnen vergeben werden«: Lev 4,20.26.31.35; 5,10.13.16.18.26; 19,22; Num 15,25.28; in den übrigen Belegen (Lev 5,6[341]; 14,18.19.31; 15,15.30; Num 6,11[343]) fehlt ein Nachsatz. Eine nähere Untersuchung der 12mal belegten נִסְלַח-כִּפֶּר-Formel ergibt, daß ihr erster Teil (mit Ausnahme der Grundform Lev 4,31) immer, ihr zweiter Teil dagegen nur in Lev 19,22b verdeutlichende Zusätze aufweist[344]:

a) כִּפֶּר-*Aussage:* Nennung des Vergehens (שְׁגָגָה/חַטָּאת) als Grund für die Notwendigkeit der Entsühnung, angeschlossen (α) mit מִן »wegen, infolge von«[345]: Lev 4,26; 5,10 (außerhalb der

340 *von Rad,* Theologie I, S. 273.

341 Den zweiten Teil der Formel haben Sam und LXX auch in Lev 5,6, danach wird ein וְנִסְלַח לוֹ in Lev 5,6 MT ergänzt von *Stamm,* Erlösen, S. 55 Anm. 1; *Rendtorff,* a.a.O., S. 230 Anm. 1, u.a. Allerdings setzen Sam und LXX schon im ersten Teil der Formel eine gegenüber MT (מֵחַטָּאתוֹ) abweichende Textgestalt voraus: עַל־חַטָּאתוֹ אֲשֶׁר־חָטָא. Umformulierung und Vervollständigung der Formel durch Sam LXX dürften an Lev 4,35 orientiert sein, vgl. *Elliger,* Leviticus, S. 64.

342 Die נִסְלַח-כִּפֶּר-Formel fehlt lediglich in den Anweisungen für die חַטָּאת des Hohenpriesters Lev 4,3–12, s. dazu die plausible Erklärung von *Koch,* Sühneanschauung, S. 13.

343 וְקִדַּשׁ אֶת־רֹאשׁוֹ בַּיּוֹם הַהוּא Num 6,11b ist wahrscheinlich parallel zum vorhergehenden כִּפֶּר-Satz, vgl. *Kellermann,* Priesterschrift, S. 89.

344 Vgl. zum Folgenden auch den Überblick oben S. 186f.

345 S. dazu oben S. 187 mit Anm. 12. Anders *Koch* (Sühneanschauung, S. 15.17, vgl. *ders., ḥṭ',* Sp. 867), der – »weil sprachliche Parallelen dafür (sc. den kausativen Gebrauch von מִן) feh-

נִסְלַח-כִּפֶּר-Formel: Lev 5,6; 14,19; 15,15.30; 16,16 [Sachobjekt].34; Num 6,11); (β) mit עַל »wegen«[346]: Lev 4,35; 5,13.18; 5,26[347]; 19,22. Ferner wird – statt des Suffixes der 3.m.sing./pl. (עָלָיו/עֲלֵיהֶם) – die zu entsühnende Person(engruppe) eigens erwähnt (Num 15,25.28), das Sühnemittel (אֵיל הָאָשָׁם »der Schuldopferwidder«) mit בְּ *instrumenti* genannt (Lev 5,16; 19,22; außerhalb der נִסְלַח-כִּפֶּר-Formel: Ex 29,33; Lev 7,7; 17,11; Num 5,8, vgl. auch Num 35,33) und schließlich mit לִפְנֵי יְהוָה explizit auf die Gegenwart Jahwes hingewiesen (Lev 5,26; 19,22; Num 15,28; außerhalb der נִסְלַח-כִּפֶּר-Formel: Lev 10,17; 14,18.29.31; 15,15.30; 23,28; Num 31,50).

b) נִסְלַח-*Aussage:* Nennung des Vergehens (חַטָּאת), angeschlossen mit מִן »wegen, infolge von«: Lev 19,22.

Die *zweigliedrige* נִסְלַח-כִּפֶּר-*Formel* ist fester Bestandteil der חַטָּאת- und אָשָׁם-Bestimmungen Lev 4,1–5,13; 5,14–26. Ihr erster Teil (כִּפֶּר-Aussage) faßt das Ergebnis des priesterlichen Sühnehandelns zusammen, während ihr zweiter Teil (נִסְלַח-Aussage) die Akzeptation dieses dem Sünder geltenden Handelns durch Gott formuliert. Daß die vom Priester vollzogene Entsühnung nicht »ex opere operato«, sondern kraft göttlicher Autorität wirkt, geht schon daraus hervor, daß das aktive כִּפֶּר עַל mit dem Priester als Subjekt nicht mit einem aktiven הִסְלִיחַ/סָלַח/סָלַח + לְ der Person[348], sondern »stets mit dem passiven נִסְלַח + לְ der Person zu einer Art Hendiadyoin verbunden«[349] wird. Da das passive נִסְלַח (im Alten Testament nur in P: 12mal in der נִסְלַח-כִּפֶּר-Formel, dazu 1mal in der Weiterführung dieser Formel in Num 15,26) unzweifelhaft Umschreibung des göttlichen Subjekts ist[350], wird – obwohl die Vergebung im Kult an das priesterliche Sühnehandeln gebunden ist und sie darum »in einem sonst nicht nachweisbaren Masse in die Hand eines Mittlers zwischen Gott und Mensch gelegt«[351] wird – zwischen Sühne und Vergebung ein deutlicher Unterschied hinsichtlich des

len« – von der ursprünglichen Bedeutung der Präposition מִן ausgeht und übersetzt: »›weg von der Sünde‹ . . . – in der Sühnehandlung werden also Mensch und Sünde voneinander getrennt« (Sühneanschauung, S. 15).

346 S. dazu oben S. 187 mit Anm. 16. Anders wiederum *Koch:* »Wo die Präposition עַל steht, dürfte es sich um eine appositionelle Näherbestimmung des Objektes handeln, der Sünder wird gesühnt, nämlich seine Sünde« (Sühneanschauung, S. 15), s. aber neuerdings *ders., ḥṭ'*, Sp. 867.

347 Zur Übersetzung von Lev 5,26b und zur Abhängigkeit des (neben עָלָיו) zweiten עַל von כִּפֶּר Lev 5,26a s. *Elliger,* Leviticus, S. 57 Anm. z.St.

348 Vgl. schon *Stamm,* Erlösen, S. 129 Anm. 1.

349 *Elliger,* Leviticus, S. 71, vgl. auch *Stamm,* a.a.O., S. 54f.60f.128f.; *ders., slḥ,* Sp. 151.153; *Koch,* Sühne, S. 226f. In Analogie zu den sog. »deklaratorischen Formeln« (s. dazu oben Anm. 174 und oben S. 221f.) versteht *Koch* die נִסְלַח-Formulierung als »deklaratorische(s) Urteil des Priesters . . ., mit dem er eine rituelle Sühnehandlung abschließt und sie im Namen Gottes für gültig erklärt. (. . .) Vergebung im Sinne von סלח meint den göttlichen Spruch aus Priester- und Prophetenmund, der auf Grund des rite vollzogenen Bußritus das lösende Wort kündet« (Sühne, S. 226f.), vgl. *ders.,* Sühneanschauung, S. 10.

350 Zur Wurzel סלח im AT s. *Stamm,* Erlösen, S. 47ff.105ff.142ff.; *ders., slḥ,* Sp. 150ff.; *Koch,* Sühne, S. 219f.226f.; *Göbel, slḥ* (passim), vgl. *Elliger,* Leviticus, S. 71. Zu den סלח-Belegen in Qumran s. unten S. 261; zur Wurzel *SLḤ* in den semitischen Sprachen s. vorläufig *Stamm,* Erlösen, S. 57f.; *ders., slḥ,* Sp. 150f.

351 *Stamm,* Erlösen, S. 129.

Subjekts gemacht: »In der Verfügung des Priesters steht nur die Sühne als Vorbedingung der Vergebung; deren Eintreten aber ist vom Tun des Priesters deutlich abgehoben. Das unbestimmt gelassene Subjekt soll zweifelsohne auf Jahwe als Urheber der Vergebung zurückweisen. Da jedoch die richtig vollzogene Sühne die Zusicherung der Vergebung hat, kann von einer durch den Opferkult vermittelten Gewissheit der Vergebung gesprochen werden«[352] – dies um so mehr, als die Sühneriten nach priesterschriftlicher Anschauung von Jahwe eingesetzt sind (»Und Jahwe sprach zu Mose«: Lev 4,1f.; 5,14; 12,1; 16,1 u.ö.)[353] und die zentralen Sühnemittel Blut/Sündopfertier dem Volk Israel und dessen kultischen Repräsentanten von Jahwe für den Sühnevollzug »gegeben« wurden (Lev 10,17; 17,11!).

Der mit וְכִפֶּר (pf.cons.) eingeleitete Satz der zweigliedrigen כִּפֶּר-נִסְלַח-Formel (Lev 4,20.26.31.35; 5,10.13.16.18.26; 19,22; Num 15,25.28) bzw. der zweigliedrigen כִּפֶּר-(ה)טהר-Formel (Lev 12,7.8; 14,20.53; dazu die entsprechenden כִּפֶּר-Sätze ohne נִסְלַח/(ה)טהר-Nachsatz Lev 5,6; 14,18.19.31; 15,15.30; Num 6,11) beschreibt nicht einen besonderen Ritualakt oder eine Folge bestimmter Ritualakte (wie etwa das סָמַךְ des Opferherrn Lev 4,24 [u.ö.] die Handaufstemmung und das נָתַן des Priesters Lev 4,25 [u.ö.] die Blutapplikation beschreibt); vielmehr stellt der Satz »der Priester erwirkt Sühne für ihn/sie/sie (pl.)« dem *resultativen Bedeutungsgehalt von* כִּפֶּר[354] entsprechend eine *reflektierende Sinndeutung*[355] dar, indem er das in einzelne Handlungssequenzen gegliederte Ritualgeschehen im Hinblick auf das zu erreichende Resultat als sühnend qualifiziert. Auch wo das Verb כִּפֶּר ohne explizierten Ritus begegnet, wird es »nirgends für die Schilderung eines aktuellen Hergangs, sondern immer im Hinblick auf das zu erreichende Resultat«[356] gebraucht. Da sowohl in der eingliedrigen כִּפֶּר-Formel als auch

352 *Ders.*, ebd., vgl. S. 54f.60f. und *ders.*, *slḥ*, Sp. 153, ferner *Koch*, Sühne, S. 226f.; *Thyen*, Sündenvergebung, S. 34f.; *Maass*, *kpr*, Sp. 847.853.

353 S. dazu *Koch*, Sühneanschauung, S. 10.27; *Scharbert*, Heilsmittler, S. 105; *Stamm*, *slḥ*, Sp. 153. Trotz Subjektverschiedenheit bei כִּפֶּר und נִסְלַח liegt für *Göbel* »die Anschauung einer ›ex opere operato‹ wirkenden Institution recht nahe. Wenn auch Jahwe es ist, der den Ritus eingesetzt hat, so sind doch nun aber mittels einer kultischen Handlung kpr und slḥ ständig wiederholbar und vom Menschen in Anspruch zu nehmen« (*slḥ*, S. 24, vgl. S. 27) – nichts anderes haben die Sühneriten im Blick! Nur ist zu fragen – was *Göbel* unterläßt –, was bei dieser »Inanspruchnahme« seitens des Menschen mit diesem Menschen im kultischen Sühnevorgang geschieht, s. dazu oben S. 198ff.

354 *Jenni*, Piᶜel, S. 241, vgl. *Maass*, *kpr*, Sp. 845; *Stamm*, *slḥ*, Sp. 153.

355 Vgl. *Koch*, Sühneanschauung, S. 5.7f.10, anders *Rendtorff*, Gesetze, S. 76; *ders.*, Studien, S. 230ff.

356 *Jenni*, Piᶜel, S. 241, vgl. dazu jetzt auch *Wefing* (Entsühnungsritual, S. 52f.100), die sachgemäß von einer Doppelbedeutung, d.h. von einem ritual-technischen (»den [aus einzelnen Ritualakten bestehenden] Sühneritus vollziehen«) und einem funktionalen (»[mit dem Vollzug des Sühneritus] Sühne schaffen, erwirken«) Bedeutungsaspekt von כִּפֶּר spricht. Demgegenüber vertritt *Gerleman* wieder die Ansicht, daß כִּפֶּר »nicht das Ergebnis, sondern einen konkreten Handlungs*vorgang*« meint (*kpr*, S. 11 [H.i.O.]). Welcher Art dieser Handlungsvorgang ist, ergibt sich nach *Gerleman* aus der Etymologie dieses Wortes: analog zu akk. *kapāru* »abwischen« meint כִּפֶּר »eine konkret-sinnenfällige Handlung, ein Streichen oder Spren-

in der zweigliedrigen טהר(ה)/נִסְלַח-כִּפֶּר-Formel ausdrücklich und regelmäßig der Priester als handelndes Subjekt des kultischen Sühnevollzuges genannt wird (. . . וְכִפֶּר הַכֹּהֵן), stellt jenes כִּפֶּר eine Sinndeutung der vom Priester ausgeführten Ritualakte, insbesondere des Blutstreichungs-/Blutsprengungsritus dar[357].
Zusammen mit der auf die anthropologische Grundsituation des verwirkten Lebens bezogenen *Angabe des Anlasses zur Darbringung einer* חַטָּאת[358]:

> »Wenn ein Fürst sich versündigt (יֶחֱטָא) und tut eins von all den (in den) Geboten Jahwes seines Gottes (behandelten Dingen), die nicht getan werden sollen, aus Versehen (בִּשְׁגָגָה) und wird schuldpflichtig (וְאָשֵׁם), (23) so muß er, wenn ihm seine Sünde, die er begangen hat, bekannt wird (אוֹ־הוֹדַע אֵלָיו חַטָּאתוֹ אֲשֶׁר חָטָא בָּהּ), seine Gabe bringen . . .« (Lev 4,22f.)[359]

bildet die *abschließende* נִסְלַח-כִּפֶּר-*Formel* Lev 4,20.26.31.35; 5,6 (nur כִּפֶּר-Formel).10.13 (in den אָשָׁם-Bestimmungen Lev 5,14–26: v.16.18.26; ferner in Lev 19,22; Num 15,25.28) eine *inkludierende Klammer* um die den Vollzug des jeweiligen חַטָּאת-Ritus (Lev 4,3–12; 4,13–21; 4,22–26; 4,27–35; Sonderfälle: Lev 5,1–6; Bedürftigkeitsfall: Lev 5,7–13) konstituierenden Ritualakte des Darbringens des Opfertieres, des Handaufstemmens und des Schlachtens (jeweils vom *Opferherrn* ausgeführt) sowie des Blutstreichens/Blutsprengens (+ Wegschüttens des restlichen Blutes), des Fettabhebens und des Fettverbrennens (jeweils vom *Priester* ausgeführt)[360]. Indem so die abschließende נִסְלַח-כִּפֶּר-Formel, besonders in ihrer um die Nennung des Vergehens (שְׁגָגָה/חַטָּאת) erweiterten Form[361], explizit auf den jeweiligen Anfang der חַטָּאת-Bestimmungen Lev 4,3ff. und d.h.: auf die anthropologische Grundsituation des verwirkten Lebens Bezug nimmt, wird der *Sachzusammenhang zwischen menschlicher Schulderfahrung*[362], *priesterlichem Sühnehandeln* (resultatives כִּפֶּר) *und göttlicher Verge-*

gen« (a.a.O., S. 13, vgl. die Argumentation S. 12ff.), zur Problematik eines solchen methodischen Ansatzes s. ausführlich oben S. 20ff.

357 Vgl. *Koch*, Sühneanschauung, S. 5. Zu den verschiedenen Blutriten s. oben S. 221ff.

358 S. dazu unten S. 254ff.

359 Vgl. mit z.T. abweichender Formulierung Lev 4,3.13f.27f.; 5,1.2.3.4.5f. und innerhalb der אָשָׁם-Bestimmungen Lev 5,14–26: V. 17f., s. zu diesen Formulierungen *Rendtorff*, Studien, S. 200ff.

360 In Lev 5,1–6 fehlt ein expliziertes Ritual, in Lev 5,7–10.11–13 weicht es von der in Lev 4,3–35 enthaltenen Form ab, s. dazu den Überblick bei *Rendtorff*, a.a.O., S. 212ff.

361 S. oben S. 250f.

362 *Tatbestandsdefinition* mit: חָטָא בִּשְׁגָגָה Lev 4,2.22 (vgl. *Rendtorff*, a.a.O., S. 200.203 mit Anm. 3). 27 (vgl. Lev 5,15, ferner Num 15,27.28); חטא *qal*: Lev 4,3a; 5,1.5.7.11 (vgl. Lev 5,16.17.20.21.22.23); שׁגה *qal:* Lev 4,13; חַטָּאתוֹ אֲשֶׁר חָטָא o.ä.: Lev 4,3b.14.23.28(*bis*); 5,6.10.13; *Tatfolgebestimmung* mit: אשׁם *qal* »schuld-/haftpflichtig sein, werden«: Lev 4,13.22.27; 5,2.3.4.5 (vgl. Lev 5,17.19.23, ferner Num 5,24.26); אַשְׁמָה (inf.cstr.) »schuldpflichtig werden«: Lev 4,3 (vgl. Lev 5,24.26); נָשָׂא עָוֹן »(eigene) Schuld tragen«: Lev 5,1. Die Relation von Tat und Tatfolge macht deutlich, daß der hier vorliegende Begriff von Sünde nur vor dem Hintergrund des »Tun-Ergehen-Zusammenhangs« zu verstehen ist, s. dazu ausführlich *Koch*, Sühneanschauung, S. 15ff.; *ders.*, *ḥṭ'*, Sp. 860f.865ff.; *ders. (–J. Roloff)*, Art. Tat-Ergehen-Zusammenhang, RBL, S. 486ff.; *ders. (–J. Roloff)*, Art. Sühne, RBL, S. 475f.; *von Rad*, Theologie I, S. 275ff.; *Knierim*, Sünde, S. 55ff.; *ders.*, *ḥṭ'*, Sp. 541ff., u.a.

bungszusage (passives נִסְלַח) auch formal so eng wie möglich gestaltet: *Das priesterliche Sühnehandeln führt zur göttlichen Vergebung der Sünde, die ihrerseits Anlaß für die Darbringung der חַטָּאת war.*
Das Motiv der Unabsichtlichkeit des Sich-Versündigens (Wurzel שׁגג/שׁגה) bestimmt nicht nur die Unterabschnitte des Sündopfergesetzes Lev 4,3–5,13, sondern auch die sie formal zusammenhaltende allgemeine Einleitung Lev 4,1f.:

»(1) Und Jahwe sprach zu Mose: (2) Sprich zu den Israeliten: Wenn jemand sich aus Versehen versündigt (נֶפֶשׁ כִּי־תֶחֱטָא בִשְׁגָגָה) gegen irgendeins der Gebote Jahwes (in bezug auf Dinge), die nicht getan werden sollen, und tut doch eins von ihnen . . .«.

Um den Bedeutungsgehalt der das Verb חָטָא präzisierenden Wendung בִּשְׁגָגָה zu eruieren, empfiehlt es sich, das Lev 4 modifizierende, ergänzende und weiterführende Sündopfergesetz Num 15,22–31[363] heranzuziehen, in dem die Wurzel שׁגג/שׁגה[364] (שְׁגָגָה: v.24.25[*bis*].26.27.28.29; שׁגג *qal:* v.28; שׁגה *qal:* v.22)[365] gegenüber der Wurzel חטא (חֲטָאָה: v.28[366]; חטא *qal:* v.27) eindeutig dominiert. Num 15,22–52a handelt von den Opfern (Brandopfer mit Zusatzspeis- und Trankopfer, Sündopfer), die bei Versündigungen בִּשְׁגָגָה von der Gemeinde zu deren Entsühnung darzubringen sind (vgl. Lev 4,13–21). Abgeschlossen wird dieser zum ursprünglichen Bestand des Sündopfergesetzes Num 15,22–31 gehörende Abschnitt[367] durch die נִסְלַח-כִּפֶּר-Formel v.25a: »So schafft der Priester der ganzen Gemeinde der Israeliten Sühne, und es wird ihnen vergeben werden«. Für unsere Fragestellung aufschlußreich ist die nachfolgende, von dem Ergänzer (v.26 + v.27–29)[368] stammende Begründung dieses Satzes (v.25a) in v.25b: »denn es war eine שְׁגָגָה, und sie haben ihre Gabe als Feueropfer für Jahwe und ihr Sündopfer vor Jahwe dargebracht wegen ihrer שְׁגָגָה«. Daß somit die *Sühnbarkeit eines Vergehens an die Bedingung der Unabsichtlichkeit der frevlerischen Tat gebunden* ist, bestätigt – gleichsam via negativa – der jüngste Nachtrag (v.30f.) zum Sündopfergesetz Num 15,22–31: »Die Person (= derjenige) jedoch, die (der) absichtlich (בְּיָד רָמָה »mit erhobener Hand«)[369] handelt, gehöre sie (er) zu den Einheimischen oder zu den Proselyten, die (der) lästert Jahwe; diese Person (= dieser) soll aus der Mitte ihres (seines)

363 S. dazu jetzt *Kellermann*, Sündopfergesetz (passim).
364 Zu dieser Wurzel s. *Elliger*, Leviticus, S. 68 mit Anm. 2; *Rendtorff*, Studien, S. 200ff.; *Knierim*, a.a.O., S. 43.67ff.182 u.ö.; *ders.*, *šgg*, Sp. 869ff.; *Kellermann*, a.a.O. (passim). Zu der These von *J. Milgrom* (JQR 58 [1967], S. 115–125), שְׁגָגָה setze eine bewußt begangene und für richtig gehaltene Tat voraus, die sich erst im nachhinein als Irrtum herausstelle, s. *Knierim*, *šgg*, Sp. 871. Zur alttestamentlichen Terminologie des Unvorsätzlichen s. *Schüngel-Straumann*, Tod, S. 45ff., vgl. *Milgrom*, a.a.O., S. 118 Anm. 18.
365 Vgl. die Übersicht bei *Rendtorff*, a.a.O., S. 200f.202f.205.209f.
366 Dieses בַּחֲטָאָה wird entweder als Glosse zum folgenden בִשְׁגָגָה gestrichen (vgl. *M. Noth*, ATD VII [1966], S. 100 Anm. 4, vgl. *Rendtorff*, a.a.O., S. 201) oder in בְּחֶטְאָה geändert (BHK³/S App. z.St., vgl. KBL³, S. 293 s.v. חֲטָאָה).
367 *Kellermann*, Sündopfergesetz, S. 108ff.112f.
368 *Ders.*, a.a.O., S. 110.113.
369 Innerhalb des AT in diesem Sinn nur hier, vgl. *Kellermann*, a.a.O., S. 111f., zu den

Volkes ausgerottet werden« (v. 30). Wie also בְּיָד רָמָה (»vorsätzlich, absichtlich«) eine *Gegenformel* zu בִּשְׁגָגָה (»unvorsätzlich, unabsichtlich, aus Versehen«) ist, so ist auch die mit כרת *nif.* formulierte, auf Vergehen kultisch-sakraler Art bezogene *Ausrottungsformel*[370] eine *Gegenformel* zu der die חַטָּאת- und אָשָׁם-Bestimmungen abschließenden נִסְלַח-כִּפֶּר-Formel[371]. Wird »der Bereich, für den Sühne möglich ist, . . . durch diese Gegenformel eingegrenzt«[372], so ist daraus allerdings nicht zu folgern, daß ein unabsichtliches Vergehen deshalb nicht im vollen Sinn als Sünde zähle, weil es eben בִּשְׁגָגָה begangen worden sei und weil »Schuld im vollen Sinne . . . nur dort (ist), wo der Mensch die ihm bekannte Norm absichtlich verletzt«[373]. Denn daß auch bei einem »Versehen« die *Objektivität der Verschuldung* gewahrt bleibt, zeigt sich nicht zuletzt daran, daß kultische Entsühnung gerade auch bei Versündigungen בִּשְׁגָגָה notwendig war[374]. Jenseits dieser durch שׁגג/שׁגה umschriebenen Zone einer objektiven, aber sühnbaren Verschuldung beginnt nach P der durch die Ausrottungsformel umschriebene Bereich der Todesverfallenheit, in den »das Hinausgetan-Sein aus dem Lebenskreis ›vor Jahwe‹, heraus aus der Kultgemeinschaft der Sippe, heraus aus der Gemeinschaft des Bundesvolkes Israel«[375] unweigerlich führte. So dürfte es berechtigt sein, gerade angesichts der Verfehlungen בִּשְׁגָגָה von einer *anthropologischen Grundsituation des verwirkten Lebens* zu sprechen, in die der Mensch ohne wissentliches Tun, »allein schon wegen . . . (seines) gottfernen Seins«[376], geraten und aus der er nach dem Verständnis der Priesterschrift allein durch das zur Vergebung durch Gott führende priesterliche Sühnehandeln errettet werden kann.

Alle Unterabschnitte von Lev 4,1–5,13 stehen unter der *einen* Thematik: חַטָּאת-Opfer[377] zur Sühnung unvorsätzlich[378] begangener Sünden je nach Stand und Vermögen des Sünders. Die

Qumran-Belegen s. *Knierim*, *šgg*, Sp. 872; *J. Pouilly*, RB 82 (1975), S. 522–551, hier: S. 526ff.; *Milgrom*, Cult, S. 109f.

370 Zur כרת-Strafe und zur Ausrottungsformel s. zuletzt ausführlich *Schüngel-Straumann*, Tod, S. 146ff.

371 Diese Relation erscheint noch enger, wenn man beachtet, daß – wie Jahwe das Subjekt des Vergebungshandelns ist – auch bei dem הִכְרִית »Jahwe selber die Vollzugsmacht dieses Herausschneidens in Händen hat« (*W. Zimmerli*, in: *ders.*, Gottes Offenbarung. Gesammelte Aufsätze zum Alten Testament [TB 8], München 1963, S. 148–177, hier: S. 168), vgl. dazu auch *Koch*, Sühneanschauung, S. 10 Anm. 3; *Schüngel-Straumann*, a.a.O., S. 176f.

372 *Koch*, a.a.O., S. 11. Nach *Koch* (Sühne, S. 231f.) zeigt diese Gegenformel deutlich die »Grenzen der Sühne«: »Vergebung als Rechtfertigung des Gottlosen ist auch der nachexilischen Zeit noch unbekannt« (a.a.O., S. 232), vgl. *Otto*, Fest, S. 76.

373 *J. Hempel*, Das Ethos des Alten Testaments (BZAW 67), Berlin ²1964, S. 57, vgl. auch *Schötz*, Schuld- und Sündopfer, S. 111f.

374 Vgl. *Knierim*, Sünde, S. 69; *ders.*, *šgg*, Sp. 872; *Elliger*, Leviticus, S. 68.

375 *Zimmerli*, a.a.O. (oben Anm. 371), S. 168.

376 *Gese*, Sühne, S. 101.

377 Anders *Rendtorff*, Studien, S. 207ff., demzufolge nicht erst Lev 5,14ff.17ff.20ff., sondern schon Lev 5,1–6 vom אָשָׁם-Opfer handelt, s. dazu aber *Elliger*, Leviticus, S. 66; vgl. im folgenden.

378 Anders *Milgrom* (Cult, S. 108f. mit Anm. 406.408; S. 118f. mit Anm. 436; S. 124.126),

Folge des (בִּשְׁגָגָה) חָטָא wird in Lev 4,1–5,26 mit dem Terminus אשם *qal* bezeichnet (Lev 4,13.22.27; 5,2.3.4.5.17.19[figura etymologica].23; ferner Num 5,6.7, vgl. den Inf.cstr. *qal* אַשְׁמָה in Lev 4,3; 5,24.26)[379], der kein Begriff für »Vergehen, Verfehlung« ist, sondern der sich immer auf eine bestimmte Art der *Folge von Verfehlungen*, nämlich auf »die aus einem Schuldiggewordensein resultierende Verpflichtung«[380] zu einer Schuldableistung bezieht. Aus diesem Grunde ist אשם *qal* mit »schuld/haftpflichtig sein, werden« und das Nomen אָשָׁם mit »Schuldpflicht, Haftpflicht, Schuldverpflichtung« bzw. – wo das Moment der Ableistung vorherrscht – mit »Schuldableistung, Schuldgabe« zu übersetzen[381]. Dabei ist jeweils vorausgesetzt, daß durch die auf eine Ableistung zielende Schuldverpflichtung angerichteter Schaden wiedergutgemacht und so die Bedingung für eine *restitutio in integrum* geschaffen wird. Diese Grundsituation einer Schuldverpflichtung und ihrer Erfüllung durch eine bestimmte Schuldableistung ist auch für den Bedeutungsgehalt von אָשָׁם in Lev 5,6 und in der – Lev 5,1–6 sachlich und literarisch voraussetzenden – Bedürftigkeitsnovelle Lev 5,7–10 (אָשָׁם v. 7 [aus Lev 5,6 übernommen]) anzunehmen.

In dem als Nachtrag zu dem Sündopfergesetz Lev 4 fungierenden Abschnitt Lev 5,1–6, der die חַטָּאת-Bestimmungen (wohl in der Form von Lev 4,22–35)[382] auf bestimmte Fälle des unabsichtlichen Sich-Versündigens wie Unterlassung der Zeugenpflicht (v. 1), Verunreinigung durch Berühren von unreinen Sachen oder von Aas unreiner Tiere (v. 2) oder von unrein gewordenen Menschen (v. 3), unbesonnenes Schwören (v. 4) anwendet, ist אָשָׁם deshalb nicht als Opferbezeichnung zu verstehen, weil (a) dieser Terminus in Lev 5,6 (und in 5,7) genau dort steht, wo es in Lev 4,23.28.32 קָרְבָּן heißt, und (b) in Lev 5,6 ebenso wie in Lev 4,1–35 als Op-

der – mit allerdings wenig überzeugenden Argumenten – die in Lev 5,1–4 geschilderten Vergehen für »deliberate sins« hält, die durch das Bekenntnis des Sünders (הִתְוַדָּה Lev 5,5, vgl. Lev 16,21; 26,40; Num 5,7, ferner Dan 9,4.20; Esr 10,1; Neh 1,6; 9,2.3; 2Chr 30,22, s. dazu *Elliger*, a.a.O., S. 73.74; *C. Westermann*, Art. *jdh* hif., THAT I, Sp. 674ff., bes. Sp. 681f.; *G. Mayer*, Art. *jdh* usw., ThWAT III, Sp. 469ff., ferner oben Anm. 133) in unabsichtliche und so der Entsühnung durch Opfer (Lev 5,6) zugängliche Sünden umgewandelt werden. Eher dürfte zutreffen, hier – wie mutatis mutandis auch in Lev 5,14–16 (s. im folgenden) – mit *Elliger* von einer »Mischung von Irrtum und Verantwortlichkeit« (a.a.O., S. 76) zu sprechen: denn bei den in Lev 5,1–4 beschriebenen Vergehen (s. im folgenden) handelt es sich nicht um schuldhafte bewußte *Handlungen*, sondern durchweg um *Widerfahrnisse*, in die der Mensch *ohne wissentliches Tun, nämlich in Unkenntnis* (עלם *nif.* Lev 5,2.3.4, in P/H ferner: Lev 4,13 [!]; Num 5,13; עלם *hif.* Lev 20,4) *der wirklichen Sachlage gerät.* Für diese seine Unkenntnis und die daraus sich ergebende Verschuldung, nicht für eine bewußt und absichtlich begangene Unrechtstat ist der Sünder verantwortlich.

379 Zur Wurzel אשם im AT s. zuletzt *Elliger*, a.a.O., S. 57.65.66.73.75ff.; *Kellermann*, *'ašam*; *Knierim*, *'ašam*; dort noch nicht genannt werden: *B. S. Jackson*, Theft in Early Jewish Law, Oxford 1972, S. 168.171.175ff.191; *N. H. Snaith*, VT 23 (1973), S. 373–375; *Levine*, Presence, S. 91ff.128ff. (kritisch dazu *Milgrom*, Cult, S. 142f.); *Minkner*, Bürgschaftsrecht, S. 83ff. und jetzt umfassend *Milgrom*, Cult (passim), vgl. *ders.*, Sacrifices, S. 768f. Zur Basis *'ŠM* in den semitischen Sprachen s. vorläufig *Kellermann*, *'ašam*, Sp. 464f.; *Levine*, a.a.O., S. 128ff.; *Cohen*, DRS Fasc. 2 (1976), S. 37 s.v.

380 *Knierim*, *'ašam*, Sp. 254.

381 Besonders herausgearbeitet von *Knierim*, a.a.O., Sp. 251ff., vgl. auch *Milgrom*, Cult, S. 3–12 und z.T. schon *Elliger*, a.a.O., S. 76.

382 Vgl. *Elliger*, a.a.O., S. 67. Eine Deutung von Lev 5,1–6 im Licht der akkadischen Beschwörungsserie *Šurpu* (s. dazu oben S. 45) vertritt neuerdings *Geller*, Lev. V. 1–5. Allerdings weckt diese These einer über Einzelheiten hinausgehenden grundsätzlichen (!) Übereinstimmung zwischen altorientalischen Ritualtexten und der Opfergesetzgebung von P (s. etwa die Ausführungen bei *Geller*, a.a.O., S. 181.191f.) Fragen, die methodisch auf derselben Ebene liegen wie das Problem der Vergleichbarkeit von akk. *kuppuru* mit hebr. כִּפֶּר, s. oben S. 57ff.

ferterminus nicht אָשָׁם, sondern חַטָּאת verwendet wird: לְחַטָּאת Lev 5,6a, vgl. Lev 5,7b (+ לְעֹלָה).11a (חַטָּאת »Sündopfer« in Lev 5,7–10 außerdem: v. 8a.9a.9b [Klassifikationsformel »ein Sündopfer ist es«][383], in Lev 5,11–13: v. 11b.12b [jeweils Klassifikationsformel]). Demnach können wir Lev 5,5f. folgendermaßen übersetzen:

»(. . .) so muß er (sc. der Sünder), wenn er schuldpflichtig wird (יֶאְשַׁם) in einem von diesen (sc. in v. 1–4 aufgezählten) Fällen, bekennen (הִתְוַדָּה), wodurch er sich versündigt hat (חָטָא), (6) und Jahwe seine Schuldableistung/Schuldabgabe (אֲשָׁמוֹ) bringen für die Sünde, die er begangen hat (עַל חַטָּאתוֹ אֲשֶׁר חָטָא): ein weibliches Tier vom Kleinvieh, ein Schaf oder eine Ziege, zum Sündopfer (לְחַטָּאת). So schafft der Priester ihm Sühne wegen seiner Sünde (וְכִפֶּר עָלָיו הַכֹּהֵן מֵחַטָּאתוֹ)«[384].

Als Opferterminus, genauer: als Wechselwort für חַטָּאת »Sündopfer«, wird אָשָׁם erst in dem ebenfalls von versehentlichen Sünden und deren Sühnung handelnden Abschnitt Lev 5,14–16 (Vergehen an heiligen Abgaben)[385] eingeführt: v. 15bβ.16 (אָשָׁם in dieser Funktion bei P noch in Lev 5,18.19[386].25b; 6,10; 7,1.2.5.7.37; 14,12.13.14.17.21.24.25[*bis*].28; 19,21b.22; Num 6,12; 18,9). Wenn אָשָׁם neben seiner in Lev 5,15bα vorliegenden ursprünglichen Bedeutung (»Schuldableistung, Schuldabgabe«) in Lev 5,15bβ als Opferterminus (»Schuldopfer«) fungiert, so ist dieses *Nebeneinander zweier* אָשָׁם*-Begriffe*[387] nicht ungewöhnlich, sondern auf den »perspektivischen Gebrauch« des Begriffs zurückzuführen[388], demzufolge אָשָׁם nicht nur die Situation der Schuldverpflichtung (das Schuldverpflichtetsein/-werden) und deren Erfüllung: die Schuldableistung (Lev 5,15bα. vgl. Lev 5,25a; 19,21a), sondern auch das Mittel dieser Schuldableistung (»ein Widder als אָשָׁם« Lev 5,15bβ, vgl. Lev 5,25b; 19,21b; »der Widder des אָשָׁם« Lev 5,16, vgl. Lev 19,22a) bezeichnen kann:

»(15) Wenn jemand eine Treulosigkeit (gegen Jahwe) begeht und sich aus Versehen an den Jahwe geweihten Gaben versündigt, so muß er Jahwe seine Schuldableistung/Schuldgabe (אֲשָׁמוֹ) bringen: einen einwandfreien Widder aus dem Kleinvieh, nach der Taxe im Wert von (einigen) Schekeln nach heiligem Gewicht als Schuldgabe (לְאָשָׁם). (16) Und soviel er an dem Geweihten gesündigt hat, muß er ersetzen und noch ein Fünftel dazutun und es dem Priester geben. So schafft der Priester ihm Sühne mit dem *'ašam*-Widder (= mit dem zur Ableistung der Schuldverpflichtung dargebrachten Widder), und es wird ihm vergeben werden« (Lev 5,15f.).

Dieses Nebeneinander zweier Funktionsaspekte von אָשָׁם liegt auch in Lev 5,25a.b innerhalb des jüngsten Nachtrages (Lev 5,20–26) zum Sündopfergesetz vor, der im Unterschied zu Lev 5,14–16.17–19 von *absichtlich begangenen Sünden* (durch Meineid erschwerte Eigentumsvergehen) handelt[389]. Wie in Lev 5,16 besteht die Wiedergutmachung des angerichteten Scha-

383 S. dazu oben S. 221f.

384 Zum Fehlen der נִסְלַח-Formel s. oben Anm. 341.

385 Zu Lev 5,14–16 s. außer *Elliger*, a.a.O., S. 75ff. jetzt auch *Milgrom*, Cult, S. 13–74. Zu der in diesem Zusammenhang bedeutsamen Wurzel מעל »treulos sein« und zu der figura etymologica מָעַל מַעַל s. *Elliger*, a.a.O., S. 75f.; *R. Knierim*, Art. *m'l*, THAT I, Sp. 920ff. und *Milgrom*, a.a.O., S. 13ff.86ff.

386 Auch in Lev 5,17–19 geht es um unabsichtliche Vergehen, s. dazu *Elliger*, a.a.O., S. 77f.; *Milgrom*, a.a.O., S. 74ff.

387 Vgl. auch Lev 5,25a mit Lev 5,25b und Lev 19,21a mit Lev 19,21b.22a.

388 S. dazu besonders *Knierim*, *'ašam*, Sp. 255, vgl. auch die Andeutung bei *Elliger*, a.a.O., S. 76.

389 Zu Lev 5,20–26 s. *Elliger*, a.a.O., S. 78f. und jetzt v.a. *Milgrom*, a.a.O., S. 84ff.

dens in der Erstattung des vollen Wertes des widerrechtlich erworbenen Gutes mit einem (Straf-)Aufschlag von einem Fünftel (außer in Lev 5,16.24 noch in Lev 22,14; Num 5,7), und dazu kommt als אָשָׁם ein einwandfreier Widder:

»(...) Und seine Schuldgabe (אֲשָׁמוֹ) muß er Jahwe bringen: einen einwandfreien Widder aus dem Kleinvieh nach der Taxe als Schuldableistung (לְאָשָׁם), hin zum Priester. (26) So schafft der Priester ihm Sühne vor Jahwe, und es wird ihm vergeben werden, wegen[390] irgendetwas von allem, was er tut, um dadurch schuldpflichtig zu werden (לְאַשְׁמָה = inf.cstr. *qal* + ל) [= wegen jedweder Handlung, durch die er schuldpflichtig geworden ist]« (Lev 5,25f.)[391].

Die Frage nach der *Entwicklung des אָשָׁם-Begriffs innerhalb von P* ist nur unter Berücksichtigung des literarischen Wachstums von Lev 4,1–5,26 + Lev 6,1–7,38[392] und des ursprünglichen, auf die Situation einer Schuldverpflichtung und ihrer Erfüllung (durch eine Schuldableistung) bezogenen Bedeutungsgehaltes von אָשָׁם zu beantworten. Diese Entwicklung »beginnt mit der fast zufälligen Einführung des Rechtsterminus als Charakterisierung des Tieres, das der Opfernde stiften muß, in die Gesetzgebung über das Sündopfer, das zunächst noch seine Bezeichnung חַטָּאת beibehält (Lev) 5,6.7. In 5,14–16 erfolgt der Übergang: im Falle des Eigentumsvergehens färbt der hier erst eigentlich am Platze empfundene Ausdruck für die Leistung des Opfernden auf die Bezeichnung des ganzen Opfers ab, so daß לְאָשָׁם nun auch an der Stelle erscheint, wo es bisher (5,6.7) לְחַטָּאת hieß. Aber da es sich ja zweifellos noch um eine Irrtumssünde handelt, auch ein besonderes Ritual mit keinem Wort erwähnt wird – es folgt erst im großen Nachtrag c 6f. –, wird man anzunehmen haben, daß der ursprüngliche Verfasser bei der besonderen Opferbezeichnung noch nicht an ein besonderes Ritual gedacht hat. אָשָׁם ... ist anscheinend zunächst nur als Wechselwort für ›Sündopfer‹ gebraucht, das in Anbetracht der Schwere des Falles einen Widder erfordert«[393]. Bei alledem ist deutlich, daß das *אָשָׁם-Opfer keine alte Opferart* ist, sondern ursprünglich aus der חַטָּאת als Schuldableistung, Schuldgabe für die Sonderfälle unabsichtlicher Vergehen (Lev 5,1–6, dazu Lev 5,7–10) über die Verallgemeinerung für alle Fälle schwerwiegender Fahrlässigkeit (Lev 5,14–16 [mit dem Nebeneinander zweier Funktionsaspekte von אָשָׁם in v. 15!]; 5,17–19) bis hin zum אָשָׁם-Opfer in schweren Fällen (Lev 5,20–26 [auch hier noch das Nebeneinander beider Funktionsaspekte in v. 25]) entwickelt wurde[394].

390 Zu diesem עַל s. oben Anm. 347.

391 In Num 5,5–8 liegt ein Nachtrag zu Lev 5,20ff. vor (s. den Rückbezug in v. 6f.), der aber über jene אָשָׁם-Bestimmungen hinaus in v. 8 die Rückerstattung von veruntreutem Gut für den Fall regelt, daß der Geschädigte verstorben ist, ohne einen Erbberechtigten hinterlassen zu haben. Die Sühne, die der Priester dem Schuldigen erwirkt, geschieht hier nicht wie nach Lev 5,15bβ.16.25b mit einem אֵיל לְ/הָאָשָׁם, sondern mit einem אֵיל הַכִּפֻּרִים »Sühnungswidder«, s. zu Num 5,5–8 *Kellermann*, Priesterschrift, S. 66ff., ferner *Milgrom*, Cult, S. 104ff.; *G. Mayer*, Art. *jdh* usw., ThWAT III, Sp. 469f.

392 Dieser Gesichtspunkt kommt bei *Milgrom*, a.a.O. (passim) zu kurz.

393 *Elliger*, Leviticus, S. 76f.

394 Vgl. *ders.*, a.a.O., S. 78; *Kellermann*, *'ašam*, Sp. 469. Daß das אָשָׁם-Opfer keine alte Opferart ist, hat natürlich Konsequenzen für die Verhältnisbestimmung אָשָׁם – חַטָּאת. Nach *Rendtorff* wurde ursprünglich »die ᶜola als Sühnopfer für Vergehen, die die Gesamtheit betrafen«, verwendet, während »der ascham es speziell mit Vergehen eines Einzelnen zu tun hatte. Im Laufe der Entwicklung sind offenbar auch diese Funktionen auf die chattat« übergegangen (Studien, S. 233, vgl. S. 209f.211.239.248). Man wird allerdings beachten müssen, daß diese These von der kultgeschichtlichen Priorität der עֹלָה und des אָשָׁם bei *Rendtorff* aus der Annahme der überlieferungsgeschichtlichen Unabhängigkeit und Selbständigkeit von Num 15,22ff. gegenüber Lev 5,17–19 folgt (Studien, bes. S. 209f.); gerade diese Annahme ist aber von *Kellermann* (Sündopfer, passim) mit stichhaltigen Argumenten entkräftet worden, s. zur Sache auch *Gese*, Sühne, S. 102 Anm. 12.

Mutatis mutandis spiegelt sich diese allmähliche, in Lev 5,14–16 einsetzende Entwicklung des Terminus אָשָׁם zu einer Opferbezeichnung auch in der »Tora für das אָשָׁם-Opfer« Lev 7,1–6 wider, wonach das Ritual des אָשָׁם: Schlachten – Blutritus – Fettdarbringen – Fettverbrennen – Verzehrvorschrift deutlich von den Ritualen anderer Opfer abhängig ist[395]. Dabei zeigt sich die größte Differenz gegenüber der חַטָּאת in dem für das kultische Sühnegeschehen zentralen Blutritus. Denn das Blut des אָשָׁם-Opfers wird nicht wie bei der חַטָּאת mit dem Finger an die Hörner des Altars gestrichen (kleiner Blutritus)[396], sondern es wird bei der עֹלָה und beim זֶבַח שְׁלָמִים rings an den Altar gesprengt (זָרַק Lev 7,2b, vgl. Lev 1,5.11; 3,2.8.13). Mit *K. Elliger* könnte das Motiv für diese Abweichung »darin gefunden werden, daß man den Ritus (sc. des אָשָׁם) von dem des Sündopfers differenzieren, vielleicht auch das neue Opfer zwischen dem Sünd- und dem Brandopfer einstufen wollte«[397]. In jedem Fall aber ist deutlich, daß hinter dem Opferterminus אָשָׁם – entsprechend seinem auf die Situation der Schuldverpflichtung und der Schuldableistung bezogenen ursprünglichen Bedeutungsgehalt – eine gänzlich andere Vorstellung steht als hinter der חַטָּאת mit ihren konstitutiven und genuinen (!) Ritualelementen Handaufstemmung und sühnender Blutapplikation.

Trotz der bedeutsamen Funktion, die nach der Konzeption von P dem Priester im kultischen Sühnegeschehen zukommt, wird im masoretischen Text des Alten Testaments die Unterschiedenheit von priesterlichem Sühnehandeln und göttlicher Vergebungszusage in der Formulierung des aktiven כִּפֶּר (mit dem Priester als Subjekt) und des passiven נִסְלַח (Umschreibung des göttlichen Subjekts) gewahrt. Angesichts der singulären Tradierung dieser Formel durch das samaritanische Pentateuchtargum[398] verdient dieser Sachverhalt besonders hervorgehoben zu werden. Die נִסְלַח-כִּפֶּר-Formel ist neuerdings auch in der Tempelrolle aus Qumran belegt: 11QTemple col. 26,9f. (vgl. סלח *nif.* col. 27,2, möglicherweise auch col. 18,[8]). Wie in der Priesterschrift ist dabei der Priester das Subjekt von כפר, während das göttliche Subjekt wiederum mit dem passiven נסלח umschrieben wird. Im Unterschied zu P fällt aber auf, daß im übrigen Schrifttum von Qumran nie der Priester, öfter dagegen *die Gemeinde* (1QS 5,6; 8,6.10; 9,4; 1QSa 1,3) das Subjekt des Sühnehandelns ist. Diese inhaltlich gewichtige Neuorientierung ist Teil einer umfassenden Umdeutung des Kultes in der Qumrangemeinde.

Exkurs V:
Die Wurzel כפר im nichtbiblischen Schrifttum von Qumran

In den nichtbiblischen Schriften von Qumran finden sich – unter Einschluß der neuen Belege aus 11QTemple – folgende Wortformen der hebräischen Wurzel כפר: das Verb כפר »sühnen,

395 S. dazu *Schötz*, Schuld- und Sündopfer, S. 60ff.; *Koch*, Sühneanschauung, S. 58ff.; *Elliger*, a.a.O., S. 86f.93.98f.; *Rendtorff*, Gesetze, S. 28f.; *ders.*, Studien, S. 212.227f.; *Kellermann*, *'ašam*, Sp. 469; *Milgrom*, Cult, S. 15 Anm. 48; *Gese*, a.a.O., S. 94.100.101. Zum Opfermaterial des אָשָׁם s. *Rendtorff*, Studien, S. 229f.

396 S. oben S. 222ff.

397 A.a.O., S. 98f., vgl. *Kellermann*, a.a.O., Sp. 469 und jetzt *Gese*, a.a.O., S. 94.100.101.

398 S. oben S. 77.

Sühne schaffen« (*pi.*: 33[34?] mal[399], *pu.*: 7[8?] mal[400]) sowie die nominalen Derivate כפר/כופר »Sühne-, Lösegeld« (3[4?] mal)[401], כפורים »Sühnung« (10 mal)[402] und כפרת (2 mal)[403]. Im Folgenden beschränken wir uns darauf, die Verbformen (כפר *pi./pu.*) nach ihrer jeweiligen syntaktisch-semantischen Zuordnung (Subjektbindung/Objektbezug/Sühnemittel) aufzugliedern[404].

399 Zu dem כפר-Beleg CD 14,19 s. unten Anm. 408.

400 Zu 1Q 25,4,4 s. die folgende Anm. Unklar bleibt מה כפרם 4QpJs^c 14,5 (s. DJS 5 [1968], S. 21).

401 Die כפר/כופר-Belege im einzelnen: 1. *Subjekt* des כפר/כופר: a) Gott: 1Q 34,3,1,5 ונתתה רשעים [כ]ופרנו »und du (sc. Gott) hast Frevler als unser [Löse]geld gegeben«, vgl. Jes 43,3; Prov 21,18, s. dazu auch *Garnet*, Atonement Constructions, S. 159; *ders.*, Salvation, S. 106f.; b) Mensch: 4QOrd 2,6 כסף הערכים, das ein Mensch als כפר נפשו »Lösegeld für sein Leben« gibt, vgl. *Garnet*, Atonement Constructions, S. 158f.; *ders.*, Salvation, S. 111. – 2. *Empfänger* des כפר/כופר: a) Gott: 1QH 15,24 Gott nimmt kein כופר für (ל) die Taten des Frevels (לעלילות רשעה), s. *Sanders*, Paul, S. 304; *Garnet*, Salvation, S. 48f.; b) Menschen: 11QTemple col. 17,2 (oder eher כפר *pu.*?, s. unten Anm. 418). – 3. Unklar bleibt 1Q 25,4,4:]וכופרם[»und ihr Lösegeld« (oder: יכופרם *pu.* pass.?, s. DJD 1 [1955], S. 101 z.St.). – Ob das כֹּפֶר Hi 33,24 von 11QTargJob col. XXXIII,1 übersetzt wurde, kann wegen des lädierten Textzustandes nur vermutet werden, s. die Hinweise bei *Janowski*, Lösegeldvorstellung, S. 35 Anm. 44.

402 Bei כפורים »Sühnung, Sühnehandlung« ist, atl. Sprachgebrauch entsprechend, zwischen zwei Verwendungsweisen zu unterscheiden: 1. כפורים ist Nomen im st.abs. (1QS 3,4 = 5Q 13,4,2 [s. dazu DJD 3, 1962, S. 183], vgl. Ex 29,36) oder nomen regens in einer Constr.-Verbindung (כפורי ניחוח 1QS 3,11; diese singuläre Wendung ist formal an der atl. Wendung רֵיחַ נִיחֹחַ orientiert, überbietet diese aber im Sinne einer sachlichen Antithese, s. dazu *Lichtenberger*, Menschenbild, S. 121 und zur Interpretation von 1QS 3,4–12 zuletzt *ders.*, a.a.O., S. 118ff.). – 2. כפורים ist nomen rectum in einer Constr.-Verbindung: a) חטאת הכפורים »das für die Sühnung bestimmte Sündopfer → das Sühnungssündopfer« (11QTemple col. 25,14.15, vgl. Ex 30,10.16; Num 5,8 [vgl. dazu CD 9,13f.]; Num 29,11); b) יום (ה)כפורים »(der) Versöhnungstag« (vgl. Lev 23,27f.; 25,9), im einzelnen handelt es sich um folgende Belege: Neben der detaillierten Beschreibung der Liturgie des Versöhnungstages in der Tempelrolle 11QTemple col. 25,10–col. 27fin (יום כפורים 11QTemple col. 25,11) kann 1QpH 11,(2–3)4–8 als Hauptbeleg für den Versöhnungstag in Qumran gelten (יום הכפורים Z. 7; zu dem umstrittenen Text s. z.B. *G. Jeremias*, Der Lehrer der Gerechtigkeit (STUNT 2), Göttingen 1963, S. 49ff., ferner *H. Bardtke*, ThR 41 [1976], S. 97–140, hier: S. 113f., u.a.). Geht aus 1QpH 11,4–8 (auch) hervor, daß der Versöhnungstag in Qumran als Fastentag qualifiziert war (יום צום Z. 8, vgl. יום התענית CD 6,19 und II ענה *pi./hitp.* [+ נפש pl.] 11QTemple col. 25,11.12; 27,7), so ist im Qumranschrifttum sonst vom Versöhnungstag nur in Andeutungen die Rede, die aber vielleicht Rückschlüsse auf seine kalendarische, liturgische und kultische Bedeutung erlauben: *1Q 34bis,2,6:* Beginn eines nicht erhaltenen Gebets für den Versöhnungstag: תפלה ליום כפורים זכו[ר א]דוני א[ת »Gebet für den Versöhnungstag. Geden[ke, He]rr, d[e(r) . . .« (s. dazu *Lehmann*, Yom Kippur, S. 124; *Garnet*, Salvation, S. 106); möglicherweise ist in diesem Zusammenhang auch 1Q 34 zu nennen, s. *Lehmann*, a.a.O., S. 120f. mit Anm. 7; *H. Haag*, ALW 10/1 (1967), S. 78–109, hier: S. 91. – *1Q 22,3,11:* ביום עָ[שׂר ל]חודש יכפר »und am zeh[nten] Tag [des] Monats wird entsühnt« (כפר *pu.* = das Versöhnungsfest gefeiert [?]; wahrscheinlich ist schon ab Z. 8[–Z. 12] vom Versöhnungstag die Rede). Unsicher bleibt dagegen *1Q 22,4,3:* [ויכ]ופר להם בו »[und es wird] für sie [en]tsühnt dadurch (?)«. – *11QPs^a DavComp col. XXVII,8* (s. DJD 4 [1965], S. 91–93): das apokryphe Stück (col. XXVII,2–11) preist David als Autor zahlreicher (insgesamt 4050) Psalmen- und Liederdichtungen (nur den letzteren wird jeweils ein Sitz im kultischen Kalender von Qumran zugewiesen); so erwähnen Z. 7f.: »(. . .) und für den Qorbān zu Beginn (8) der Neumonde und für alle Tage der Festversammlungen und für den Versöhnungstag (ליום הכפורים): 30 Lieder«. – *11QMelch 7f.:* וי[ום הכפ]ורים ה[וא]ה ס[וף היו]בל העשירי (8) לכפר בו על כול בני [אל »Et 'le j[our

1. *Subjektbindung*

Im Vergleich mit dem Sprachgebrauch der Priesterschrift fällt in der Qumran-Literatur hinsichtlich des Subjekts von כפר (*pi./pu.*) ein zweifacher Unterschied auf: zum einen das – für eine priesterlich strukturierte Theologie bemerkenswerte, im Horizont der Umdeutung von Tempel und Kult[405] aber verständliche und konsequente – Fehlen eines Priesters als Subjekt der Sühnehandlung[406] (zu den anders zu beurteilenden כפר-Aussagen in der Tempelrolle s. im Folgenden) und zum anderen die Tatsache, daß in den Qumran-Texten häufig (bei P nie, außerhalb von P aber 13mal bzw. 14mal)[407] Gott als Subjekt von כפר erscheint: 1QS 2,8; 11,14; 1QH 4,37; 17,12; 1QHf 2,13; CD 2,4f.; 3,18; 4,6f.9.10; [14,19?][408] 20,34.

Wie besonders eindrücklich 1QS 2,8 (כפר – סלח [negativ formuliert]) und CD 2,4f. (רוב סליחות – כפר) zeigen, ist כפר an den genannten Stellen gleichbedeutend mit »vergeben«. Das gilt auch für den passivischen Gebrauch von כפר in 1QS 3,6f. und in 1QS 3,8. Aber auch an den Stellen, denen zufolge die aus »Aaron« und »Israel« bzw. aus »Zadokiden« und Laien bestehende *Gemeinde als eschatologischer Tempel* an die Stelle des gesamten Opfersystems tritt[409] und in dieser Eigenschaft *präsentisch Sühne wirkt* (1QS 5,6; 8,6.10; 9,4; 1QSa 1,3): (a) nicht für die, die außerhalb des Bundes stehen, sondern für sich selbst (d.h. für die Sünden ihrer Mitglieder: 1QS 5,6; 9,4[?]) bzw. (b) für das »Land« (Israel)[410] (1QS 8,6.10; 9,4; 1QSa 1,3), ist die von der

des Expia]tions' (Lev 25,9) est la f[in du] dixième [ju]bilé (8) où l'Expiation sera faite pour tous les fils de [Dieu . . .« (Lesung und Übersetzung von *J. T. Milik*, JJS 23 [1972], S. 95–144, hier: S. 98.99, vgl. den Kommentar S. 103f.). – In *CD 6,19* heißt der Versöhnungstag יום התענית »Tag des Fastens«.

In ihrer *Beziehung zum Versöhnungstag nicht gesichert* sind dagegen: 1QM 2,5; 1Q 22; 4QOrd 2,2 und die von *M. R. Lehmann* (Yom Kippur, S. 121ff.) aufgrund eines Vergleichs mit der rabbinischen Tradition und mit Sir 50,5ff. für den Versöhnungstag in Anspruch genommenen Texte (bzw. Textteile aus): 1QSb; 1Q 27; 1Q 29; 1Q 30,1; 4QDeut^q; 4QPs 37,2,10f. und 4Qpatr. Einen Zusammenhang mit der Tradition des großen Versöhnungstages vermutet *P. Stuhlmacher*, Röm 3,24–26, S. 322 Anm. 37; S. 332 Anm. 64 für 1QS 11,11ff. und 1QH 3,19ff. Ob auch 4QTargLev (zu Lev 16,12–15.18–21, s. dazu die Hinweise unten Anm. 466) in Qumran während des Versöhnungstages liturgische Verwendung fand, dürfte von der – schwierig zu beantwortenden – Frage abhängen, ob dieser Text Teil eines (einmal vollständigen) qumranischen Pentateuchtargums war oder als »a fragment of some other Aramaic work that just happened to quote or use Lev 16 for some purpose« (*J. A. Fitzmyer*, CBQ 36 [1974], S. 503–524, hier: S. 511) zu gelten hat, vgl. zur Sache auch *J. T. Milik*, DJD 6 (1977), S. 86; *Kasher*, Targum to Leviticus, S. 93. Zu der Frage, ob das Sündenbekenntnis 1QS 1,24b–2,1a am Versöhnungstag oder an einem Fasten- oder Bußtag liturgische Verwendung fand, s. eingehend *J. M. Baumgarten*, Studies in Qumran Law (SJLA 24), Leiden 1977, S. 39–56, hier: S. 54ff.; *Lichtenberger*, Menschenbild, S. 94ff.97f.182.

403 Zu den beiden כפרת-Belegen s. unten Anm. 466.

404 Eine detailliertere Untersuchung zur Reinheits- und Sühnevorstellung in Qumran wird von uns zusammen mit *H. Lichtenberger* vorbereitet (s. Literaturnachtrag), s. zur Sache zuletzt *Garnet*, Salvation; *ders.*, Atonement Constructions und *H. Lichtenberger*, in: *W. S. Green* (ed.), Approaches to Ancient Judaism, vol. II, Ann Arbor/Michigan 1980, S. 159–171.

405 S. dazu v.a. *Klinzing*, Umdeutung, S. 50ff.

406 Dem widerspricht auch nicht 1QM 2,5f., s. dazu *Klinzing*, a.a.O., S. 34ff.

407 S. oben S. 115ff.

408 Wegen des lückenhaften Erhaltungszustands von CD 14,18f. bleibt das Subjekt (der Messias?) von יכפר (Z. 19) und damit die Interpretation dieses Textes unklar, s. *A. S. van der Woude*, Die messianischen Vorstellungen der Gemeinde von Qumrân, Assen 1957, S. 30ff., vgl. *Garnet*, Atonement Constructions, S. 157; *ders.*, Salvation, S. 96f.99.115.

409 S. dazu besonders *Klinzing*, Umdeutung, S. 50ff.

410 S. unten Anm. 424.

Gemeinde wahrgenommene Sühnefunktion im Grunde ermöglicht durch den in ihr wirksamen Geist *Gottes*[411]. In 4QDibHam 2,9f. (voressenisch)[412] ist Mose das Subjekt des interzessorischen Sühnehandelns (vgl. Ex 32,7ff.30ff.).

Jeweils in *kultischem Zusammenhang* und z.T. mit dem *Priester als Subjekt des Sühnevollzuges* sind folgende כפר-Aussagen belegt:

α) Zum Corpus der aramäischen Qumrantexte zählt eine unter der Bezeichnung »Beschreibung des Neuen Jerusalem« bekanntgewordene Textgruppe (1QJN ar[1Q 32]; 2QJN ar[2Q 24]; 5QJN ar[5Q 15]; 11QJN ar)[413], die im apokalyptischen Visionsstil[414] eine nur noch in Umrissen erkennbare Beschreibung des *eschatologischen Tempels* und des in ihm auszuübenden Kultes gibt. Trotz ihres fragmentarischen Zustandes gewähren diese Dokumente doch einen Einblick in die Stellung der Qumrangemeinde zum Tempel und zum Kult, wie der hier zu zitierende Text 2Q 24,8, der von der *Sühne auf dem Brandopferaltar des eschatologischen Heiligtums* handelt, veranschaulichen mag:

1]·[
2 ʿ]ṡr' šwr' 'rb̆[ʿʾ
3]kwtly' 'bn ḥw[r
4]h 'ḥrny' mn br ʿśr[y]n [
5]bl·[ ] wlhẏwn mkpryn bh ʿlw[hy
6]·wl' ytkl' ʿwd kwl ywm [wyw]ṁ [
7]ʿzrt' [w]ʿḥzyn[y]·[ ] 'wḥry br mn [
8]·m'h wʿśr [

H. Bardtke[415] übersetzt:

1 »[. . . .]
2 . . die untere Reihe . . . .
3 . . Wände (?) von Stein . . . .
4 . . die anderen von der Außenseite, zwanzig . . . .
5 . . und werden dadurch Sühne leisten für ihn[416]
6 . . und nicht wird es noch vollendet werden . . . .
7 . . den Heiligtumshof. Und er ließ mich schauen eine andere . . . .
8 . . . . hundert . . . .«.

411 S. unten S. 264f.

412 S. oben S. 145.

413 Die Texte sind jetzt bequem zugänglich bei *J. A. Fitzmyer – D. J. Harrington*, A Manual of Palestinian Aramaic Texts (BibOr 34), Rom 1978, S. 46ff. (Lit. dazu S. 198f.), vgl. auch *M. Delcor*, Art. Qumran, DBS IX (1979), S. 918f.

414 Zu Recht wird von *H. Bardtke* (Die Handschriftenfunde am Toten Meer. Die Sekte von Qumrān, Berlin 1958, S. 173) hervorgehoben, daß es sich bei den Fragmenten aus 2Q 24 weder um Ritualanweisungen noch um liturgische Formulare, sondern um im Visionsstil formulierte apokalyptische Texte handelt.

415 A.a.O., S. 172, vgl. auch *Fitzmyer – Harrington*, a.a.O. (oben Anm. 413), S. 53.55. Zur Einzelanalyse s. *M. Baillet*, in: DJD 3 (1962), S. 89 und *ders.*, RB 62 (1955), S. 222–245, hier: S. 241f.

416 *mkpryn* ist pt.*pa.* von (aram.) *kpr* »sühnen, Sühne schaffen«. Z. 2–4 beziehen sich auf den Altar und dessen Maße, vgl. *Klinzing*, Umdeutung, S. 37 Anm. 96. Zu Z. 5 bemerkt *M. Baillet*: »l'expiation (ou propitiation) est faite sur l'autel (עלוהי) avec le sang (בה) d'une victime: cf. Ex 29,36–37; Ez 43,18–27« (in: DJD 3 [1962], S. 89), vgl. *ders.*, RB 62 (1955), S. 242. Möglicherweise liegt hier aber dasselbe Interpretationsproblem vor wie bei der atl. Wendung כִּפֶּר עַל + Sachobjekt, s. dazu oben S. 231f.

β) In welchem Verhältnis die Tempelauffassung von 1Q 32; 2Q 24; 5Q 15 (und anderen Texten) und insbesondere die Konzeption der Gemeinde als Tempel (mit der von ihr wahrgenommenen Sühnefunktion) zur Heiligtumstheologie der Tempelrolle (11QTemple) steht, bedarf im einzelnen noch eingehender Analysen[417]. Auch in 11QTemple begegnen die כפר (*pi.*)-Belege (insgesamt 10)[418] jeweils in kultischem Zusammenhang:
Innerhalb der Überlieferung des *großen Versöhnungstages* (col. 25,10–27 fin) in col. 26,7.9: Als Sündopfer der Gemeinde soll der Hohepriester den durch Los für Jahwe bestimmten Ziegenbock schlachten und mit dessen Blut verfahren wie mit dem Blut seines eigenen Sündopferfarren (col. 26,3ff.)[419]: »und (so) soll er damit (sc. mit dem Ziegenbock) Sühne schaffen für das ganze Volk der Gemeinde (וכפר בו על כול עם הקהל)« (col. 26,7[420], vgl. Z. 9 und die Hinzunahme der Vergebungsaussage ונסלח להמה »und es wird ihnen vergeben werden« in Z. 10)[421].
Innerhalb der Überlieferung *anderer Feste:* 11QTemple col. 14,9ff.: Unter den »am ersten Tag des ersten Monats« (an dem keine Arbeit verrichtet werden darf) darzubringenden Opfern soll auch ein Ziegenbock als Sündopfer zugerichtet werden (עשה *nif.*), »um Süh[ne zu schaffen für euch] . . .« (Z. 11). – 11QTemple col. 18,1–10: Ebenfalls ein Ziegenbock ist am Fest des Garbenschwingens darzubringen, um zu entsühnen »d]as Volk der Gemeinde von all ihr[en] Verschuldungen [und es wird ihnen vergeben werden nach ihren Geschlechtern]« (Z. 7f.). – Bislang ganz singulär sind die Sühneaussagen im Zusammenhang mit dem Fest des neuen Weins (תירוש): 11QTemple col. 21,7f., und mit dem Fest des neuen Öls (יצהר): 11QTemple col. 22,15f.[422].

2. *Objektbezug*
Eine Gliederung der כפר-Belege nach präpositionalen Wendungen, mit denen die der Sühne unterzogene Person(engruppe), die Sünde/Schuld oder das zu entsühnende Land an das übergeordnete Verb כפר (*pi./pu.*) angeschlossen wird, ergibt folgendes Bild:
a) Präposition בעד (vgl. Ex 32,30; Ez 40–48; P; ChrG)[423]: 1. Sühne »für das Land (Israel)«[424]:

417 S. dazu *Lichtenberger*, a.a.O. (oben Anm. 402) passim.
418 Zu 11QTemple col. 63,6.7 s. oben S. 163. Wegen Textlücken unklar bleibt 11QTemple col. 17,2:]וישמחו כי כופר עליהמה[[»] und sie freuen sich, weil für sie Sühne erwirkt wurde [« (כופר = *pu.* pf. ?), vgl. *Y. Yadin*, The Temple Scroll, vol. II, Jerusalem 1977, S. 54 z.St. Ein weiterer כפר-Beleg könnte aus 11QTemple col. 27,1 erschlossen werden, vgl. unten Anm. 421.
419 Im Unterschied zu col. 16,15ff. wird der Blutritus in col. 26,6f. nicht präzisiert, vgl. *Yadin*, a.a.O., S. 83 z.St. Nach dem vorgegebenen Zusammenhang von Lev 16,15ff. (vgl. Lev 16,14) wäre an dieser Stelle ein Rückgriff auf die Blutsprengung gegen die כפרת zu erwarten, s. dazu unten Anm. 466.
420 Vgl. die Aufnahme der Formulierung von Lev 16,33 in 11QTemple col. 16,14f.: der Priester soll den »zweiten«, d.h. den für das Volk bestimmten Sündopferfarren nehmen »und mit ihm [für das ganze Volk] der Gemeinde Sühne schaffen«, vgl. ferner col. 14,10f.; 18,7f.; 22,02; 32,6 und vielleicht auch col. 17,2 (s. oben Anm. 418); außerdem col. 32,6: »ihr Schuldopfer (??), um (damit) Sühne zu schaffen für das Volk«, zum Text s. *Yadin*, a.a.O., S. 98 z.St.
421 Vgl. col. 18,7f. und col. 27,2 (wahrscheinlich ist dort Z. 1 die כפר-Aussage zu ergänzen, vgl. *Yadin*, a.a.O., S. 85 z.St.).
422 S. dazu *Yadin*, a.a.O., S. 68f.73 (jeweils z.St.), zu beiden Festen s. *ders.*, The Temple Scroll, vol. I, Jerusalem 1977, S. 88–92, bes. S. 89f. und zum Zusammenhang: Öl/neuer Wein – Reinheitsgesetzgebung in Qumran *J. M. Baumgarten*, Studies in Qumran Law (SJLA 24), Leiden 1977, S. 88–97, hier: S. 96f. mit Anm. 42; *M. Delcor*, Art. Qumran, DBS IX (1979), Sp. 947.
423 S. oben S. 108.187.
424 Nach *A. Dupont-Sommer* (Sem. 15 [1965], S. 61–70, hier: S. 67 mit Anm. 1) kommt in der Wendung כפר בעד הארץ der Gedanke einer kosmischen Sühne (»für die ganze Erde«) zum

1QS 8,6.10 (vgl. 9,4); 1QSa 1,3[425] (Subjekt ist jeweils die Gemeinde). Von der durch einen Menschen (Noah) gewirkten Sühne (nicht für das »Land [= Israel]«, sondern »für die ganze Erde« ist dagegen im Genesis-Apokryphon (1QGenApocr), einer midraschartigen Nacherzählung von Geschichten des Buches Genesis, in 1QGenApocr 10,13 (innerhalb der Geschichte Noahs: 10,6–15) die Rede:

12 . . . tbwt' nḥt ḥd mn ṭwry h'rrṭ . . .
13 lkwl 'rbᶜ' kwlh' kprt . . . .
14 . . . . . . ᶜl mdbḥ' 'qtrt . . .

12 ». . . the ark settled (upon) one of the mountains of Ararat . . .
13 . . . I atoned for all the land . . .
14 . . . I burned incense on the altar . . .«[426].

2. בעד + Sünden-/Schuldbegriff (außer in 4QDibHam 2,9 [Mose] ist Subjekt immer Gott): 1QS 11,14; 1QH 17,12; CD 3,18; 4QDibHam 2,9. – 3. בעד + Person bzw. Personalsuff.: CD 2,5; 4,6.10; 20,34 (Subjekt jeweils Gott); 1QM 2,5[427]. Unklar bleibt 1Q 22,24,1[428].
b) Präposition על: 1. על + Schuldbegriff: 1QS 9,4 (Gemeinde als Tempel); CD 4,9f. (Subjekt Gott, vgl. Jer 18,23; Ps 79,9); 1Q 27,6,2 (fragmentarisch). – 2. על + Person: 11QMelch 7f. (logisches Subjekt ist der Versöhnungstag).
c) Präposition ל: 1. ל + Schuldbegriff: 4QOrd 2,2. – 2. ל + Person: 1QS 5,6 (Gemeinde als Tempel ist Subjekt), vgl. zur Konstruktion Dtn 21,8a; Jes 22,14; Ez 16,63.
d) Akkusativ-Konstruktion (Objekt: jeweils Schuldbegriff/e, Subjekt jeweils Gott): 1QS 2,8 (negativ formuliert); 1QH 4,37; 1QHf 2,13; CD 14,19, vgl. auch die Passiv-Konstruktion in 1QS 3,6.8 und zur Sache Ps 78,38; Dan 9,24, u.a. Unklar bleibt 1Q 27,6,3.

3. *Sühnemittel*

Dem Sachverhalt, daß in Qumran – von den כפר-Aussagen der Tempelrolle abgesehen – nie ein Priester Subjekt des Sühnevollzuges ist, korrespondiert das *Fehlen kultischer Sühnemittel*. Nicht mittels blutiger Opfer (wie in P, Ez 40–48, ChrG), sondern – der umfassenden Umdeutung der Kult- und Opferbegriffe[429] entsprechend – durch nichtkultische Mittel wird in Qumran Sühne erlangt. Dabei ist zu beachten, in welch umfassender Weise das kultische Opfer ersetzt wird durch den *vollkommenen Wandel des einzelnen und der Gemeinde*[430]: Der vollkommene Wandel, der sich in der Unterwerfung unter den Gotteswillen (Tora) konkretisiert, ist Ausdruck des »Geistes«, den Gott in der Gemeinde wirksam sein läßt. Als *nichtkultische Sühnemittel* werden explizit genannt: die »*Gerechtigkeit* (צדקה) *Gottes*« (1QH 4,37 [כפר

Ausdruck. Doch widerspricht dem deutlich der Kontext der auf das verunreinigte »Land Israel« bezogenen Texte 1QS 8,4–7; 8,8–10, s. dazu *Paschen*, Rein, S. 145ff.; *Klinzing*, Umdeutung, S. 50ff.; *Garnet*, Atonement Constructions, S. 155; *Lichtenberger*, Menschenbild, S. 98.121; *Sanders*, Paul, S. 302f.

425 Zur Textherstellung s. *D. Barthélemy*, DJD 1 (1955), S. 109, vgl. *Garnet*, Salvation, S. 85f.; *Sanders*, a.a.O., S. 302.303.

426 Übersetzung *J. A. Fitzmyer*, The Genesis Apocryphon of Qumran Cave I: A Commentary (BibOr 18A), Rom ²1971, S. 57, vgl. den Kommentar S. 99. Zu 1Q GenApocr 10,13 ist Jub 6,1–4 zu vergleichen.

427 Zu diesem Text s. *Klinzing*, Umdeutung, S. 34ff.

428 Vgl. *J. Carmignac*, RdQ 4 (1963–64), S. 83–96, hier: S. 95.

429 *Klinzing*, a.a.O., S. 93ff.

430 S. dazu *Klinzing*, a.a.O., S. 93ff.143ff., vgl. *Lichtenberger*, Menschenbild, S. 67ff. 72.88.92.109.111f.187.205; *Sanders*, Paul, S. 299f.302f.304.

pi. // טהר *pi.*], vgl. 1QS 11,3 [מחה *nif.*]; 1QH 11,30f. [טהר *pi.*]); der *»heilige Geist Gottes«* (1QHf 2,13, vgl. 1QH 16,12 [טהר *pi.*]; 17,26) und der *»Geist des wahrhaftigen Rates Gottes* (רוח עצת אמת אל)« (1QS 3,6, vgl. 1QS 4,20ff.); *»Langmut* (ארך אפים) *und reiche Vergebungen* [*Gottes*] (רוב סליחות)« (CD 2,4f., vgl. 1QH 16,16–18); *»seine (sc. Gottes) wunderbaren Geheimnisse* (רזי פלאו)« (CD 3,18) und schließlich der *»Reichtum seiner (sc. Gottes) Güte* (רוב טובו)« (1QS 11,14).

Dem im Erweis seiner Gerechtigkeit, seines (heiligen) Geistes, seiner Langmut und seiner Güte offenbar werdenden (Sühne-=) Vergebungshandeln Gottes entsprechen auf seiten des Menschen der *»heilige Geist* (רוח קדושה), *der seiner Gemeinde der Wahrheit gegeben ist«* (1QS 3,7 [טהר *nif.*]); der *»Geist der Rechtschaffenheit und der Demut* (רוח יושר וענוה)« (1QS 3,8); der *»vollkommene Wandel* (הלך תמם)« (1QS 3,10f., vgl. für das Gegenteil: 1QS 2,26–3,6; 1QH 15,24) und schließlich – singulär – die *Interzession Moses* (4QDibHam 2,9, vgl. Ex 32,7ff.30ff.)[431].

Vierter Abschnitt: Hohepriesterliches Sühnehandeln am Ort der Gegenwart Gottes in Israel – Die Entsühnung Israels und seiner kultischen Repräsentanten am großen Versöhnungstag

»(26) Und Jahwe sprach zu Mose: (27) Jedoch am zehnten dieses siebenten Monats, da ist der Versöhnungstag (יוֹם הַכִּפֻּרִים). Heilige Versammlung ist für euch, und ihr sollt euch kasteien und ein Feueropfer für Jahwe darbringen. (28) Und keinerlei Arbeit dürft ihr verrichten an ebendiesem Tage; denn da ist Versöhnungstag (יוֹם כִּפֻּרִים), euch Sühne zu schaffen (לְכַפֵּר עֲלֵיכֶם) vor Jahwe, eurem Gott« (Lev 23,26–28).

Die große Bedeutung, die dieser יוֹם (הַ)כִּפֻּרִים (eigentlich: »Sühnungs- oder Sühnetag«: Lev 23,27.28; 25,9)[432] für das kultische Sühnegeschehen des nachexilischen Israel besaß[433], geht schon äußerlich aus dem gehäuften Vorkommen des Terminus כִּפֶּר in Lev 16 hervor (allein 16mal:

431 S. oben S. 145. Die Frage, welche Bedeutung in diesem Zusammenhang dem von *J. Starcky* zur Publikation vorbereiteten Text 4QAhA (Sühneaussage Z. 2: *wykpr ᶜl kwl bny drh* »und er entsühnt alle Söhne seiner Generation«) zukommt, muß hier noch offengelassen werden (der Text wurde uns in Fotokopie dankenswerterweise von Herrn Prof. Dr. *M. Hengel*, Tübingen, zur Verfügung gestellt), vgl. dazu bereits *J. Starcky*, RB 70 (1963), S. 481–505, hier: S. 492; *Garnet*, Salvation, S. 108f. und jetzt *Hengel*, Atonement, S. 58 (vgl. *ders.*, crucifixion, S. 184).

432 Zur Bildungsweise des Abstraktnomens כִּפֻּרִים s. oben S. 20 mit Anm. 26, zu den Belegen oben S. 105. Zur Bezeichnung des Versöhnungstages in den alten Versionen, im Talmud, bei Josephus, Philo und im NT s. *Martin-Achard*, Fêtes, S. 106; *de Vaux*, ATL II, S. 368ff.; *K. Hruby*, OrSyr 10 (1965), S. 41–74.161–192.413–442, vgl. auch oben S. 139.

433 Zur Entstehung und Geschichte des Versöhnungstages s. zuletzt *L. Rost*, Art. Versöhnungstag, BHH III, Sp. 2098; *Elliger*, Leviticus, S. 200ff.309f.318ff.344.352; *M. D. Herr*, Art. Day of Atonement, EJ V (1971), Sp. 1376ff.; *Martin-Achard*, a.a.O., S. 105ff.; *J. Milgrom*, Art. Atonement, Day of, IDB Supp. Vol., Nashville 1976, S. 82f.; *Otto*, Fest, S. 70ff.; *Aartun*, Versöhnungstag; *Wefing*, Entsühnungsritual, bes. S. 166ff. Zum Versöhnungstag in Qumran s. die Hinweise oben Anm. 402.

v. 6.10[434].11.16.17[*bis*].18.20.24.27.30.32.33[*ter*].34). Hier, im hohepriesterlichen Sühnehandeln an der כַּפֹּרֶת (Lev 16,14f.), tritt das Urbild des kultischen Sühnegeschehens in Erscheinung, in dem es um das *Gegenüber von Gott und Mensch*, um das *Sein des schuldig gewordenen Israel coram Deo* geht. »Man wird, wie immer die Herkunft der *kapporaet* gedeutet werden mag, das Wort nicht von dem Vorgang der Sühnung *(kippaer)* trennen dürfen, der für die nachexilische Gemeinde und Priesterschaft, die nach der großen Gerichtszeit lebte, so zentral geworden ist. Die Präsenz Jahwes über der kapporaet verkündet der Gemeinde Jahwes die gnadenhafte Präsenz des zur Sühne Willigen«[435]. Um diese in das Bild des vor die כַּפֹּרֶת tretenden Hohenpriesters Aaron gefaßte Koinzidenz von Sühnegeschehen und Gegenwart Gottes zu verstehen, ist zunächst der Ritus der sühnenden Blutapplikation Lev 16,14f. im Zusammenhang der Ritualüberlieferung von Lev 16 zu analysieren (A) und sodann die Frage nach der Bedeutung der כַּפֹּרֶת im Horizont der Frage nach der Heiligtumstheologie der Priesterschrift zu entfalten (B und Teil IV).

A) Die Entsühnung von Priesterschaft und Volk und die Entsühnung des Heiligtums – Zur Ritualüberlieferung von Lev 16

Die Frage nach der Funktion und dem Ort von Lev 16,14f. innerhalb der Gesamtüberlieferung des großen Versöhnungstages läßt sich nur anhand einer eingehenden Textanalyse beantworten; für Lev 16 hat sie *K. Elliger* vorgelegt, dessen Ergebnisse hier aufgenommen werden[436]. Danach bildete die Grundschicht von Lev 16, wie insbesondere die auf Lev 10,1ff. zurückver-

434 S. dazu oben Anm. 5.

435 *Zimmerli*, Bilderverbot, S. 260.

436 A.a.O., S. 200ff., vgl. S. 14. Zur neueren Forschung an Lev 16 s. jetzt die Darstellung bei *Wefing*, a.a.O., S. 3–32. Erwägenswert gegenüber der Analyse *Elligers* ist die Untersuchung von Lev 16 durch *Wefing*, die von einer Aufgliederung dieses Kapitels in zwei Themenbereiche ausgeht: »Die Verse 1–17 beschreiben ein Entsühnungsritual unter dem Aspekt einer rituellen Neubesinnung bezüglich althergebrachter Einzelriten, während die Verse 18–28 eine Art ›Kompendium‹ verschiedenster Entsühnungsvorschriften darstellen, die jedoch alle mit dem primären Entsühnungsgeschehen in Verbindung stehen« (a.a.O., S. 153). Innerhalb von v. 1–17 ist dabei – abgesehen von den sekundären Versen v. 1.12f. – mit einer »Grundlage« zu rechnen (v. 2.4), in die ein *hohepriesterliches Sündopferritual* (v. 3.6.11b.14) eingeschoben wurde. Die nächstfolgende literarische Schicht fügte in diesen Textzusammenhang v. 2.4 + 3.6.11b.14 ein *Volkssündopferritual* ein (v. 5.7–10) und kombinierte anschließend in v. 15–17 hohepriesterliches und Volkssündopfer miteinander: »Ausgehend von der personalen Entsühnung (hohepriesterliches und Volkssündopfer) bieten die Blutriten den Einsatzpunkt zur Aufnahme dinglicher Entsühnungsvorstellungen, die jedoch nur unter der Zielvorstellung der personalen Funktionalität verstanden werden können. Anders ausgedrückt ging es dem Verfasser der Verse 15–17 um die Neuinterpretation alter Riten unter dem Gesichtspunkt einer zu dieser Zeit noch nicht vordergründigen, sondern komplementär-einheitlich gedachten Doppelgleisigkeit aller Entsühnungsvorstellungen, die sich in der dinglichen und personalen Komponente ausdrücken« (a.a.O., S. 158). Sieht man einmal von möglichen Kritikpunkten der Argumentation *Wefings* ab (s. dazu unten Anm. 452), so stimmen die Analysen von *Elliger* und *Wefing* darin überein, daß (1) der Blutritus an der כַּפֹּרֶת (*Elliger:* v. 14f.; *Wefing:* v. 14) zu einer ange-

weisende Redeeinleitung v. 1 noch zu erkennen gibt, die Fortsetzung der priesterlichen Geschichtserzählung in Lev 8–10[437]. Es spricht manches dafür, daß diese Grundschicht zu Pg² gehört[438]. Während ihr Anfang durch spätere Überarbeitung gelitten hat, fragmentarisch aber noch in v. 1–3 (*Elliger:* v. 1–2bα.3a[?])[439] und in v. 4 vorliegen dürfte, ist ihr Rest und d.h.: ihr eigentlich agendarischer Teil, in v. 11.14f.17.20b.22b–24.34b offenbar unversehrt erhalten.

Von dieser *Grundschicht*, die von der nach dem Zwischenfall mit Nadab und Abihu Lev 10,1ff. auf Befehl Jahwes durchgeführten *Entsühnung von Priesterschaft und Volk* berichtete, ist eine sie ergänzende und in v. 3*.5–10.16 (außer aγ).18–20a.21 (außer aε).22a.25–28 vorliegende *Bearbeitungsschicht* zu unterscheiden, die ihrerseits die *Entsühnung von Heiligtum und Altar* sowie den Ritus mit dem Bock »für Azazel« in den Vordergrund rückte. Läßt man den der *Schlußredaktion* angehörenden Nachtrag v. 29–34a (mit der Datumsfestlegung des großen Versöhnungstages auf den 10. VII.: v. 29, vgl. Lev 23,27; Num 29,7[440] und mit der Betonung des Bußcharakters dieses Tages: ענה *pi.* v. 29.31, vgl. Lev 23,27; Num 29,7; ענה *pu.* Lev 23,29[441]; vollkommene Arbeitsruhe: v. 29.31) beiseite – auch die Zusätze v. 16aγ.21aε und die

nommenen Grundschicht gehört, während (2) der Ritus mit dem Azazelbock (*Elliger:* v. 10.21*.22a; *Wefing:* v. 5.7–10, spätere Auffüllung unter dem Aspekt der Sündenübertragung v. 20–22) hinzugewachsen ist (umgekehrt *Otto*, a.a.O., S. 70ff.: v. 20f.* »vorpriesterschriftliche Ritualüberlieferung«; v. 14f.* »priesterschriftliche Quellenredaktion«). Was *Wefing* gegenüber *Elliger* u.E. zu Recht – und immer wieder – betont, ist der sachliche *Zusammenhang von dinglicher und personaler Entsühnung* (a.a.O., S. 85ff.92ff.99ff., vgl. S. 26f.28.30.58f.). Auch wir verstehen – gerade im Blick auf Lev 16 – von diesem Sachzusammenhang her die Funktion der sühnenden Blutriten (s. dazu oben S. 221ff.); dennoch sollte u.E. das, was im Laufe der Überlieferungs- und Kultgeschichte zusammengewachsen ist bzw. von Redaktoren miteinander verschmolzen wurde, überlieferungsgeschichtlich unterschieden werden.

Anders als *Elliger* (dessen Ausführungen er aber mit Stillschweigen übergeht) und auch anders als *Wefing* unterscheidet *Otto* (Fest, S. 70ff.) zwischen einer vorpriesterschriftlichen Ritualüberlieferung, einer Quellenredaktion durch Pg und literarischen Zusätzen zur Quelle P(g). Dabei ist nach *Otto* »das P vorgegebene Ritual des Versöhnungstages . . . dadurch gebildet worden, daß ein in vorexilische Zeit hinabreichendes Ritual der Heiligtumsentsühnung mit dem alten, wohl bis in vorisraelitische Zeit zu verfolgenden Asaselbockritual, das auf die Entsühnung des Volkes Israel gedeutet wurde, so verbunden worden ist, daß beide Rituale durch einen verklammernden Losritus verschmolzen worden sind. Dabei gibt das Ritual der Entsühnung des Heiligtums den Rahmen für das Asaselbockritual ab« (S. 74). Zur Annahme eines »vorisraelitischen Azazelbockrituals« s. unten Anm. 450.

437 Vgl. dazu oben S. 194.

438 *Elliger*, a.a.O., S. 202.

439 Speziell zu Lev 16,1f. s. zuletzt *Mölle*, Erscheinen Gottes, S. 149ff.; *Weimar*, Exodusgeschichte, S. 79f.; *Otto*, a.a.O., S. 70 Anm. 18; *Wefing*, a.a.O., S. 32ff., ferner unten Anm. 442.

440 Diese Datumsfestlegung gehört offenbar zum jüngsten Entwicklungsstadium in der Geschichte des Versöhnungstages, s. dazu *Elliger*, a.a.O., S. 210.211.217; *Aartun*, Versöhnungstag, S. 94ff.; *Wefing*, a.a.O., S. 143ff.152.166ff., ferner *Gese*, Verfassungsentwurf, S. 77f.; *W. Zimmerli*, BK XIII/2 (²1979), S. 1160f.

441 S. dazu *E. Kutsch*, ענוה (»Demut«). Ein Beitrag zum Thema »Gott und Mensch im Alten Testament«, Masch.Habil. Mainz 1960, S. 25ff.; *ders.*, ZThK 61 (1964), S. 193–220; *ders.*, ThSt 78 (1965), S. 25–42, ferner *R. Martin-Achard*, Art. *ʿnh* II, THAT II, Sp. 342; *F. Stolz*, Art. *ṣwm*, THAT II, Sp. 536ff.

Bemerkung über die (Weihrauch-)Wolke v. 2bβγ.12f.[442] sind nach *Elliger* auf diese Redaktion zurückzuführen –, so ist deutlich zu erkennen, daß die literarische Schichtung von Lev 16,3–28 eine kultgeschichtliche Entwicklung widerspiegelt, derzufolge *zwei ursprünglich selbständige Sühnefeiern*, eine Feier zur *Entsühnung von Priesterschaft und Volk* (Grundschicht) und eine (möglicherweise ezechielische Traditionen [Ez 45,18ff.][443] aufnehmende) Feier zur *Entsühnung von Heiligtum und Altar* (Bearbeitungsschicht) zusammengelegt und redaktionell verklammert wurden: »die allgemeine Sühnefeier der vorexilischen Zeit nahm im Laufe des ersten nachexilischen Jahrhunderts eine Feier der Tempelreinigung in sich auf, mag diese nun bloße (im Exil entstandene) Forderung oder tatsächlich (sogar schon in der Königszeit) geübter Brauch gewesen sein, und wurde schließlich endgültig auf den 10. 7. festgelegt«[444]. Soweit in groben Zügen die literarkritische Analyse *K. Elligers*.

Während die Bearbeitungsschicht die Entsühnung von Heiligtum und Altar (v. 16 [außer aγ].18f.)[445] und den Ritus mit dem »Sündenbock« (v. 10[446].21 [außer aε].22a), dessen Empfänger עֲזָאזֵל (‹ עזזאל = עזז + אל?)[447] nur hier

442 *Elliger*, a.a.O., S. 203f.209f.211.213. Nicht zuletzt die Bemerkung über die (Weihrauch-)Wolke Lev 16,2.12f. hat verschiedentlich Anlaß für eine bestimmte Verhältnisbestimmung von Theophanie und Kult (kultisch-rituelle Darstellung der Sinaioffenbarung im Festkult) geboten. Über die an dieser – von *A. Weiser, W. Beyerlin* (u.a.) und neuerdings in einer extremen Weise auch von *Gerleman* (*kpr*, S. 18ff.: die כַּפֹּרֶת als »polierter Spiegel« für den עָנָן) vertretenen – These wohl zu Recht geübte Kritik von *Jeremias* (Theophanie, S. 122.177) und *Fritz* (Tempel, S. 103) hinaus wäre vielleicht zu erwägen, ob sich Lev 16,2bβγ nicht der Absicht (eines späteren Redaktors?, s. aber *Wefing*, a.a.O., S. 38ff.) verdankt, mit dem Stichwort »Wolke« (in der Jahwe über der כַּפֹּרֶת erscheint) auf die Wolke von Ex 24,15bff. und damit auf die *Sinaiszene insgesamt* zurückzugreifen, vgl. *Gese*, Sühne, S. 104. Zur schützenden Funktion der Weihrauchwolke Lev 16,12f. s. *R. Gradwohl*, ZAW 75 (1963), S. 288–296, hier: S. 290ff.; *Elliger*, a.a.O., S. 213; *Luzarraga*, Nube, S. 55.93f.98.100.166.171.172ff.183.186; *J. C. H. Laughlin*, JBL 95 (1976), S. 559–565, hier: S. 560f.; *Gese*, a.a.O., S. 103; *Wefing*, a.a.O., S. 101ff.160f.

443 Vgl. *Elliger*, a.a.O., S. 210.214; *Aartun*, Versöhnungstag, S. 94ff. Zu Ez 45,18ff. s. oben S. 228.229f., bes. oben Anm. 220.

444 *Elliger*, a.a.O., S. 210.

445 Zu Lev 16,16 und zu den Blutriten Lev 16,18f. s. ausführlich oben S. 221ff., ferner *Elliger*, a.a.O., S. 208.214; *Wefing*, a.a.O., S. 85ff.

446 Vgl. oben Anm. 5.

447 Nach *Elliger* (a.a.O., S. 212f.) ist die Azazelgestalt dem Ritus der Entlassung des lebendigen Bockes nicht immanent, sondern eher ein sekundäres, wohl am Motiv der »Wüste«, der »abgelegenen Gegend«, in die der Bock entlassen wird (Lev 16,10.21.22, s. dazu *Aartun*, a.a.O., S. 82; *Wefing*, a.a.O., S. 68.129f.; *Tawil*, ᶜAzazel, S. 55f.), orientiertes Überlieferungselement, mit dessen Hilfe der ursprüngliche, von der Grundschicht v. 20b.22b nur fragmentarisch überlieferte Eliminationsritus (s. dazu oben S. 211ff. und unten Anm. 450) zu einer Abgabe an den Wüstendämon (?) Azazel umgedeutet wurde (aufgrund ihres Ansatzes anders *Wefing*, a.a.O., S. 68ff.74ff.). Die Erklärungsversuche des Azazelnamens und der Azazelgestalt sind Legion und hier nicht im einzelnen zu diskutieren, s. dazu zuletzt (jeweils mit der älteren Lit.): *Kutsch*, Sündenbock, Sp. 507; *G. R. Driver*, JSSt 1 (1956), S. 97–105, hier: S. 97f.; *K. Koch*, Art. Asasel, BHH I, Sp. 135f.; *Widengren*, Religionsphänomenologie, S. 289 Anm. 31; *Sh. Aḥituv*, Art. Azazel, EJ III (1971), Sp. 999ff.; *J. M. Grintz*, ASTI 8 (1972), S. 78–105, hier: S. 90 Anm. 56; *J. Maier*, Art. Geister (Dämonen), RAC IX (1976), Sp. 579–585.668–688, hier: Sp. 584.684; *H. Haag*, Teufelsglaube, Tübingen 1974, S. 170ff.; *Martin-Achard*, Fêtes, S. 109 Anm. 106; *Wyatt*, Atonement Theology, S. 428f.; *H. Kruse*, Bib. 58 (1977), S. 29–61, hier: S. 32 Anm. 1; *R. Zadok*, BASOR 230 (1978), S. 57–65, hier: S.

genannt wird (v. 8.10[*bis*].26), in den Vordergrund gerückt und somit Lev 16 sein eigentümliches Gepräge gegeben hat[448], liegt nach der Grundschicht von Lev 16 das Hauptgewicht auf den im Allerheiligsten zur Entsühnung von Priesterschaft und Volk zu vollziehenden Blutsprengungsriten (הִזָּה)[449], die von den vorbereitenden und abschließenden Handlungen der körperlichen Waschung (v. 4b.24aα), des An- und Ablegens der besonderen Kleidung (v. 4.23.24aβ) und der Darbringung von Brandopfern (v. 24b) umrahmt werden:

»(11) Aaron bringt seinen eigenen Sündopferfarren dar und schafft Sühne für sich und sein Haus. Und zwar [*waw-explicativum*] schlachtet er seinen eigenen Sündopferfarren. (14) Dann nimmt er von dem Blut des Farren und sprengt (וְהִזָּה) es mit seinem (Zeige-)Finger vorn auf die כַּפֹּרֶת; auch vor die כַּפֹּרֶת sprengt er (יַזֶּה) siebenmal von dem Blut mit seinem (Zeige-)Finger. (15) Dann schlachtet er den Sündopferbock des Volkes, bringt das Blut hinein hinter den Vorhang und verfährt mit dem Blut, wie er mit dem Blut des Farren verfahren ist, indem er es auf und vor die כַּפֹּרֶת sprengt (וְהִזָּה). (17) Aber irgendein Mensch darf im Begegnungszelt nicht anwesend sein, wenn er hineingeht, um im Heiligtum die Sühne zu vollziehen, bis er (wieder) herauskommt; er schafft Sühne für sich und sein Haus und für die ganze Versammlung Israels«.

Über die Entlassung des lebendigen Bockes in die Wüste läßt sich die Grundschicht nur kurz und überdies fragmentarisch aus (v. 20b.22b). Auffallend aber ist, daß sie diesen der Sündenbeseitigung dienenden *Eliminationsritus*

58; *M. Pope*, Song of Songs (AncB), 1977, S. 315f.; *Wefing*, a.a.O., S. 68ff.74ff.; *Tawil*, a.a.O., S. 43ff. Zur Azazelgestalt im antiken Judentum s. zuletzt *P. D. Hanson*, JBL 96 (1977), S. 195–233, hier: S. 220ff.; *G. W. E. Nickelsburg*, JBL 96 (1977), S. 383–405, hier: S. 397ff.; *D. Suter*, HUCA 50 (1979), S. 115–135, hier: S. 127 Anm. 40; *C. A. Newsom*, CBQ 42 (1980), S. 310–329. U.E. hat die Annahme, den Namen עֲזָאזֵל aus der Wortverbindung von עָזַז + אֵל »El ist mächtig, stark (o.ä.)« (vgl. *Zadok*, a.a.O., S. 58) herzuleiten und die Azazelgestalt als depotenzierte Gottheit, als Wüstendämon, die durch die Darbringung eines Bockes (שָׂעִיר) geehrt (beschwichtigt?) wurde, zu verstehen (vgl. zuletzt *Haag*, a.a.O., S. 174ff.; *Wefing*, a.a.O., S. 74ff.; *Tawil*, a.a.O., S. 58f.), die größte Wahrscheinlichkeit für sich. Eine *ursprüngliche* Verbindung des »Bockes für Azazel« mit irgendeiner Art von ritueller Sündenbeseitigung wird auch von *Wefing* (a.a.O., S. 70ff.76.126.154.162) – ebenso wie bereits von *Elliger* und *Otto* (s. unten Anm. 450) – in Frage gestellt. Erst die Bearbeitungsschicht Lev 16,21*.22a (*Elliger*, nach *Wefing*: v. 20–22) verleiht der Entlassung des Azazelbockes – in Wiederaufnahme der von der Grundschicht zurückgedrängten Thematik der Sündenbeseitigung – eliminatorische Funktion, s. auch unten Anm. 450.

448 Diese Perspektive der Bearbeitungsschicht prägt auch weithin die Auslegungsgeschichte von Lev 16: Nicht die Applikation des חַטָּאת-Blutes an die כַּפֹּרֶת – dieser Ritus wird in der Forschung meistens übergangen oder nur am Rande erwähnt (Ausnahmen: *Elliger*, a.a.O., S. 208.213f.215; *Maass*, *kpr*, Sp. 849f.; *Gese*, Sühne, S. 94.102ff.; z.T. auch *Otto*, Fest, S. 75) –, sondern der mit den Sünden der Gemeinschaft beladene »Sündenbock« schafft »Sühne« für Israel. Eine eigene – und u.E. durchaus legitime – Aufgabe wäre es, den Blutritus an der כַּפֹּרֶת und den Eliminationsritus mit dem »Sündenbock« einmal vom Standpunkt der Endredaktion von Lev 16 aus als komplementäre Ritualakte (Blut*applikation an* die כַּפֹּרֶת als das Zentrum des Heiligtums – Sünden*wegschaffung aus* dem Bereich des Heiligen mittels eines rituellen Unheilsträgers) zu interpretieren, s. dazu die Anregungen bei *E. Leach*, Kultur und Kommunikation. Zur Logik symbolischer Zusammenhänge, Frankfurt/Main 1978, S. 101ff., bes. S. 106ff.

449 Zum Terminus הִזָּה s. oben S. 222ff.

vorisraelitischer Herkunft[450] nicht getilgt, sondern überhaupt tradiert, aber eben zugunsten der Ausgestaltung des Erzählungszusammenhangs v. 3a(?). 4.11.14f.17.23f. und insbesondere des kultischen Sühnegeschehens v. 14f. in den Hintergrund gedrängt hat. Ist jener Eliminationsritus nach Ausweis der Grundschicht integrierender Bestandteil einer Feier zur Entsühnung von Priesterschaft und Volk[451], ja möglicherweise sogar der Überlieferungskern, von dem die Ritualbildung des großen Versöhnungstages ihren Ausgang genommen hat[452], so ist doch zu beachten, daß sich im Zuge dieser

450 Die Annahme *L. Rosts*, das Ritual des großen Versöhnungstages lege »einen alten Nomadenritus aus der Zeit des Weidewechsels zugrunde, wobei ein Ziegenbock dem Wüstendämon Asasel als Abgabe übersandt wurde, bevor die Herden sein Gebiet betraten« (Art. Versöhnungstag, BHH III, Sp. 2098, vgl. *ders.*, in: *ders.*, Das kleine Credo und andere Studien zum Alten Testament, Heidelberg 1965, S. 101–112, hier: S. 107ff.; zuletzt aufgenommen von *Otto*, a.a.O., S. 74; *ders.*, Art. Asasel, RBL, S. 52; *Wyatt*, Atonement Theology, S. 425; zurückhaltender *W. Thiel*, Die soziale Entwicklung Israels in vorstaatlicher Zeit, Neukirchen-Vluyn 1980, S. 46), hat u.E. wenig Wahrscheinlichkeit für sich. Denn zum einen ist ein derartiger »alter Nomadenritus« nirgends greifbar – nach *Rost* bildet der Azazelritus das Gegenstück zum apotropäischen Blutritus des Passa (s. dazu oben S. 249 mit Anm. 331) –, zum anderen läßt der Text von Lev 16 nichts von einer dem apotropäischen Blutritus des nomadischen Passa analogen Funktion des Azazelritus erkennen, vgl. auch *Elliger*, Leviticus, S. 212; *Wefing*, a.a.O., S. 79. Auch die Annahme, jener »alte Nomadenritus« sei im Kontext der Jahwesierung dahingehend »umgeprägt« worden, »daß es nicht mehr um eine Besänftigung Asasels, sondern um das Heraustragen des Bösen aus dem Bereich Jahwes geht, um dann zunehmend im Kontext der Sühnethematik interpretiert zu werden« (*Otto*, a.a.O., S. 74), kann nicht ganz überzeugen, weil dabei rituelle Elimination und kultisches Sühnegeschehen nicht klar genug unterschieden werden: »Sünde wird geradezu als dinghaft, als eine materielle Sphäre verstanden, die der Hohepriester – für das ganze Volk stehend – auf den Sündenbock überträgt. Das Tier nimmt die Sünde des Volkes auf sich, trägt sie fort und erleidet stellvertretend für Israel den Tod« (*Otto*, a.a.O., S. 75). Selbst von einem Zu-Tode-Kommen des »Sündenbockes« (Spekulationen dazu zuletzt bei *Wyatt*, a.a.O., S. 425ff.; *Tawil*, ʿAzazel, S. 54f.) berichtet erst mYom VI,6. Was gegenüber den Hypothesen von *L. Rost* und *E. Otto* der Text von Lev 16 – und zwar sowohl in der Grundschicht v. 20b.22b als auch in der Bearbeitungsschicht v. 10.21*.22a – erkennen läßt, ist die eliminatorische Funktion des »Sündenbockes«; für sie aber gibt es zahlreiche (von *Otto* nicht genannte) vorisraelitische Belege und außerdem inneralttestamentliche Parallelen, s. dazu oben S. 211ff., vgl. bereits *Kutsch*, Sündenbock, Sp. 506f.; *K. Koch*, Art. Sündenbock, BHH III, Sp. 1894f.; Elliger, a.a.O., S. 212f. Zu den Versuchen, den Ritus mit dem Schafbock am 5. Tag des babylonischen Neujahrsfestes RAcc 140,354ff. mit dem »Sündenbockritus« in Zusammenhang zu bringen, s. oben S. 55f.

451 *Elliger*, a.a.O., S. 210.

452 So *Elliger*, a.a.O., S. 215, vgl. *Haag*, a.a.O. (oben Anm. 447), S. 171. Anders *Wefing* (s. die Synthese a.a.O., S. 153ff.), derzufolge der Überlieferungskern von Lev 16 in v. 2.4, dem »Gesetz über das Betreten des Allerheiligsten durch Ahron« (a.a.O., S. 155 u.ö.), zu sehen ist, mit dem der Einschub über das hohepriesterliche Sündopfer v. 3.6.11b.14 in Zusammenhang steht (zur Literarkritik *Wefings* s. oben Anm. 436). Für *Wefing* liegt der »Anlaß für das Gesetz der Verse 2.4 als auch für den Einschub des hohenpriesterlichen Sündopfers« in der »Annahme einer kultisch-rituellen oder persönlichen Verschuldung des Hohenpriesters selbst« (a.a.O., S. 155); wie diese näher zu bestimmen ist, läßt sich, über allgemeine Vermutungen hinaus (a.a.O., S. 155f.), nicht mehr sagen. Die »grundsätzliche Möglichkeit der Aufzeichnung hohepriesterlicher Verfehlungen in Israel« (a.a.O., S. 156) soll nicht bestritten werden; doch ist die Überlegung, daß »irgendein konkreter Vorfall zu vermuten ist, der aber bewußt verschwiegen werden sollte« (a.a.O., S. 154), als Begründung für die Entstehung einer so weitreichenden Ritualbildung wie Lev 16 u.E. eine zu schmale Basis. Die überlieferungs- und kultge-

Ritualbildung schon innerhalb der Grundschicht das Schwergewicht deutlich von der Überlieferung eines Eliminationsritus zugunsten einer neuen theologischen Einsicht verschoben hat, die in der Ausgestaltung des kultischen Sühnegeschehens v. 3*.4.11.14f.17.23f. ihren Ausdruck fand. Daß und in welchem Sinne diese neue theologische Erkenntnis die spezifisch priesterschriftliche Antwort auf die in exilisch-nachexilischer Zeit neu aufbrechende Frage nach dem Jahwe-Israel-Verhältnis war, wird im Rahmen der Überlegungen zur Heiligtumstheologie der Priesterschrift ausführlich zu erörtern sein[453].

Tritt in der Grundschicht von Lev 16 der archaische Eliminationsritus zugunsten jener neu gewonnenen Auffassung vom kultischen Sühnegeschehen zurück, indem es nicht mehr um die *räumliche Entfernung der materia peccans* durch einen rituellen Unheilsträger, sondern – symbolisch veranschaulicht in einem zeichenhaften Blutritus – um eine *Hingabe der* נֶפֶשׁ *des schuldig gewordenen Menschen (Israels, seiner/s kultischen Repräsentanten, des einzelnen) an das Heilige* geht[454], so bleibt nun zu fragen, warum sich dieses Geschehen der stellvertretenden Lebenshingabe nach der Konzeption der Priesterschrift an der auf der Lade liegenden כַּפֹּרֶת vollzieht: Was also ist diese כַּפֹּרֶת?

B) Die Entsühnung von Priesterschaft und Volk und der Blutritus an der כַּפֹּרֶת Lev 16,14f.

Übersetzung und Deutung des (nicht zum Grundstamm[455], sondern) zum Doppelungsstamm *(Pi*ᶜ*el)* von כפר[456] gebildeten Abstraktums כַּפֹּרֶת (27mal im Alten Testament: Ex 25,17.18.19.20[*bis*].21.22; 26,34; 30,6; 31,7; 35,12; 37,6.7.8.9[*bis*]; 39,35; 40,20; Lev 16,2[*bis*].13.14[*bis*].15[*bis*]; Num 7,89; 1Chr 28,11 [בֵּית הַכַּפֹּרֶת])[457] sind bekanntlich ganz umstritten.

schichtliche Gesamtargumentation *Elligers* – und mit etwas anderem Vorzeichen auch diejenige *Ottos* (vgl. oben Anm. 436) – erscheint uns demgegenüber plausibler.

453 S. dazu unten S. 295ff. War der »Sündenbockritus« aus theologischen Gründen in den Hintergrund gedrängt, so hat ihn die Bearbeitungsschicht von Lev 16 »aus einem ganz anderen Grunde wieder hervorgeholt. Als der Blutritus des Versöhnungstages Reinigungsritus für den Tempel wurde, sich jedenfalls das Schwergewicht dahin verlagerte und er so seinerseits einen gewissen magischen Charakter erhielt, stand dem nichts mehr im Wege, daß man den Sündenbockritus aufwertete, indem man vornehmlich ihm die Funktion des bisherigen Versöhnungstages zuschob, wie das in der jüngeren Schicht v. 21.22a geschieht« (*Elliger*, a.a.O., S. 215).

454 S. dazu oben S. 234ff., bes. S. 239ff., vgl. *Gese*, Sühne, S. 97ff.

455 So *Barth*, Nominalbildung, § 33c.

456 Auf die anderslautenden Ableitungsversuche von *Y. M. Grintz* (Leš. 39 [1975], S. 163ff.) einerseits und von *M. Görg* (GöMisz 20 [1976], S. 27f.; BN 1 [1977], S. 29f.; ZAW 89 [1977], S. 115–118; BN 5 [1978], S. 12 : כַּפֹּרֶת ‹ äg. *kp (n) rdwj*) andererseits werden wir an anderer Stelle zurückkommen. Eine Ableitung besonderer Art hat *N. H. Tur Sinai* vertreten: כַּפֹּרֶת, das mit dem »chariot of the God of Israel« verbunden ist, sei von כְּפִיר »Junglöwe« abzuleiten, s. den Nachweis bei *M. Weinfeld*, JANES 5 (1973), S. 421–426, hier: S. 422 Anm. 11.

457 Zur Bildungsweise von כַּפֹּרֶת: *(qaṭṭāl ›) qaṭṭōl* + ›Feminin‹endung *-ā/t* s. *Bauer-Leander*, Grammatik, S. 479 (§ 77d); *Meyer*, HG³, § 38,5a; *J. Vergote*, Le rapport de l'égyptien avec

Da sich in den übrigen semitischen Sprachen ein Parallelausdruck zu hebr. כַּפֹּרֶת nicht nachweisen läßt[458], bleibt der Versuch, den Bedeutungsgehalt dieses schwierigen Wortes zu ermitteln, auf das Alte Testament und auf die daran sich anschließende jüdische und christliche Übersetzungs- und Auslegungstradition[459] verwiesen. Während Philo[460], Saadja Gaon (כַּפֹּרֶת ≙ arab. *ġiša'* »Decke, Hülle, Belag«)[461], Raschi[462], David Kimchi[463], (vermutlich) die samaritanische Tradition[464] und neuere Ausleger[465] das Wort von dem Grundstamm eines כפר »(be)decken« (כַּפֹּרֶת = »Deckel, Deckplatte [der Lade]«) ableiten[466] (vgl. die Einheitsübersetzung: »Deckplatte«), den-

les langues sémitiques, Brüssel 1965, Tabel 8; *ders.*, in: *J.* and *Th. Bynon* (ed.), Hamito-Semitica, The Hague/Paris 1975, S. 193–199, hier: S. 195; *K. Aartun*, JNWSL 4 (1975), S. 1–8, hier: S. 7; *G. Janssens*, OLoP 6/7 (1975/76), S. 277–284, hier: S. 281; vgl. zur Nominalform *qaṭṭāl* auch *O. Loretz*, Bib. 41 (1960), S. 411–416. Ob dem Abstraktbegriff כַּפֹּרֶת »(das Sühnende ›) Sühnung, Sühneleistung« ein nomen unitatis zugrunde liegt, läßt das Wort selbst nicht erkennen, ist u.E. aber wenig wahrscheinlich; zur ursprünglichen Funktion der ›Feminin‹endung *-ā/t* und zur Entwicklung von Abstraktbegriffen aus nomina unitatis s. jetzt *Michel*, Syntax, S. 25–81, vgl. auch *A. van Selms*, in: Near Eastern Studies in Honour of *W. F. Albright*, ed. *H. Goedicke*, Baltimore/London 1971, S. 421–431. Die kontextuelle Näherbestimmung von כַּפֹּרֶת durch וְנוֹעַדְתִּי לְךָ שָׁם Ex 25,22 bzw. durch אֲשֶׁר אִוָּעֵד לְךָ שָׁמָּה Ex 30,6 (vgl. Ex 30,36; Num 17,19) deutet darauf hin, daß unter כַּפֹּרֶת – bei Ableitung von כפר *pi.* »sühnen, Sühne schaffen« – etwas *Lokales* (nicht aber: etwas Instrumentales: Sühneinstrument, Sühnemittel) zu verstehen ist, so daß man dieses Wort mit »Sühnmal, Sühneort« wiedergeben könnte. Für alles Weitere muß auf die folgenden Ausführungen verwiesen werden.

458 Zu phön. *k*[ ]*rt* DD 13,1 und zu asa. *'kfr* CIH 308,9 s. oben S. 64f.87. Zur Hypothese כַּפֹּרֶת ≙ arab. *kaffāratun* s. oben Teil I Anm. 344.

459 S. dazu im folgenden, vgl. auch den Überblick bei *A. Pluta*, Gottes Bundestreue. Ein Schlüsselbegriff in Röm 3,25a (SBS 34), Stuttgart 1969, S. 21ff.31ff.62ff.; *Stuhlmacher*, Röm 3,24–26 (passim); *O. Michel*, KEK IV (¹⁴1978), S. 150ff.; *U. Wilckens*, EKK VI/1 (1978), S. 190ff.; *Fitzmyer*, Targum of Leviticus, S. 15ff.

460 S. die Nachweise bei *Herrmann*, *hilaskomai*, S. 319.

461 S. dazu oben Teil I Anm. 348.

462 רש"י על התורה Raschis Pentateuchkommentar, übers. von Rabb. Dr. *S. Bamberger*, Basel ³1962, S. 227.

463 Sēfer haš-šorāšīm le-R.Dāwīd ben Jōsēf Qimḥī has-Sefāraddī, ed. *J. H. R. Biesenthal–F. Lebrecht*, Berlin 1847, S. 168 s.v. כפר, vgl. auch *D. Kimchis* Kommentar zu Ex 25,17 (Ausgabe Mossed Haraav Kook, Jerusalem 1970, S. 227). Zu weiteren jüdischen Exegeten des Mittelalters, die ähnlich argumentieren, s. *Kasher*, Targum to Leviticus, S. 93.

464 S. oben S. 76 mit Anm. 272.

465 Lit. in Auswahl: *A. Dillmann*, Exodus u. Leviticus (KEH), ³1897, S. 313 (dort die ältere Lit.); *Barth*, Nominalbildung, § 33c; *H. Holzinger*, Exodus (KHC), 1900, S. 122f.; *B. Baentsch*, Exodus-Leviticus-Numeri (HK), 1903, S. 224f.; *Bauer-Leander*, Grammatik, S. 479.607; *J. Morgenstern*, The Book of the Covenant, Cincinnati 1928, S. 34.41; *ders.*, HUCA 17 (1942/43), S. 153–266, hier: S. 258 Anm. 176; *ders.*, HUCA 18 (1944), S. 1–52, hier: S. 27 Anm. 264; *K. Galling*, Art. Kultgerät, BRL, Sp. 343; *ders.*, HAT I/3 (1939), S. 131; *M. Noth*, ATD V (³1965), S. 166; *Koch*, Priesterschrift, S. 11 (»Aufsatzplatte«); *ders.*, Sinaigesetzgebung, S. 49 Anm. 2; *ders.*, Versöhnung, Sp. 1369 (vgl. aber *ders.*, Sühne, S. 219 Anm. 4); *J. G. Vink*, Leviticus (BOT), 1962, S. 63f.; *Elliger*, Leviticus, S. 211; *Zobel*, *'ᵃrôn*, Sp. 394 (mit Fragezeichen); *Meyer*, HG³, S. 30; *K. Aartun*, a.a.O. (oben Anm. 457) S. 7; *J. T. Milik*, DJD 6 (1977), S. 86–89, hier: S. 86; *B. Kedar*, Biblische Semantik. Eine Einführung, Stuttgart/Berlin/Köln/Mainz 1981, S. 95f., u.a.

466 Während CN, TPsJ, TO und das samaritanische Pentateuchtargum כַּפֹּרֶת lediglich übernehmen (und transkribieren) (s. oben S. 74.76), wird das Wort in dem fragmentarischen Levi-

ken die alten Versionen (LXX: τὸ ἱλαστήριον [Ex 25,17: ἱλαστήριον ἐπίθημα[467]; 1Chr 28,11: ἐξιλασμός][468]; Vulg: *propitiatorium*[469]; Syr: *ḥussāyā*[470]), Tanchuma[471] und neuere Ausleger – bei durchaus unterschiedlichen Übersetzungsvorschlägen – an die Herleitung von כפר *pi.* »sühnen, Sühne schaffen«[472] (vgl. Lutherbibel: »Gnadenstuhl«, RSV:

cus-Targum aus Qumran: 4QTargLev (zu Lev 16,12–15.18–21, s. dazu mit der älteren Lit.: *Fitzmyer*, Targum of Leviticus, vgl. *ders.*, JBL 99 [1980], S. 5–21, hier: S. 17f.) interpretiert, denn כַּפֹּרֶת Lev 16,14 (*bis*) MT wird hier jeweils (: Fragm. 1,6 *bis*) mit aram. *ksy'* (vokalisiert: *k^e^ṣāyā'*) »Bedeckung, Deckel« wiedergegeben: *ᶜ]l ksy'* (Textwendung: עַל־פְּנֵי הַכַּפֹּרֶת) bzw.: *wqdm ksy' lmdnḥ'* (Textwendung: וְלִפְנֵי הַכַּפֹּרֶת). Warum 4QTargLev in der genannten Weise interpretiert hat, ist schwierig zu sagen (vgl. *Kasher*, Targum to Leviticus, S. 92f.; *Fitzmyer*, a.a.O., S. 15ff.). Doch könnte dieser Sachverhalt mit der theologischen Bedeutungslosigkeit der כַּפֹּרֶת in Qumran zusammenhängen; so zeigen die erhaltenen Stücke der Tempelrolle, daß der כַּפֹּרֶת in Qumran (erwähnt in 11QTemple col. 3,9; 7,9–12) keinerlei theologische Bedeutung zukam (s. insbesondere ihr Fehlen in der Überlieferung des großen Versöhnungstages 11QTemple col. 25,10–27fin, wo ihre Nennung in col. 26,4ff. zu erwarten wäre!). Übriggeblieben war allein ihre Funktion, ein Bestandteil der Innenausstattung des Tempels, eben ein Kult*gerät* unter anderen Kultgeräten (vgl. 11QTemple col. 3,1ff.), zu sein. Für die Essener scheint die כַּפֹּרֶת darum nicht mehr als ein »Deckel« (= aram. *ksy'*) gewesen zu sein, der eben »auf der Lade« (11QTemple col. 3,9, vgl. col. 7,9) lag. Auch von einem »Begegnen« (יעד *nif.*) Gottes auf diesem »Deckel« ist in 11QTemple nirgends die Rede.

467 Ex 25,17 ist die erste Stelle, an der LXX das Wort כַּפֹּרֶת übersetzt; nur hier, später nicht mehr, führt sie zur Erklärung des substantivierten Adjektivs ἱλαστήριον (zu dessen syntaktischer Funktion s. *Stuhlmacher*, Röm 3,24–26, S. 322f., zustimmend *U. Wilckens*, EKK VI/1 [1978], S. 191 Anm. 534; *Roloff, hilastērion*, Sp. 456) das appositionelle ἐπίθημα ein, s. dazu auch *Fitzmyer*, a.a.O., S. 15f. mit Anm. 28. Aber selbst anhand dieser Explikation von ἱλαστήριον durch ἐπίθημα läßt sich u.E. nicht beweisen, daß LXX die כַּפֹּרֶת eigentlich als »*Deck*platte« oder »Sühne*deckel*« verstanden habe. Denn der Zusatz ἐπίθημα »Aufsatz« ergibt sich zwanglos aus der Position der כַּפֹּרֶת (= ἱλαστήριον) »auf der Lade« Ex 25,21a: וְנָתַתָּ אֶת־הַכַּפֹּרֶת עַל־הָאָרֹן מִלְמָעְלָה ≙ καὶ ἐπιθήσεις τὸ ἱλαστήριον ἐπὶ τὴν κιβωτὸν ἄνωθεν (LXX). Damit ist die כַּפֹּרֶת = ἱλαστήριον nicht schon ein »Deckel«, sie liegt (als »Sühnmal«) lediglich »oben auf der Lade« (vgl. Ex 25,22) und bildet *insofern* einen »Aufsatz« (ἐπίθημα). Nur dies will Ex 25,17 LXX dem Leser vorgreifend, d.h. mit Hilfe des Stichwortes ἐπίθημα, deutlich machen; zu ἱλαστήριον in LXX s. zuletzt *H.-G. Link – C. Brown*, Art. Reconciliation (ἱλάσκομαι), in: *C. Brown* (ed.), The New International Dictionary of New Testament Theology III, Exeter/Grand Rapids 1978, S. 148–166, hier: S. 163ff.; *Roloff*, a.a.O., Sp. 455f. (jeweils mit der älteren Lit.).

468 Auch der bautechnische Ausdruck עֲזָרָה »Einfassung« wird in Ez 43,14*(ter)*.17.20 LXX mit ἱλαστήριον übersetzt, s. dazu *W. Zimmerli*, BK XIII/2 (²1979), S. 1090.1093; *Busink*, Tempel II, S. 734f. Seine kultische Bedeutung im Zusammenhang der Weihe des Brandopferaltars und der Entsündigung des Heiligtums erhellt aus Ez 43,20; 45,19, vgl. *Zimmerli*, a.a.O., S. 1120f.1160 und zuletzt *A. Hurvitz*, RB 81 (1974), S. 24–56, hier: S. 41ff. τὸ ἱλαστήριον Am 9,1 LXX beruht auf Verlesung eines ursprünglichen הַכַּפְתּוֹר »das Säulenkapitäl«, vgl. *W. Rudolph*, KAT XIII/2 (1971), S. 241; *H. W. Wolff*, BK XIV/2 (1969), S. 386.

469 Zur Wiedergabe von כַּפֹּרֶת in der Vetus Latina s. *Lyonnet*, Intercession, S. 162ff.

470 S. oben S. 80.

471 Midrasch Tanchuma wajjaqhel 10 (zu Ex 37,1) Ausgabe: *S. Buber*, Wilna 1865, S. 63a.

472 S. etwa *Herrmann*, Sühne, S. 35; *ders.*, *hilaskomai*, S. 319f.; *Médebielle*, Expiation, Sp. 51f.; *W. H. Gispen*, Leviticus (COT), 1950, S. 240; *F. C. Fensham*, Exodus (POuT), S. 189; *Zimmerli*, Bilderverbot, S. 260; *F. Michaeli*, CAT II (1974), S. 230 mit Anm. 1; *B. S. Childs*, Exodus (OTL), 1974, S. 513.524; *Gese*, Sühne, S. 91 Anm. 3; S. 94.103f.105, vgl. *Kasher*, Targum to Leviticus, S. 92f.

»mercy seat«, Bible de Jérusalem: »propitiatoire«). Dies ist alles andere als ein eindeutiges Bild[473] und deshalb ein denkbar ungünstiger Ausgangspunkt für die Frage nach der Bedeutung der כַּפֹּרֶת. Was also ist die כַּפֹּרֶת, und wie ist dieses Wort zu übersetzen?

I. Die כַּפֹּרֶת – Ein »Deckel« für die Lade?

Hätte – um ein allein noch keineswegs beweiskräftiges Argument gegen die verbreitete Interpretation von כַּפֹּרֶת als »(Lade-)Deckel« anzuführen – die Lade erst bei P einen Deckel in Gestalt der כַּפֹּרֶת erhalten, so könnte daraus der Schluß gezogen werden, daß sie vorher ein oben geöffneter kastenartiger Behälter ohne Abdeckung gewesen war. Dem widersprechen jedoch Bedeutung und Verwendung der westsemitischen Wurzel *'RN*, die uns einen ersten, nicht unwichtigen Hinweis zur Lösung des Problems geben.

Dem hebräischen Nomen אֲרוֹן liegt die westsemitische Basis *'RN*[474] zugrunde, die außer im *Biblisch-Hebräischen*, im *Mittelhebräischen* (bab. Talmud) und in *hebräischen Inschriften* aus Beth Sheᶜarim (*N. Avigad*, IEJ 7 [1957], S. 241,1; S. 244,1; 245) belegt ist im *Ugaritischen* (KTU 4.385,5), im *Phönizisch-Punischen* (phön.: KAI 1,1.2; 9, A2.B4; 11,1; 13,2.3.5; 29,1; Byblos 13,1[*bis*].2; pun.: RES 521; CIS I 3333,1), im *Reichsaramäischen* (CIS II,111,4; äg.-aram.: Hermopolis-Papyrus V,4), im *Nabatäischen* (CIS II 173,1), im *Syrischen* (*'arona'* »Truhe, Sarkophag«), im *Christlich-Palästinischen* (*'rn'* »Truhe, Sarg« Lk 7,14 [Textwort σορός]), im *Mandäischen (aruana)*, in einer *jüdisch-aramäischen Inschrift* aus Dura Europos *('rn)*, im *CN, TO, jerusalemischen Talmud* sowie schließlich als Lehnwort im *Jung- und Spätbabylonischen (arānu* jB »(Stein-)Sarg«, spB »Kasten, Kasse (aus Holz)« und im *Arabischen* (*'iran* »Bahre«)[475]. Dabei kann das Wort im einzelnen bedeuten: a) *Kasten, Kiste:* KTU 4.385,5 (ug.); KAI 29,1 (phön.); Hermopolis-Papyrus V,4 (äg.-aram.), u.a.; – b) *Ossuar:* RES 521 (pun.); CIS I 3333,1 (pun.), u.a.; – c) *Sarkophag:* KAI 1,1.2; 9,A2.B4; 11,1; 13,2.3.5; Byblos 13,1.2 (jeweils phön.); CIS II 111,4 (reichsaram.); CIS II 173,1 (nab.); IEJ 7,241,1; 244,1; 245 (hebr. [inschr.]), u.a.

Sowohl diese Texte als auch die in Syrien-Palästina gefundenen Ossuare und Sarkophage machen deutlich, daß für die westsemitische Basis *'RN* die Grundbedeutung: *aus Stein/Ton/Holz gefertigter, allseitig geschlossener (Deckel!) und leerer beweglicher Kasten, der zur Aufnahme bestimmter Gegenstände diente*, anzunehmen ist[476]. Diese Bedeutung ist auch für das Alte Testament dort vorauszusetzen, wo mit אֲרוֹן der (vermutlich) hölzerne Mumiensarg Josephs

473 Die Angabe KBL³ (S. 471 s.v. כַּפֹּרֶת), jiddisch »kappores gehen« sei aus כַּפֹּרֶת entstanden, ist zu korrigieren: Die jiddische Wendung geht auf mhe. כַּפָּרָה, pl. כַּפָּרוֹת zurück, s. dazu etwa *W. Weinberg*, Die Reste des Jüdischdeutschen (StDel 12), Stuttgart/Berlin/Köln/Mainz ²1973, S. 70 s.v. *kapōre, kapōres*.

474 S. dazu *M. Ellenbogen*, Foreign Words in the OT, London 1962, S. 40; DISO, S. 25 s.v. *'rn*; KBL³, S. 82f. s.v. אֲרוֹן; DRS fasc. 1 (1970), S. 33 s.v. *'RN* 1; *Tomback*, Lexicon, S. 31 s.v. *'rn*; *D. Marcus*, JANES 7 (1975), S. 85–94.

475 S. dazu jetzt im einzelnen *Marcus*, a.a.O. (passim).

476 Auch bei den Holz-, Stein- oder Tonsarkophagen Syrien-Palästinas hat man in aller Regel mit einem (gewölbten, gegiebelten oder anthropoid gestalteten) Deckel zu rechnen, s. *M. Weippert*, Art. Sarkophag, BRL², S. 269–276 (Lit.), ferner *Marcus*, a.a.O. (passim).

(Gen 50,26) und ein zur Aufnahme von Opfergeld aufgestellter und mit einem Loch in seinem Deckel (בְּדַלְתּוֹ) versehener Kasten (2Kön 12,10f., vgl. 2Chr 24,8.10f.) gemeint ist[477].

Es besteht allerdings kein Grund, für אֲרוֹן in der Verwendung als Kultobjekt nicht ebenfalls von der Annahme eines *allseitig geschlossenen*, (ursprünglich leeren) beweglichen *kastenartigen Behälters* auszugehen. Denn gegen die These, die כַּפֹּרֶת sei als (zusätzlicher) Bestandteil (»Deckel«) eines derartigen Behälters zu deuten, kann eine Reihe von Gründen geltend gemacht werden: So fällt zunächst auf, daß die Lade und die כַּפֹּרֶת – für die in Ex 25,10 (vgl. Ex 37,1) und in Ex 25,17 (vgl. Ex 37,6) übereinstimmende Maßangaben gemacht werden (2,5 x 1,5 x 1,5 Ellen, bei der כַּפֹּרֶת [2,5 x 1,5 Ellen] fehlt die Höhenangabe!)[478] – in Ex 31,7; 35,12; 39,35 neben dem אֹהֶל מוֹעֵד bzw. dem מִשְׁכָּן, dem Vorhang, dem Tisch, dem Leuchter usw. als jeweils eigenständige Kultgeräte aufgeführt werden[479]. Darüber hinaus kann auch aus den gesonderten Herstellungsanweisungen für die Lade (Ex 25,10–16, vgl. Ex 37,1–5) und für die כַּפֹּרֶת (Ex 25,17–22, vgl. Ex 37,6–9) kaum ihre ursprüngliche Zusammengehörigkeit abgeleitet werden, wie im übrigen auch die Angabe, daß die כַּפֹּרֶת sich »auf/über« (עַל) dem אֲרוֹן הָעֵדֻת (Ex 25,22; 26,34; Num 7,89, vgl. Ex 31,7), dem אֲרוֹן (Ex 25,21; 40,20; Lev 16,2) oder der עד(ו)ת (Ex 30,6; Lev 16,13) befindet, nur dann die ›Deckelhypothese‹ zu begünstigen scheint, wenn diese als gültiges Interpretationsmodell von vornherein feststeht. Und schließlich wird die כַּפֹּרֶת fest mit den beiden Keruben (Ex 25,18f., vgl. Ex 31,7f.), nirgends aber in dieser oder in einer vergleichbaren Weise mit der Lade verbunden; so heißt es auch nie: »die כַּפֹּרֶת (= der ›Deckel‹) der Lade (כַּפֹּרֶת הָאָרוֹן)«.

II. Die Frage nach der Bedeutung der כַּפֹּרֶת im Horizont der Frage nach der Heiligtumstheologie der Priesterschrift

Aus dem dargestellten Befund geht lediglich hervor, was die כַּפֹּרֶת mit an Sicherheit grenzender Wahrscheinlichkeit nicht war: ein »Deckel« für die Lade[480], nicht aber, worin ihre eigentliche Funktion zu sehen ist. Diese zu

477 Vgl. *A. L. Oppenheim*, JNES 6 (1947), S. 116–120, hier: S. 117f. und *Marcus*, a.a.O., S. 93 Anm. 16.

478 S. dazu unten S. 347.

479 Zur These der ursprünglichen *Nichtzusammengehörigkeit von Lade und* כַּפֹּרֶת s. zuletzt *Haran*, Ark, S. 32ff.; *ders.*, Priestly Image, S. 194; *E. Kutsch*, Art. Lade Jahwes, RGG³ IV, Sp. 197; *Maier*, Kultus, S. 88f.; *Zobel*, ʾ*ᵃrôn*, Sp. 394; *Schmitt*, Zelt, S. 120; *Metzger*, Königsthron, S. 483.497; *Brongers*, Ladeforschung, S. 9.23.27; *Maass*, *kpr*, Sp. 844; *Kasher*, Targum to Leviticus, S. 92f. Für die Eigenständigkeit der כַּפֹּרֶת spricht auch die Wendung בֵּית הַכַּפֹּרֶת »Haus der כַּפֹּרֶת (= des Sühnmals)« 1Chr 28,11 (LXX: οἴκου τοῦ ἐξιλασμοῦ, s. dazu *Brongers*, a.a.O., S. 9.23; *Kasher*, a.a.O., S. 93 und *F. Ó. Fearghail*, Bib. 59 (1978), S. 301–316, hier: S. 311 mit Anm. 35.

480 Dagegen spricht schließlich auch die generelle Problematik der Gleichung: כִּפֶּר = »bedecken«, s. dazu oben Teil I.

bestimmen, dürfte nun aber eine auf die 27 כַּפֹּרֶת-Belege des Alten Testaments begrenzte Textanalyse der wenig geeignete Weg sein. Denn wenn es richtig ist – und daran ist trotz der großen Disparatheit der in der alttestamentlichen Wissenschaft zum Thema »Zelt und Lade« vertretenen Thesen kaum zu zweifeln –, daß die priesterschriftliche Konzeption von Zelt und Lade ein Novum in der Geschichte der alttestamentlichen Zelt- und Ladeüberlieferungen darstellt[481], dann ist die mit der כַּפֹּרֶת (einem wesentlichen Bestandteil des priesterschriftlichen אֹהֶל מוֹעֵד) verbundene Problematik im Kern mit eben dieser Geschichte verknüpft, und das bedeutet methodisch: der Versuch ihrer Lösung sollte auf traditionsgeschichtlichem Wege, unter Berücksichtigung der bei P aufeinanderbezogenen Größen Lade, כַּפֹּרֶת, Keruben und מִשְׁכָּן/אֹהֶל מוֹעֵד und der mit ihnen jeweils verbundenen Theologumena erfolgen. Die *Art der Relation* dieser Überlieferungselemente zueinander steht im Folgenden zur Diskussion; deren Präzisierung entscheidet wesentlich darüber, *was* die כַּפֹּרֶת bedeutet.

481 S. dazu nur *Schmitt,* Zelt (passim); *Fritz,* Tempel, S. 112ff.

Vierter Teil:

Gegenwart Gottes und Sühnegeschehen – Das Problem der כַּפֹּרֶת in traditionsgeschichtlicher Sicht

Erster Abschnitt:
כַּפֹּרֶת, Lade und Keruben

A) Der Ansatz G. von Rads

In seinem wegweisenden Aufsatz »Zelt und Lade« von 1931 hatte *G. von Rad* es unternommen, Zelt und Lade als »Stichworte ganz bestimmter theologischer Denominationen«[1], und zwar – wie er später formulierte – einer »*Präsenztheologie*« und einer »*Erscheinungstheologie*«, darzustellen[2] und ihre erst in der Priesterschrift erfolgte Kombination als »das Ergebnis einer theoretisch-priesterlichen Verarbeitung der älteren Überlieferung«[3] zu verstehen. Wie aber ist dieses späte Neben- und Ineinander zweier in Ansatz wie Ausbildung so grundverschiedener Traditionselemente (Zelt und Lade) historisch und theologisch näher zu bestimmen?

Wie nach priesterschriftlicher Konzeption die Lade Aufbewahrungsort der Gesetzestafeln und zugleich der Ort ist, an dem Jahwe sich Mose auf der כַּפֹּרֶת offenbart (יעד *nif.*), so ist *von Rad* zufolge auch mit dem Zelt (מִשְׁכָּן/אֹהֶל מוֹעֵד) eine doppelte Vorstellung verbunden: einerseits eine in der Wendung לִפְנֵי יְהוָה und in dem Terminus שָׁכַן zum Ausdruck kommende *Wohnvorstellung*, andererseits aber eine *Erscheinungsvorstellung*, wonach Jahwe in seinem כָּבוֹד »je und dann von fern her erscheint und an der von ihm erwählten Stelle mit den Menschen persönlich verkehrt«[4].

Daß die Lade bei P Behälter der עֵדוּת ist, ist Aufnahme und Fortführung dtn-dtr Ladetheologie, die sich aber ansonsten von der P-Konzeption unterscheidet; denn nach Dtn 10,1–5 ist die Lade zwar ein Behälter für den Dekalog, sie ist dies aber so ausschließlich, daß »jede Beziehung der Lade zu dem Aufenthaltsort Jahwes getilgt«[5] ist. Dagegen ist in dem Bericht von der Überführung der Lade in den salomonischen Tempel (1Kön 8,1ff.) von einem Element die Rede, dem auch P große Bedeutung zumißt: den Keruben. Ist deren Funktion »hier wie dort ausdrücklich als ein Schützen der Lade bezeichnet«[6], so bleibt dennoch zu fragen, wie der Bericht 1Kön 8 das Verhältnis: Lade – Gegenwart Jahwes bestimmt. *Von Rad* hat diese Frage mit dem Hinweis auf den u.a. im Gebet Hiskias 2Kön 19,14f. = Jes 37,16 begegnenden Gottesnamen יֹשֵׁב הַכְּרוּבִים beantwortet: Obwohl die in diesem Epitheton zum Ausdruck kommende Thronvorstellung mit der »Schutzfunktion« der Keruben des salomonischen Tempels nicht zu vereinbaren sei, sei doch jene Thronvorstellung auch für die Keruben des salomonischen Tempels als das Ursprüngliche, die Schutzvorstellung aber als »eine etwas rationalisierende spätere Modifikation«[7] anzusehen. Das Verhältnis von Lade und Gegenwart Gottes, das nach 1Kön 8 als Thronen über den Keruben, d.h. (!) auf der Lade, vorzustellen sei[8], lasse sich für die älteren (1Sam

1 Zelt, S. 109.
2 Theologie I, S. 250.
3 A.a.O., S. 251.
4 Zelt, S. 111.
5 A.a.O., S. 112.
6 A.a.O., S. 113.
7 A.a.O., S. 114.
8 Vgl. *ders.*, a.a.O., S. 114f.

4; 2Sam 6) und »ältesten« (Num 10,35f.) Ladeüberlieferungen in den Satz fassen: »Wo die Lade ist, da ist Jahwe«[9].

Im Gegensatz zu dieser *Wohn- und Thronvorstellung* sprechen die älteren Zelttraditionen Israels (Ex 33,7ff.; Dtn 31,14f.23, u.a.) nicht vom (ständigen) Wohnen Jahwes im Zelt, sondern von seinem (fallweisen) *Erscheinen* in der Wolke über dem Zelt, das »nur Treffpunkt zwischen Jahwe und Mose«[10] ist. In dieser Konzeption von der *Ferne Gottes* ist für den auf der Lade präsenten und darum seinem Volk *nahen Gott* kein Raum: »Moed-Vorstellung und Thronvorstellung schließen sich gegenseitig aus«[11]. Ist die mit der Lade ursprünglich verbundene Thronvorstellung in 1Kön 8 durch die Schutzfunktion der Keruben »stark paralysiert«[12], so ist sie im Deuteronomium aufgrund der Behälterfunktion der Lade »radikal beseitigt«[13]. Wie im Deuteronomium so wird auch bei P die Lade als Gesetzesbehälter verstanden und u.a. in dieser Funktion in das Begegnungszelt eingestellt.Gleichzeitig aber kommt gegenüber der dtn Ladetheologie in der Priesterschrift die alte Thronvorstellung wieder zu Ehren, und zwar mittels der כַּפֹּרֶת: »Hier hatte man sich ehedem Jahwe thronend gedacht, und noch nach der Lehre von P offenbart sich Jahwe zwischen den Cheruben«[14].

Der für die Priesterschrift konstitutive Verweisungszusammenhang von *Lade* (= Gesetzesbehälter), *Thronvorstellung* und *Erscheinen Jahwes zwischen den Keruben* ist nun auch der Grund dafür, daß sich mit dieser komplexen Anschauung von der Gegenwart Gottes der ›Moed-Gedanke‹ verbinden kann: »Dies Offenbaren Jahwes von der Kapporet her ist beileibe kein Reden des auf der Lade thronenden Jahwe, sondern Jahwe erscheint erst und stellt sich an diesem Ort dem Mose (וְנוֹעַדְתִּי). So ist bis auf das entscheidende Stichwort der Erscheinungsgedanke der Lade aufgesetzt!«[15] – die alte Wohnvorstellung ist also nicht wie im Deuteronomium durch eine neue bekämpft, sondern durch die Erscheinungstheologie verdrängt und schließlich absorbiert worden.

Nach diesem in sich geschlossenen Entwurf *G. von Rads* ist die כַּפֹּרֶת ein *Doppeltes:* einmal als »Bestandteil der Lade«[16] der Ort, auf dem Jahwe *ehedem thronte*, zum anderen und vor allem aber der Ort, an dem Jahwe *nunmehr fallweise und von ferne her erscheint*, d.h. der Ort, an dem *Präsenztheologie* und *Erscheinungstheologie* ineinander übergehen, jedoch so, daß »der Erscheinungsgedanke der Lade aufgesetzt«, die Lade mithin »unter Preisgabe ihres spezifischen Grundgedankens in das Zelt aufgenommen«[17] worden ist. Dabei spielen die auf der Lade des priesterschriftlichen אֹהֶל מוֹעֵד befindlichen Keruben dieselbe sekundäre Rolle wie die Keruben des salomonischen Tempels, da sie durch ihre – als »rationalisierende spätere Modifikation«[18] der Thronvorstellung qualifizierte – Schutzfunktion die ursprünglich mit der Lade verbundene Thronvorstellung nur »paralysieren«[19]. Es ist im Folgenden zu fragen, ob diese Deutung *von Rads* aufrechterhalten werden kann.

9 *Ders.*, a.a.O., S. 115.
10 A.a.O., S. 122.
11 A.a.O., S. 123.
12 A.a.O., S. 124.
13 Ebd.
14 A.a.O., S. 125.
15 Ebd.
16 A.a.O., S. 110.
17 A.a.O., S. 126.

B) Lade und Keruben im Tempel Salomos[20]

I. Lade

»So wie uns die Cherube des Salomonischen Tempels beschrieben werden, ist die Vorstellung des Thronens mit ihnen schlechterdings nicht zu verbinden. Ganz abgesehen davon ist ihre Funktion ja expressis verbis nach ganz anderer Richtung hin beschrieben. Sie sollen die Lade beschirmen!«[21]. Der Versuch einer Verifizierung oder Falsifizierung dieser Sätze *G. von Rads* ist von der Frage nach der Art der Gottesgegenwart bei der Lade nicht zu trennen; dieses Problem wiederum läßt sich nur im Zusammenhang mit der weiteren Frage nach der Bedeutung des Gottesprädikates יֹשֵׁב הַכְּרוּבִים sachgemäß erörtern.
Versucht man zusammenzufassen, welche Kriterien es vor allem waren, die seit den Arbeiten von *W. Reichel, J. Meinhold, M. Dibelius* u.a.[22] zur Beurteilung der *Lade als eines leeren Gottesthrones* führten (loci classici der Thronhypothese: Num 10,35f.; Jos 3f.; 6; 1Sam 4–6; 2Sam 6; Jer 3,16f.; Ps 24,7ff.; 1Chr 28,18), so ergeben sich folgende Punkte[23]: (1) die scheinbar bis zur Identifikation gehende Verbundenheit Jahwes mit der Lade in Num 10,35f.; Jos 3f.; 6; 1Sam 4–6; 2Sam 6; (2) das Postulat einer ursprünglichen Verbindung der Lade mit dem Epitheton יֹשֵׁב הַכְּרוּבִים (wenigstens in 1Sam 4,4; 2Sam 6,2), das zusammen mit dem methodischen Ansatzpunkt bei P (und bei Ez 1; 10) zu der Ansicht führen mußte, (3) die Keruben seien ursprünglich an/auf der Lade angebracht gewesen, und schließlich (4) die Meinung, Jer 3,16f. bezeichne das zukünftige Jerusalem und – in antithetischem Parallelismus dazu – die Lade als Thron.
Trotz der bald erfolgten und in wesentlichen Punkten den Charakter eines Schlußvotums tragenden Bestreitung der Thronhypothese durch *K. Budde*[24] wurde sie von anderen Forschern, die die mit ihr verbundenen Probleme differenzierter beurteilten, nur leicht modifiziert, d.h. in Gestalt der Thron*schemel*hypothese, beibehalten: ausgehend von der Ladekonzeption

18 A.a.O., S. 114.
19 Vgl. *ders.*, a.a.O., S. 124.
20 Trotz der beachtenswerten Argumente, mit denen jüngst *Rupprecht* (Tempel, passim, vgl. *ders.*, ZDPV 88 [1972], S. 38–52; *ders.*, ZAW 89 [1977], S. 205–214) seine These untermauert hat, der sog. salomonische Tempel reiche baugeschichtlich bis in jebusitische Zeit zurück, behalten wir die traditionelle Bezeichnung »Tempel Salomos« bei.
21 *von Rad*, Zelt, S. 114, ähnlich neuerdings *Zobel*, *'ᵃrôn*, Sp. 401.
22 *W. Reichel*, Über vorhellenische GöttercuIte, Wien 1897; *J. Meinhold*, Die »Lade Jahwes«, Tübingen-Leipzig 1900, S. 1–45; *M. Dibelius*, Die Lade Jahwes. Eine religionsgeschichtliche Untersuchung (FRLANT 7), Göttingen 1906. Zu den weiteren Vertretern der Thronhypothese s. *Schmitt*, Zelt, S. 110ff., vgl. auch *Maier*, Kultus, S. 59 mit Anm. 10; S. 78ff.; *ders.*, Ladeheiligtum, S. 55 Anm. 97; S. 66 Anm. 168; *Metzger*, Königsthron, S. 482ff.
23 Vgl. *Schmitt*, a.a.O., S. 116f.
24 Vor allem in seinem Aufsatz: »War die Lade ein leerer Thron?«, ThStKr 79 (1906), S. 489–507, s. dazu *Schmitt*, a.a.O., S. 114ff.

von P und der ezechielischen Thronwagenvision (Ez 1; 10), gelangten ihre Vertreter zu der Ansicht, daß die כַּפֹּרֶת mit den Keruben den Thronsitz Jahwes darstelle, während die unter den Keruben befindliche Lade den Fußschemel (הֲדֹם) der thronenden Gottheit bilde (Jes 66,1; Ps 99,5; 132,7; Klgl 2,1; 1Chr 28,2)[25]. Nun sind hier weder die Thron(schemel)hypothese noch – als ihre für die Forschung nicht minder folgenreiche Variante – die Theophaniehypothese zu widerlegen, da dies im wesentlichen bereits durch *K. Budde* und in neuerer Zeit – zumindest was die *generelle* Gültigkeit jener Hypothesen angeht – vor allem durch *J. Maier* und *M. Metzger* geschehen ist[26]. Zu fragen bleibt dagegen, ob sich das Verhältnis von Lade, Keruben und Gegenwart Gottes im salomonischen Tempel (1Kön 8,1ff., vgl. 1Kön 6,23–28) mit den Mitteln der Thron(schemel)hypothese zureichend erfassen läßt.

Nach der literarkritischen Analyse der »salomonischen Tempelweihe« durch *M. Noth*[27] geht die heutige Gestalt von 1Kön 8,1–13 auf den *Deuteronomisten* zurück, der aus dem (in 1Kön 11,41 genannten) »Buch der Geschichte Salomos« den *vordtr Grundbestand* dieses Stückes (*Noth:* v. 2aβ*.3a.4aα.5a*.ba[β?].6*.7*.8*) und den *vordtr Tempelweihspruch* v. 12f. vorausnahm, diese Überlieferungen seinerseits aber durch einige Bemerkungen, »die das Verbringen der ›Bundeslade Jahwes‹ in den neuen Tempel als das wichtigste bezeichneten«[28], ergänzte *(dtr Schicht)* und daran das Tempelweihgebet Salomos 1Kön 8,14–61* (v. 62–66 sind nach *Noth* nach-dtr) anschloß. Die letzte Bearbeitungsstufe bilden *nachdtr Zusätze* im Stile und Sinne der Priesterschrift[29]. Im Zusammenhang unserer Fragestellung ist zweierlei an die-

25 So die bei *Maier*, Kultus, S. 83ff.; *ders.*, Ladeheiligtum, S. 68f.; *Schmitt*, a.a.O., S. 117ff. genannten Autoren, vgl. auch *Metzger*, Königsthron, S. 441ff.487ff.

26 *Maier*, Kultus, S. 59 mit Anm. 10; S. 78ff.; *ders.*, Ladeheiligtum, S. 55 mit Anm. 97; S. 66 mit Anm. 168; S. 67ff.; *Metzger*, Königsthron, S. 482ff., vgl. auch *E. Kutsch*, Art. Lade Jahwes, RGG³ IV, Sp. 198; *Brongers*, Ladeforschung, S. 21ff.27; *Zobel*, *'ᵃrôn*, Sp. 399ff., bes. Sp. 401f.; *H. J. Stoebe*, KAT VIII/1 (1973), S. 161f.; *Schmidt*, Glaube, S. 111; *Fritz*, Tempel, S. 135; *E. Würthwein*, ATD XI/1 (1977), S. 87 und den forschungsgeschichtlichen Abriß bei *Schmitt*, a.a.O., S. 110–131. Anstelle einer generellen und *deshalb* unkritischen Bestreitung der Thron(schemel)hypothese hat neuerdings *Metzger* (Königsthron, S. 482ff.) versucht, die vielfältigen Vorstellungen, die sich in den einzelnen Überlieferungszusammenhängen des Alten Testaments mit der Lade verbunden haben, im Lichte einer neuen Hypothese zu verstehen und insofern die – wenigen – Stellen, an denen unzweifelhaft (Jer 3,16f.) oder höchstwahrscheinlich (1Chr 28,2, nach *Metzger* möglicherweise auch in Ps 99,5; 132,7) ein – wenn auch nur sekundärer – Zusammenhang zwischen Lade und Thron bzw. Fußschemel besteht, vor jener *unkritischen* Kritik an der Thron(schemel)hypothese zu bewahren: Nach *Metzger* wäre es nämlich denkbar, daß die Lade »nach dem Vorbild ägyptischer Tragethrone« nicht als Thron oder als Fußschemel, sondern als »der tragbare, kastenförmige Untersatz eines Gottesthrones« (a.a.O., S. 493) verstanden worden ist; auf die bedenkenswerten und mit reichen archäologischen und ikonographischen Belegen untermauerten Argumente *Metzgers* (a.a.O., S. 482ff.) sei hier nachdrücklich hingewiesen.

27 BK IX/1 (1968), S. 173–182 (vgl. bereits *ders.*, ÜSt, S. 5.70), s. ferner *J. Gray*, I–II Kings. A Commentary, London ²1970, S. 204–214 und – die Analyse *Noths* aufgreifend und modifizierend – *Würthwein*, a.a.O., S. 84ff.; *Fritz*, a.a.O., S. 133 Anm. 75.

28 *Noth*, ÜSt, S. 70.

29 Vgl. *ders.*, BK IX/1 (1968), S. 174f.

sem Text von besonderem Interesse: Welche Stellung nahm die Lade unter den Keruben ein, und wie ist die Funktion der Keruben im salomonischen Tempel zu bestimmen?
Nach 1Kön 8,6f. wurde die Lade unter die Flügel der (in 1Kön 6,23–28 beschriebenen) Keruben gestellt. Aus dieser Beschreibung (vgl. den Parallelbericht 2Chr 3,10–13, ferner Jos.Ant. VIII §§ 72f.103) geht hervor, daß die Keruben parallel nebeneinander stehend mit ihrem Gesicht der Eingangsseite des *d^e^bîr* (vgl. 2Chr 3,13), d.h. der Ostseite des Tempels, zugewandt waren und mit ihren ausgebreiteten äußeren Flügeln die Seitenwände des Allerheiligsten berührten, während ihre inneren Flügel in der Mitte des Raumes aneinanderstießen (1Kön 6,27)[30]. Setzt man diese Beschreibung als zutreffend voraus[31], so lassen sich u.E. keine sachlichen Differenzen zwischen 1Kön 6,23–28 und 1Kön 8,6f. namhaft machen. Differenzen *entstehen* vielmehr erst dann, wenn man mit *Noth* die auf Ex 25,20 zutreffende Vorstellung auch in 1Kön 8,7a zunächst für naheliegend hält, »daß nämlich die Kerube mit ihren ausgebreiteten Flügeln – einander gegenüberstehend – von den Seiten her der in der Mitte zwischen ihnen befindlichen Lade zugewandt waren«[32]. Da diese antithetische Stellung der Keruben ihrer in 1Kön 6,27 beschriebenen parallelen Anordnung aber widerspricht, ist diese Schwierigkeit nach *Noth* nur zu lösen, wenn der Wendung תַּחַת כַּנְפֵי הַכְּרוּבִים 1Kön 8,6b nicht die Aussageabsicht entnommen wird, daß »die Lade zwischen den stehenden Kerubengestalten vertikal unter deren nach innen weisenden und dort sich berührenden Flügeln (6,27b)« Aufstellung fand; vielmehr wolle diese Wendung sagen, daß »die Lade im *Raum vor den beiden Keruben* ihren Platz fand und von den Flügeln der hinter ihr stehenden Kerube überragt und somit ›von oben her‹ ›beschirmt‹ . . . wurde«[33]. Das könnte dann im Hinblick auf 1Kön 8,7a heißen, daß »die frontal aufgestellten Kerube mit ihren nach den Seiten ausgebreiteten Flügeln (nach 1Kön 6,23–28) sich dem *Raum vor ihnen* zuwandten, der nunmehr die Lade aufnahm«[34] – was nach *Noth* auch am ehesten der vorauszusetzenden (!) Thron(schemel)funktion der Lade entsprechen würde.

Wie *Noth* zu Recht betont hat, ist 1Kön 8,7a ein Begründungssatz, der »wohl (1Kön 8,)6b interpretieren soll«[35]. Dieses begründende כִּי[36] ist dann

30 S. dazu *Noth*, a.a.O., S. 122ff.
31 Vgl. jetzt auch *Keel*, Jahwevisionen, S. 15ff.23ff.; *E. Würthwein*, ATD XI/1 (1977), S. 61.66f.87.
32 *M. Noth*, BK IX/1 (1968), S. 179.
33 *Ders.*, a.a.O., S. 179 (H. v. uns). Die nicht sicher zu entscheidenden Fragen der *Flügelhaltung* (seitwärts waagerecht ausgebreitet oder schräg nach hinten aufsteigend) und des *Flügelansatzes* haben in der Forschung immer wieder Schwierigkeiten bereitet, s. dazu *Maier*, Kultus, S. 63f. und jetzt ausführlich *Metzger*, Königsthron, S. 456ff., bes. S. 464ff., der mit *Noth* (a.a.O., S. 122ff.) für die Keruben des salomonischen Tempels mit auf ihren Hinterbeinen aufrecht stehenden tiergestaltigen Mischwesen rechnet (Hauptargumente: die Maßangaben beschränken sich auf die Höhe der Keruben [a.a.O., S. 463], und die Angaben über die Flügel führen – setzt man schreitende oder auf ihren vier Füßen stehende Keruben voraus – zu einem Mißverhältnis zwischen Flügellänge und Körperlänge [a.a.O., S. 464ff.470.500f.], s. dazu auch *Keel*, Jahwevisionen, S. 24ff.). Hinsichtlich der Flügelhaltung abzulehnen ist aber die u.a. von *H. Gressmann* (Die Lade Jahves und das Allerheiligste des Salomonischen Tempels [BWAT NF 1], Berlin/Stuttgart/Leipzig 1920, S. 6ff.) vertretene Auffassung, die Kerubenflügel seien wie bei den sich gegenüberstehenden/-sitzenden ägyptischen Schutzgenien schräg nach unten verlaufen.
34 *Noth*, a.a.O., S. 179 (H. v. uns). Diese Anordnung träfe aber wahrscheinlich auf Keruben mit nach Menschenweise aufgerichtetem Tierleib zu, so *Noth*, a.a.O., S. 124 (im Blick auf 1Kön 6,23ff.), vgl. auch *Metzger*, a.a.O., S. 447ff.470ff.
35 *Noth*, a.a.O., S. 178, vgl. *Würthwein*, a.a.O., S. 87.
36 Nach *Würthwein* ist dieses כִּי Einleitung zu einem späten Kommentar, der daran interes-

ein Hinweis darauf, daß der in 1Kön 8,6f. beschriebene Vorgang – die Überführung der Lade an den für sie bestimmten Platz (מָקוֹם) unter den Keruben – aus zwei verschiedenen, aber einander ergänzenden Perspektiven gesehen wird: zum einen aus dem Blickwinkel der Lade (v. 6), zum anderen aus dem der Keruben (v. 7). Somit ergeben sich die folgenden Relationen:

וַיָּבִאוּ הַכֹּהֲנִים אֶת־אֲרוֹן ‹ בְּרִית־יְהוָה › אֶל־מְקוֹמוֹ	6a	*Lade-Keruben*
אֶל־דְּבִיר הַבַּיִת אֶל־קֹדֶשׁ הַקֳּדָשִׁים		
אֶל־תַּחַת כַּנְפֵי הַכְּרוּבִים׃	6b	
כִּי הַכְּרוּבִים פֹּרְשִׂים כְּנָפַיִם אֶל־מְקוֹם הָאָרוֹן	7a	*Keruben-Lade*
וַיָּסֹכּוּ הַכְּרוּבִים עַל־הָאָרוֹן ‹ וְעַל־בַּדָּיו › מִלְמָעְלָה׃	7b	

6a »Und die Priester brachten ›die Lade‹[37] hinein zu ihrem Ort, (nämlich) zu dem *d^ebîr* des Tempels ‹ zum Allerheiligsten ›[38],

6b (hin)unter die Flügel der Keruben.

7a Denn die Keruben breiteten (die) Flügel aus über[39] den Ort der Lade,

siert war, »eine ganz genaue Vorstellung von dem Verhältnis zwischen Lade und Keruben zu vermitteln« (a.a.O., S. 87), vgl. auch *Keel*, Jahwevisionen, S. 29 mit Anm. 30. Ebenso wie *Noth* nimmt auch *Würthwein* an, daß die Keruben nach 1Kön 8,7 entsprechend ihrer in Ex 25,18ff. beschriebenen Position als einander zugekehrt vorzustellen sind, denn: sie »breiten . . . ihre Flügel gegen den Platz hin, da die Lade steht, aus und schirmen sie so von oben ab« (a.a.O., S. 87), während sie nach 1Kön 6,23–28 parallel nebeneinander stehen und ihr Gesicht dem הֵיכָל zuwenden. Um diese Differenz zwischen 1Kön 6,23–28 und 1Kön 8,7 zu erklären und auszugleichen, argumentiert – anders als *Noth* – *Würthwein* (a.a.O., S. 87) im wesentlichen literarkritisch: 1Kön 8,7 ist als sekundär zu beurteilen, da dieser Vers im Sinne von Ex 25,20P (: »schützende Funktion der Keruben«) einen »Ausgleich« schaffen will zwischen der Auffassung der Keruben als »Träger der (unsichtbaren) Gottheit . . ., also Symbol der Gegenwart Jahwes« (1Kön 6,23–28) und der Funktion der unter sie eingestellten Lade, »ebenfalls Symbol der göttlichen Gegenwart«. Abgesehen von der Frage, ob *Würthweins* Übersetzung von 1Kön 8,7a.b zugestimmt werden kann (s. dazu im folgenden), scheint uns auch die These von der ursprünglich »schützenden Funktion« der Keruben von Ex 25,17ff. noch keineswegs stichhaltig erwiesen (s. dazu unten S. 339ff.). Die in 1Kön 8,7 formulierte ›Schutzfunktion‹ der Keruben muß nicht erst unter dem Einfluß der P-Vorstellung Ex 25,20 »*nachträglich* aus der Stellung der Lade zwischen den Kerubim, unter ihren inneren Flügeln herausgelesen worden« sein (so *Keel*, Jahwevisionen, S. 29 [H. v. uns]), sie war schon mit der (auch von *Würthwein* zum vordtr Grundbestand von 1Kön 8,1–13 gerechneten) Formulierung תַּחַת כַּנְפֵי הַכְּרוּבִים 1Kön 8,6b, d.h. mit dem Faktum der Einstellung der Lade unter (!) die Kerubenflügel, *von vornherein* gegeben; dennoch bleibt sie gegenüber der Thronvorstellung lediglich ein sekundäres Element (mit *Keel*), s. im folgenden.

37 Während nach *Noth* (a.a.O., S. 171.178, vgl. *ders.*, ÜSt, S. 70 Anm. 3) der Deuteronomist in 1Kön 8,6 ein ursprüngliches אֶת־הָאָרוֹן (vgl. LXX^B: [τὴν] κιβωτόν) durch אֶת־אֲרוֹן בְּרִית יְהוָה ersetzt hat (vgl. auch *Gray*, a.a.O. [oben Anm. 27], S. 205 z.St.; *Würthwein*, a.a.O., S. 85 mit Anm. 7; S. 87 Anm. 16; BHS z.St. [mit Fragezeichen]), hält *Otto* (Mazzotfest, S. 201) die Lesart von MT hier und in 1Kön 8,1 für ursprünglich, da die schwache Bezeugung von אֶת־הָאָרוֹן durch LXX^B eine Entscheidung gegen MT nicht rechtfertige.

38 Mit *M. Noth* (BK IX/1 [1968], S. 178), *Würthwein* (a.a.O., S. 85 mit Anm. 8) und *Fritz* (Tempel, S. 133 mit Anm. 75) ist diese Wendung als nachdtr Zusatz zu betrachten, der das Wort דְּבִיר mit dem später gebräuchlichen קֹדֶשׁ הַקֳּדָשִׁים identifiziert.

39 *Würthwein* (a.a.O., S. 85) übersetzt v. 7a folgendermaßen: »Denn die Kerube breiteten die Flügel zu dem Ort der Lade hin aus« (vgl. *Noth*, a.a.O., S. 168). Die Parallelüberlieferung

7b und die Keruben beschirmten die Lade ‹ und ihre Tragstangen ›[40] oben (oder: von oben her[?])«.

Der Standort (מָקוֹם) der Lade ist damit so genau wie möglich, d.h. *im Verhältnis zu den Keruben* definiert[41]: »unter« (תַּחַת) den (inneren) in der Mitte des Raumes sich berührenden Kerubenflügeln, die die Lade מִלְמַעְלָה »oben, oberhalb«[42] beschirmen (סָכַךְ). Zwar kommt den (parallel nebeneinander stehenden) Keruben des salomonischen Tempels nicht eine ursprüngliche Schutzfunktion zu, doch wird ihnen – ohne daß ihre Bedeutung im und für den Tempel darin aufginge – eine sekundäre, d.h. eine ihnen erst aufgrund der Überführung der Lade in den Tempel und deren Position unter den (inneren) Kerubenflügeln zukommende Schutzfunktion nicht abzusprechen sein: Als *Tragtiere des (unsichtbar) thronenden Gottes*[43] »beschirmten« sie zugleich die unter ihre Flügel gestellte Lade[44]. Nicht zuletzt

2Chr 5,8 hat die Formulierung עַל־מְקוֹם הָאָרוֹן, s. dazu *Maier*, Kultus, S. 75. Der Sinn des אֶל 1Kön 8,7a (= »über«) ist nicht nur durch die alten Versionen, sondern auch durch den Präpositionenwechsel אֶל (פָּרַשׂ) – עַל (פָּרַשׂ) in Jer 48,40 und Jer 49,22 gesichert; eine Textänderung in עַל ist nicht erforderlich, vgl. *Maier*, ebd.; BHS App. z.St.

40 Zum Nachtragscharakter von וְעַל־בַּדָּיו s. *Noth*, a.a.O., S. 179f., vgl. *Metzger*, Königsthron, S. 468; *Fritz*, Tempel, S. 133 Anm. 75. *Würthwein* (a.a.O., S. 85.87) rechnet v. 7f. insgesamt zur nachdtr Schicht von 1Kön 8,1–13.

41 Vgl. *Keel*, Jahwevisionen, S. 29 und *Würthwein*, a.a.O., S. 67.87.

42 מִלְמַעְלָה ist hier wohl nicht wie in Jos 3,13.16 als zusammengesetzte Präposition »von oben her(ab)« (so *Noth*, a.a.O., S. 178f.; *Würthwein*, a.a.O., S. 85.87, vgl. *Hillmann*, Wasser und Berg, S. 138), sondern wie in Ex 25,21; 1Kön 7,11.25; Ez 1,26; 10,19 u.ö. (s. die Belege KBL[3], S. 580 s.v. מַעַל II 2c) als Ortsadverb »oben, oberhalb« aufzufassen, s. GK, § 119c Anm. 2, vgl. *Maier*, Kultus, S. 63 Anm. 20; *Gray*, a.a.O. (oben Anm. 27) S. 205, u.a. Aber selbst wenn man מִלְמַעְלָה mit »von oben her« übersetzt, ist daraus noch nicht eine ursprüngliche Schutzfunktion der Keruben im Verhältnis zur Lade abzuleiten, s. im folgenden.

43 S. dazu im folgenden.

44 Vgl. *Keel*, Jahwevisionen, S. 29. Überall dort, wo von den Keruben ein »Beschirmen« (סָכַךְ) ausgesagt wird: Ex 25,20; 37,9; 1Kön 8,7 (par. 2Chr 5,8 [כִּסָּה statt סָכַךְ]); Ez 28,14.16 (jeweils abs.); 1Chr 28,18 ist auch die Lade (1Kön 8,7 par. 2Chr 5,8; 1Chr 28,18) bzw. die כַּפֹּרֶת (Ex 25,20; 37,9) erwähnt, so daß mit סָכַךְ an diesen Stellen zweifellos das »Beschirmen« der Lade/כַּפֹּרֶת gemeint sein wird – mit Ausnahme von Ez 28,14.16, wo der (einzelne!) Kerub, vielleicht in einer Gen 3,24 vergleichbaren Weise, als mythisches Wächterwesen erscheint (s. dazu *Gese*, Lebensbaum, S. 105; vgl. *W. Zimmerli*, BK XIII/2 [[2]1979], S. 681ff.; *Metzger*, Königsthron, S. 418; *Keel*, Jahwevisionen, S. 17 Anm. 8; S. 153 Anm. 47; *O. Loretz*, UF 8 [1976], S. 455–458; *E. Vogt*, Bib. 60 [1979], S. 327–347, hier: S. 346). Zu fragen bleibt jedoch, ob sich die Bedeutung der Keruben des salomonischen Tempels – und mutatis mutandis der Keruben von Ex 25,17ff. P – in dieser ihrer »Schutzfunktion« erschöpft, wie beispielsweise *von Rad*, Zelt, S. 113f.124; *Zobel*, *'arôn*, Sp. 401; *Jeremias*, Lade, S. 187 Anm. 16; *Zimmerli*, Theologie, S. 64; *Busink*, Tempel I, S. 286f.; *Brongers*, Ladeforschung, S. 17; *H. J. Stoebe*, KAT VIII/1 (1973), S. 158 annehmen. Über die ihnen *erst im Verhältnis zur Lade* zukommende Schutzfunktion hinaus sind die Keruben des salomonischen Tempels *vor allem* Tragtiere der (unsichtbar) thronenden Gottheit, die in dieser Funktion die Grenze zur göttlichen Sphäre bezeichnen (s. im folgenden). Mit dieser »Doppelfunktion« der Keruben des salomonischen Tempels rechnet jetzt auch *Metzger*: ». . . üben die Keruben im Debir die Doppelfunktion aus, die (unsichtbare) Himmelsfeste, über der sich (ebenfalls unsichtbar) der Thron Jahwes erhob, zu stützen und zugleich die unter den Flügeln untergestellte Lade zu schützen« (a.a.O., S. 480, vgl. S. 501 und *Keel*, a.a.O., S. 23ff.29ff.).

– wenn auch nicht allein – wegen dieser Stellung *unter* den (inneren) Kerubenflügeln[45], die ein Thronen Jahwes auf der Lade als kaum vorstellbar erscheinen läßt, ist auch für die Lade des salomonischen Tempels die Thronhypothese abzulehnen[46]. Vielmehr wird, wie im Folgenden zu begründen ist, die Thronvorstellung auf die im דְּבִיר des salomonischen Tempels aufgestellten Keruben zu beziehen sein.

II. Keruben

In ihren Untersuchungen zu den Keruben in der Bildtradition des Alten Orients kommen sowohl *J. Maier* als auch jüngst *M. Metzger* und *O. Keel*[47] zu dem Ergebnis, daß es sich bei den Keruben des salomonischen Tempels weder um ägyptische Schutzgenien noch um paarweise angeordnete oder allein stehende geflügelte menschengestaltige Wesen nordsyrisch-mesopotamischer Provenienz, sondern um tiergestaltige Wesen handelt, wobei am ehesten an die im syrisch-palästinischen Raum ikonographisch häufig vertretenen *vierfüßigen geflügelten Mischwesen* und speziell an die *geflügelten Sphingen* (wohl weniger an geflügelte Greifen oder Löwendrachen) zu denken ist[48]. In der syrisch-palästinischen Ikonographie sind vor allem zwei Funktionen dieser nach der Logik mythischen Denkens eine Summierung, ja Potenzierung animalisch-kreatürlicher Macht (höchste Kraft, Schnelligkeit und menschliches Denkvermögen) symbolisierenden Mischwesen – bei Sphingen in der Regel mit Löwenkörper, (Geier- oder Adler-)Flügelpaar[49]

45 Umstritten ist, ob die Lade in Querrichtung zur Längsachse des Tempels oder in der Kultachse (O–W) und d.h.: unter den inneren Kerubenflügeln aufgestellt war, s. dazu *M. Noth*, BK IX/1 (1968), S. 179f. und *Metzger*, a.a.O., S. 466ff. (Ablehnung der Thron[schemel]hypothese), die beide Querstellung annehmen, vgl. auch *Busink*, a.a.O., S. 198 Abb. 60; S. 283f.; anders beispielsweise *Maier*, Ladeheiligtum, S. 66 mit Anm. 163; *ders.*, Kultus, S. 73ff.; *H. Bardtke*, ThLZ 97 (1972), Sp. 801–809, hier: S. 806; *Keel*, a.a.O., S. 26 Abb. 10; S. 152; *E. Würthwein*, ATD XI/1 (1977), S. 87.

46 Vgl. *Metzger*, a.a.O., S. 473.496, ferner *Maier*, Ladeheiligtum, S. 66, u.a.

47 *Maier*, Kultus, S. 64ff.; *Metzger*, a.a.O., S. 417ff.451ff.; *Keel*, Jahwevisionen, S. 15ff. (außerdem Register S. 406 s.v. Kerubim); *ders.*, AOBPs², S. 146ff. mit Abb. 231ff., vgl. ferner *Hillmann*, Wasser und Berg, S. 136ff.; *Noth*, a.a.O., S. 122ff.; *Busink*, a.a.O., S. 268f.285ff.; *Gese*, Lebensbaum, S. 105f.; *ders.*, Religionen, S. 58.122f.; *B. Hrouda*, Art. Göttersymbole und -attribute, RLA III, S. 494; *Fritz*, Tempel, S. 21ff.; *P. Welten*, Art. Mischwesen, BRL², S. 224ff.; *Würthwein*, a.a.O., S. 66f.87.89ff.; *Görg*, Keruben (passim); *E. Vogt*, Bib. 60 (1979), S. 327–347; *B. Lang*, Kein Aufstand in Jerusalem. Die Politik des Propheten Ezechiel (SBB), Stuttgart ²1981, S. 35ff. und den (auf dem International Symposium for Biblical Studies in Tokio, Dez. 1979, gehaltenen, bislang noch unveröffentlichten) Vortrag von *T. N. D. Mettinger*, YHWH Sabaoth – The Heavenly King on the Cherubim Throne (jeweils mit der älteren Lit.). Grundsätzlich zum Mischwesen s. noch *E. Hornung*, Der Eine und die Vielen. Ägyptische Gottesvorstellungen, Darmstadt 1971, S. 101ff. und *R. Merz*, Die numinose Mischgestalt. Methodenkritische Untersuchungen zu tiermenschlichen Erscheinungen Altägyptens, der Eiszeit und der Aranda in Australien (RVV 36), Berlin/New York 1978.

48 Näheres bei *Metzger*, a.a.O., S. 421.422ff. und *Maier*, a.a.O., S. 64ff.

49 Möglicherweise repräsentieren die Flügel die ›*rû*ª*ḥ*-Sphäre‹.

und (meistens) Menschenkopf – nachweisbar: die *Wächter- oder Schutzfunktion* (vgl. für das Alte Testament: Gen 3,24[50]; Ez 28,14.16, ferner wohl auch Ex 26,1.31; 36,8.35; 1Kön 6,29.32.35; 7,29.36; Ez 41,18.20.25; 2Chr 3,7.14)[51] und die *Trägerfunktion* (Reit-/Fahrtier der Gottheit bzw. Thronwesen)[52], die nicht nur hinter dem Gottesprädikat יֹשֵׁב הַכְּרוּבִים steht (1Sam 4,4; 2Sam 6,2 = 1Chr 13,6; 2Kön 19,15 = Jes 37,16 [vgl. Dan 3,55 LXX]; Ps 80,2; 99,1[53]; Trägerfunktion eines einzelnen Keruben: 2Sam 22,11 = Ps 18,11; Ez 9,3; 10,4[54]), sondern auch für das Kerubenpaar des salomonischen Tempels anzunehmen ist.

Über die bereits von *M. Haran*[55], *R. de Vaux*[56], *R. Smend*[57], *J. Maier*[58], *R. Hillmann*[59], *M. Weinfeld*[60], *H. Schmid*[61], *E. Würthwein*[62] u.a.[63] vertretene These, daß die Keruben im Jerusalemer Tempel den Thron Jahwes dar-

50 *A. Parrot* (RHPhR 57 [1977], S. 353–356, hier: S. 355f.; vgl. *ders.*, Mari. Capitale fabuleuse, Paris 1974, S. 121) vergleicht dazu die Keruben auf dem Wandgemälde Hof 106 (»Investiturszene«) des Palastes Zimrilims in Mari, s. die Abbildung bei *A. Parrot*, Sumer, München ³1970, Abb. 346. Zu Gen 3,24 s. besonders *Gese*, Lebensbaum, S. 105ff. und – mit anderer Nuancierung – *K. Jaroš*, ZAW 92 (1980), S. 204–215, hier: S. 211f.

51 Vgl. dazu *Maier*, Kultus, S. 67ff.; *Metzger*, Königsthron, S. 419.438 und *Görg*, Keruben, S. 22 (mit z.T. berechtigten Vorbehalten); *E. Vogt*, Bib. 60 (1979), S. 327–347. Neben der Trägerfunktion und der Wächterfunktion rechnet *Görg* (a.a.O., S. 18ff.) für die Keruben mit einer gesonderten Verehrungs- bzw. Beschwörungsfunktion, so explizit in Gen 3,24 (s. dazu die vorhergeh. Anm.) und in (der »Vorlage« von) Ex 25,17ff., s. dazu unten S. 339ff.

52 S. dazu *Maier*, a.a.O., S. 70ff.; *Gese*, Lebensbaum, S. 105f. Zur vermutlichen Übertragung der ursprünglich den Löwendrachen (= »Urahn« des Keruben) zukommenden Funktion eines Reit- und Fahrtieres auf die Sphinx/den Keruben, der/dem von Haus aus die Wächter- und Schutzfunktion sowie die Thronfunktion eignet, s. *Metzger*, a.a.O., S. 435f.

53 Zur Traditionsgeschichte des Gottesprädikates יֹשֵׁב הַכְּרוּבִים s. *Metzger*, a.a.O., S. 471ff.; *Keel*, Jahwevisionen, S. 15ff. und *Mettinger* (oben Anm. 47). Anders als *Metzger* (a.a.O., S. 420.440) halten wir הַכְּרוּבִים in der Wendung יֹשֵׁב הַכְּרוּבִים »(Jahwe,) der auf den Keruben sitzt/thront« nicht für ein direktes Objekt (= von einer Handlung unmittelbar betroffener Gegenstand), sondern aufgrund der durch יָשַׁב ausgesagten Aktionsart des Bleibens (יָשַׁב = primäres Zustandsverb) für einen dieses Verb präzisierenden adverbiellen Akkusativ des Ortes: »auf den Keruben«, vgl. die analoge Wendung וְהוּא יֹשֵׁב פֶּתַח־הָאֹהֶל »und er saß am Zelteingang« (Gen 18,1), und s. zur Sache *H. Schweizer*, ZAW 87 (1975), S. 133–146, hier: S. 137f.

54 S. dazu *Keel*, a.a.O., S. 152ff.

55 Ark, S. 35f.; *ders.*, Ritual Acts, S. 291f.

56 Les chérubins de l'arche d'alliance, les sphinx gardiens et les trônes divins dans l'ancien Orient, in: *der.*, Bible et Orient, Paris 1967, S. 231–259.

57 Jahwekrieg und Stämmebund. Erwägungen zur ältesten Geschichte Israels (FRLANT 84), Göttingen 1963, S. 58f.

58 Kultus, S. 72f.

59 A.a.O. (oben Anm. 42) S. 141f. mit Anm. 5.

60 Deuteronomy, S. 191; *ders.*, Presence, Sp. 1015f.; *ders.*, ZAW 88 (1976), S. 17–56, hier: S. 19ff.

61 In: Archäologie und Altes Testament (FS *K. Galling*), hrsg. von *A. Kuschke – E. Kutsch*, Tübingen 1970, S. 241–250, hier: S. 247.249; *ders.*, Jud. 23 (1967), S. 241–254, hier: S. 248.

62 ATD XI/1 (1977), S. 67.87.90.

63 S. den forschungsgeschichtlichen Überblick bei *Schmitt*, Zelt, S. 117ff. und *Metzger*, Königsthron, S. 441ff.

stellen, hinausgehend, hat neuerdings *M. Metzger*[64] eine Reihe überzeugender Gründe philologischer wie ikonographischer Art geltend gemacht, die eine ursprüngliche Verbindung des Gottesprädikates יֹשֵׁב הַכְּרוּבִים mit den tiergestaltigen Keruben des salomonischen Tempels als sehr wahrscheinlich erscheinen lassen – auch wenn die Vorstellung, Jahwes Thron erhebe sich über den Kerubenflügeln, im Alten Testament nirgends expressis verbis zum Ausdruck kommt: »Es könnte möglich sein, daß man sich vorstellte, daß die ausgebreiteten Flügel der Keruben den nicht sichtbaren Himmel stützten und daß über diesem von den Keruben gestützten Himmel Jahwe unsichtbar thronte. Anstelle der emporgehobenen Arme, mit denen die Mischwesen auf den oben genannten Bilddokumenten die geflügelte Sonnenscheibe stützten, wären die emporgehobenen Flügel der Keruben getreten«[65].

Dabei sind *Metzger* zufolge die Keruben des salomonischen Tempels nicht – wie die beiden Sphingen an einem Sphingenthron – als Bestandteil des Kerubenthrones anzusehen[66], sondern die Vorstellung eines Kerubenthrones nach Art des syrisch-phönizischen Sphingenthrones verband sich vermutlich mit der Vorstellung des *über* den ausgebreiteten Kerubenflügeln *unsichtbar sich erhebenden Jahwethrones:* »Daß man im Debir wohl die Keruben, die die Himmelfeste stützten und damit den Thron Jahwes trugen, nachbildete, aber weder die Himmelsfeste noch den eigentlichen Thron Jahwes darstellte, mag darin begründet sein, daß man die Himmelsfeste und die alle Dimensionen sprengende Größe des Thrones weder nachzubilden vermochte noch nachzubilden wagte«[67]. Diese Scheu hängt u.E. aber weniger mit dem alttestamentlichen Bilderverbot[68] – das verstärkend hinzugetreten sein mag[69] –, als vielmehr mit der *kosmischen Dimensionierung dieser Keruben* zusammen: Als Tragtiere des unsichtbar thronenden Jahwe und damit als ›Grenzmarkierung‹ zur göttlichen Sphäre[70] repräsentieren sie und der von ihnen unsichtbar getragene Gottesthron den ›Ort‹, an dem himmlischer und irdischer Bereich ineinander übergehen – ohne ununterschieden und ununterscheidbar zusammenzufließen[71]. Ein solches Inein-

64 A.a.O., S. 471ff., vgl. *ders.*, Grundriß der Geschichte Israels, Neukirchen-Vluyn [4]1977, S. 64f.96 und *Keel*, Jahwevisionen, S. 23ff.29ff.; *ders.*, AOBPs[2], S. 146.148; *Görg*, Keruben, S. 14f.

65 A.a.O., S. 475 (der Hinweis auf die »oben genannten Bilddokumente« bezieht sich bei *Metzger* auf seine Ausführungen a.a.O., S. 474f.).

66 S. die Vorüberlegungen von *Metzger*, a.a.O., S. 438ff.

67 *Ders.*, a.a.O., S. 478, vgl. S. 477 und zur Sache auch *Keel*, Jahwevisionen, S. 23ff.29ff., bes. S. 35.

68 So *Metzger*, a.a.O., S. 478 und *ders.*, Grundriß der Geschichte Israels, Neukirchen-Vluyn [4]1977, S. 64.

69 Zum Bilderverbot vgl. *Schmidt*, Glaube, S. 74–81, ferner *Keel*, Jahwevisionen, S. 11.37ff. u.ö.; *P. Welten*, Art. Götterbild, männliches, BRL[2], S. 100f.; *ders.*, Art. Bilder ii, TRE VI, S. 517ff., bes. S. 520f.

70 Vgl. *Gese*, Lebensbaum, S. 105; *ders.*, Religionen, S. 122 Anm. 183.

71 Zu den hier möglichen Mißverständnissen s. ausführlich *Keel*, a.a.O., S. 51ff.

ander oder besser: eine solche Berührung von himmlischem und irdischem Bereich aber mußte sich einer figürlichen Veranschaulichung – und sei diese noch so maßstabsgetreu[72] – ebenso entziehen wie einer exakten begrifflichen Deskription; ihre sprachlich sachgemäße Ausdrucksform fand diese Kerubenkonzeption in dem Gottesprädikat יֹשֵׁב הַכְּרוּבִים.

Damit, daß David die – ursprünglich die Gegenwart Gottes repräsentierende[73] – Lade des Jahwe Zebaoth von Silo (1Sam 4,1; 2Sam 6,2) auf den Zion als die נַחֲלָה der Davidsippe überführte und somit diesen (später unter das Kerubenpaar des Jerusalemer Tempels eingestellten) Kultgegenstand zu einem wichtigen, wenn nicht *dem* Bindeglied zwischen dem jungen judäischen Königtum und den altisraelitische Glaubenstraditionen bewahrenden mittelpalästinischen Stämmen (Ephraim, Benjamin, vielleicht auch Manasse) machte[74], »ergriff der König der allumfassenden βασιλεία, Jahwe Zebaoth, Besitz von einem Stück Erde als Erbland. (. . .) Theologisch bedeutet die Zionsakzeptation das gnädige Ergreifen und Erwählen eines Weltortes, das Sich-Verbinden und Eingehen in den Raum dieser Welt, gleichsam ein Irdisch-Werden, ein kondeszendierendes Einwohnen Gottes, also eine für Israel neue Struktur des Seins Gottes«[75].

Warum aber *diese Lade unter die Keruben* des salomonischen Tempels eingestellt wurde, ist schwer zu sagen und kann bestenfalls wohl nur vermutet werden: Ist die Lade einfach »unter den Keruben verschwunden«[76], oder kam dem Vorhaben ihrer Überführung in den Jerusalemer Tempel möglicherweise die Konzeption der Keruben als symbolische Markierung der Grenze zur Transzendenz und damit als symbolische Veranschaulichung eines theologischen Inhalts entgegen: daß nämlich an diesem Ort, dem Gottesberg Zion, dessen Erwählung durch Jahwes Kondeszendenz zum Inhalt der Davidverheißung geworden war, himmlischer und irdischer Bereich ineinander übergehen?[77] Immerhin scheint uns soviel sicher, daß sich aus der

72 Vgl. etwa den ›Rekonstruktionsversuch‹ von *Keel*, a.a.O., S. 26 Abb. 10 und die Ausführungen ebd. S. 35.

73 Nach ihrer ursprünglichen Funktion war die Lade »ein nicht mehr näher zu bestimmendes Symbol der Gegenwart Jahwes bei den Seinen« (*H. J. Stoebe*, KAT VIII/1 [1973], S. 161f.). In *diesem* Sinne – nicht aber im Sinne der Thron(schemel)hypothese – sollte der von *G. von Rad* in die alttestamentliche Wissenschaft eingeführte Begriff »Präsenztheologie« beibehalten werden (vgl. dazu oben S. 279f.). Die Funktionsbestimmung der Lade als eines »Symbols der Gegenwart Jahwes« läßt der jeweiligen Interpretation immer noch erheblichen Spielraum, s. dazu im einzelnen *Brongers*, Ladeforschung, S. 24f.; *Zimmerli*, Bilderverbot, S. 249 und ausführlich *Schmitt*, Zelt, S. 131ff.173.286ff.; *F. Schicklberger*, Die Ladeerzählungen des ersten Samuel-Buches. Eine literaturwissenschaftliche und theologiegeschichtliche Untersuchung (FzB 7), Würzburg 1973, S. 216f. mit Anm. 91.

74 S. zu dieser Problematik außer *Gese*, Davidsbund (passim); *ders.*, Natus ex virgine (passim) zuletzt noch *J. A. Soggin*, ZAW 78 (1960), S. 179–204, hier: S. 182ff.; *Jeremias*, Lade, S. 183ff.; *Zobel*, *ʾarôn*, Sp. 402ff.; *Schicklberger*, a.a.O., S. 216ff.; *E. Otto*, ThZ 32 (1976), S. 65–76; *ders.*, Jerusalem – die Geschichte der Heiligen Stadt. Von den Anfängen bis zur Kreuzfahrerzeit, Stuttgart/Berlin/Köln/Mainz 1980, S. 42ff., bes. S. 57ff.; *A. F. Campbell*, The Ark Narrative (1Sam 4–6; 2Sam 6). A Form-critical and Traditio-historical Study, Missoula/Montana 1975, S. 240ff.; *Rupprecht*, Tempel, S. 42ff.; *Fritz*, Tempel, S. 132f.; *W. Dietrich*, VF 22 (1977), S. 44–64; *E. Würthwein*, ATD XI/1 (1977), S. 89ff.; *E. von Nordheim*, VT 27 (1977), S. 434–453, hier: S. 444f.; *J.-M. de Tarragon*, RB 86 (1979), S. 514–523.

75 *Gese*, Natus ex virgine, S. 136, vgl. S. 134ff. und *ders.*, Davidsbund, S. 113ff.; *ders.*, Name Gottes, S. 86f. und *Jeremias*, Lade, S. 184ff.

76 *Fritz*, a.a.O., S. 134.

77 Zu diesem Fragenkreis s. auch *Keel*, Jahwevisionen, S. 45 und *Würthwein*, a.a.O., S. 67.87.89ff.; *Mettinger*, a.a.O. (oben Anm. 47).

Aufstellung der Lade unter den Keruben des salomonischen Tempels weder eine primäre (wohl aber sekundäre)[78] Schutzfunktion der Keruben und eine dadurch bedingte »paralysierende« Wirkung auf die »mit der Lade ursprünglich verbundene Thronvorstellung« (*G. von Rad*)[79] noch umgekehrt eine Degradierung der Lade ableiten läßt – auch wenn mit diesem Akt ihre »ehrenvolle Emeritierung« eingeleitet war[80]. Zwar ist der salomonische Tempel weder für die Lade erbaut noch um sie herumgebaut worden; dennoch ist er so angelegt, daß man auf *die unter die Keruben eingestellte Lade* (beide Kultgegenstände gehören zusammen!) als den sakralen Mittelpunkt des Tempels zuging[81]. Deshalb sind Lade und Keruben überlieferungsgeschichtlich zwar unterschieden, aufgrund ihres gemeinsamen – wenn auch je besonderen! – Bezuges zu Jahwe als dem auf dem Zion präsenten Gott aber auch aufeinander bezogen[82].

Unabhängig von einer Thronvorstellung, aber wohl eng verbunden mit dem Theologumenon des auf dem Zion gegenwärtigen Gottes wurde die Lade von Salomo in den freien Raum unter die beiden Keruben des Jerusalemer Heiligtums gestellt. Markieren diese als Tragtiere des unsichtbar thronenden Gottes die Grenze zur göttlichen Sphäre und damit den ›Ort‹, an dem himmlischer und irdischer Bereich ineinander übergehen, so ist ihre ungewöhnliche Größe im דְּבִיר des salomonischen Tempels »kaum als Zeichen einer vergeistigten Gottesauffassung zu verstehen, sondern auf ein mythisches Raumverständnis zurückzuführen, für das am Tempel (Gottesberg), dem Ort der Gottesgegenwart, die Kategorien von Irdisch und Himmlisch aufgehoben sind, da das Heiligtum den gesamten Kosmos repräsentiert«[83].

C) Die Lade als »Gesetzesbehälter« im dtn-dtr Schrifttum und bei P

Daß die Lade in der Priesterschrift als Aufbewahrungsort der עֵדוּת fungiert, ist Aufnahme und Fortführung dtn-dtr Ladetheologie, die sich aber ansonsten von der P-Konzeption unterscheidet; denn nach Dtn 10,1–5 ist die Lade

78 S. oben S. 285 mit Anm. 44.

79 S. oben S. 279f.

80 *O. Eissfeldt*, Lade und Stierbild, Kleine Schriften II, S. 282–305, hier: S. 287, vgl. *Jeremias*, a.a.O., S. 186f.; *Würthwein*, a.a.O., S. 90f.

81 Vgl. *S. Herrmann*, Geschichte Israels in alttestamentlicher Zeit, München ²1980, S. 226f.; *Rupprecht*, Tempel, S. 43f. Anders *Maier* (Ladeheiligtum, S. 69; *ders.*, Kultus, S. 83.85), der der Lade im Jerusalemer Tempel jede sakralarchitektonische Funktion abspricht (ähnlich *Fritz*, Tempel, S. 133ff.); allerdings ist zu berücksichtigen, daß *Maiers* – überspitztes – Urteil die Konsequenz aus seiner Kritik an der Thron(schemel)hypothese darstellt.

82 S. dazu auch *Würthwein*, a.a.O., S. 89ff., der allerdings (a.a.O., S. 67.87) dieses Nebeneinander von Lade und Keruben mit dem – u.E. wenig glücklichen – Ausdruck »Konkurrenzverhältnis« charakterisiert.

83 *Maier*, Ladeheiligtum, S. 67, vgl. zur Sache (jeweils mit weiterer Lit.) *ders.*, Kultus, S. 79.85.99.101f.103ff. u.ö.; *ders.*, Tempel, S. 383ff.; *Metzger*, Wohnstatt; *Stolz*, Strukturen, S. 163; *Steck*, Jesaja 6, S. 194 Anm. 21; *ders.*, Friedensvorstellungen, S. 14ff. mit Anm. 15–16; *Keel*, Jahwevisionen, S. 46ff.; *Mettinger*, a.a.O. (oben Anm. 47); *Otto*, a.a.O. (oben Anm. 74), S. 38ff.; *ders.*, VT 30 (1980), S. 316–329, hier: S. 319ff., u.a. Für diesen Zusammenhang von irdischer und himmlischer Wohnstatt Jahwes stellt die Majestätsschilderung Jes 6 die idealtypische Szene dar, s. dazu oben S. 123ff.

zwar ein Behälter für den Dekalog, sie ist dies aber so ausschließlich, daß »jede Beziehung der Lade zu dem Aufenthaltsort Jahwes getilgt«[84] ist. Im Zuge seiner Deutung der Geschichte Israels hat die Reflexion über die (dtn) Aussage, daß Mose die Tafeln (ל[ו]חת) in die Akazienholzlade gelegt habe (Dtn 10,1–5), den Deuteronomisten zur Bildung der theologisch bedeutsamen Ladebezeichnungen אֲרוֹן הַבְּרִית[85], אֲרוֹן בְּרִית יְהוָה[86] und (seltener) אֲרוֹן בְּרִית אֱלֹהִים[87] geführt. In ihrer Ladekonzeption sind das Deuteronomium und der Deuteronomist nicht Fortsetzer einer Thronvorstellung, da sie – ungeachtet der Problematik jener Thron(schemel)hypothese[88] – an eine Tradition anknüpfen, derzufolge die Lade ein zur Aufnahme von Gegenständen (bzw. eines Gegenstandes) bestimmter kastenartiger Behälter war. Unabhängig davon, wo der überlieferungsgeschichtliche Haftpunkt dieser Ladekonzeption zu suchen ist[89], stellt sich die Frage, was bei jener »Bundeslade« das Element בְּרִית zu bedeuten hat.

Daß im dtn-dtr Schrifttum בְּרִית im Sinne von »Verpflichtung eines anderen« das *Gebot*[90] meint, zeigt der Satz über die Mitteilung der בְּרִית Gottes am (Sinai-)Horeb Dtn 4,13: »Und er (Gott) tat euch kund seine בְּרִית, die er euch zu tun hieß, die zehn Worte, und schrieb sie auf zwei Steintafeln«. Ist hier der Ausdruck »die zehn Worte« epexegetisch auf בְּרִית bezogen, so heißt das, daß mit בְּרִית der Horebbund, d.h. der Dekalog bzw. dessen erstes Gebot, gemeint ist (vgl. außer Dtn 4,13 noch Dtn 5,2.3; 9,9.11.15; 10,8; 28,69b; 31,9.25.26 und – für die Verletzung dieser בְּרִית – Dtn 4,23; 17,2; 29,24; 31,16.20)[91]. Deshalb heißen auch die Tafeln, auf die diese בְּרִית (= Dekalog) geschrieben ist, לֻחוֹת הַבְּרִית (Dtn 9,9.11.15; 1Kön 8,9 LXX), und die Lade, in die Mose diese Tafeln legte (Dtn 10,1–5; 1Kön 8,9.21; vgl. 1Chr 6,11), heißt אֲרוֹן הַבְּרִית oder אֲרוֹן בְּרִית יְהוָה/אֱלֹהִים (s. oben). Ist für das Deuteronomium die Lade »Behälter und sonst nichts«[92], so geht der Deuteronomist über dieses dtn Ladeverständnis hinaus. Indem er die vergangene und gegenwärtige Geschichte Israels mit Hilfe des dtn Gesetzes interpretiert – wobei er aber »kaum auf konkrete Weisungen, sondern auf die Predigt und Theologie des Dt, also mehr auf den theologischen Rahmen als auf den legislativen Kern«[93] Bezug nimmt –, gelingt es ihm, vielleicht unter Aufnahme einer von der pluralischen Ergänzungsschicht des Deuteronomiums vorbereiteten Exegese[94], בְּרִית und Gesetz zu parallelisieren, ja zu identifizieren und ebendadurch beide Größen zu *Allgemeinbegriffen* umzuformen, die, *darin* ihren *konkre-*

84 *von Rad*, Zelt, S. 112.
85 Jos 3,6(bis).8; 4,9; 6,6. Zu בְּרִית in Jos 3,11.14.17 s. *Otto*, Mazzotfest, S. 199 Anm. 2.
86 Dtn 10,8; 31,9.25.26; Jos 3,3 (zu v. 17 s. die vorhergehende Anm.); 4,7.18; 6,8; 8,33; 1Kön 3,15 (אֲרוֹן בְּרִית אֲדֹנָי); 6,19; 8,1.6. Zu den weiteren Belegen s. die Tabelle bei *Maier*, Ladeheiligtum, S. 84.
87 Ri 20,27; 1Sam 4,4; 2Sam 15,24.
88 S. dazu oben S. 281f.
89 S. dazu neuerdings *Otto*, Mazzotfest, S. 199ff.344ff.362ff.
90 S. dazu ausführlich *Perlitt*, Bundestheologie, S. 38ff.210f.; *Kutsch*, Verheißung, S. 81f.151.136ff.; *G. Braulik*, Bib. 51 (1970), S. 39–66; *ders.*, Die Mittel deuteronomischer Rhetorik (AnBib 68), Rom 1978, S. 129ff.
91 Zu diesen Belegen und zum Problem der Moab-b^e^rît s. *N. Lohfink*, BZ 6 (1962), S. 32–56 und *Gese*, Sinaitradition, S. 43ff.
92 *von Rad*, Zelt, S. 112.
93 *Perlitt*, a.a.O., S. 38, vgl. S. 38–47.210f.
94 Vgl. *Gese*, Sinaitradition, S. 46f. und *Mittmann*, Deuteronomium, S. 162f.

ten Gehalt ausweisend, sich wechselseitig auslegen: »ברית ist auferlegtes und zu befolgendes – in der Regel aber nicht befolgtes – Gesetz«[95]. So ist die dtr Ladebezeichnung »Bundeslade« selber »ein vielsagendes Interpretament der Identifizierung von Bund und Gesetz«[96].

War die Lade einmal als ›bloßer Behälter‹ der so verstandenen בְּרִית konzipiert, so drohte sie auch aufgrund dieser ihrer Funktion ihre ehemalige Eigenbedeutung, Symbol der Präsenz Jahwes zu sein[97], einzubüßen. Daß dies tatsächlich der Fall war, hängt mit einer im dtn-dtr Schrifttum zum Abschluß kommenden Traditionsbildung zusammen, wonach die ältere Anschauung von dem auf dem Gottesberg Zion (näherhin: auf den Keruben) thronenden und in dieser Weise am heiligen Ort präsenten Gott Israels[98] neu interpretiert wurde: Jahwe läßt an dem erwählten Ort Zion[99] seinen Namen »wohnen« (הַמָּקוֹם אֲשֶׁר יִבְחַר יְהוָה] לְשַׁכֵּן/לָשׂוּם שְׁמוֹ שָׁם]: Dtn 12,5.11.21; 14,23.24; 16,2.6.11; 26,2, vgl. Jer 7,12; Neh 1,9; Esr 6,12; לָשׂוּם שְׁמוֹ שָׁם: 1Kön 9,3; 11,36; 14,21; 2Kön 21,4.7 [jeweils dtr]), während er im Transzendenzbereich des Himmels thront[100] – eine Vorstellung, die, ob mit bezeichnender Akzentverlagerung, sei dahingestellt[101], auch vom Deuteronomisten tradiert wird. Gegenüber dem Theologumenon von dem auf dem Gottesberg Zion anwohnenden Jahwe bedeutet das Namenstheologumenon aber keine Verflüchtigung, sondern vielmehr eine Vertiefung der Wohnvorstellung, denn das Namenstheologumenon drückt »die Präsenz der in seinem Namen gegebenen Selbstoffenbarung Gottes (aus). Die Präsenz Gottes im Anwohnen kann präziser verstanden werden als Präsenz im Vollzug seiner Offenbarung und wird so der kultischen Objektivierung entzogen«[102].

Die Priesterschrift hat das dtn-dtr Verständnis der Lade als Behälter des »Gesetzes« aufgenommen[103], zugleich aber ist sie über es hinausgegangen.

95 *Perlitt*, a.a.O., S. 39.

96 *Ders.*, a.a.O., S. 40.

97 S. dazu die Hinweise oben S. 289 mit Anm. 73.

98 S. dazu oben S. 286ff.

99 Zum בָּחַר-Begriff s. *H. Wildberger*, Art. *bḥr*, THAT I, Sp. 286ff.; *H. Seebass*, Art. *bḥr*, ThWAT I, Sp. 599ff.; *ders.*, ZAW 90 (1978), S. 105f.

100 S. dazu zuletzt *Metzger*, Wohnstatt, S. 149ff.; *Weinfeld*, Deuteronomy, S. 193ff.; *ders.*, Presence, Sp. 1019f.; *H. Braulik*, Bib. 52 (1971), S. 20–33; *ders.*, in: Studien zum Pentateuch (FS *W. Kornfeld*), hrsg. von *G. Braulik*, Wien/Freiburg/Basel 1977, S. 165–195, hier: S. 181f.; *Gese*, Name Gottes, S. 86ff.; *E. Würthwein*, ATD XI/1 (1977), S. 95f.97.102f.; *G. Gerleman*, ZAW 89 (1977), S. 313–325, hier: S. 320f.; *H. Weippert*, BZ 24 (1980), S. 76–94; *B. Halpern*, VT 31 (1981), S. 20–38. Kritische Einwände bei *A. S. van der Woude*, in: Übersetzung und Deutung (FS *A. R. Hulst*), Nijkerk 1977, S. 204–210.

101 Vgl. *Metzger*, Wohnstatt, S. 149ff.153 Anm. 39; S. 158; *ders.*, Königsthron, S. 479.497 mit Anm. 54; *Rose*, a.a.O. (oben Teil II Anm. 290) S. 77ff., u.a.

102 *Gese*, Name Gottes, S. 87, vgl. zur Sache auch *Keel*, Jahwevisionen, S. 52f.; *Würthwein*, a.a.O., S. 95f.102f.

103 Vgl. *von Rad*, Zelt, S. 125f.; *Maier*, Kultus, S. 86f.; *ders.*, Ladeheiligtum, S. 81; *Jeremias*, Lade, S. 197f.; *H. J. Stoebe*, KAT VIII/1 (1973), S. 157f.; *Schmidt*, Glaube, S. 111; *Fritz*, Tempel, S. 136f., u.a.

Wie immer man den Wechsel der Ladebezeichnung: אֲרוֹן הַבְּרִית, אֲרוֹן בְּרִית יְהוָה/אֱלֹהִים (Dtr) – אֲרוֹן הָעֵדוּת (P) theologiegeschichtlich zu erklären hat[104] – deutlich ist, daß in der priesterschriftlichen Bezeichnung »Lade der (Gesetzes-)Bestimmung« und im dtr Ausdruck »Bundeslade« inhaltlich verwandte Aussagen vorliegen, deren je besonderer Gehalt nur im Rahmen dtn-dtr בְּרִית-Theologie bzw. priesterschriftlicher עֵדוּת-Theologie hervortritt.

Bei P sind die שְׁנֵי לֻחֹת הָעֵדֻת (Ex 31,18*; 32,15; 34,29)[105] in den אֲרוֹן הָעֵדוּת gelegt (Ex 25,22; 26,33.34; 30,6a.26; 31,7 [הָאָרוֹן לָעֵדֻת]; 39,35; 40,3.5.21; Num 4,5; 7,89 [Jos 4,19][106]; vgl. Ex 25,16.21; 40,20)[107]. Gegenüber dem formal analogen dtr Sprachgebrauch von בְּרִית in אֲרוֹן הַבְּרִית bzw. in אֲרוֹן בְּרִית יְהוָה/אֱלֹהִים ist bemerkenswert, daß עֵדוּת bei P nicht nur den Inhalt der Lade (die »[Gesetzes-]Bestimmung«), sondern – vornehmlich in jüngeren Weiterbildungen – diese selbst (samt Inhalt) bezeichnen kann[108], und zwar: 1. Als nomen rectum in der Genitivverbindung אֹהֶל הָעֵדוּת (Num 9,15; 17,22.23; 18,2 [jeweils P^s], außerhalb von P nur noch in 2Chr 24,6). – 2. Als nomen rectum in der Genitivverbindung מִשְׁכַּן הָעֵדוּת (Ex 38,21 P^s; Num 1,50.53 [*bis*] P^s; Num 10,11f. P^g). – 3. In der Wendung כַּפֹּרֶת אֲשֶׁר עַל־הָעֵד(ו)ת (Ex 30,6; Lev 16,13). – 4. In den Formulierungen לִפְנֵי הָעֵדוּת (Ex 16,34; 30,36; Num 17,19.25), פָּרֹכֶת הָעֵדֻת (Lev 24,3) und פָּרֹכֶת אֲשֶׁר עַל־(אֲרוֹן) הָעֵדֻת (Ex 27,21; 30,6a).

Es ist, wie *B. Volkwein*[109] festgestellt hat, in der Tat auffallend, daß עֵדוּת vorwiegend in Zusätzen (P^s) zur priesterschriftlichen Geschichtserzählung, dann aber auch in P^g selber begegnet (und zwar in Ex 25,16.21.22; 26,33.34; 31,18; Num 10,11). Abgesehen von *Volkweins* Vermutung, עֵדוּת sei »ein beliebter Ausdruck in der P-Schule«, der »bei den späteren Überarbeitungen und Ergänzungen in dieser Schule . . . fast von selbst an vielen Stellen in den Text«[110] kam, bleibt aber zu fragen, warum P^g (und P^s) – bei teilweiser Übernahme der dtn-dtr Ladekonzeption! – die dtr Ladebezeichnungen אֲרוֹן הַבְּרִית bzw. אֲרוֹן בְּרִית יְהוָה/אֱלֹהִים vermieden hat, *obwohl* gerade P^g für die Noah-*b^erît* (Gen 9,8–17), die Abraham-*b^erît* (Gen 17,1–8[9–14], vgl. die Isaak-*b^erît* Gen 17,19.21) und die *b^erît* mit den drei Erzvätern Abraham, Isaak und Jakob (Ex 6,4f., vgl. Ex 2,24) den Terminus בְּרִית verwendet[111]. Die Antwort auf diese Frage dürfte darin liegen, daß dieses »obwohl« durch ein »weil« zu ersetzen ist: *Weil* P^g in Gen (6,18) 9,8–17; 17,1–8; 17,19.21; Ex 6,4f. (vgl. Ex 2,24) בְּרִית im Sinne von Zusage (»Selbstverpflichtung«) Gottes verwendet, wäre eine nach dtr Vorbild gebildete priesterschriftliche La-

104 Der Versuch, die in dieser Hinsicht nicht recht überzeugenden Argumente von *Maier* (Kultus, S. 85ff.; Ladeheiligtum, S. 71f.74ff.81.83; *ders.*, Kairos 11 [1969], S. 22–38) einer Kritik zu unterziehen, würde hier zu weit führen, s. dazu die Bemerkungen von *Schmitt*, Zelt, S. 132f.

105 Zu dem kommentierenden »P-Zusatz« לֻחֹת הָעֵדֻת in Ex 31,18; 32,15; 34,29 s. zuletzt *E. Zenger*, in: Wort, Lied und Gottesspruch (FS *J. Ziegler* [FzB 2]), hrsg. von *J. Schreiner*, Würzburg 1972, S. 97–103, hier: S. 99.101, z.T. anders *Volkwein*, Masoretisches ᶜēdūt, S. 25f. mit Anm. 62.

106 S. dazu *M. Noth*, HAT I/7 (²1953), S. 11.32 und zuletzt *Otto*, Mazzotfest, S. 51f.

107 Weitere Ladebezeichnungen bei P sind הָאָרוֹן und אֲרוֹן עֲצֵי שִׁטִּים, s. die Tabelle bei *Maier*, Ladeheiligtum, S. 84.

108 S. dazu *Kellermann*, Priesterschrift, S. 26f.134f.; *H. J. Stoebe*, KAT VIII/1 (1973), S. 157f.160; *C. van Leeuwen*, Art. *ᶜed*, THAT II, Sp. 209–221, hier: Sp. 217.

109 Masoretisches ᶜēdūt, S. 25.

110 A.a.O., S. 26, vgl. S. 25f.39f.

111 בְּרִית in Gen 6,18 meint die Lebenszusage an Noah. Zu בְּרִית bei P s. unten S. 320ff. und die dort angegebene Lit.

debezeichnung אֲרוֹן הַבְּרִית dem Mißverständnis ausgesetzt gewesen, als habe jene als Zusage Gottes qualifizierte בְּרִית mit Noah, Abraham, Isaak und Jakob aufgeschrieben in der Lade gelegen[112].

Erklärt dies vielleicht, warum die Priesterschrift den Terminus בְּרִית als Bezeichnung für den Ladeinhalt umgeht, so könnte nur eine eingehendere Analyse von עֵדוּת im gesamten Alten Testament feststellen, warum P die Ladebezeichnung אֲרוֹן הָעֵדוּת gewählt hat[113]. Doch ist, wie die Formulierung »die zwei Tafeln der (Gesetzes-)Bestimmung« (שְׁנֵי לֻחֹת הָעֵדֻת Ex 31,18; 32,15; 34,29, vgl. die Anweisung, die עֵדוּת in den אֲרוֹן zu legen: Ex 25,16.21; 40,20) zeigt, zumindest soviel deutlich, daß mit עֵדוּת bei P etwas »Geschriebenes«, und zwar, wie der zu לֻחֹת הָעֵדֻת parallele Ausdruck לֻחֹת הַבְּרִית Dtn 9,9.11.15; 1Kön 8,9LXX (vgl. auch Dtn 10,4 und Ex 34,28) nahelegt, sehr wahrscheinlich der Dekalog gemeint ist[114].

112 Bei P beschränkt sich die Bedeutung: בְּרִית = »Gebot« auf das Gebot der Sabbatheiligung Ex 31,16 sowie auf die Anordnung der Schaubrote Lev 24,8, s. dazu *Kutsch*, Verheißung, S. 151 u.ö.

113 S. dazu besonders *Volkwein*, Masoretisches ᶜēdūt, S. 18–40; *van der Leeuwen*, a.a.O. (oben Anm. 108), Sp. 217ff.; *T. Mettinger*, King and Messiah. The Civil and Sacred Legitimation of the Israelite Kings, Lund 1976, S. 286ff.

114 Vgl. *Elliger*, Geschichtserzählung, S. 197; *E. Kutsch*, Art. Zelt, RGG³ VI, Sp. 1893; *Gese*, Dekalog, S. 65; *Volkwein*, a.a.O., S. 25f.; *Zimmerli*, Theologie, S. 67; *Cross*, Priestly Work, S. 300.312ff.322; *van der Leeuwen*, a.a.O., Sp. 217f., u.a. Anders beispielsweise *Maier*, Kultus, S. 85.86f.; *ders.*, Ladeheiligtum, S. 81.83 und *Rost*, Wohnstätte des Zeugnisses, S. 164f. (das Verheißungswort Ex 29,42bff. als Inhalt der עֵדוּת). Wie zweitrangig die עֵדוּת (= Dekalog) aber für P letztlich ist, hat *Zimmerli* deutlich formuliert: »Die beiden Gesetzestafeln können zwar nicht gänzlich verschwiegen werden, aber es muß doch auffallen, wie beiläufig sie in Ex 31,18 nur noch erwähnt sind und wie sie auch einen neuen Namen [sc. לֻחֹת הָעֵדֻת] bekommen. An die Stelle der Gesetzgebung aber, die Israel zur Entscheidung fordert, ist bei P die große Opferinstitution getreten. Angesichts der gnädig geschenkten göttlichen Gegenwart darf Israel nun seinen Opferdienst üben« (Gesetz, S. 273), vgl. *von Rad*, Theologie I, S. 247 Anm. 6. Daß die Priesterschrift den Dekalog nicht auf Kosten der (fehlenden) Sinai-*bᵉrît* (s. dazu unten S. 320ff.) in den Vordergrund gerückt hat, kann als eine Bestätigung dafür genommen werden, daß ihr wenig am Dekalog – den sie darum aber nicht aufgibt! (vgl. auch *Gese*, Dekalog, S. 65 und speziell zu Ex 20,11 *Halbe*, a.a.O. [oben Teil II Anm. 209], S. 186ff.; *Steck*, Schöpfungsbericht, S. 189 Anm. 799; S. 190 Anm. 808) –, aber alles an der Abraham zugesagten und mit der Errichtung des Heiligtums am Sinai in Erfüllung gegangenen Verheißung Jahwes, Israels Gott sein zu wollen, gelegen ist, s. dazu unten S. 317ff.

Zweiter Abschnitt: Heiligtum und Gottesgegenwart – Die כַּפֹּרֶת im Begegnungszelt der Priesterschrift

A) »Präsenztheologie« oder »Erscheinungstheologie«? – Zur Kontroverse um die priesterschriftliche Theologie der Gottesgegenwart

G. von Rad zufolge »verbanden sich . . . mit dem Zelt und mit der Lade zwei ganz verschiedene ›Theologien‹; dort handelt es sich um eine Erscheinungstheologie, hier um eine Präsenztheologie«[115]. Daß in der Priesterschrift das Theologumenon vom fallweisen Erscheinen Jahwes bzw. seines כָּבוֹד am Zelt(eingang) gegenüber dem mit der Lade verbundenen Wohn- oder Throngedanken sich als die dominierende Vorstellung durchgesetzt habe, hat *von Rad* in den pointierten Satz zusammengefaßt, daß »bis auf das entscheidende Stichwort der Erscheinungsgedanke der Lade aufgesetzt«[116] sei. Allerdings war damit, wie die in kritischem Anschluß an *von Rad* formulierten Äußerungen zum Problem der priesterschriftlichen Theologie der Gottesgegenwart zeigen, die Frage des Verhältnisses von »Präsenztheologie« und »Erscheinungstheologie« bei P kaum schon abschließend beantwortet, sondern vielmehr in aller Deutlichkeit erst gestellt.
Sieht man von dem Ansatz *J. Morgensterns*[117] ab, so kommt der überlieferungsgeschichtlichen Analyse des genannten Problems, wie sie *G. von Rad* und – in modifizierender Weiterführung seiner Thesen – *M. Noth*[118] und *A. Kuschke*[119] vorgelegt haben, in der Geschichte der Forschung entscheidende Bedeutung zu. Das Hauptergebnis dieser Untersuchungen besteht in der Annahme, daß gegenüber der alles beherrschenden Erscheinungsvorstellung die Wohn- und Thronvorstellung mit ihrer Anschauung von der dauernden Gegenwart Gottes bei P nur noch »gelegentlich phraseologisch durchschlägt«[120]. Dies aber ist gerade die Frage: Stellt die – nach *von Rad* in

115 Theologie I, S. 250, vgl. oben S. 279f.
116 Zelt, S. 125.
117 ZA 25 (1911), S. 139–193, bes. S. 149ff., vgl. *ders.*, JAOS 38 (1918), S. 125–139, bes. S. 139, s. dazu *Schmitt*, Zelt, S. 214f.
118 ÜPent, S. 264ff., vgl. *ders.*, ATD V (^{3}1965), S. 166f.
119 Lagervorstellung, S. 82ff. Mit *Kuschke* (a.a.O., S. 84ff.) ist *Stoebe* der Ansicht, »daß die Wohnvorstellung in der von v. Rad angenommenen Form neben anderem sehr stark in der Bezeichnung מִשְׁכָּן« (KAT VIII/1 [1973], S. 160), nicht aber in der Lade zum Ausdruck kommt, da diese ihre ehemalige Eigenbedeutung, Symbol der Präsenz Gottes zu sein (s. dazu oben Anm. 73), schon in der Ladetheologie weitgehend eingebüßt hatte, vgl. *Kuschke*, a.a.O., S. 87; *Stoebe*, a.a.O., S. 160f. und oben S. 290ff.
120 *von Rad*, Theologie I, S. 252 Anm. 20. Die Legitimität der *von Rad*schen Unterscheidung: Wohnvorstellung – Erscheinungsvorstellung ist von *Rost* (Vorstufen, S. 35ff.) grundsätzlich bestritten worden, vgl. auch *Clements*, God, S. 63f.115ff., bes. S. 118 Anm. 2. Den Typ des »Erscheinungstempels« will *Rost* nur auf den אֹהֶל מוֹעֵד von Ex 33,7–11 (usw.) bezogen wissen, nicht dagegen auf den priesterschriftlichen אֹהֶל מוֹעֵד, der als »Wohntempel« fungiere,

der Wendung לִפְנֵי יְהוָה sowie in dem Terminus שָׁכַן greifbare – »Wohnvorstellung« bei P wirklich nur ein phraseologisches Randphänomen dar, und läßt sich die Bedeutung von שָׁכַן in der Priesterschrift auf eine »dauernde Gegenwart« Jahwes im Heiligtum festlegen? In der neueren Forschung besteht darüber alles andere als Einigkeit.

1. In seiner Analyse von שָׁכַן kommt *F. M. Cross*[121] zu dem Ergebnis, daß שָׁכַן »in archaic contexts« (nach *Cross:* Dtn 33,12.16; 1Kön 8,12; Ps 68,17, u.a.) »to tent, to encamp« bedeute[122] und nomadische Lebensverhältnisse widerspiegele. In archaisierendem Rückgriff auf dieses שָׁכַן habe P einen konkreten Terminus der »nomadic desert tradition« aufgenommen[123], ihn aber als »technical theological term« verwendet, um ein theologisches Problem, nämlich das der Immanenz Gottes – d.h. der Präsenz des transzendenten Gottes in seinem irdischen Heiligtum – auszudrücken. Trotz berechtigter Kritik an der von *Cross* herausgestellten Grundbedeutung von שָׁכַן als »zelten«[124] scheint uns dessen – besonders von *R. E. Clements* (s. Ziffer 2) aufgenommener – Versuch beachtenswert zu sein, den Bedeutungsgehalt von שָׁכַן bei P im Licht der mit der Wohnvorstellung gegebenen *Problematik der Immanenz Gottes* zu deuten: Die Priesterschrift gebrauche den Terminus יָשַׁב, wenn sie vom *menschlichen* Wohnen, nicht aber, wenn sie vom Wohnen *Gottes* spreche. Dem korrespondiere der außerhalb von P zu beobachtende Sprachgebrauch, wonach Jahwes יָשַׁב – von Ausnahmen wie der Prädikation יֹשֵׁב הַכְּרוּבִים (1Sam 4,4; 2Sam 6,2 = 1Chr 13,6; 2Kön 19,15 = Jes 37,16; Ps 80,2; 99,1) abgesehen – sich nie auf sein Wohnen im irdischen Bereich (Tempel), sondern immer auf sein Wohnen im Himmel beziehe. Die Priesterschrift, in deren Zentrum die Frage nach dem Verhältnis von Immanenz und Transzendenz Gottes stehe, habe den Terminus שָׁכַן gewählt, um den Modus des Wohnens Gottes auf Erden (im Tempel) vor Mißverständnissen zu schützen: »Yahweh does not ›dwell‹ on earth. Rather he ›tabernacles‹ or *settles impermanently* as in the days of the portable, ever-conditional tent«[125]. Dieses »tabernacling« Jahwes inmitten Israels ist nach *Cross* auch der alleinige Ermöglichungsgrund einer Sühne für Israel[126].

2. *R. E. Clements*[127] zufolge gewann die durch das dtn-dtr Theologumenon vom »Wohnenlassen« (שׁכן *pi.*/שִׂים) des Namens Jahwes am erwählten Ort Zion[128] markierte semantische Entwicklung des שָׁכַן-Begriffs in der anders strukturierten priesterschriftlichen שָׁכַן-Theologie

s. dazu aber die Kritik von *Kuschke*, a.a.O., S. 84; *Busink*, Tempel I, S. 605 Anm. 113. Die mannigfachen Probleme des »Wohntempels« im (Alten Orient und im) Alten Testament werden skizziert von *Busink*, a.a.O., S. 637–642.

121 Tabernacle, S. 62ff., bes. S. 67 Anm. 28; *ders.*, Priestly Work, S. 245f.298ff.322.323; der Interpretation von *Cross* stimmen zu *G. E. Wright*, Biblische Archäologie, Göttingen 1958, S. 143; *G. H. Davies*, Art. Tabernacle, IDB IV (1962), S. 505; *Schreiner*, Sion-Jerusalem, S. 90ff. *Cross*'s Ansatz ist jüngst von *T. E. Fretheim* (VT 18 [1968], S. 313–329) zu einer weitreichenden Hypothese über die Herkunft und Bedeutung des priesterschriftlichen אֹהֶל מוֹעֵד ausgebaut worden, s. dazu die berechtigte Kritik von *Schmitt*, Zelt, S. 237f.; *Fritz*, Tempel, S. 149 und (mit anderer Argumentation) *Haran*, Divine Presence, S. 261 Anm. 3.

122 Vgl. auch *K. Galling*, Art. Stiftshütte, BRL², S. 325.

123 *Cross*, Tabernacle, S. 63.

124 S. dazu *Kuschke*, Lagervorstellung, S. 85.86; *G. Fohrer*, Art. Σιών, ThWNT VII, S. 307 Anm. 95; vgl. auch *Hulst*, *škn*, Sp. 905.

125 *Cross*, Tabernacle, S. 64 (H. v. uns); vgl. auch *Schreiner*: in seinem כָּבוֹד ist Gott »wirklich gegenwärtig, aber als einer, der jederzeit die Verfügungsgewalt über Ort und Dauer seines Naheseins behält« (Sion-Jerusalem, S. 92).

126 *Cross*, Tabernacle, S. 63; *ders.*, Priestly Work, S. 299f.

127 God, S. 115ff.

128 S. oben S. 292.

erneut Bedeutung für das Gottesverständnis Israels; denn durch die Verwendung von שָׁכַן *qal* in Verbindung mit כְּבוֹד יְהוָה wolle die Priesterschrift ausdrücken, daß der כְּבוֹד יְהוָה – analog zum Modus der Gegenwart des שֵׁם יְהוָה in der dtn-dtr Tradition – »was not permanently bound to one place, but only *settled impermanently* on earth«[129]. Daß mit dem zunächst mißverständlichen Terminus »impermanence« nicht etwas Unbeständiges im Sinne des Unzuverlässigen, Wechselhaften, sondern vielmehr ein »semi-permanent phenomenon« gemeint ist, sucht *Clements* mit dem Hinweis auf die Funktion der Wolke bei P zu verdeutlichen: Die Wolke ist nicht nur eine vorübergehende Manifestation des כְּבוֹד יְהוָה, sondern sie repräsentiert einen andauernden Modus der activitas Dei und ist insofern die Weise, in der Gott inmitten Israels präsent ist. Doch ist diese Präsenz Gottes nicht unveränderlich, sondern – und darin erkennt *Clements* den Sinngehalt von שָׁכַן – ein »semi-permanent phenomenon«: »although the cloud is a permanent mode of Yahweh's being and action, its stay on earth may be only temporary, or at least interrupted«[130].

3. Die Hauptschwäche der Interpretationen von שָׁכַן bei P durch *F. M. Cross* und *R. E. Clements* sieht nun *R. Schmitt*[131] darin, daß man den Bedeutungsgehalt von שָׁכַן = »to tabernacle«, »to settle impermanently«, der für den *menschlichen* Bereich zweifellos anzusetzen sei, direkt für das priesterschriftliche Theologumenon vom שָׁכַן *Jahwes* übernommen habe, ohne dem Sachverhalt Rechnung zu tragen, daß P in ihrer מִשְׁכָּן/שָׁכַן-Theologie Jerusalemer Kulttradition[132], also offenbar die Vorstellung von einem *andauernden Anwohnen Gottes* aufnehme. Wie stichhaltig ist diese Kritik?

Wie *M. Görg*[133] in seiner Analyse von שָׁכַן herausgestellt hat, bezeichnet שָׁכַן mit menschlichem Subjekt zunächst »die nomadische Lebensweise des vorübergehenden Aufenthalts und

129 *Clemens*, God, S. 117 (H. v. uns). Eine tiefgreifende Antithetik zwischen der in »dinglichen«, »anthropomorphen« und »quasi-mythischen« Begriffen formulierten priesterschriftlichen כָּבוֹד-Theologie und der diese dingliche Repräsentanz Gottes »entmythologisierenden«, »säkularisierenden« oder »liberalisierenden« deuteronomisch-deuteronomistischen שֵׁם-Theologie wird demgegenüber von *M. Weinfeld* postuliert: Deuteronomy, S. 190–209, bes. S. 191f., vgl. *ders.*, Presence; *ders.*, Art. Pentateuch, EJ XIII (1971), Sp. 231–261, hier: Sp. 243ff.252f.; *ders.*, IEJ 23 (1973), S. 230–233, ähnlich *Milgrom*, Levitical Terminology, S. 68 Anm. 250; *ders.*, JQR 61 (1970–71), S. 132–154, hier: S. 144 Anm. 27. Zur Frage einer priesterschriftlichen Theologie der ›materialen Bindung Gottes an das Heiligtum‹ s. aber bereits die differenzierenden Ausführungen von *Macholz:* ». . . nur der Kult ist ausschließlich an das Heiligtum gebunden; Jahwe selber dagegen hat sich in seiner Selbstzusage an Israel gebunden, und diese Selbstzusage konkretisiert sich, wenn ein Heiligtum vorhanden ist, an diesem; sie geht aber dem Vorhandensein des Heiligtums voraus und ist insofern (!) unabhängig davon« (Land, S. 158, vgl. S. 147ff.).

130 A.a.O., S. 118. Die mit Bedacht gewählte, scheinbar paradoxe Formulierung »semi-permanent phenomenon« will – das ist kritisch gegen *Schmitt* zu sagen – beachtet sein! Auf die große Bedeutung des z.T. den Platz des ehemaligen כָּבוֹד-Theologumenons einnehmenden שְׁכִינָה-Theologumenons im rabbinischen Judentum hat bereits *Cross* (Tabernacle, S. 64) hingewiesen, s. dazu jetzt umfassend *A. Goldberg*, Untersuchungen über die Vorstellung von der Schekhina in der frühen rabbinischen Literatur (Talmud und Midrasch), Berlin 1969, bes. S. 439ff.; *ders.*, Kairos 14 (1972), S. 188–199; vgl. auch *P. Schäfer*, Die Vorstellung vom Heiligen Geist in der rabbinischen Literatur (StANT 28), München 1972, S. 140ff. Die rabbinische Tradition hat zwischen zwei Schekhina-Typen, einer *Gegenwarts*schekhina und einer *Erscheinungs*schekhina, unterschieden, s. dazu *Goldberg*, a.a.O., S. 453ff., vgl. *P. Kuhn*, Gottes Selbsterniedrigung in der Theologie der Rabbinen (StANT 17), München 1968, S. 68f.

131 Zelt, S. 217.219ff.253f.

132 Vgl. auch *Koch*, Priesterschrift, S. 14. Zum kanaanäischen Hintergrund von מִשְׁכָּן/שָׁכַן s. *W. H. Schmidt*, ZAW 75 (1963), S. 91–92; *Hulst*, *škn*, Sp. 908, vgl. auch unten Anm. 136.

133 Zelt, S. 97–124.172f., vgl. auch *Kuschke*, Lagervorstellung, S. 84ff.

den Prozeß der Konsolidierung im Gegensatz zum bürgerrechtlichen, zur Ruhe gekommenen Wohnen (יָשַׁב)«[134], mit anderen Worten: Im Gegensatz zu יָשַׁב (vgl. Gen 13,18; 21,21; 22,19; 34,10.16.21.22.23; 35,1, u.a.) betonen die auf (den) Menschen bezogenen שָׁכַן-Aussagen zunächst nicht den Aspekt eines auf Dauer angelegten Wohnens, sondern die Dynamik des (periodisch) wiederholbaren »Sich-Niederlassens«, mit dem eventuellen, an bestimmte Voraussetzungen geknüpften Ziel, diese Bewegung in einen Zustand der Konsolidierung: das sichere, dauerhafte »Wohnen (im Land)«, zu transponieren[135]. שָׁכַן in nichttheologischer Verwendung meint demnach »eine zeltähnliche Wohnung, doch auch eine Stätte, wo jedes besitzrechtliche Verbleiben ausgeschlossen ist«[136]. Seit der späten Königszeit erfährt der auf den menschlichen Bereich bezogene שָׁכַן-Begriff eine Ausweitung und Vertiefung seines Bedeutungsgehalts: Jedes menschliche שָׁכַן vollzieht sich, sofern es das sichere, verläßliche, wahre »Wohnen« meint, allein in der schützenden Nähe, in der Geborgenheit Jahwes (Ps 15,1; 27,4; 65,5; 84,5, vgl. Ps 23,6 [יָשַׁב]; 41,13 [נצב *hif.*]; 61,5 [גּוּר עֹלָמִים]; 91,1 [יָשַׁב//לִין]; 92,14 [שׁתל *qal* pt.pass.], u.a.)[137]. Wie diese Bedeutungsentfaltung von שָׁכַן durch das in Jerusalem lebendige und dort tradierte, wohl durch die Ladeüberführung theologisch und rechtlich begründete[138] Theologumenon vom שָׁכַן Jahwes auf dem Zion/im Tempel und von Jerusalem/dem Zion/dem Tempel als dem מִשְׁכָּן Jahwes (mit)verursacht zu sein scheint, so ist auch für einen nicht unerheblichen Teil der vorexilischen wie der exilisch-nachexilischen Aussagen vom שָׁכַן/מִשְׁכָּן Jahwes mit Jerusalemer Kulttradition zu rechnen:

שָׁכַן + *Subjekt JHWH:* 1Kön 6,13; 8,12f.; Jes 8,18; 33,5; 57,15; Jer 7,3.7; Ez 43,7.9; Jo 4,17.21; Sach 2,14f.; 8,3; Ps 68,16f.; 74,2; 85,10; 135,21; 1Chr 23,25, vgl. auch Jes 56,7; 57,13; 65,11.25; 66,20; Ez 20,40; Jo 2,1; Ob 6f.; Sach 9,8, u.a.

מִשְׁכָּן/מִשְׁכְּנוֹת + *Subjekt JHWH:* Ez 37,27; Ps 26,8; 43,3 (pl.); 46,5; 74,7; 78,6; 84,2 (pl.); 132,5.7 (jeweils pl.); 1Chr 6,33; 2Chr 29,6[139].

Daß es sich bei der Mehrzahl *dieser* שָׁכַן-Belege, ungeachtet ihrer je verschieden zu beurteilenden theologiegeschichtlichen Position, sehr wahrscheinlich um die dauernde Gegenwart Jah-

134 A.a.O., S. 109.

135 Vgl. *Görg*, a.a.O., S. 98ff. und *ders.*, Gott-König-Reden, S. 138f.; *ders.*, UF 6 (1974), S. 55–63, vgl. auch *Kuschke*, Lagervorstellung, S. 84f.; *Schreiner*, Sion-Jerusalem, S. 92; *Schmitt*, Zelt, S. 217f.219; *Jenni*, Piᶜel, S. 92f. und *Hulst*, *škn*, Sp. 904ff. Zu der Frage, ob שָׁכַן ein ursprüngliches *Šafᶜel* von כּוּן ist, s. *L. Wächter*, ZAW 83 (1971), S. 382f.; *M. Dietrich – O. Loretz – J. Sanmartín*, UF 6 (1974), S. 47–53; *Hulst*, a.a.O., Sp. 905.906.

136 *Görg*, Zelt, S. 109 (zu den Belegen ebd. S. 106–109), vgl. *Schmitt*, a.a.O., S. 220. Im Anschluß an *Gallings* Deutung von מִשְׁכָּן als »Innenraum« (HAT I/3 [1939], S. 178f., s. dazu aber *Görg*, a.a.O., S. 63) gibt *Kuschke* (Lagervorstellung, S. 85) מִשְׁכָּן allgemein mit »Wohnung, Behausung« wieder, womit im Einzelfall ein Zelt, ein Haus, eine Hütte oder ein Nest gemeint sein kann, vgl. auch *Hulst*, a.a.O., Sp. 906.

137 Diesem theologiegeschichtlich äußerst bedeutsamen Sachverhalt kann im vorliegenden Zusammenhang nicht weiter nachgegangen werden, s. dazu aber *Hermisson*, Sprache und Ritus, S. 113ff.; *Görg*, Zelt, S. 100ff.110ff.173; *R. von Ungern-Sternberg*, KuD 17 (1971), S. 209–223; *P. Hugger*, Jahwe meine Zuflucht. Gestalt und Theologie des 91. Psalms (MüSt 13 [1971], S. 138–155, bes. S. 142f.143f.; *G. Fischer*, Die himmlischen Wohnungen. Untersuchungen zu Joh 14,2f. (EHS.T 38), Bern/Frankfurt 1975, S. 117ff.; *Gese*, Tod, S. 48f.; *P. Bordreuil*, RHPhR 46 (1966), S. 368–391, hier: S. 382ff.; *Crüsemann*, Königtum, S. 21f.; *S. Mittmann*, ZThK 77 (1980), S. 1–23, hier: S. 14f. mit Anm. 46.

138 Vgl. *Jeremias*, Lade (passim); *H. Wildberger*, BK X/1 (1972), S. 348f.; *Keel*, Jahwevisionen, S. 53 Anm. 37.

139 Zur Analyse dieser Texte s. u.a. *Kuschke*, Lagervorstellung, S. 84ff.; *G. Fohrer*, Art. Σιών, ThWNT VII, S. 307ff.; *Schmidt*, ZAW 74 (1962), S. 62–66; *ders.*, ZAW 75 (1963), S. 91f.; *ders.*, Glaube, S. 211ff.; *Schreiner*, Sion-Jerusalem, S. 89ff.; *Görg*, Zelt, S. 110ff.; *Metzger*, Wohnstatt, S. 139ff.; *Schmitt*, Zelt, S. 219f.; *Hulst*, *škn*, Sp. 906f.

wes im Heiligtum/auf dem Zion/in Jerusalem und nicht um sein vorübergehendes Verweilen handelt[140], besagt für die priesterschriftlichen Stellen vom שָׁכַן Jahwes[141] selbst noch recht wenig. Wenn es richtig ist – und daran wird kaum zu zweifeln sein –, daß sich über Art und Dauer des Aufenthalts von der (ohnedies nicht restlos geklärten) Wurzelbedeutung von שָׁכַן[142] her nichts Eindeutiges sagen läßt, sondern hier jeweils der Kontext entscheidet[143], wird die These *Schmitts,* P habe mit diesem von Jerusalem her übernommenen Terminus – ebenso wie mit den Begriffen כָּבוֹד und עָנָן – im Gegensatz zum שָׁכַן der »nomadischen Lebenssituation« den Gedanken der permanenten Gegenwart Jahwes im Heiligtum zum Ausdruck bringen wollen, an den entsprechenden priesterschriftlichen Texten zu prüfen sein. Bevor wir uns dieser Textanalyse zuwenden, müssen die Argumente *Schmitts* noch etwas ausführlicher dargestellt werden.

4. Nach *R. Schmitt*[144] findet sich bei P neben dem durch לִפְנֵי יְהוָה und durch מִשְׁכָּן/שָׁכַן als »dauernd« qualifizierten Modus der Gegenwart Gottes eine andere Vorstellung, derzufolge Jahwe zeitweise und an zwei verschiedenen Orten begegnet (יעד *nif.*): einmal, wie in der älteren אֹהֶל מוֹעֵד-Tradition (Ex 33,7–11; Num 11,11f.14–17.24b–30; 12,2–11*; Dtn 31,14f.23), am Zelteingang (Ex 29,42f.), zum anderen auf der כַּפֹּרֶת (Ex 25,22; 30,6, vgl. Ex 30,36 P[s]; Num 17,19 P[s]). Wie ist dieses »Begegnen« Jahwes im Vergleich mit der Erscheinungsweise Gottes in der älteren אֹהֶל מוֹעֵד-Überlieferung (יָרַד: Ex 33,9; Num 11,17.25; 12,5; ראה *nif.*: Dtn 31,15, vgl. Ex 33,10)[145] zu verstehen? Zwar begegnet bei P nirgends der – u.a. in der älteren אֹהֶל מוֹעֵד-Tradition beheimatete – Terminus יָרַד (mit Subjekt JHWH)[146], dafür aber, wie in jener Überlieferung, das Element der *Wolke* (עָנָן)[147], und zwar – wiederum abweichend von Ex

140 *Hulst,* a.a.O., Sp. 906f., anders *Görg,* Zelt, S. 112ff.

141 S. unten S. 303ff.

142 S. dazu die Hinweise oben Anm. 135.

143 Vgl. *Hulst,* a.a.O., Sp. 905.906 und bereits *Kuschke,* a.a.O., S. 84f.; zu den kontextgebundenen Aspekten von שָׁכַן: durativ »sich aufhalten, wohnen« – ingressiv: »sich niederlassen«, vgl. auch *J. H. Ulrichsen,* VT 27 (1977), S. 361–374.

144 Zelt, S. 212–228; der Interpretation von *Schmitt* hat neuerdings *P. J. Kearney,* ZAW 89 (1977), S. 375–387, hier: S. 383f. zugestimmt.

145 יָרַד ist term.techn. sowohl der Sinaitheophanie (Ex 3,8; 19,11.18.20; 34,5; vgl. Neh 9,13) als auch sonstiger Theophanieschilderungen (Gen 11,5.7; 18,21; Jes 31,4; 63,19; Ps 18,10 [= 2Sam 22,10]; 144,5; Mi 1,3), s. dazu *F. Schnutenhaus,* ZAW 76 (1964), S. 1–22, bes. S. 5f.12ff.; *Jeremias,* Theophanie, S. 12.15.36.106.176.184 Anm. 5; *Schmidt,* Glaube, S. 53; *ders.,* BK II, Fasz. 2 (1977), S. 120; *Zenger,* Sinaitheophanie, S. 126; *T. W. Mann,* Divine Presence and Guidance in Israelite Tradition: The Typology of Exaltation, Baltimore/London 1977, S. 254f.258.

146 Umgekehrt ist in der älteren אֹהֶל מוֹעֵד-Tradition der Ausdruck יעד *nif.* nicht belegt (anders offenbar *Schmitt,* Zelt, S. 221.254). Ob er aufgrund des Terminus אֹהֶל מוֹעֵד hier sachlich vorausgesetzt werden darf (s. die Erwägungen bei *Görg,* Zelt, S. 157f.), ist schon deswegen fraglich, weil »das Attribut mōᶜēd . . . an allen Stellen sekundärer Entstehung verdächtig (ist), da stets daneben einfaches hāʾōhael erscheint. (Erst für P ist also die Verbindung von ʾōhael und mōᶜēd sicher nachweisbar)« (*Koch, ʾohael,* Sp. 134), vgl. *Zimmerli,* Theologie, S. 62, aber auch *Zenger,* a.a.O., S. 89ff.107.114.

147 Zu beachten ist, daß im Unterschied zur Überlieferung von der »Feuer- und Wolkensäule« Ex 13,21f.; 14,19f.24 und im Unterschied auch zur älteren אֹהֶל מוֹעֵד-Tradition (Ex 33,9.10; Num 11,25; 12,5; Dtn 31,15) bei P nicht von der Wolken»säule«, sondern lediglich von der Wolke (עָנָן) als Medium der (כָּבוֹד-)Offenbarung die Rede ist, s. dazu unten S. 303ff. Der Terminus עַמּוּד (»Säule«) ist bei P reserviert für die Bezeichnung der Säulen des Vorhofs und der Wohnstatt. Zur überlieferungsgeschichtlichen Herleitung und zur quellenmäßigen Zuordnung der Vorstellung von der »Feuer- und Wolkensäule« s. zuletzt *T. W. Mann,* JBL 90 (1971), S. 15–30; *McEvenue,* Narrative Style, S. 133f.; *Ruprecht,* Mannawunder, S. 293

33,7–11; Num 11,11f.14–17.24b–30; 12,2–11*; Dtn 31,14f.23 – jeweils *in Verbindung mit* כְּבוֹד יְהוָה: Ex 16,10 (Erscheinungsterminus ראה *nif.*); 24,15b–18a (כסה *pi.* //שָׁכַן); 40,34f. (כסה *pi.* //מָלֵא; שָׁכַן//מָלֵא) und Num 17,7 (ראה *nif.*).

Der Erscheinungsterminus נִרְאָה begegnet aber auch dort, wo vom *Erscheinen des* כְּבוֹד יְהוָה *ohne Erwähnung der Wolke* die Rede ist: Lev 9,(4)6.23; Num 14,10; 16,19; 20,6. Darf man hier »die Wolke hinzudenken . . ., so daß beide (sc. Wolke und כְּבוֹד יְהוָה) unzertrennlich zusammengehören würden«?[148] Diese Frage ist nach *Schmitt* zu bejahen, wenn man zweierlei beachtet: Zum einen ist der כְּבוֹד יְהוָה Ex 24,17 als »verzehrendes Feuer« qualifiziert, wozu die Bemerkung Ex 40,38; Num 9,15 zu vergleichen sei, daß die auf dem Begegnungszelt ruhende Wolke nachts »wie Feuer« ausgesehen habe; zum anderen – und nach *Schmitt:* vor allem – haben Ex 40,36–38 (P^s) und Num 9,15–23 (P^s) »ganz richtig die dauernde Gegenwart der Wolke auf dem Heiligtum, wie sie Num 10,11f. voraussetzt, festgehalten. Jedenfalls bieten diese Texte keinen Beleg für die These, Jahwe habe sich nur vorübergehend in/bei/vor der Stiftshütte aufgehalten, wie das für die JE-Tradition bezeugt ist. Wo das Heiligtum von P aufgerichtet ist, da ist auch der ᶜānān permanent auf ihm«[149]. Dürfte man außer für Ex 16,10; 24,15b–18a; 40,34f.; Num 17,7 auch für Lev 9,(4)6.23; 16,2.13; Num 9,15–23; 10,11f.34; 14,10; 16,19; 20,6 eine dauernde Verbindung von Wolke und כְּבוֹד יְהוָה voraussetzen, »so käme man zu der Auffassung Morgensterns, daß mit der Fertigstellung des Heiligtums Jahwes Kabod für immer seinen ursprünglichen Wohnsitz, den heiligen Berg Sinai, verlassen und auf der Kapporet permanent Wohnung genommen habe«[150].

Wie verhält sich nun diese Vorstellung von der – so *Schmitt* – *dauernden Präsenz Jahwes* (נִרְאָה, מִשְׁכָּן/שָׁכַן, לִפְנֵי יְהוָה, עָנָן, כְּבוֹד יְהוָה) zur Vorstellung seines *zeitweisen Begegnens* (יעד *nif.*)? *Schmitt* beantwortet[151] diese Frage anhand von Ex 29,42b–46, wo die beiden Modi der Gegenwart Jahwes, sein נוֹעַד und sein שָׁכַן, nebeneinander erscheinen. Wie die Ortsbestimmung »am Zelteingang« durch die auf den Modus der dauernden Gegenwart Gottes bezogene Wendung לִפְנֵי יְהוָה Ex 29,42a qualifiziert werde, so werde der Gedanke der dauernden Präsenz Jahwes in Ex 29,45f. durch das zweimalige שָׁכַן unterstrichen. Obwohl der Zelteingang in Ex 29,42f. – in »Aufnahme der alten Zelttradition«[152] – als Ort des נוֹעַד Jahwes gilt, scheint diese Tradition doch sehr »abgeblaßt« zu sein, wie einmal die Qualifikation des priesterschriftlichen אֹהֶל מוֹעֵד als Kultstätte (im Gegensatz zum אֹהֶל מוֹעֵד der älteren Zelttradition Ex 33,7–11, u.a. als Orakelstätte)[153], sodann das Fehlen einer deutlichen Notiz über das Woher und Wie des Erscheinens Jahwes (im Unterschied zu seinem יָרַד in Ex 33,9; Num 11,17.25; 12,5)[154] und schließlich die Bedeutung von לִפְנֵי יְהוָה bei P zeige[155]. Daraus kann nach *Schmitt* nur der

Anm. 52a; *Luzarraga,* Nube, S. 84.101ff.108ff. u.ö.; *Schmid,* Jahwist, S. 106f.; *Jeremias,* Theophanie, S. 103f.207ff. und die Hinweise bei *E. Jenni,* Art. *ᶜanan,* THAT II, Sp. 353; *J. C. de Moor,* Art. Cloud, IDB Suppl. Vol., Nashville 1976, S. 168f.; *Mann,* a.a.O. (oben Anm. 145), S. 123ff., zu ihrer literarischen Funktion s. *E. Otto,* VF 22 (1977), S. 82–97, hier: S. 93f.

148 *Schmitt,* Zelt, S. 223.

149 Ebd. Die umgekehrte Auffassung vertritt *Koch,* Priesterschrift, S. 31 Anm. 1; *ders.,* Sinaigesetzgebung, S. 48 Anm. 3.

150 *Schmitt,* a.a.O., S. 223, vgl. *Morgenstern,* a.a.O. (oben Anm. 117).

151 A.a.O., S. 225ff.

152 A.a.O., S. 226.

153 S. dazu aber *Görg,* Zelt, S. 174.

154 S. oben S. 299 mit Anm. 145.

155 *Schmitt,* a.a.O., S. 226f. Aus der – zumindest bei P – ganz technisch gebrauchten Wendung לִפְנֵי יְהוָה läßt sich kaum auf eine »ständige Gegenwart Jahwes bei Kulthandlungen« (*Koch,* Priesterschrift, S. 31 Anm. 1, vgl. S. 101) schließen. Vielmehr ist dieser formelhafte Ausdruck – ohne eine spezifische Aussage über den Modus (ständig *oder* zeitweise) der Gegenwart Jahwes im Heiligtum zu implizieren – »ein Zeugnis dafür, daß das Tun des Menschen im

Schluß gezogen werden, daß man in Ex 29,42ff. – dem zentralen Text für den priesterschriftlichen שָׁכַן-Begriff[156] – das שָׁכַן nicht vom נוֹעַד, sondern umgekehrt das נוֹעַד von dem von Haus aus auf die dauernde Gegenwart Gottes festgelegten שָׁכַן her zu interpretieren hat. In Kritik des »einseitigen und übertriebenen«[157] Urteils von *v. Rad* kommt er so zu dem diametral entgegengesetzten Ergebnis: »Im wesentlichen ist die alte ʾohael môᶜed-Tradition stark unter den Einflüssen der Jerusalemer Tempelüberlieferung abgeschliffen bzw. umgestaltet worden. Der eigentliche Vorstellungsgehalt von der Gegenwart Jahwes ist in P in den Termini šākan und miškān eingefangen . . .«[158].

5. Um diese Exegese *Schmitts* angemessen zu beurteilen[159], wird vor allem zu beachten sein, in welchem Maß ihr Autor – bei entgegengesetztem Ergebnis! – mit dem von ihm hinsichtlich der Verhältnisbestimmung von Erscheinungs- und Wohnvorstellung bei P kritisierten Ansatz *von Rads* in einer, gegenüber *von Rad* allerdings negativ gewendeten *Grundannahme* übereinstimmt: daß nämlich P bei ihrer Konzeption der Gottesgegenwart (wenn auch kritisch, so doch) vorrangig an der älteren אֹהֶל מוֹעֵד-Tradition Ex 33,7–11; Num 11,11f.14–17.24b–30; 12,2–11*; Dtn 31,14f.23 orientiert sei. Während dabei *von Rad* zu wenig berücksichtigt, daß die – immerhin mögliche – Aufnahme des *Terminus* אֹהֶל מוֹעֵד durch P nicht auch schon die Übernahme des in jener älteren Zeltüberlieferung mit diesem Ausdruck verbundenen *Modus der Gottesgegenwart* zur Folge haben muß[160], übersieht *Schmitt*, daß P das Problem der Got-

Kult ihn nach der Vorstellung Israels in die Nähe Jahwes bringt und er beim Opfern, Beten, Segnen und allen kultischen Handlungen mit Jahwe in Verbindung tritt« (*Reindl*, Angesicht, S. 213, vgl. S. 35f.209f.).

156 *Schmitt*, a.a.O., S. 219.225.

157 *Ders.*, a.a.O., S. 227.

158 A.a.O., S. 227f., vgl. S. 253ff.309f.

159 S. dazu jetzt auch *Görg*, *jᶜd*, Sp. 705.706. Bei *Schmitts* Exegese von Ex 40,36–38 und Num 9,15–23 – beiden Texten kommt in seiner Argumentation Schlüsselfunktion zu – ist v.a. die Tatsache übersehen bzw. zu wenig beachtet, daß sowohl Ex 40,36–38 als auch Num 9,15–23 die Darstellung der »Feuer- und Wolkensäule« Ex 13,21f.; 14,19f.24 (s. die Hinweise oben Anm. 147) mit den genuin priesterschriftlichen Überlieferungen von der Wolke und der כָּבוֹד-Erscheinung zu harmonisieren suchen, d.h. die Zusammenarbeitung von JE und P bereits voraussetzen und weder ein authentisches Bild von der Wolkentradition bei P noch einen Beleg für das angebliche, dem Terminus שָׁכַן zu entnehmende »Dauerwohnen« Gottes im Heiligtum bieten, s. dazu *M. Noth*, ATD V (^{3}1965), S. 2.228; *ders.*, ATD VII (1966), S. 68; *Görg*, Zelt, S. 73.74.172; *Kellermann*, Priesterschrift, S. 133ff.; *Macholz*, Land, S. 74.88 mit Anm. 250; S. 153; *Smend*, Entstehung, S. 46, ferner *Westermann*, Herrlichkeit, S. 124 Anm. 15; *Ruprecht*, Mannawunder, S. 293 Anm. 52a. Mit einiger Berechtigung wird man deshalb sagen dürfen, daß derjenige oder diejenigen, der/die hier ergänzt hat/haben, dies zwar nicht in der Sprache und Theologie von P^g, wohl aber unter Beachtung der für P^g charakteristischen Kompositionsgrundsätze tat/taten; denn die Reflexion über den Zusammenhang zwischen der Bewegung der Wolke und dem Aufbrechen und Lagern der Israeliten Ex 40,36–38 greift sekundär (der Sache, nicht der Sprache nach) auf Num 9,15–23 und damit auf den Aufbruch Israels vom Sinai vor, s. dazu *Kellermann*, a.a.O., S. 135f. Auf diese Weise werden durch die dem Ende der Sinaigeschichte vorgreifende Einfügung Ex 40,36–38 und durch die deren Abschluß markierende Einfügung Num 9,15–23 der Bericht von der ›Besitzergreifung‹ des Heiligtums am Sinai durch den כְּבוֹד יְהוָה Ex 40,34f. P^g und das Ende der priesterschriftlichen Sinaierzählung von der späten P-Redaktion in ein durchdachtes Korrespondenzverhältnis gebracht, s. dazu jetzt auch *P. Weimar – E. Zenger*, Exodus. Geschichten und Geschichte der Befreiung Israels (SBS 75), Stuttgart 1975, S. 12.14f., vgl. schon *M. Noth*, ATD VII (1966), S. 68.

160 *von Rad*, Zelt, S. 111f.122f.; *ders.*, Priesterschrift, S. 184; *ders.*, Theologie I, S. 91f.251f., s. etwa eine Formulierung wie: ». . . P (läßt) eindeutig erkennen, daß sie als eine Restauration der alten Zelt- und Erscheinungstheologie auf den Plan trat« (Theologie I, S.

tesgegenwart kaum vorrangig, geschweige denn ausschließlich (auf der Folie der und) im Gegenzug zur älteren אֹהֶל מוֹעֵד-Tradition reflektiert hat[161].

Wie die folgende Untersuchung des priesterschriftlichen שָׁכַן-Begriffs zeigen soll, hat die Priesterschrift die Antwort auf die Frage nach der Gegenwart Gottes in Israel weder schlechthin aus der Tradition der älteren »Moed-Konzeption« übernommen (so *G. von Rad*) noch diese Tradition nach Maßgabe der Jerusalemer מִשְׁכָּן/שָׁכַן-Theologie – unter bloßer Beibehaltung des Namens אֹהֶל מוֹעֵד – einfach »abgeschliffen bzw. umgestaltet« (so *R. Schmitt*). Im Zentrum ihrer in Ansatz wie Ausgestaltung eigenständigen – wenngleich nicht voraussetzungslosen – Heiligtumstheologie steht der Begriff der »*Herrlichkeit Jahwes*«. Von ihm her wird sich am ehesten

252), vgl. ähnliche Äußerungen bei *Kuschke*, Lagervorstellung, S. 83f.87ff.92f.102ff.; *Noth*, ÜPent, S. 264ff. und auch bei *Metzger*, Wohnstatt, S. 151f.

161 Negativ für die Annahme einer inhaltlichen Adaption der älteren אֹהֶל מוֹעֵד-Tradition Ex 33,7–11; Num 11,11f.14–17.24b–30; 12,2–11*; Dtn 31,14f.23 durch P wirken sich vor allem aus: (a) das Fehlen des כָּבוֹד-Theologumenons in der älteren אֹהֶל מוֹעֵד-Tradition und (b) die (auf den Zusammenhang mit dem Sinaigeschehen bezogene [?]) Lokalisierung des Zeltes »außerhalb des Lagers« (מִחוּץ לַמַּחֲנֶה Ex 33,7; man muß zu dem Zelt »hinausgehen« [יָצָא]: Ex 33,7.8; Num 12,4.6; vgl. Ex 19,16aβ.b.17 [E]) gegenüber der priesterschriftlichen Tradition, derzufolge Jahwe »inmitten der Israeliten« wohnt (s. dazu unten S. 317ff.), während Israel um den אֹהֶל מוֹעֵד herum lagert (s. *Helfmeyer*, *ḥnh*, Sp. 14f.18f.). Erschwerend kommen hinzu: (c) die – nur terminologische (?) – Differenz hinsichtlich der Frage der Gegenwart Gottes am/im אֹהֶל מוֹעֵד (s. oben S. 299 mit Anm. 145–146); (d) die – trotz nicht zu übersehender Entsprechungen hinsichtlich der einzigartigen Stellung des Mose im Verhältnis zu Gott (vgl. das Reden Jahwes mit Mose »von Angesicht zu Angesicht« [Ex 33,11, vgl. Dtn 34,10 dtr], »von Mund zu Mund« [Num 12,8] einerseits mit Ex 24,15bff.; 25,22; 31,18*; Num 3,1 [Num 7,89] andererseits, s. zur Sache *L. Perlitt*, EvTh 31 (1971), S. 588–608, hier: S. 607f.; *Gese*, Erwägungen, S. 21; *ders.*, Johannesprolog, S. 175.181.188f.; *W. H. Schmidt*, Art. *dbr*, ThWAT II, Sp. 110f.; *W. Zimmerli*, in: Studien zum Pentateuch [FS *W. Kornfeld*], hrsg. von *G. Braulik*, Wien 1977, S. 197–211, hier: S. 198.202f.207ff.) – jeweils ganz anders akzentuierte Bedeutung des Mose, s. dazu *von Rad*, Theologie I, S. 302ff.; *Zimmerli*, Theologie, S. 62.69; *Perlitt*, a.a.O. (passim); *Gese*, Johannesprolog, S. 181; sowie schließlich (e) die gegenüber dem priesterschriftlichen Begegnungszelt anders, nämlich vorrangig als Orakelstätte bestimmte Funktion des Zeltes der älteren אֹהֶל מוֹעֵד-Tradition (vgl. Ex 33,7 und zur Sache *S. Wagner*, Art. *bqš*, ThWAT I, Sp. 763ff.).

Damit soll jedoch ein etwaiger Anteil der – ihrerseits hinsichtlich Herkunft, quellenmäßiger Zuordnung und Bedeutung wieder ganz kontrovers beurteilten – älteren Zelttradition an der Ausgestaltung der priesterschriftlichen אֹהֶד מוֹעֵד-Überlieferung nicht grundsätzlich geleugnet werden. Aber reduziert sich dieser Anteil auf die bloße Übernahme des Terminus אֹהֶל מוֹעֵד (s. dazu *Fritz*, Tempel, S. 145 mit Anm. 144, ferner *Rost*, Wohnstätte des Zeugnisses, S. 161), oder kommt in diesem Zusammenhang einer Größe wie dem »Zelteingang« (Ex 33,9f.; Num 12,5; Dtn 31,15 einerseits und Ex 29,42a.bff. andererseits) traditionsbildende Bedeutung zu (s. dazu *Rost*, Vorstufen, S. 37 Anm. 3; vgl. *Koch*, *'ohael*, Sp. 140f.; *Schmitt*, Zelt, S. 212 mit Anm. 186; S. 214.226)? Zur Analyse der zur älteren אֹהֶל מוֹעֵד-Tradition gehörigen Texte s. *Rost*, a.a.O., S. 35ff.; *Noth*, a.a.O., S. 35 Anm. 126; S. 135ff.139ff.141ff.193 mit Anm. 496, S. 206.264f.; *Görg*, Zelt, S. 138ff.173f.; *Fritz*, Israel, S. 16ff.; *ders.*, Tempel, S. 6.8f.100ff.; *Koch*, a.a.O., Sp. 134ff.; *Perlitt*, a.a.O. (passim); *Zenger*, Sinaitheophanie, S. 89ff.107.114.224f.; *Busink*, Tempel I, S. 603ff.; *Schmitt*, a.a.O., S. 180ff.203ff.212ff.228ff.253f.; *Eissfeldt*, Kultzelt (passim); *Schmid*, Jahwist, S. 70f.75f.94f.; *M. Haran*, VT 27 (1977), S. 385–397, hier: S. 386f.; *H. Seebass*, VT 28 (1978), S. 214–223.

ein Zugang zum Problem der Gegenwart Gottes in Israel und – damit zusammenhängend – zum Bedeutungsgehalt von כַּפֹּרֶת gewinnen lassen.

B) »Herrlichkeit Jahwes« und Gottesnähe – כְּבוֹד יְהוָה in der Priesterschrift

In seiner Studie zum Begriff כְּבוֹד יְהוָה in der Priesterschrift hat *C. Westermann* zu Recht hervorgehoben, daß der Terminus כָּבוֹד bei P eine die gesamte Priesterschrift bestimmende Funktion hat, »so daß die Frage nach der Bedeutung von *kabod* in ihr zugleich die Frage nach ihrer Theologie ist«[162]. Von den insgesamt 15 priesterschriftlichen כָּבוֹד-Belegen entfallen 12 auf die Constructus-Verbindung כְּבוֹד יְהוָה und einer auf die suffigierte Form כְּבֹדִי (Ex 29,43 [Subjekt JHWH])[163]. Entscheidend für die Analyse dieser Belege ist der zuerst von *R. Rendtorff*[164] beobachtete Sachverhalt, daß כְּבוֹד יְהוָה bei P in zwei verschiedenen, aber aufeinander bezogenen Aussagezusammenhängen begegnet: (a) im Zusammenhang der Schilderung des *Sinaiereignisses* (Ex 24,16f. P^g; 29,43 P^g[165]; 40,34f. P^g; Lev 9,6.23b P^g [vgl. v. 4b.24b Pg]) und (b) im Zusammenhang von Erzählungen aus der Zeit der *Wüstenwanderung* (Ex 16,7.10 $P^{g[?]}$[166]; Num 14,10b P^g; 16,19 P^s; 17,7 P^s; 20,6 $P^{g[?]}$[167].

I. Der כְּבוֹד יְהוָה im Zusammenhang der Schilderung des Sinaiereignisses

1. Ex 24,15b–18a + 25,1

Zum Verständnis von כְּבוֹד יְהוָה in der Priesterschrift gehen wir mit *C. Westermann* aus von dem grundlegenden Text Ex 24,15b–18a + 25,1 – der priesterschriftlichen Darstellung des Sinaiereignisses –, den wir jedoch abweichend von *Westermann* folgendermaßen gliedern[168]:

162 Herrlichkeit Gottes, S. 117, vgl. zur Sache *ders., kbd,* bes. Sp. 808ff.

163 Außerdem begegnet כָּבוֹד bei P noch 2mal in der Formulierung לְכָבוֹד וּלְתִפְאָרֶת (»zur Ehre und zur Zierde«) Ex 28,2.40. Das Verb כבד ist bei P 4mal belegt: Ex 14,4.17.18; Lev 10,3 (jeweils *nif.:* »sich als herrlich erweisen« [Subjekt Gott]). Num 14,21 (כְּבוֹד יְהוָה) und Num 14,22 (כְּבֹדִי [Subjekt Gott]) lassen sich nicht der priesterschriftlichen Kundschaftererzählung zuweisen, s. dazu ausführlich *Mittmann,* Deuteronomium, S. 42ff., vgl. *Elliger,* Geschichtserzählung, S. 175; *Lohfink,* Ursünden, S. 46 Anm. 31.

164 Offenbarungsvorstellungen, S. 48f., vgl. *Westermann,* Herrlichkeit Gottes, S. 118; *ders., kbd,* Sp. 808.

165 Im Unterschied zu *Westermann* (Herrlichkeit, S. 124), u.a. betrachten wir Ex 29,42b–46 nicht als sekundäre Weiterbildung, s. dazu unten S. 317ff.

166 S. dazu unten S. 316f.

167 Zu den letzten vier Texten s. unten S. 316f. mit Anm. 236.

168 *Westermann* (Herrlichkeit, S. 119) gliedert den Text, zunächst durchaus überzeugend, in zwei parallel angeordnete, im Impf.cons. formulierte und jeweils in ein »Kommen« (A), ein »Bleiben« (B) und einen »Ruf (Wort)« (C) unterteilte Vorgänge auf – v. 15.16aα(A), v. 16aβ(B), v. 16b(C)//v. 18a(A'), v. 18b(B'), 25,1(C') –, in deren Mitte, wie in einer »Paren-

וַיְכַס הֶעָנָן אֶת־הָהָר׃ 15b
וַיִּשְׁכֹּן כְּבוֹד־יְהוָה עַל־הַר סִינַי 16aα
וַיְכַסֵּהוּ הֶעָנָן שֵׁשֶׁת יָמִים 16aβ

וַיִּקְרָא אֶל־מֹשֶׁה בַּיּוֹם הַשְּׁבִיעִי מִתּוֹךְ הֶעָנָן׃ 16b
וּמַרְאֵה כְּבוֹד יְהוָה כְּאֵשׁ אֹכֶלֶת בְּרֹאשׁ הָהָר לְעֵינֵי בְּנֵי יִשְׂרָאֵל׃ 17
וַיָּבֹא מֹשֶׁה בְּתוֹךְ הֶעָנָן [וַיַּעַל אֶל־הָהָר][169] 18aα.[β]
וַיְדַבֵּר יְהוָה אֶל־מֹשֶׁה לֵּאמֹר׃ 25,1

15b »Und die *Wolke* bedeckte den Berg,
16aα und der *k^e bôd JHWH* ließ sich auf dem Berg Sinai nieder;
16aβ und die *Wolke* bedeckte ihn (den Berg) sechs Tage lang.

these«, die statische Aussage vom Aussehen des כְּבוֹד יְהוָה stehe, die nicht eigentlich zur Schilderung des Offenbarungsgeschehens gehöre, sondern im Grunde entbehrlich sei, *Westermann*, a.a.O., S. 123; *ders.*, *kbd*, Sp. 810; ähnlich schon *Görg*, Zelt, S. 74 und neuerdings *Mittmann*, Deuteronomium, S. 160f. mit Anm. 92 (s. dazu im folgenden). Doch scheitert diese Gliederung *Westermanns* schon daran, daß v. 18b (gegen *Noth*, ÜPent, S. 18; *ders.*, ATD V [³1965], S. 162f.; *Mittmann*, a.a.O., S. 154) nicht zu P, sondern zu JE zu rechnen ist, zur Begründung s. *Zenger*, Sinaitheophanie, S. 78f. mit Anm. 85; S. 218, ferner *Elliger*, Geschichtserzählung, S. 175; *Perlitt*, Bundestheologie, S. 232, u.a. Am Hauptergebnis der Analyse *Westermanns* ändert *diese* Korrektur allerdings nichts (s. aber unten S. 317ff. zu Ex 29,42bff.). Eine ähnliche Gliederung wie die von uns vorgeschlagene (aber ohne Hinzunahme von Ex 25,1) vertritt *Oliva*, Interpretación, S. 346.350, vgl. auch *Negretti*, Giorno, S. 162f.227f.

Mittmann (a.a.O., S. 160f. mit Anm. 92) hält Ex 24,17 für einen späten Zusatz in P (»Parenthese am falschen Ort«), der den Zusammenhang zwischen v. 16b und v. 18 zerreißt und »die Wolke des כבוד יהוה, wie das auch andere sekundäre P-Stellen tun (Ex 40,38 Num 9,15f.), mit der Wolken- und Feuersäule von Ex 13,21 (J) Num 14,14 (dtr Zusatz) identifiziert und dieses Motiv wiederum mit den diversen Erwähnungen des von Jahwe ausgehenden fressenden Feuers (Lev 9,24 10,2 Num 11,1[J] 16,35 26,10) assoziiert, sofern er in diesem Punkte nicht einfach Dtn 5,25a zum Vorbild hat« (a.a.O., S. 160f.). Doch ist diese »Identifizierung« hier – im Unterschied zu Ex 40,36–38; Num 9,15–23 (s. oben Anm. 147 und 159) – weder terminologisch noch sachlich gegeben (zu Lev 9,24a s. unten Anm. 229). Gegen eine Zuweisung von Ex 24,17 zum ursprünglichen P^g-Bestand von Ex 24,15b–18a könnte dagegen der Umstand sprechen, daß der כְּבוֹד יְהוָה sich nach Ex 24,16aα עַל־הַר סִינַי niederläßt, während Ex 24,17 von seinem Aussehen »wie verzehrendes Feuer« בְּרֹאשׁ הָהָר spricht. Daß aber auch dieses Argument nicht stichhaltig ist, zeigt ein Vergleich mit Ex 19,20, wo in Versteil a – dessen literarische Einheitlichkeit nicht strittig ist (s. etwa *Jeremias*, Theophanie, S. 175.195ff.) – durch die auf das Herabsteigen (יָרַד) Jahwes עַל־הַר סִינַי unmittelbar folgende Näherbestimmung אֶל־רֹאשׁ הָהָר das *Wo* des Herabstiegs Jahwes auf den Sinai präzisiert wird, vgl. dazu auch *Zenger*, a.a.O., S. 62f.; *Reichert*, Jehowist, S. 117. Die von *Mittmann* im Hinblick auf das Element »Feuer« (als Medium der Offenbarung) zu Recht konstatierte inhaltliche Differenz zwischen der priesterschriftlichen Sinaiperikope und der Horebperikope Dtn 5 wird durch die Zuweisung von Ex 24,17 zum ursprünglichen P^g-Bestand von Ex 24,15b–18a deshalb nicht wieder eingeebnet, weil nach der dtn Tradition das Reden Jahwes (Dekalogoffenbarung im Gegensatz zur Einsetzung des Heiligtums durch die כָּבוֹד-Offenbarung bei P!) »mitten aus dem Feuer heraus« (Dtn 5,4.24.26 [Grundschicht], vgl. 4,12.15.33.36; 5,22, ferner auch Dtn 9,10; 10,4) unmittelbar an die Israeliten ergeht – s. etwa das פָּנִים בְּפָנִים Dtn 5,4 (das in Dtn 5,5 allerdings wieder rückgängig gemacht wird, s. dazu und zu Dtn 5,20ff.: *Gese*, Sinaitradition, S. 47; *Perlitt*, a.a.O., S. 81.82; *Mittmann*, a.a.O., S. 161ff.171f.) –, während der Grundvorgang der Sinaioffenbarung in der Priesterschrift völlig anders strukturiert ist, s. im folgenden (und zu Ex 24,17 unten Anm. 218).

169 Zur Frage der Zugehörigkeit von v. 18aβ zu P s. *Zenger*, Sinaitheophanie, S. 79 Anm. 85.

16b Da rief er (Jahwe) Mose am siebten Tag *mitten aus der Wolke* –
17 und das Aussehen des *k^ebôd JHWH* war wie verzehrendes Feuer auf der Spitze des Berges, vor den Augen der Israeliten –,
18aα.[β] und Mose ging *mitten in die Wolke* hinein [und stieg auf den Berg hinauf];
25,1 und Jahwe sprach zu Mose . . .«.

Nach einer früheren Feststellung *K. Kochs*[170] hat das in Ex 24,15bff. beschriebene Geschehen sein Ziel in einem Reden (דִּבֶּר) Jahwes zu Mose (Ex 25,1.2–5.8f.)[171], das überschriftartig über die folgenden Anweisungen zum Bau des Heiligtums mit seinem Zubehör (Ex 25,10ff.) gestellt und mit einer bedeutsamen, auf Ex 29,42b–46 vorausweisenden Zweckbestimmung versehen ist:

170 Priesterschrift, S. 45, vgl. *Westermann*, Herrlichkeit Gottes, S. 118f. Anders noch *von Rad:* »Jahwe redet aus der Wolke, man erfährt aber nicht was« (Priesterschrift, S. 181 [im Hinblick auf Ex 24,16]).

171 Ex 25,2–5.8f. wird neuerdings von *Fritz* (Tempel, S. 117.122.157ff.) zu einer von der P-Schule verfaßten »Erweiterungsschicht« (s. dazu unten S. 333ff.) gerechnet: »Das Zeltheiligtum soll . . . einerseits mit den vom Volk gelieferten Materialien und zum anderen nach einem himmlischen Modell gebaut werden. Mit beiden Vorstellungen ist die eigentliche Absicht des priesterschriftlichen Entwurfs verlassen« (a.a.O., S. 158). Für Ex 25,2–5 wird dies damit begründet, daß »der Vorgang der תרומה . . . sonst erst wieder in dem sekundären Abschnitt Ex 30,13–15 auf(taucht) und . . . Ex 35 ausführlich behandelt (wird)« (a.a.O., S. 117). Doch besitzt dieser Hinweis auf das anerkanntermaßen sekundäre Stück Ex 30,11–16 (s. dazu oben S. 161f.) deshalb wenig Beweiskraft für die Annahme der Unechtheit von Ex 25,2–5, weil תְּרוּמָה in Ex 25,2–5 eine freiwillige und einmalige Materialabgabe an Jahwe zum Bau des Heiligtums meint, während dieses Wort in Ex 30,11–16 eine laufend erhobene Kultsteuer für den Dienst am אֹהֶל מוֹעֵד bezeichnet, s. dazu oben Teil II Anm. 282.
Nun sollte – da nach *Fritz* das Zeltheiligtum in Ex 25,2–5 »mit der תרומה . . . ein vom Volk erbrachtes Heiligtum (wird) und . . . den Charakter der göttlichen Stiftung (verliert)« (a.a.O., S. 158) – zu erwarten sein, daß das Kriterium »göttliche Stiftung« wenigstens für Ex 25,8f. (תַּבְנִית-Vorstellung!) literarkritisch positiv zu Buch schlägt; doch auch hier ist nach Meinung von *Fritz* »die eigentliche Absicht des priesterschriftlichen Entwurfs verlassen« (ebd.). Warum? Argumentiert wird außer mit dem Hinweis auf den einen »festen Tempelbau« *(Fritz)* meinenden Terminus מִקְדָּשׁ Ex 25,8a (s. dazu die folgende Anm.) v.a. mit der im Terminus שָׁכַן zum Ausdruck kommenden »massiven Wohnvorstellung«, die in 1Kön 8,12f. angebracht sei, P^g jedoch fremd bleibe, da »das Zelt . . . die Stätte des Erscheinens Jahwes« ist (a.a.O., S. 159). Wie *Fritz* dazu erläutert, ist diese »massive Wohnvorstellung« lediglich »in Stücken sekundär zur Priesterschrift . . . vereinzelt mit dem Zeltheiligtum verbunden worden, vgl. Ex 25,8; 29,45; 40,35; Num 9,18« (a.a.O., S. 159 Anm. 210). Sowenig *Fritz* dabei zwischen Ex 25,8; 29,45; 40,35 einerseits und Num 9,18 andererseits literarisch und sachlich differenziert (zu Num 9,15–23 P^s s. oben Anm. 159), sowenig werden auch die Ausführungen *Schmitts* (Zelt, S. 214–228.254f.) zur priesterschriftlichen Theologie der Gottesgegenwart näher untersucht, s. dazu oben S. 297ff. Nicht weil »alle [שׁכן-]Belege der nachpriesterschriftlichen Bearbeitung entstammen« *(Fritz)*, ist gegen *Schmitt* für die Priesterschrift nicht mit einer »Theologie der dauernden Anwesenheit Jahwes am Heiligtum« zu rechnen (*Fritz,* a.a.O., S. 159 Anm. 210), sondern weil שָׁכַן in den P^g zugehörenden Belegen Ex 24,16; 25,8; 29,45f.; 40,35 anders zu interpretieren ist, als *Schmitt* dies tut, s. dazu ausführlich im folgenden. – Ex 25,6f. halten wir mit *M. Noth,* ATD V (^{3}1965), S. 54 und *Fritz,* a.a.O., S. 117 für einen sekundären Einschub, zur Zugehörigkeit von Ex 25,8.9* zu P^g vgl. neuerdings auch *Lohfink,* Priesterschrift, S. 198 Anm. 29.

8 »Und sie sollen mir ein Heiligtum (מִקְדָּשׁ)[172] herstellen, daß ich in ihrer Mitte wohne (וְשָׁכַנְתִּי בְּתוֹכָם).
9 Genau so, wie ich dir das Modell (תַּבְנִית) der Wohnung (מִשְׁכָּן) und das Modell (תַּבְנִית) aller ihrer Geräte zeigen werde, sollt ihr es herstellen« (Ex 25,8f.).

Achtet man auf die Erzählstruktur von Ex 24,15b–18a + 25,1, so ergibt sich deutlich ein Grundvorgang: Die Wolke und der כְּבוֹד יְהוָה bedecken den Berg Sinai bzw. lassen sich auf ihm nieder (v. 15b–16aβ), während Mose nach einer bestimmten Zeit auf den Ruf Gottes hin in die Wolke hineingeht (v. 16b–18aα). Diese beiden aufeinanderzugehenden Bewegungen führen nach der Formulierung *Westermanns* »zu einem Zusammenkommen, einem *mōᶜed,* das das Ergehen des Wortes an den Mittler ermöglicht«[173]. In dieser zweiseitigen Bewegung ist die Grundstruktur dessen festgehalten, was nach priesterschriftlicher Theologie einen Ort zu einem »heiligen Ort« macht; zugleich und gerade darum ist diese Grundstruktur des heiligen Ortes – »heilig ist er durch das, was auf ihm *geschieht*«[174], nicht durch eine ihm anhaftende numinose Qualität – auch der Grund dafür, warum das priesterschriftliche Heiligtum אֹהֶל מוֹעֵד »*Begegnungs*zelt«[175] heißt: »Das einmalige Ereignis vom Sinai wird zum schlechthin Stetigen im Tempelgottesdienst, der heiliges Geschehen allein durch den, Ex 24,15 dargestellten Vorgang wird: Gott läßt sich auf den heiligen Ort herab, um zu seinem Volk zu reden; auf den Ruf Gottes hin (der jetzt im Gottesdienst institutionalisiert wird) geht der Priester als Mittler des heiligen Geschehens in das Heilige hinein«[176]. Es ist diese im Sinaiereignis – so wie P es darstellt – begründete *Relation von Einmaligkeit und Dauer der Präsenz Gottes in Israel,* die auch die ereignishafte oder dynamische Grundstruktur des שָׁכַן Jahwes Ex 24,16 als *ein auf eine Begegnung (*יעד *nif.) zielendes Verweilen* (שָׁכַן) Gottes bestimmt.

Die priesterliche Grundschrift (P^g) hat sich in ihrer Verwendung von שָׁכַן + Subjekt כְּבוֹד/יְהוָה עָנָן/יְהוָה – ebenso wie bei ihrem Gebrauch des Offenbarungsterminus יעד *nif.* »(sich treffen lassen ›) begegnen, sich offenbaren« (nur in P: Ex 25,22 P^g; 29,42bf. P^g; 30,6 P^s; 30,36 P^s; Num

172 מִקְדָּשׁ nur hier in P^g, sonst immer in P^s/H-Texten, s. dazu *Görg,* Zelt, S. 35f. In Ex 25,8 ist מִקְדָּשׁ »ein gewiß neutraler . . . Ausdruck«, der »das Heiligtum in vollem Umfang mit allem Zubehör begreift« (*Görg,* ebd.), vgl. *Elliger,* Leviticus, S. 158 Anm. 2.

173 Herrlichkeit Gottes, S. 120.

174 *Ders.,* ebd. (H.i.O.).

175 In der Bezeichnung אֹהֶל מוֹעֵד ist מוֹעֵד *(‹ *mawᶜid)* eine *maqtil*-Bildung (s. *Bauer-Leander,* Grammatik, S. 492u; *Barth,* Nominalbildung, § 172c; KBL^3, S. 528b) der Wurzel יעד *(‹ *wᶜd)* und bedeutet: »(*festgesetzter* Ort, *festgesetzte* Zeit ›) Treffpunkt, Versammlung (splatz); verabredeter (!) Zeitpunkt, Fest(zeit)«, daher אֹהֶל מוֹעֵד: »Zelt des Sich-Treffens, der Begegnung«, vgl. *Görg,* Zelt, S. 168ff.174; *ders., jᶜd,* Sp. 697ff.; *G. Sauer,* Art. *jᶜd,* THAT I, Sp. 742; *Koch, 'ohael,* Sp. 134; KBL^3, S. 529b, u.a. LXX leitet מוֹעֵד von II עוד *hif.* (»zum Zeugen rufen, nehmen«) ab und übersetzt den Ausdruck אֹהֶל מוֹעֵד fast durchgängig mit ἡ σκηνὴ τοῦ μαρτυρίου, vgl. *Rost,* Vorstufen, S. 132.

176 *Westermann,* Herrlichkeit Gottes, S. 120, vgl. noch *ders.,* Religion, S. 78f.85 und *Macholz,* Land, S. 150ff.154.159.

17,19 P[s] [Subjekt jeweils JHWH]) – auf wenige, theologisch und kompositorisch aber zentrale Texte beschränkt: Ex 24,16 (Subjekt כְּבוֹד יְהוָה); Ex 25,8 und Ex 29,45f. (Subjekt jeweils יְהוָה); Ex 40,35 (Subjekt: der den כְּבוֹד יְהוָה schützend umhüllende עָנָן)[177]. In Ex 29,42b–46 tritt die Beschreibung des »Begegnens« (יעד *nif.*) Jahwes Ex 29,42bf. neben die Ankündigung seines שָׁכַן »inmitten der Israeliten« Ex 29,45a.46aγ. *M. L. Henry* zufolge zeigt ihr »unvermitteltes, durch keine gedankliche Konzeption ausgeglichenes Nebeneinander . . ., daß sich noch keine neue Vorstellung eingestellt hatte, mit der das Moment göttlicher Realpräsenz, dem das religiöse Interesse zugewandt war, sachgemäß erfaßt werden konnte. So sah man sich genötigt, durch einander widersprechende Aussagen einerseits der Größe und Ferne Gottes durch die Beschreibung seines Kommens gerecht zu werden und gleichzeitig dem Glauben die tröstliche Gewißheit göttlicher Nähe zu geben durch die Vorstellung seines Wohnens inmitten Israels . . .«[178].

Doch besteht dieser »Widerspruch« hinsichtlich der durch יעד *nif.* und durch שָׁכַן ausgedrückten Modi der Gegenwart Jahwes im Heiligtum/am Zelteingang/auf der כַּפֹּרֶת oder in Israel nicht, sofern man – vor allem nach Ausweis des zentralen Textes Ex 29,42b–46[179] – שָׁכַן (+ Subjekt עָנָן/כְּבוֹד יְהוָה/יְהוָה) bei P nicht einfach als andauerndes Anwohnen Gottes im Heiligtum[180], sondern als ein auf eine »Begegnung« (mit Israel bzw. mit Mose als Repräsentant Israels) zielendes Verweilen Gottes »inmitten der Israeliten« (Ex 25,8; 29,45f.) interpretiert[181]: Das שָׁכַן *des* כְּבוֹד יְהוָה *auf dem Sinai Ex 24,16* zielt auf eine *Begegnung zwischen Jahwe und Mose*[182], die sich im Kult des um den אֹהֶל מוֹעֵד (»Begegnungszelt«) lagernden Volkes Israel konkretisiert.

Die *Einmaligkeit* des Sinaiereignisses als des *bleibenden Grundes* der Begegnung Gott – Mensch/Israel ermöglicht nach P das *Stetige* des Kultes. Dieser Relation von einmaligem, grundlegendem Handeln Gottes an Israel im Ereignis der Sinaioffenbarung und dem durch dieses Handeln ermöglichten, im Kult zu seiner Wirklichkeit und Wahrheit kommenden und, sofern nicht durch Sünde in sein Gegenteil verkehrt, auch wahr bleibenden Sein Israels *coram Deo*[183] entspricht nach P der nicht auf eine dauernde Anwesenheit festzulegende Modus der

177 Die priesterschriftlichen שָׁכַן-Belege im einzelnen: 1. שָׁכַן Jahwes »inmitten der Israeliten«: Ex 25,8 P[g]; 29,45 P[g]; Num 5,3 P[s] (zu diesem Text s. *M. Noth*, ATD VII [1966], S. 42f.; *Kellermann*, Priesterschrift, S. 64f.); Num 35,34b (P[s][?], s. *Noth*, a.a.O., S. 221), bzw. »inmitten ihres (sc. der Israeliten) Landes«: Num 35,34a (P[s][?]). – 2. שָׁכַן des כְּבוֹד יְהוָה: Ex 24,16 P[g]. – 3. שָׁכַן des עָנָן: Ex 40,35 P[g]; Num 10,12 P[g]; 9,17.18.22 P[s] (zu Num 9,17f.22 und Num 10,12 s. *Elliger*, Geschichtserzählung, S. 187; *Görg*, Zelt, S. 111 Anm. 226; *Kellermann*, a.a.O., S. 137ff.). – 4. שָׁכַן des אֹהֶל מוֹעֵד »inmitten ihrer (sc. der Israeliten) Unreinheiten«: Lev 16,16 (s. dazu *Görg*, Keruben, S. 23 Anm. 46; *Wefing*, Entsühnungsritual, S. 91f.). – 5. שָׁכַן des מִשְׁכָּן (in den »nachdtr Zusätzen im Stile und Sinne von P«): Jos 18,1 (שָׁכַן *hif.*); Jos 22,19, s. dazu *M. Noth*, HAT I/7 (^{2}1953), S. 10f.108.133ff., vgl. *Jenni*, Pi^{c}el, S. 93; *Gese*, Lebensbaum, S. 101 Anm. 6. – 6. Zu dem singulären Fall eines שכן *pi.* bei P in Num 14,30 s. *M. Noth*, ATD VII (1966), S. 89.98.

178 Priesterschrift, S. 29, vgl. auch *Elliger*, a.a.O., S. 185.

179 S. dazu unten S. 317ff.

180 S. dazu den forschungsgeschichtlichen Überblick oben S. 295ff.

181 Vgl. *Koch*, Priesterschrift, S. 31 Anm. 1; *ders.*, Sinaigesetzgebung, S. 48 Anm. 3; *Görg*, Zelt, S. 111 Anm. 226; *ders.*, *j^{c}d*, Sp. 705f.; *Schmidt*, Glaube, S. 53; *Hulst*, *škn*, Sp. 907 und v.a. die abwägenden Überlegungen von *Elliger*, a.a.O., S. 184ff., vgl. z.T. auch *Henry*, Priesterschrift, S. 29 Anm. 8.

182 Das bei P mit אֹהֶל מוֹעֵד »Begegnungszelt« und mit יעד *nif.* »begegnen, sich offenbaren« (Subjekt JHWH) Gemeinte ist in Ex 24,15bff. *noch nicht terminologisch*, wohl aber *der Sache nach* präsent!

183 Zur »Differenzierung von Daueraspekt und dem Aspekt einmaligen, grundlegenden Handelns« in der Priesterschrift s. auch *Steck*, Schöpfungsbericht, S. 71f.

Gegenwart Gottes: Das für die Zeit nach dem Übergang des כְּבוֹד יְהוָה vom Sinai (Ex 24,15b–18a + 25,1) auf den אֹהֶל מוֹעֵד (Ex 40,34f. + Lev 1,1)[184] *zugesagte*, aktualiter aber noch nicht eingetretene שָׁכַן *Jahwes* zielt nicht auf eine dingliche Bindung Gottes an das Heiligtum[185], sondern auf seine im kultischen Raum (auf der כַּפֹּרֶת, am Eingang des אֹהֶל מוֹעֵד) sich ereignende *personale »Begegnung« mit Mose bzw. Israel* (יעד *nif.* Ex 25,22; 29,42bf., vgl. Ex 30,6.36; Num 17,19; Terminus אֹהֶל מוֹעֵד *»Begegnungszelt«*[186]), die ihrer Struktur und ihrem Gehalt nach *Abbild wie Unterpfand der verheißenen Nähe Gottes, seines einst endgültigen »Wohnens« (*שָׁכַן*) inmitten der Israeliten* ist (Ex 25,8; 29,45f.[187], vgl. Num 5,3; 35,34a.b).

Die Relation: *»Begegnen« (*יעד *nif.) Jahwes im kultischen Raum* (auf der כַּפֹּרֶת: Ex 25,22, vgl. Ex 30,6.36; Num 17,19; am Zelteingang: Ex 29,42bf.) – *»Wohnen« (*שָׁכַן*) Jahwes inmitten der Israeliten* (Ex 25,8; 29,45f., vgl. Ex 30,6.36; Num 17,19) ist das Proprium der differenzierten priesterschriftlichen Heiligtumstheologie[188]. Um der sachgemäßen Erfassung ihrer Gesamtintention willen wird dieser konstitutive Verweisungszusammenhang von שָׁכַן und יעד *nif.* detaillierter zu entfalten sein.

Bevor das Wort Gottes auf dem Sinai an Mose ergeht (Ex 24,16b), spricht Ex 24,16aβ von einem sechstägigen Bleiben der כָּבוֹד-Wolke auf dem Berg Sinai, von einem Zeitraum zwischem dem »Sich-Niederlassen« (v. 16aα) Gottes und dem Ruf (קָרָא v. 16b) an Mose. Dieser Zeitraum konstituiert die »heilige Zeit«: »die heilige Zeit, die *als solche*, im Schaffen der Distanz, heilig ist, nicht durch das, was in ihr geschieht; denn es geschieht nichts in ihr«[189]. Durch den Sinai als »heiligen Ort« und durch den siebten Tag (Ex 24,16b), der im Verhältnis zu den vorhergehenden sechs Tagen Abschluß und Ziel zugleich ist, erhält das an Mose ergehende Wort Gottes, der Auftrag zum Bau des Heiligtums (Ex 25,1ff.), den Charakter des »heiligen Wortes«[190]. Dieses Wort leitet ein Geschehen ein, das mit der Schlußnotiz Ex 40,(17.)33b (וַיְכַל מֹשֶׁה אֶת־הַמְּלָאכָה)[191] und dem Erscheinen des כְּבוֹד יְהוָה Ex 40,34f. zu seinem (vorläufigen)[192] Abschluß kommt: Nach P beschließt (כלה *pi.*) Mose den Bau des Heiligtums mit seinem Zubehör ähnlich wie Gott die Schöpfung (Gen 2,1f.)[193].

184 S. dazu unten S. 313f.

185 Vgl. auch *Henry*, Priesterschrift, S. 29 Anm. 8; *Elliger*, Geschichtserzählung, S. 187; *Macholz*, Land, S. 147ff., bes. S. 158.

186 Vgl. auch unten S. 325f.

187 S. dazu unten S. 317ff.

188 Vgl. *Schmidt*, Glaube, S. 108f. und die Hinweise von *Görg*, Keruben, S. 21 Anm. 34; *ders.*, *j'd*, Sp. 705f., der den »terminativen Grundaspekt« der Wurzel יעד zu Recht hervorhebt.

189 *Westermann*, Herrlichkeit Gottes, S. 121 (H.i.O.).

190 Vgl. *ders.*, ebd.

191 S. dazu unten Anm. 194.

192 Vorläufig deshalb, weil auf die כָּבוֹד-Erscheinung Ex 40,34f. ein erneutes Reden Gottes zu Mose erfolgt (Lev 1,1; 8,1ff. P^g).

193 Vgl. *Schmidt*, Schöpfungsgeschichte, S. 156 Anm. 3 und C. *Westermann*, BK I/1 (1974), S. 233.

Exkurs VI:
Tempel und Schöpfung in der Priesterschrift

Daß zwischen dem Ende des priesterschriftlichen Schöpfungsberichts und der (doppelten) Darstellung von der Vollendung des Heiligtums am Sinai Ex 39,32.42.43; 40,17.33b[194] mehr als nur zufällige Entsprechungen bestehen, ist schon seit längerem erkannt[195]. So ist nicht nur bemerkenswert, daß כלה *pi.* »zum Abschluß bringen«[196] in Ex 40,33b mit demselben Objekt, nämlich מְלָאכָה »Arbeit«, konstruiert wird wie in Gen 2,2[197], auffallend sind auch weitere Parallelen zum Schöpfungsbericht[198]. Darüber hinaus hat jüngst *N. Negretti* auch zwischen dem Abschluß des priesterschriftlichen Schöpfungsberichts und Ex 24,15b–18a engere Verwandtschaft erkennen wollen[199]. Doch kann dieser Versuch, eine Gen 1,1–2,4a einerseits und Ex 24,15b–18a; 39,32b.43; 40,17.33b.34 andererseits zugrundeliegende gemeinsame »struttura sabbatica« zu erheben – unbeschadet sehr zutreffender, z.T. an *M. Oliva*[200] orientierter Einzelbeobachtungen zum gegenseitigen Verhältnis von Ex 24,15bff.; 29,42bff.; 40,34f. und Lev 9,23f. – wenig überzeugen. Denn zum einen läßt sich in Ex 24,15b–18a weder eine »Sabbatstruktur« (*Negretti* möchte sie vor allem in der Abfolge »sechs Tage« v. 16aβ – »siebter Tag« v. 16b erkennen) noch eine spezielle Sabbatterminologie belegen, zum anderen darf nicht übersehen werden, daß die in Ex 24,15b–18a und Ex 40,34f. beschriebenen Vorgänge ihr Ziel jeweils in einem Reden Gottes zu Mose haben (Ex 25,1ff. bzw. Lev 1,1; 8,1ff.).
Dieser Sachverhalt weist auf eine andere Aussageintention von Ex 24,15b–18a hin: Während Gen 1,1ff. von sechs Schöpfungstagen handelt, die durch die Segnung und Heiligung des siebten Tages auf dieses letzte, alles Vorherige beschließende Schöpfungshandeln Gottes (Gen

194 Der Ausführungsbericht von der Errichtung des Heiligtums Ex 35–40 (zu den literarkritischen Problemen s. die Übersicht bei *Fritz,* Tempel, S. 112f., vgl. auch *Borchert,* Stil, S. 27ff.) schließt mit einer doppelten Notiz von der Vollendung des Heiligtums (Ex 39, 32.42.43 P^s[?] und Ex 40,17.33b P^g, s. zur Literarkritik zuletzt *Fritz,* a.a.O., S. 113 mit Anm. 6, speziell zu Ex 40,17 noch *Weimar,* Exodusgeschichte, S. 224 Anm. 295, anders *Zenger,* Sinaitheophanie, S. 55f.) und mit dem Bericht von der anschließenden Erscheinung des כְּבוֹד יְהוָה Ex 40,34f. P^g. Damit wird sowohl der Rückbezug zum ersten Erscheinen des כְּבוֹד יְהוָה auf dem Sinai mit dem folgenden Auftrag an Mose Ex 24,15b–18a + 25,1 als auch die Überleitung zu dem erneuten Reden Gottes zu Mose Lev 1,1; 8,1ff. hergestellt, vgl. dazu auch *McEvenue,* Narrative Style, S. 53f.; *Oliva,* Interpretación, passim.
195 Vgl. *Schmidt,* Schöpfungsgeschichte, S. 156 Anm. 3 und die Hinweise unten Anm. 198.
196 S. dazu *Steck,* Schöpfungsbericht, S. 179 Anm. 758; S. 182ff. mit Anm. 773.778.
197 Die weiteren כַּלֵּה-Belege bei P sind: Gen 17,22; Ex 31,18a*; Num 16,31 (jeweils mit לְ + inf.) und Lev 16,20 (מִן + inf.).
198 S. dazu *Schmidt,* Schöpfungsgeschichte, S. 156 Anm. 3. *Stecks* Forderung (Schöpfungsbericht, S. 199 Anm. 837, vgl. S. 179 Anm. 758; S. 183f. mit Anm. 778; S. 194 Anm. 825) nach einer diesen Hinweis *Schmidts* aufnehmenden thematischen Untersuchung kann hier nicht eingelöst, sondern – ergänzt um weitere Beobachtungen – nur wiederholt werden, s. zur Sache noch *Negretti,* Giorno, S. 163f.228f.; *C. Westermann,* BK I/1 (1974), S. 233f.; *Lohfink,* Sabbatruhe, S. 405f.; *Blenkinsopp,* Structure of P, S. 276.278.280ff.
199 A.a.O., S. 162ff.227ff., ähnlich *Lohfink,* Sabbatruhe, S. 404.405. Zurückhaltender wird diese ›Parallelität‹ beurteilt von *Kraus,* Schöpfung, S. 157f.; *Westermann,* a.a.O., S. 236f. und *Steck,* a.a.O., S. 191 Anm. 813. *H. W. Wolff,* CTM 43 (1972), S. 498–506, hier: S. 505 sieht im »siebten Tag« Ex 24,16b den »großen Offenbarungstag«: »Thus in P the seventh day is not only the day signifying that creation is completed, but is the day on which Yahweh's revelation is completed as well«.
200 Interpretación, passim.

2,2f.)[201] bezogen sind, leitet das Reden Gottes zu Mose am »siebten Tag« Ex 24,16bff. ein Geschehen ein, das in Ex 40,33b.34f. mit dem Erscheinen des כְּבוֹד יְהוָה zu einem (vorläufigen) Abschluß kommt[202]. Die Bedeutung des »siebten Tages« Ex 24,16b kann nicht auf den Sabbat – so konstitutiv dieser in Gen 2,1–3 für das voraufgegangene Schöpfungshandeln Gottes und in Ex 31,12ff. für das Selbstverständnis Israels im Exil ist[203] – eingeschränkt werden. Vielmehr bleibt alles, was sich nach dem Verständnis der Priesterschrift zwischen der Abraham-*b^erît* (Gen 17)[204] und der Sinaioffenbarung (Ex 24,15bff.) in der Heilsgeschichte ereignet, in *der* Weise paradigmatisch auf den Anfang Gen 1,1–2,4a bezogen, daß sich gerade in diesen für P grundlegenden Ordnungssetzungen[205]: Abraham-*b^erît*, Exodusereignis, Mannawunder und Sabbat»entdeckung«, Errichtung des Begegnungszeltes die *Treue und Macht des Schöpfergottes* zeigt[206]. Die heilvolle Ordnung der Schöpfung war nach P die Basis, auf der gerade in der Krisis des Exils gelebt werden konnte. In der Priesterschrift tritt das Erscheinen des כְּבוֹד יְהוָה auf dem Sinai (Ex 24,15b–18a[+25,1]) und am אֹהֶל מוֹעֵד (Ex 29,42b–46; 40,33b.34f. [+ Lev 1,1]; Lev 9,23b.24b) nicht in direkte Beziehung zum Sabbat, sondern das Heiligtum (und damit der Kult) steht, wie in anderer Weise auch der Sabbat, in Beziehung zum Bereich der Schöpfung[207]: »Man kann von Israels Gottesdienst offenbar nur dann sachgemäß reden, wenn man ihn von diesem Hintergrund her versteht; erst dann ist alles in das ihm gebührende Maß gerückt. P will allen Ernstes zeigen, daß der im Volke Israel historisch gewordene Kultus das Ziel der Weltentstehung und Weltentwicklung ist. Schon die Schöpfung ist auf dieses Ziel hin angelegt worden«[208].

201 S. dazu jetzt *Steck*, Schöpfungsbericht, S. 178ff., vgl. *ders.*, Welt und Umwelt (Biblische Konfrontationen), Stuttgart/Berlin/Köln/Mainz 1978, S. 70ff.
202 S. dazu unten S. 313f.
203 Vgl. *von Rad*, Theologie I, S. 92; *Kilian*, Hoffnung, S. 39f.; *Kutsch*, Priesterschrift, S. 380; *M. V. Fox*, RB 81 (1974), S. 557–596, bes. S. 575ff., aber auch *Limbeck*, Ordnung des Heils, S. 29ff.
204 S. dazu unten S. 320ff.
205 Die Kategorie »Ordnungsdenken« ist eine theologische Grundkategorie der Priesterschrift, deren Bedeutung für die biblische Theologie eigens zu thematisieren wäre, s. dazu die Ausführungen von *Gese*, Erwägungen, S. 19 Anm. 16; S. 28; *ders.*, Gesetz, S. 68ff.; *Macholz*, Land, S. 160ff.; *Limbeck*, a.a.O., S. 29ff.; *Steck*, Schöpfungsbericht, S. 47ff.55ff.190ff. 222f.240ff.
206 Vgl. *C. Westermann*, BK I/1 (1974), S. 243f., ferner *Henry*, Priesterschrift, S. 20ff. und *Macholz*, a.a.O., S. 160ff.
207 S. dazu neuerdings auch *Lohfink*, »Macht euch die Erde untertan?«, S. 137–142; *ders.*, Grenzen des Wachstums, S. 435–450; *ders.*, Sabbatruhe, S. 395–407; *Steck*, Schöpfungsbericht, S. 194 Anm. 825; S. 199 Anm. 837; S. 220ff.222f.; *ders.*, KuD 23 (1977), S. 279–299, hier: S. 286 Anm. 20; *Blenkinsopp*, Structure of P, S. 276ff.; *Ebach*, Erschaffung des Menschen, S. 210, ferner *Henry*, Priesterschrift, S. 26f.; *Mettinger*, Abbild, S. 408f. und *Zimmerli*, Mensch, S. 77f., etwas anders *Koch*, Sinaigesetzgebung, S. 45 mit Anm. 1; vgl. auch *A. Goldberg*: »Das Heiligtum ist der sichtbare Ort Gottes in der Mitte des Volkes. So wird die Schöpfungsabsicht Gottes, die Gemeinschaft zwischen Gott und Mensch in der geschaffenen Welt in diesem kleinen Bereich wieder verwirklicht« (Die Heilige Schrift des Alten Testaments, Bd. I [Genesis-Exodus], Freiburg/Basel/Wien 1964, S. 210).
208 *von Rad*, Theologie I, S. 246f. *Macholz* setzt dieses Zitat *von Rads* folgendermaßen fort: »Ja, ist es nicht sogar so, daß für P jetzt erst, mit den am Sinai befohlenen und ausgeführten Satzungen, die ›Schöpfung‹ vollendet und der Kosmos bis in seine innersten Ordnungen gefügt ist?« (Land, S. 162). Im Blick auf die hier diskutierte Frage der Bedeutung von כְּבוֹד יְהוָה bei P läßt sich die Vollendung der Schöpfung durch das Sinaiereignis u.E. aber kaum so verstehen, wie *Steck* es einem Hinweis *K. Kochs* zufolge in Frageform andeutet: »Sieht P das ersterschaffene Licht, dessen Funktion für den zeitlichen Ablauf des Schöpfungsgeschehens am siebten

Das Heiligtum, mit dessen Bau Mose am »siebten Tag« beauftragt wird (Ex 24,16bff.; 25,1ff.) und dessen (doppelten) Abschluß Ex 39,32.42.43; 40,17.33b.34f. berichten, erscheint als »Fortsetzung des ersten Schöpfungswerks der sechs Tage durch den Menschen«[209]. Dies bedeutet jedoch nicht, als könne Israel mit der Errichtung des אֹהֶל מוֹעֵד das allein Gott vorbehaltene Schöpfungshandeln nachvollziehen oder wiederholen; denn obgleich in entscheidender Weise Werk von Menschenhand, entsteht das Heiligtum allein nach der Mose von Gott auf dem Sinai gezeigten transzendenten תַּבְנִית (Ex 25,9[*bis*].40, vgl. Ex 26,30; 27,8), die das himmlische »Modell, Urbild« des irdischen Heiligtums ist[210]. Vielmehr zeigt sich in der Ausführung der göttlichen Anordnung zum Bau des Heiligtums *die wahre, der Schöpfung entsprechende Bestimmung Israels*[211]: auf Erden ein *Abbild jener himmlischen Wohnstatt Gottes zu errichten*, damit Gott inmitten seines Volkes »wohnen« (שָׁכַן)[212] und ihm durch dessen Mittler Mose und Aaron nahe sein kann. In *diesem Tun*, das auf die *Ausübung des Kultes im* אֹהֶל מוֹעֵד zielt, besteht nach P das *schöpfungsgemäße Sein Israels coram Deo*. Wie das Zeltheiligtum der Priesterschrift die »Fortsetzung des ersten Schöpfungswerks der sechs Tage durch den Men-

Schöpfungstag zum Abschluß kommt, später in der Erscheinung des כבוד־יהוה wirksam?« (a.a.O., S. 199 Anm. 837). Interessant ist jedoch, daß sich gerade dieser Zusammenhang in der rabbinischen Kosmologie findet, s. dazu (mit Darbietung der entsprechenden Texte) *Schäfer*, Tempel, S. 128f., vgl. auch *S. Aalen*, Die Begriffe ›Licht‹ und ›Finsternis‹ im Alten Testament, im Spätjudentum und im Rabbinismus, Oslo 1951, S. 262ff.

209 *Lohfink*, »Macht euch die Erde untertan?«, S. 140, vgl. *ders.*, Grenzen des Wachstums, S. 437.447f.448ff.; *ders.*, Sabbatruhe, S. 405ff.; *P. Weimar*, BiKi 34 (1979), S. 86–90, hier: S. 88; *W. Zimmerli*, ZThK 76 (1979), S. 139–158, hier: S. 143.

210 Das »*Zeigen*« der תַּבְנִית *auf dem Sinai* (Ex 25,9P^g; 25,40P^s, vgl. auch Ex 26,30P^s[?]: הַמִּשְׁכָּן; Ex 27,8P^s[?]: Brandopferaltar; Num 8,4P^s) wird interpretiert und entfaltet von den Herstellungsanweisungen und Ausführungsberichten Ex 25ff.35ff.; insofern können diese mit *Macholz* (Land, S. 156) als eine »Verbalisierung« der תַּבְנִית bezeichnet werden, vgl. auch *Borchert*, Stil, S. 117f.; *Görg*, Zelt, S. 34; *Steck*, Schöpfungsbericht, S. 56. Zu den *priesterschriftlichen* תַּבְנִית*-Belegen* s. besonders *R. G. Hamerton-Kelly*, The Idea of Pre-existence in Early Judaism. A Study in the Background of the New Testament Theology, Masch.Diss. Ann Arbor/Mich. 1966, S. 27ff.257ff.; *ders.*, Temple, S. 6; *ders.*, Pre-existence, Wisdom, and the Son of Man. A Study of the Idea of Pre-existence in the New Testament, Cambridge 1973; S. 2.17.109.257; *Macholz*, a.a.O., S. 156ff.; *S. Wagner*, Art. *banā*, ThWAT I, Sp. 704; *Mettinger*, Abbild (passim); *Gese*, Erwägungen, S. 25.28 (תַּבְנִית ist eine *taqṭil*-Bildung zu בָּנָה »bauen«, s. z.B. *Meyer*, HG[3], § 40,7b, vgl. akk. *tabnītu* »Erschaffung«, s. AHw, S. 1299 s.v. *tabnītu* II).

Zu den in diesem Zusammenhang interessierenden παράδειγμα- *und* τύπος*-Belegen bei Platon und Aristoteles* s. *McKelvey*, New Temple, S. 38ff. (dort auch zu Philo), ferner *Hamerton-Kelly*, Idea of Preexistence . . . (1966), S. 29 Anm. 43. Zu dem mutmaßlichen *altorientalischen Hintergrund* der priesterschriftlichen תַּבְנִית-Vorstellung – verwiesen wird v.a. auf die Tempelbauhymne des Gudea von Lagaš (Text in Übersetzung: SAHG Nr. 32 sum., Lit. dazu bei *W. H. Ph. Römer*, BiOr 31 [1974], S. 207–222, hier: S. 218) – s. z.B. *Hamerton-Kelly*, Temple, S. 6f. und allgemein *Limbeck*, Ordnung des Heils, S. 57ff. (Lit.). Zu der sowohl im *antiken Judentum* als auch im *Hebräerbrief* (Hebr 8,5) tradierten Vorstellung, daß das irdische Heiligtum nach einem himmlischen »Modell« geschaffen ist, s. jetzt v.a. *O. Hofius*, Der Vorhang vor dem Thron Gottes. Eine exegetisch-religionsgeschichtliche Untersuchung zu Hebräer 6,19f. und 10,19f. (WUNT 14), Tübingen 1972, S. 18f.55f.72 (mit Lit. und Belegen); *M. E. Stone*, in: Magnalia Dei (FS *G. E. Wright*), ed. *F. M. Cross*, *W. E. Lemke* and *P. D. Miller*, Garden City/New York 1976, S. 414–452, hier: S. 445f.; *C. Spicq*, Notes de lexicographie néo-testamentaire, t. II (OBO 22/2), Freiburg/Schweiz/Göttingen 1978, S. 907ff.

211 Vgl. auch *Henry*, Priesterschrift, S. 26f.

212 Zu dem Topos »Wohnen Gottes inmitten seines Volkes« s. unten S. 317ff.

schen«[213] ist, so ist nach der priesterschriftlichen Sinaierzählung weder der Mensch an sich noch eine bestimmte, gar gottähnliche qualitas humana[214], sondern *Gottes* שָׁכַן *inmitten Israels und der dieser Weise göttlicher Gegenwart im Kultgeschehen entsprechende Mensch* das Ziel der Weltentstehung und Weltentwicklung: die Vollendung der Schöpfung[215]. Mit der Fertigstellung des אֹהֶל מוֹעֵד am Sinai wird Israel zum Volk Gottes und Gott der Gott dieses Volkes. Dieses durch die »Bundesformel« (P^g: Gen 17,7b.8b; Ex 6,7a; 29,45b) prägnant formulierte Verhältnis gegenseitiger Zugehörigkeit ist nach dem Zeugnis der Priesterschrift die Grundlage des Gottesdienstes in Israel[216]. –

Alles, was seit dem Sinaiereignis im Kult Israels, der mit diesem Ereignis konstituiert wird, geschieht, hat teil an jener (oben beschriebenen) Relation von Einmaligkeit und Dauer der Präsenz Gottes in Israel: Das *Stetige des Kultes* hat nach P seinen bleibenden Grund in der *Einmaligkeit des Sinaiereignisses*. Dieses aber erhält seine Mitte in der auf dem Sinai »ein für allemal« geschehenen Selbstoffenbarung Gottes an den Menschen, die sich im Reden Jahwes an Mose (Ex 25,1ff.) konkretisiert und deren machtvolle Präsenz Israel im *mysterium fascinosum/tremendum* einer Licht- oder Feuererscheinung (Ex 24,17) wahrnimmt. Der Ausdruck כְּבוֹד יְהוָה bezeichnet in der Priesterschrift den in seiner Majestät begegnenden, sich Mose bzw. Israel offenbarenden (יעד *nif.*) Gott[217].
Auf den Ruf Gottes »mitten aus der (den כְּבוֹד יְהוָה schützend umhüllenden) Wolke« (Ex 24,16b) geht Mose zum Offenbarungsempfang »mitten in die Wolke« hinein (Ex 24,18aα), während die Israeliten aus geschützter Distanz ›nur‹ der sinnlich wahrnehmbaren Erscheinungsweise (מַרְאֶה) der transzendenten feuerähnlichen[218] *maiestas Dei* ansichtig werden (Ex 24,17). Aus

213 *Lohfink*, »Macht euch die Erde untertan?«, S. 140.
214 Der Ablehnung dieses Gedankens, der die Auslegung von Gen 1,26f. stark bestimmt hat und noch immer bestimmt (s. zuletzt *Mettinger*, Abbild), liegt ein spezifisches Verständnis des Problems der Gottebenbildlichkeit des Menschen zugrunde, s. dazu die Ausführungen von *Steck*, Schöpfungsbericht, S. 140 Anm. 566; S. 150ff.; *ders.*, a.a.O. (oben Anm. 201), S. 78ff.
215 Zum Zusammenhang von *Errichtung des Wüstenheiligtums* und *Vollendung der Welt* in der rabbinischen Tradition s. *Schäfer*, Tempel, S. 131ff., vgl. *ders.*, JSJ 6 (1975), S. 167–188, hier: S. 175f.180.
216 S. ausführlicher unten S. 317ff.
217 Vgl. *Westermann*, Herrlichkeit Gottes, S. 133; *ders.*, *kbd*, Sp. 810.
218 Die Näherbestimmung des Aussehens (מַרְאֶה) der »Herrlichkeit Jahwes« durch die Wendung כְּאֵשׁ אֹכֶלֶת (»wie ein verzehrendes Feuer«) unterstreicht nicht nur den Charakter des כְּבוֹד יְהוָה als Majestät Gottes (vgl. *Westermann*, Herrlichkeit Gottes, S. 123.133), sondern sie sucht auch diesen כָּבוֹד als mit innerweltlichen Feuererscheinungen nicht vergleichbaren – zu beachten ist die Formulierung »*wie* verzehrendes Feuer« (vgl. auch die כְּ-Formulierung Ex 24,10)! – und dennoch sinnlich wahrnehmbaren (לְעֵינֵי בְּנֵי יִשְׂרָאֵל) *numinosen Lichtglanz* zu beschreiben, vgl. dazu *Gese*, Johannesprolog, S. 192 und *G. Scholem*: »Es ist verständlich genug, daß . . . die Schau Gottes auf die der Glorie Gottes reduziert wird, die ›wie ein verzehrendes Feuer auf dem Gipfel des Berges‹ sichtbar wird. Die Glorie konnte etwa sinnlich wahrnehmbar werden, Gott selber nicht« (in: *ders.*, Judaica III. Studien zur jüdischen Mystik, Frankfurt/Main 1973, S. 98–151, hier: S. 107), vgl. zur Sache *J.-G. Heintz*, in: Le feu dans le Proche-Orient antique. Aspects linguistiques, archéologiques, techniques, littéraires (Actes du Colloque de Strasbourg 9.–11. VI. 1972), Leiden 1973, S. 63–78, u.a.

der Stellung von v. 17 innerhalb der inkludierenden Klammer v. 16b + v. 18aα (vgl. v. 16aα zwischen v. 15b + v. 16aβ!) sowie aus dem Verweisungszusammenhang von v. 16b und v. 18aα geht hervor, daß die Wendungen מִתּוֹךְ הֶעָנָן und בְּתוֹךְ הֶעָנָן das Geheimnis der Offenbarung und ihres irdischen Ortes wahrende Umschreibungen des göttlichen כָּבוֹד-Bereiches sind: Indem Mose »mitten in die Wolke« hineingeht (v. 18aα), betritt er den Bereich der »Herrlichkeit Jahwes«, aus dem heraus der göttliche Ruf an ihn erging (v. 16b).

2. Ex 40,33b–35; Lev 1,1

Die zentrale Bedeutung der den Gottesdienst Israels konstituierenden Sinaioffenbarung (Ex 24,15bff.) für den Gesamtaufbau der priesterschriftlichen Sinaierzählung läßt sich an der Aufnahme des Begriffs כְּבוֹד יְהוָה in Ex 40,33b.34f. + Lev 1,1 (P^g?) und Lev 9,23b.24b P^g ablesen[219]. Wird in Ex 40,33b.34f. + Lev 1,1 das in Ex 24,15bff. inaugurierte Geschehen durch ein erneutes, das Heiligtum Israels legitimierendes Erscheinen des כְּבוֹד יְהוָה (vorläufig) abgeschlossen, so wird in Lev 9,23b.24b durch das Erscheinen des כְּבוֹד יְהוָה anläßlich des ersten Opfergottesdienstes die kultische Handlung als solche eingesetzt und bestätigt.
Einer zutreffenden Beobachtung *K. Kochs*[220] zufolge ist die Fortsetzung von Ex 40,33b.34f. nicht in Ex 40,36–38[221], sondern – in Entsprechung zu Ex 24,15bff. + Ex 25,1 – in Lev 1,1[222] zu sehen. Dieses Stück läßt sich folgendermaßen gliedern:

(וַיְכַל מֹשֶׁה אֶת־הַמְּלָאכָה:	33b)
וַיְכַס הֶעָנָן אֶת־אֹהֶל מוֹעֵד	34a
וּכְבוֹד יְהוָה מָלֵא אֶת־הַמִּשְׁכָּן:	34b
וְלֹא־יָכֹל מֹשֶׁה לָבוֹא אֶל־אֹהֶל מוֹעֵד	35aα
כִּי־שָׁכַן עָלָיו הֶעָנָן	35aβ
וּכְבוֹד יְהוָה מָלֵא אֶת־הַמִּשְׁכָּן:	35b
וַיִּקְרָא אֶל־מֹשֶׁה וַיְדַבֵּר יְהוָה אֵלָיו מֵאֹהֶל מוֹעֵד לֵאמֹר:	Lev 1,1a.b

(33b	»Und Mose brachte die Arbeit zum Abschluß.)
34a	Und die *Wolke* bedeckte das Begegnungszelt,
34b	und der k^e*bôd JHWH* erfüllte die Wohnung.

219 Vgl. bereits *Koch*, Priesterschrift, S. 99; *Rendtorff*, Offenbarungsvorstellungen, S. 48ff.; *Westermann*, Herrlichkeit Gottes, S. 123ff.; *ders.*, *kbd*, Sp. 809.

220 A.a.O., S. 45f., vgl. *ders.*, Sinaigesetzgebung, S. 49 Anm. 4 und *Rendtorff*, a.a.O., S. 48 mit Anm. 40.43; *Görg*, Zelt, S. 62.

221 S. dazu oben Anm. 159.

222 Zur Literarkritik von Lev 1,1 s. *Elliger*, Leviticus, S. 10.11.27.37f.; *P. Weimar*, Die Berufung des Mose. Literaturwissenschaftliche Analyse von Ex 2,23–5,5 (OBO 32), Freiburg/Schweiz/Göttingen 1980, S. 147f.

35aα Und Mose konnte nicht in das Begegnungszelt hineingehen.
35aβ Denn es ließ sich auf ihm (dem Begegnungszelt) die *Wolke* nieder,
35b und der *k^ebôd JHWH* erfüllte die Wohnung.
Lev 1,1a.b Da rief er (Jahwe) Mose und Jahwe sprach zu ihm aus dem Begegnungszelt heraus«.

Nach diesem Text ereignen sich *äußere Verhüllung* (כִּסָּה) des אֹהֶל מוֹעֵד durch die Wolke und *innere Erfüllung* (מָלֵא)[223] des מִשְׁכָּן durch die »Herrlichkeit Jahwes« gleichzeitig[224]: Der in Ex 24,25bff. dargestellte Grundvorgang der Sinaioffenbarung wird in einen äußeren (כִּסָּה durch den עָנָן) und einen inneren Aspekt (מָלֵא durch den כְּבוֹד יְהוָה) zerlegt und so ein komplexes Bild der vom Heiligtum ›besitzergreifenden‹ Präsenz Gottes erreicht. Wie das מָלֵא des כְּבוֹד יְהוָה (v. 34b.35b) einen dynamischen oder ereignishaften Vorgang meint, so bezeichnet auch das שָׁכַן der Wolke, das in v. 35aβ anstelle von כִּסָּה (v. 34a) in Parallele zu jenem מָלֵא steht, nicht einen ruhenden Dauerzustand, sondern »einen Prozeß . . ., also nicht bereits den ruhenden Zustand der Wolke, sofern dieser überhaupt jemals eintritt, sondern das Niederlassen derselben«[225]. Daß Mose den אֹהֶל מוֹעֵד nicht betreten kann (v. 35aα), widerspricht weder Ex 24,18aα noch Ex 25,22 oder Ex 29,42bff.[226], sondern hat seinen Grund in dem menschlicherseits wahrnehmbaren, menschlicher Verfügbarkeit gleichwohl entzogenen Ereignis göttlicher Kondeszendenz; erst auf den Ruf Jahwes hin (קָרָא Lev 1,1a) wird Mose die Wahrnehmung seiner Mittlerfunktion gegenüber Israel ermöglicht[227].

Mit der ›Besitzergreifung‹ des Heiligtums durch den כְּבוֹד יְהוָה kommt das in der Sinaioffenbarung inaugurierte Geschehen zu seinem (vorläufigen) Abschluß. Indem der כְּבוֹד יְהוָה seinen Erscheinungsort vom Sinai zum אֹהֶל מוֹעֵד verlagert, wird dieses Zelt für Israel die alleinige Stätte der Nähe Gottes: Der priesterschriftliche אֹהֶל מוֹעֵד repräsentiert fortan den »Sinai auf der Wanderung«[228].

223 Zur Traditionsgeschichte des biblischen Pleroma-Theologumenons s. die Hinweise bei *Gese*, Johannesprolog, S. 187ff.; *ders.*, Weisheit (passim), vgl. auch *Westermann*, *kbd*, Sp. 804f.; *M. Delcor*, Art. *ml'*, THAT I, Sp. 900; *E. Schweizer*, EKK (Der Brief an die Kolosser, 1976), S. 65ff.

224 S. dazu *Görg*, Zelt, S. 61ff., bes. S. 61 mit Anm. 368.

225 *Ders.*, a.a.O., S. 61.

226 So *H. Holzinger*, Exodus (KHC 1900), S. 150 und *K. Galling*, HAT I/3 (1939), S. 178f., vgl. auch die Überlegungen von *Elliger*, Geschichtserzählung, S. 185ff.; *ders.*, Leviticus, S. 122f.130f. Kritisch zu *Holzinger* und *Galling* bereits *Koch*, Priesterschrift, S. 45.

227 Vgl. *Koch*, a.a.O., S. 45f. und *Görg*, Zelt, S. 61f., der zu Recht betont, daß der Ruf Jahwes Lev 1,1a »nicht notwendig auch die Erlaubnis zum Zutritt zum Zeltheiligtum« einschließt.

228 Vgl. *Görg*, a.a.O., S. 74.

3. Lev 9,22.23b.24b

Letztmalig im kultischen Rahmen erscheint der כְּבוֹד יְהוָה in Lev 9,23b.24b (mit der Ankündigung in v. 4b)[229], innerhalb des Berichts von der Einsetzung und Bestätigung des Kultes anläßlich des ersten Opfergottesdienstes Lev 9* P^g^:

22 וַיִּשָּׂא אַהֲרֹן אֶת־יָדָיו אֶל־הָעָם וַיְבָרְכֵם
וַיֵּרֶד מֵעֲשֹׂת הַחַטָּאת וְהָעֹלָה וְהַשְּׁלָמִים׃
23b וַיֵּרָא כְבוֹד־יְהוָה אֶל־כָּל־הָעָם׃
24b וַיַּרְא כָּל־הָעָם וַיָּרֹנּוּ וַיִּפְּלוּ עַל־פְּנֵיהֶם׃

22 »Darauf hob Aaron seine Hände über das Volk und segnete es. Dann stieg er herab, nachdem er das Sündopfer, das Brandopfer und das Heilsmahlopfer verrichtet hatte.
23b Da erschien der *k^e^bôd JHWH* dem ganzen Volk;
24b und das ganze Volk sah es. Sie jubelten und fielen auf ihr Angesicht nieder«.

Über die bisher untersuchten כְּבוֹד יְהוָה-Belege hinaus ist an diesem Text bedeutsam, daß der כְּבוֹד יְהוָה dem »ganzen Volk« – als dem schon in Ex 24,15bff. gemeinten Empfänger der Offenbarung – erscheint (ראה *nif.*) und daß dieses mit Jubel (רָנַן)[230] und Proskynese (נָפַל עַל־פָּנִים)[231] respondiert. Verharrten nach Ex 24,17 die Israeliten stumm und in geschützter Distanz angesichts des feuerähnlichen Aussehens der »Herrlichkeit Jahwes«, so wird in Lev 9,23b.24b offenbar, wem die an Mose ergangene Offenbarung des Wortes Gottes eigentlich gilt: der durch dieses Wort konstituierten Kultgemeinde Israel. Als Urbild gottesdienstlichen Handelns ist somit Lev 9,24b die freudige Antwort Israels auf die im Sinaigeschehen inaugurierte und mit dem Erscheinen des כְּבוֹד יְהוָה am/im אֹהֶל מוֹעֵד von Gott »ein für allemal« gewährte Gabe seiner Präsenz[232]. Nachdem so der Kult eingesetzt und bestätigt ist, findet der כְּבוֹד יְהוָה im kultischen Rahmen innerhalb der

229 Zur Literarkritik von Lev 9,22–24 (P^g^: v. 22.23b.24b, dazu die Ankündigung v. 4b) s. *Elliger*, Leviticus, S. 122f.128.130f., vgl. auch *M. Noth*, ATD VI (²1966), S. 67f. und neuerdings *K. Seybold*, Der aaronitische Segen. Studien zu Numeri 6,22–27, Neukirchen-Vluyn 1977, S. 59 mit Anm. 16; S. 61 Anm. 24. Anders *Görg* (a.a.O., S. 64ff.), der aufgrund syntaktischer und inhaltlicher Erwägungen v. 23 für eine »eigenmächtige Zutat von P« hält (a.a.O., S. 66), zustimmend *Mölle*, Erscheinen Gottes, S. 191ff. Die Einheitlichkeit von Lev 9,23f. wird verteidigt von *Oliva*, Interpretación.

230 רָנַן im gesamten Pentateuch (außer in Dtn 32,43) nur hier, vgl. *Elliger*, a.a.O., S. 131 Anm. 10.

231 Zu dieser Wendung s. *Lohfink*, Abwertung der Tradition, S. 3f.; *McEvenue*, Narrative Style, S. 138f.162.

232 Der singuläre (!) Beleg vom »Jubeln« Israels angesichts der כָּבוֹד-Erscheinung Lev 9,24b gewinnt dadurch an Gewicht, daß er an kompositorisch hervorgehobener Stelle begegnet: am Endpunkt der durch Ex 24,15bff. eingeleiteten Reihe der כָּבוֹד-Erscheinungen im kultischen Raum, vgl. auch *Westermann*, Herrlichkeit, S. 126.128, ferner *Weinfeld*, Deuteronomy, S. 205; *ders.*, Presence, Sp. 1016; *Negretti*, Giorno, S. 239 Anm. 205; *Lohfink*, Sabbatruhe, S. 406f.

Priesterschrift keine Erwähnung mehr[233]; mit Lev 9,22.23b.24b (vgl. Sir 50,19ff.) wird die durch Ex 24,15bff. eröffnete und durch Ex 40,33bff. fortgesetzte Reihe der כָּבוֹד-Erscheinungen im kultischen Bereich höchst sinnvoll, weil die Zukunft des Volkes Israel bestimmend[234], beschlossen.

II. Der כְּבוֹד יְהוָה im Zusammenhang von Erzählungen über die Zeit der Wüstenwanderung

Nach den priesterschriftlichen Itinerarnotizen Ex 15,22aα(?).27aα; 16,1a; 17,1a.b; 19,2a.1 gelangt Israel nach den Ereignissen am Schilfmeer über die Stationen Elim – Wüste Sin – Rephidim unmittelbar in die Wüste Sinai (Ex 19,2a.1), wo ihm bzw. Mose als dem Repräsentanten Israels sogleich nach der Ankunft (!) die כָּבוֹד-Offenbarung zuteil wird (Ex 24,15bff.). Der bruchlose Übergang vom Bereich geschichtlicher Erfahrung in den Raum der die kultischen Institutionen und Handlungen begründenden Ordnungsoffenbarung am Sinai (und dann wieder in den Bereich geschichtlicher Erfahrung: Num 10,11ff.) ist für die Priesterschrift aber keine *metabasis eis allo genos*, sondern *principium* ihrer Geschichtsschreibung: Für P ist die *Verklammerung von Kult und Geschichte* so eng wie möglich, denn nach ihrem Verständnis erweist sich in beiden Lebensbereichen gleichermaßen das *eine* heilvolle Handeln Gottes an seinem Volk.
Dies bestätigt sich, wenn man beachtet, daß der Ausdruck כְּבוֹד יְהוָה bei P nicht nur im Zusammenhang der Schilderung des Sinaiereignisses, sondern auch im Zusammenhang von Erzählungen über die Zeit der Wüstenwanderung begegnet, und zwar in Ex *16 P^g (Erzählung vom Mannawunder), in Num (13*–)14* P^g (Kundschaftererzählung), in Num 16* P^s (Erzählung vom Aufstand der Rotte Korachs), in Num 17,6–15 P^s (Erzählung vom Aufruhr wegen der Vernichtung Korachs) und in Num 20,1–13* $P^{g(?)}$ (Erzählung vom Wasserwunder)[235].

Wie *C. Westermann* und dann *E. Ruprecht* im einzelnen gezeigt haben[236], sind diese fünf Erzählungen durch eine gemeinsame, z.T. variable Grundstruktur miteinander verbunden:

233 Vgl. *Rendtorff*, Offenbarungsvorstellungen, S. 48f. mit Anm. 45; S. 50. Gegen *Elliger*, der das Erscheinen des כְּבוֹד יְהוָה *regelmäßig* in jedem Gottesdienst im אֹהֶל מוֹעֵד sich vollziehen sieht (Leviticus, S. 131, vgl. *ders.*, Geschichtserzählung, S. 186), hat darum *Westermann* (a.a.O., S. 126 mit Anm. 20) zu Recht die *Einmaligkeit* der durch die כָּבוֹד-Offenbarung am Sinai inaugurierten Stiftung und Bestätigung des Kultes herausgestellt.
234 Zu diesem mit der *Segenserteilung* (Lev 9,22) verbundenen Aspekt des (nach P:) ersten und grundlegenden Opfergottesdienstes Lev 9 s. *Seybold*, a.a.O. (oben Anm. 229), S. 59ff., vgl. *G. Wehmeier*, Art. *brk*, THAT I, Sp. 372f. vgl. Sp. 369, ferner auch *Walkenhorst*, Sinai, S. 102ff.141.
235 Die Zugehörigkeit des Grundbestandes von Num 20,1–13* zu P^g ist neuerdings von *Mittmann*, Deuteronomium, S. 108ff. in Zweifel gezogen worden.
236 *Westermann*, Herrlichkeit Gottes, S. 128ff.; *Ruprecht*, Mannawunder, S. 290ff., vgl. *Görg*, Zelt, S. 66ff.74.172; *Mölle*, Erscheinen Gottes, S. 255ff. Zur Einzelanalyse der genannten Erzählungen s. außer den Kommentaren noch besonders *Noth*, ÜSt, S. 203ff.; *ders.*,

1. Anlaß: das Murren oder Sich-Zusammenrotten. – 2. Lokalisierung der Handlung am אֹהֶל מוֹעֵד[237]. – 3. Erscheinung des כְּבוֹד יְהוָה (durchgängig wird der Erscheinungsterminus נִרְאָה gebraucht)[238]. – 4. Jahwerede an Mose (und Aaron). – 5. Ein Handeln Jahwes.
Wie durchdacht P bei der Gestaltung dieser Erzählungen gearbeitet hat, wird vollends deutlich, wenn man bei den fünf Erzählelementen von den Teilen 1 (Exposition) und 5 (Ziel) absieht; denn dann erscheinen die mittleren Teile 2–4 als eine in sich geschlossene Erzähleinheit mit dem נִרְאָה des כְּבוֹד יְהוָה am Begegnungszelt als Zentralaussage, über deren Herkunft und Bedeutung es nach *Westermann* keinen Zweifel geben kann: Es ist die grundlegende Wortoffenbarung am Sinai Ex 24,15bff.; 25,1, die P »zur Gestaltung von Wirkens- und Handlungsoffenbarungen benützt (hat). (. . .) Er (sc. P) vermag auf diese Weise darzustellen, daß die *eine*, die *einzig* grundlegende Gottesoffenbarung alles weitere Geschehen bestimmt, daß also auch beim Eingreifen Gottes in die Geschichte während der Wanderung des Volkes durch die Wüste nur das weitergeht, was am Anfang, am Sinai, geschah. Diese Angleichung der Tatoffenbarung an die Wortoffenbarung durch P ist der erste großangelegte Versuch, einen alles umfassenden Offenbarungsbegriff zu schaffen«[239].
Das aber heißt: Das auf göttlichen Auftrag hin nach dem »Urbild« (תַּבְנִית) am Sinai errichtete Heiligtum mit seinen kultischen Funktionen und Aufgaben ist *der* Ort in Israel, von dem aus Jahwe auch im Bereich geschichtlicher Ereignisse und Erfahrungen paradigmatisch gehandelt hat und weiterhin handeln wird. Für P ist dieses »Begegnungszelt« als der Ort des Israel in seiner »Herrlichkeit« (כָּבוֹד) begegnenden Gottes das Zentrum des beide Lebensbereiche: den Bereich kultischen Vollzuges wie den Bereich geschichtlicher Erfahrung, umgreifenden *einen* heilvollen Handelns Gottes an seinem Volk[240].

III. Ex 29,42b–46 als Mitte der priesterschriftlichen Sinaierzählung

Daß Ex 29,42b–46, auf dessen Bedeutung für das Verständnis der priesterschriftlichen Sinaierzählung im Verlauf der bisherigen Untersuchung wiederholt hingewiesen wurde, »aus geläufigen Redewendungen von P nicht sehr geschickt zusammengesetzt«[241] sei und deshalb eine spätere Weiterbildung zu P darstelle, ist in neuerer Zeit besonders von *M. Noth*, aber auch von anderen Exegeten angenommen worden[242]. Wie richtig oder wie falsch

ÜPent, S. 143ff. u.ö.; *Lohfink*, Ursünden, S. 46f.52ff.; *Gunneweg*, Leviten, S. 171ff.; *G. W. Coats*, Rebellion in the Wilderness. The Murmuring Motif in the Wilderness Traditions of the Old Testament, Nashville/New York 1968, S. 71ff.83ff.137ff.156ff.; *Macholz*, Land, S. 75ff.; *Fritz*, Israel, S. 19ff.24ff.26ff.33f.; *E. Cortese*, La terra di Canaan nella storia sacerdotale del Pentateuco, Brescia 1972, S. 27ff.37ff.125ff.141ff.; *Mittmann*, a.a.O., S. 47ff.108ff.; *K. D. Sakenfield*, CBQ 37 (1975), S. 317–330.

237 Der Ausdruck הַמִּשְׁכָּן findet in den genannten Erzählungen keine Erwähnung, vgl. *Görg*, a.a.O., S. 72.

238 Ex 16,10; Num 14,10; 16,19; 17,7; 20,6.

239 *Westermann*, Herrlichkeit, S. 131f. (H.i.O.).

240 Zu der Frage, warum nach Ex 16* P^g der כְּבוֹד יְהוָה schon *vor* der grundlegenden Offenbarung am Sinai und der Errichtung des Begegnungszeltes erscheint, s. die Ausführungen von *Ruprecht*, Mannawunder, bes. S. 293f.

241 *M. Noth*, ATD V (^{3}1965), S. 191.

242 Außer *Noth*, a.a.O., S. 187f.191 (anders noch *ders.*, ÜPent, S. 18) noch *Rendtorff*, Offenbarungsvorstellungen, S. 49 Anm. 45; *Westermann*, Herrlichkeit, S. 124; *H. Rücker*, Die Begründungen der Weisungen Jahwes im Pentateuch (EThSt 3), Leipzig 1973, S. 25; *S. Böh-*

diese Annahme ist, muß die Einzelanalyse dieses Textes zeigen, der die folgende Gliederung vorangestellt sei:

(אֲשֶׁר) אִוָּעֵד לְךָ[243] שָׁמָּה לְדַבֵּר אֵלֶיךָ שָׁם׃	42b	*Mose*	נוֹעֵד *Jahwes*
וְנוֹעַדְתִּי שָׁמָּה לִבְנֵי יִשְׂרָאֵל וְנִקְדַּשְׁתִּי[244] בִּכְבֹדִי׃	43	*Israel*	
וְקִדַּשְׁתִּי אֶת־אֹהֶל מוֹעֵד וְאֶת־הַמִּזְבֵּחַ	44a	*Heiligtum, Kult*	קֹדֶשׁ *Jahwes*
וְאֶת־אַהֲרֹן וְאֶת־בָּנָיו אֲקַדֵּשׁ לְכַהֵן לִי׃	44b	*Priesterschaft*	
וְשָׁכַנְתִּי בְּתוֹךְ בְּנֵי יִשְׂרָאֵל	45a		
וְהָיִיתִי לָהֶם לֵאלֹהִים׃	45b	*BF*	שָׁכֵן *Jahwes*
וְיָדְעוּ כִּי אֲנִי יְהוָה אֱלֹהֵיהֶם אֲשֶׁר הוֹצֵאתִי"	46aαβ	*EF + HF*	
לְשָׁכְנִי בְתוֹכָם	46aγ		
אֲנִי יְהוָה אֱלֹהֵיהֶם׃	46b	*SF: Jahwe, der Gott Israels*	

42b »Dort werde ich ›dir‹ begegnen, um dort zu dir zu reden.
43 Und ich werde dort den Israeliten begegnen und ›mich als heilig erweisen‹ in meinem *kabôd*:
44a ich werde das Begegnungszelt und den Altar heiligen,
44b und Aaron und seine Söhne werde ich heiligen, daß sie mir als Priester dienen.
45a Und ich werde inmitten der Israeliten wohnen,
45b und ich werde ihnen Gott sein;
46aαβ und sie werden erkennen, daß ich, Jahwe, ihr Gott bin, der sie aus dem Lande Ägypten herausgeführt hat,
46aγ um in ihrer Mitte zu wohnen,
46b ich, Jahwe, ihr Gott«.

mer, Heimkehr und neuer Bund. Studien zu Jeremia 30–31 (GTA 5), Göttingen 1976, S. 107; *Fritz*, Tempel, S. 159 Anm. 210. Während *Westermann* noch betont, daß »diese nachträgliche Kommentierung . . . in der theologischen Linie des P (bleibt)« (ebd.), treten, mit jeweils verschiedenen Argumenten, für eine Zuweisung von Ex 29,42bff. an P ein: *Zimmerli*, Erkenntnis Gottes, S. 59f.; *Koch*, Priesterschrift, S. 30f.; *ders.*, Sinaigesetzgebung, S. 48; *Görg*, Zelt, S. 59f.; *ders.*, Gott-König-Reden, S. 146; *Clements*, God, S. 115; *Elliger*, Geschichtserzählung, S. 175.185f.; *ders.*, Ich bin der Herr – euer Gott, S. 227.228; *Weimar*, Exodusgeschichte, S. 92 mit Anm. 36; S. 133ff.143 u.ö.; *Lohfink*, Segen des Heiligkeitsgesetzes, S. 132 mit Anm. 5; *Floss*, Jahwe dienen, S. 573; *E. Zenger*, BZ 24 (1980), S. 101–116, hier: S. 114, anscheinend auch *Henry*, Priesterschrift, S. 29f. und *Macholz*, Land, S. 87f.144 u.ö. Grundsätzlich anders beurteilt werden die Verse von *Walkenhorst*, Sinai, S. 108ff.

243 Wegen der Fortsetzung לְדַבֵּר אֵלֶיךָ und aufgrund des Vergleichs mit אֲשֶׁר אִוָּעֵד לְךָ שָׁמָּה Ex 30,6.36; Num 17,19 (s. BHK³/S App. z.St.) ist mit LXX und Sam לְךָ statt des לָכֶם des MT zu lesen, vgl. auch zuletzt *Elliger*, Geschichtserzählung, S. 185; *Rost*, Wohnstätte des Zeugnisses, S. 164; *B. S. Childs*, Exodus (OTL), 1974, S. 520, u.a. Das לָכֶם des MT, das Resultat der von einer späteren Hand unternommenen Angleichung eines ursprünglichen לְךָ an den Duktus von v. 43a.45f. sein wird, behalten bei *M. Noth*, ATD V (³1965), S. 187; *Görg*, Zelt, S. 59; *Koch*, *'ohael*, Sp. 140; *Walkenhorst*, a.a.O., S. 109, u.a.

244 Mit LXX Syr TO TPsJ wird statt des וְנִקְדַּשׁ des MT die Lesart וְנִקְדַּשְׁתִּי »ich (Jahwe) will mich als heilig erweisen« vorgeschlagen, was sich auch durch inhaltliche Überlegungen stützen läßt, s. unten S. 325ff., ebenso lesen BHK³/S App. z.St.; *K. Galling*, HAT I/3 (1939), z.St.; *Elliger*, a.a.O., S. 185; *ders.*, Leviticus, S. 137 Anm. 8; *Rost*, a.a.O., S. 164; *Schmidt*, Glaube, S. 153, u.a.

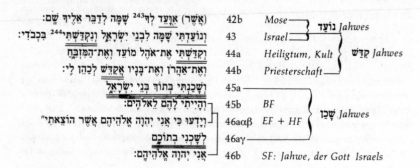

Es empfiehlt sich, bei der Analyse von Ex 29,42b–46 mit v. 45f. einzusetzen. Auffallend an diesen beiden Versen ist die Häufung mehrerer Formeln: Bundesformel (BF), Erkenntnisformel (EF), Herausführungsformel (HF) und Selbstvorstellungsformel (SF). Doch ist dies keine ungeschickte Aneinanderreihung geläufiger Redewendungen (so *M. Noth*), sondern eine im Blick auf den Gesamtaufriß der Priesterschrift sehr durchdacht gestaltete Anordnung zentraler Theologumena.

Die Bundesformel – Formmerkmal ist die syntaktische Verbindung: הָיָה (seltener לָקַח, הֵקִים, עָשָׂה, u.a.) + לְ + לְ – begegnet im Alten Testament in der vollen zweigliedrigen Form (Jahwe, der Gott Israels – Israel, das Volk Jahwes) sowie in der eingliedrigen Form (Nennung nur des ersten/zweiten Gliedes der Formel)[245]. Für das Verständnis von Ex 29,42b–46 ist die Beobachtung entscheidend, daß sich die Bundesformel bei P^g nur in wenigen, für den Gesamtaufriß von P aber zentralen Texten findet: in Gen 17,7b.8b; Ex 6,7a und Ex 29,45b. Während sie in Ex 6,7a in ihrer vollen zweigliedrigen Form (aber mit Vertauschung der Glieder und der Basis לָקַח statt הָיָה)[246] begegnet, enthalten Gen 17,7b.8b[247] und Ex 29,45b jeweils nur das erste Glied (Jahwe, der Gott Israels)[248].

In Ex 29,45f. folgt die Bundesformel auf die Ankündigung von Jahwes שָׁכַן inmitten der Israeliten (v. 45a, vgl. v. 46aγ); weitergeführt wird sie von der um die Herausführungsformel (Relativsatz mit אֲשֶׁר + Suffixkonjugation [*x-qaṭăl*] von יצא *hif.*) erweiterten Erkenntnisformel (Basis יָדַע + Langform der Selbstvorstellungsformel)[249] in v. 46aαβ[250]. Gibt die um die Herausführungsformel erweiterte Erkenntnisformel den *geschichtlichen Bezugspunkt* des Handelns Jahwes an seinem Volk an (Errettung aus Ägypten), so die abermalige (Rückgriff auf v. 45a!), infinitivisch konstruierte Ankündi-

245 Zur Bundesformel s. die bei *Weimar*, Exodusgeschichte, S. 132 Anm. 144 genannte Lit., s. zuletzt außerdem *Böhmer*, a.a.O. (oben Anm. 242), S. 89–109; *H. H. Schmid*, in: Kirche (FS *G. Bornkamm*), hrsg. von *D. Lührmann – G. Strecker*, Tübingen 1980, S. 1–25.

246 S. dazu *Weimar*, a.a.O., S. 136ff. Außerdem ist die zweigliedrige BF in Ex 6,7 noch mit der EF (Basis ידע + Langform der SF) und der HF verbunden, vgl. Ex 29,45b–46: eingliedrige BF + EF (Basis ידע + Langform der SF) + HF + SF.

247 In Gen 17,8b geht der BF die Landgabeformel voraus.

248 Daß an diesen drei Stellen jeweils nur das erste Glied der BF steht, hat mehr als nur zufällige Gründe, s. dazu außer *Weimar*, a.a.O., S. 133f. auch unten S. 320ff.

249 Zur Selbstvorstellungsformel s. die Lit. bei *Weimar*, a.a.O., S. 88 Anm. 22 (vgl. ebd. Anm. 27 auch die übersichtliche Zusammenstellung ihrer verschiedenen Benennungen in der bisherigen Forschung), ferner *D. Michel*, ThViat 9 (1966–1972), S. 145–156; *Schmidt*, Glaube, S. 54ff.; *Zimmerli*, Theologie, S. 12ff. Zur Analyse der Belege der SF in P^g (Gen 17,1; 35,11 [jeweils אֲנִי אֵל שַׁדַּי]; Ex 6,2.6.8; 12,12 [jeweils Kurzform אֲנִי יְהוָה]; Ex 29,46b [Langform]), in P^s (Ex 6,29; Lev 11,44.45; Num 3,13.41.45; 10,10; 15,41; 35,34) und in H (48mal) s. besonders *Elliger*, Ich bin der Herr – euer Gott, passim; *ders.*, Leviticus, S. 16; *Weimar*, a.a.O., S. 91ff.

250 Grundlegend zur Erkenntnisformel *Zimmerli*, Erkenntnis Gottes (passim), vgl. noch *ders.*, in: *ders.*, Gottes Offenbarung. Gesammelte Aufsätze zum Alten Testament (TB 19), München 1963, S. 120–132; *ders.*, BK XIII/1 (^{2}1979), S. 55*–61*. Zur Analyse der Erkenntnisformel in P^g s. zuletzt v.a. *Weimar*, a.a.O., S. 141ff.; *Floss*, Jahwe dienen, S. 569ff., vgl. auch *Zimmerli*, Erkenntnis Gottes, S. 57ff.

gung des שָׁכַן Jahwes (v. 46aγ) dessen *Ziel:* Das שָׁכַן Jahwes inmitten der Israeliten ist das Ziel der Herausführung aus Ägypten bzw. aus der »Ägyptensituation« des Exils. Da aber das in der eingliedrigen Bundesformel v. 45b und in der um die Herausführungsformel erweiterten Erkenntnisformel v. 46aαβ formulierte Theologumenon von Jahwe als dem Gott Israels von der Langform der Selbstvorstellungsformel v. 46b abschließend aufgenommen wird, ist – wie *P. Weimar* richtig gesehen hat – »nicht die Idee des Wohnens Jahwes bei seinem Volk als solche, sondern – und damit führt P^g das Wohnen Jahwes auf seinen tiefsten Bedeutungsgehalt zurück – die Vorstellung von Jahwe als dem Gott Israels die eigentliche Sinnspitze von Ex 29,45.46«[251]. Diese Bedeutung der in Ex 29,45f. zitierten Theologumena läßt sich noch präziser im Licht der Aussagen über die Abraham-*b^e^rît* Gen 17,1–22(23–27) P^g bestimmen[252].

Exkurs VII:
Abraham-*b^e^rît* und Sinai-*b^e^rît* – Bund und Verheißung in der Priesterschrift

In Gen 17 werden mehrere, zu einer Sinneinheit verbundene Inhalte eines Bundes Gottes mit Abraham genannt[253]: innerhalb von v. 1–6 die als בְּרִית qualifizierte *Mehrungsverheißung*

251 A.a.O., S. 135, vgl. auch *Görg*, Zelt, S. 60; *ders.*, *jʿd*, Sp. 706. Die Vorstellung – hinter der *von Rad* »die alte, gute Anschauung von Jahwes Anwesenheit im Lager« meint durchhören zu können (Priesterschrift, S. 183) –, daß sich der מִשְׁכָּן *Jahwes* »inmitten (בְּתוֹךְ) der Israeliten« befindet (Lev 15,31; 26,11) bzw. daß *Jahwe* »inmitten (בְּתוֹךְ) der Israeliten« *wohnt* (שָׁכַן: Ex 25,8; 29,45f.; Num 5,3; 35,34a.b; Lev 16,16 [vom אֹהֶל מוֹעֵד]), *ist* (הָיָה: Num 16,3, vgl. Jos 22,31), *wandelt* (הלך *hitp.*: Lev 26,12; zitiert in 2Kor 6,16, vgl. Apk 21,3; Jub 1,17; Barn 16,6ff.; Sib 2,773 und 4QFl 1,6[?], s. dazu *Klinzing*, Umdeutung, S. 83.178f.) oder *geheiligt wird* (קדש *nif.*: Lev 22,32), ist in verschiedenen Überlieferungszusammenhängen besonders von der Priesterschrift ausgebildet worden; außerhalb von P begegnet sie in 1Kön 6,13; Ez 37,26–28; 43,7.9 (s. dazu *W. Zimmerli*, BK XIII/2 [²1979], S. 914f.1081); Sach 2,9.14f.; 8,3, vgl. 8,8 (jeweils »inmitten [בְּתוֹךְ] Jerualems/Zions«). Daß aber – gleichsam umgekehrt – ein *Mensch* den göttlichen Transzendenzbereich betritt, hat die alttestamentliche Tradition außerhalb der Apokalyptik (Dan 7, s. dazu besonders *Gese*, Messias, S. 138ff.) *expressis verbis* nur von Mose zu sagen gewagt: Nach Ex 24,18aα geht dieser »mitten in die Wolke« hinein, aus der heraus der Ruf Gottes an ihn erging (v. 16b), s. oben S. 303ff. Wie zurückhaltend hier P trotz aller ›Gewagtheit‹ formuliert hat, geht beispielsweise aus einem Vergleich mit dem Midrasch zu Ex 24,12–18 in der samaritanischen Überlieferung (MM V 126,11–15) hervor, s. dazu *Kippenberg*, Garizim, S. 236ff.

252 Für die hier interessierenden Fragen des Zusammenhangs von Gen 17 – Ex 6,2–8 – Ex 29,45f. und des Verhältnisses Abraham-*b^e^rît* – Sinai-*b^e^rît* sei auf die folgenden Arbeiten hingewiesen: *Zimmerli*, Sinaibund (passim); *ders.*, Theologie, S. 45ff.; *ders.*, ZBK AT 1.2 (1976), S. 65ff.; *Lohfink*, Segen des Heiligkeitsgesetzes, S. 131ff.; *Macholz*, Land, S. 42ff. 63ff.85ff.142ff.; *McEvenue*, Narrative Style, S. 144ff.; *Kutsch*, Verheißung, S. 108ff. u.ö.; *ders.*, Priesterschrift (passim); *ders.*, Gottes Zuspruch, S. 74f.82ff.89f.; *Groß*, Jakob, S. 325ff.332ff.; *ders.*, Bundeszeichen (passim); *Weimar*, Exodusgeschichte (Register zu den entsprechenden Texten); *Westermann*, Genesis 17 (passim); *ders.*, BK I/2 (1981), S. 127f.301ff.; *Rendtorff*, Pentateuch, S. 67f.140f.160f.

253 S. dazu v.a. die in der vorhergehenden Anm. genannten Arbeiten von *Kutsch*, *Westermann* und *Groß*. Mit *Westermann* (Genesis 17, passim) und *Groß* (Bundeszeichen, S. 111 mit

v. 2, Abraham »überaus zahlreich« zu machen, und die diese Verheißung aufnehmende und in ihren konkreten Bezügen entfaltende *Mehrungs-b^erît*, Abraham zu einem אַב הֲמוֹן גּוֹיִם werden zu lassen (v. 4) und ihn »überaus fruchtbar« zu machen (v. 6); innerhalb von v. 7–8 die dieser Mehrungsverheißung sachlich zugeordnete, die Selbstvorstellungsformel v. 1bβ explizierende *Zusage* (בְּרִית) El Schaddajs, Abraham und seinen Nachkommen *Gott sein zu wollen* (v. 7b.8b), die eine inkludierende Klammer um die – nicht als בְּרִית qualifizierte – Zusage des »Landes deiner Schutzbürgerschaft, des ganzen Landes Kanaan, zu ewigem Besitz« (v. 8a) bildet:

7 »Ich richte meinen Bund auf zwischen mir und dir samt deinen Nachkommen nach ihren Geschlechtern als ewigen Bund, daß ich dir und deinen Nachkommen Gott sein werde (לִהְיוֹת לְךָ לֵאלֹהִים וּלְזַרְעֲךָ אַחֲרֶיךָ).
8 Dir und deinen Nachkommen gebe ich das Land deiner Schutzbürgerschaft, das ganze Land Kanaan, zu ewigem Besitz, und ich will ihnen Gott sein (וְהָיִיתִי לָהֶם לֵאלֹהִים)«.

Im Unterschied zu den בְּרִית-Aussagen von Gen 17,1–8 – der Mehrungs-*b^erît* v. 2.4, der Landverheißung v. 8a und der als בְּרִית prädizierten Selbstzusage Jahwes v. 7.8b – ist mit der *Beschneidungs-b^erît* Gen 17,9–14 (6mal בְּרִית) ein dem Menschen von Gott auferlegtes *Gebot* gemeint. Doch stellt der das Gebot von Gen 17,1bγδ explizierende und konkretisierende Teil v. 9–14 im Verhältnis zu v. 3b–8 (und v. 15–22) keinen Fremdkörper dar, denn: »Im Vollzug der Beschneidung von Generation zu Generation wird die Mehrungsverheißung und mit ihr die Verheißung ›ich will euer Gott sein‹ antwortend bestätigt«[254]. Mehr noch: Da die Beschneidung in Wirklichkeit »Zeichen der *b^erît* zwischen mir und euch« ist (Gen 17,11), werden durch die Beschneidungshandlung die in Gen 17,1–8 zugesagten בְּרִית-Inhalte *zeichenhaft gesetzt* und so auch *aktuell wirksam*[255].

Die Zusage Gottes, Abraham und seinen Nachkommen »das ganze Land Kanaan zu ewigem Besitz« zu geben (Gen 17,8a, vgl. Gen 48,4 P^g; Lev 25,34 H), wird zwar nicht als בְּרִית bezeichnet, dem Inhalt nach ist sie aber als eine בְּרִית qualifiziert. Das zeigt – von Gen 15,18 abgesehen – nicht nur Ex 6,4f. P^g, wo in einem geschichtlichen Rückblick auf die mit den Vätern Abraham, Isaak und Jakob aufgerichtete בְּרִית, ihnen »das Land Kanaan« zu geben, zurückverwiesen wird und Jahwes »Gedenken« (זָכַר) *dieser* בְּרִית (Ex 2,24; 6,5b) zusammen mit der um das zweite (aber hier voranstehende) Glied der Bundesformel erweiterten Selbstzusage Jahwes Ex 6,7a Begründung und Movens des weiteren Geschichtsverlaufs (Herausführung Israels aus Ägypten) ist[256]; das zeigt auch die Tatsache, daß Gen 17,8a umrahmt wird von der als בְּרִית qualifizierten (v. 7a) und jeweils mit dem ersten Glied der Bundesformel formulierten Zusage Jahwes (bzw. El Schaddajs), Abraham und seinen Nachkommen Gott sein zu wollen (v. 7b.8b).

Während P mit der Mehrungs-*b^erît* Gen 17,2.4 und der Landverheißung Gen 17,8a ältere Traditionen aufgenommen hat, ist – worauf schon die formale Gestalt der Bundesformel bei P/H hindeutet (außer in Ex 6,7a; Lev 26,12 begegnet bei P^g/P^s/H ausschließlich die eingliedrige Bundesformel) – die Zusage Jahwes, Abraham und seinen Nachkommen Gott sein zu wollen,

Anm. 28) halten wir Gen 17,3–5 für zum Grundbestand des Kapitels gehörig, vgl. auch *McEvenue*, a.a.O., S. 161ff. Anders *Kutsch* (Priesterschrift, passim), der in Gen 17,2–6 einen ursprünglichen Text (v. 2 + 6) von einer sekundären Erweiterung (v. 3–5) unterscheidet, vgl. *K. Koch*, VT 26 (1976), S. 299–332, hier: S. 318; *Vorländer*, Mein Gott, S. 198.

254 *Westermann*, Genesis, Sp. 167.

255 Vgl. besonders *Groß*, Bundeszeichen, S. 112ff.

256 S. dazu *Kutsch*, Verheißung, S. 108f.; *ders.*, Priesterschrift, S. 374.383ff.; *ders.*, Gottes Zuspruch, S. 83f.; *Weimar*, Exodusgeschichte, S. 56ff.103ff.; *E. Zenger*, BZ 24 (1980), S. 101–116, hier: S. 114, vgl. auch *Macholz*, Land, S. 63ff.86f.143f.; *W. H. Schmidt*, BK II/2 (1977), S. 89f.97f.

als »Proprium priesterschriftlicher Theologie« zu werten[257]. Wird die eigentliche Erfüllung der Abraham als בְּרִית gegebenen Mehrungsverheißung Gen 17,2.4 in Ex 1,7 – nach priesterschriftlichem Verständnis die Nahtstelle zwischen Väterzeit und Mose- bzw. Israelzeit[258] – berichtet, so werden von den Abrahamsverheißungen Gen 17,1–8 in dem Schlüsseltext Ex 6,2–8 – unter konsequenter Weglassung der für Jakob charakteristischen (Gen 35,39ff.), aber erst in ›seinen Söhnen‹, d.h. dem werdenden Volk Israel, segensreich in Erfüllung gegangenen Mehrungsverheißung (Ex 1,7) – allein die *Verheißung des Landes Kanaan* für Abraham und seine Nachkommen (bzw. Isaak und Jakob: Ex 6,4.8) und die *Zusage des neuen Gottesverhältnisses* (Ex 6,7a) aufgenommen und weitertradiert. Mit Jahwes »Gedenken« (Ex 2,24; 6,5b) *dieser* Inhalte der Abraham-*b^e^rît* Gen 17, das nach P als Movens des weiteren Geschichtsverlaufs auf die Herausführung Israels aus Ägypten und Jahwes rettendes Eingreifen am Schilfmeer (Ex 14* P^g) vorausweist[259], setzt die Geschichte der Erfüllung dieser beiden Verheißungen ein, deren endgültige Konkretisierung wir in der Selbstzusage Jahwes zu sehen haben, *als der Gott Israels inmitten seines Volkes »wohnen« (שָׁכַן) zu wollen (Ex 29,45f.).*

J. Wellhausens Bezeichnung der Priesterschrift als »Vierbundesbuch« (*liber quattuor foederum,* Siglum Q) liegt bekanntlich die Annahme zugrunde, daß P in ihrer Geschichtskonzeption von einem System von vier Bundesschlüssen bestimmt sei: von einem Bund mit Adam (Gen 1,28–2,4a), von einem Noahbund (Gen 9,2–17), einem Abrahambund (Gen 17) und einem Sinaibund (Ex 19ff.)[260]. Obwohl eine Kritik dieser These *Wellhausens* schon früh durch *J. J. P. Valeton*[261], *R. Kraetzschmar*[262], *B. Stade*[263], u.a.[264] erfolgte und obwohl man in der Folgezeit um Präzisierungen des Verhältnisses: Abraham-*b^e^rît* – Sinai-*b^e^rît* bemüht war[265], gelang es erst *W. Zimmerli* in seinem wegweisenden Aufsatz »Sinaibund und Abrahambund« (1960), die Differenzen zwischen diesen beiden Größen präziser zu formulieren[266]. Da bei P weder die Schöpfung noch – und das ist nach den Worten *Zimmerlis* »die revolutionäre Umzeichnung der Sinaitradition«[267] – das Sinaigeschehen als Bund dargestellt wird, stellt sich die Frage, wie dieser Sachverhalt traditionsgeschichtlich zu deuten ist. Ist etwa »mit der Möglichkeit zu rechnen, daß P ursprünglich auch einen Sinaibund enthalten hat, daß dieser Teil aber bei der Zusammenlegung von JE (in Anbetracht von Ex 24) in Wegfall gekommen ist«?[268]. Entgegen einer derartigen, aus inneren Gründen wenig wahrscheinlichen Verkürzung der Tradition[269] geben nach *Zimmerli* einige Spuren deutlich zu erkennen, daß bei P »den Geschehnissen der Mose- und der Sinaizeit ursprünglich der Rang eines Bundesgeschehnisses zukam«[270].

257 *Kutsch,* Priesterschrift, S. 376.388, vgl. schon *von Rad,* Theologie I, S. 148 und neuerdings *Westermann,* Genesis 17, Sp. 165.166; *ders.,* Die Verheißungen an die Väter. Studien zur Vätergeschichte (FRLANT 116), Göttingen 1976, S. 147f.
258 S. dazu *Groß,* Jakob, S. 325.342f.; *Weimar,* a.a.O., S. 25ff. u.ö. und *Schmidt,* a.a.O., S. 29ff.97f.
259 Zu dieser Schlüsselstellung von Ex 6,2–8 s. *Weimar,* a.a.O., S. 78ff., bes. S. 168ff.
260 Die Composition des Hexateuch und der historischen Bücher des Alten Testaments, Berlin [3]1899, S. 1f., vgl. *ders.,* Prolegomena zur Geschichte Israels, Berlin [6]1905, S. 8f. mit Anm. 2; S. 336ff.
261 ZAW 12 (1892), S. 1–22.
262 Die Bundesvorstellung im Alten Testament in ihrer geschichtlichen Entwickelung untersucht und dargestellt, Marburg 1896, S. 183ff.
263 Biblische Theologie des Alten Testaments I, Tübingen [1.2]1905, S. 345.
264 *von Rad,* Priesterschrift, S. 175ff.; *ders.,* Theologie I, S. 148f., vgl. *Noth,* ÜSt, S. 207f.
265 S. dazu den Überblick bei *Kutsch,* Gottes Zuspruch, S. 74f.
266 Vgl. *ders.,* Gesetz, S. 273f.; *ders.,* Mensch, S. 45ff.; *ders.,* Theologie, S. 69.
267 Sinaibund, S. 208.
268 *von Rad,* Theologie I, S. 148.
269 S. dazu *Zimmerli,* Sinaibund, S. 213f.

Was aber wird durch die »Eliminierung«[271] der alten Sinaitradition bei P gewonnen? »Nach dem Aufriß des P rückt das Geschehen der Mosezeit nach seiner Bundesqualität eindeutig in das Licht einer Erfüllung der mit den Vätern geschlossenen בְּרִית. (. . .) Was in der Mosezeit geschieht, ist auch in seinem Innersten, in der Weise der Verbundenheit Jahwes mit seinem Volk, lediglich Einlösung des schon Abraham Verheißenen«[272], kurz: »Israel steht im Abrahambund«[273], der bei P seiner Struktur nach eine Verheißungs-*b^e^rît* oder mit den Worten *Zimmerlis:* ein »reiner Gnadenbund«[274], gewesen ist. Wird die anfängliche Erfüllung der Abraham gegebenen Landverheißung (Gen 17,8a) in den Erzählungen von dem Begräbnis Saras (Gen 23,9.17.19), Abrahams (Gen 25,9), Isaaks und Rebekkas (Gen 49,30.31a; und Leas Gen 49,31b) und Jakobs (Gen 50,12f., vgl. Gen 49,29f.) in der als אֲחֻזָּה erworbenen Grabhöhle Machpela (Gen 23)[275] berichtet und wird die tatsächliche Erfüllung der Mehrungs-*b^e^rît* Gen 17,2.4 in der die priesterschriftlichen Jakobsüberlieferungen abschließenden Mehrungsnotiz

270 *Ders.*, a.a.O., S. 210, vgl. S. 210ff.214 und *ders.*, Theologie, S. 46f., ferner *D. J. McCarthy*, Der Gottesbund im Alten Testament (SBS 13), Stuttgart ²1967, S. 72f.

271 Dieser Ausdruck begegnet bei *Zimmerli*, Sinaibund (passim), vgl. *ders.*, Gesetz, S. 273.

272 *Zimmerli*, Sinaibund, S. 212.

273 A.a.O., S. 213.

274 A.a.O., S. 215.

275 Nach *Macholz* steht im Zentrum der Abraham-*b^e^rît* die Zusage Jahwes, Abraham und seinen Nachkommen Gott sein zu wollen (Gen 17,7b.8b), der die als »gegenwärtige Übereignung des ›ganzen Landes Kanaan‹« bzw. als »Eigentumsübertragung« verstandene Landverheißung (v. 8a) sowie die Nachkommensverheißung (v. 2.4) subordiniert seien; die beiden Zusagen von Nachkommenschaft und Land lasse P für Abraham »schon exemplarisch erfüllt (sein), indem ihre Wirklichkeit offenkundig« werde: verwirkliche sich die Mehrungs-*b^e^rît* in der Geburt Isaaks (Gen 21,1b–6), so die Landverheißung im Erwerb der Höhle Machpela (Gen 23) (*Macholz*, Land, S. 50ff.57ff.85f.142f., ähnlich, wenn auch mit anderer Sinnspitze, schon *Elliger*, Geschichtserzählung, S. 176, s. dazu unten Anm. 278). Das aber heißt nach *Macholz*, »daß alle weiteren Akte der Inbesitznahme durch Abrahams Nachkommenschaft eben weitere Akte sind, also quantitativ, aber nicht qualitativ mehr sein können« (a.a.O., S. 86) und: »In der Darstellung des Bogens von Setzung und paradigmatischer Realisierung Gen 17–23 ist in der Priesterschrift das Entscheidende über das Land gesagt« (a.a.O., S. 143). Doch übersieht diese Exegese – die u.a. dem Nachweis dienen soll, daß »das Land . . . für das Israelsein Israels, der Priesterschrift zufolge, keine Bedeutung« hat (a.a.O., S. 145) –, daß Gen 23 nicht schon eine ausgestaltete »Erfüllungsgeschichte« ist, sondern *zwischen Verheißung und Erfüllung* steht: Die Väter leben zwar schon im (verheißenen) Lande, dieses ist aber noch das »Land ihrer Fremdlings-/Schutzbürgerschaft« (אֶרֶץ מְגוּרִים Gen 17,8; 28,4; 36,7; 37,1; 47,9; Ex 6,4; außerhalb von P: Ez 20,38, s. dazu *D. Kellermann*, Art. *gwr*, ThWAT I, Sp. 989; die Erzväter als גֵּרִים bei P: Gen 23,4; 28,4; 35,27[P?]; 37,1; 36,7, vgl. Ex 6,4 und zur Sache *Kellermann*, a.a.O., Sp. 986; *A. de Pury*, Promesse divine et légende cultuelle dans le cycle de Jacob. Genèse 28 et les traditions patriarcales, t. 1, Paris 1975, S. 198 mit Anm. 342). Doch gibt es einen Ort in dieser אֶרֶץ מְגוּרִים, an der die Väter keine »Fremdlinge« (גֵּרִים) mehr sind: die Grabhöhle Machpela. Im *Tod* und im *Begräbnis in eigener (!) Erde* ist die Landverheißung in einem tieferen, jenseits von besitzrechtlicher »Innehabung« von Grund und Boden oder von legitimer »Grabnutzung« (so neuerdings *G. Gerleman*, ZAW 89 [1977], S. 313–325, hier: S. 317) liegenden Sinn ›vorgreifend‹ in Erfüllung gegangen: Der Erwerb der Höhle Machpela לַאֲחֻזַּת־קָבֶר (Gen 23,4.9.20, vgl. 49,30; 50,13) ist das *Angeld* oder *Unterpfand* für ein zukünftiges Leben des Volkes Israel im verheißenen »Lande Kanaan«. Mit Gen 23 hat die Landverheißung darum *begonnen* sich zu erfüllen, ihre eigentliche Erfüllung aber steht für Israel noch aus. Darum bezeugt die Grabhöhle Machpela die *Hoffnung* der Väter auf die endgültige Erfüllung der Landverheißung, s. dazu auch *Zimmerli*, Mensch, S. 75f.; *ders.*, ZBK AT 1/2 (1976), S. 118ff.142; *Gese*, Tod, S. 33f., u.a. Anders *Westermann*, BK I/2 (1981), S. 460f. und dezidiert *Rendtorff*, Pentateuch, S. 128ff.

Ex 1,7[276] festgehalten, so ist das, was unter Mose am Sinai geschieht (Ex 24,15bff.), nach P ausschließlich Erfüllung jener Abraham gegebenen, als בְּרִית qualifizierten und in die eingliedrige Bundesformel gefaßten Zusage Jahwes, ihm und seinen Nachkommen Gott sein zu wollen (Gen 17,7b.8b). Das durch die כָּבוֹד-Offenbarung am Sinai konstituierte Heiligtum mit seiner in Ex 25,8 anklingenden und in Ex 29,45f. an ihr Ziel kommenden, auf das שָׁכַן Jahwes inmitten Israels bezogenen Finalbestimmung (Ex 29,45a.46aγ) ist Konkretisierung und Einlösung der in Gen 17,7b.8b Abraham gegebenen, in Ex 6,6f. den Israeliten gegenüber erneuerten Zusage Jahwes, sein/ihr Gott sein zu wollen. »Mit dem ersten feierlichen Erscheinen der Herrlichkeit Jahwes über der Stiftshütte (Ex 40,34f.) war die alte Väterverheißung, daß Jahwe Israels Gott sein wolle, erfüllt (Gen 17,7)«[277].

Durch die Transponierung des in der (eingliedrigen) Bundesformel Ex 29,45b erkennbaren Zentralinhalts der priesterschriftlichen Sinaierzählung – »Jahwe, der Gott Israels« – in die Abraham-*b^{e}rît* Gen 17,7b.8b rücken Väterzeit und Mosezeit so eng wie möglich zusammen: Nach dem Verständnis der Priesterschrift entfaltet sich die Geschichte Israels als eine auf die Erfüllung zulaufende *Verheißungsgeschichte*, deren wesentlichster Inhalt: die Zusage des neuen Gottesverhältnisses in der für den Glauben gegenwärtigen ›Vergangenheit‹ der Abraham-*b^{e}rît*, paradigmatisch gesetzt ist. Von diesem Verheißungsinhalt der Abraham-*b^{e}rît* kommt Israel her, auf ihn gründet es seine Hoffnung, die Hoffnung auf ein zukünftiges Leben im verheißenen »Lande Kanaan« ist[278]. –

Im Blick auf den Gesamtaufriß der Priesterschrift bildet Ex 29,42b–46 den Abschluß der die Einzelanweisungen für das Heiligtum, den Kult und die Priesterschaft enthaltenden Jahwerede Ex 25,1–29,46* P^g; 31,18* P$^{g(?)}$[279].

276 S. dazu die Hinweise oben Anm. 258.

277 *von Rad*, Theologie I, S. 254, vgl. dazu auch *Koch*, Sinaigesetzgebung, S. 45 Anm. 1; *Borchert*, Stil, S. 4; *Lohfink*, Segen des Heiligkeitsgesetzes, S. 132 mit Anm. 5; *Blenkinsopp*, Structure of P, S. 278f.

278 Im Rahmen dieser Arbeit ist es nicht möglich, das Problem von »Sinn und Ursprung der priesterlichen Geschichtserzählung« erneut zur Diskussion zu stellen. Aber angesichts der sich heute scheinbar ausschließenden Positionen von *Elliger einerseits:* Landthematik als Sinnmitte von P (Geschichtserzählung, passim; *ders.*, Leviticus, S. 11f.), und von *Macholz andererseits:* nach P ist das Land für das »Israelsein Israels« ohne Bedeutung, Sinnmitte von P ist die in der Konstituierung des Kultes am Sinai sich konkretisierende Selbstzusage Jahwes (Land, S. 145, zur Begründung S. 82ff.142ff.), mag die Vermutung erlaubt sein, daß bei dem Versuch einer Bestimmung des »Kerygmas der Priesterschrift« nicht das Beharren auf einem krassen Entweder (Landthematik) – Oder (Thematik der Selbstzusage Jahwes), sondern eher die Beachtung des *Verweisungszusammenhangs von Landverheißung und Konstituierung des Kultes durch die Selbstzusage Jahwes* weiterhelfen dürfte; diese Vermutung bedarf natürlich detaillierterer Ausführung, s. aber die vorläufigen Überlegungen in den folgenden Abschnitten, ferner auch die Hinweise bei *Kilian*, Hoffnung (passim); *ders.*, Priesterschrift (passim); *Brueggemann*, Kerygma, S. 408ff.412; *ders.*, Land, S. 144ff.; *Lohfink*, Grenzen des Wachstums, S. 448ff.; *Blenkinsopp*, a.a.O., S. 278.282.289ff.; *H. Seebass*, EvTh 37 (1977), S. 210–229, hier: S. 223ff. – Zu der Frage, ob P im Buche Josua fortgesetzt wird und dementsprechend von einer »Landnahme« berichtet hat, s. zusammenfassend *Kaiser*, Einleitung, S. 107f.; *Smend*, Entstehung, S. 58; *Schmidt*, Einführung, S. 98ff.

279 *Zenger* (Sinaitheophanie, S. 79) rechnet Ex 31,18aβγ zu einer kommentierenden »P-Hand«, während *Elliger* (Geschichtserzählung, S. 175, vgl. *Volkwein*, Masoretisches ᶜēdūt, S. 26 Anm. 62) den ganzen Vers P^g zuweist. Wieviel innerhalb von Ex 25,1–31,17 zu P^g gehört, ist im einzelnen umstritten, s. dazu die z.T. erheblich voneinander abweichenden Angaben bei *Elliger*, a.a.O., S. 174f.; *Vink*, Priestly Code, S. 99ff.; *Fritz*, Tempel, S. 112ff.; *Lohfink*, Priesterschrift, S. 198 Anm. 29.

Damit steht dieser Abschnitt an der Nahtstelle zwischen den Anordnungen zum Bau des Heiligtums Ex 25,1–29,42a* P^g; 31,18* $P^{g(?)}$ und dem Ausführungsbericht Ex 35,1–40,35* P^g[280]. Einer Andeutung *P. Weimars* zufolge besteht seine Absicht darin, »jene Einzelanweisungen auf ihren Bedeutungsgehalt hin zusammen(zu)fassen . . . Sinnmitte von Heiligtum, Priestertum und Kult ist das Wohnen Jahwes inmitten der Israeliten und letztlich das Gottsein Jahwes für Israel«[281]. Dies läßt sich anhand der auf die Vorschriften zum Tamidopfer Ex 29,38ff. folgenden Bestimmung des Kultortes Ex 29,42b–44(45f.) nun genauer darstellen.

Nach *R. Rendtorff*[282] zeigt Ex 29,42b einen Gebrauch von כָּבוֹד (suffigierte Form כְּבֹדִי [Subjekt JHWH]), der von der bei P sonst zu beobachtenden Verwendung dieses Terminus (Constructus-Verbindung כְּבוֹד יְהוָה) abweicht. Dieses כְּבֹדִי ist bei P zwar singulär[283], doch läßt sich der Wendung וְנִקְדַּשְׁתִּי בִּכְבֹדִי[284] Ex 29,42b (»ich [Jahwe] will mich als heilig erweisen in/durch meinen כָּבוֹד«) ein Sinn abgewinnen, der nicht nur den übrigen priesterschriftlichen כָּבוֹד-Belegen nicht widerspricht, sondern auch dem Text Ex 29,42b–44 erst sein auf Ex 29,45f. zulaufendes Aussagegefälle verleiht. Wird bei P der Ort des »Begegnens« (יעד *nif.*) Jahwes sonst durch die כַּפֹּרֶת (Ex 25,22; 30,6) bzw. die עֵדוּת (Ex 30,36; Num 17,7) bezeichnet, so soll hier das נוֹעַד Jahwes am Eingang (פֶּתַח) des אֹהֶל מוֹעֵד erfolgen[285]. Dabei muß die zweimalige Nennung des Terminus נוֹעַד in Ex 29,42b.43a (sonst nur noch in Ex 25,22 P^g und in Ex 30,6.36; Num 17,19 [jeweils P^s]) auffallen; dies um so mehr, als der mit dem Terminus יעד *nif.* nicht nur etymologisch zusammenhängende Begriff אֹהֶל מוֹעֵד[286] in den P^g zuzuweisenden

280 Vgl. auch *Weimar*, Exodusgeschichte, S. 136. Diese Abschlußfunktion von Ex 29,42b–46 geht auch daraus hervor, daß 1. die das שָׁכַן Jahwes enthaltenden Stücke Ex 25,8f. und Ex 29,42bff. eine inkludierende Klammer um Ex 25,10–29,42a bilden (vgl. *Lohfink*, Segen des Heiligkeitsgesetzes, S. 132 mit Anm. 5; das שָׁכַן Jahwes findet sich in P^g nur in vier Texten, die unmittelbar oder, wie Ex 25,8, mittelbar zu den priesterschriftlichen כְּבוֹד יְהוָה-Texten gehören: Ex 24,16; 25,8; 29,45f.; 40,35!), und 2. der Terminus אֹהֶל מוֹעֵד in Ex 29,42bff. interpretierend eingeführt wird, s. im folgenden.

281 Exodusgeschichte, S. 136, vgl. *Görg, jʿd,* Sp. 706.

282 Offenbarungsvorstellungen, S. 49 Anm. 45, vgl. *M. Noth*, ATD V (^{3}1965), S. 191; *Westermann*, Herrlichkeit Gottes, S. 124.

283 Zu כְּבֹדִי Num 14,22 s. oben Anm. 163.

284 Zu dieser Lesart s. oben Anm. 244.

285 Das dreimalige (ה)שׁמ Ex 29,42b.43a ist auf פֶּתַח אֹהֶל מוֹעֵד v. 42a zu beziehen, s. dazu *Walkenhorst*, Sinai, S. 110ff. *Walkenhorst*, der (a.a.O., S. 108ff.) Ex 29,42–43 als eine Sinneinheit betrachtet, in deren Mittelpunkt der פֶּתַח אֹהֶל מוֹעֵד stehe, während ab v. 44 vom אֹהֶל מוֹעֵד die Rede sei, möchte daraus allerdings eine inhaltliche Differenz zwischen Zelt und Zelteingang ableiten, dergestalt, daß »das Tor des Zeltes der Begegnung als Ort, wo sich das Volk YHWH darstellt, . . . darum die Stätte (ist), welche in besonderer Weise dadurch geheiligt ist, daß hier die Herrlichkeit YHWH's in eminenter Weise dem ganzen Volk sichtbar wird« (a.a.O., S. 112). Doch kommt dem פֶּתַח diese besondere Bedeutung nicht »gegenüber dem Zelt« (a.a.O., S. 111), sondern *als Teil* des אֹהֶל מוֹעֵד zu, vgl. dazu auch *Görg, jʿd,* Sp. 705f. Auch der Versuch *Walkenhorsts*, diese These an den »Erscheinungsberichten des Buches Nm« zu erhärten (a.a.O., S. 113), kann nicht überzeugen, s. als Gegenbeispiele nur Num 14,10; 17,7.19 im Vergleich mit Num 16,19; 20,6.

286 S. oben S. 306 mit Anm. 175.

Stücken von Ex 25,1–29,42a fehlt[287] und der bautechnische Ausdruck הַמִּשְׁכָּן (von Ex 25,9 ab) vorherrscht[288]. Aber: War in der zweiseitigen Bewegung des auf dem Sinai in der Wolke sich niederlassenden כְּבוֹד יְהוָה und des in die כָּבוֹד-Wolke hineingehenden Mose (Ex 24,15bff.) der eigentliche Grund dafür zu sehen, daß das Heiligtum bei P – ohne daß der *Begriff* in Ex 24,15b–18a + 25,1 schon fällt! – אֹהֶל מוֹעֵד »*Begegnungs*zelt« heißt[289], so wird am Ende der durch Ex 24,15b–18a + 25,1 eröffneten Jahwerede Ex 25,1–29,42a* P^g in Ex 29,42b–46 durch die zweimalige Nennung des Begegnungsterminus יעד *nif.* der der *Sache* nach durch Ex 24,15bff. vorbereitete Begriff אֹהֶל מוֹעֵד *interpretierend* eingeführt[290] und so eine *theologische Ätiologie des Terminus* אֹהֶל מוֹעֵד gegeben: Dieses Zelt ist *der* Ort in Israel, an dem Jahwe Mose bzw. den Israeliten »begegnet« (Ex 29,42b.43a).
Begegnet Jahwe aber Mose »dort«, d.h. am Zelteingang, um mit ihm zu reden (דִּבֶּר Ex 29,42b; in Ex 25,22 P^g und Num 7,89 P^s jeweils auf die כַּפֹּרֶת bezogen)[291], so geschieht das נוֹעַד Jahwes gegenüber den Israeliten Ex 29,43a nicht allein zum Zweck der Wortoffenbarung – das Ziel dieses נוֹעַד ist vielmehr in dem שָׁכַן Jahwes »inmitten der Israeliten« (v. 45a, vgl. v. 46aγ) zu sehen –, sondern das נוֹעַד Jahwes v. 43a wird aufgenommen und weitergeführt von der inhaltlich überraschenden Wendung v. 43b: וְנִקְדַּשְׁתִּי בִּכְבֹדִי »ich (Jahwe) will mich als heilig erweisen in meinem כָּבוֹד«.
Die Bedeutung dieses Satzes wird in v. 44 entfaltet: Jahwe *erweist sich* darin *als heilig* (קדשׁ *nif.*)[292], daß er den אֹהֶל מוֹעֵד, den מִזְבֵּחַ und die den Kult verantwortlich ausübenden Aaroniden *heiligt* (קִדַּשׁ)[293]. Sowenig die altisraelitische Religion – gemäß einer u.a. von *N. Söderblom* und *R. Otto* vertretenen Theorie – als »Religion der Heiligkeit« betrachtet werden kann[294], sowenig hat auch die Priesterschrift in Ex 29,42bff. und an den übrigen Stellen, an denen sie die Heiligkeitsaussage auf Jahwe (als Subjekt) bezieht, das Wesen Gottes als Wesen des »an und für sich Heiligen« definieren wollen.

287 Er begegnet zuerst in Ex 27,21 P^s; 28,43 P^s, gehäuft dann ab Ex 29ff., zur Einzelanalyse s. *Görg*, Zelt, S. 35ff.

288 Zu den verschiedenen von P verwendeten Heiligtumsbezeichnungen s. *Koch*, Sinaigesetzgebung, S. 48 Anm. 4; *Rost*, Wohnstätte des Zeugnisses, passim; *Görg*, a.a.O., S. 8–74.171f.; vgl. auch *Elliger*, Geschichtserzählung, S. 185; *ders.*, Leviticus, S. 34 Anm. 1; S. 158 Anm. 2; S. 374 Anm. 18; S. 377 Anm. 58; *Kellermann*, Priesterschrift, S. 26f.134f.

289 S. oben S. 303ff.

290 Vgl. auch *Görg*, Zelt, S. 60; *Lohfink*, Segen des Heiligkeitsgesetzes, S. 132 Anm. 5.

291 S. dazu unten S. 343f.

292 קדשׁ *nif.* mit Subjekt JHWH begegnet außer in Ex 29,43b in P/H noch in Lev 10,3a P^g (s. dazu *Elliger*, Leviticus, S. 133, vgl. *Koch*, Sinaigesetzgebung, S. 43 mit Anm. 6), in Lev 22,32 H und in Num 20,13 $P^{g(?)}$.

293 Die Aaroniden werden geheiligt, »damit sie mir (Jahwe) als Priester dienen« (לְכַהֵן לִי), vgl. Ex 28,1.3.4; 29,1; 30,30; Lev 7,35.

294 S. dazu *Schmidt*, Glaube, S. 150ff.; *Kraus*, Das heilige Volk, S. 37f. Zur religionswissenschaftlichen Problematik s. *Henninger*, Pureté, Sp. 399ff.; *C. Colpe* (Hrsg.), Die Diskussion um das »Heilige« (WdF 305), Darmstadt 1977; L'expression du sacré dans les grands religions I: Proche-Orient et traditions bibliques, Louvain-La-Neuve 1978 (Bibliographie dort S. 101f.).

Denn wie dort, wo bei P (und H) von Jahwe als dem קָדוֹשׁ die Rede ist (Lev 11,44f.; 19,2; 20,26; 21,8), die Heiligkeit Gottes als ein an Israel wirksames Geschehen erscheint und Israels Heilig-Sein in der Heiligkeit Gottes begründet ist, so begründet auch nach Ex 29,43bf. – analog zu dem durch das Erscheinen des כְּבוֹד יְהוָה gestifteten, eingesetzten und bestätigten Gottesdienst am/im אֹהֶל מוֹעֵד (Ex 24,15bff.; 40,34f.; Lev 9,23b.24b) – das »Sich-als-heilig-Erweisen« Jahwes in seinem כָּבוֹד (כְּבֹדִי Ex 29,43b) die Heiligkeit des Kultes, des Heiligtums und der Priesterschaft (Ex 29,44a.b). Dieser durch die grundlegende כָּבוֹד-Offenbarung am Sinai (Ex 24,15bff.) konstituierte Bereich des Heiligen ist nach P auch der Ort der Entsühnung Israels und seiner kultischen Repräsentanten.

Der begründende (כִּי) Hinweis darauf, daß Jahwe »heilig« (קָדוֹשׁ) ist, findet sich in P und H 5mal[295]: in Lev 11,44.45 (jeweils כִּי קָדוֹשׁ אָנִי); Lev 19,2 (כִּי קָדוֹשׁ אֲנִי יְהוָה אֱלֹהֵיכֶם); Lev 20,26 (כִּי קָדוֹשׁ אֲנִי יְהוָה) und in Lev 21,8 (כִּי קָדוֹשׁ אֲנִי יְהוָה מְקַדִּשְׁכֶם). Ist *K. Koch* darin zuzustimmen, daß der ganze heilige Bereich nach P von Jahwe »›geheiligt‹, aber . . . kein Ausfluß des göttlichen Wesens«[296] ist, und ist das Gottesprädikat »heilig« nicht genuin israelitisch, sondern religionsgeschichtlich ableitbar[297], dann stellt sich erst recht die Frage nach dem Verständnis der bei P auf Jahwe bezogenen Heiligkeitsaussage, für deren Beantwortung dreierlei zu beachten ist: (a) Überall, wo bei P/H das Adjektiv קָדוֹשׁ Jahwe prädiziert wird, ist – mit Ausnahme von Lev 21,8 (Objekt des קדשׁ pt.*pi.* [Subjekt JHWH] sind die Priester, vgl. Lev 22,9.16) – in Aufforderung oder Feststellung (lediglich Num 16,3) auch von der Heiligkeit der Gemeinde Israels die Rede: Lev 11,44.45; 19,2; 20,26, ferner Lev 20,7 (vgl. v. 8); Num 15,40; 16,3 (jeweils קְדֹשִׁים)[298]. – (b) In allen diesen Fällen folgt der an Israel (Lev 11,44.45; 19,2; 20,26) oder an die Priester (Lev 21,6–8) gerichteten Aufforderung, »heilig« zu sein, der begründende Hinweis auf Jahwe als den קָדוֹשׁ. Obwohl dieses begründende כִּי in Lev 20,7; Num 15,40; 16,3 fehlt, wird die an Israel ergehende Heiligkeitsforderung inhaltlich an das »Heiligen« (קִדֵּשׁ) Jahwes Lev 20,7f. (Objekt Israel), an die Zugehörigkeit Israels zu Jahwe Num 15,40 oder an das »Inmitten-Israels-Sein« Jahwes Num 16,3[299] gebunden. – (c) Wo immer von Jahwe als dem קָדוֹשׁ die Rede ist, wird die Heiligkeitsaussage auf die Selbstvorstellungsformel bezogen: Kurzform: Lev 11,45 (+ Herausführungsformel); 20,26; 21,8 (+ קדשׁ pt.*pi.* mit Suffix); Langform: Lev 11,44; 19,2.

295 Zum priester(schrift)lichen Heiligkeitsbegriff s. zuletzt *Koch*, Sinaigesetzgebung, S. 41ff.48ff.; *Kraus*, Das heilige Volk, S. 40ff.44ff.; *Weinfeld*, Deuteronomy, S. 225ff.; *M. Gilbert*, in: L'expression du sacré . . ., S. 251ff.; *J. Ries*, in: L'expression du sacré . . ., S. 313f.; *G. Bettenzoli*, Geist der Heiligkeit. Traditionsgeschichtliche Untersuchung des *QDŠ*-Begriffes im Buch Ezechiel (QuSem 8), Florenz 1979; *W. Zimmerli*, VT 30 (1980), S. 493–512 und von der älteren Literatur besonders *J. Begrich*, Die priesterliche Tora, in: *ders.*, Gesammelte Studien zum Alten Testament (TB 21), München 1964, S. 232–260.

296 A.a.O., S. 43.

297 S. dazu *W. H. Schmidt*, ZAW 74 (1962), S. 62–66; *ders.*, Königtum Gottes in Ugarit und Israel. Zur Herkunft der Königsprädikation Jahwes (BZAW 80), Berlin [2]1966, S. 7.28f.34.56; *ders.*, Glaube, S. 150ff.; *H.-P. Müller*, Art. *qdš*, THAT II, Sp. 589ff., bes. Sp. 598; ferner *Gilbert*, a.a.O., S. 205ff.; *Ries*, a.a.O., S. 310ff.; *Chr. D. Müller*, Die Erfahrung der Wirklichkeit. Hermeneutisch-exegetische Versuche mit besonderer Berücksichtigung alttestamentlicher und paulinischer Theologie, Gütersloh 1978, S. 81ff.

298 Vgl. *Elliger*, Leviticus, S. 255 Anm. 3.

299 Vgl. oben Anm. 251.

Daraus wird der Schluß zu ziehen sein, daß nach P/H die *Heiligkeit Gottes ein auf den Menschen/Israel gerichtetes Geschehen* und die *Heiligkeitsforderung gegenüber Israel in der Heiligkeit Gottes begründet* ist: »Der Heilige ist der im Offenbarungsgeschehen ›Ich bin Jahwe‹ hervortretende und in der Mitte der Gemeinde gegenwärtige Gott. Da nun dieses Geschehen ausschließlich auf den kultischen qāhāl bezogen ist, erweist sich der heilige Gott als der Heiligende (Lev 20,8): in Geboten und Anordnungen, aber zugleich in seinem das Tun der Israeliten durch seine Gegenwart unmittelbar bestimmenden Wirken«[300]. In analoger Weise kommt auch in Ex 29,42bff. die Heiligkeit Jahwes als ein auf Israel und seine kultischen Repräsentanten gerichtetes Geschehen zum Ausdruck: Jahwe erweist sich darin als heilig, daß er den Tempel, den Kult und die aaronidische Priesterschaft heiligt. Der so durch die Heiligkeit Jahwes konstituierte Bereich des Heiligen ist nach P auch der Ort des kultischen Sühnegeschehens, dessen Sinn in dem Stellvertretungsgeschehen der zeichenhaft-realen Hingabe (Handaufstemmung, Blutritus) des verwirkten menschlichen Lebens an das Heilige besteht[301].

C) »Dort will ich dir begegnen« – Die כַּפֹּרֶת als Ort der Gottesnähe

Wie der vorhergehende Abschnitt zu zeigen versuchte, ist die Frage nach der Gegenwart Gottes in Israel von P weder mit den Mitteln der alten Ladetheologie und der sie angeblich tragenden Wohn- oder Thronvorstellung noch mit Hilfe des Gegeneinanders von »Präsenztheologie« und »Erscheinungstheologie«, sondern mit dem spezifisch priesterschriftlichen *Theologumenon von dem auf eine »Begegnung« (*יעד *nif.) mit Mose bzw. Israel zielenden »Verweilen« (*שָׁכַן*) des* כְּבוֹד יְהוָה *auf dem Sinai bzw. auf dem/am »Begegnungszelt«* (אֹהֶל מוֹעֵד) beantwortet worden. Wie aber kommt die Priesterschrift dazu, ihr »Wüstenheiligtum« mit einer so weitreichenden Heiligtumstheologie auszustatten? Wo liegen deren Wurzeln, und wie ist ihre bei P erreichte Endgestalt im Kontext der Aussagen über den אֹהֶל מוֹעֵד zu beurteilen? Die Beantwortung dieser Fragen eröffnet den Zugang zum Verständnis der Anweisungen zur Herstellung der כַּפֹּרֶת Ex 25,17–22, denen wir uns abschließend zuwenden müssen.

I. Der priesterschriftliche אֹהֶל מוֹעֵד in der neueren Forschung

Im Zusammenhang seiner Ausführungen zur Frage der Kultzentralisation im Deuteronomium und in der Priesterschrift kam *J. Wellhausen*[302] zu dem in der Sache schon von *W. M. L. de Wette*[303] und *W. Vatke*[304] vorgeprägten, in der Folgezeit dann Schule machenden Urteil, daß der אֹהֶל מוֹעֵד der

300 *Kraus*, Das heilige Volk, S. 45f., vgl. S. 41f. und *Elliger*, Leviticus, S. 16; *Schmidt*, Glaube, S. 153ff.; *W. Zimmerli*, VT 30 (1980), S. 493–512.

301 S. oben S. 183ff.

302 Prolegomena zur Geschichte Israels, Berlin [6]1905, S. 34ff.

303 Beiträge zur Einleitung in das Alte Testament, Bd. I, 1807, S. 258ff., vgl. auch Bd. II, S. 237ff., s. dazu *R. Smend*, Wilhelm Martin Leberecht de Wettes Arbeit am Alten und Neuen Testament, Basel 1958, S. 48f.

Priesterschrift »für die unruhige Zeit der Wanderung, die der Seßhaftigkeit vorherging, als so unentbehrlich (gilt), daß er tragbar gemacht und als Stiftshütte in die Urzeit versetzt wird. Denn diese ist in Wahrheit nicht das Urbild, sondern die Kopie des jerusalemischen Tempels«[305], kurz: Die ›Stiftshütte‹ beruht auf einer »historischen Fiktion«[306].

1. Der Fortgang der Forschung[307] hat dieses vorrangig an der Alternative: Historizität *oder* Fiktionalität des priesterschriftlichen Heiligtums orientierte Urteil *Wellhausens* insofern als höchst einseitig erwiesen, als die von *Wellhausen* negativ beschiedene Frage nach der Geschichtlichkeit der priesterschriftlichen Zelttradition eine mögliche (und notwendige) Analyse vorpriesterschriftlicher Zeltüberlieferungen gleichsam a priori als überflüssig erscheinen ließ. Erst *E. Sellin*[308] gelang es, trotz grundsätzlicher Zustimmung zu jener These *Wellhausens*, der Forschung aufgrund der Analyse von Ex 33,7–11; 2Sam 7,17; Am 5,26; Hos 9,5.6; 12,10 und Dtn 33,12 einen Zugang zu der Frage vorpriesterschriftlicher Zelttraditionen zu erschließen mit dem Ergebnis, »daß Altisrael sich vollständig bestimmt dessen bewußt gewesen ist, in der Zeit der Wüstenwanderung als alle Stämme verbindendes Heiligtum ein tragbares, wertvoll ausgestattetes Zelt besessen zu haben, sowie, daß dies Zelt bis zum salomonischen Tempel eine große Rolle in Palästina als eines der Haupteiligtümer gespielt hat, als möglich sogar, daß auch noch nach jenem wenigstens im Nordreiche ein solches Zelt für Jahwe beim Zeltfest immer wieder aufgeschlagen ist«[309]. Damit war eine bis in die jüngste Gegenwart andauernde Auseinandersetzung um die Existenz, die Herkunft und das Wesen älterer Zeltüberlieferungen in Israel und ihres möglichen Verhältnisses zum priesterschriftlichen Begegnungszelt eröffnet[310].

2. Neben den Argumenten *R. Hartmanns*[311] bildeten die Ergebnisse der *Sellin*'schen Analysen die Voraussetzung dafür, daß in der Folgezeit die für den priesterschriftlichen אֹהֶל מוֹעֵד charakteristische Doppelkonstruktion von מִשְׁכָּן und אֹהֶל als solche überhaupt in den Blick kam und

304 Die Religion des Alten Testamentes nach den kanonischen Büchern entwickelt, Berlin 1835, S. 333. Zu weiteren in diesem Zusammenhang signifikanten Äußerungen *Vatkes* s. *L. Perlitt*, Vatke und Wellhausen. Geschichtsphilosophische Voraussetzungen und historiographische Motive für die Darstellung der Religion und Geschichte Israels durch Wilhelm Vatke und Julius Wellhausen (BZAW 94), Berlin 1965, S. 112 Anm. 43.

305 A.a.O. (oben Anm. 302), S. 36, vgl. auch das bekannte Wort *C. H. Cornills*, die ›Stiftshütte‹ sei »lediglich eine Projizierung des deuteronomischen Zentralheiligtums, d.h. des salomonischen Tempels in die mosaische Zeit, indem er durch einen nicht unverächtlichen Aufwand an Scharfsinn beweglich gemacht wurde« (Einleitung in die kanonischen Bücher des Alten Testaments, Tübingen [7]1913, S. 61), ferner *H. Schmidt*, in: Eucharisterion (FS *H. Gunkel*), Teil I, Göttingen 1923, S. 138 mit Anm. 2 und zur Sache *Cross*, Tabernacle, S. 40ff.

306 *Wellhausen*, a.a.O., S. 39. Zu *Wellhausens* Einschätzung von P s. auch die bei *Perlitt*, a.a.O. (oben Anm. 304), S. 206ff. genannten Beispiele, vgl. *McEvenue*, Narrative Style, S. 1–8.

307 S. den forschungsgeschichtlichen Überblick bei *Görg*, Zelt, S. 1ff.; *Schmitt*, Zelt, S. 175ff.228ff.; *Pelzl*, Zeltheiligtum (Diss.), S. 1–22 (kürzer *ders.*, Thesen, S. 323ff.) und *Fritz*, Tempel, S. 6ff.

308 In: Alttestamentliche Studien (FS *R. Kittel*), Leipzig 1913, S. 168–192.

309 A.a.O., S. 187.

310 Zu den älteren Zelttraditionen s. zuletzt *Görg*, Zelt, S. 1ff.75ff.138ff.171ff.; *Koch*, *'ohael*, Sp. 134ff.; *Schmitt*, Zelt, S. 175ff.; *Fritz*, Tempel, S. 94ff. und *Rupprecht*, Tempel, S. 42ff.51ff.100ff. (jeweils mit der älteren Lit.).

311 ZAW 37 (1917/18), S. 209–244; zur Position *Hartmanns* s. *Görg*, a.a.O., S. 4; *Fritz*, a.a.O., S. 7.

sich die Frage nach den diesen beiden Elementen »Tempel« und »Zelt« zugrundeliegenden Einzeltraditionen sowie ihres Zusammenwachsens bei P explizit stellte. Im Unterschied zu *G. von Rad* und *K. Galling* (der dessen Ansatz für Ex 25ff. weiterführte)[312] hat *K. Koch* versucht, diese Frage auf überlieferungsgeschichtlichem Wege zu beantworten[313].

Koch zufolge läßt sich in Ex 25–31; 34,29–40,33; 40,34–Lev 7; Lev 8–10; 11–16 (und Ez 40–48) aufgrund stilanalytischer Kriterien eine, zunächst wohl mündlich überlieferte »Sammlung von Ritualen«[314] eruieren, die als »Vorlage« für fast alle Kapitel dieses Überlieferungskomplexes diente: »Jedes Ritual besteht aus einer Anzahl von drei- bis viergliedrigen Kurzsätzen, die alle mit einem Verb im w-pf beginnen und zu einer Reihe von drei, fünf, zehn, zwölf, ja einmal sogar dreißig Gliedern zusammengestellt sind«[315]. Wird im ersten Satz eines »Rituals« der jeweilige Gegenstand eingeführt, so wird im letzten Satz meistens dessen Zweck angegeben[316]. Inhalt dieser »Rituale« sind der Bau eines Zeltheiligtums (ohne senkrechte Wände, aber mit Lade und der כַּפֹּרֶת mit den Keruben, Schaubrottisch, Leuchter), die Herstellung der Priesterkleidung und die Einsetzung der aaronidischen Priesterschaft sowie der am Heiligtum zu vollziehenden Kulthandlungen. Da sich die »Rituale« auf eine lebendige Kultpraxis beziehen, sind sie nach *Koch* als »Kultätiologien«[317] eines bestehenden, außerjerusalemenischen[318], zeitlich »kaum . . . vor der Königszeit«[319] zu fixierenden Heiligtums zu verstehen, »mit der Absicht, die ›richtigen‹ Riten zu legitimieren«[320].

P^g hat dieses gesamte »formularhafte« Material[321] aufgenommen und zugleich in einem be-

312 *von Rad*, Priesterschrift; *K. Galling*, HAT I/3 (1939), S. 128ff.178f., kritisch zu der von ihnen vertretenen Position bereits *Kuschke*, Lagervorstellung, S. 87f., ferner *Koch*, Priesterschrift, S. 14.15f.; *ders.*, *'ohael*, Sp. 139; *M. Noth*, ATD V (³1965), S. 172; *Schmitt*, a.a.O., S. 178; *Fritz*, a.a.O., S. 112 Anm. 5; *Smend*, Entstehung, S. 49.

313 Zum Folgenden s. *Koch*, Priesterschrift, bes. S. 5f.15f.31f.96ff. Zustimmung hat die Analyse *Kochs* gefunden bei *J. G. Vink*, Leviticus (BOT), 1962, S. 8ff. (anders *ders.*, Priestly Code, S. 100ff.); *G. te Stroete*, Exodus (BOT), 1966, S. 189ff.; *Ackroyd*, Exile, S. 96; *Pelzl*, Zeltheiligtum (Diss.), S. 11ff.23f. (vgl. *ders.*, Thesen, S. 324), zur Kritik s. die Hinweise unten Anm. 332ff.

314 A.a.O., S. 96. Zum Textbestand dieser »Rituale« s. *ders.*, a.a.O., S. 97.

315 *Ders.*, a.a.O., S. 96f., vgl. *ders.*, Sinaigesetzgebung, S. 38 und *Rendtorffs* Definition der »Rituale« in Lev 1ff. (Gesetze, S. 12), zur Kritik s. die Hinweise oben Teil III Anm. 45.

316 *Koch*, Priesterschrift, S. 8.31.

317 A.a.O., S. 32.97.100. Zu *Görgs* Kritik (Zelt, S. 27) an *Kochs* Verwendung des Terminus »Kultätiologie« s. die Gegenkritik von *Schmitt*, Zelt, S. 251 Anm. 373.

318 Da nämlich die »formularhaften« Anweisungen zum Bau des Zeltheiligtums und die »Rituale« nicht aus Jerusalem stammen: *Koch*, a.a.O., S. 15ff., vgl. S. 32.35.99 mit Anm. 1 und *ders.*, Sinaigesetzgebung, S. 39.

319 *Ders.*, Priesterschrift, S. 97. Zurückhaltender zu Ort und Zeit dieses Heiligtums hat sich *Koch* an anderer Stelle geäußert: »Leider ist weder die zeitliche noch die örtliche Herkunft dieser Kultsatzungen auszumachen« (*'ohael*, Sp. 139), vgl. dazu auch *R. Rendtorff*, ThLZ 90 (1965), Sp. 592 und die Fragen von *Schmitt*, Zelt, S. 252. Hypothesenfreudiger hat sich an diesem Punkt – abgesehen von dem aufgrund der Kritik *G. te Stroetes* (Exodus [BOT], 1966, S. 189f.) inzwischen zurückgenommenen Vorschlag von *Vink* (Priestly Code, S. 2.101 Anm. 1; *ders.*, Leviticus [BOT], 1962, S. 8ff.), die »Vorlage« mit silonischen Traditionen in Zusammenhang zu bringen – *Görg* gezeigt: »Wenn die Kultstätte von Gibeon der Herd der Opposition gegen den Tempelbau gewesen sein kann, so steht dem nichts im Wege, daß die Kultätiologie der priesterschriftlichen Rituale und Quasi-Rituale aus jenem Widerstand herausgewachsen sein dürfte« (Zelt, S. 137, vgl. S. 27), zu Recht kritisch dazu *Schmitt*, Zelt, S. 251f. Zu dem erst vom Chronisten erwähnten אֹהֶל מוֹעֵד in Gibeon (2Chr 1,3.6) s. zuletzt *Fritz*, Tempel, S. 107ff.

320 *Koch*, Priesterschrift, S. 97.

321 S. dazu im einzelnen *Koch*, a.a.O., S. 97f.

stimmten Sinn bearbeitet und erweitert, denn sie »will ein Abbild des Jerusalemer Tempels in das Zelt, wie es von der Vorlage beschrieben wurde, einbauen«[322]. Erweiternd hat P^g in das Material der »Vorlagen« durch präzisierende Angaben über Maße, Gewichte, u.a. eingegriffen. Wo sie, wie beispielsweise in Ex 25,1–9, selbständig größere Stücke verfaßt hat, geschah dies in »gefügtem (Befehls-)Stil«[323]. Vor allem aber gehen Arbeitsweise und theologische Absicht von P^g aus den Zusätzen und Erweiterungen hervor, die die Sinngebung des neuen Kultes betreffen und die – dabei Umdeutungen nicht scheuend – den Gedanken der Reinigung und Sühne in den Vordergrund rücken[324]. Zu dieser *interpretatio Hierosolymitana* der priesterschriftlichen »Überarbeitung« ist auch die exklusive Stellung des Mose zu zählen, von der die »Vorlage« noch nichts weiß[325]. Insgesamt will P^g nicht mehr wie ihre »Vorlage« die »Kultätiologie« eines bestehenden außerjerusalemischen Zeltheiligtums nach der Zerstörung des salomonischen Tempels erzählen, sondern ein Programm für den erhofften Tempelneubau in Jerusalem entwerfen unter dem Motto: ». . . so war es, so soll es wieder werden«[326].

3. Stärker zu literarkritischen Erwägungen zurücklenkend, hat *M. Görg* den Ansatz *Kochs* aufgrund einer Analyse von Ex 26 erheblich modifiziert, zugleich aber die Gültigkeit der Beobachtungen *Kochs* zum »formularhaften« Stil grundsätzlich bestätigt[327]. *Görg* geht von einem literarischen Vergleich der parallelen Teilstücke Ex 26,1–6 und Ex 26,7–11 aus: Danach stellt Ex 26,1–6, dessen Ziel die Herstellung eines הַמִּשְׁכָּן genannten Deckengebildes ist, eine stilistisch geglättete Umprägung des Abschnittes Ex 26,7–11 dar, der die Anfertigung einer אֹהֶל genannten Zeltkonstruktion zum Inhalt hat und über einen wahrscheinlich Ex 26,7a (ohne עַל־הַמִּשְׁכָּן).9 (ohne אֶל־מוּל פְּנֵי הָאֹהֶל).10 (ohne חֲמִשִּׁים, הַקִּיצֹנָה בַּחֹבָרֶת וַחֲמִשִּׁים, הַחֹבֶרֶת).11 (ohne חֲמִשִּׁים) umfassenden Grundbestand erweitert worden ist. Der Verfasser dieser Erweiterung ist vermutlich identisch mit dem von Ex 26,1–6. Weitet man die Untersuchung auf den Rest des Kapitels aus, so ergibt sich (einschließlich Ex 26,7–11*) für den – wahrscheinlich vorpriesterschriftlichen – Grundbestand (»Vorlage«) von Ex 26 eine Reihe von 25 »Kurzvorschrif-

322 *Ders.*, a.a.O., S. 98, vgl. S. 16 und *ders.*, Sinaigesetzgebung, S. 38f.; *ders.*, *'ohael*, Sp. 138ff.

323 *Ders.*, Priesterschrift, S. 7.9 u.ö.

324 *Ders.*, a.a.O., S. 101f.

325 S. dazu aber den Einwand von *Schmitt*, Zelt, S. 253.

326 *Koch*, Priesterschrift, S. 100, vgl. *ders.*, Sinaigesetzgebung, S. 36.40; *ders.*, Stiftshütte, Sp. 1872; *ders.*, *'ohael*, Sp. 139 und *von Rad*, Theologie I, S. 91; *Ackroyd*, Exile, S. 98; *Limbeck*, Ordnung des Heils, S. 54f. und (mit einer wichtigen sachlichen Modifikation) *Macholz*, Land, S. 163f. In ähnlicher Weise haben die Priesterschrift als Programmschrift für die Zukunft dargestellt: *Noth*, ÜPent, S. 263ff.; *ders.*, Gesetze, S. 110ff.; *Kuschke*, Lagervorstellung, S. 99.101.103f.; *Henry*, Priesterschrift, S. 27f.; *Clements*, God, S. 111; *Gunneweg*, Leviten, S. 145f.156f.185f.; *Vink*, Priestly Code, S. 12ff.139; *Schmitt*, Zelt, S. 236f.; *Pelzl*, Thesen, S. 323ff., u.a.

327 Zelt, S. 8–34, vgl. S. 171 und für Ex 25,17–22 *ders.*, Keruben (s. dazu unten S. 339ff.). Auch *Elliger* (Leviticus, S. 8f.) hat gegenüber *Kochs* Analyse die Gültigkeit literarkritischer Arbeitsweise betont und in allen Teilen seines Kommentars überzeugend unter Beweis gestellt. Zur Kritik an *Koch* (und *Görg*) s. außer den Hinweisen oben Teil III Anm. 45 noch *R. Rendtorff*, ThLZ 90 (1965), Sp. 592; *B. S. Childs*, Exodus, London 1974, S. 532; *Vink*, Priestly Code, S. 101f. Wichtig sind die Einwände, die *Schmitt* (Zelt, S. 251ff.), z.T. auch *Walkenhorst* (Sinai, S. 25f.) und jüngst v.a. *Fritz* (Tempel, S. 114ff., s. im folgenden) hinsichtlich der Frage des Sitzes im Leben der von »P^g« aufgenommenen »Rituale« gegen *Koch* (und *Görg*) vorgebracht haben (zur Frage der Existenz dieser »Quasi-Rituale« in vorexilischen *Jerusalemer* Priesterkreisen äußert sich *Görg*, Keruben, S. 20 mit Anm. 32 neuerdings positiv). Eine über punktuelle Kritik hinausgehende Prüfung der Thesen *Kochs* käme einer (hier nicht zu leistenden) Neuinterpretation der fraglichen Texte, namentlich der Kapitel Ex 25–31 + 35–40 gleich, für Ex 25–27 s. zuletzt *Fritz*, a.a.O., S. 112–166.

ten«, die in vier (bzw. fünf) Gruppen zusammengefaßt werden können: 1. v. 7.9–11. – 2. v. 15.25a.26a.29b.30a. – 3. v. 31a.33.35a. – 4. v. 36a.37. – 5. v. 14 (Reststück einer Gruppe)[328].

Diese »Kurzvorschriften« sind nach *Görg* »Bestandteil eines erkennbaren Systems vorgegebener Gebotsfolgen, die insgesamt das Bild eines qualifizierten Zeltheiligtums mit einem abgedeckten Gesetzesbehälter, Kultgeräten und Kultgewändern sowie einer konsekrierten Priesterschaft entwerfen«[329] und als »nachgestaltete Rituale« oder »Quasi-Rituale« formal in die Nähe der Opferrituale zu stellen sind[330]. Diese deskriptiven Vorschriften sind aber keine »Kultätiologien« (so *Koch*), sondern sie dienen dazu, »ein bestehendes Zeltheiligtum mit der diesem zugehörigen Priesterschaft zu legitimieren. Der rechtmäßige Charakter der so gearteten Institution soll grundsätzlich ausgewiesen werden«[331] – möglicherweise aus gibeonitischer Perspektive gegenüber Jerusalemer Tempeltradition[332].

Aber nicht nur in Ex 26,1–6, sondern auch in den übrigen Vorschriften innerhalb von Ex 26,7–37 macht sich nach *Görg* die glättende und ergänzende Hand des priesterschriftlichen Bearbeiters der »Vorlage« bemerkbar, so daß sich dessen Heiligtumsentwurf als »offenbar gezielt wohlproportioniert(es)« Ganzes präsentiert[333]. Aber angesichts der begrifflichen und sachlichen Inkonsequenzen, die mit der Verwendung des Ausdrucks הַמִּשְׁכָּן verbunden sind[334], sowie angesichts einiger Unklarheiten hinsichtlich bautechnischer Details[335], die eine Umsetzung des von dieser Erweiterungsschicht gezeichneten Heiligtumsentwurfs in bauliche Wirklichkeit als überaus schwierig, wenn nicht gar als unmöglich erscheinen lassen[336], ist um so dringlicher zu fragen, wie »sich der Versuch des priesterschriftlichen Autors (erklärt), . . . trotzdem den Eindruck eines ausgestatteten, dekorierten und proportionierten Gebäudes zu

328 S. dazu im einzelnen *Görg*, a.a.O., S. 22–25.

329 A.a.O., S. 25.

330 »Mit dem nötigen Vorbehalt« hat *Görg* empfohlen, »die Gattung präziser mit ›nachgestaltete Rituale‹ oder mit ›Quasi-Rituale‹ anzugeben« (a.a.O., S. 26, vgl. S. 26f.171), so anscheinend jetzt auch *Koch, 'ohael*, Sp. 139, s. dazu aber *Schmitt*, Zelt, S. 251ff. und *Fritz*, Tempel, S. 114ff.

331 *Görg*, Zelt, S. 27, vgl. S. 171.

332 Im Gegensatz zu *Koch* (Priesterschrift, S. 32) und auch zu *Görg* (a.a.O., S. 137, s. dazu oben Anm. 319) rechnet *Schmitt* (Zelt, S. 252f.255) für die von P verwendeten »Formulare« mit Herkunft aus Jerusalem, vgl. auch *R. Rendtorff*, ThLZ 90 (1965), Sp. 592 und neuerdings selbst *Görg*, BZ 20 (1976), S. 242–246, hier: S. 246; *ders.*, ZAW 89 (1977), S. 115–118, hier: S. 115 mit Anm. 8; *ders.*, Keruben, S. 20 mit Anm. 32 (erste Andeutungen in dieser Richtung macht *Görg* schon in: Zelt, S. 27 Anm. 150; S. 135 Anm. 365).

333 *Görg*, Zelt, S. 30.

334 S. *ders.*, ebd.

335 *Ders.*, a.a.O., S. 30f.

336 »Spekulationen über eine mögliche Realisierbarkeit des Ganzen dürften fruchtlos sein« (*Görg*, a.a.O., S. 32), vgl. auch *Busink*, Tempel I, S. 602f. und – trotz anderer literarkritischer Voraussetzungen und Ergebnisse – *K. Galling*, HAT I/3 (1939), S. 137. S. dagegen aber jetzt – allerdings unter Verzicht auf notwendige literarkritische Differenzierungen und bei unkritischer Gleichordnung von Ex 26,1ff. und Ex 36,8ff. – *Pelzl*, Zeltheiligtum, passim, bes. S. 386, s. ausführlich *ders.*, Zeltheiligtum (Diss.), S. 30–70, vgl. *ders.*, BZ 19 (1975), S. 41–49 und *R. E. Friedman*, BA 43 (1980), S. 241–248. Die bautechnischen Argumente *Pelzls* werden von einer künftigen literarkritischen Analyse von Ex 26 zu bedenken sein. Allerdings ist, was auch *Pelzl* nicht übersieht (Thesen, S. 324ff., vgl. *ders.*, Zeltheiligtum [Diss.], S. 25.27ff.70.71ff.), zwischen der *Möglichkeit*, daß »die Beschreibung des Zeltheiligtums Ex 25ff. die zu einer etwaigen Errichtung notwendigen bautechnischen Voraussetzung (sic!) besitzt« (Thesen, S. 379, vgl. *ders.*, Zeltheiligtum [Diss.], S. 70), und der *baulichen Realisierung* dieses Heiligtumsentwurfs an einem bestimmten Ort in Israel zu differenzieren, s. dazu unten S. 336ff.

erwecken«[337]. Bevor wir näher darauf eingehen, ist noch der Ansatz von *V. Fritz*[338] darzustellen.

4. Gegen die Analysen *K. Kochs* und *M. Görgs* sind von *Fritz* nicht zu übergehende methodische Bedenken[339] geltend gemacht worden, die vor allem die Bezeichnung »Ritual« und den – von *Koch* und *Görg* je verschieden bestimmten – Sitz im Leben dieser Gattung[340] betreffen. Darüber hinaus hat *Fritz* unter Hinweis auf die Erkenntnisse *O. Rösslers*[341], wonach über das ›Tempus‹ im hebräischen Verbalsatz nicht allein die Konjugationsart (»Perfekt« – »Imperfekt«), sondern der Zusammenhang von morphologischer Form (Konjugationsart) und syntaktischer Funktion (Stellung des Verbs im Satz) entscheidet[342], die von *Koch* herangezogenen satzeröffnenden waw-Perfektformen (w^e*qaṭăl-x)* als unzureichendes Kriterium für die Erhebung des sog. »Ritualstils« erkannt. Bei Anwendung der »lex *Rössler«* gibt es von der Syntax her keinen Grund, die Formen der nicht am Satzanfang stehenden Präfixkonjugation *([w^e]x-yiqṭol LF)* als priesterschriftliche »Bearbeitungen« literarisch von einer vorpriesterschriftlichen »Vorlage« abzuheben, deren Stilmerkmal satzeinleitende Formen der Suffixkonjugation mit waw *(w^{e}qaṭăl-x)* sind, da beide Formen aufgrund ihrer Zugehörigkeit zum Inversionspaar *w^{e}qaṭăl-x//(w^e)x-yiqṭol LF* denselben, nämlich: imperfektiven Aspekt repräsentieren[343]. Nach *Fritz* liegt »der entscheidende stilistische Unterschied . . . nicht im Gebrauch der verschiedenen Aktionsformen«[344], sondern zwischen den in der 2. Person sing. formulierten »Anweisungen«, die auf P^g als Verfasser zurückgehen, und den in der 3. Person gehaltenen »beschreibenden Stücken«[345].

Aufgrund seiner – trotz der Gegenargumente *Görgs*[346] – berechtigten Kritik an dem von *Koch* und *Görg* formulierten »Kurzsatzprinzip« sowie aufgrund seines eigenen methodischen Ansatzes (»Anweisungen« – »beschreibende Stücke«)[347] unterscheidet *Fritz* zwischen (a) priesterschriftlichem Grundbestand, (b) einer auf eine P-Schule zurückgehenden Erweiterungsschicht und (c) sekundären Zusätzen (zum Grundbestand und zur Erweiterungsschicht)[348]. In Ex 26

337 *Görg*, Zelt, S. 32.

338 Tempel, S. 112–166 (*Fritz* beschränkt sich auf Ex 25–27). Hinzuweisen ist noch auf den Ansatz von *McEvenue*, Building Instruction, S. 7ff., der in Ex 26,1–11 allerdings mit einem einheitlichen Text rechnet.

339 A.a.O., S. 115f., vgl. schon *Elliger*, Leviticus, S. 8f. und *Schmitt*, Zelt, S. 251ff.

340 S. den Hinweis oben Anm. 330.

341 ZCP 28 (1960/61), S. 141–147, bes. S. 142 mit Anm. 2; *ders.*, ZDMG 111 (1961), S. 445–451; *ders.*, ZAW 74 (1962), S. 125–141, bes. S. 133f.; *ders.*, in: *ders.* (Hrsg.), Hebraica, Berlin 1977, S. 33–57.

342 Die Erkenntnisse *Rösslers* sind verschiedentlich systematisiert und weiterentwickelt worden, s. dazu zuletzt (jeweils mit weiteren Lit.-Hinweisen) *H. Bobzin*, WO 7 (1973/74), S. 141–153; *ders.*, ebd., S. 296–302; *ders.*, Die ›Tempora‹ im Hiobdialog, Masch.Diss. Marburg/Lahn 1974, S. 20ff.; *W. Groß*, Bileam. Literar- und formkritische Untersuchung der Prosa in Num 22–24 (StANT 38), München 1974, S. 179ff.; *ders.*, Verbform und Funktion. *wayyiqṭol* für die Gegenwart? Ein Beitrag zur Syntax poetischer althebräischer Texte (ATS 1), St. Ottilien 1976 (bes. S. 15ff. zum Diskussionsstand); *ders.*, BN 4 (1977), S. 25–38; *W. Richter*, Grundlagen einer althebräischen Grammatik 1 (ATS 8), St. Ottilien 1978, S. 92ff.

343 Vgl. *W. Richter*, Recht und Ethos. Versuch einer Ortung des weisheitlichen Mahnspruches (StANT 15), München 1966, S. 91; *Liedke*, Rechtssätze, S. 37.

344 Tempel, S. 116 (richtiger: »Aspekte«, vgl. zur Sache *W. Groß*, BN 4 [1977], S. 25–38, hier: S. 31).

345 Ebd.

346 Keruben, S. 15ff., bes. S. 15 Anm. 8–9; S. 16 Anm. 17; S. 20 Anm. 32.

347 Dieser Ansatz ist allerdings – darin stimmen wir *Görg* (a.a.O., S. 16 Anm. 17) zu – nicht kritiklos zu übernehmen, Näheres unten S. 339ff. zu Ex 25,17–22.

348 Tempel, S. 116ff., zum Textanteil der einzelnen Schichten s. S. 122.

hält er den (durch v. 15ff. fortgesetzten) Abschnitt v. 1–6 mit *Görg* (vgl. auch *Koch*) für eine stilistisch geglättete Umprägung des Stückes v. 7–11, d.h. diesem gegenüber für literarisch sekundär (»P-Schule«, *Koch* und *Görg:* »P^g«). In Ex 26,7–14 sind nach *Fritz* v. 8.12f. sekundäre Zusätze, so daß hier für den priesterschriftlichen Grundbestand lediglich v. 7* (ohne עַל־הַמִּשְׁכָּן).9–11.14 verbleiben; dazu kommen in Ex 26,31–37 als ursprüngliche Anweisungen zur Herstellung der Vorhänge die Verse 31.33a.35aα.36aα.b.37 (sekundäre Zusätze: v. 32. 33b.34.35aβγ.b)[349].

Soweit der so eingegrenzte priesterschriftliche Grundbestand von Ex 26 (v. 7*.9–11.14.31. 33a.35aα.36aα.b.37) einen Rückschluß auf die Konstruktion des von ihm beschriebenen Gebäudes erlaubt, läßt sich feststellen, daß Ausrichtung (Eingang an der Schmalseite Ex 26,9b; Eingangsvorhang Ex 26,36aα.b.37) und Raumeinteilung (Zweiteilung des Zeltinneren durch einen Vorhang Ex 26,31.33a.35aα) dieser אֹהֶל genannten Zeltkonstruktion der Bauform des Langhauses entsprechen[350]. Dabei kommen als Vorbild dieses Zeltheiligtums der Zeltbau der älteren אֹהֶל מוֹעֵד-Tradition Ex 33,7–11; Num 11*.12*; Dtn 31,14.23[351] oder der (Breitraum-) Tempel von Arad (Tell ᶜArād)[352] ebensowenig in Frage wie »Davids Ladezelt« (2Sam 6,17, u.a.)[353], das Heiligtum von Silo oder andere (Zelt-)Heiligtümer Israels[354]. Vielmehr weisen Ausrichtung und Raumeinteilung den priesterschriftlichen אֹהֶל nach dem P^g-Grundbestand

349 A.a.O., S. 119ff. Zur Holzkonstruktion von Ex 26,15ff. s. auch *Pelzl* (Zeltheiligtum, S. 381f.383ff.), der zwar auf jede literarkritische Differenzierung verzichtet, aber auch seinem Rekonstruktionsversuch einen begrenzten Textumfang zugrunde legt (v. 16.18–20.24–28. 36f.).

350 *Fritz*, a.a.O., S. 143ff.

351 Zur Frage eines etwaigen Anteils der älteren Zelttradition an der Ausgestaltung der priesterschriftlichen אֹהֶל מוֹעֵד-Überlieferung s. die Hinweise oben Anm. 161.

352 Eine baugeschichtlich enge Beziehung zwischen dem Tempel von Arad und dem priesterschriftlichen Begegnungszelt ist verschiedentlich von *Y. Aharoni* angenommen worden, s. zuletzt: Art. Arad, TRE III, S. 588f. (mit Hinweis auf seine früheren Veröffentlichungen zur Sache), zustimmend *Rose*, a.a.O. (oben Teil II Anm. 290), S. 189, vgl. S. 175f.187ff., s. dazu aber die Kritik von *Welten*, Kulthöhe, S. 24 und ausführlich *Fritz*, Tempel, S. 41ff., bes. S. 58, ferner auch *J. Quelette*, Art. Temple of Solomon, IDB Supp. Vol., Nashville 1976, S. 872–874, hier: S. 872f.; *M. Wüst*, Art. Arad, BRL^2, S. 12.

353 Zur Frage der Historizität von »Davids Ladezelt« s. jetzt *Rupprecht*, Tempel, S. 42ff.51ff.; 100ff., vgl. *ders.*, ZAW 89 (1977), S. 205–214, hier: S. 210f.

354 S. dazu ausführlich *Schmitt*, Zelt, S. 228ff.253ff. und oben Anm. 161. Zur Annahme von *Görg* (: »Gibeon«) s. oben Anm. 319; zu der Auffassung von *J. Hempel* (Die althebräische Literatur und ihr hellenistisch-jüdisches Nachleben, 1930, S. 152f.; *ders.*, Art. Priesterkodex, PRE XXIV/2, Stuttgart 1954, Sp. 1965), P sei an einem südjudäischen, mit Jerusalem konkurrierenden Heiligtum (»Hebron«) entstanden, s. *Schmitt*, a.a.O., S. 231 Anm. 275 und *Weinfeld*, Deuteronomy, S. 183 Anm. 4. Für südjudäische Herkunft der priesterschriftlichen Zelttradition sind auch *Noth*, ÜPent, S. 266 und *Kuschke*, Lagervorstellung, S. 88.103.104f. eingetreten, s. dazu aber *Fritz*, Tempel, S. 149. Nach *Fritz* (a.a.O., S. 154ff.) gibt es dagegen mehrere Hinweise auf die Abfassung der Priesterschrift durch die Priesterschaft von Bethel; vor allem scheint die Aaron-Gestalt und ihre einzigartige Stellung in der Priesterschrift (s. dazu *Gunneweg*, Leviten, S. 138ff.; *von Rad*, Theologie I, S. 254ff., bes. S. 261ff.; *Zimmerli*, Theologie, S. 79ff.) »auf Kreise im Bereich der Priesterschaft von Bethel als Verfasser des priesterschriftlichen Werkes« hinzudeuten (*Fritz*, a.a.O., S. 156f.), vgl. *L. Yarden*, JJS 26 (1975), S. 39–47. Allerdings wird der Versuch einer Verhältnisbestimmung von vorpriesterschriftlicher Aaron-Überlieferung und priesterschriftlicher Aaron-Theorie dadurch erschwert, daß die vorpriesterschriftliche Aaron-Gestalt keine priesterliche Gestalt zu sein scheint, s. dazu jetzt *H. Valentin*, Aaron. Eine Studie zur vorpriesterschriftlichen Aaron-Überlieferung (OBO 18), Freiburg/Schweiz/Göttingen 1978, bes. S. 409ff.412ff.

von Ex 26 als einen an der baulichen Gliederung des salomonischen Tempels orientierten Zeltbau aus[355]. Doch ist dieses priesterschriftliche אֹהֶל-Heiligtum Ex 26,7–14*. 31–37* P^g – bei weitgehender baulicher und ausstattungsmäßiger Orientierung am salomonischen Tempel[356] – nicht einfach eine »Projizierung . . . des salomonischen Tempels in die mosaische Zeit«[357], um diesen mit ›sinaitischer Legitimation‹ auszustatten, sondern ein dem salomonischen Tempel gegenüber durchaus eigenständiger Heiligtumsentwurf, der mit *Fritz* als ein »mixtum compositum aus verschiedenen Elementen unter dem theologischen Leitgedanken des reinen Heiligtums in der Wüste«[358] bezeichnet werden kann.

5. Trotz erheblicher methodischer und sachlicher Differenzen kann – und damit kommen wir zu der oben (Ziffer 3 Ende) offen gelassenen Frage zurück – den von *K. Koch*, *M. Görg* und *V. Fritz* vorgelegten literar- und formkritischen Analysen von Ex 25ff. eine wichtige Übereinstimmung hinsichtlich der Deutung der mit einer Abdeckung versehenen (Ex 26,1–6 P^s, *Koch* und *Görg:* »P^g«) und in die אֹהֶל-Zeltkonstruktion (Ex 26,7–14* P^g, *Koch* und *Görg:* »Vorlage«) eingefügten, הַמִּשְׁכָּן genannten Holzkonstruktion Ex 26,15–30* P^s (*Koch* und *Görg:* »P^g«) entnommen werden[359]: Wie aus den Zahlen- und Maßangaben über die Holzbohlen zu erschließen ist, läßt sich die innere Ausdehnung dieses מִשְׁכָּן mit 30 Ellen Länge, 10 Ellen Höhe und 10 Ellen Breite[360] angeben. Damit entsprechen die Maße des מִשְׁכָּן den *um die Hälfte reduzierten*

355 Daß das priesterschriftliche Zeltheiligtum den Jerusalemer Tempel »widerspiegele«, ist seit *J. Wellhausen* von der Mehrzahl der Exegeten angenommen worden (s. dazu *Schmitt*, Zelt, S. 245 Anm. 347). Umstritten ist allerdings, ob es sich dabei um den salomonischen Tempel oder um den Tempel Serubbabels (zu diesem s. unten Anm. 381) handelt; doch sprechen die schon genannten und im folgenden noch zu nennenden Parallelen zwischen dem Baubericht 1Kön 6–8 und Ex 25ff. für die erste Möglichkeit, s. dazu zuletzt außer *Fritz*, a.a.O., S. 129ff. noch *Elliger*, Geschichtserzählung, S. 197f.; *Henry*, Priesterschrift, S. 27f. mit Anm. 6; *Görg*, Zelt, S. 32ff.171; *Macholz*, Land, S. 148f.152.153f.; *Schmitt*, a.a.O., S. 244ff., u.a. *K. Galling* (Art. Stiftshütte, BRL^1, Sp. 503) hält Ez 40ff. für das Vorbild des Begegnungszeltes; zu der Ansicht von *Hamerton-Kelly* (Temple, S. 11ff.), der Serubbabel-Tempel sei nach der Beschreibung von Ex 25ff. gebaut worden, s. *Seybold*, a.a.O. (oben Teil III Anm. 141), S. 101 Anm. 29.

356 Engere Berührungen ergeben sich, bei Abweichungen in Details, bei der Lade, dem Schaubrottisch, dem Brandopferaltar und weiteren Elementen, s. dazu ausführlich *Görg*, Zelt, S. 32f.; *Koch*, *'ohael*, Sp. 138f.; *Schmitt*, a.a.O., S. 246ff.; *McEvenue*, Building Instructions, S. 2f.; *Fritz*, a.a.O., S. 13ff.129ff. Ob in diesem Zusammenhang auch der Räucheraltar (Ex 30,1–10) und das Becken mit dazugehörigem Gestell (Ex 30,17–21) zu nennen sind, ist umstritten (bejahend *Koch*, Priesterschrift, S. 32f.34; *ders.*, Sinaigesetzgebung, S. 39f.; *ders.*, *'ohael*, Sp. 138f.; vgl. aber *Görg*, a.a.O., S. 37; *Schmitt*, a.a.O., S. 247.248; *Fritz*, a.a.O., S. 146f.166 Anm. 241). Ähnlich verhält es sich mit dem Vorhof (Ex 27,9–19, bejahend *Schmitt*, a.a.O., S. 248; anders *Fritz*, a.a.O., S. 164f.; zu seiner Rekonstruktion s. auch *Pelzl*, Zeltheiligtum, S. 382f.; *V. Hamp*, Art. *ḥaṣer*, ThWAT III, Sp. 144ff.). Abgesehen von der Zeltbauweise des אֹהֶל Ex 26,7–14* P^g im Unterschied zur Steinbauweise des salomonischen Tempels bestehen zwischen 1Kön 6ff. und Ex 25ff. Differenzen auch hinsichtlich der Leuchter, s. *Fritz*, a.a.O., S. 160ff.; *C. L. Meyers*, BibAR 5 (1979), S. 46–57. Aus dem salomonischen Tempel fehlt im אֹהֶל מוֹעֵד von P der Kesselwagen, s. *Fritz*, a.a.O., S. 25f.; weitere Unterschiede werden bei *McEvenue*, a.a.O., S. 2f. genannt.

357 *C. H. Cornill*, Einleitung in die kanonischen Bücher des Alten Testaments, Tübingen [7]1913, S. 61.

358 Tempel, S. 146.

359 *Koch*, Stiftshütte, Sp. 1872; *ders.*, *'ohael*, Sp. 139f.; *Görg*, a.a.O., S. 32ff.171; *Fritz*, a.a.O., S. 119f.163f., vgl. auch *M. Noth*, ATD V ([3]1965), S. 172ff.

360 Wegen der Angaben über die beiden Eckbohlen Ex 26,23–25 bereitet die Bestimmung der Breite einige Schwierigkeiten, s. dazu jetzt *Pelzl*, Zeltheiligtum, S. 381f. (ausführlicher

Maßen des salomonischen Tempels (60 x 20 x 20 Ellen: 1Kön 6,2f.), abgesehen von dessen Vorhalle (אוּלָם) und bei Ansetzung der Höhe des דְּבִיר (20 Ellen: 1Kön 6,20)[361]. Berücksichtigt man außerdem die Analogien hinsichtlich des Vorhangs (zwischen Heiligem und Allerheiligstem) und dessen Dekoration Ex 26,31 P^g (vgl. 1Kön 6,32.35: Türflügel zwischen דְּבִיר und הֵיכָל), hinsichtlich der kerubenbestickten Zeltbahnen Ex 26,1–6 P^s (vgl. 1Kön 6,29: mit Keruben, Palmetten und ›Blumenkelchen‹ verzierte Kleinreliefs an den Längswänden des Tempels[362]) sowie hinsichtlich des Goldüberzuges der Holzbohlenkonstruktion Ex 26,29 (vgl. v. 32.37 und 1Kön 6,20–22)[363], so drängt sich der Schluß auf, »mit dem Eintritt in die Stiftshütte begebe man sich sozusagen auf ›mystische‹ Weise in das Innere des Tempels selbst«[364]. Sollte demnach *J. Wellhausen* doch recht behalten mit seiner Auffassung, die ›Stiftshütte‹ sei in Wahrheit die »Kopie des jerusalemischen Tempels«[365]?

II. Das priesterschriftliche Zeltheiligtum als der ›Sinai auf der Wanderung‹

Seinem eigentlichen und das heißt: *theologischen* Gehalt nach erscheint das Zeltheiligtum der Priesterschrift nicht unter dem Aspekt einer aus den disparaten Elementen אֹהֶל (Ex 26,7–14*.31–37* P^g) und מִשְׁכָּן (Ex 26,1–6.15–30* P^s) zusammengesetzten Doppelkonstruktion, sondern als eine eigenständige und – trotz der gar nicht zu leugnenden Disparatheit seiner baulichen Bestandteile אֹהֶל und מִשְׁכָּן – sinnvolle Ganzheit: als in Jerusalem zu errichtendes »Abbild« der Mose von Gott auf dem Sinai gezeigten transzendenten תַּבְנִית (»Urbild, Modell« [Ex 25,9.40])[366].
Zur Näherbestimmung dieser Koinzidenz zwischen dem am Sinai nach der תַּבְנִית errichteten Heiligtum und dem zukünftigen Tempel auf dem Zion ist zunächst auf den Sachverhalt hinzuweisen, daß sich der eigentlich theologische Aspekt, unter dem die Priesterschrift ihr Zeltheiligtum präsentiert, nicht dem Bauplan der אֹהֶל/מִשְׁכָּן genannten Doppelkonstruktion von Ex 26,

ders., Zeltheiligtum [Diss.], S. 42ff., bes. S. 49ff.), vgl. aber auch *Fritz*, a.a.O., S. 163f.; *Noth*, a.a.O., S. 172f.

361 Dabei ist nicht entscheidend, ob der דְּבִיר zum Ausgleich des Niveauunterschiedes von 10 Ellen gegenüber dem הֵיכָל erhöht war oder ob sich über dem דְּבִיר ein freier, leerer Raum befand. Doch lassen sich zwingende Gründe für die erste Annahme – gegen *K. Galling*, JPOS 12 (1932), S. 43–46, u.a. – nicht beibringen, zur Diskussionslage s. zuletzt *Fritz*, a.a.O., S. 13f., ferner *Keel*, Jahwevisionen, S. 60f. mit Abb. 22–23; *H. Bardtke*, ThLZ 97 (1972), Sp. 801–809, hier: Sp. 806; *A. Kuschke*, Art. Tempel, BRL^2, S. 338ff., bes. S. 339f.; *E. Würthwein*, ATD XI/1 (1977), S. 66.

362 S. dazu *Görg*, Zelt, S. 33 mit Anm. 188; *ders.*, Keruben, S. 22; *M. Noth*, BK IX/1 (1968), S. 124ff.; *Würthwein*, a.a.O., S. 61.67.69. Vorausgesetzt, *Pelzl* (Zeltheiligtum, S. 380.382 und Abb. 1 auf S. 383) wäre mit seiner Annahme im Recht, daß die kostbaren Zeltbahnen Ex 26,1–6 P^s die Bohlen der Holzkonstruktion Ex 26,15–30* P^s an deren *Innenseite* (bisherige opinio communis: an deren Außenseite) bedecken, so wäre die angenommene Entsprechung noch enger.

363 Zu 1Kön 6,20–22 s. *Noth*, a.a.O., S. 120ff.; zur Bedeutung des Goldbelages Ex 26,29 s. *Pelzl*, a.a.O., S. 382; *Würthwein*, a.a.O., S. 69f.

364 *Görg*, Zelt, S. 33, vgl. S. 33f.171.

365 S. oben S. 329 mit Anm. 305.

366 S. dazu oben S. 311 mit Anm. 210.

sondern der (in Ex 27,21; 28,43 P^s einsetzenden und) in Ex 29ff. in den Vordergrund tretenden Verwendung des Begriffes אֹהֶל מוֹעֵד entnehmen läßt[367]. Dies bestätigt eine Analyse der für die Interpretation der Bezeichnung אֹהֶל מוֹעֵד zentralen P^g-Texte Ex 29,42b–46; 40,33b–35 (+ Lev 1,1) und Lev 9,22.23b.24b[368]. In dem die Einzelanweisungen für das Heiligtum, den Kult und die Priesterschaft (Ex 25,1–29,42a* P^g) abschließenden Stück Ex 29,42b–46 wird dieser Terminus *interpretierend* eingeführt und so eine *theologische Ätiologie* des durch den Bericht von der grundlegenden Sinaioffenbarung Ex 24,15b–18a; 25,1 materialiter vorbereiteten Begriffs אֹהֶל מוֹעֵד »*Begegnungs*zelt« gegeben: Dieses Zelt ist der Ort in Israel, an dem Jahwe Mose (Ex 29,42b) und Israel (Ex 29,43a) »begegnet« (יעד *nif.*)[369]. Explikation und Konkretisierung der Ankündigung Jahwes, den Israeliten zu »begegnen«, ist seine Zusage, in ihrer Mitte »wohnen« zu wollen (Ex 29,45a, vgl. v.46aγ). Mit der ›Besitzergreifung‹ des Heiligtums durch den כְּבוֹד יְהוָה Ex 40,33b.34f. kommt dieses in der Sinaioffenbarung inaugurierte und nach P die Grundstruktur des Gottesdienstes in Israel konstituierende Geschehen des auf eine »Begegnung« (יעד *nif.*, אֹהֶל מוֹעֵד) mit Mose/Israel zielenden »Verweilens« (שָׁכַן) des כְּבוֹד יְהוָה auf dem/am אֹהֶל מוֹעֵד zu seinem (vorläufigen) Abschluß: Indem der כְּבוֹד יְהוָה seinen Erscheinungsort vom Sinai zum אֹהֶל מוֹעֵד verlagert, repräsentiert dieser von nun an als alleinige Stätte der Gegenwart Gottes den ›Sinai auf der Wanderung‹[370], der dereinst, wenn das wandernde und um den אֹהֶל מוֹעֵד lagernde[371] Gottesvolk der Wüstenzeit ins verheißene »Land Kanaan« gelangt sein wird, in Jerusalem als Heiligtum auf dem Zion seine Heimstatt finden soll.

Die eindrucksvolle Kurzanalyse der priesterschriftlichen Sinaierzählung von *M. L. Henry*[372] gipfelt in den folgenden, auf die Bedeutung des Zeltheiligtums für die Exulanten bezogenen Sätzen: »Dem exilischen Leser, der in der priesterlichen Darstellung des Weges der Väter seinen eigenen Weg abgebildet finden konnte, tat sich damit die Möglichkeit auf, in der glaubenden Vergegenwärtigung des Wanderheiligtums der Nähe seines Gottes auch fern der Heimat versichert zu bleiben. Während des Exils trat zum ersten Mal in der Geschichte *an die Stelle des gegenständlichen Tempelkultes das Buch,* in welchem das geistige Bild des Verlorenen so beschlossen lag, daß es zur *realen* Vermittlung der Gewißheit göttlicher Gegenwart zu werden vermochte. (. . .) So hat der Priester den Heimatvertriebenen die Kultgemeinschaft, zu der er sie berief, zunächst als *Gemeinschaft des Geistes* erschlossen und ihr gleichzeitig für die Stunde

367 S. dazu ausführlich *Görg,* Zelt, S. 34–74.172, vgl. schon *Elliger,* Geschichtserzählung, S. 185, ferner auch *Kuschke,* Lagervorstellung, S. 93; *Rost,* Wohnstätte des Zeugnisses, S. 164f.; *Koch,* Sinaigesetzgebung, S. 48 mit Anm. 4; *Kellermann,* Priesterschrift, S. 27.134.

368 S. oben S. 303ff., vgl. auch *Görg,* a.a.O., S. 59ff.74.172. Dieser für die Theologie der Priesterschrift zentrale Sachverhalt kommt bei *V. Fritz* nicht in den Blick, zu den Gründen s. oben Anm. 171.

369 S. oben S. 317ff., bes. S. 325ff.

370 Vgl. zu diesem Ausdruck schon *Görg,* Zelt, S. 74.172.

371 Zur priesterschriftlichen Lagervorstellung s. zuletzt *Helfmeyer, ḥnh,* Sp. 9ff.18ff., ferner immer noch *Kuschke,* Lagervorstellung (passim) und *Kellermann,* Priesterschrift, S. 17ff.

372 Priesterschrift, S. 26–30.

der Heimkehr, deren man harrte, die Möglichkeit ihrer *realen* Neubegründung eingesenkt durch die liebevolle Bewahrung aller Einzelheiten des Tempels und des einst dort gepflegten kultischen Brauches«[373].

Dafür, daß der Heiligtumsentwurf Ex 25ff. trotz der bautechnischen Möglichkeit einer Errichtung der in ihm beschriebenen Kultstätte[374] nicht zur Ausführung gelangt ist, hat *B. Pelzl*[375] jüngst eine Reihe von Gründen geltend gemacht (die »Unreinheit Babylons«; in exilisch-nachexilischer Zeit kein anderer Kultort als Jerusalem vorstellbar; Verbot der Ausführung des Planes durch die babylonische Regierung; Schwierigkeiten bei der Materialbeschaffung), von denen keiner recht überzeugen will. Demgegenüber scheint uns der eigentliche ›Hinderungsgrund‹ für die Umsetzung des Heiligtumsentwurfs in bauliche Wirklichkeit nicht in *äußeren Umständen*, sondern vielmehr in jener *theologischen Konzeption* des priesterschriftlichen Zeltheiligtums als *im Wort präsenter Stätte der Begegnung zwischen Gott und Mensch* begründet zu sein. Diese »Vergegenwärtigung der Kultstätte im Wort«[376], aufgrund deren der Abschnitt über die Errichtung des אֹהֶל מוֹעֵד Ex 25ff. gerade nicht als ›rein theoretische Angelegenheit ohne realen Hintergrund‹ erscheint[377], ist Ausdruck einer durch die Zerstörung des ersten Tempels und durch die Krisenzeit des Exils veränderten, alles andere als wirklichkeitsfremden Anschauung von der Präsenz Gottes in Israel: Aufgrund der von Jahwe seinem Volk durch Mose gegebenen Zusage, in seiner Mitte »wohnen« zu wollen (Ex 29,45a, vgl. v. 46aγ), war nach staatlichem Zusammenbruch und Exilierung die reale Neubegründung des Heiligtums möglich (und unter bautechnischen Gesichtspunkten wohl auch durchführbar)[378], ihre tatsächliche Realisierung aber blieb Gegenstand der Hoffnung. Sowenig jene Zusage an das exilierte Gottesvolk als wirklichkeitsfremd bezeichnet werden kann, sowenig ging diese seine Hoffnung ins Leere, im Gegenteil: In ihrer über die Katastrophe von 587 und deren Folgen hinausweisenden Kraft war diese Hoffnung *real*, das von ihr Erhoffte im Wort des Heiligtumsentwurfes Ex 25ff. liebevoll *bewahrt* und so für glaubendes Hören und Verstehen auch *präsent* – unbeschadet einer etwaigen späteren Umsetzung in bauliche Wirklichkeit[379].

Obwohl das Zeltheiligtum der Priesterschrift gemäß seinem in Ex 26 als אֹהֶל (v. 7–14*.31–37* P^g) und als הַמִּשְׁכָּן (v. 1–6.15–30* P^s) entfalteten Konstruktionsplan in Gliederung und Ausstattung sowie in den Proportionen weitgehend am Vorbild des historischen Salomo-Tempels orientiert ist, weist es, wie vor allem die Verwendung des Begriffs אֹהֶל מוֹעֵד zu erkennen gibt, weit über diesen hinaus – aber weder auf einen in »mosaische Zeit«

373 A.a.O., S. 29f. (H. v. uns), vgl. S. 25.

374 S. dazu die Hinweise oben Anm. 336.

375 Zeltheiligtum (Diss.), S. 76ff.

376 *Fritz*, Tempel, S. 153, vgl. die Ausführungen S. 147ff.

377 Zu diesem (nicht nur, besonders aber in der älteren Literatur) verbreiteten Verständnis von Ex 25ff. s. bereits *Elliger*, Geschichtserzählung, S. 197f., allerdings mit einem anderen als dem hier vorgetragenen Ergebnis; zu *Elliger* s. ergänzend *Macholz*, Land, S. 156–159; *W. Johnstone*, PEQ 109 (1977), S. 95–102, hier: S. 101 Anm. 29 und zur Sache grundsätzlich *O. Keel*, BN 6 (1978), S. 40–54, hier: S. 51f.

378 S. oben Anm. 336.

379 Vgl. *Elliger*, a.a.O., S. 197f. und die ergänzenden (und korrigierenden) Hinweise von *Macholz*, Land, S. 156ff. In diesem Zusammenhang stellen sich allerdings umfassendere Fragen nach dem Wirklichkeits- und Geschichtsverständnis der Priesterschrift, wie sie etwa *O. H. Steck* (KuD 23 [1977], S. 277–299, hier: S. 286 Anm. 20) formuliert hat; auf den Versuch einer kohärenten Antwort muß hier aber noch verzichtet werden, s. zur Sache z.B. *Lohfink*, Priesterschrift, und die oben Anm. 278 angegebene Lit.

projizierten transportablen (verkleinerten) Salomo-Tempel, um diesen mit »sinaitischer Legitimation« auszustatten (*J. Wellhausen, C. H. Cornill,* u.a.)[380], noch auf den Serubbabel-Tempel, als dessen Gründungsurkunde Ex 25ff. anzusehen sei (*R. G. Hamerton-Kelly*)[381], sondern auf einen Ort sui generis: auf eine heilige Stätte, an der – gemäß der im Sinaigeschehen (Ex 24,15bff.) begründeten Gestalt der Offenbarung (Begegnung zwischen Jahwe und Mose, Offenbarung an ein personales Gegenüber) – die *Begegnung zwischen Gott und Israel im Kultgeschehen* ermöglicht und so die hoffnungslose Situation des Exils durch die gnädig gewährte Gewißheit göttlicher Gegenwart kontrapunktiert wird.

III. Ex 25,17–22 – כַּפֹּרֶת, Lade und Keruben im priesterschriftlichen אֹהֶל מוֹעֵד

Die von *M. Dibelius*[382], *H. Gressmann*[383], *H. Schmidt*[384], *S. Mowinckel*[385], *H. Torcyner*[386], u.a. vertretene Ansicht, die כַּפֹּרֶת und die mit ihr verbundenen Keruben seien als Thronsitz Jahwes zu verstehen, beruht auf der Annahme, daß die (als Jahwethron interpretierte) Lade und die כַּפֹּרֶת (mit den Keruben) ursprünglich zusammengehören[387]. Sowenig dies dem Modus der Gegenwart Gottes auf der כַּפֹּרֶת gerecht wird[388], sowenig lassen

380 S. oben S. 329 mit Anm. 305.

381 S. oben Anm. 355. Hinweise auf die für den Serubbabel-Tempel in Frage kommenden literarischen Quellen geben *Busink,* Tempel I, S. 29ff.60ff.75f.317; II, S. 776ff., vgl. auch *Rüger,* Tempel, Sp. 1945f.; *Schmitt,* Zelt, S. 245f.

382 Die Lade Jahves. Eine religionsgeschichtliche Untersuchung (FRLANT 7), Göttingen 1906.

383 Die Lade Jahves und das Allerheiligste des Salomonischen Tempels (BWAT NF 1), Berlin/Stuttgart/Leipzig 1920.

384 In: Eucharisterion (FS *H. Gunkel*), hrsg. von *H. Schmidt,* Bd. I, Göttingen 1923, S. 120–144, hier: S. 137ff.

385 VT 12 (1962), S. 278–299, hier: S. 297.

386 Die Bundeslade und die Anfänge der Religion Israels, Berlin ^{2}1930.

387 S. dazu die Kritik bei *Maier,* Kultus, S. 88; *Metzger,* Königsthron, S. 441ff. und *Schmitt,* Zelt, S. 117ff. (jeweils mit Nennung weiterer Varianten dieser Hypothese). *Haran* (Ark, passim) sieht, bei Annahme der ursprünglichen Nichtzusammengehörigkeit von Lade und כַּפֹּרֶת, in den ausgebreiteten Flügeln der auf der כַּפֹּרֶת stehenden Keruben den Thron und in der Lade den Fußschemel Jahwes; ähnlich *Hillmann* (Wasser und Berg, S. 141 Anm. 5), der darüber hinaus der geradezu abenteuerlichen Vermutung Ausdruck gibt, »die prächtige Sitzfläche in der Mitte des Thrones zwischen den Keruben möchte sich später gelockert haben und auf die Lade herabgefallen sein, womit sich dann leicht das ergeben haben könnte, was die Priesterschrift כַּפֹּרֶת nennt« (ebd.), vgl. schon *E. Auerbach,* Moses, Amsterdam 1953, S. 129ff.

388 Das »Begegnen« (יעד *nif.*) Jahwes auf der כַּפֹּרֶת (Ex 25,22; 30,6.36; Num 17,19; vgl. נִרְאָה Lev 16,2) meint nicht eine dauernde Anwesenheit wie etwa das »Thronen« (der Titel יֹשֵׁב הַכְּרוּבִים fehlt bei P bezeichnenderweise!), sondern eine »intermittierende Kommunikation« (*Brongers,* Ladeforschung, S. 23, vgl. S. 9 und *von Rad,* Theologie I, S. 252; *Maier,* Kultus, S. 87ff.; *Zimmerli,* Bilderverbot, S. 260), eben *ein auf eine Begegnung zielendes Verweilen* (שָׁכַן-נוֹעַד-Zusammenhang!).

sich auch zwingende Gründe für die These der ursprünglichen Verbundenheit von Lade und כַּפֹּרֶת anführen[389]. Die Lade ist ›nur‹ technisch mit der כַּפֹּרֶת verbunden[390], um die Transportabilität dieses unberührbaren Gerätes (Lev 16,21a.bα) zu ermöglichen, d.h. sie fungiert als kostbar ausgestatteter (Ex 25,11; 37,2: זָהָב טָהוֹר) und mit großer Sorgfalt zu behandelnder (Num 4,5f.) tragbarer (Ex 25,13–15)[391], kastenförmiger Sockel oder Untersatz der כַּפֹּרֶת[392]. Für die priesterschriftliche Lade bedeutet dies aber deshalb keine »Degradierung«, weil die Lade ihre ehemalige Eigenbedeutung, Symbol der Präsenz Jahwes zu sein[393], nicht erst in der Priesterschrift verloren hat[394]. Der auf die Lade aufgesetzten כַּפֹּרֶת (mit den Keruben) wächst somit eine sakralarchitektonische Funktion zu, die – neben dem Brandopferaltar im Vorhof – als zweiter ›Brennpunkt‹ des priesterschriftlichen Heiligtumsbezirks bezeichnet werden kann[395]. Welch zentrale theologische Bedeutung P diesem einzigartigen Kultgegenstand zuerkennt, ist abschließend an Ex 25,17–22 (vgl. Ex 37,6–9)[396] und Lev 16,14f. zu erörtern.

Nach *K. Koch*[397] gehören in Ex 25,17–22 folgende »formularhafte« Kurzsätze zur sog. »Vorlage« von P^g: v.17a.18a.20aα*(וְהָיוּ). 21a.22aα(?).β(?)[398]. Die von *V. Fritz*[399] vorgelegte literarkritische Analyse von Ex

389 S. oben S. 274f.

390 *Haran*, Ark, S. 34; *Maier*, Kultus, S. 88 mit Anm. 61 (mit Lit.); *ders.*, Ladeheiligtum, S. 81f.

391 Zu dem Widerspruch zwischen Ex 25,15 und Num 4,6b s. *Kellermann*, Priesterschrift, S. 56 Anm. 16; zu Ex 25,15 vgl. auch *Koch*, Priesterschrift, S. 11 und *Fritz*, Tempel, S. 117.

392 *Insofern* (d.h. aber: sekundär) sind Lade und כַּפֹּרֶת bei P in der Tat verbunden, s. dazu *Maier*, Kultus, S. 87ff.93; *ders.*, Ladeheiligtum, S. 81f., vgl. auch *Metzger*: »An die Stelle des Thrones, der auf dem Trageuntersatz aufsitzt, ist die von Keruben geschützte Deckplatte als Stätte, auf der Jahwe jeweils erscheint, getreten« (Königsthron, S. 497, vgl. S. 483). Zu *Metzgers* These von der Lade als Thronuntersatz s. oben Anm. 26 und oben S. 286ff.

393 S. dazu die Hinweise oben Anm. 73.

394 S. oben S. 290ff.

395 Vgl. *Koch*, *'ohael*, Sp. 140 (allerdings mit Bezug auf die Lade), s. den Grundriß oben S. 223.

396 Sieht man bei Ex 37,6–9, im Vergleich mit Ex 25,17–22, von den Abweichungen ab, die durch den Stil des Ausführungsberichts bedingt sind (dies betrifft die ›Tempora‹ in Ex 37,6–9: *wăyyiqṭol-x // x-qaṭăl*, d.h. perfektiver Aspekt oder Narrativ), so wird dieses Stück durch Glättungen und Auslassungen als von späterer Hand stammend ausgewiesen. Keine Entsprechung in Ex 37,6–9 hat Ex 25,21f.; dabei läßt sich allerdings für das Fehlen von Ex 25,22 in Ex 37,6–9 ein plausibler Grund angeben: Für das »Begegnen« (יעד *nif.*) Jahwes ließ sich kein Ausführungsbericht formulieren (vgl. auch *Kellermann*, Priesterschrift, S. 109), da dieses »Begegnen« seiner Struktur nach ein Mose (Ex 25,22; vgl. Ex 30,6 P^s; Num 17,19 P^s) oder Israel (Ex 29,43) von Gott gnädig gewährtes, nicht in »Ausführungsbestimmungen« zu fassendes Ereignis ist. Doch hat sich ein Späterer veranlaßt gesehen, einen derartigen »Ausführungsbericht« in Num 7,89 – unter bezeichnender Akzentverlagerung: Fehlen von יעד *nif.*; Sprechen *Moses* »mit« Jahwe statt umgekehrt – nachzutragen, vgl. *Kellermann*, Priesterschrift, ebd.

397 Priesterschrift, S. 10ff., zum sog. »Ritualstil« s. oben S. 329ff.

398 In v. 22 hält *Koch* (a.a.O., S. 12f.) nur *einen* (welchen, ist »nicht sicher zu entscheiden«) der beiden mit *waw*-Perfekt eingeleiteten »Kurzsätze« für zur »Vorlage« gehörig, weil die Zweckbestimmungen in Ex 25,16 und Ex 26,30 jeweils auch nur einen Kurzsatz umfassen. Der Übersetzung der *waw*-Perfektformen mit »Du (usw.) hast zu . . .«, die *Koch* gewählt hat, »um

25–27 wählt demgegenüber einen anderen methodischen Ansatzpunkt und gelangt für Ex 25,17–22 zu folgendem priesterschriftlichem Grundbestand[400]: v. 17.18.21a.22a* (ohne מִבֵּין שְׁנֵי הַכְּרֻבִים). Dabei sind *v. 17* und *v. 18* in literarkritischer Hinsicht unproblematisch[401]. Schwierigkeiten bereitet dagegen *v. 19:* weniger, weil er »sachlich nur das breit ausführt, was unmittelbar vorher schon unzweideutig gesagt ist«[402], als vielmehr wegen des ›Tempus‹wechsels in וְעָשָׂה, des Numeruswechsels in תַּעֲשׂוּ und seines den vorhergehenden Halbvers (v. 18b) kommentierenden Charakters, so daß dieser Vers kaum ursprünglich sein dürfte[403]. *V. 20* wird von *Fritz* als sekundär ausgeschieden, weil er »eine Beschreibung mit dem Verb היה« darstellt[404]. Doch erklärt sich die Verwendung von הָיָה ebenso wie die For-

den Unterschied vom ipf und die eintönige Redeweise bei der Wiedergabe deutlich werden zu lassen« (a.a.O., S. 7 Anm. 2) – einigermaßen merkwürdig nimmt sich dies bei der Übersetzung von v. 22aαβ aus: »Ich (sc. Jahwe) habe zu . . .«! – ist die übliche Übertragung »Du (usw.) sollst . . .« vorzuziehen, vgl. auch *Görg*, Zelt, S. 10 Anm. 18.

399 Tempel, S. 112ff., vgl. oben S. 333ff.

400 A.a.O., S. 117.122.

401 *Koch* (Priesterschrift, S. 11) streicht v. 17b wegen der »für P bezeichnenden Maßangabe«; zu demselben Ergebnis kommt *Görg* (Keruben, S. 16) aufgrund formkritischer Erwägungen (»Kurzsatzprinzip«). Zu beachten ist in v. 18 (bei dem *Görg*, ebd. lediglich Versteil a der von ihm postulierten »Grundlage« beläßt) das von *McEvenue* so genannte Stilmittel der »short-circuit inclusion« (Building Instruction, S. 4f.; *ders.*, Narrative Style, S. 43f. u.ö.), eine besondere Form des Chiasmus, die in P öfter belegt ist (vgl. Ex 25,18 etwa mit Gen 6,14.22; Ex 25,29.31; 26,1.7; 27,3). Die ›Tempora‹ in v. 18: *w^{e}qaṭăl-x // x-yiqṭol*, d.h. imperfektiver Aspekt.

402 *M. Noth*, ATD V (^{3}1965), S. 165, zustimmend *Fritz*, Tempel, S. 117, vgl. schon *K. Galling*, HAT I/3 (1939), S. 131, s. aber *Görg*, Keruben, S. 15. Das besonders bei P anzutreffende Stilmittel der Wiederholung sollte nicht vorschnell als gedankliche Zerdehnung der jeweiligen Grundaussage hingestellt und auf das Konto eines Epigonen gesetzt werden; es kann vielmehr Ausdruck des Bemühens sein, die für das Verständnis einer Sache charakteristischen und deshalb unentbehrlichen Aspekte erzählerisch festzuhalten und durch Wiederholung hervorzuheben, vgl. zur Sache v.a. *Borchert*, Stil, S. 31ff. Daß v. 19 dennoch sekundär ist, hat andere Gründe, s. die folgende Anm.

403 Mit *Noth*, ebd.; *Fritz*, ebd. Sollte das וְעָשָׂה des MT (Sam, LXX haben יַעֲשׂוּ gelesen!) einerseits und – statt des תַּעֲשׂוּ des MT – das תַּעֲשֶׂה von Sam, LXX, einer Handschrift und weiterer Textzeugen (s. BHS App. z.St.) andererseits ursprünglich sein, so ergäbe sich der nicht ungewöhnliche Fall der Fortsetzung eines Imperativs durch die Präfixkonjugation *(x-yiqṭol)*, vgl. etwa Gen 6,14 P^{g}; Hi 6,23. Doch macht gerade diese Überlegung die Lesart תַּעֲשֶׂה als stilistische *lectio facilior* verdächtig (vgl. auch die glattere Abfolge in Ex 37,7f.: *wayyiqṭol-x // x-qaṭăl*). Insgesamt dürfte sich dieser Vers dem Interesse eines Späteren verdanken, die wohl nicht ganz eindeutige Wendung מִשְּׁנֵי קְצוֹת הַכַּפֹּרֶת v. 18b durch differenzierende Begrifflichkeit – zu beachten ist der Wechsel zwischen מִקָּצָה מִזֶּה – מִקָּצָה מִזֶּה v. 19a und עַל־שְׁנֵי קְצוֹתָיו v. 19b (der in Ex 37,8 wieder rückgängig gemacht wurde!) – zu kommentieren. Der Annahme, v. 19b führe mit der Präposition עַל »eine Lokalbestimmung der Keruben ein, die sie oberhalb des Niveaus der *kprt* befindlich sein läßt« (*Görg*, Keruben, S. 15), so daß sie »an beiden Seiten ›auf‹(^{c}al)-gesetzt werden« (*ders.*, a.a.O., S. 18, vgl. *ders.*, ZAW 89 [1977], S. 115–118, hier: S. 116), können wir nicht folgen. U.E. impliziert עַל hier – durchaus im Sinne seiner Grundbedeutung »auf, über«! – den Gedanken des Überragtwerdens der Enden der כַּפֹּרֶת durch die Keruben, vgl. auch Ps 1,3: ». . . wie ein Baum, gepflanzt *an* (עַל) Wasserläufe«, ferner Ps 23,2 und zur Sache *Brockelmann*, Syntax, § 10a mit weiteren Beispielen.

404 Tempel, S. 117.

mulierung in der 3.m.pl. zwanglos aus der Eigenart der Anordnung v. 20[405].

Das Verständnis der Angaben über die Stellung der Keruben Ex 25,20 hat von jeher Schwierigkeiten bereitet und etwa bei *K. Galling*[406] zu einer Aufteilung dieses Verses auf die beiden Quellen »P^A« und »P^B« geführt: Während nach P^A (v. 20aαγ) die Kerubenflügel wie im Fluge ausgespannt seien und die Keruben einander ansähen, bedeckten die Keruben nach P^B (v. 20aβ.b; Vorbild: 1Kön 8,7) die כַּפֹּרֶת und sähen darum auf diese herab[407]. Nach *K. Koch*[408] dagegen stimmen in v. 20 die einzuklammernden (v. 20a*.b) und »P^g« zuzuweisenden Versteile in der Wortwahl (bei veränderter Reihenfolge) aufs engste mit 1Kön 8,7 überein, so daß sich eine enge Beziehung zu dieser Stelle nahelegt. Zieht man diesen »P^g«-Bestand ab, dann bleibt *Koch* zufolge der Kurzsatz »sie haben ihr Angesicht einander zuzuwenden« übrig: »indem dieser Satz erweitert wurde, kam es zu jenem Widerspruch, den Galling scharfsichtig bemerkt hat«[409]. Zwei »Schichten« in v. 20 unterscheidet auch *Maier*[410]: eine ältere, die an der Stellung der Sphingen auf der ägyptischen Götterbarke orientiert gewesen sein dürfte[411], und eine jüngere, die dies nach Maßgabe von 1Kön 6,23ff. korrigiert habe – allerdings so ungeschickt, daß es »völlig zwecklos ist, dieses Gerät über der Lade rekonstruieren zu wollen«[412]. *M. Noth* (in seinem Exodus-Kommentar) und *V. Fritz* (in: Tempel) verzichten auf eine Diskussion der Angaben von Ex 25,20.

Zieht man mit der Mehrzahl der soeben genannten Autoren 1Kön 8,7[413] zum Vergleich mit Ex 25,20 heran, so ist jedoch zu bezweifeln, ob die in Ex 25,20aα (vgl. Ex 37,9aα) durch לְמַעְלָה »nach oben (hin)« näher bestimmte Flügelhaltung der Keruben ihrer in Ex 25,20aβ als ein »Beschirmen« (סָכַךְ) der כַּפֹּרֶת gekennzeichneten Funktion widerspricht; denn weder weist סָכַךְ von der Wortbedeutung her auf eine schräg nach unten verlaufende Flügelhaltung, noch läßt sich eine derartige Flügelstellung dem Verb פָּרַשׂ oder gar der zusammengesetzten Präposition לְמַעְלָה »nach oben (hin)« entnehmen. Vielmehr ist für die sich frontal gegenüberstehenden Keruben Ex 25,20 in jedem Fall, d.h. sowohl nach v. 20aα als auch nach v. 20aβ, mit *nach oben hin ausgebreiteten Flügeln* zu rechnen[414], die die quer zur Längsachse des אֹהֶל מוֹעֵד postierte Lade[415] (mit der auf ihr liegenden כַּפֹּרֶת) ebenso »beschirmen« wie dies – mutatis mutandis! – von den seitwärts ausgebreiteten oder (eher?) schräg nach hinten aufsteigenden inneren Flügeln der im salomonischen Tempel parallel nebeneinander stehenden Keruben hinsichtlich der in der Kultachse (O–W) postierten Lade anzunehmen war[416].

405 Auf Parallelfälle macht *Görg* (Zelt, S. 24 Anm. 118) aufmerksam, vgl. *ders.*, Keruben, S. 15. Zu der Frage, ob die in der 2.Pers.m.sing. formulierten Anweisungen ursprünglich in der 3.Pers. abgefaßt waren (so *Koch*, Priesterschrift, S. 31), s. die Bemerkungen von *Görg*, a.a.O., S. 23f. Zur Verbindung eines Partizips (סֹכְכִים v. 20aβ) mit einem Pf.cons. (v. 20aα) s. *Meyer*, HG^3, § 104,2g, vgl. GK, § 116r. Ebenfalls noch unter der Rektion von וְהָיוּ v. 20aα steht v. 20aβ.

406 HAT I/3 (1939), S. 131.

407 Ähnlich bereits *H. Schmidt*, in: Eucharisterion (FS *H. Gunkel*), hrsg. von *H. Schmidt*, Bd. I, Göttingen 1923, S. 120–144, bes. S. 142.

408 Priesterschrift, S. 12, vgl. *Metzger*, Königsthron, S. 449.

409 *Koch*, ebd., vgl. *Görg*, Keruben, S. 15.16.17.18.

410 Ladeheiligtum, S. 82.

411 So mit *H. Gressmann*, a.a.O. (oben Anm. 383), Vorsatzblatt Abb. 1, vgl. *ders.*, AOB Abb. 513 (mit der Beschreibung S. 149), s. aber *Fritz*, Tempel, S. 137 Anm. 96.

412 *Maier*, Kultus, S. 88.

413 S. dazu oben S. 281ff.

414 Vgl. auch *Keel*, Jahwevisionen, S. 16 Anm. 4.

415 Vgl. *ders.*, a.a.O., S. 152 Anm. 46.

Auch bei der Angabe über die פָּנִים der Keruben Ex 25,20aγ können wir einen Widerspruch zu Ex 25,20b nicht erkennen; denn die Wendung הָיָה פָּנִים אֶל Ex 25,20b besagt nicht, daß die פָּנִים der Keruben auf die כַּפֹּרֶת *herabgesenkt* sind[417], vielmehr gibt diese mit שִׂים/שׂוּם/נָתַן פָּנִים אֶל »den Blick wohin richten, das Antlitz kehren zu/gegen«[418] synonyme Wendung allgemein die *Richtung des Schauens ohne Richtungsdetermination* (nach oben/nach unten/seitwärts), die *Hinwendung zu etwas* an. Das aber bedeutet: Indem die auf der כַּפֹּרֶת angebrachten Keruben sich *vis-à-vis* (auf gleicher Höhe) gegenüberstehen, d.h. *einander zugewandt* sind (v. 20aγ), sind ihre פָּנִים *zugleich* der damit in ihrem Blickfeld liegenden כַּפֹּרֶת zugewandt (v. 20b), auf die sie nicht eigens herabblicken müssen. Das Zugewandt-Sein der Kerubengesichter אֶל־הַכַּפֹּרֶת v. 20b präzisiert demnach die Aussage v. 20aγ: Auf der Lade von Ex 25,17–22 stehen sich die Keruben – im Unterschied zu den Keruben des salomonischen Tempels – frontal gegenüber, d.h. *ihre* פָּנִים *sind von der* כַּפֹּרֶת *nicht ab-, sondern dieser zugewandt.*

Weitere Einzelheiten über Gestalt (tiergestaltig oder menschengestaltig, rundplastische Figuren oder Flachreliefs?) und Körperhaltung (aufrecht auf den Hinterbeinen stehend, kniend, liegend?) der Keruben entziehen sich jeglicher Näherbestimmung. Der Grund für diesen offensichtlichen Verzicht auf ikonographische Konkretisierung[419], der wohl kaum Mangel an Vorstellungs- bzw. Darstellungsvermögen des priesterlichen Verfassers signalisiert, dürfte u.E. darin zu sehen sein, daß die Priesterschrift auch in ihrer Kerubenkonzeption nicht ein »Sehbild«, sondern ein »Denkbild«[420] vermitteln will.

In der Beurteilung von *Ex 25,21b* können wir *Fritz* zustimmen, denn dieser Versteil wiederholt an unpassender Stelle fast wörtlich v. 16 und ist darum als sekundär anzusehen[421]. Auch der durch die *nota accusativi* eingeleitete Objektsatz *v. 22b* wird als erklärender Zusatz zu beurteilen sein[422], weil er – entgegen der die »intime Gesprächsgemeinschaft« Jahwes mit Mose[423] kennzeichnenden Aussageabsicht von דִּבֶּר + Präp. אֵת (»mit«) *v. 22aβ*[424] – eine inhaltliche Näherbestimmung des Redens Gottes intendiert[425]. Als

416 S. oben S. 282ff.

417 So *Gressmann*, a.a.O. (oben Anm. 383), S. 7; *Haran*, Priestly Image, S. 194 (mit Spekulationen über die »in Ehrfurcht niedergeschlagenen« Kerubenaugen).

418 S. die Diskussion der Belege bei *Reindl*, Angesicht, S. 110ff.; *W. Groß*, Bileam. Literar- und formkritische Untersuchung der Prosa von Num 22–24 (StANT 38), München 1974, S. 307ff., vgl. *H. Wildberger*, Art. *ntn*, THAT II, Sp. 136; *A. S. van der Woude*, Art. *panîm*, THAT II, Sp. 439f.

419 Zum Verständnis von עַל Ex 25,19b s. oben Anm. 403.

420 Zu diesem Gegensatz s. jetzt v.a. *Keel*, Jahwevisionen, S. 405 (Register) s.vv. Darstellungsprobleme, Denkbild; *ders.*, BN 6 (1978), S. 40–54, hier: S. 51f., vgl. auch *Görg*, Keruben, S. 22. Analoges ist auch hinsichtlich des Fehlens der Höhenangabe bei der כַּפֹּרֶת zu konstatieren, s. unten S. 347.

421 Vgl. *K. Galling*, HAT I/3 (1939), S. 131; *Koch*, Priesterschrift, S. 12; *Görg*, Keruben, S. 16. Umgekehrt wird das Verhältnis von v. 16b und v. 21b von *M. Noth*, ATD V (^{3}1965), S. 165 beurteilt.

422 Vgl. bereits *Schmidt*, a.a.O. (oben Anm. 383), S. 142f.; *Fritz*, Tempel, S. 117; *Görg*, a.a.O., S. 16 mit Anm. 13.

423 *L. Rost*, in: *ders.*, Studien zum Alten Testament (BWANT 101), Stuttgart/Berlin/Köln/Mainz 1974, S. 39–60, hier: S. 54 Anm. 6.

424 S. dazu *Kellermann*, Priesterschrift, S. 107f.109, vgl. auch *Rost*, a.a.O., S. 59.

425 Nicht ein Reden Jahwes mit Mose ohne Angabe des Gesprächsinhalts (Ex 25,22; 31,18; 34,29.32.33.34.35; Num 3,1, vgl. Num 7,89 [Mose als Subjekt]), sondern eine gesprächsweise Unterredung (z.T. mit in direkter Rede ausgeführter Kennzeichnung des Inhalts: Gen 17,4ff.;

eine den Zusammenhang zwischen וְדִבַּרְתִּי אִתְּךָ מֵעַל הַכַּפֹּרֶת v. 22aβ und dem auf הַכַּפֹּרֶת zu beziehenden אֲשֶׁר-Satz *v. 22aδ*[426] zerreißende Glosse werden von *Fritz* schließlich auch die Worte מִבֵּין שְׁנֵי הַכְּרֻבִים *v. 22aγ* ausgeschieden; ob zu Recht, zeigt der Vergleich mit Num 7,89, wo die Stellung von אֲשֶׁר עַל־אֲרֹן הָעֵדֻת unmittelbar hinter מֵעַל הַכַּפֹּרֶת gegenüber Ex 25,22a als sachlich angemessener erscheint, so daß מִבֵּין שְׁנֵי הַכְּרֻבִים in v. 22aγ als sekundäre Einfügung aufzufassen wäre[427]. Doch kann gerade – und dies ist u.E. das wahrscheinlichere – die sachlich passende Stellung von מִבֵּין שְׁנֵי הַכְּרֻבִים in Num 7,89 Hinweis auf bewußte Korrektur von v. 22 sein[428]. Man wird daher, ohne damit Sinnverschiebungen in Kauf nehmen zu müssen, מִבֵּין שְׁנֵי הַכְּרֻבִים v. 22aγ als ursprünglich zu belassen haben[429] und diese präzisierende Erläuterung über das Wo des göttlichen Begegnens zusammen mit v. 17.18.20.21a.22aαβδ zum priesterschriftlichen Grundbestand von Ex 25,17–22 rechnen können (die P^s-Anteile jeweils in spitzer Klammer):

17 »Sodann sollst du eine *kăpporaet*[430] aus reinem Gold anfertigen, zweieinhalb Ellen lang und anderthalb Ellen breit.

18 Und du sollst zwei Keruben aus Gold anfertigen, als getriebene Arbeit[431] sollst du sie an den beiden Enden der *kăpporaet*[432] anfertigen.

19 ‹ (und zwar:) mache den einen Kerub an dem einen Ende und den anderen Kerub an dem anderen Ende, von der *kăpporaet* aus[433] sollt ihr die Keruben an ihren (sc. der *kăpporaet*) beiden Enden machen. ›

20 Und die Keruben sollen (so) sein, daß sie (ihre) Flügel nach oben hin ausbreiten[434], mit ihren Flügeln die *kăpporaet* beschirmend;

23,8bf.) meint דִּבֶּר אֶת in Gen 17,3.22.23 (Gespräch Gottes mit Abraham); 35,13.14.15 (Gespräch Gottes mit Jakob); Gen 23,8a (Gespräch Abrahams mit den Hethitern), s. dazu *Kellermann*, a.a.O., S. 108; *Rost*, a.a.O., S. 54f. mit Anm. 6, ferner *G. Gerleman*, Art. *dbr*, THAT I, Sp. 435f.438f.; *W. H. Schmidt*, Art. *dbr*, ThWAT II, Sp. 105ff. (Lit.).

426 In der Regel wird der אֲשֶׁר-Satz auf שְׁנֵי הַכְּרֻבִים bezogen, so *B. Baentsch*, Exodus-Leviticus-Numeri (HK), 1903, S. 226; *Koch*, Priesterschrift, S. 12, u.a. Dagegen spricht aber die Angabe, daß sich die כַּפֹּרֶת (und nicht die Keruben!) befindet עַל־אֲרוֹן הָעֵדֻת (Ex 26,34, vgl. Ex 31,7), עַל־הָאָרוֹן (Ex 25,21; 40,20; Lev 16,2) oder עַל־העד(ו)ת (Ex 30,6; Lev 16,13), vgl. auch *Kellermann*, a.a.O., S. 109.

427 Aus diesem Grunde stellt *K. Galling* (HAT I/3 [1939], S. 130) Ex 25,22a nach dem Vorbild von Num 7,89 um und übersetzt: ». . . und mit dir reden von dem Platz über dem Aufsatz, der auf der Lade des Zeugnisses ist zwischen den beiden Keruben«.

428 Vgl. *Kellermann*, Priesterschrift, S. 109.

429 Vgl. auch *Görg*, Keruben, S. 16 Anm. 13 (allerdings ohne Begründung).

430 Zur Wiedergabe von כַּפֹּרֶת mit »Sühnmal, Sühneort« s. oben Teil III Anm. 457.

431 Der Terminus מִקְשָׁה »gedrehte, getriebene Arbeit« Ex 25,18.31.36; 37,7.17.22; Num 8,4*(bis)*; 10,2 gibt keinen Aufschluß über die Gestaltung der Keruben, s. dazu zuletzt *C. L. Meyers*, The Tabernacle Menorah: A Synthetic Study of a Symbol from the Biblical Cult (ASOR Diss. Series 2), Missoula/Montana 1976, S. 31ff.

432 מִשְּׁנֵי קְצוֹת הַכַּפֹּרֶת wörtlich: »aus den beiden Enden der *kăpporaet*« oder: »von den beiden Enden der *kăpporaet* aus(gehend)«, s. dazu auch oben Anm. 403.

433 Sinngemäß richtig wird das מִן in מִן־הַכַּפֹּרֶת bei *M. Noth* (ATD V [^{3}1965], S. 164) übersetzt: »zugehörig zu . . .«.

und ihre Gesichter sollen sich einander zuwenden, zur *kăpporaet* hin sollen die Gesichter der Keruben (gerichtet) sein.

21 Du sollst die *kăpporaet* oben auf die Lade setzen, ‹ und in die Lade sollst du die (Gesetzes-) Bestimmung[435] legen, die ich dir geben werde. ›

22 Ich will dir dort begegnen[436] und mit dir von der *kăpporaet* aus (von dem Raum) zwischen[437] den beiden Keruben, die über der Lade der (Gesetzes-)Bestimmung ist, reden ‹ alles, was ich dir für die Israeliten auftragen werde ›«.

Nach Ex 25,22a will Jahwe Mose »dort«, d.h. auf der כַּפֹּרֶת, begegnen und mit ihm reden מֵעַל הַכַּפֹּרֶת מִבֵּין שְׁנֵי הַכְּרֻבִים »von dem Sühnmal aus (von dem Raum) zwischen den beiden Keruben«. War die Bedeutung der Keruben im salomonischen Tempel – als Tragtiere der (unsichtbar) thronenden Gottheit markieren sie die Grenze zur göttlichen Sphäre – wesentlich darauf zurückzuführen, daß an diesem Ort, dem Wohnsitz des יֹשֵׁב הַכְּרוּבִים, himmlischer und irdischer Bereich ineinander übergehen[438], so wird die Art der Gottesgegenwart im priesterschriftlichen Zeltheiligtum nach Ex 25,22aαβ anders bestimmt: nicht als ein Thronen »auf/über« den Keruben (das Gottesprädikat יֹשֵׁב הַכְּרוּבִים fehlt wohl nicht zufällig bei P), sondern als ein »Begegnen« (יעד *nif.*) auf der (mit den Keruben verbundenen) כַּפֹּרֶת und als ein »Reden« (דִּבֶּר) mit Mose von dieser כַּפֹּרֶת aus.

Wo genauer das von der כַּפֹּרֶת aus ergehende Reden Jahwe sich ereignet, wird in Ex 25,22aγ expliziert: »von dem Raum zwischen (מִבֵּין) den beiden Keruben aus« – den beiden Keruben, die im salomonischen Tempel als Trägerfiguren des (unsichtbar) thronenden Gottes der symbolischen Veranschaulichung eines theologischen Inhaltes dienten (Markierung der Grenze zum Transzendenzbereich; mit der Gottesbergvorstellung verbunden) und die nun bei P materialiter mit der כַּפֹּרֶת verbunden sind (Ex 25,18b.[19], vgl. Ex 37,7b.8). Die Betonung der gar nicht enger zu denkenden Verbindung zwischen כַּפֹּרֶת und Keruben – in der mehr als nur eine technische Erleichterung für das Tragen der Keruben[439] zu sehen ist – sowie jene die Wendung מֵעַל הַכַּפֹּרֶת v. 22aβ weiterführende Lokalbestimmung מִבֵּין שְׁנֵי הַכְּרֻבִים v. 22aγ machen deutlich, worauf es der Priesterschrift ankommt: nicht wie ehedem die auf dem Gottesberg Zion befindlichen *Keruben als Tragtiere der (unsichtbar) thronenden Gottheit*, sondern nunmehr die mit ihnen mate-

434 Wörtlich: »Und die Keruben sollen sein Flügel-Ausbreiter (Constr.-Verbindung!) nach oben hin«; anders 11QTemple col. 7,11: פורשים (st.abs.pl.).

435 Zu עֵדוּת s. oben S. 293f.

436 Statt des וְנוֹעַדְתִּי des MT liest LXX καὶ γνωσθήσομαι σοι (vgl. auch Ex 29,42b; 30,6.36; Num 17,19 LXX; anders Ex 29,43a LXX: καὶ τάξομαι), was einem וְנוֹדַעְתִּי entspricht. Die Ursprünglichkeit der masoretischen Lesart ist nicht in Zweifel zu ziehen, vgl. *Rost*, Vorstufen, S. 118ff.; *Görg*, *j'd*, Sp. 699.

437 Zur zusammengesetzten Präposition מִבֵּין »von zwischen . . . her« s. GK, § 119d; *Brokkelmann*, Syntax, § 119a, vgl. KBL³, S. 118 s.v. *בֵּין II2d; zur Syntax der Präposition בֵּין s. jetzt *J. Barr*, JSSt 23 (1978), S. 1–22.

438 S. dazu oben S. 286ff. mit den Lit.-Hinweisen oben Anm. 83.

439 Vgl. auch *Koch*, Priesterschrift, S. 12 (allerdings ohne nähere Ausführung).

rialiter verbundene כַּפֹּרֶת *als den Ort der Präsenz des begegnenden Gottes* auszuweisen[440], d.h. als den Ort, an dem himmlischer und irdischer Bereich ›sich berühren‹, an dem der transzendente Gott in seiner Kondeszendenz nahe ist, »begegnet«. Modus der Präsenz Jahwes in Israel ist das auf eine »Begegnung« (יעד *nif.*, אֹהֶל מוֹעֵד »Begegnungszelt«) zielende »Verweilen« (שָׁכַן) seines כָּבוֹד inmitten der Israeliten (Ex 29,42bff.; vgl. Ex 24,15bff.; 25,8; 40,34f.) ebenso wie sein Mose, dem Repräsentanten Israels, geltendes »Begegnen« (יעד *nif.*) auf der כַּפֹּרֶת (Ex 25,22). Als innerster Kern des den ›Sinai auf der Wanderung‹ und das künftige Heiligtum auf dem Zion repräsentierenden »Begegnungszeltes« ist dieses »Sühnmal« (כַּפֹּרֶת) eine Größe sui generis, unableitbar und ohne Parallele[441].

440 Vgl. auch *Görg*, Keruben, S. 20f.; *ders.*, *j*ᶜ*d*, Sp. 705. Diese konzeptionelle Orientierung an den Verhältnissen im Jerusalemer Tempel und hier besonders am Kerubenthron bedeutet aber nicht, daß die כַּפֹּרֶת das priesterschriftliche Pendant des Kerubenthrons ist (vgl. dazu auch *Mettinger*, a.a.O. [oben Anm. 47]); das verbietet nicht nur das Fehlen des Epithetons יֹשֵׁב הַכְּרוּבִים bei P, sondern auch die Bedeutung der von P mit Hilfe des Begriffs »Begegnen (יעד *nif.*) Jahwes« gestalteten שָׁכַן-Theologie.

441 Ein traditionsgeschichtlich enger Zusammenhang zwischen der לִבְנַת הַסַּפִּיר Ex 24,10 und der אֶבֶן סַפִּיר Ez 1,26; 10,1 (vgl. Ez 1,22) einerseits und der priesterschriftlichen כַּפֹּרֶת andererseits ist von *W. Beyerlin* (Herkunft und Geschichte der ältesten Sinaitraditionen, Tübingen 1961, S. 34ff., vgl. auch *Hillmann*, Wasser und Berg, S. 142.147ff.) angenommen worden, dergestalt, »daß sich Ezechiel bei der Konzeption jener kristallglänzenden Platte an der Deckplatte der Lade orientiert hat, von der Ex 25,17ff. die Rede ist . . . (. . .) Hat sich aber Ezechiel von dieser Anschauung leiten lassen, dann ist entsprechend auch bei der sachverwandten Stelle der Sinaiüberlieferung Ex 24,10, die ja gleicherweise von einer kristallglänzenden Platte, über der die Gottheit thront, berichtet, zu vermuten, sie sei von der Anschauung der Lade und ihrer Deckplatte beeinflußt« (a.a.O., S. 39f.). Ob dabei für Ex 24,10 und Ez 1,22ff.; 10,1ff. ein enger Sprach- und Sachzusammenhang vorauszusetzen ist, soll hier nicht entschieden werden (s. dazu etwa *W. Zimmerli*, BK XIII/1 [²1979], S. 36.55f.; *ders.*, Ezechiel. Gestalt und Botschaft [BSt 62], Neukirchen-Vluyn 1972, S. 24; *Blenkinsopp*, Structure of P, S. 279 Anm. 17 und ausführlicher jetzt *Keel*, Jahwevisionen, bes. S. 255ff.; *Jeremias*, Theophanie, S. 205f.). Problematisch aber sind u.E. die Bemerkungen *Beyerlins* über den Zusammenhang zwischen der לִבְנַת הַסַּפִּיר Ex 24,10 und der priesterschriftlichen כַּפֹּרֶת: und zwar weniger wegen der chronologischen Differenz zwischen Ex 24,10 und den priesterschriftlichen כַּפֹּרֶת-Texten (die *Beyerlin* durch die Annahme der Existenz einer כַּפֹּרֶת schon im salomonischen Tempel [sic!] glaubt ausgleichen zu können) als vielmehr wegen der Gründe, die gegen die Hypothese der Ladetheophanietradition (die nach *Beyerlin* hinter beiden Überlieferungen stehen soll) geltend zu machen sind, s. dazu jetzt *E. W. Nicholson*, VT 24 (1974), S. 77–97, bes. S. 91f.; *ders.*, VT 26 (1976), S. 148–160, bes. S. 159, ferner *Th. C. Vriezen*, OTS 17 (1972), S. 100–133, bes. S. 127f.; *Jeremias*, a.a.O., S. 205f.; *Fuhs*, Sehen, S. 258ff.; bes. S. 264 mit Anm. 22; *E. Rupprecht*, in: Werden und Wirken des Alten Testaments (FS *C. Westermann*), hrsg. von *R. Albertz*, *H.-P. Müller*, *H. W. Wolff* und *W. Zimmerli*, Göttingen/Neukirchen-Vluyn 1980, S. 138–173. Eher ließe sich ein Zusammenhang zwischen der לִבְנַת הַסַּפִּיר Ex 24,10 und der priesterschriftlichen כַּפֹּרֶת in der von *Gese* (Sühne, S. 103) vorgeschlagenen Weise vermuten.

Dritter Abschnitt: Die כַּפֹּרֶת als Ort der Sühne

A) Kondeszendenz Gottes und hohepriesterliches Sühnehandeln am großen Versöhnungstag Lev 16,14f.

Die Verbindung zwischen der כַּפֹּרֶת und den Keruben ist eine Verbindung zwischen zwei aus demselben Material (reinem Gold: Ex 25,17.18, vgl. Ex 37,6.7) gefertigten Kultgegenständen und insofern stofflicher Natur; zugleich aber ist sie weit mehr als dies: eine Verbindung zwischen zwei theologischen Konzeptionen, die beide auf je besondere Weise denselben theologischen Inhalt: *die kondeszendierende (thronende/begegnende) Präsenz des transzendenten Gottes,* symbolisch veranschaulichen (in den Keruben/in der כַּפֹּרֶת als symbolischer Grenzmarkierung zum Transzendenzbereich). Darauf, daß bei P nicht das Interesse an der materialen Gestalt der כַּפֹּרֶת, sondern *diese* Aussageabsicht im Vordergrund steht, scheint auch die Weglassung einer Höhenangabe der כַּפֹּרֶת (Ex 25,17, vgl. Ex 37,6)[442] hinzudeuten, die bei einem gerade in technischen Dingen mit größter Sorgfalt verfahrenden Erzähler wie P (vgl. nur die ständigen Maßangaben in Ex 25ff.!) kaum auf Nachlässigkeit oder Zufall beruhen wird. Die כַּפֹּרֶת ist eben kein »Deckel« für die Lade, sondern – jenseits vordergründiger Dinglichkeit – der in die Form einer »reinen Ebene«[443] gefaßte Ort der Gegenwart Gottes in Israel. Entscheidend ist weder ihre äußere Gestalt und deren exakte bautechnische Deskription[444] noch ihre Position »auf der Lade«, die sie als »Deckel« zu qualifizieren scheint, sondern ihre als symbolische Veranschaulichung eines theologischen Inhalts: als Grenzmarkierung zum Transzendenzbereich und deshalb als Ort der Kondeszendenz Gottes (seines »Begegnens« [יעד *nif.*]), bestimmte Funktion, die sie u.a. ihrer – detailliert beschriebenen (Ex 25,18[19])! – Verbindung mit den Keruben verdankt und die sich im kultischen Sühnegeschehen des großen Versöhnungstages konkretisiert[445].

Als kultischer Repräsentant Israels betritt der Hohepriester nur einmal im Jahr (am 10. VII.: Lev 16,29, vgl. Lev 23,27; Num 29,7), eben am großen

442 Anders die rabbinische Tradition, s. Bill. III, S. 166 (unter a). Eine Höhenangabe der כַּפֹּרֶת wird auch in 11QTemple col. 7,9 nicht gemacht: das dortige קומתו »seine (masc. Suffix!) Höhe« bezieht sich eindeutig auf ein vorher (Z. 8) genanntes Kultgerät masculini generis (wahrscheinlich den Akazienholzaltar), s. dazu den Versuch der Textrekonstruktion von *Y. Yadin*, The Temple Scroll, vol. II, Jerusalem 1977, S. 20 (zu 11QTemple col. 7,8), vgl. *J. Maier*, Die Tempelrolle vom Toten Meer (UTB 829), München 1978, S. 27.

443 *Gese*, Sühne, S. 103.

444 Zu vergleichen ist auch das weitgehende Desinteresse der Priesterschrift an Aussehen, Größe und Gestalt der mit der כַּפֹּרֶת verbundenen Keruben, s. oben S. 342f.; das »Daß« der Verbindung der Keruben mit der כַּפֹּרֶת scheint für P im Vordergrund gestanden zu haben, der Beschreibung dieser Verbindung galt ihre ganze Sorgfalt: Ex 25,17–20.22!

445 Zur Ritualüberlieferung von Lev 16 s. oben S. 266ff.

Versöhnungstag, das Allerheiligste des Begegnungszeltes. Hier, am Ort der Gottesgegenwart, wird die Sühne vollzogen, indem der Hohepriester vom Blut des eigenen Sündopferfarrens (Lev 16,14) und dann vom Blut des Sündopferbockes des Volkes (Lev 16,15) nimmt und es mit seinem Zeigefinger »vorn auf« (עַל־פְּנֵי . . . קֵדְמָה [v. 14a, vgl. v. 15bβ: עַל »auf«]) und siebenmal »vor« (לִפְנֵי [v. 14b.15bβ])[446] die כַּפֹּרֶת, das »Sühnmal« (oder: den »Sühneort«)[447], sprengt (הִזָּה)[448]:

»(11) Aaron bringt seinen Sündopferfarren dar und schafft Sühne für sich und sein Haus. Und zwar schlachtet er seinen eigenen Sündopferfarren. (14) Dann nimmt er von dem Blut des Farren und sprengt es mit seinem (Zeige-)Finger vorn auf die *kăpporaet* (= das Sühnmal); auch vor das Sühnmal sprengt er siebenmal von dem Blut mit seinem (Zeige-)Finger. (15) Dann schlachtet er den Sündopferbock des Volkes, bringt das Blut hinein hinter den Vorhang und verfährt mit dem Blut, wie er mit dem Blut des Farren verfahren ist, indem er es auf und vor das Sühnmal sprengt« (Lev 16,11.14f.).

Ist das als אֹהֶל מוֹעֵד »Begegnungszelt« konzipierte Heiligtum die Stätte der Gottesbegegnung (יעד *nif.*), d.h. der Ort in Israel, an dem der transzen-

446 Zu den verschiedenen Ortsbezeichnungen s. *Elliger*, Leviticus, S. 213f.; *Wefing*, Entsühnungsritual, S. 59. Der Mischna-Traktat Yoma (»Der Tag« [d.h. Der Versöhnungstag]) setzt den Zustand des zweiten Tempels voraus (mYom V,2), in dem die Lade fehlte und an deren Stelle sich der drei Finger breit aus der Erde herausragende »Grundstein, Gründungsstein« (אבן שתיה) befand, von dem aus nach der Kosmologie der Rabbinen die Welt gegründet wurde, s. dazu Bill. III, S. 178ff. und zuletzt *J. Gutmann*, ZAW 83 (1971), S. 22–30, hier: S. 28f.; *McKelvey*, Temple (Appendix); *Schäfer*, Tempel, S. 125ff. (ergänzend *ders.*, Studien zur Geschichte und Theologie des rabbinischen Judentums [AGSU XV], Leiden 1978, S. 17ff.); *F. Böhl*, ZDMG 124 (1974), S. 253–270; *E. Vogt*, Bib. 55 (1974), S. 23–64, hier: S. 61ff.; *H. Donner*, ZDPV 93 (1977), S. 1–11, hier: S. 9f.; *Busink*, Tempel II, S. 904ff.997ff. (zu der in diesem Zusammenhang zu beachtenden Tradition vom Verbergen der Lade durch Jeremia und zur eschatologischen Hoffnung auf ihr Wiederauffinden s. *F. Böhl*, FJB 4 [1976], S. 63–80; *Chr. Wolff*, Jeremia im Frühjudentum und Urchristentum, Berlin 1976, S. 61ff., vgl. auch *Gese*, Sühne, S. 105).
Auf diesen »Grundstein« setzte der Hohepriester am großen Versöhnungstag (יומא) die Schaufel mit dem Räucherwerk, nahm von dem Blut des Opfertieres, betrat aufs neue das Allerheiligste, stellte sich wieder an den Platz vor die (nicht vorhandene) Lade mit der (nicht vorhandenen) כַּפֹּרֶת und sprengte von dem Blut »einmal nach oben (אחת למעלה) und siebenmal nach unten (שבע למטה), ohne gleich einem Geißelnden viel darauf zu achten, wohin er traf, ob nach oben oder unten, beim Sprengen« (mYom V,3, entsprechend V,4 [Übersetzung *J. Meinhold*, Traktat Joma, Gießener Mischna II,5, Gießen 1913, S. 55). Der Gegensatz (לִפְנֵי–עַל(־)פְּנֵי) Lev 16,14.15 ist wohl kaum so zu verstehen, daß das Blut zuerst gegen die obere und dann gegen die untere Kante der כַּפֹּרֶת gesprengt wurde; vielmehr liegt der Gegensatz – analog למעלה – למטה in mYom V,3.4 – darin, daß der Hohepriester »das erste Mal aufwärts, nachher dagegen abwärts sprengte. Bei der ersten Sprengung richtete er die Spitze des ins Blut getauchten Fingers zur Erde und fuhr dann mit dem ausgestreckten Arm schnell in die Höhe; bei den sieben folgenden Sprengungen tauchte er den Finger jedesmal aufs neue in das Blut, erhob den Arm soweit als möglich und senkte ihn darauf mit raschem Schwung zur Erde« (Mischnaiot. Ordnung Festzeit, übersetzt und erklärt von *O. Baneth*, Berlin 1927, S. 315 Anm. 22). Zur Rezeption von Lev 16 in mYom vgl. auch *Wefing*, Entsühnungsritual, S. 174f.

447 Zur Wortbildung und zur Übersetzung s. oben Teil III Anm. 457.

448 Zu הִזָּה s. ausführlich oben S. 222ff.

dente Gott nahe ist, kondeszendiert, so wird deutlich, daß mit dem Eintreten des kultischen Repräsentanten Israels in das Allerheiligste am großen Versöhnungstag und mit dem Blutritus an der כַּפֹּרֶת (neben dem Brandopferaltar der zweite ›Brennpunkt‹ dieses Zeltheiligtums)[449] sich ein Geschehen vollzieht, das das Vorfindliche übersteigt, indem es zu einem Abbild der »Urszene« am Sinai Ex 24,15bff. wird. Denn in dem zeichenhaften Blutritus am großen Versöhnungstag wird das schuldig gewordene Israel in Kontakt mit dem sich auf der כַּפֹּרֶת offenbarenden, hier kondeszendierenden Gott gebracht: »in einer Zeremonie, die das Nahekommen zu Gott bis zur letzten materiellen Berührung verdichtet und doch die äußerste Sublimität der Berührung in der Sprengung eines Tropfens wahrt, wird das Urphänomen der heiligenden Gottesbegegnung vollzogen, der Kontakt des sich offenbarenden Gottes und des sich ganz und gar hingebenden Menschen«[450]. So wird – wie auch der auf die Sinaiszene zurückgreifende Zusatz (?) Lev 16,2bβγ[451] verdeutlicht – gerade dem in tiefste Schuld verstrickten nachexilischen Israel im kultischen Sühnegeschehen des alljährlichen Versöhnungstages die mit dem Sinaigeschehen (Ex 24,15bff.)[452] inaugurierte Wirklichkeit der Selbstoffenbarung Gottes an den Menschen wieder eröffnet. Durch die vom Opfertier stellvertretend übernommene Hingabe des eigenen verwirkten Lebens und durch den vom Hohenpriester vollzogenen zeichenhaften Blutritus am »Sühnmal« wird somit dem schuldig gewordenen Israel und seinen kultischen Repräsentanten die heilschaffende Entsühnung, der Anfang eines neuen Lebens in der Gottesbegegnung zuteil: »So schafft er Sühne für sich und sein Haus und für die ganze Versammlung Israels« (Lev 16,17b).

Die besondere Weise der Gegenwart Gottes in Israel: sein »Begegnen« auf der כַּפֹּרֶת, hat *Martin Luther* folgendermaßen beschrieben:

»Denn ich gleubte nicht an Christum, sondern hielt jn nicht anders denn fur einen strengen, schrecklichen Richter, wie man jn malet auff dem Regenbogen sitzend, Darumb suchet ich andere fuerbitter, Mariam und andere Heiligen, jtem meine eigen werck und verdienst des Ordens, Das alles thet ich ja nicht umb gelts und guts, sondern um Gottes willen, Noch war es falsch und Abgoetterey, Weil ich Christum nicht kandte und solchs nicht jnn und durch jn suchte. Also haben die Jueden auch gethan, Welchen Gott so offt und hart verboten hatte, das sie bey leib keinen Gotts dienst solten anrichten weder auff bergen noch jnn grunden oder awen und gruenen welden und kurtz umb, das sie jnen keine stet solten so lustig oder gelegen sein lassen, das sie sagten: O da were ein feine kirch oder Gottsdienst zu stifften etc. Sondern da solt jr mich suchen und finden, da ich mich selbs hin gestelt hab, bey dem Gnadenstuel auff der Laden«[453].

449 S. oben S. 340 mit Anm. 395 und den Grundriß oben S. 223 (mit den Lit.-Hinweisen oben Teil III Anm. 199).

450 *Gese*, Sühne, S. 104.

451 S. dazu oben Teil III Anm. 442.

452 S. oben S. 303ff.

453 Das XIV. und XV. Kapitel S. Johannis durch D. Mart. Luther gepredigt und ausgelegt (WA 45,482,15–28).

Nach der Aufnahme und Interpretation dieser alttestamentlichen »Gnadenstuhl«-Theologie durch Paulus soll abschließend gefragt werden.

B) Jesus Christus als das von Gott eingesetzte ἱλαστήριον – Röm 3,25 im Licht der alttestamentlichen כַּפֹּרֶת-Tradition

Zu den frühesten Deutungen des Todes Jesu[454] gehört auch die (aus Jerusalem oder eher aus Antiochien stammende) urchristliche Bekenntnistradition Röm 3,25*.26a, die Paulus mit Hilfe des Zusatzes διὰ πίστεως (v. 25) und der Wiederholung von εἰς ἔνδειξιν τῆς δικαιοσύνης αὐτοῦ (v. 25b) in V. 26b (πρὸς τὴν ἔνδειξιν τῆς δικαιοσύνης αὐτοῦ) weiterführt und in den Gesamtzusammenhang von Röm 3,21–24.26bff.[455] einfügt. Dieser vorpaulinischen Sühnetradition zufolge hat Gott mit der Einsetzung Jesu zum ἱλαστήριον seine in der Vergebung (πάρεσις) der Sünden sich auswirkende Gerechtigkeit (δικαιοσύνη) erwiesen. Indem Paulus diese alte Paradosis mit dem Zusatz διὰ πίστεως versieht, macht er deutlich, daß dieses Heilswirken Gottes in Christus allein im Glauben angeeignet werden kann und »nicht mehr nur Israel als das Eigentumsvolk Gottes allein, sondern alle Glaubenden aus Juden und Heiden . . . der heilschaffenden Gerechtigkeit Gottes teilhaftig (werden)«[456]. Der Text lautet (die vorpaulinische Tradition im folgenden kursiv):

454 S. dazu *K. Kertelge*, Der Tod Jesu. Deutungen im Neuen Testament (QD 74), Freiburg/Basel/Wien 1976; *M.-L. Gubler*, Die frühesten Deutungen des Todes Jesu. Eine motivgeschichtliche Darstellung aufgrund der neueren Forschung (OBO 15), Freiburg/Schweiz/Göttingen 1977; *J. Roloff*, Neues Testament, Neukirchen-Vluyn 1977, S. 181ff.; *H. Schürmann*, ThGl 70 (1980), S. 141–160; *M. Hengel*, IKaZ 9 (1980), S. 1–25.135–147; *ders.*, Atonement, S. 33ff.

455 Zur Interpretation von Röm 3,24ff. s. zuletzt *Gese*, Sühne, S. 105f.; *P. Stuhlmacher*, ThLZ 98 (1973), Sp. 721–732, hier: S. 725ff.; *ders.*, Röm 3,24–26, passim; *ders.*, in: Rechtfertigung (FS *E. Käsemann*), hrsg. von *J. Friedrich, W. Pöhlmann* und *P. Stuhlmacher*, Tübingen 1976, S. 509–525, hier: S. 512ff.; *ders.*, in: *K. Haacker* u.a., Biblische Theologie. Einführung – Beispiele – Kontroversen (BThSt 1), Neukirchen-Vluyn 1977, S. 25–60, hier: S. 40ff.; *ders.*, ZThK 74 (1977), S. 449–463, hier: S. 455ff.; *ders.*, Vom Verstehen des Neuen Testaments. Eine Hermeneutik (NTD Ergänzungsreihe 6), Göttingen 1979, S. 232ff.; *ders.*, in: *P. Stuhlmacher – H. Class*, Das Evangelium von der Versöhnung in Christus, Stuttgart 1979, S. 13–54, hier: S. 27f., vgl. S. 8f.; *U. Wilckens*, ZNW 67 (1976), S. 64–82, hier: S. 73ff.; *ders.*, ThLZ 103 (1978), Sp. 588; *ders.*, EKK VI/1 (1978), S. 182ff., bes. S. 190ff., vgl. S. 233ff.; *Fitzmyer*, Targum of Leviticus, S. 17 mit Anm. 38 (Lit.); *Hengel*, Atonement, 45.50f.; *Roloff, hilastērion*, Sp. 456f., ferner *G. Lohfink*, in: *W. Kasper* (Hrsg.), Absolutheit des Christentums (QD 79), Freiburg/Basel/Wien 1977, S. 63–82, hier: S. 63–66; *Wolter*, a.a.O. (oben Teil II Anm. 4), S. 11ff.; *O. Michel*, KEK IV (^{14}1978), S. 146ff., bes. S. 150ff.; *R. Pesch*, Das Abendmahl und Jesu Todesverständnis (QD 80), Freiburg/Basel/Wien 1978, S. 123.

456 *P. Stuhlmacher*, ZThK 74 (1977), S. 449–463, hier: S. 458, vgl. S. 458f. und zu diesem universalen Aspekt von Röm 3,25 auch *Lohfink*, a.a.O., S. 63–66; *U. Wilckens*, EKK VI/1 (1978), S. 193f.

»(23) Alle nämlich haben gesündigt und sind verlustig der Herrlichkeit Gottes, (24) gerechtfertigt umsonst durch seine Gnade kraft der Erlösung, die in Jesus Christus (geschehen ist),

(25) *den Gott öffentlich eingesetzt hat als* ἱλαστήριον – durch Glauben – *in seinem Blut,*

zum Erweis seiner Gerechtigkeit um der Vergebung der zuvor geschehenen Sünden willen (26) *durch die Geduld Gottes*

zum Erweis seiner Gerechtigkeit in der Jetzt-Zeit, so daß er gerecht ist und gerecht macht den aufgrund von Glauben an Jesus (Gerechten)«[457].

Das schwierigste Auslegungsproblem von v. 25[458] besteht im Verständnis des Wortes ἱλαστήριον[459]. Geht man von der Interpretation dieses Terminus durch *E. Lohse*[460] aus (adjektivische Auffassung und Ergänzung zu ἱλαστήριον θῦμα = »Sühnopfer«[461], Sachparallele 4Makk 17,21f.), so sind es vier Gründe, die nach *Lohse*[462] gegen die Gleichung ἱλαστήριον = כַּפֹּרֶת sprechen: (a) das Fehlen eines expliziten Hinweises auf einen Vergleich Christus – כַּפֹּרֶת; (b) die – mit Ausnahme von Ex 25,17 LXX (ἱλαστήριον ἐπίθημα)[463] – stets determinierte Verwendung von ἱλαστήριον in LXX (vgl. Hebr 9,5); (c) die Verborgenheit der כַּפֹּרֶת im Allerheiligsten. Der Gegensatz dazu (»Christus als die offenbar gemachte Kapporet«) kann »weder aus dem Zusammenhang noch durch einen Verweis auf 2Kor 3,6ff. wahrscheinlich gemacht werden«[464]; und schließlich (d) die Inkongruenz des Vergleichs Christus – כַּפֹּרֶת, die darin besteht, »daß ja eben das Blut Christi an die Kapporet, die er selbst wäre, gesprengt werden müßte. Wenn überhaupt an die Kapporet gedacht sein sollte, so hätte man weit eher erwarten sollen, daß das Kreuz, nicht aber Christus selbst so bezeichnet sein sollte«[465].

Dieses letzte Argument scheint nun auch der theologisch gewichtigste Ein-

457 Vgl. die Übersetzung von *Wilckens*, a.a.O., S. 183.

458 Zur Auslegungsgeschichte s. *A. Pluta*, Gottes Bundestreue. Ein Schlüsselbegriff in Röm 3,25a (SBS 34), Stuttgart 1969, S. 21ff.31ff.62ff.; *H. Koch*, Römer 3,21–31 in der Paulusinterpretation der letzten 150 Jahre, Masch.Diss. Göttingen 1971; *Stuhlmacher*, Röm 3,24–26 (passim) und *Gubler*, a.a.O. (oben Anm. 454), S. 224ff.

459 Zu den außerntl. ἱλαστήριον-Belegen s. zuletzt *H.-G. Link – C. Brown*, Art. Reconciliation, The New International Dictionary of New Testament, ed. *C. Brown*, vol. III, Exeter/Grand Rapids 1978, S. 148–166, hier: S. 163ff.; *Roloff*, *hilastērion* (dort jeweils die ältere Lit.). Zu dem zweiten ntl. ἱλαστήριον-Beleg (Hebr 9,5) s. *O. Michel*, KEK XIII ([13]1975), S. 303.

460 Märtyrer, S. 149ff., vgl. *ders.*, in: *ders.*, Die Einheit des Neuen Testaments. Exegetische Studien zur Theologie des Neuen Testaments, Göttingen 1973, S. 209–227, bes. S. 220ff.; *ders.*, Grundriß der neutestamentlichen Theologie (ThW 5), Stuttgart/Berlin/Köln/Mainz 1974, S. 54.80f.; *ders.*, in: *H.-J. Hermisson – E. Lohse*, Glauben (Biblische Konfrontationen), Stuttgart/Berlin/Köln/Mainz 1978, S. 107ff.

461 So neuerdings wieder *Michel*, a.a.O., S. 146.150ff.496, obwohl er die Möglichkeit einer Aufnahme von כַּפֹּרֶת durch Paulus nicht a limine ausschließt (vgl. bes. S. 151).

462 Märtyrer, S. 151f.

463 S. dazu oben S. 273 Anm. 467.

464 *Lohse*, Märtyrer, S. 151.

465 *Ders.*, a.a.O., S. 152.

wand[466] gegen die Gleichung: Christus als ἱλαστήριον = כַּפֹּרֶת »Sühnmal, Sühneort« zu sein[467]. Doch spricht gegen die Stichhaltigkeit dieses Einwandes nicht nur die in Röm 3,25 vorhandene Logik typologischer Auswertung des Alten Testaments (vgl. in diesem Zusammenhang besonders Hebr 9,11ff. und Joh 2,19)[468], sondern vor allem der Aussagezusammenhang des vorpaulinischen Traditionstextes (»den [sc. Jesus Christus] Gott öffentlich hingestellt hat als ἱλαστήριον . . . ἐν τῷ αὐτοῦ αἵματι«), der durch den zwischen ἱλαστήριον und ἐν τῷ αὐτοῦ αἵματι tretenden paulinischen Zusatz nicht zerrissen, sondern *interpretiert* wird; denn die Gleichung: Christus als ἱλαστήριον = כַּפֹּרֶת wäre nur dann inkongruent, wenn man deren Aussagegehalt darin sähe, »daß ja eben das Blut Christi an die Kapporet, die er selbst wäre, gesprengt werden müßte«[469]. Doch übersieht *Lohse* mit dieser Formulierung den grundlegenden Sachverhalt, daß eben mit dem Ereignis des Todes Jesu die kultische Entsühnung des großen Versöhnungstages »abgelöst und überboten (ist), weil die von Gott selbst in Christus endgültig gewährte Sühne kultische Sühneriten ein für allemal erübrigt«[470] und der Mensch allein διὰ πίστεως »durch Glauben« Anteil an diesem Heilswirken Gottes in Christus gewinnt (vgl. Röm 5,1–11). Eine noch so »neue«, alttestamentliche Gegebenheiten überbietende *Kult*handlung ist mit dem Ereignis von Tod und Auferstehung Jesu Christi gerade nicht intendiert[471] und eine Sprengung des Blutes Christi »an die Kapporet, die er selbst wäre«, also von vornherein nicht im Blick.

466 Zu den übrigen Argumenten (aber auch zu diesem vierten Argument *Lohses*) s. die Ausführungen von *Stuhlmacher*, Röm 3,24–26, S. 320ff., vgl. auch *U. Wilckens*, EKK VI/1 (1978), S. 191f.; *Wolter*, a.a.O. (oben Anm. 455), S. 19f.

467 Dieses Argument begegnet bereits bei *Th. Zahn*, Der Brief des Paulus an die Römer, Leipzig ²1910, S. 186 (s. das Zitat bei *Lohse*, Märtyrer, S. 152 Anm. 1) und ist im Gefolge von *Lohse* von mehreren Exegeten wiederholt worden, s. die Hinweise bei *Wilckens*, a.a.O., S. 191 Anm. 535.

468 S. dazu *Stuhlmacher*, Röm 3,24–26, S. 323f. und *Wilckens*, a.a.O., S. 191f., vgl. auch *G. Eichholz*, Die Theologie des Paulus im Umriß, Neukirchen-Vluyn ²1977, S. 192f. (allerdings mit mehreren Fragezeichen).

469 *Lohse*, Märtyrer, S. 152.

470 *Stuhlmacher*, Röm 3,24–26, S. 333.

471 Anders *Roloff*, a.a.O. (oben Anm. 454), S. 192. Auch wenn in 2Kor 5,21 τὸν μὴ γνόντα ἁμαρτίαν ὑπὲρ ἡμῶν ἁμαρτίαν ἐποίησεν »den (sc. Christus, v. 20), der von Sünde nichts wußte, hat er (sc. Gott) für uns zur ἁμαρτία (= חַטָּאת »Sündopfer«) gemacht« der kultische Vorstellungszusammenhang besonders deutlich ist, so liegt hier doch keine kultische Deutung des Todes Jesu vor: *Gott* hat den sündlosen Christus, den Gekreuzigten für uns zum Sündopfer (ἁμαρτία – חַטָּאת) gemacht, damit wir durch ihn, d.h. durch seine stellvertretende Lebenshingabe, zur δικαιοσύνη θεοῦ werden. Kann man diese *Heilstat Gottes in Christus* einen Kultakt nennen?, s. zur Interpretation von 2Kor 5,21 (und Röm 8,3) *Stuhlmacher*, Röm 3,24–26, S. 323 Anm. 40; *ders.*, in: *K. Haacker* . . . (oben Anm. 455), S. 40f. mit Anm. 33; *ders.*, ZThK 74 (1977), S. 449–463, hier: S. 457f.; *U. Wilckens*, ZNW 67 (1976), S. 64–82, hier: S. 70ff.; *ders.*, EKK VI/1 (1978), S. 240.298f.; *Hengel*, Atonement, S. 46, vgl. auch *Thyen*, Sündenvergebung, S. 188ff.; *Michel*, a.a.O. (oben Anm. 455), S. 496 und zum locus classicus der paulinischen Versöhnungslehre (2Kor 5,18–21) jetzt *O. Hofius*, ZThK 77 (1980), S. 186–199; *ders.*, ZNW 71 (1980), S. 3–20.

Nimmt man das paulinische Interpretament διὰ πίστεως ernst und versucht demzufolge nicht sich vorzustellen, daß das Blut Christi in einem kultischen Ritus »an die Kapporet, die er selbst wäre, gesprengt werden müßte«, dann meint der durch den Zusatz διὰ πίστεως interpretierte vorpaulinische Zusammenhang ἱλαστήριον – ἐν τῷ αὐτοῦ αἵματι: »in seinem Blut« und d.h.: im gewaltsamen Tod[472], in der *stellvertretenden Lebenshingabe des Gekreuzigten*, den Gott »öffentlich hingestellt« hat als ἱλαστήριον = »Sühneort«, erweist sich die heilschaffende Gerechtigkeit Gottes. Sosehr nach Röm 3,25f. die universale und eschatologische Dimension dieses im Tod Jesu Christi geschehenen Sühnehandelns Gottes zu betonen ist, sosehr ist doch zu beachten, daß an einem zentralen Punkt zwischen dieser vorpaulinisch-paulinischen Sühnetradition und der kultischen Sühnetheologie der Priesterschrift (der jene Dimension fehlt) sachliche Kontinuität besteht: nämlich in dem grundlegenden Sachverhalt, daß *Gott selbst es ist, der die Sühne ermöglicht.* Wie das Summarium Lev 17,11 zeigt, ist diese *theo*logische Perspektive das Proprium gerade auch der kultischen Sühnetheologie: »*Ich (Gott) selbst* habe es (sc. das Blut, in dem die נֶפֶשׁ [= das Leben des Individuums] ist), *euch* (sc. Israel) für den Altar gegeben, damit *es* euch persönlich Sühne schafft«[473].

Indem *Gott* – und diese *theo*logische Gewichtung ist für das Verständnis der christologischen Aussage von Röm 3,25f. entscheidend – Christus als ἱλαστήριον »Sühnmal, Sühneort« öffentlich eingesetzt hat, hat er den *Gekreuzigten* zum *Ort der Sühne* gemacht, an dem er, *Gott selbst*, gegenwärtig ist. Ist nach dem Aussagezusammenhang der priesterschriftlichen Heiligtumstheologie die כַּפֹּרֶת nicht einfach ein Stück des Kultmobiliars (»Dekkel« auf der Lade), sondern *der* Ort der Gegenwart Gottes in Israel, d.h. der Ort, an dem himmlischer und irdischer Bereich ineinander übergehen, an dem der transzendente Gott in seiner »Herrlichkeit« (כָּבוֹד) nahe ist, kondeszendiert (vgl. das שָׁכַן Ex 24,16aα) und in dieser Weise seines »Einwohnens« (שָׁכַן) Mose bzw. Israel »begegnet« (יעד *nif.*)[474], so ist dieser Ort der Gottesgegenwart nach Röm 3,25 der *Gekreuzigte*, den Gott als »Sühnmal, Sühneort« eingesetzt hat[475]. »Die Bedeutung des Todes Jesu, die in der Auferstehung Jesu Christi offenbar wird, kommt im Glauben an die Identi-

472 Zu Recht betont *Stuhlmacher*, daß »nicht an jeder Stelle, an der vom Blut die Rede ist, auch schon das Phänomen des Opfers betont zu sein (braucht)« (Röm 3,24–26, S. 328, vgl. auch *Wolter*, a.a.O. [oben Teil II Anm. 4], S. 20, und zum metonymischen Gebrauch von αἷμα [= »gewaltsamer Tod«] s. *Pesch*, a.a.O. [oben Anm. 455], S. 94ff., zu der entsprechenden Verwendung von דָּם s. *Christ*, Blutvergiessen, S. 17ff.). Zur dogmatischen Reflexion über die Lehre vom Blut Christi s. z.B. *H. J. Iwand*, Art. Blut Christi (II), RGG³ I, Sp. 1330f., bes. Sp. 1331: »Die Abtrennung des B.es Chr. von der Botschaft der Versöhnung, ja, die Hypostasierung des B.es als einer materia coelestis, die dann auch zu dem Streit um die Reliquie dieses B.es bzw. die gelegentliche Wandlung in B.stropfen beim Abendmahlswein führte, löst das Werk Christi von dem Wirken seiner Person«.

473 S. dazu oben S. 242ff.

474 S. dazu oben S. 303ff.

475 Vgl. jetzt auch *Roloff*, *hilastērion*, Sp. 456f.

tät Gottes mit dem gekreuzigten Menschen Jesus zur Sprache«[476]. Da die Identität Gottes mit dem gekreuzigten Menschen Jesus sich so erweist, daß Gott selbst sich in den Tod am Kreuz hingibt, vollzieht sich in der stellvertretenden Lebenshingabe des Gottessohnes, in seinem Tod »für uns«, die Sühne für die Welt. Gott muß nicht durch ein blutiges Opfer seines Sohnes versöhnt, gnädig gestimmt werden, es ist der Mensch, der der Sühne bedarf. Diese geschieht durch den Tod Jesu Christi, den Gott als – für den Glauben sichtbaren – »Sühneort« eingesetzt hat, d.h. als den Ort, an dem er selbst im Sterben des Gekreuzigten gegenwärtig ist: »In dem Tod, dem Kreuz Jesu, haben wir das Leben. Daß dieser Tod zum Leben durchstieß, das Sein Gottes für unseren Tod erschloß, hat den Kosmos gesühnt«[477]. Im Gegensatz zum kultischen יוֹם הַכִּפֻּרִים ist der Karfreitag der Anbruch des eschatologischen Versöhnungstages[478].

476 *E. Jüngel*, in: *ders.*, Entsprechungen: Gott – Wahrheit – Mensch. Theologische Erörterungen (BEvTh 88), München 1980, S. 276–284, hier: S. 282, vgl. zur Sache auch *W. Kasper*, Jesus der Christus, Mainz 1974, S. 140ff.254ff.; *N. Hoffmann*, MThZ 30 (1979), S. 161–191; *J. Moltmann*, Trinität und Reich Gottes. Zur Gotteslehre, München 1980, S. 96ff.; *K. Stock*, EvTh 40 (1980), S. 240–256, hier: S. 254ff.

477 *Gese*, Sühne, S. 106.

478 Vgl. *Roloff*, *hilastērion*, Sp. 456f.

Schluß:

Sühne als Heilsgeschehen – Gott und Mensch nach der priesterschriftlichen Sühnetheologie

»Möge man den Fall Jerusalems eines der folgenschwersten Daten der Geschichte Israels nennen, das Exil als tiefen Einschnitt markieren, die kommende Zeit beleuchtet sehen von einem anderen Licht als die endgültig abgeschlossene Königszeit –, diese ›nationale‹ Katastrophe brachte nicht das Ende ›Israels‹; sie trug bei zu einem Wandel seiner Gestalt und seines Wesens, das vielleicht erst von diesem Augenblick an jene Weiten und Tiefen erreichte, die das ›Judentum‹ und mit ihm das Alte Testament zum welthistorischen Paradigma des Gottesvolkes und seiner Gotteserfahrung werden ließen«[1]. In diesen Zusammenhang der ›Bewältigung der Krise Israels‹ gehört auch die Priesterschrift mit ihrem Versuch, in der Zeit der tiefsten nationalen Gefährdung der Auflösung aller religiösen und ethnischen Bindungen zu wehren[2].
Für das nach staatlichem Zusammenbruch und Tempelzerstörung (im Exil wie im Mutterland) weiterexistierende Israel war die Möglichkeit, Gemeinschaft mit seinem Gott zu haben, nicht nur erschwert, sondern grundsätzlich in Frage gestellt. In dem Maße wie sich für das exilierte Gottesvolk die »Ägyptensituation« des Exils in den Vordergrund drängte, in ebendemselben Maße drohten sein Gottesbild verdunkelt und die den Vätern gegebenen Verheißungen entleert zu werden: Hatte Jahwe die Erwählung Israels zurückgenommen, und war das einstige Gottesvolk am Ende seiner geschichtlichen Existenz angelangt? Diese Verlorenheit Israels und diese Verborgenheit seines Gottes wirkten tief beunruhigend. Es ist darum ein theologiegeschichtlich außerordentlich bedeutsamer Durchbruch, daß sich Israel gerade hier, in der Nacht des Exils, ein grundlegend neuer Zugang zur Geschichte seines Glaubens und dem in ihr offenbar gewordenen Gott erschloß. In einzigartiger Neubesinnung auf diese Offenbarungsgeschichte und in umfassender Vergegenwärtigung der Einzelheiten des einst in Jerusalem wieder auszuübenden Kultes gelang es dem priesterlichen Verfasser(kreis), Israel in hoffnungsloser Zeit der tröstlichen Nähe seines Gottes zu vergewissern – in Gestalt der Sinaierzählung Ex 24,15b–18a; 25,1–Num 10,10* (P^g), die integraler Bestandteil, ja Höhepunkt des priesterschriftlichen Geschichtswerks ist. Die Hauptelemente der in dieser Sinaiperikope formulierten

1 *S. Herrmann*, Geschichte Israels in alttestamentlicher Zeit, München ²1980, S. 348f.
2 Zur Datierung von P s. oben Fragestellung und Methode Anm. 51.

Sühnetheologie sollen im Folgenden noch einmal nach ihrem inneren Zusammenhang beschrieben werden:

1. Im Blick auf den Gesamtaufriß der priesterschriftlichen Sinaierzählung Ex 24,15b–18a; 25,1–Num 10,10* P^g bildet Ex 29,42b–46 P^g den Abschluß der die Anweisungen für die Errichtung des Zeltheiligtums enthaltenden Gottesrede Ex 25,1–29,42a* P^g (Ex 31,18* $P^{g[?]}$), die durch die Itinerarnotizen Ex 15,22aα(?).27aα; 16,1a; 17,1a.b; 19,2a.1 (jeweils P^g) mit den priesterschriftlichen Geschichtsüberlieferungen des Buches Exodus verklammert ist. Damit steht Ex 29,42b–46 P^g zugleich an der Nahtstelle zwischen den Anordnungen zum Bau des Heiligtums Ex 25,1–29,42a* P^g (Ex 31,18* $P^{g[?]}$) und dem (weithin) sekundären Bericht über dessen Herstellung. Als »Urszene« des den Gottesdienst Israels konstituierenden *Wechselgeschehens zwischen Gott und Mensch* ist Ex 24,15b–18a + 25,1, der Bericht vom Erscheinen des כְּבוֹד יְהוָה auf dem Sinai, dieser priesterschriftlichen Sinaiperikope vorangestellt: Während die Wolke und der von ihr umhüllte כְּבוֹד יְהוָה den Sinai bedecken (כִּסָּה) bzw. sich sechs Tage lang auf ihm niederlassen (שָׁכַן [Ex 24,15b–16aβ]), geht Mose am siebten Tag auf den Ruf Gottes »mitten in die Wolke« und d.h. mitten in den göttlichen Transzendenzbereich hinein (Ex 24,16b–18aα). Diese beiden aufeinanderzugehenden Bewegungen – der den כְּבוֹד יְהוָה umhüllenden Wolke von oben nach unten und Moses von unten nach oben – »führen zu einem Zusammenkommen, einem *mōʿed*«[3], das den für die priesterschriftliche Heiligtumstheologie bedeutsamen Terminus אֹהֶל מוֹעֵד »*Begegnungs*zelt« materialiter vorbereitet: Dieses Heiligtum ist der Ort, an dem Jahwe Mose bzw. Israel begegnen will (יעד *nif.* Ex 29,42b.43a). Die Kultstätte, mit deren Bau Mose am siebten Tag beauftragt wird (Ex 24,16b–18aα; 25,1), ist das von Israel am Sinai errichtete Abbild des himmlischen, Mose von Jahwe auf dem Sinai gezeigten Urbildes (תַּבְנִית Ex 25,9.40, vgl. Ex 26,30; 27,8). In der Ausführung der göttlichen Anordnung zum Bau dieses Heiligtums am Sinai zeigt sich die wahre, der *Schöpfung entsprechende Bestimmung Israels:* auf Erden ein Abbild jener himmlischen Wohnstatt Gottes zu errichten, damit Gott inmitten seines Volkes »wohnen« (שָׁכַן) und ihm durch dessen Mittler Mose und Aaron nahe sein kann. In diesem *Tun*, das auf die *Ausübung des Kultes im »Begegnungszelt«* zielt, besteht nach P das *schöpfungsgemäße Sein Israels coram Deo.*

2. In dem die Einzelanweisungen für das Heiligtum, den Kult und die Priesterschaft (Ex 25,1–29,42a* P^g) abschließenden Stück Ex 29,42b–46 P^g wird der Terminus אֹהֶל מוֹעֵד *interpretierend* eingeführt und so eine *theologische Ätiologie* jenes durch den Bericht von der grundlegenden Sinaioffenbarung Ex 24,15b–18a + 25,1 materialiter vorbereiteten Begriffs אֹהֶל מוֹעֵד »Begegnungszelt« gegeben: Dieses Zelt ist der Ort in Israel, an dem Jahwe Mose (Ex 29,42b) und Israel (Ex 29,43a) »begegnen« will (יעד *nif.*). Explikation und Konkretisierung der Ankündigung Jahwes, den Israeliten zu »begeg-

3 *Westermann*, Herrlichkeit Gottes, S. 120.

nen«, ist seine Zusage, in ihrer Mitte »wohnen« zu wollen (שָׁכַן Ex 29,45a, vgl. v.46aγ). Mit der ›Besitzergreifung‹ des Heiligtums durch den כְּבוֹד יְהוָה Ex 40,34f. (Lev 1,1) P^g kommt dieses in der Sinaioffenbarung inaugurierte und nach P die Grundstruktur des Gottesdienstes in Israel konstituierende Geschehen des *auf eine Begegnung* (יעד *nif.*, אֹהֶל מוֹעֵד »Begegnungszelt«) *mit Mose bzw. Israel zielenden Verweilens (*שָׁכַן*) des* כְּבוֹד יְהוָה zu seinem (vorläufigen) Abschluß: Indem der כְּבוֹד יְהוָה seinen Erscheinungsort vom Sinai (Ex 24,15b–18a + 25,1) zum אֹהֶל מוֹעֵד verlagert (Ex 40,34f. + Lev 1,1), repräsentiert dieses von nun an – als der »Sinai auf der Wanderung« – die alleinige Stätte der Gegenwart Gottes in Israel.

Letztmalig im kultischen Rahmen erscheint der כְּבוֹד יְהוָה in Lev 9,22.23b.24b P^g, innerhalb des Berichts von der Einsetzung und Bestätigung des Kultes anläßlich der ersten Opferhandlung Aarons (Lev 9* P^g). Verharrten nach Ex 24,17 die Israeliten in geschützter Distanz angesichts des feuerähnlichen Aussehens der Herrlichkeit Jahwes, so wird in Lev 9,22.23b.24b offenbar, wem die an Mose ergangene Offenbarung des Wortes Gottes eigentlich gilt: der durch dieses Wort konstituierten und im Lager um den אֹהֶל מוֹעֵד mit seinen kultischen Einrichtungen versammelten Kultgemeinde Israel (Num 2* P^g), die ausschließlich über Mose bzw. über den von »Aaron und seinen Söhnen« ausgeübten (Sühne-)Kult Zugang zu Gott hat (vgl. wiederum Ex 29,42b–46). Nachdem so der Kult eingesetzt und bestätigt ist, findet der כְּבוֹד יְהוָה im kultischen Rahmen innerhalb derPriesterschrift keine Erwähnung mehr. Mit Lev 9,22.23b.24b wird die durch Ex 24,15b–18a eröffnete und durch Ex 40,34f. fortgesetzte Reihe der כָּבוֹד-Erscheinungen im kultischen Bereich höchst sinnvoll, weil auf die segensreiche Zukunft des Volkes Israel bezogen, beschlossen.

3. Die (literarisch sekundäre) Opfergesetzgebung Lev 1–7 tritt retardierend zwischen Ex 35,1–40,35* P^g (Bericht über die Ausführung der Herstellungsanweisungen für das Zeltheiligtum) und den Bericht über den Beginn des Kultes Lev 8–10* P^g, der literarisch wie inhaltlich die priesterliche Grundschrift (P^g) im Buche Leviticus fortsetzt und der durch Lev 1,1 mit den entsprechenden P^g-Partien am Ende des Buches Exodus (Ex 35,1–40,35* P^g) verklammert ist. Es ist von erheblichem sachlichem Gewicht, daß die – literarisch sekundäre – Opfertora Lev 1–7 den ursprünglichen Erzählungszusammenhang der priesterschriftlichen Sinaiperikope genau an der Stelle unterbricht, die den Übergang von der ›Besitzergreifung‹ des אֹהֶל מוֹעֵד durch den כְּבוֹד יְהוָה Ex 40,34f. (Lev 1,1) P^g zum Beginn des Kultes mit Priesterweihe und erster Opferhandlung Aarons Lev 8–10* P^g markiert. Entsprechendes gilt von der ebenfalls literarisch sekundären Reinheitstora Lev 11–15, die mittels Lev 10,10f. an die Erzählung von Nadab und Abihu Lev 10,1–7* P^g anschließt und mittels Lev 15,31 zur Überlieferung vom großen Versöhnungstag überleitet. In dem so abgegrenzten literarischen Bereich Lev 1–16 findet sich auch der größte Teil der priesterschriftlichen כִּפֶּר-Belege.

4. In den vielfältig miteinander verbundenen Themenbereichen der *vorprie-*

sterlichen und außerkultischen Sühnetradition (: zwischenmenschliche Versöhnung und Wiedergutmachung; Sühnehandeln Jahwes; Sühnehandeln eines interzessorischen Mittlers; Auslösung des verwirkten Lebens durch die Gabe eines Lebensäquivalents [כֹּפֶר])[4] begegnet die Wurzel כפר immer im *Kontext menschlicher Schulderfahrung*. Da nach dieser Sühnetradition sich der einzelne oder das Volk als in einem die individuelle oder die kollektiv-nationale Existenz umgreifenden Unheilsgeschehen befindlich erfährt, betrifft das Problem der Aufhebung dieses Sünde-Unheil-Zusammenhangs nie einen Teilaspekt menschlichen Seins, sondern das Sein des Menschen selbst. In dieser Grundsituation menschlichen Lebens, in der aufgrund rechtlicher, moralischer oder religiöser Verschuldung die individuelle oder die kollektiv-nationale Existenz verwirkt ist und der Mensch *zwischen Leben und Tod* steht, wird die *Errettung aus Todesverfallenheit, die Ermöglichung neuen Lebens durch ein bestimmtes Sühnehandeln* (Gottes, eines interzessorischen Mittlers, durch die Gabe eines Lebensäquivalents) bewirkt. Nirgends meint כִּפֶּר in diesem Belegbereich ein Versöhnen, Gnädigstimmen oder Beschwichtigen Gottes.

5. Der auf die anthropologische Grundsituation des verwirkten Lebens bezogene Aussagegehalt, der die Verwendung der Wurzel כפר von ältester Zeit an auszeichnet, wird in der kultischen Sühnetheologie der Priesterschrift (und von Ez 40–48, ChrG) nicht nur nicht aufgegeben, sondern in einzigartiger Weise vertieft. Äußerlich ist der Wechsel von der nichtkultischen zur kultischen Verwendung von כִּפֶּר dadurch gekennzeichnet, daß jetzt (vorher nie) ein Priester Subjekt des כִּפֶּר-Handelns ist; obwohl bei P aber nirgends Jahwe, sondern immer der Priester grammatisches Subjekt des Sühnevollzuges ist, ist es letztlich Jahwe, der handelnd im Sinne eines logischen Subjekts die Sühne wirkt, während der Priester als der von ihm bevollmächtigte Mittler den Sühnevorgang kultisch vollzieht. Anders ist ein Satz wie: »So schafft der Priester ihnen Sühne, und es wird ihnen (von Gott) vergeben werden« (Grundform Lev 4,31, dann: Lev 4,20.26.35; 5,10.13.16.18.26; 19,22; Num 15,25.28), in dem das aktive כִּפֶּר עַל mit dem passiven נִסְלַח (+ לְ der Person) zu einer Art Hendiadyoin verbunden und auf diese Weise das kultische Sühnegeschehen als ein *Wechselgeschehen* zwischen dem die Entsühnung vollziehenden Priester und dem die Vergebung gewährenden Gott qualifiziert wird, gar nicht zu verstehen. Indem die die חַטָּאת- und אָשָׁם-Bestimmungen Lev 4,1–5,13; 5,14–26 abschließende כִּפֶּר-נִסְלַח-Formel, besonders in ihrer um die Nennung des Vergehens (שְׁגָגָה/חַטָּאת) erweiterten Form, explizit auf den jeweiligen Anfang der Sünd-/Schuldopferbestimmungen (Lev 4,3ff. usw.) und d.h.: auf die anthropologische Grundsituation des verwirkten Lebens Bezug nimmt, wird der Sachzusammenhang zwischen *menschlicher Schulderfahrung* (Tatbestandsdefinition und Tatfolgebestimmung mit den Wurzeln חטא; שׁגה/שׁגג), *priesterlichem Sühnehandeln* (resultatives כִּפֶּר) und *göttlicher*

4 S. dazu oben S. 153ff.

Vergebungszusage (passives נִסְלַח) auch formal so eng wie möglich gestaltet: Das priesterliche Sühnehandeln führt zur göttlichen Vergebung der Sünde, die ihrerseits Anlaß für die Darbringung des Sünd- oder Schuldopfers war. Sühne ist deshalb kein vom Menschen ausgehender Akt der »Selbsterlösung« (oder gar der Versöhnung, Beschwichtigung Gottes), sondern *die von Gott her ermöglichte*, im kultischen Geschehen Wirklichkeit werdende und hier dem Menschen zugute kommende *Aufhebung des Sünde-Unheil-Zusammenhangs*.

6. Da ein Vergleich der עֹלָה-, זֶבַח שְׁלָמִים- und חַטָּאת-Rituale Lev 1,2–13 (14–17) + 3,1–17 und Lev 4,1–5,13 zu dem Ergebnis führte, daß die Ritualakte *Handaufstemmung* und *Blutapplikation* genuine Bestandteile des חַטָּאת-Rituals sind, empfahl es sich, für die Darstellung des kultischen Sühnegeschehens von einer Analyse dieser beiden Ritualakte auszugehen. Dabei konnte zunächst festgestellt werden, daß die für den *eliminatorischen »Sündenbockritus«* charakteristischen Ritualelemente: Aufstemmen der beiden Hände (Aarons) auf den Kopf des Bockes, Übertragung der *materia peccans* auf den rituellen Unheilsträger und anschließendes Wegschicken des »Sündenbockes« in die Wüste, bei dem kultischen Handaufstemmungsgestus fehlen (Lev 1,4; 3,2.8.13; 4,4.15.24.29.33; Lev 8,14.18.22 par. Ex 29,10.15.19; Num 8,12; 2Chr 29,23). Der Sinn dieses Handaufstemmungsgestus (Opferkontext) war demgegenüber nicht in der Abwälzung der Schuld des Opfernden, nicht in der Übertragung der *materia peccans* auf einen rituellen Unheilsträger, sondern in der *Identifizierung des Sünders mit dem in den Tod gehenden Opfertier* zu sehen: Weil der Opfernde durch das Aufstemmen seiner Hand auf das sterbende Opfertier an dessen Tod realiter partizipiert, indem er sich durch diesen symbolischen Gestus mit dem sterbenden Tier identifiziert, geht es in dem Tod des Opfertieres um den eigenen, von dem sterbenden Opfertier stellvertretend übernommenen Tod des Sünders. Darum ist das Wesentliche in der kultischen Stellvertretung nicht die Übertragung der *materia peccans* auf einen rituellen Unheilsträger und dessen anschließende Beseitigung, sondern *die im Tod des Opfertieres*, in den der Sünder hineingenommen wird, indem er sich mit diesem Lebewesen durch die Handaufstemmung identifiziert, *symbolisch sich vollziehende Lebenshingabe des homo peccator*. Die Sühnefunktion dieses kultischen Stellvertretungsgeschehens erschloß sich von einer Analyse der sühnenden Blutriten her.

7. Die Frage nach dem überlieferungs- und kultgeschichtlichen Verhältnis der sühnenden Blutriten zueinander (kleiner Blutritus, הִזָּה-Ritus, großer Blutritus) war aus mehreren Gründen zugunsten der *Priorität des kleinen Blutritus* (Lev 4,25.30.34: Streichen von Blut an die Hörner des Brandopferaltars, Ausschütten des übrigen Sündopferblutes am Fuß des Brandopferaltars) zu beantworten. Diese überlieferungs- und kultgeschichtlich ursprüngliche Form des kleinen Blutritus belegen auch die vorpriesterschriftlichen, auf die Entsündigung und Entsühnung von (Brandopfer-)Altar und Heiligtum bezogenen Texte Ez 43,20; 45,18b.19, in deren Tradition wieder-

um die Interpretationszusätze (zu P^g) Lev 8,15aβ.bβ; Ex 29,36f.; Lev 16,18 und Ex 30,10 sowie 2Chr 29,24 stehen. Charakteristisch für die durch diese Texte repräsentierte חַטָּאת-Überlieferung ist der *unmittelbare Zusammenhang von (kleinem) Blutritus und* כִּפֶּר/חִטֵּא*-Aussage:* Indem der Priester den Ritus der entsündigenden und sühnenden Hingabe des Sündopferblutes, in dem die נֶפֶשׁ des Opfertieres ist (Lev 17,11), am Brandopferaltar vollzieht, wird dieser und – weil er nach der ezechielischen Kulttradition ursprünglich in der Mitte der Tempelanlage steht – damit das gesamte Heiligtum geweiht.

Neben dieser älteren חַטָּאת-Überlieferung gibt es in der Priesterschrift (und vereinzelt beim Chronisten) noch eine andere חַטָּאת-Überlieferung, derzufolge das Sündopferblut nicht zur Entsühnung von Altar und Heiligtum, sondern zur Entsühnung Israels, seiner/s kultischen Repräsentanten und des einzelnen dient. Obwohl zwischen diesen beiden חַטָּאת-Überlieferungen überlieferungsgeschichtlich zu unterscheiden ist, ist doch zu beachten, daß die Formen der Blutapplikation, die bei der *Entsühnung von Menschen* vorkommen, es durchgängig mit dem *Altar* bzw. mit dem *Heiligtum* zu tun haben – sei es mit dem Brandopferaltar (kleiner Blutritus: Lev 8,15aα.bα par. Ex 29,12; Lev 9,9; Lev 4,25.30.35; 2Chr 29,24), mit der כַּפֹּרֶת (הַזָּה-Ritus: Lev 16,14f., vgl. Lev 16,27) oder mit dem Vorhang vor dem Allerheiligsten und dem Räucheraltar (großer Blutritus: Lev 4,5–7.16–18, vgl. Lev 6,23; 10,18). Das aber bedeutet, daß diese חַטָּאת-Überlieferung nicht eine von jener älteren חַטָּאת-Überlieferung sachlich unterschiedene Sühnetradition repräsentiert, auf die die Bezeichnung חַטָּאת sekundär übertragen wurde, sondern vielmehr, daß beide חַטָּאת-Überlieferungen – חַטָּאת zur Entsühnung von Altar/Heiligtum *und* חַטָּאת zur Entsühnung von Menschen – sachlich zusammengehören. Da die Priesterschrift den Vorgang der Entsühnung von Menschen inhaltlich auf diese Weise, d.h. unter der Aufnahme und weiteren Differenzierung der Blutriten, wesentlich von der Altar- und Heiligtumsweihe her bestimmt, hat sie das *kultische Sühnegeschehen primär als einen Akt der Weihe* verstanden: Dadurch, daß der Priester das Blut des durch die Handaufstemmung mit dem Opferherrn identifizierten Sündopfertieres in einem zeichenhaften Ritus an den Brandopferaltar, an die äußere Abgrenzung des Allerheiligsten (Vorhang vor dem Allerheiligsten und Räucheraltar) oder an die כַּפֹּרֶת sprengt, wird eine *zeichenhaft-reale Lebenshingabe des Opfernden an das Heiligtum Gottes* vollzogen. Die für dieses *Stellvertretungsgeschehen* konstitutive Relation *Blutritus – Lebenshingabe* ist von Lev 17,11 her zu verstehen.

8. Die Annahme, daß der *Vergebungs- und Versöhnungscharakter der Sühne* im kultischen Raum nicht nur nicht aufgegeben, sondern vertieft wird, erfährt ihre Bestätigung durch Lev 17,11, den (das Blutgenußverbot begründenden) Satz über das Israel von Jahwe zum Zwecke der Sühne »gegebene« tierische Blut. Die Sühnewirkung dieses Blutes gründet nicht in dessen materialer Beschaffenheit, sondern in der Funktion, Träger des Lebens zu sein. Mit der göttlichen Gabe des für die Entsühnung Israels, sei-

ner/s kultischen Repräsentanten und des einzelnen bestimmten Blutes wird *das im Blut enthaltene Leben die Basis des kultischen Sühnegeschehens.* Erst diese Gabe des im Blut enthaltenen Lebens ermöglicht die im stellvertretenden Tod des Opfertieres zeichenhaft-real sich vollziehende Auslösung des verwirkten menschlichen Lebens, und d.h.: die Entsühnung. Nichts widerspricht darum der Ansicht, der Kult sei »Selbsterlösung der Menschen«[5], mehr als Lev 17,11aβγ: »*Ich (Gott) selbst* habe es (das Blut, in dem das Leben ist) euch für den Altar gegeben, damit es euch persönlich Sühne schafft«. Nach der Perspektive der Priesterschrift beruht deshalb das kultische Sühnegeschehen nicht auf der Logik eines *do ut des* (»Ich [der Mensch] gebe, damit du [Gott] gibst«), sondern auf dem Gedanken eines *do quia dedisti* (»Ich gebe, weil du gegeben hast«): Der Mensch (Laie/Priester) kann den Sühneritus vollziehen, weil Gott ihm dafür das tierische Opferblut als Sühnemittel gegeben hat. So ist der Mensch noch – und gerade – im Akt des Gebens (d.h. im Vollzug von Schlachtung und Blutritus) ein Beschenkter, weil der Empfänger der göttlichen Vor-Gabe des Sühnemittels Blut[6].

9. Seine letzte Steigerung erhält der »Akt der Weihe an Gott«[7] in der Blutzeremonie des großen Versöhnungstages, an dem Aaron, der kultische Repräsentant Israels, das Blut seines eigenen Sündopferfarrens und das Blut des Sündopferbockes des Volkes an die כַּפֹּרֶת sprengt (Lev 16,14f.), d.h. an jenen Ort, der »Mittelpunkt des innersten«[8] der »drei mächtige(n) konzentrische(n) Kreise . . . (ist), die von außen nach innen fortschreitend in das Heilsgeheimnis Gottes einführen: der Weltkreis, der Noahkreis und der abrahamitische Kreis«[9]. Als innerster Kern des »Begegnungszeltes« (אֹהֶל מוֹעֵד) ist die כַּפֹּרֶת der Ort der Präsenz Gottes in Israel: der Ort, an dem der transzendente Gott als der im Sühnegeschehen begegnende Gott nahe ist, kondeszendiert. Modus der Gegenwart Gottes ist das auf eine »Begegnung« (יעד *nif.*, אֹהֶל מוֹעֵד »Begegnungszelt«) mit Mose bzw. Israel zielende »Verweilen« (שָׁכַן) seines כָּבוֹד »inmitten der Israeliten« ebenso wie sein Mose, dem Repräsentanten Israels, geltendes »Begegnen« (יעד *nif.*) auf der כַּפֹּרֶת. Mit dem Blutritus an der כַּפֹּרֶת wird dem in tiefste Schuld verstrickten exilisch-nachexilischen Israel am großen Versöhnungstag die mit dem Sinaigeschehen (Ex 24,15bff.) inaugurierte Wirklichkeit der Selbstoffenbarung Gottes an den Menschen und damit die *tröstliche Nähe der göttlichen Gegenwart* wieder gewährt. »Der Mensch als solcher, in seiner Gottferne, ist angesichts der Offenbarung der göttlichen Doxa dem Tod verfallen. Aber Gott eröffnet einen Weg zu sich hin in der zeichenhaften Sühne, die sich in dem von ihm offenbarten Kult vollzieht«[10].

5 *Köhler*, Theologie, S. 171–189 (als Überschrift des dem Kult Israels gewidmeten Abschnitts).

6 Zu diesem »Gesetz des Zuerst« s. jetzt auch *Wiesnet*, Versöhnung, S. 76f.79f. u.ö.

7 *Gese*, Sühne, S. 67f.

8 *von Rad*, Priesterschrift, S. 186.

9 *Ders.*, a.a.O., S. 167.

10 *Gese*, a.a.O., S. 100.

10. Ist es erlaubt, »die alttestamentliche Sühneanschauung einfach zu übernehmen in der modernen Theologie, um die Bedeutsamkeit des Todes Christi herauszustellen«[11], oder ist nicht vielmehr »die christliche Rechtfertigungslehre . . . die direkte Konsequenz dieser Sühnelehre«[12]? Wie immer man die Frage nach dem Zusammenhang von Rechtfertigung und Sühne/Versöhnung im einzelnen (biblisch-exegetisch, historisch, dogmatisch, ethisch, pastoral-theologisch) beantwortet – deutlich ist, daß dieser Zusammenhang neutestamentlich in Röm 3,25f. expliziert und hier nicht an der dem Corpus Paulinum sonst zu entnehmenden Christologie vorbei formuliert wird. Der Aussagegehalt von Röm 3,25f. besteht darin, daß Gott zum Erweis seiner δικαιοσύνη seinen Sohn als »Sühneort« (ἱλαστήριον) eingesetzt hat, d.h. als den Ort, an dem er selbst im Tod des gekreuzigten Menschen Jesus von Nazareth gegenwärtig ist, so daß sich in der stellvertretenden Lebenshingabe des Gottessohnes die Sühne für die Welt vollzieht. »Das Reich Gottes ist an diesem Ort nahe herbeigekommen, so nahe, daß sein Kommen, seine erlösende Kraft und Bedeutung gerade hier gemerkt, so nahe, daß gerade hier das Wohnen Gottes bei den Menschenkindern, das Reden Gottes mit ihnen, der Wille Gottes, die Welt heimzurufen in seinen Frieden, unmöglich verkannt werden könnte, so nahe, daß gerade hier der Glaube sich als gebieterische Notwendigkeit aufdrängen *müßte.* Aber wie die Kapporeth des Alten Bundes das Dasein der göttlichen Zeugnisse ebensowohl verdeckte, als anzeigte, wie sie sowohl die Verborgenheit als die Gegenwart Gottes verkündigte, so ist auch das Reich Gottes in Jesus, die Versöhnungstätigkeit Gottes in ihm, der in ihm angebrochene Tag der Erlösung (3,24) ebensowohl verhüllt als offenbar. Es ist zu merken, es ist nicht zu verkennen, es drängt sich auf, daß Jesus der Christus ist, aber in der schärfsten Paradoxie, es kann nur *geglaubt* werden. Versöhnung *geschieht* am *Ort* der Versöhnung nur durch *Blut,* durch die solenne Erinnerung daran, daß Gott durch Töten lebendig macht. Versöhnung geschieht auch in Jesus nur ›durch Gottes Treue in seinem *Blut*‹, d.h. aber in der Hölle seiner vollkommenen Solidarität mit aller Sünde, aller Schwachheit, allem Weh des Fleisches, im Geheimnis seiner für uns rein negativen Größe, im Abblenden und Auslöschen aller Lichter (Held, Prophet, Wundertäter), die menschlich leuchten und die, weil und solange Jesus Mensch unter Menschen war, auch in seinem Leben leuchteten, im absoluten Ärgernis seines Kreuzestodes«[13]. Welche Konsequenzen für das Handeln des Christen in der Welt sich aus diesem Glauben ergeben – dies zu präzisieren bleibt eine akute Aufgabe theologischer Lehre und kirchlicher Praxis.

11 *Koch,* Sühneanschauung, S. 95 Anm. 2, vgl. aber *ders.,* Sühne, S. 239.
12 *Gese,* a.a.O., S. 85.
13 *K. Barth,* Der Römerbrief, Zürich [10]1967 (Nachdruck der 2. Aufl. 1922), S. 79f.

Abkürzungen

Bei Zitation derjenigen Literatur, die im Literaturverzeichnis aufgeführt ist, werden im Anmerkungsteil der Arbeit nur der Verfassername und das (im Literaturverzeichnis durch Kursivschreibung hervorgehobene) Stichwort angegeben. Mit Ausnahme von Monographien wird die übrige Literatur (Beiträge in Zeitschriften, Sammelwerken, Festschriften) aus Platzgründen ohne Titelnennung zitiert.

Die Abkürzungen richten sich nach dem Verzeichnis von *S. Schwertner*, Theologische Realenzyklopädie (TRE). Abkürzungsverzeichnis, Berlin/New York 1976; für die assyriologische Literatur nach *W. von Soden*, Akkadisches Handwörterbuch (AHw), Wiesbaden 1965ff. und *R. Borger*, Handbuch der Keilschriftliteratur (HKL) I/II, Berlin/New York 1967/1975; für grammatikalische Bezeichnungen nach KBL^3. Darüber hinaus werden verwendet:

ANTJ	Arbeiten zum Neuen Testament und Judentum, hrsg. von *O. Betz*, Bern/Frankfurt/Main 1976ff.
ATS	Arbeiten zu Text und Sprache im Alten Testament, hrsg. von *W. Richter*, St. Ottilien 1976ff.
BET	Beiträge zur biblischen Exegese und Theologie, hrsg. von *J. Becker* und *H. Graf Reventlow*, Frankfurt/Main/Bern/Las Vegas 1976ff.
BN	Biblische Notizen. Beiträge zur exegetischen Diskussion, Bamberg 1976ff.
BibAR	Biblical Archaeological Review, Washington 1975ff.
BThSt	Biblisch-Theologische Studien, Neukirchen-Vluyn 1977ff.
DISO	Dictionnaire des Inscriptions Sémitiques de l'Ouest, éd. *Ch.-F. Jean – J. Hoftijzer*, Leiden 1965
DRS	Dictionnaire des racines sémitiques ou attestées dans les langues sémitiques, éd. *D. Cohen*, comprenant un ficher comparatif de *J. Cantineau*, Paris/La Haye 1970ff.
EWNT	Exegetisches Wörterbuch zum Neuen Testament, hrsg. von *H. Balz* und *G. Schneider*, Stuttgart/Berlin/Köln/Mainz 1978ff.
GB^{17}	*W. Gesenius – F. Buhl*, Hebräisches und aramäisches Handwörterbuch über das Alte Testament, Leipzig ^{17}1915
GK	*W. Gesenius – E. Kautzsch*, Hebräische Grammatik, Leipzig ^{28}1909
JSOT	Journal for the Study of the Old Testament, Sheffield 1976ff.
KTU	*M. Dietrich – O. Loretz – J. Sanmartín*, Die keilalphabetischen Texte aus Ugarit. Einschließlich der keilalphabetischen Texte außerhalb Ugarits, Teil 1: Transkription (AOAT 24), Kevelaer/Neukirchen-Vluyn 1976
POT	De Prediking van het Oude Testament, hrsg. von *A. van Selms, A. S. van der Woude* und *C. van Leeuwen*, Nijkerk o.J.
RBL	Reclams Bibellexikon, hrsg. von *K. Koch, E. Otto, J. Roloff* und *H. Schmoldt*, Stuttgart 1978
RPO	Les religions du Proche-Orient asiatique. Textes babyloniens, ougaritiques, hittites présentés et traduits par *R. Labat, A. Caquot, M. Sznycer, M. Vieyra*, Paris 1970
RTAT	Religionsgeschichtliches Textbuch zum Alten Testament (Grundrisse zum Alten Testament – ATD Ergänzungsreihe 1), hrsg. von *W. Beyerlin*, Göttingen 1975

SAHG	Sumerische und akkadische Hymnen und Gebete, eingeleitet und übertragen von *A. Falkenstein* und *W. von Soden*, Zürich/Stuttgart 1953
SMEA	Studi Micenei ed Egeo-Anatolici, Rom 1966ff.
ThV	Theologische Versuche, Berlin 1966ff.
WKAS	Wörterbuch der Klassischen Arabischen Sprache, Wiesbaden 1970ff.
WUS^4	*J. Aistleitner*, Wörterbuch der ugaritischen Sprache, hrsg. von *O. Eißfeldt*, Berlin ^{4}1974

Literatur

Aartun, K., Studien zum Gesetz über den großen *Versöhnungstag* Lv 16 mit Varianten. Ein ritualgeschichtlicher Beitrag, StTh 34 (1980), S. 73–109

Ackroyd, P. R., *Exile* and Restauration, London 1968

Albertz, R., *Persönliche Frömmigkeit* und offizielle Religion. Religionsinterner Pluralismus in Israel und Babylon (CThM A/9), Stuttgart 1978

Barr, J., *Bibelexegese* und moderne Semantik. Theologische und linguistische Methode in der Bibelwissenschaft, München 1965

Barth, Chr., Die *Errettung vom Tode* in den individuellen Klage- und Dankliedern des Alten Testaments, Zollikon 1947

Barth, J., Die *Nominalbildung* in den semitischen Sprachen, Leipzig ²1894

Bauer, H. – Leander, P., Historische *Grammatik* der hebräischen Sprache des Alten Testaments, Halle 1922

Blenkinsopp, J., The *Structure of P*, CBQ 38 (1976), S. 275–292

Blome, F., Die *Opfermaterie* in Babylonien und Israel, Teil I, Rom 1934

Björkman, W., Art. *kāfir*, EI¹ II, S. 662–664; EI² IV, S. 425–427

Boecker, H. J., *Redeformen* des Rechtslebens im Alten Testament (WMANT 14), Neukirchen-Vluyn ²1970

– *Recht* und Gesetz im Alten Testament und im Alten Orient, Neukirchen-Vluyn 1976

Borchert, R., *Stil* und Aufbau der priesterlichen Erzählung, Masch. Diss. Heidelberg 1956

Borger, R., Assyrisch-babylonische *Zeichenliste* (AOAT 33), Kevelaer/Neukirchen-Vluyn 1978

Bottéro, J., La *religion babylonienne*, Paris 1952

Bowman, J., Art. *Lösegeld*, BHH II, Sp. 1104f.

Brauner, R. A., A Comparative Lexicon of Old Aramaic, Masch. Diss. The Dropsie University 1974 *(CLOA)*

Brichto, H. Ch., On *Slaughter* and Sacrifice, Blood and Atonement, HUCA 47 (1976), S. 19–55

Brockelmann, C., Hebräische *Syntax*, Neukirchen 1956

Brongers, H. A., Einige Aspekte der gegenwärtigen *Lade-Forschung*, NTT 25 (1971), S. 6–27

Brueggemann, W., The *Kerygma* of the Priestly Writer, ZAW 84 (1972), S. 397–414

– The *Land*. Place as Gift, Promise, and Challenge in Biblical Faith, Philadelphia 1977

Burkert, W., *Homo Necans*. Interpretation altgriechischer Opferriten und Mythen (RVV 32), Berlin/New York 1972

Busink, Th. A., Der *Tempel* von Jerusalem von Salomo bis Herodes. Eine archäologisch-historische Studie unter Berücksichtigung des westsemitischen Tempelbaus, *I:* Der Tempel Salomos, Leiden 1970; *II:* Von Ezechiel bis Middot, Leiden 1980

Caquot, A. – Sznycer, M. – Herdner, A., *Textes Ougaritiques*, t. I: Mythes et Legendes (LAPO 7), Paris 1974

Cassin, E., La *splendeur divine*. Introduction à l'étude de la mentalité mésopotamienne, Paris/La Haye 1968

Cazelles, H., Art. *Pureté* et impureté, DBS IX (1979), Sp. 459.470–473.491–508

Chelhod, J., Art. *kaffāra*, EI² IV, S. 424f.

Cholewiński, A., Heiligkeitsgesetz und Deuteronomium. Eine vergleichende Studie (AnBib 66), Rom 1976

Christ, H., Blutvergiessen im Alten Testament. Der gewaltsame Tod des Menschen untersucht am hebräischen Wort dām (ThDiss 12), Basel 1977

Clements, R. E., God and Temple, Oxford 1965

Cody, A., A History of Old Testament *Priesthood* (AnBib 35), Rom 1969

Cohen, H. R. (Chaim), Biblical *Hapax Legomena* in the Light of Akkadian and Ugaritic, Ann Arbor/Mich. 1978

Coppens, J., Art. *Handauflegung,* BHH II, Sp. 632–636

Cross, F. M., The *Tabernacle.* A Study from an Archaeological and Historical Approach, in: *S. Sandmel* (Ed.), Old Testament Issues, London 1969, S. 39–67

– The *Priestly Work,* in: *ders.,* Canaanite Myth and Hebrew Epic, Cambridge/Mass. 1973, S. 293–325

Crüsemann, F., Der Widerstand gegen das *Königtum.* Die antiköniglichen Texte des Alten Testamentes und der Kampf um den frühen israelitischen Staat (WMANT 49), Neukirchen-Vluyn 1978

Dahood, M., Proverbs and Northwest Semitic Philology (SPIB 113), Rom 1963

Dalman, G., Aramäisch-Neuhebräisches Handwörterbuch zu Targum, Talmud und Midrasch, Göttingen ^{3}1938 *(Wb)*

Daly, R. J., Christian Sacrifice. The Judaeo-Christian Background before Origen, Washington 1978

Dietrich, W., Rache. Erwägungen zu einem alttestamentlichen Thema, EvTh 36 (1976), S. 450–472

– *Jesaja* und die Politik (BEvTh 74), München 1976

Donner, H., Israel unter den Völkern. Die Stellung der klassischen Propheten des 8. Jahrhunderts v.Chr. zur Außenpolitik der Könige von Israel und Juda (VT.S 11), Leiden 1964

Driver, G. R., Studies in the *Vocabulary* of the Old Testament. V, JThS 34 (1933), S. 33–44

Eichrodt, W., Theologie des Alten Testaments, Teil *I:* Gott und Volk, Stuttgart/Göttingen ^{8}1968; Teil *II:* Gott und Welt / Teil *III:* Gott und Mensch, Stuttgart/Göttingen ^{5}1964

Ebach, J., Die *Erschaffung des Menschen* als Bild Gottes. Überlegungen zur Anthropologie im Schöpfungsbericht der Priesterschrift, WPKG 66 (1977), S. 198–214

Eisenbeis, W., Die Wurzel *šlm* im Alten Testament (BZAW 113), Berlin 1969

Eißfeldt, O., Kultzelt und Tempel, in: Wort und Geschichte (FS K. Elliger [AOAT 18]), hrsg. von *H. Gese – H. P. Rüger,* Kevelaer/Neukirchen-Vluyn 1973, S. 51–55

Elliger, K., Sinn und Ursprung der priesterlichen *Geschichtserzählung,* in: *ders.,* Kleine Schriften zum Alten Testament (TB 32), München 1966, S. 174–198

– *Ich bin der Herr – euer Gott,* in: *ders.,* a.a.O., S. 211–231

– *Leviticus* (HAT I/4), Tübingen 1966

Farber, W., Beschwörungsrituale an Ištar und Dumuzi. Attī Ištar ša ḫarmaša Dumuzi, Wiesbaden 1977

Fitzmyer, J. A., The *Targum of Leviticus* from Qumran Cave 4, Maarav 1/1 (1978), S. 5–23

Floß, J. P., Jahwe dienen – Göttern dienen. Terminologische, literarische und semantische Untersuchung einer theologischen Aussage zum Gottesverhältnis im Alten Testament (BBB 45), Köln/Bonn 1975

Friedrich, J. – Röllig, W., Phönizisch-punische Grammatik (AnOr 46), Rom ^{2}1970 *(PPG)*

Fritz, V., Tempel und Zelt. Studien zum Tempelbau in Israel und zu dem Zeltheiligtum der Priesterschrift (WMANT 47), Neukirchen-Vluyn 1977

Füglister, N., Sühne durch Blut. Zur Bedeutung von Lev 17,11, in: Studien zum Pentateuch (FS *W. Kornfeld*), hrsg. von *G. Braulik*, Wien/Freiburg/Basel 1977, S. 143–164
Fuhs, H. F., Sehen und Schauen. Die Wurzel *ḥzh* im Alten Orient und im Alten Testament. Ein Beitrag zum prophetischen Offenbarungsempfang (FzB 32), Würzburg 1978

Garnet, P., Atonement Constructions in the Old Testament and the Qumran Scrolls, EvQ 46 (1974), S. 131–163
– *Salvation* and Atonement in the Qumran Scrolls (WUNT II/3), Tübingen 1977
Geller, M. J., The Šurpu Incantations and *Lev V.1–5*, JSSt 25 (1980), S. 181–192
Gerleman, G., Die Wurzel *kpr* im Hebräischen, in: *ders.*, Studien zur alttestamentlichen Theologie (FDV 1978), Heidelberg 1980
Gerstenberger, E., Der bittende Mensch. Bittritual und Klagelied des Einzelnen im Alten Testament (WMANT 51), Neukirchen-Vluyn 1980
Gese, H., Der *Verfassungsentwurf* des Ezechiel (Kap. 40–48) traditionsgeschichtlich untersucht (BHTh 25), Tübingen 1957
– *Lehre* und Wirklichkeit in der alten Weisheit. Studien zu den Sprüchen Salomos und zu dem Buche Hiob, Tübingen 1958
– Die *Religionen* Altsyriens, in: *H. Gese – M. Höfner – K. Rudolph*, Die Religionen Altsyriens, Altarabiens und der Mandäer (RM 10,2), Stuttgart/Berlin/Köln/Mainz 1970, S. 3–232
– Vom Sinai zum Zion. Alttestamentliche Beiträge zur biblischen Theologie (BEvTh 64), München 1974 *(VSZZ)*
– *Erwägungen* zur Einheit der biblischen Theologie, in: *ders., VSZZ*, S. 11–30
– Bemerkungen zur *Sinaitradition*, in: *ders., VSZZ*, S. 31–48
– Der *Dekalog* als Ganzheit betrachtet, in: *ders., VSZZ*, S. 63–80
– *Geschichtliches Denken* im Alten Orient und im Alten Testament, in: *ders., VSZZ*, S. 81–98
– Der bewachte *Lebensbaum* und die Heroen: zwei mythologische Ergänzungen zur Urgeschichte der Quelle J, in: *ders., VSZZ*, S. 99–112
– Der *Davidsbund* und die Zionserwählung, in: *ders., VSZZ*, S. 113–129
– *Natus ex virgine*, in: *ders., VSZZ*, S. 130–146
– Anfang und Ende der *Apokalyptik*, dargestellt am Sacharjabuch, in: *ders., VSZZ*, S. 202–230
– Der *Name Gottes* im Alten Testament, in: *H. von Stietencron* (Hrsg.), Der Name Gottes, Düsseldorf 1975, S. 75–89
– Zur biblischen Theologie. Alttestamentliche Vorträge (BEvTh 78), München 1977 *(ZBTh)*
– Das biblische *Schriftverständnis*, in: *ders., ZBTh*, S. 9–30
– Der *Tod* im Alten Testament, in: *ders., ZBTh*, S. 31–54
– Das *Gesetz*, in: *ders., ZBTh*, S. 55–84
– Die *Sühne*, in: *ders., ZBTh*, S. 85–106
– Der *Messias*, in: *ders., ZBTh*, S. 128–151
– Der *Johannesprolog*, in: *ders., ZBTh*, S. 152–201
– Die *Frage des Weltbildes*, in: *ders., ZBTh*, S. 202–222
– Die *Weisheit*, der Menschensohn und die Ursprünge der Christologie als konsequente Entfaltung der biblischen Theologie, SEÅ 44 (1979), S. 77–114
Gibson, J. C. L., Textbook of Syrian Semitic Inscriptions, Vol. I: Hebrew and Moabite Inscriptions, Oxford ²1973 *(SSI I)*; Vol. II: Aramaic Inscriptions including Inscriptions in the Dialect of Zenjirli, Oxford 1975 *(SSI II)*
Göbel, Chr., »Denn bei dir ist Vergebung . . .« – *slḥ* im Alten Testament, ThV 8 (1977), S. 21–33
Görg, M., Das *Zelt* der Begegnung. Untersuchung der sakralen Zelttraditionen Altisraels (BBB 27), Bonn 1967

– *Gott-König-Reden* in Israel und Ägypten (BWANT 105), Stuttgart/Berlin/Köln/Mainz 1975
– *Keruben* in Jerusalem, BN 4 (1977), S. 13–24
– Die Funktion der *Serafen* bei Jesaja, BN 5 (1978), S. 28–39
– Art. *j^cd*, ThWAT III, Sp. 697–706
Goltz, D., Studien zur altorientalischen und griechischen *Heilkunde:* Therapie – Arzneibereitung – Rezeptstruktur, Wiesbaden 1974
Greenberg, M., Some *Postulates* of Biblical Criminal Law, in: FS *Y. Kaufmann*, Jerusalem 1960, S. 5–28
Grimm, W., Weil ich dich liebe: die *Verkündigung Jesu* und Deuterojesaja (ANTJ 1), Bern/Frankfurt 1976
Groß, W., *Jakob*, der Mann des Segens, Bib. 49 (1968), S. 321–344
– *Bundeszeichen* und Bundesschluß in der Priesterschrift, TThZ 87 (1978), S. 98–115
Gunneweg, A. H. J., *Leviten* und Priester. Hauptlinien der Traditionsbildung und Geschichte des israelitisch-jüdischen Kultpersonals (FRLANT 81), Göttingen 1965
Gurney, O. R., Some *Aspects* of Hittite Religion. The Schweich Lectures of the British Academy, Oxford 1977

Haag, H., Vom alten zum neuen *Pascha.* Geschichte und Theologie des Osterfestes (SBS 49), Stuttgart 1971
– Das *Mazzenfest* des Hiskia, in: Wort und Geschichte (FS *K. Elliger* [AOAT 18]), hrsg. von *H. Gese – H. P. Rüger*, Kevelaer/Neukirchen-Vluyn 1973, S. 87–94
Haas, V. – Wilhelm, G., Hurritische und luwische *Riten* aus Kizzuwatna (AOAT S 3), Kevelaer/Neukirchen-Vluyn 1974
Haas, V., *Magie* und Mythen im Reich der Hethiter: I. Vegetationskulte und Pflanzenmagie, Hamburg 1977
Haas, V. – Thiel, H. J., Die *Beschwörungsrituale* der Allaituraḫ(ḫ)i und verwandte Texte. Hurritologische Studien II (AOAT 31), Kevelaer/Neukirchen-Vluyn 1978
Hamerton-Kelly, R. G., The *Temple* and the Origins of Jewish Apocalyptic, VT 20 (1970), S. 1–15
Haran, M., The *Ark* and the Cherubim; their Symbolic Significance in Biblical Ritual, IEJ 9 (1959), S. 30–38.89–94
– The *Priestly Image* of the Tabernacle, HUCA 36 (1965), S. 191–226
– The *Divine Presence* in the Israelite Cult and the Institutions, Bib. 50 (1969), S. 251–267
– *Temples* and Temple Service in Ancient Israel. An Inquiry into the Character of Cult Phenomena and the Historical Setting of the Priestly School, Oxford 1978
Helfmeyer, F. J., *ḥnh*, ThWAT III, Sp. 4–20
Hengel, M., The *Atonement*. A Study of the Origins of the Doctrine in the New Testament, London 1981 (französisch in: *ders.*, La *crucifixion* dans l'antiquité et la folie du message de la croix, Paris 1981, S. 115–203)
Henninger, J., Art. *Pureté* et impureté, DBS IX (1979), Sp. 399–430.459–470.473–491
Henry, M.-L., Jahwist und *Priesterschrift* (AzTh 3), Stuttgart 1965
Hermisson, H.-J., *Sprache und Ritus* im altisraelitischen Kult. Zur »Spiritualisierung« der Kultbegriffe im Alten Testament (WMANT 19), Neukirchen-Vluyn 1965
Herrmann, J., Die Idee der *Sühne* im Alten Testament. Eine Untersuchung über Gebrauch und Bedeutung des Wortes kipper, Leipzig 1905
– Art. hileōs, *hilaskomai* usw., ThWNT III (1938), S. 302–311.319f.
Hillmann, R., *Wasser und Berg.* Kosmische Verbindungslinien zwischen dem kanaanäischen Wettergott und Jahwe, Masch. Diss. Halle/Saale 1965
Hinz, W., *Neue Wege* im Altpersischen (GOF. I 1), Wiesbaden 1973

– *Altiranisches Sprachgut* der Nebenüberlieferungen (GOF. I 3), Wiesbaden 1975

Hoffmann, H. W., Die *Intention* der Verkündigung Jesajas (BZAW 136), Berlin/New York 1974

Hoftijzer, J., Das sogenannte *Feueropfer*, in: Hebräische Wortforschung (FS *W. Baumgartner* [VT.S 16]), Leiden 1967, S. 114–134

Hommel, F., Rezension: Uebersicht über die im Aramäischen, Arabischen und Hebräischen übliche Bildung der *Nomina*. Von Paul de Lagarde, ZDMG 44 (1890), S. 535–548

Horst, F., *Recht* und Religion im Bereich des Alten Testaments, in: *K. Koch* (Hrsg.), Um das Prinzip der Vergeltung in Religion und Recht des Alten Testaments (WdF 125), Darmstadt 1972, S. 181–212

Hugger, P., *Jahwe meine Zuflucht*. Gestalt und Theologie des 91. Psalms (MüSt 13), Münsterschwarzach 1971

Hulst, A. R., Art. *škn*, THAT II, Sp. 904–909

Jackson, B. S., *Reflections* on Biblical Criminal Law, in: *ders.*, Essays in Jewish and Comparative Legal History (SJLA 10), Leiden 1975, S. 25–63

– The *Goring Ox*, in: *ders.*, a.a.O., S. 108–152

Jacob, E., *Théologie de l'Ancien Testament*, Neuchâtel/Paris 1955

– Art. *Versöhnung*, BHH III, Sp. 2096f.

Jacobsen, Th., The *Treasures of Darkness*. A History of Mesopotamian Religion, New Haven/London 1976

Janowski, B., Auslösung des verwirkten Lebens. Zur Geschichte und Struktur der biblischen *Lösegeldvorstellung*, ZThK 79 (1982), S. 25–59

Janssen, E., Das *Gottesvolk* und seine Geschichte. Geschichtsbild und Selbstverständnis im palästinensischen Schrifttum von Jesus Sirach bis Jehuda ha-Nasi, Neukirchen-Vluyn 1971

Jastrow, M., A *Dictionary* of the Targumim, the Talmud Babli and Yerushalmi, and the Midrashic Literature, Bd. 1–2, London/New York 1903

Jeffery, A., The *Foreign Vocabulary* of the Qur'ān, Baroda 1938

Jenni, E., Das hebräische *Piʿel*. Syntaktisch-semasiologische Untersuchung einer Verbalform im Alten Testament, Zürich 1968

Jepsen, A., Die *Begriffe des »Erlösens«* im Alten Testament, in: *ders.*, Der Herr ist Gott. Aufsätze zur Wissenschaft vom Alten Testament, Berlin 1978, S. 181–191

Jeremias, Chr., Die *Nachtgesichte* des Sacharja. Untersuchungen zu ihrer Stellung im Zusammenhang der Visionsberichte im Alten Testament und zu ihrem Bildmaterial (FRLANT 117), Göttingen 1977

Jeremias, Joach., Das *Lösegeld* für Viele (Mk 10,45), in: *ders.*, Abba: Studien zur neutestamentlichen Theologie und Zeitgeschichte, Göttingen 1966, S. 216–229

Jeremias, J., *Lade* und Zion. Zur Entstehung der Zionstradition, in: Probleme biblischer Theologie (FS *G. von Rad*), hrsg. von *H. W. Wolff*, München 1971, S. 183–198

– Die *Reue Gottes*. Aspekte alttestamentlicher Gottesvorstellung (BSt 65), Neukirchen-Vluyn 1975

– *Theophanie*. Die Geschichte einer alttestamentlichen Gattung (WMANT 10), Neukirchen-Vluyn ²1977

Jynboll, Th. W., Art. *kaffāra*, EI¹ II, S. 662

Käsemann, E., *Erwägungen* zum Stichwort »Versöhnungslehre im Neuen Testament«, in: Zeit und Geschichte (FS *R. Bultmann*), hrsg. von *E. Dinkler*, Tübingen 1964, S. 47–59

Kaiser, O., *Einleitung* in das Alte Testament. Eine Einführung in ihre Ergebnisse und Probleme, Gütersloh ⁴1978

(Kasher, M. M.) Notes by M. M. Kasher on the Fragment of *Targum to Leviticus* and the

Commentary by J. T. Milik, DJD 6 (1977), S. 92f.
Kaufman, S., The *Akkadian Influences* on Aramaic (AS 19), Chicago/London 1974
Kautzsch, E., Die *Aramaismen* im Alten Testament, Halle 1902
Keel, O., Kanaanäische *Sühneriten* auf ägyptischen Tempelreliefs, VT 25 (1975), S. 413–469
– Die Welt der altorientalischen Bildsymbolik und das Alte Testament. Am Beispiel der Psalmen, Zürich/Einsiedeln/Köln/Neukirchen-Vluyn ²1977 *(AOBPs²)*
– *Jahwevisionen* und Siegelkunst. Eine neue Deutung der Majestätsschilderungen in Jes 6, Ez 1 und 10 und Sach 4 (SBS 84/85), Stuttgart 1977
Kellermann, D., Die *Priesterschrift* von Numeri 1,1 bis 10,10 literarkritisch und traditionsgeschichtlich untersucht (BZAW 120), Berlin 1970
– Art. *'ašam* usw., ThWAT I, Sp. 463–472
– Bemerkungen zum *Sündopfergesetz* in Num 15,22ff, in: Wort und Geschichte (FS *K. Elliger* [AOAT 18]), hrsg. von *H. Gese – H. P. Rüger*, Kevelaer/Neukirchen-Vluyn 1973, S. 107–113
Kilian, R., Die *Hoffnung* auf Heimkehr in der Priesterschrift, BiLe 7 (1966), S. 39–51
– Die *Priesterschrift*. Hoffnung auf Heimkehr, in: *J. Schreiner* (Hrsg.), Wort und Botschaft. Eine theologische und kritische Einführung in die Probleme des Alten Testaments, Würzburg 1967, S. 226–243
Kippenberg, H.-G., *Garizim* und Synagoge. Traditionsgeschichtliche Untersuchungen zur samaritanischen Religion der aramäischen Periode (RVV 30), Berlin 1971
Klinzing, G., Die *Umdeutung* des Kultus in der Qumrangemeinde und im NT (StUNT 7), Göttingen 1971
Knierim, R., Die Hauptbegriffe für *Sünde* im Alten Testament, Gütersloh ²1967
– Art. *'ašam*, THAT I, Sp. 251–257
– Art. *ḥṭ'*, THAT I, Sp. 541–549
– Art. *šgg*, THAT II, Sp. 869–872
Koch, K., Die israelitische *Sühneanschauung* und ihre historischen Wandlungen, Masch. Habil. Erlangen 1956
– Die Eigenart der priesterschriftlichen *Sinaigesetzgebung*, ZThK 55 (1958), S. 36–51
– Die *Priesterschrift* von Exodus 25 bis Leviticus 16. Eine überlieferungsgeschichtliche und literarkritische Untersuchung (FRLANT 71), Göttingen 1959
– Art. *Versöhnung*, RGG³ VI, Sp. 1368–1370
– Art. *Stiftshütte*, BHH III, Sp. 1871–1875
– *Sühne* und Sündenvergebung um die Wende von der exilischen zur nachexilischen Zeit, EvTh 26 (1966), S. 217–239
– Art. *'ohael*, ThWAT I, Sp. 128–141
– Gibt es ein *Vergeltungsdogma* im Alten Testament?, in: *ders.* (Hrsg.), Um das Prinzip der Vergeltung in Religion und Recht des Alten Testaments (WdF 125), Darmstadt 1972, S. 130–180
– Der Spruch »Sein Blut bleibe auf seinem Haupt« und die israelitische Auffassung vom vergossenen *Blut*, a.a.O., S. 432–456
– Art. *ḥṭ'*, ThWAT II, Sp. 857–870
Köhler, L., *Theologie* des Alten Testaments, Tübingen ⁴1966
Kraus, H.-J., *Gottesdienst* in Israel. Grundriß einer Geschichte des alttestamentlichen Gottesdienstes, München ²1962
– *Das heilige Volk*. Zur alttestamentlichen Bezeichnung ʿam qādôš, in: *ders.*, Biblisch-theologische Aufsätze, Neukirchen-Vluyn 1972, S. 37–49
Kümmel, H. M., *Ersatzrituale* für den hethitischen König (StBT 3), Wiesbaden 1967
– *Ersatzkönig* und Sündenbock, ZAW 80 (1968), S. 289–318

Kuschke, A., Die *Lagervorstellung* der priesterschriftlichen Erzählung, ZAW 63 (1951), S. 74–105

Kutsch, E., Art. *Sündenbock*, RGG³ VI, Sp. 506f.

– *Verheißung* und Gesetz. Untersuchungen zum sogenannten »Bund« im Alten Testament (BZAW 131), Berlin/New York 1973

– *Gottes Zuspruch* und Anspruch. Bᵉrît in der alttestamentlichen Theologie, in: *C. Brekelmans* (ed.), Questions disputées d'Ancien Testament. Méthode et Théologie (BEThL 32), Leuven/Louvain 1974, S. 71–90

– »Ich will euer Gott sein«. bᵉrît in der *Priesterschrift*, ZThK 71 (1974), S. 361–388

Laaf, P., Die *Pascha-Feier* Israels. Eine literarkritische und überlieferungsgeschichtliche Studie (BBB 36), Bonn 1970

Labat, R., Le *caractère religieux* de la royauté Assyro-Babylonienne, Leiden 1939

Laessøe, J., Studies on the Assyrian Ritual and Series *bît rimki*, Copenhagen 1955

Landsberger, B., The *Date Palm* and its By-Products According to the Cuneiform Sources, AfO.B 17, Graz 1967

Le Déaut, R., *Liturgie juive* et Nouveau Testament. Le témoignage des versions araméennes, Rom 1965

– *La nuit pascale*. Essai sur la signification de la Pâque juive à partir du Targum d'Exode XII 42 (AnBib 22), Rom 1963

– Aspects de l'*intercession* dans le Judaïsme ancien, JSJ 1 (1970), S. 35–57

Lehmann, M. R., *»Yom Kippur«* in Qumran, RdQ 3 (1961), S. 117–124

Lemaire, A., *Inscriptions Hébraïques*, t. I: Les Ostraca (LAPO 9), Paris 1977

Levine, B. A., In the *Presence* of the Lord. A Study of Cult and some Cultic Terms in Ancient Israel (SJLA 5), Leiden 1974

Levy, J., Neuhebräisches und Chaldäisches Wörterbuch über die Talmudim und Midraschim, Bd. 1–4, Leipzig 1876–1889 *(NheCW)*

– Chaldäisches Wörterbuch über die Targumim und einen grossen Theil des rabbinischen Schrifttums, Bd. 1–2. Unveränderter Neudruck nach der Dritten Ausgabe, Köln 1959 *(TargW)*

Lichtenberger, H., Studien zum *Menschenbild* in Texten der Qumrangemeinde (StUNT 15), Göttingen 1980

Liedke, G., Gestalt und Bezeichnung alttestamentlicher *Rechtssätze* (WMANT 39), Neukirchen-Vluyn 1971

Limbeck, M., Die *Ordnung des Heils*. Untersuchungen zum Gesetzesverständnis des Frühjudentums, Düsseldorf 1971

Lipiński, E., *Studies* in Aramaic Inscriptions and Onomastics *I*, Leuven/Louvain 1975

Lohfink, N., Die *Landverheißung* als Eid. Eine Studie zu Gen 15 (SBS 28), Stuttgart 1967

– Die priesterschriftliche *Abwertung der Tradition* von der Offenbarung des Jahwenamens an Mose, Bib. 49 (1968), S. 1–8

– Die *Ursünden* in der priesterlichen Geschichtserzählung, in: Die Zeit Jesu (FS *H. Schlier*), hrsg. von *G. Bornkamm* – *K. Rahner*, Freiburg/Basel/Wien 1970, S. 38–57

– Die Abänderung der Theologie des priesterlichen Geschichtswerks im *Segen des Heiligkeitsgesetzes*, in: Wort und Geschichte (FS *K. Elliger* [AOAT 18]), hrsg. von *H. Gese* – *H. P. Rüger*, Kevelaer/Neukirchen-Vluyn 1973, S. 129–136

– *»Macht euch die Erde untertan«?*, Orien. 38 (1974), S. 137–142

– Die Priesterschrift und die *Grenzen des Wachstums*, StZ 192 (1974), S. 435–450

– Die *Sabbatruhe* und die Freizeit, StZ 194 (1976), S. 395–407

– Die *Priesterschrift* und die Geschichte, in: Congress Volume Göttingen 1977, VT.S. 29 (1978), S. 189–225

Lohse, E., Märtyrer und Gottesknecht. Untersuchungen zur urchristlichen Verkündigung vom Sühntod Jesu Christi (FRLANT 64), Göttingen [2]1963

– Die *Ordination* im Spätjudentum und im Neuen Testament, Göttingen 1951

Luzarraga, J., Las Tradiciones de la *Nube* en la Biblia y en el Judaismo Primitivo (AnBib 54), Rom 1973

Lyonnet, S., Expiation et intercession. A propos d'une traduction de S. Jérôme, Bib. 40 (1959), S. 885–901

– Expiation et *intercession*. Note complémentaire: le témoignage des anciennes versions latines, Bib. 41 (1960), S. 158–167

Lyonnet, S. – Sabourin, L., Sin, Redemption and Sacrifice. A Biblical and Patristic Study (An Bib 48), Rom 1970

Maass, F., Art. *kpr*, THAT I, Sp. 842–857

Macholz, G. Chr., Israel und das *Land*. Vorarbeiten zu einem Vergleich zwischen Priesterschrift und deuteronomistischem Geschichtswerk, Masch. Habil. Heidelberg 1969

Maier, J., Vom *Kultus* zur Gnosis. Studien zur Vor- und Frühgeschichte der »jüdischen Gnosis«, Salzburg 1964

– Das altisraelitische *Ladeheiligtum* (BZAW 93), Berlin 1965

– *Tempel* und Tempelkult, in: *J. Maier – J. Schreiner* (Hrsg.), Literatur und Religion des Frühjudentums. Eine Einführung, Würzburg 1973, S. 371–390

Martin-Achard, R., Essai biblique sur les *fêtes* d'Israel, Paris 1974

Matthes, J. C., Der *Sühnegedanke* bei den Sünd-Opfern, ZAW 23 (1903), S. 97–119

Mayer, W., Untersuchungen zur Formensprache der babylonischen »*Gebetsbeschwörungen*« (StP.SM 8), Rom 1976

McCarthy, D. J., The Symbolism of *Blood* and Sacrifice, JBL 88 (1966), S. 166–176

McEvenue, S. E., The *Narrative Style* of the Priestly Writer (AnBib 50), Rom 1971

– The Style of a *Building Instruction*, Semitics 4 (1974), S. 1–9

McKeating, H., The Development of the Law on *Homicide* in Ancient Israel, VT 25 (1975), S. 46–68

McKelvey, R. J., The *New Temple*. The Church in the New Testament (OTM 19), London/Oxford 1969

Médebielle, A., Art. *Expiation*, DBS III (1938), Sp. 1–262

Mettinger, T. N. D., Abbild oder Urbild? »Imago Dei« in traditionsgeschichtlicher Sicht, ZAW 86 (1974), S. 403–424

Metzger, M., Königsthron und Gottesthron. Thronformen und Throndarstellungen in Ägypten und im Vorderen Orient im 3. und 2. Jahrtausend v.Chr. und deren Bedeutung für das Verständnis von Aussagen über den Thron im Alten Testament, Masch. Habil. Hamburg 1969

– Himmlische und irdische *Wohnstatt* Jahwes, UF 2 (1970), S. 139–158

Meyer, R., Hebräische Grammatik, Bd. I–IV, Berlin [3]1966–1972 *(HG³)*

Michel, D., Grundlegung einer hebräischen *Syntax*, I: Sprachwissenschaftliche Methodik, Genus und Numerus des Nomens, Neukirchen-Vluyn 1977

Milgrom, J., Studies in *Levitical Terminology*, I: The Encroacher and the Levite. The Term ʿAboda, Berkeley/Los Angeles/London 1970

– *kpr* ʿl/bʿd, Leš. 35 (1970), S. 16f.

– Prolegomenon to *Lev. 17:11*, JBL 90 (1971), S. 149–156

– *Sin-Offering* or Purification-Offering?, VT 21 (1971), S. 237–239

– Art. *Atonement* in the OT, in: IDB Suppl. Vol., Nashville 1976, S. 78–82

– *Cult* and Conscience. The ASHAM and the Priestly Doctrine of Repentance (SJLA 18), Leiden 1976

– Two Kinds of *ḥaṭṭā't*, VT 26 (1976), S. 333–337

– Israel's *Sanctuary:* The Priestly »Picture of Dorian Gray«, RB 83 (1976), S. 390–399

– Art. *Sacrifices* and offerings, OT, in: IDB Suppl. Vol., Nashville 1976, S. 763–771

Milik, J. T., Recherches d'Épigraphie Proche-Orientale *I:* Dédicaces faites par des dieux (Palmyre, Hatra, Tyr) et des thiases sémitiques à l'époque romaine, Paris 1972

Minkner, K., Die Einwirkung des *Bürgschaftsrechts* auf Leben und Religion Altisraels, Masch. Diss. Halle 1974

Mittmann, S., Deuteronomium 1,1–6,3 literarisch und traditionsgeschichtlich untersucht (BZAW 139), Berlin/New York 1975

Mölle, H., Das »*Erscheinen*« *Gottes* im Pentateuch: Ein literaturwissenschaftlicher Beitrag zur alttestamentlichen Exegese (EHS.T 18), Bern/Frankfurt 1973

Moraldi, L., Espiazione sacrificale e riti espiatori nell'ambiente biblico e nell'Antico Testamento (AnBib 5), Rom 1956

Morris, L., The Apostolic *Preaching* of the Cross, London 1972

Negretti, N., Il settimo *giorno*. Indagine critico-teologica delle tradizioni presacerdotali e sacerdotali circa il sabato biblico (AnBib 55), Rom 1973

Nötscher, F., »Das *Angesicht Gottes* schauen« nach biblischer und babylonischer Auffassung, o.O. 1924

Noth, M., Überlieferungsgeschichte des Pentateuch, Darmstadt ^{3}1966 *(ÜPent)*

– Überlieferungsgeschichtliche Studien. Die sammelnden und bearbeitenden Geschichtswerke im Alten Testament, Darmstadt ^{3}1967 *(ÜSt)*

– Aufsätze zur biblischen Landes- und Altertumskunde, Bd. I–II, Neukirchen-Vluyn 1971 *(ABLAK I–II)*

Oliva, M., Interpretación teológica del culto en la perícopa del Sinaí de la Historia Sacerdotal, Bib. 49 (1968), S. 345–354

Oppenheim, A. L., Ancient Mesopotamia. Portrait of a Dead Civilization, Chicago 1964

Otto, E., Das *Mazzotfest* in Gilgal (BWANT 107), Stuttgart/Berlin/Köln/Mainz 1975

– *Fest* und Freude im Alten Testament, in: *ders. – T. Schramm*, Fest und Freude (Biblische Konfrontationen), Stuttgart/Berlin/Köln/Mainz 1977, S. 9–76

Paschen, W., Rein und unrein. Untersuchung zur biblischen Wortgeschichte (StANT 24), München 1970

Paul, Sh. M., Studies in the Book of the Covenant in the Light of Cuneiform and Biblical Law, VT.S. 18 (1970)

Pelzl, B., Das *Zeltheiligtum* von Ex 25ff. und seine Bedeutung für das Judentum während des Exils, Masch. *Diss.* Graz 1972

– Das *Zeltheiligtum* von Ex 25ff. Die Frage nach der Möglichkeit seiner Errichtung, UF 7 (1975), S. 379–387

– *Thesen* zur Entstehung des Zeltbauberichtes von Ex 25ff., UF 8 (1976), S. 323–326

Perlitt, L., Bundestheologie im Alten Testament (WMANT 36), Neukirchen-Vluyn 1969

Péter, R., L'imposition des mains dans l'Ancien Testament, VT 27 (1977), S. 48–55

Phillips, A., Ancient Israel's *Criminal Law.* A New Approach to the Decalogue, Oxford 1970

– Another Look at *Murder*, JJS 28 (1977), S. 105–126

Plöger, O., Theokratie und Eschatologie (WMANT 2), Neukirchen-Vluyn ^{3}1968

Preiser, W., Vergeltung und Sühne im altisraelitischen Strafrecht, in: *K. Koch* (Hrsg.), Um das Prinzip der Vergeltung in Religion und Recht des Alten Testaments (WdF 125), Darmstadt 1972, S. 236–277

Preuss, H. D., Verspottung fremder Religionen im Alten Testament (BWANT 92), Stuttgart/Berlin/Köln/Mainz 1971

von Rad, G., Die *Priesterschrift* im Hexateuch literarisch untersucht und theologisch gewertet (BWANT 65), Stuttgart/Berlin 1934
– *Zelt und Lade*, in: *ders.*, Gesammelte Studien zum Alten Testament (TB 8), München [3]1965, S. 109–129
– *Theologie* des Alten Testaments, Bd. *I:* Die Theologie der geschichtlichen Überlieferungen Israels, München [5]1966; Bd. *II:* Die Theologie der prophetischen Überlieferungen Israels, München [4]1965
Reichert, A., Der *Jehowist* und die sogenannten deuteronomistischen Erweiterungen im Buch Exodus, Masch. Diss. Tübingen 1972
Reindl, J., Das *Angesicht* Gottes im Sprachgebrauch des Alten Testaments (EThS 25), Leipzig 1970
Reiner, E., *Šurpu*, a collection of Sumerian and Akkadian incantations (AfO.B 11), Graz 1958
Rendtorff, R., Die *Gesetze* in der Priesterschrift. Eine gattungsgeschichtliche Untersuchung (FRLANT 44), Göttingen [2]1963
– *Studien* zur Geschichte des Opfers im Alten Israel (WMANT 24), Neukirchen-Vluyn 1967
– Die *Offenbarungsvorstellungen* im Alten Testament, in: *ders.*, Gesammelte Studien zum Alten Testament (TB 57), München 1975, S. 39–59
– Das überlieferungsgeschichtliche Problem des *Pentateuch* (BZAW 147), Berlin/New York 1977
Renger, J., Untersuchungen zum *Priestertum* der altbabylonischen Zeit, ZA 58 (1967), S. 110–188; 59 (1969), S. 104–230
Riesener, I., Der Stamm *ᶜbd* im Alten Testament. Eine Wortuntersuchung unter Berücksichtigung neuerer sprachwissenschaftlicher Methoden (BZAW 149), Berlin/New York 1979
Ringgren, H., *Israelitische Religion* (RM 26), Stuttgart 1963
Ritter, E. K., *Magical-Expert* (= Āšipu) and Physician (= Asû): Notes on Two Complementary Professions in Babylonian Medicine, AS 16 (1965), S. 299–321
Roloff, J., Art. *hilastērion*, EWNT II, Sp. 455–457
Rost, L., Die *Vorstufen* von Kirche und Synagoge im Alten Testament, Darmstadt [2]1967
– Die *Wohnstätte des Zeugnisses*, in: FS *F. Baumgärtel*, hrsg. von *L. Rost*, Erlangen 1959, S. 158–165
Rüger, H. P., Art. *Tempel*, BHH III, Sp. 1940–1947
Ruprecht, E., Stellung und Bedeutung der Erzählung vom *Mannawunder* (Ex 16) im Aufbau der Priesterschrift, ZAW 86 (1974), S. 269–306
Rupprecht, K., *Quisquilien* zu der Wendung מלא (את) יד פלוני (jemandem die Hand füllen) und zum Terminus מלאים (Füllung), in: Sefer Rendtorff (FS *R. Rendtorff* [DBAT Beih. 1]), hrsg. von *K. Rupprecht*, Dielheim 1975, S. 73–93
– Der *Tempel* von Jerusalem. Gründung Salomos oder jebusitisches Erbe? (BZAW 144), Berlin/New York 1976
Ryckmans, J., Les *confessions publiques* sabéennes: le code sud-arabe de pureté rituelle, AION 32 (1972), S. 1–15
– Les *inscriptions anciennes* de l'Arabie de Sud: points de vue des problèmes actuelles, Oosters Genootschap in Nederland 4 (1973), S. 79–110
– Les *inscriptions sud-arabes anciennes* et les études arabes, AION 35 (1975), S. 443–463

Sabourin, L., *Priesthood.* A Comparative Study (Suppl. to Numen 25), Leiden 1973
Sanders, E. P., *Paul* and Palestinian Judaism. A Comparison of Patterns of Religion, Philadelphia 1977
Sauter, G., *Versöhnung* und Vergebung. Die Frage der Schuld im Horizont der Christologie, EvTh 36 (1976), S. 34–52
Schäfer, P., *Tempel* und Schöpfung. Zur Interpretation einiger Heiligtumstraditionen in der

rabbinischen Literatur, Kairos 16 (1974), S. 122–133
Schaeffler, R., Kultisches Handeln. Die Frage nach Proben seiner Bewährung und Kriterien seiner Legitimation, in: *A. Hahn* (u.a.), Anthropologie des Kults, Freiburg/Basel/Wien 1977, S. 9–50
Scharbert, J., Stellvertretendes *Sühneleiden* in den Ebed-Jahwe-Liedern und in altorientalischen Ritualtexten, BZ 2 (1958), S. 190–213
– *Heilsmittler* im Alten Testament und im Alten Orient (QD 23/24), Freiburg/Basel/Wien 1964
– *Fleisch*, Geist und Seele im Pentateuch. Ein Beitrag zur Anthropologie der Pentateuchquellen (SBS 19), Stuttgart ²1967
Schmid, H. H., *Gerechtigkeit* als Weltordnung. Hintergrund und Geschichte des alttestamentlichen Gerechtigkeitsbegriffs (BHTh 40), Tübingen 1968
– Der sogenannte *Jahwist.* Beobachtungen und Fragen zur Pentateuchforschung, Zürich 1976
Schmid, R., Das *Bundesopfer* in Israel. Wesen, Ursprung und Bedeutung der alttestamentlichen Schelamim (StANT 9), München 1964
Schmidt, W. H., Die *Schöpfungsgeschichte* der Priesterschrift (WMANT 17), Neukirchen-Vluyn ²1967
– Alttestamentlicher *Glaube* in seiner Geschichte, Neukirchen-Vluyn ³1979
– *Einführung* in das Alte Testament, Berlin/New York 1979
Schmitt, R., *Zelt* und Lade als Thema alttestamentlicher Wissenschaft, Gütersloh 1972
Schötz, D., Schuld- und Sündopfer im Alten Testament, Breslau 1930
Schottroff, W., *»Gedenken«* im Alten Orient und im Alten Testament. Die Wurzel zākar im semitischen Sprachkreis (WMANT 15), Neukirchen-Vluyn ²1967
– Der altisraelitische *Fluchspruch* (WMANT 30), Neukirchen-Vluyn 1969
Schrank, W., Babylonische *Sühnriten*, besonders mit Rücksicht auf Priester und Büsser untersucht (LSSt 3/1), Leipzig 1908
Schreiner, J., *Sion-Jerusalem*, Jahwes Königssitz (StANT), München 1963
Schüngel-Straumann, H., *Tod* und Leben in der Gesetzesliteratur des Pentateuch unter besonderer Berücksichtigung der Terminologie von »töten«, Masch. Diss. Bonn 1969
Schulz, H., Das *Todesrecht* im Alten Testament. Studien zur Rechtsform der Mot-Jumat-Sätze (BZAW 114), Berlin 1969
Segert, S., Altaramäische Grammatik mit Bibliographie, Chrestomathie und Glossar, Leipzig 1975 *(AAG)*
– A Grammar of Phoenician and Punic, München 1976 *(GPP)*
Seux, M.-J., Art. *Pureté* et impureté, DBS IX (1979), Sp. 452–459
– Hymnes et prières aux dieux de Babylonie et d'Assyrie (LAPO 8), Paris 1976 *(HPDBA)*
Seybold, K., Das *Gebet* des Kranken im Alten Testament. Untersuchungen zur Bestimmung und Zuordnung der Krankheits- und Heilungspsalmen (BWANT 99), Stuttgart/Berlin/Köln/Mainz 1973
– *Reverenz* und Gebet. Erwägungen zu der Wendung ḥillā panîm, ZAW 88 (1976), S. 2–16
Smend, R., Die *Entstehung* des Alten Testaments (ThW 1), Stuttgart/Berlin/Köln/Mainz 1978
Stamm, J. J., *Erlösen* und Vergeben im Alten Testament. Eine begriffsgeschichtliche Untersuchung, Bern o.J. [1940]
– Art. *slḥ*, THAT II, Sp. 150–160
– Art. *pdh*, THAT II, Sp. 389–406
Steck, O. H., *Israel* und das gewaltsame Geschick der Propheten. Untersuchungen zur Überlieferung des deuteronomistischen Geschichtsbildes im Alten Testament, Spätjudentum und Urchristentum (WMANT 23), Neukirchen-Vluyn 1967
– *Friedensvorstellungen* im alten Jerusalem. Psalmen, Jesaja, Deuterojesaja (ThSt 111), Zü-

rich 1972
– Bemerkungen zu *Jesaja 6*, BZ 16 (1972), S. 188–206
– Der *Schöpfungsbericht* der Priesterschrift. Studien zur literarkritischen und überlieferungsgeschichtlichen Problematik von Genesis 1,1–2,4a (FRLANT 115), Göttingen ²1981
Stolz, F., Strukturen und Figuren im Kult von Jerusalem. Studien zur altorientalischen, vor- und frühisraelitischen Religion (BZAW 118), Berlin 1970
Stuhlmacher, P., Gerechtigkeit Gottes bei Paulus (FRLANT 87), Göttingen ²1966
– Zur neueren Exegese von *Röm 3,24–26*, in: Jesus und Paulus (FS *W. G. Kümmel*), hrsg. von *E. E. Ellis – E. Gräßer*, Göttingen 1975, S. 313–333

Tawil, H., ᶜAzazel The Prince of the Steepe: A Comparative Study, ZAW 92 (1980), S. 43–59
Thompson, R. J., Penitence and Prayer in Early Israel Outside the Levitical Law, Leiden 1963
Thyen, H., Studien zur *Sündenvergebung* im Neuen Testament und seinen alttestamentlichen und jüdischen Voraussetzungen (FRLANT 96), Göttingen 1970

de Vaux, R., Les *Sacrifices* de l'Ancien Testament (CRB 1), Paris 1964
– Das Alte Testament und seine Lebensordnungen, Bd. I–II, Freiburg ²1964/66 *(ATL I–II)*
Vink, J. G., The Date and Origin of the *Priestly Code* in the OT, OTS 15 (1969), S. 1–144
Vogt, E., Lexicon Linguae Aramaicae Veteris Testamenti Documentis Antiquis illustratum, Rom 1971
Volkwein, B., Masoretisches ᶜēdūt, ᶜēdwōt, ᶜēdōt – »Zeugnis« oder »Bundesbestimmungen«?, BZ 13 (1969), S. 18–40
Volz, P., Die *Handauflegung* beim Opfer, ZAW 21 (1901), S. 93–100
Vorländer, H., Mein Gott. Die Vorstellungen vom persönlichen Gott im Alten Orient und im Alten Testament (AOAT 23), Kevelaer/Neukirchen-Vluyn 1975
Vriezen, Th. C., The Term *Hizza:* Lustration and Consecration, OTS 7 (1950), S. 201–235
– Art. *Sündenvergebung*, RGG³ VI, Sp. 507–511
– *Theologie* des Alten Testaments in Grundzügen, Wageningen/Neukirchen o.J.

Wächter, L., Der *Tod* im Alten Testament (AzTh II/8), Stuttgart 1967
Wagner, M., Die lexikalischen und grammatikalischen *Aramaismen* im alttestamentlichen Hebräisch (BZAW 96), Berlin 1966
– Beiträge zur *Aramaismenfrage* im alttestamentlichen Hebräisch, in: Hebräische Wortforschung (FS *W. Baumgartner*), VT.S 16 (1967), S. 355–371
Walkenhorst, K. H., Der *Sinai* im liturgischen Verständnis der deuteronomistischen und priesterlichen Tradition (BBB 33), Bonn 1969
Wayatt, N., Atonement Theology in Ugarit and Israel, UF 8 (1976), S. 415–430
Wefing, S., Untersuchungen zum *Entsühnungsritual* am großen Versöhnungstag (Lev. 16), Masch. Diss. Bonn 1979
Weimar, P., Untersuchungen zur priesterschriftlichen *Exodusgeschichte* (FzB 9), Würzburg 1973
– Untersuchungen zur Redaktionsgeschichte des Pentateuch (BZAW 146), Berlin/New York 1977 *(RPent)*
Weinfeld, M., Art. *Presence*, Divine, EJ XIII (1971), Sp. 1015–1020
– *Deuteronomy* and Deuteronomic School, Oxford 1972
Weippert, M., Die *Landnahme* der israelitischen Stämme in der neueren wissenschaftlichen Diskussion. Ein kritischer Bericht (FRLANT 92), Göttingen 1967
Weismann, J., Talion und öffentliche Strafe im Mosaischen Rechte, in: *K. Koch* (Hrsg.), Um das Prinzip der Vergeltung in Religion und Recht des Alten Testaments (WdF 125), Darmstadt 1972, S. 325–406

Welten, P., Kulthöhe und Jahwetempel, ZDPV 88 (1972), S. 19–37
Westermann, C., Art. *kbd,* THAT I, Sp. 794–812
– Die *Herrlichkeit Gottes* in der Priesterschrift, in: *ders.,* Forschung am Alten Testament. Gesammelte Studien Bd. II (TB 55), München 1974, S. 115–137
– *Religion* und Kult. Hauptmotive des Kultischen, ZW 46 (1975), S. 77–86
– *Genesis 17* und die Bedeutung von berit, ThLZ 101 (1976), Sp. 161–175
Whitaker, R. E., A *Concordance* of the Ugaritic Literature, Cambridge/Mass. 1972
Widengren, G., Religionsphänomenologie, Berlin 1969
Wiesnet, E., Die verratene *Versöhnung.* Zum Verhältnis von Christentum und Strafe, Düsseldorf 1980
Willi, Th., Die *Chronik* als Auslegung. Untersuchungen zur literarischen Gestaltung der historischen Überlieferung Israels (FRLANT 106), Göttingen 1972

Zenger, E., Die *Sinaitheophanie.* Untersuchungen zum jahwistischen und elohistischen Geschichtswerk (FzB 3), Würzburg 1971
Zevit, Z., The *ʿeglâ Ritual* of Deuteronomy 21:1–9, JBL 95 (1976), S. 377–390
Zimmerli, W., Erkenntnis Gottes nach dem Buche Ezechiel, in: *ders.,* Gottes Offenbarung. Gesammelte Aufsätze zum Alten Testament (TB 19), München 1963, S. 41–119
– *Sinaibund* und Abrahambund. Ein Beitrag zum Verständnis der Priesterschrift, in: *ders.,* a.a.O., S. 205–216
– Das *Gesetz* im Alten Testament, in: *ders.,* a.a.O., S. 249–276
– Der *Mensch* und seine Hoffnung im Alten Testament, Göttingen 1968
– Zur Vorgeschichte von *Jes 53,* in: *ders.,* Studien zur alttestamentlichen Theologie und Prophetie. Gesammelte Aufsätze II (TB 51), München 1974, S. 213–221
– Das *Bilderverbot* in der Geschichte des alten Israel. Goldenes Kalb, eherne Schlange, Mazzeben und Lade, in: *ders.,* a.a.O., S. 247–260
– Grundriß der alttestamentlichen *Theologie* (ThW 3), Stuttgart/Berlin/Köln/Mainz ²1975
Zimmern, H., Beiträge zur Kenntnis der babylonischen Religion (AB 12/I–II), Leipzig 1901 *(BBR I/II)*
– *Akkadische Fremdwörter* als Beweis für babylonischen Kultureinfluß, Leipzig ²1917
Zobel, H. J., Art. *ʾᵃrôn,* ThWAT I, Sp. 391–404

Nachtrag:

Angerstorfer, A., Ist 4QTgLev das Menetekel der neueren Targumforschung?, BN 15 (1981), S. 55–75
Cross, F. M., The Priestly Tabernacle in the Light of Recent Research, in: *A. Biran* (Ed.), Temples and High Places in Biblical Times, Jerusalem 1981, S. 169–180
Grayston, K., ἱλάσκεσθαι and Related Words in LXX, NTS 27 (1981), S. 640–656
Groß, W., Die Gottesebenbildlichkeit des Menschen im Kontext der Priesterschrift, TThQ 161 (1981), S. 244–264
Janowski, B. – Lichtenberger, H., Enderwartung und Reinheitsidee. Zur eschatologischen Deutung von Reinheit und Sühne in der Qumrangemeinde, JJS 34 (1983)
Kertelge, K., Art. λύτρον, EWNT II (1981), Sp. 901–905
Klein, R. W., The Message of P, in: Die Botschaft und die Boten (FS *H. W. Wolff*), hrsg. von *J. Jeremias* und *L. Perlitt,* Neukirchen-Vluyn 1981, S. 57–66
Saebø, M., Priestertheologie und Priesterschrift. Zur Eigenart der priesterlichen Schicht im Pentateuch, VT.S 32 (1981), S. 357–374
Schenker, A., Versöhnung und Sühne. Wege gewaltfreier Konfliktlösung im Alten Testa-

ment. Mit einem Ausblick auf das Neue Testament (BB 15), Freiburg/Schweiz 1981
– *kōper* et expiation, Bib. 63 (1982), S. 32–46
Stuhlmacher, P., Versöhnung, Gesetz und Gerechtigkeit. Aufsätze zur biblischen Theologie, Göttingen 1981
de Tarragon, J.-M., La *kapporet* est-elle une fiction ou un élément du culte tardif?, RB 88 (1981), S. 5–12

Register

Sachregister

Stellenregister (Auswahl)

I. Altes Testament

II. Apokryphen und Pseudepigraphen

III. Rabbinische Texte

IV. Qumrantexte
(S.259–265 sind nicht berücksichtigt)

V. Neues Testament

Wortregister

Gemeinsemitisch

Hebräisch

רִצְפָּה	128¹¹².129 ⁺ ¹¹⁶		324.328ff.337.
			339³⁸⁷.346.353.
שָׂרַף	236f.241		356f.361
		– *pi.*	292.296.307¹⁷⁷
שׁגה/שׁגג	195.196.253 ⁺ ³⁶².	שְׁכִינָה	297¹³⁰
	254ff.358f.	שְׁלָמִים	191f. ⁺ ³⁰.229²²¹
שְׁגָגָה	195.196.198.241.	שֵׁם יְהוָה	→ Namenstheologie
	250f.253 ⁺ ³⁶².254ff.	שׁפך	→ Blut
	358f.		
שָׁחַד	111³⁰.157²⁶⁸.167	תַּבְנִית	10.305¹⁷¹.311 ⁺ ²¹⁰.
שׁחט	246.249		317.336.356
שָׁחַר *pi.*	98³⁹⁴	תְּנוּפָה	151²³².202⁹¹
שׁכן *qal.*	9ff.160.279.296ff.	תְּרוּמָה	161f.305¹⁷¹
	305¹⁷¹.306ff.322.		

Akkadisch

asû, asûtu	38ff.
āšipu, ašipūtu	38f.41ff.46.49.58
bārû	32²³.38⁵⁶.128¹¹²
bīt akiti	54
bīt rimki	49¹⁰⁹, s. auch *bīt rimki*-Ritual
ērib bīti	54.56
kalû	47.54.56.58
kapāru, kuppuru	12f.20.22.23.24⁵⁸.25.29ff.61¹⁷³.81f.92.95f.98³⁹⁴.100.128¹¹².179f.220¹⁹².256³⁸²
kupīrātu	45.46
māmītu	38.45 ⁺ ⁸⁰.49
mašḫulduppû	52 ⁺ ¹²⁵.212
mašmāšu	38⁵⁶.46.49ff.54ff.56.58
namburbû	43⁷³.48, s. auch *namburbi*-Ritual
salāḫu	55
ṣēru	50f. ⁺ ¹²².55.59
šešgallu	54f.
šar pūḫi	→ Ersatzkönig (sritual)
takpertu, takpīrate	42.45.46.47f.48ff.56.57ff.
tēbibtu(m)	161²⁸⁰
tēdištu	49¹¹⁴
urigallu	49¹⁰⁹

Ägyptisch

kp (n) rdwj	271⁴⁵⁶

Ugaritisch

kpr	19²³.60ff.65
ḥdy	214f.

Phönizisch-Punisch

kpr(t)	63ff.
kšrt	65 ⁺ ¹⁹⁷

Altaramäisch

kpyry	19²¹.66²⁰⁶
kpryh	66²⁰⁶

Reichsaramäisch

kpr	66ff.81
nzq	68f.
šḥd	67

Mittelaramäisch

kpr (palm.)	69ff.81
kpr' (nab.)	69²²⁴.83³⁰²

Jüdisch-Aramäisch

ḥyllwp'	74
kpr	72ff.81f.
ksy'	272⁴⁶⁶
mwbḥ'	74
mmwn'/h	74
pwrqn'	74
šbq	74
šlḥwp'	74

Samaritanisch-Aramäisch

kpr	75ff.
slḥ	75ff.

Syrisch

ḥlap̄	80
ḥsy	80
ḥussāyā	80.273
kpr	22.78ff.82
māmōnā	80
purqānā	80